三联经典文库

160

近代中国思想学说史

（二）

侯外庐　著

生活·讀書·新知 三联书店

图书在版编目(CIP)数据

近代中国思想学说史（1-4）/ 侯外庐著. -- 北京:
生活·读书·新知三联书店, 2014.1
（三联经典文库第二辑）
ISBN 978-7-108-04673-4

Ⅰ. ①近… Ⅱ. ①侯… Ⅲ. ①思想史－中国－近代
Ⅳ. ①B25

中国版本图书馆CIP数据核字(2013)第246479号

目次

第二编　中国第十八世纪学术——专门汉学及其批判

绪说　惠戴汉学的前趋者　*553*

第七章　乾嘉汉学时代的戴东原思想　*568*

第一节　所谓汉学与戴东原经师　*568*

第二节　戴东原学术的历史地位何在？　*591*

第三节　东原哲学的新评价　*611*

第八章　继承清初学术传统的文化史学家章学诚　*653*

第一节　学诚的时代封锁及其史学特点　*653*

第二节　学诚的哲学思想　*690*

第三节　学诚在中国史学上的分析理论　*714*

第九章　复兴诸子异说的墨者汪中　739
第一节　汪中的特独精神及其诸子复兴　739
第二节　汪中的社会思想及其史学　756

第十章　依据数理逻辑建立均衡哲学的思想家焦循　769
第一节　戴派数理学研究及其治学精神　769
第二节　“通”儒焦循的中心思想——易学　781
第三节　焦循返原于易理的一般思想　803

第十一章　总结乾嘉汉学的文史学者阮元　827
第一节　阮元的研究方法　827
第二节　阮元的文化史学说　837
第三节　汉学总结者的功绩与方东树的反汉学　894

第二编

中国第十八世纪学术——专门汉学及其批判

绪说　惠戴汉学的前趋者

清初大儒以经世之务为主干，以考据之学为手段，无所谓汉学的专门研究，而专门汉学的成立始于吴之惠栋，徽之戴震。但溯源清代考证、训诂的来历，则有开风气的前驱者，为之先导。这里，我们不能因了顾亭林，黄梨洲在音韵学，易学上的贡献，便以为烦琐自此有其历史阶段，而不知学术中心是有支配性的，顾黄之学的支配内容是新世界的启蒙运动，绝非退休状态的汉学。在当时种族矛盾上而言，清初大儒都不接收清代鸿儒的羁宠，保持着独立个性发展的研究精神，而汉学之抬头却正在泯除种族仇恨的康熙文化政策方面得到现实意义。所谓博学鸿儒与四库编纂，清初大儒是不在那里“上太平策”（黄梨洲戒万季野北上语）的。当时儒者到了京师的，亦有如章太炎先生所云“家有智慧，大凑于说经，亦以纾死，而其术近工眇踔善矣”，然亦有以博学干禄，毛大可其最著者，即阎若璩，胡渭或荣赐以坐称“先生”，或御赐以“耆年笃学”受嘉宠，亦多为史家所讥，正因为汉学的精神把清初大儒的经世致用之学变质，才成了后来章实斋的抗议。故我们研究汉学的前趋者，应分开时代，不追源于顾黄诸子。

按江著《国朝汉学师承记》，首卷由阎若璩胡渭诸儒讲起，而将黄梨洲，顾亭林列之于附录，深合历史。皮锡瑞非之，则多见其曲解误会，他说：

江藩作《汉学师承记》，以为梨洲亭林两家之学，皆深入宋儒之室，但以汉学为不可废，多骑墙之见，依违之言，岂真知灼见者；乃以黄顾二公附于册后。窃谓……《师承记》首列阎若璩，江氏必以阎为真知灼见，……刻于黄顾，而宽于阎，是并阎氏之书未之考也！（《经学历史》）

实在讲来，汉学常由阎胡诸氏讲起，《四库提要》谓阎氏“考证之学，未之或先”，是为的评。前儒亦多有顾亭林阎百诗并称者，如章实斋论考据之学，谓“宁人百诗之风”（见《宋陆篇》），章太炎论清儒先进，亦云：

始……顾炎武，为唐韵正易诗本音，古韵始明，其后言声音训诂者禀焉；太原阎若璩，撰《古文尚书疏证》，定东晋晚书为作伪，学者宗之，……而德清胡渭审察地望，系之《禹贡》，皆为硕儒，然草创未精博。……其成学系统者，自乾隆朝始，一自吴，一自皖南。(《检论·清儒》)

梁任公《近三百年学术史》，更以顾、阎同列一章，尊阎尊顾，同等视之。这都不是史家的正确论断。我们以为，顾阎分家则有之，顾阎同流未必然，阮元虽亦辨顾亭林以经学名家，然他不能不婉转说出顾氏所以异于汉学家者，他说：

明末诸儒多留心经世之务，顾亭林先生所著有《天下郡国利病书》及《肇域志》，故世之推亭林者以为经济胜于经史。……习科条而无学术，守章句而无经世之具者，皆未足与于此也。(《揅经室三集》卷四)

百诗为顾、黄的后进，自他起，清儒才真正进入考据之狭路中。他的有名著作为《古文尚书疏证》(后来东原亦采"疏证"二字名其孟子研究)，把宋以来致疑于古文尚书的伪作，有条有据地证实，并证明孔传亦伪，谓“传义多与王肃注同，乃孔窃王，非先有孔说而王取之也”。这贡献在学术界的影响，非常重要，不但擒贼先擒王，推翻了理学家的有本之谈，而且开创了疑古之风尚。因了这笔公案，毛西河（大可）有所申冤，但以证据不确，未能驳倒百诗。东原云：

阎百诗善读书，百诗读一句书，能识其正面背面。（段著《年谱》）

这种善读书的方法，正是乾嘉汉学家“读书”（仅于读书）之传统，太炎所谓“综形名，任裁断”者是。他又有《四书释地》一书，谓“孟子言读书当论其世，予谓并当论其地”，校证了前儒关于古地名附会之误，这亦是乾嘉学者舍世而论地的传统（顾亭林的《天下郡国利病书》乃论世之著作）。他对于宋儒的冥求义理，虽没有批评，但敢于证朱子读书之误：

又尝举朱子论语孟子集注之误：如季文子始专鲁政不待武子，子纠兄而非弟，曾西子而非孙，武丁至纣凡九世而非七世，昭阳败魏取八邑而非邑，不衣冠而处见说苑非家语，农家者流见汉书非史迁，去鲁司寇则适卫而非适齐，……颛臾近也非远人之谓，鲁有少施氏则孟

施当亦其氏，不当以施为语声。闻者叹其精确。（钱大昕述语，《潜研堂文集》卷三十八）

这种方法正是东原由字明辞，由辞明道的命题所本（谓不研究小学，地理，算学等学问，不敢治六经），演进而至阮元的历史考证。

与百诗同时友善而亦为“善读书者”，有胡渭（朏明）。百诗的考证在古文尚书，朏明的考证在《禹贡》，《易经》与《洪范》。关于《禹贡锥指》一书，大旨如钱大昕言：

先生素习《禹贡》，谓汉唐二孔氏，宋蔡氏于地理多疏舛。……浮于淮泗达于河，河当从说文作菏；荥波既猪，波当从康成本作播；梁州之黑水与导川之黑水不可溷而为一。乃博稽载籍及古今经解，考其异同而折中之，依经为训，章别句从，名曰《禹贡锥指》。（同上）

《易经》一书为宋人玄谈的根据，所谓《太极图说》，先天后天之说，清初黄氏兄弟与王船山已经证出了陈抟的恶作剧，朏明的《易图明辨》，更由宋儒与道士的关系找到谶纬学的根底。他的《洪范正论》，驳汉宋儒者的五行灾异之说，破除非理性的附会。其要旨为钱大昕与江藩所述：

尝谓诗书礼春秋，皆不可无图，惟易无所用图，……安得有先后天之别？河图之象，自古之传，何从拟议？洛书之文，见于《洪范》，五行九宫，初不为易而设。……又言，《洪范》古圣所传，汉儒专主灾异，以瞽史矫诬之说，乱彝伦攸叙之经，害一。洛书之本文，且在《洪范》，宋儒初为黑白之点，方圆之体，九十之位，且谓《洪范》之理通于易，害二。《洪范》原无错简，后儒任意改窜，移庶征王省惟岁以下，为五纪之传，移皇极敛时五福至作汝用咎及三德惟辟作福以下，为五福六极之传，害三。（钱大昕《胡渭传》与江藩《胡渭章》同文）

这种研究方法，开启了乾嘉学者如焦循的数理易学，阮元的历史易学，把易学从中古玄幽隐秘的宗教观，还元而为覃思的理性论。

毛西河亦为当时的一位前驱者，惟其人著述干禄，史家多谓其失德。他有忠臣不死节说，全谢山辨之，关于他的著作谢山谓西河："有造为典故以欺人者，有造为师承以示人有本者，有前人之误已经辨正而尚袭其而不知者，有信口臆说者，有不考古而妄言者，有前人之言本有出而妄斥为无稽者，有因一言之误而诬其误终身者，有贸然引据而不知其非者，有改古书以就己者。”(《鲒埼亭集》外编卷十二，各条皆举证明）

但他在当时的影响颇大，李恕谷走入考证的路上，即受西河的推动，阮元曾重视他为汉学家开始之功臣，说：

检讨……以经学自任，大声疾呼，而一时之实学顿起，当是时充宗起于浙东，朏明起于浙西，宁人、百诗起于江淮之间，检讨（西河）以博辨之才，睥睨一切，论不相下，而实相成。今……大江南北著书授徒之家数十，视检讨而精核者固多，谓非检讨开始之功则不可。检讨推溯太极河洛在胡朏明之先，发明荀虞干侯之易在惠定宇之先，于诗驳申氏之伪，于春秋指胡氏之偏，三礼四书所辨正尤博。……至于引证间有讹误，则亦以检讨强记博闻不事翻检之故。(《揅经室二集》卷七，《毛西河检讨全集后序》)

西河有一部《四书改错》，是声讨朱子的怪书，他说：“四书无一不错，……日读四书注，而就其注义以作八股，又无一不错。……铸九洲四海之铁铸不成之错矣！”他攻击朱注的露骨，在习斋东原之上，但后来因康熙升朱子配祀，他把这部书的板便自斧了。

万充宗（斯大），万季野（斯同），世称二万。斯大以经学名，斯同以史学名。斯大深通三礼，辨周官之伪，对于后来礼经历史地位的怀疑，贡献亦大。黄梨洲综言他的治经方法，在充宗墓志铭中说：

充宗以为，非通诸经不能通一经，非悟传注之失则不能通经，非以经释经则亦无由悟传注之失。何谓通诸经以通一经？经文错互，有此略而彼详者，有此同而彼异者，因详以求略，因异以求同，学者所当致思也。何谓悟传注之失？学者入传注之重围，其于经也，无庸致思，经既不思，则传注无失矣，若之何而悟之！何谓以经解经？世之信传注者过于信经，试指二节为例，……

这里在方法论上讲来，不盲从，重自悟，信自己，重裁断，比较归纳，以经文的实事以求是，而不以传注的心传以混迹，这些正是后来汉学家朴实说理的传统，至对于传注的不信任态度更为戴东原以至阮元的训诂疏释的前提。

全祖望（谢山）是一位经史兼名的通儒，他的《鲒埼亭集》是治清初思想史的最好资料。他的经学已经脱离宋儒的重围，开始尊视汉儒，例如他在《汉经师论》一篇中说：

或有问于予者曰，汉之经师多矣，说者谓其徒明章句，而无得于圣贤之大道，故自董仲舒刘向外，儒者无称焉，程子稍有取于毛苌，然则三人而已。曰，是何言欤？汉人值儒林之草昧，未极其精粹则有之，然自文景而后，或以宿德重望为一时重，或以经世之务见用，……子盖未之知也！夫汉兴，张苍首定律历，荀子之徒也（治左氏），贾生通礼乐明王道（从张苍受左氏），文翁兴学校（通春秋），丁宽辅梁孝王将兵距吴（治易），申培面折武帝以为治不在多言（鲁诗），辕固斥公孙丞相以曲学阿世（齐诗），韩婴议事分明虽董子不能难（韩诗），胡母生则董子著书称其德（公羊氏），儿宽醇雅有余（尚书），……大夏侯之敢言（尚书），魏相实平霍氏之乱（治易）。……（下略）

按谢山以上推崇者，为前汉儒者，但他已经不以章句之徒视汉儒，解经者似不应为宋儒独专的。他另有关于经学家与理学家从祀之议三篇，专为汉经师辨功，谓

“秦人绝学之后，不可无以报诸儒修经之功”，亦对于当时朱子升祀之举，暗示其有所为而发的议论，他说：

易则田何，书则伏胜，诗则浮邱伯毛亨，春秋左氏则张苍，礼则高堂生，此六人者为一辈。……田何之大宗为丁宽，其别出为费直，书则孔安国出而补伏胜之阙，浮邱伯之大宗为申培，毛亨之大宗为毛苌，而辕固以齐，韩婴以韩，张苍之大宗为贾谊，而胡母子都董仲舒以公羊，江公以谷梁，高堂生之大宗为后苍，而河间献王以周礼，盖经于是乎备矣。……此十三人者为一辈。盖汉二百年经学所以盛者，诸公之力也。若集诸人之大成，而其人精忠有大节，为一代儒林之玉振者，则惟刘向。斯皆其必当从祀者。开元礼臣，不知精审，而妄以戴圣何休夺席，不亦谬乎！东京自贾逵郑康成卢植而外，无足取者。(《前汉经师从祀议》)

此论前汉经师之功绩，但他于后汉经师亦不是不主从祀，如贾逵郑康成等皆他所推崇。他反对“章句之流，非所以尊道统”之说，以为“秦汉以来，经师远矣，寻坠绪之茫茫，作为弟子之矜式，取而配之，斯先王之礼意，而非一人之私言也”(《尊经阁祀典议》)。这种议论，看来好像仅争配祀之席，而内容则已经含着尊汉学的方向，后来汉学家由此才发展而为惟汉学始是，惟朴学始尊之潮流，以至阮元在诂经精舍专祀郑许的崇礼。

谢山最反谶纬之学，对于公羊氏不加推称，他说：

纬书之说，为吾党所羞称。……百家杂流，不过自名为子，而纬则附于经，是以儒者不免为所惑，以圣人春秋之笔削，重以子夏之谨守也，而再传之公羊，遂有善谶之名，然则渊源不亦远乎哉！……经学既昌，彼妄诞者将何所用之哉？（《原纬》）

在这些地方，他盛道贾逵郑康成不为邪说所惑，而有经学返朴之意，这亦是后来汉学家的前趋思想，故谢山治经之学，多为后之汉学家所称者，自有渊源，阮元说：

经学，史才，词科三者，得一足以传，而鄞县全谢山先生兼之。……先生经史问答，……足以继古贤，启后学，与顾亭林《日知录》相埒。吾观象山慈湖诸说，以空论敌朱子，如海山神山，虽极高妙，顷刻可见而卒不可践。万全之学，出于梨洲而变之，则如百尺楼台从地起，其功非积上工力不成。此本朝四明学术所以较昔

人为不惮迂远也。(《揅经室二集·全谢山经史问答序》)

二万谢山皆浙东学者，他们不但是后来汉学家之前驱者，而且更为嘉靖间史学家章实斋龚定庵甚至以经通史的阮元等之导师。章实斋说：

梨洲黄氏之开万氏兄弟经史之学，以至全氏祖望辈尚存其意。……浙东贵专家，浙西尚博雅，各因其习而习也。……近儒谈经，似于人事之外，则有所谓义理矣，浙东之学，言性命者必究于史，此其所以卓也！(《文史通义·浙东学术》)

季野晚年与恕谷甚契，颇受习斋学术的影响。他的最大著作为《明史稿》，刘继庄对他说“不如与我归，共成欲著书”，万先生诺之，然不果。万先生卒于京，其书亦无存者。(据全谢山《刘继庄传》)季野的书为王鸿绪所盗，钱大昕亦云：“明史以王公鸿绪史稿为本而增益之，王氏稿大半出万先生手也。”钱氏叙季野史学云：

先生尝谓：“昔迁固才既杰出，又承父学，故事信而言文。其后专家之书才虽不逮，犹未至如官修者之杂乱也。……官修之史，仓卒而成于众人，不暇择其才之宜与事之习，是犹招市人而与谋室中之事也。吾所以辞史局而就馆总裁所者，惟恐众人分操割裂，使一代治乱贤奸之迹暗昧而不明耳！”又曰：“史之难言久矣，非事信而言文，其传不显。……俗之偷久矣，好恶因心而毁誉随之，一家之事言者三人，而其传各异矣，况数百年之久乎？言语可曲附而成，事迹可鉴空而构，其传而播之者未必皆直道之行也，其闻而书之者未必有裁别之识也。……吾少馆于某氏，其家有列朝实录，吾读而详识之，长游四方，就家长故老求遗书，考问往事，旁及郡志邑乘杂家志传之文，靡不网罗参伍，而要以实录为指归。盖实录者，直载其事与言而无所增饰者也。因其世以考其事，核其言而平心察之，则其人之本末十得八九矣。然言之发或有所由，事之端或有所起，而其流或有所激，则非他书不能具也。凡实录之难详者，吾以它书证之，它书之诬且滥者，吾以所得于实录者裁之，虽不敢谓其可信，而是非之枉于人者鲜矣！昔人于宋史已病其繁芜，而吾所述将倍焉，非不知简之为贵也，吾恐后之人务博而不知所裁，故先为之极，使知吾所取者有可损，而所不取者必非其事与言之真而不可益也。”……

先生在都门十余年，士大夫就问无虚日，每月两三会，听讲者常数十人，于前史体例，贯穿精熟，指陈得失皆中肯綮，刘知几郑樵诸人不能及也。马班史皆有表，而后汉三国以下无之，刘知几谓得之不为益，失之不为损，先生则曰，史之有表所以通纪传之穷，有其人已入纪传而表之者，有未入纪传而牵通以表之者，表立而后纪传之文可省，故表不可废，读史而不读表，非深于史者也。(《潜研堂集》卷三十六，《万斯同传》)

从上面这一段话看来，季野之史德，史识，史意，三者兼备，上承黄氏之史教（如戒修史两造皆录而不可以己意删削），而下开实斋之通义，一代忠为于真理的学者，固“源远而流长”的。

全氏之学受于季野的教益，他续成梨洲的《宋元学案》，谓“旁搜不遗余力，盖有六百年来儒所不及知而余表出之者”，十年之功不稍间断，和汉学家之治经方法相得益彰。他在《鲒埼亭集》中所编之诸神道碑，传记，墓铭，窆石志等可以作《明儒学案》的续编读，而其论《移明史馆帖子》各篇，以及历朝史论如《春秋五霸史实论》、《陈同甫论》、《明庄烈帝论》都具万氏所讲的史德与史识。他论史特重当世的事功，与后来汉学家的途径不同，而却为实斋所继承，所谓“三代学术，知其史，而不知有经，切人事也。……史学所以经世，固非空言著也。……后之学者，舍今而求古，舍人事而言性天，则吾不得而知之矣！（《浙东学术》）

他在他的文中善于保存明末诸儒的优秀传统——独立学术与高尚人格，至今读之，生气凛凛然犹存，对于清末反满民主运动的影响，亦至可书。这些地方，又是嘉靖以后学者批判汉学烦琐，高扬明末遗老精神之桥梁。

第七章　乾嘉汉学时代的戴东原思想

第一节　所谓汉学与戴东原经师

戴震，字东原，安徽休宁人，生雍正元年卒乾隆四十二年（一七二三——一七七七）。他和吴县惠栋（定宇，生康熙三十六年卒乾隆二十三年（一六六七——一七五八），世称为两派经学大师，东原虽受之定宇学问者甚多，而其影响则超过定宇。钱大昕曾为二子作传，于惠栋云：

年五十后，专心经术，尤邃于易。……汉学之绝者千有五百年，至是而粲然复章矣。……宋元以来，说经之书盈屋充栋，蔑弃古训，自夸心得，下者剿袭人言以为己有，儒林之名徒为空疏藏拙之地；独惠氏世守古学，而先生所得尤深，拟诸汉儒，当在何邵公服子慎之

间，马融赵岐辈不能及也。(《潜研堂集》卷三十九)

于东原云：

讲贯礼经，制度名物及推步天象，皆洞彻其原，既乃研精汉儒传注及方言说文诸书，由声音文字，以求训诂，由训诂以寻义理，实事求是，不偏主一家。……阎百诗顾景范胡朏明虽善读古书，犹未悟斯失（指考证字义地名），先生始厘正之。同时颇有狂而不信者，予深赞其说。(同上)

惠戴二派不同者，惠求其是汉，戴求其是实，王引之说：

惠定宇先生考古虽勤，而识不高，心不细，见异于今者大都不论是非。……株守汉学而不求是者，爽然自失经义。(见《致焦循手札》)

在这个时代的中国学术支配的潮流，名之曰汉学（参看下章汉学支配的原因），然汉学究竟是指的什么呢?

一、关于汉学源流——章太炎先生说：

……家有智慧，大凑于说经，亦以纾死，而其术近工眇踔善矣。始……顾炎武为唐韵正易诗本音，古韵始明，其后言声音训诂者禀焉。太原阎若璩撰《古文尚书疏证》，定东晋晚书为作伪，学者宗之。济阳张尔岐始明仪礼，而德清胡渭审察地理，系之《禹贡》。皆为硕儒。

……其成学系统者，自乾隆朝始。一自吴，一自皖南，吴始惠栋，其学好博而尊闻；皖南始江永戴震，综形名，任裁断，此其所异也。

先栋时，有何焯、陈景云、沈德潜，皆尚洽通，杂治经史文辞，至栋承其父士奇学，揖志经术，撰《九经古易》、《周易述》、《明堂大道录》、《古文尚书考》、《左传补注》，始精眇不惑于謏闻。……栋弟子江声、余萧客，声为《尚书集注音疏》，萧为《古经解钩沉》，大共笃于尊信，缀次古义，鲜下己见。而王鸣盛钱大昕亦被其风稍益发舒，教于扬州，则汪中、刘台拱、李惇、贾田祖以次兴起。萧客弟子甘泉江藩复缵续《周易述》，皆陈义尔雅，渊乎古训是则者也。

震生休宁，受学婺源江永，治小学礼经算术舆地，皆深通。其乡里同学有金榜程瑶田，后有凌廷堪三胡，——三胡者匡衷承珙培翚也——皆善治礼。而瑶田兼通水地声律工艺谷食之学。震又教于京师，任大椿卢文绍孔广森，皆从问业，弟子最知名者，金坛段玉裁，高邮王念孙。玉裁为六书昔一表，以解《说文》,《说文》明，念孙疏广雅以经传诸子，转相证明，诸古书文义诘诎者皆理解。授子引之，为经传释词，明三古辞气，汉儒所不能理绎，其小学训诂，自魏以来未尝有也。……凡戴学数家，分析条理，皆缜密严瑮，上溯古义，而断以己之律令，与苏诸学殊矣。(《检论·清儒》)

按太炎以上所述评汉学源流，大体上是正确的，他评论惠栋与戴震两派学风，吴派是“学好博而尊闻”，皖派则“综形名，任裁断”；吴派“笃于尊信，缀次古义，鲜下己见”，皖派则“分析条理，皆缜密严瑮，上溯古义，而断以己之律令”，可以说是清末最后经学大师的公平裁断。

刘师培说：

考经学之兴，始于顾炎武，张尔岐，顾张二公，均以壮志未伸，假说经以自遣。毛大可解易说礼，多述仲兄锡龄之言，阎若璩少从词人游，继治地学，与顾祖禹，黄仪胡渭相切磋。胡渭治易，多本黄宗羲。张弨与炎武友善，吴玉搢与弨同里，故均通小学。吴江陈启源与朱鹤龄并治毛诗三传，厥后，毛诗之学，传于范家相。鹤林三传之学传于张尚瑗。若璩尚书之学，传于冯景。(《近儒学术统系论》)

武进藏琳，闭门穷经，研覃奥义，根究训诂，是为汉学之始。东吴惠周惕，作诗说易传，其子士奇继之，作易说、春秋传，栋承祖父之业，始确宗汉诂。所学以掇拾为主，扶植微学，笃信而不疑。厥后掇拾之学，传于余萧客，尚书之学，则江声得其传。故余、江之书，言必师，江藩受业于萧客，作《周易述补》，以续惠栋之书。(同上)

江永于声韵历数之学，均深思独创，长于校勘。……戴震之学亦出于永，然发挥光大，典证旁通，以小学为基，以典章为辅，而历数音韵水地之学，咸实事求是，以求其原，于宋学之误民者，亦排击防闲不少懈。徽歙之士，或游其门，或私淑其学，……以实学自鸣。由是治数学者，前有汪莱，后有洪梧。治韵学者，前有洪榜，后有汪有诰。治三礼者，则有凌廷堪及三胡，程瑶田亦深三礼，兼通数学，辨物正名，不愧博物之君子。此皆守戴氏之传者也。及戴氏施教燕京，而其学益远被。声音训诂之学，传于金坛段玉裁，而高邮王念孙所得尤精。典章制度之学，传于兴化任大椿，而李惇、刘台拱、汪中均与念孙同里。……焦循少从凤毛（顾）游，时凌廷堪亦居杨州，与循友善。……阮元之学，亦得之焦循，凌廷堪继从戴门弟子游，故所学均宗戴氏，以知新为主，不惑于陈言，然兼治校勘金石。黄承吉亦友焦循，移焦氏说易之词，以治小学，故以声为纲之说，寖以大昌。时江左有孔继涵、孔巽轩，均问学戴震。……河间纪昀，均笃信戴震之说，后膺高位，汲引汉学之士，故戴学愈兴。(《近儒学术统系论》)

江戴之学，兴于徽歙，所学长于比勘。博征其材，约守其例，悉以心得为凭。且观其治学之次第，莫不立科条，使纲举目张，同条共贯，可谓无征不信矣。即嘉定三钱，于地舆天算各擅专长，博极群书，于一言一事必求其征。而段王之学，溯源戴君，尤长训故，于史书诸子，转相证明，或触类而长，所到冰释。即凌陈三胡，或条列典章，或诠释物类，亦复根据分明，条理融贯。耻于轻信而笃于深求，征实之学，盖至是而达于极端矣。

(《近代汉学变迁论》)

师培之述评与太炎所言无大出入，皆含有尊戴之旨。汉学，严格讲来，始于惠定宇，而发展于戴东原，在贡献上而言，古书经过了他们的努力，始可能读得通，讲得明，这对于中国古典文化的认识上，确是打下了初步的基础，所谓初步者，即指东原所讲的“由文字以通乎语言，由语言以通乎古圣贤之心志”，而文字、语言的近代历史科学的揭发，则尚为和世界学术汇合以后的学问。

二、关于汉学的意义——这又分二事，一为研究方法，二为学术内容。第一“汉学”二字，在吴派学者的概念中，确有惟汉是信的意思，例如吴派学者江藩说：

黄宗羲之易学象数论，虽辟陈抟、康节之学，而以纳甲动爻为伪象，又称王辅嗣注简当无浮义；黄宗炎之图书辨惑，力辟宋人，然不专宗汉学，非笃信之士。……胡朏明（渭）洪范正论，虽力攻图书之谬，而辟汉学五行之说，是不知夏侯始昌之洪范五行传，亦出伏生也，是以黜之。(《汉学师承记》)

“不专尊汉学，非笃信之士”，即太炎所谓笃于尊信，鲜下己见。然汉学源远流长，通过清代三百年历史时在发展之中，其间当以东原学风影响最广，他不但信汉，而亦疑汉，太炎所谓“上溯古义，断以己之律令”，东原说：

不以人蔽己，不以己自蔽。……有名之弊二，非掊击前人以自表襮，即依傍昔儒以附骥尾。……今之博雅能文章，善考核者，皆未志乎闻道，徒株守先儒，而信之笃，如南北朝人所讥：宁言周孔误，莫道郑服非。（《答郑丈用牧书》）

治经先考字义，次通文理，志存闻道，必空所依傍。汉儒故训有师承，亦有时附会，晋人附会凿空益多，宋人则恃胸臆为断，故其袭取者多谬，而不谬者在其所弃。我辈读书，原非与后儒竞立说，宜平心体会经文，有一字非其的解，则于所言之意必差，而道从此失。……学不足以益吾之智勇，非自得之学也，……食而不化者也。……宋以来，儒者以己之见，硬坐古贤圣立言之意，而语言文字，实未之知，其于天下之事也，以己所谓理，强断行之，而事情原委隐曲，实未能得，是以大道失而行事乖！（《与某书》）

这样看来，所谓汉学者是一种治学的方法，它和宋儒凿空之学，汉儒附会之学都是相反的，不仅复汉之古，而要在于“空所依傍”，断以己见之是。刘师培说：

古无汉学之名。汉学之名，始于近代，或以笃信好古，该汉学之范围，然治汉学者，未必尽用汉儒之说，即用汉儒之说，亦未必用以治汉儒所治之书。是则所谓汉学者，不过用汉儒之训故以说经，及用汉儒注书之条例以治群书耳。(《近代汉学变迁论》)

然而刘说只及于汉儒的训故方法条例，还没有明言这种方法是什么，太炎归纳其中优良的方法为六点，他说：

近世经师，皆取是为法：审名实，一也；重左证，二也；戒妄牵，三也；守凡例，四也；断情感，五也；汰华辞，六也。六者不具，而能成经师者，天下无有。学者往往崇章其师，而江戴之徒，义有未妥，弹射纠发，虽师亦无所避。(《文录初编》卷一，一一七——一一八页)

太炎此论颇含汉学家的理想的治学精神，这种治学精神，在梁任公、胡适之论来，便崇赞为“近世的科学方法”。这是似是而非的论断。按东原继承明末以来天文、数学、地理诸学的研究，在学术修养上确有科学的精神渗注于其研究态度，这种态度影响于汉学家之整理古籍，亦至不鲜，如东原说：

寻思之久，计于心曰，经之至者道也，所以明道者其词也，所以成词字也。由字以通其词，由词以通其道。……一字之义，当贯群经，本六书然后为定。至若经之难明，尚有若干事：诵尧典数行，至乃命羲和，不知恒星七政所以运行，则掩卷不能卒业；诵周南召南，自关雎而往，不知古音，徒强以协韵，则龃龉失读；诵礼经，先士冠礼，不知古者宫室衣服等制，则迷于其方，莫辨其用；不知古今地名沿革，则禹贡职方，失其处所；不知少广旁要，则考工之器，不能因文而推其制；不知鸟兽虫鱼草木之状类名号，则比兴之意乖。而宗学故训音声，未始相离，声与音又经纬衡从宜辨。（……下言数学、音乐……）凡经之难明，右若干事，儒者不宜置而不讲。……仆闻于经学，盖有三难，淹博难，识断难，精审难。……仆为书之大概端在乎是。前人之博闻强识如郑渔仲、杨用修诸君子，淹博有之，精审未也；别有略是，而谓大道可以径至者，如宋之陆，明之陈王，废讲习讨论之学，假所谓尊德性以美其名，然舍夫道问学，则恶足以尊德性乎？……群经六艺之未达，儒者所耻，仆用是戒其颓惰。(《与是仲明论学书》)

寻求而获，有十分之见，有未至十分之见。所谓十分之见，必征之古而靡不贯，合诸道而不留余议，巨细毕究，本末兼察；若夫依于传闻以拟其是，择于众说以裁其优，出于空言以定其论，据于孤证以信其通，虽溯流可以知源，不目睹源泉所导，循根可以达杪，不手披枝叶所歧，皆未至十分之见也，以此治经，失不知为不知之意，而徒增一惑，以增识者之辨之也。……既深思自得而近之矣，然后知孰为十分之见孰为未至十分之见。……夫然后传其信，不传其疑，疑则阙，庶几治经不害。(《与姚姬传书》)

以上第一段话，言科学知识是明经的基本学问，没有这些科学知识，则经典上所讲的话，是不能精审识断的；第二段话言定理与假说之区别，十分之见颇当形式逻辑的定理，未至十分之见颇当犹待证明的假设，定理可传，假说则阙疑以待识者之辨。这实在是合于一部分科学的精神，它的主要内容是“无所顾虑”。然而乾嘉学者不是在严格意义上“无所顾虑”的，大部分汉学家，因为没有将来社会的信仰，在结论上还是被古道所桎梏的，换言之，在古籍的狭小天地中只有科学态度的冷静，而没有科学态度的热力，这热力是要超出于古籍而进入于物质世界与光明社会的。考《四库提要》言二千年经学升降，以六字评述：两汉之学其弊也“拘”，魏晋至唐及宋初，其弊也“杂”，宋庆历至南宋其弊也“悍”，宋末至元其弊也“党”，明末其弊也“肆”，而清朝其弊也“琐”。以上六字断语未可谓确，而清汉学之“琐”则是事实。著者有四句话概括汉学家的方法论，这便是：

蔽于古而不知世（古指古籍，世指社会）；

蔽于词而不知人（词指由词明道之词，人指个性）；

有见于实、无见于行（实指其一部分认识方法，行指认识的证验、准绳）；

有见于阙、无见于信（阙指对于过去的疑问，信指对于将来的追求）。

所以，乾嘉汉学（在这里或称“朴学”），是有科学精神的要素，而不是代表科学方法，这是首先应加了解的。

第二，我们再看汉学的学术内容。汉学家的吴派固然在追寻三代制度，而皖派更重于名物典章制度的“实事求是”，自戴东原《七经小记》以后，凌廷堪等之三礼研究，皆明著者。段玉裁说：

先生……作书与玉裁曰：仆自十七岁时，有志闻道，谓非求之六经孔孟不得，非从事于字义制度名物，无以通其语言，为之三十余年，灼然知古今治乱之源在是。(《戴东原年谱》)

学礼篇，先生《七经小记》之一也，其书未成。盖将取六经礼制，纠纷不治言人人殊者，每事为一章发明之。今文集中开卷记冕服、记爵弁服、记玄端、记深衣、记中衣、褐衣、襦褶之属、记冕弁冠、记冠衰、记括发免髽、记绖带、记缫藉、记捍决极，凡十三篇，是其体例也。尝言此等须注乃明。(同上)

这是说，汉学家的考证名物典章制度，乃在“知古今治乱之源”。东原亦说，求道于典章制度，不仅在为故训而故训，而在于由故训得典章制度之历史意义，他说：

士生千载后，求道于典章制度，而遗文垂绝，今古相隔，……廑廑赖乎经师故训乃通，无异译言以为传道也者。……经自汉经师所授受，已差违失次，其所训释，复各持异解，余尝欲搜考异文，以为订经之助，又广临汉儒笺注之存者，以为综考故训之助。……后之论汉儒者，辄曰，故训之学云尔，未与于理精而义明。则试诘以求义理于古经之外乎？若犹存古经中也，则凿空者得乎？乌呼，经之至者道也，所以明道者，其词也，所以成词者，未有能外小学文字者也。由文字以通乎语言，由语言以通乎古圣贤之心志。……凿空之弊有二，其一，缘词生训也，其二，守讹传谬也。缘词生训者，所释之义非其本义，守讹传谬者，所按之经并非其本经。……二三好古之儒，知此学之不仅在故训，则以志乎闻道也，或庶几焉。（《古经解钩沉·序》）

这里，我们如果深究一下，他所谓治经之学，乃是考证古史之学罢了。东原所强调的"由文字以通乎语言，由语言以通乎圣贤之心志"，或"由词以通语言，由语言以通道"，实在是"长于比勘"的基本知识，依之不流于"凿空"，可以除去明"道"之障雾，殊无问题，而曰由此而即可以明“道”，则把史学的精神庸俗化了，章实斋六经皆史之论即争辩了这一点，批判其文字学的夸张，汪中亦私淑清初学者的古今制度沿革论，而矫正了校勘学的独尊（详见下面）。

按文字学的校勘，对于古史学的研究，的确是有价值的，而校勘了古史的经籍则不就是史学。例如段玉裁说：

先生言“孟子必有事焉而勿正，心勿忘，勿助长也”，正心二字不可强为之说。依吾说，正心二字，便是忘离为二字，而亡讹正，乃字之误也。必有事焉而勿忘，下复举勿忘者，古人每多此文法。玉裁按此确不可易。……如诗云“江有汜，不我以悔”，必再言“不我以”，而后可言“其后也悔”。……（《戴东原年谱》）

由文字以通语言，由语言以通道，这是要件，然而“通”则只是必要的条件，而非决定的条件，因为史学的“道”别有其中更深刻的义指。又例如惠栋考证“理”字，在研究学术史上是极有价值的发现。他引据了古书上有“理”字的地方，得出一个“理”字故训，说：

理字之义，兼两之谓也。人之性禀于天，性必兼两，

在天曰阴与阳，在地曰柔与刚，在人曰仁与义。(《易微言》)

如果把“兼两”的字训，置于周末社会的学术史作为认识思想递变的材料，那是通道的要件，然而这却不能把“兼两”之义包括了“通理”，因为“兼两”者仅指有相对的含义罢了。

汉学家最朴实的地方，是研究音学，这自明末方密之（著《通雅》）以来，经顾亭林的《音学五书》，至乾嘉学者江戴以迄段玉裁，实为超越古人的学问，最后王国维汇其统绪，以通金文。东原关于《尔雅》说：

古故训之书，其传者莫先于《尔雅》，六艺之赖是以明也，所以通古今之异言，然后能讽诵乎章句，以求适于至道。……援《尔雅》以释诗书，据诗书以证《尔雅》，由是旁及先秦已上，凡古籍之存者，综穷条贯，而又本之六书音声，确然故训之原，庶几可与于是学。(《尔雅文字考·序》)

例如他读到庄子“已而为之者，已而不知其然”之句，谓“语意不可识，偶检释故，已，此也，始豁然通其词。”故他说：

文字之鲜能通，妄谓通其语言，语言之鲜能通，妄谓通其心志，而曰附会不谬，吾不敢知也！（《尔雅注疏笺补·序》）

但这不是说死守《尔雅》，死读《尔雅》，即可以毕功，故他以为“不能遍观尽识，轻疑前古，不知而作也，”而“信古而异，愈于不知而作，但宜推求，勿于株守”，他举一个桄三的例子，历来引《尔雅》，桄，充也，他以此不可无辨，“好古洞其源，谅不廛市古为也”，考得桄字之为横字之伪。他说：

《尔雅》洸字，六经不见。《说文》，洸，充也。孙愐《唐韵》，古旷反。乐记，钟声铿，铿以立号，号以立横，横以立武。郑康成注曰，横，充也，谓气作充满也。释文曰，横，古旷反。孔子闲居篇，夫民之父母乎，必达于礼乐之原，以致五至而行三无，以横于天下。郑注曰，横，充也。疏家不知义出《尔雅》，尧典古本，必有作横被四表者，横被，广被也，正如记所云横于天下，横乎四海是也。横四表，格上下对举，溥遍所及曰横，贯通所至曰格。……横转写为桄，脱误为洸，追原古初，当读古旷反，庶合充霩广远之义。而释文于尧典无音切，

于《尔雅》乃古黄反，殊少精核，述古之难，如此……（《与王内翰凤喈书》）

他因考老二字，与江慎修商榷，谓“考老二字，属谐声意者字之体，引之言转注者字之用”，转注之义，犹近人之互训，因此论及六书源流，从自然演进上说明文字之进化，颇有卓见（后来章太炎有修正，如字缘声起之说），他说：

造字之始，无所冯依。宇宙间，事与形两大端而已。指其事之实曰指事，一二上下是也，象其形之大体曰象形，日月水火是也。文字既立，则声寄于字，而字有可调之声，意寄于字，而字有可通之意，是又文字之两大端也。因而博衍之，取乎声谐曰谐声，声不谐而会合其意曰会意，四者之体止此矣。由是之于用，数字共一用者，如初、哉、首、基之皆为始，卬、吾、台、予之皆为我，其义转相为注曰转注，一字具数用者，依于义以引申，依于声而旁寄，假此以施于彼曰假借，所以用文字者，斯其两大端也。六者之次第，出于自然，立法归于易简。（《答江慎修先生论小学书》）

六书也者，文字之纲领，而治经之津涉也。载籍既

博，统之不外文字，文字虽广，统之不越六书。纲领既违，讹谬日滋。(《六书论·序》)

震向病同学者，多株守古人，……凡学未至贯本末，彻精粗，徒以意衡量，就令载籍极博，犹所谓思而不学则殆也，远如郑渔仲，近如毛大可，只贼经害道而已矣。(《与任幼植书》)

治经不能“以意衡量”，必求之于文字的源流，这是朴学家的基本修养。所谓“治经之桥梁”，“通古今之异言，然后能诵乎章句”，“好古洞其源”，皆指文字学的研究。但这种研究，夸大而为“求适于至道”，亦汉学家的小天地使然，后来今文学家魏源便言乾隆中叶“争治汉学锢天下智惠为无用”了。

经学家学术的内容，章太炎说：

大氐清世经儒，自今文而外，大体与汉儒绝异，不以经术明治乱，故短于风议；不以阴阳绝人事，故长于求是。(《检论》卷四，《清儒》)

而客观上的学术内容，则为古史考证之学，章氏又说：

夷六艺于古史，徒料简事类，不曰吐言为律，则上

世人事汙隆之迹，犹大略可知，以此综贯，则可以明流变；以此裂分，则可以审因革。（同上）

但这亦是仅备后人研究历史的开荒工作，其汉学本身则尚不能概尽史学，章氏又云：

单篇通论，醇美塙固者不可胜数，一言一事，必求其征，虽时有穿凿，弗能越其绳尺，宁若计簿，善承琵视，而不惟其道，以俟后之咨于故实而考迹上世汙隆者举而措之，则质文蕃变，较然如丹墨可别也。然故明故训者多说诸子，唯古史亦以度制事状，证验其务，观世治化，不欲以经术致用灼然矣。（同上）

章氏为中国近代的最后朴学大师，所言汉学内容，乃确不可易者，他有一篇《与人论朴学报书》，谓汉学经学在于“存古，非以是适今”，可谓对汉学的理性主义评价，对复古者当头一棒，他说：

自周孔以逮今兹，载祀数千，政俗迭变，凡诸法式，岂可施于挽近？故说经者所以存古，非以是适今也。先人手泽，贻之子孙，虽汙垢伫劣者犹见宝贵，若曰尽善则非也。礼经一十七篇，守之贵族不下庶人，皇汉迄今，政在专制，当代不行之礼，于今无用之仪，而欲肆之郡国，渐及乡遂，何异宁人（亭林）欲变今之语，返诸三代古音乎？毛诗春秋论语荀卿之录（注意此处提荀子未提孟子），经纪人伦，平章百姓，训辞深厚，宜为典常，然人事百端，变易未艾，或非或韪，积久渐明，岂可定一尊于先圣？……过崇前圣，推为万能，则适为桎梏矣。……夫验实则西长而中短，冥极理要，释迦是孔父非矣，九流诸子，自名其家，无妨随义抑扬，以意取舍。乃者以苦籥笺注六艺，局在规蒦，而强相皮傅，以为调人，则只形其穿凿耳。稽古之道，略如写真，修短黑白，期于肖形而止，使妍者媸，则失矣，使媸者妍，亦未得也。(《文录二》)

由上面讲来，汉学家（道咸以后今文学家另论）的学术内容是史学的考据部分，而考据之工作首先是把"黑白修短，期于形肖而止"，至于其形的流变因革则为历史家的工作。汉学家之稽古，主观上不无以古形而适今者，但在客观上朴学的遗产，则仅于存古之真迹为其本色。

东原学派的汉学，已经离清初大儒的社会、民族思想远甚（例如东原称，"海寇郑成功"，见《郑之文传》，这不是清初大儒的口吻），然特重自己的判断，则在治学态度上保存着抽象的研究规模，他论郑康成之学云：

学者大患，在自失其心。心全天德，制百行。不见天地之心者，不得己之心，不见圣人之心者，不得天地之心，不求诸前古贤圣之言与事，则无从探其心于千载下。是故由六书九数制度名物，能通乎词，然后以心相遇。……此之谓郑学。(《郑学斋记》)

他发展惠定宇汉学的传统说：

言者辄曰，有汉儒经学，有宋儒经学，一主故训，一主理义。此诚震之大不解也者。夫所谓理义，苟可以舍经而空凭胸臆，将人人凿空得之，奚有于经学之云乎哉？……故训明，则古经明，古经明，则贤圣之理义明，而我心之所同然者乃因之而明。贤圣之理义非它，存乎典章制度者是也，松崖（惠定宇）先生之为经也，欲学者事于汉经师之故训，以博稽三古典章制度，由是以推求义理，确有据依。(《题惠定宇先生授经图》)

因此，东原虽然夸大了文字与义理的关系，但是在义理的大范围中，又想救济由词通道的命题，故段玉裁记云：

先生初谓天下有义理之源，有考核之源，有文章之源，吾于三者皆庶得其源。后数年，又曰：义理即考核文章二者之源也，义理又何源哉，吾前言过矣。(《年谱》)

他在这里所以改变说法，即因为由词通道的命题不能成立，他常以“心接”，“心遇”补救文字学的命题，便不是偶然的。他说：

是以凡学，始乎离词，中乎辨言，终乎闻道。离词，则舍小学故训无所借，辨言则舍其立言之体无从而相接以心。(《沈学子文集·序》)

震尝闻先生（叶书山）论读书法曰：“学者莫病于株守旧闻，而不能造新意，莫病于好立异说，不深求之语言之间，以至精微之所存。夫精微之所存，非强著邀名者所能至也，日用饮食之地，一动一言，好学者皆有以合于当然之则，循是而尚论古人，如身居其世，睹其事，然后圣人之情见乎词者，可以吾之精心遇之，非好道之久，涵养之深者，未易与于此。”先生之言若是，然则春秋书法，以二千载不得者，先生独能得之，在是也夫。(《春秋究遗·序》)

后来章实斋对于由词明道之说痛予批评，而对于东原之讲义理则讥世人不识他的价值（见下章）。

章太炎评东原多见于其文集中，亦云“观其遗书，规摹闳远”（《检论》），《释戴》篇便启发了近人研究东原的学术。

第二节　戴东原学术的历史地位何在？

东原不仅是一位汉学家，而且是一位哲学家，这没有人怀疑的。但他的学术的历史地位，则高低其说，估计不一。他的哲学，在当时似少有赏识者，惟章实斋云：“时人方贵博雅考订，见其训诂名物有合时好，以为戴之绝诣在此。及戴著《论性》、《原善》诸篇，于天人理气，实有发先人所未发，时人则谓空说义理，可以无作。是固不知戴学者矣。”（《朱陆篇书后》）就是在东原死后，关于他谈义理的著作，还引起疑问，江藩说：

当时读疏证者莫能通其义，惟洪榜好焉。榜为震行状，载《与彭尺水书》（按此书说明《孟子字义疏证》之内容，详见后引），朱珪见之，谓可不必载，戴氏可传者不在是。榜遗珪书力争不得，震子中立，卒将此书

删去。(《汉学师承记》)

东原哲学思想，在清代是抬不起头来的，这是事实。为什么训诂家东原以大师闻名于世，而反理学的哲学家东原则难以为人注目？这其中的道理，甚为现实，亦首为章太炎先生所道破。章氏是研究东原著书之动机的，他说：

叔世有大儒二人，一曰颜元，再曰戴震（按他在别处混称贤如颜戴之学）。……戴君道性善，为孟轲之徒；持术虽异，类推本于晚周大师，近校宋儒为得真。戴君生雍正乱世，亲见贼渠之遇士民，不循法律，而以闽洛之言相稽，哀矜庶戮之不辜，方告无辜于上，其言绝痛。桑荫未移，而为纪昀所假，以其愆艾宋儒者，旋转以泯华戎之界。(《文录初编》卷一，第一一六——一一七页)

戴震生雍正末，见其诏令谪人不以法律，顾摭取洛闽儒言以相稽，觇伺隐微，罪及燕语。九服非不宽也，而迥之以丛棘，令士民摇手触禁，其尽伤深。震自幼为贾贩，转运千里，复知生民隐曲，而上无一言之惠，故发奋著《原善》,《孟子字义疏证》。……言欲不可绝，欲当即为理。(同上，《释戴》)

戴氏……生当雍正乾隆之交，见其诏令谪人，辄介程朱绪言以骫法，民将无所措手足，故为《原善》,《孟子字义疏证》，斥骫理欲异实之谬。……其所诃固在此而不在彼也。(《菿汉微言》)

太炎这几段话一再说明东原著书的动机，是针对了当时朝廷利用宋学做了统治者的工具，代替法律，谓“任法律而参洛闽，是使种马与良牛并驷，则败绩覆驾之术也”，这是合于历史的（钱穆先生谓是否如太炎所云，可勿论耳。按此不可勿论）。太炎所云，正是段玉裁所述的著书动机，他说：

仆生平著述，最大者为《孟子字义疏证》一书，此正人心之要。今人无论正邪，尽以意见误名之曰理而祸斯民，故疏证不得不作。(《年谱》)

东原自己亦说：

今之治人者，……尊者以理责卑，长者以理责幼，贵者以理责贱，虽失谓之顺。卑者、幼者、贱者以理争之，虽得谓之逆。于是……在下之罪，人人不能指数。人死于法，犹有怜之者，死于理，其谁怜之！（《孟子字义疏证》十）

后儒不知情之至于纤微无憾，是谓理；而所谓理者，同于酷吏之所谓法。酷吏以法杀人，后儒以理杀人，浸浸乎舍法而论理，死矣！更无可救矣。……后儒冥心求理，其绳以理，严于商韩之法，故学成而民情不知。天下自多迂儒，及其责民也，民莫能辨，彼方以为理得，而天下受其害者众也。(《与某书》)

今虽至愚之人，悖戾恣睢，其处断一事，责诘一人，莫不辄曰理者，自宋以来，始相习成俗，则以理为如有物焉，得于天而具于心，因以心之意见当之也。于是负其气，挟其势位，加以口给者，理伸；力弱气慴，口不能道辞者，理屈。呜呼，其孰谓以此制事，以此制人之非理哉？（《疏证》五）

按东原一则曰，“以理杀人，浸浸乎舍法而论理”，再则曰“挟其势位，加以口给者理伸”，三则曰“今之治人者，……贵者以理责贱”，在字里行间确有所指摘的对象，孰能够拿理来“祸斯民”呢？这对象不是太炎所谓“其所诃固在此而不在彼”么？

按东原之反理学，持义与习斋绝异，习斋持论从实践有用方面出发，而东原持论则从民情施受方面出发，时代不同，注意亦异。前者，太炎谓之：“明之哀，为程朱者痿弛而不用，为陆王者奇觚而不恒，诵数冥坐与致良知者既不可任，故颜元返道于地官以乡三物者德行艺也，斯之谓格物。”（《检论·正颜》）后者，东原已至清朝统治安定时代，他亦感受了李光地代圣祖讲理学的荒唐滋味，尤感受了雍正皇帝的杀人理学，对付反理学者，故太炎又云：“晚世戴震宣究其义，明理欲不相外，所以悬群众理民物者，程氏之徒莫能逮也。”（《检论·通程》）在当时，设若东原不是披着经师的大衣，讲着战国亚圣的语言，就是不用“绪言”而用“字义疏证”发表他的义理，亦是不可能的。因为汉学家在清代盛世考证古典，其最初创始者，例如万氏兄弟，全氏祖望，甚至惠戴诸人，确有消极避难所的用意，如太炎所赞许者云：“当是时，知中夏黖黯不可为，为之无鱼子虮虱之势足以借手，士皆思偷愒禄仕久矣，则惧夫谐媚为疏附窃仁义于侯之门者，故教之古学，绝其恢谲异谋，使废则中权，出则朝隐，如是足矣。”“近世为朴学者，其善三，明征定保，远于欺诈；先难后得，远于侥幸；习劳思善，远于偷惰，故其学不应世，尚多悃愊寡尤之士也。”(《检论·清儒》)然而章氏所指的消极的善处，在乾嘉时代已经由专门汉学，经过康熙以来的提倡，损失了原始精神了(参看下章，实斋的抗议)，故东原在晚年所著《疏证》，一方面是反映汉学的前途有限，另一方面亦反映乾嘉时代和珅秉政以来所表现的社会矛盾(参看章实斋的上书)。

以上所言东原著书的动机，是有它的历史意义的，太炎所说明的，似为胡适之所本，他虽然没有引用太炎的话，但确是由上面几段话演绎出来，惟文字颇生动，今录于下：

戴震生于满清全盛之时，亲见雍正朝许多惨酷的大狱，常见皇帝长篇大论地用“理”来责人；受责的人，虽有理，而无处可申诉，只好屈伏受死，死时还要说死的有理。我们试读《大义觉迷录》，处处可以看见雍正帝和那“弥天重犯”曾静高谈“春秋大义”。一边是皇帝，一边是“弥天重犯”，二人之间如何有理可说？然而皇帝偏不肯把他拖出去剐了；偏要和他讲理，讲春秋大义，讲天人感应之理！有时候，实在没有理可讲了，皇帝便说：“来！把山西巡抚奏报庆云南的折子给他看看。”“来！把通政使留保奏报的‘庆云图’给他看看。”“来！把云、贵总督鄂尔泰进献的嘉谷图发给他，叫他看看稻谷每穗有四五百粒至七百粒之多的，粟米有每穗长至二尺有奇的！”这都是天人感应之理。至于荆、襄、岳、常等府连年的水灾，那就是因为“有你这样狂背逆乱之人，伏藏匿处其间，秉幽险乖戾之气，致阴阳愆伏之干；以肆扰天常为心，以灭弃人伦为志，自然江水泛涨，示儆一方。灾祸之来，实因你一人所致，你知道么？有何说处？”那位弥天重犯连忙叩头供道：“一人狂背，皆足致灾，此则非精通天人之故者不能知，弥天重犯闻之，豁然如大寐初醒，虽朝闻夕死，亦实幸矣。”（《大义觉迷录》卷三，一——三页）这样的讲理，未免把理字太轻薄了。戴震亲见理学之末流竟致如此，所以他的反动最激烈，他的抗议最悲愤。（胡著：《戴东原哲学》，五六——五七页）

按戴东原被太炎先生所评议者在遗书中不下数十处，他是近代首先评论戴学的人，归纳他论戴释戴之文，大体上是尊戴的，例如他说东原之学源于荀子，荀子则是太炎所极推崇的大儒，故他以东原与荀子相接，正是疏戴之意。在他文录里有《思乡愿》上下二篇文字，所言内容是以宋儒程朱为乡愿，而他的论点则采诸东原的义谛，而更加以生活环境关系之说明，例如他说：

洛闽所以拙者，以其生于长吏闻人之间，不更稼穑，不知人情隐曲，故节行不及中庸，徒谨敕寡过，事君以诚。……然其玄德高行，闲被世生，常人莫能从其步骤，相与驶骤，故犹赖洛闽以承其乏。程、杨、李、朱者，可谓乡愿之秀，中行则未也。(《文录·思乡愿上》)

他说明东原学术和生活关系则和上面讲宋儒者相反，他说：

震自幼为贾贩，转运千里，复具知民生隐曲，而上无一言之惠，故发愤著《原善》、《孟子字义疏证》，专务平实。(《释戴》)

戴震裨贩，汪中佣书，……及其学术有造，往往凌厉前哲，修名烂然。(《文录初编》卷二，八页)

太炎从生活环境上说明宋儒与东原所以成学之异，实在不是"权言"，而是历史的研究。适之师承太炎，却没有知道这一点，所以在《东原哲学》的著作中，又提出宋儒"理学的运动，在历史上有两个方面，第一是好的方面，学者提倡理性（？），……即是平等”。他据明末理学家吕坤“庙堂之上言理，则天子不得以势相夺，即相夺，而理则常伸于天下万世”之话，说明理学家在争自由的奋斗史上有光荣地位。（参看氏著《东原哲学》，五三——五五页）

第一，适之把理性与理学混同。理学的天理是不存在个性素质的，而理性主义的理性则是以个性自觉为前提（参看第一编黑格尔的话），此而混同，必出错见。第二，庙堂之上讲理，是不是适之演绎太炎的话，举出《大义觉迷录》可以作证呢？第三，理学和自由奋斗有关系亦无根据。钱穆先生还说，“清末治程朱率恶言革命”，并请看清末理学家的反自由思想的话：

同治六年正月，同文馆招考天文算学，由满汉之正途出身五品以下京外各官考试录取，延聘西人在馆教习。公奏言：立国之道，尚礼义不尚权谋，根本之图，在人心不在技艺，今求诸一艺之末，又奉夷人为师，无论所学未必果精，即使……有所成就，不过术数之士。……所恃读书明理之儒，或可维持人心，今后举聪明隽秀，……使之奉夷人为师，……而读书人已为所

惑。……天文算学，为益甚微，西人教习正深，所损甚大。伏望立罢前议，以维大局而弥隐患！（匡辅之:《倭文端公别传》）

第四，适之似乎重视宋明以来儒者的气节，这是中国最好的传统，但是不是和理学有必然关系呢，又须请教于适之所师的章太炎，太炎说：

猥俗之论，多以晚明方比后汉，此未得其情。……晚明风烈，独有直臣。……市朝之士，立行于朝，亦各政化文质所致，忿悁之心迎其前，圈属之议驱其尾，虽桀跖则亦可以为烈士，非程朱之化渐之也。明之奇节，近起嘉靖以后，平世窬如也（原注：靖难时，死者虽烈，由成祖残酷致之，彼既知无生理，故感慨以就戮，若少宽假，则无此事，然废兴之际，死士多有，非独明世，故不论），诚为程朱所奖餍者，虽遭世升平，无感慨之用，其醇德宜可观，嘉靖以后亦宜有修之门内者；今平世才得一二修谨士，晚世虽修谨者亦绝，义色形于在公，流湎彰于退食，骨鲠闻于王路，庸行阙于草茅，何哉？然则平世渐，程朱深□[1]犹回翔乡原间（明初专为程朱

[1] 原书此处模糊不清。——编者注

之学者莫若薛瑄，瑄之行谊修矣，及身豫机务，竟弗能救于谦，盖程朱之学修之于家为有余，施于有政则少懦也）；晚世又失程朱之化，虽欲为乡愿，不莵也！……夫含血之性，生而自矜，亟遭挫辱，则壮厉之心生，一加诸膝，一队诸渊，而不平固弥甚明。……明……诸生在乡曲，则恣之布扈，以长其骜，比为邻辅，则呼之先生，以尊其礼；一失上意，大谴大诃，诊语然出刑书外，以无功之主，遇不平之臣，不为戎首则幸矣；忿上不渫，故假儒言以责难，终以诟厉，主复冯怒，愈推其臣，佞幸中涓又假借焉，𩕳德参会，旋湍宕复，欲不以死怼上，不能也。……明太祖之化，虽下士能为比干泄沿，岂其内发于悃幅哉？势激则然。……以朋党相胁，以戮辱之名相制，虽欲不为奇节，岂可得哉？而世以归厚于程朱则过矣。二程之化，自季宋已流衍南服，然宋臣不如明臣蝮鸷者，宋政不伤夷缙绅，臣于主无忮心，明政反宋，故臣节亦应之异。且宋亡而降虏相属，明亡而抗兵死节者众，非二程之化有效有不效也。……（《文录·思乡愿下》）

按太炎所论从历史制度与人性应变二方面立说，异常精刻。懂得了这点，我们就不至于误解历史。像崇信东原哲学的适之先生，犹不明白东原反理学的路数，还要说理学有好的坏的两方面。东原何尝说好的宋儒理学来？如果不按太炎的议论而照适之的两方面来讲，则东原之反理学的哲学，实不能有适之那么样地所高抬的价值的。

上面所述者是关于东原思想的历史意识，因他的哲学着重于反对宋明理学，故举宋明理学对清代中叶反理学的社会意义，为之说明。以下我们要讨论东原哲学的历史地位了。

自章太炎以来，戴学在哲学方面始被人所注意。到了民国十二年，胡适之以皖人治皖学的态度，在北平安徽会馆举行一个东原的纪念会，出席讲演者有梁任公、钱玄同、朱希祖诸人，当时整个一年期间，报纸副刊与杂志上几乎成为戴学的天下，在“整理国故”的风气之下，戴学最为出风头。适之的《戴东原哲学》一书，便是那时候的作品。经过了北伐以后，戴学便不甚被人高谈。这又是什么缘故呢？原来，东原哲学是有时代的抗议精神的，因此在清代是不能抬头，清末太炎尊戴，和他的反满革命相为表里，及乎民国十年前后，军阀混战，以曹锟贿选达于黑暗之顶点，在思想上要求理性主义正是北平学术界的前进思想，与东原托于孟子相似，当时则托于东原，这是势之使然。北伐以后的中国，历史深刻下去，东原的哲学便不能满足学人的追求，这亦是势之使然。故后来研究东原者，则应是历史地去了解，而不是带有号召色彩地去宣扬了。以著者所知，提出了与适之任公相反的评价者，是钱穆氏，钱先生在其所著《中国近三百年学术史》中研究东原，似针对了适之的东原哲学，故一方面是高扬，而他方面是低抑，适成对立，我们在这里本“实事求是”的态度分辨一下。

一、适之的研究精神，犹带“五四”时代的色彩，例如“五四”时代关于孔子的学术，是从“打孔家店”入手，这一以浪漫主义为基调的精神，是具有光辉的价值，然而在学术意义上讲起来，则不能折服历史的研究者的心，适之提倡东原，主观上亦承此余绪，含有“打理学家”的色彩（当时有东方文化西方文化之争），故他在有意与无意之间，可能曲解了学术史的本来面目。他最错误的地方，是抹杀清初学者在哲学方面的建设，而把清代哲学的大本营的元帅被选举为戴东原。因此，他把清初学者认为破坏者，在建设方面则仅为趋势，到了戴东原才成功了一种“新哲学”，他说：

反理学的运动，在破坏方面，居然能转移风气，使人渐渐地瞧不起宋明理学。在建设方面，这个大运动也有两个趋势。一面是注重实用，一面是注重经学。……前者可用颜李学派作代表，后者可用顾炎武作代表。从颜李学派里产出一种新哲学的基础。从顾炎武以下的经学里产出一种新的做学问的方法。戴东原的哲学便是这两方面的结婚的产儿。(《东原哲学》，四页)

……颜李哲学的分子，还须先受当时新经学的洗礼，重新挂起新经学的旗号，然后可以进行作建设新哲学的大事业。程朱非不可攻击，但须要用考据的武器来攻击。哲学非不可中兴，但须要用考证的工具来中兴。这件“中兴哲学”的大事业，这件“建设新哲学”的大事业，颜元李塨失败之后，直到戴震出来，方才有第二次尝试。(同上，二〇页)

清朝的二百七十年中，只有学问，而没有哲学；只有学者，而没有哲学家。其间只有颜李和戴震可算是有建设新哲学的野心。颜李……用实用主义作基础，对于因袭的宋明理学作有力的革命。但程朱的尊严不是容易打倒的。……（戴学）真是清朝学术全盛时代的哲学，才是用穷理致知的学说来反攻程朱的。……所以能摧破五六百年推崇的旧说，而建立他的新理学。戴震的哲学，从历史上看（？）来，可说是宋明理学的根本革命，也可以说是新理学的建设——哲学的中兴。（同上，八二页）

适之以上的论断，显然非历史的，而是主观上编制的。我们逐一加以辨正过来：

第一，清初大儒不仅是破坏者，而主要是建设者。仅以哲学而论，王船山的宇宙论，认识论，历史哲学，人类性论，其烂然卓识，超过前人，然而适之没有一字提到这位大儒。颜习斋的哲学规模，不是狭义的实用主义，而是实践的哲学，其见识是东原所不及的，例如知识的实践检证论，东原走了颜元弟子李恕谷的重知轻行的路线，从高调"由词通道"的方法，否定了真理的标准，流于书上的哲学，而其社会的哲学，适之反而推崇为唯智主义，以为合于哲学的知识论，然而这却是他不

如习斋的哲学深远之处。（参看本书第四章）

第二，清初大儒的学术，是全人格性的奔放，考据之学（除习斋外）固然是他们的依据，但他们从社会、历史、人性、宇宙各方面批评理学（虽然在形式上犹留门户之见），是更深地探究知识的，比专依乎考据之学犹宏远，不能说清代哲学非经过考证之学不能产出来。反之，康熙以后的专门考据之学，不但减退了清初大儒全人格的发展，而且由避难所逐渐成为章实斋所谓风气之敝。东原的哲学一方面在方法上固然借重于汉学的实证，而另一方面在体系上则是汉学的批判发展。

第三，清代的哲学也好，一般的学术也好，我们认为十七世纪的成就，是伟大的，并非清代中叶十八世纪的准备基础，反之，乾嘉时代的哲学却不是清代学术的全盛期，而仅仅是清初传统的余绪（极小限度发展），这一点，任公、适之都把历史颠倒了。因此，东原哲学，就不是“新哲学的建设”或“哲学的中兴”，而仅仅是在有限范围内清初哲学的继承。他的哲学长处正在“由词以明道”，而最浅薄的地方亦在“由词以通道”，长处是由文字的实证得出理性哲学的意义，而短处则因形式文字的束缚，没有“发展”的观点，没有实践的观点，没有历史前途的勇敢追寻精神。

第四，清初学者大阔其步广寻世界、人生，而清代乾嘉学者则规规矩矩局限于古字古句。清初学者的哲学，社会意识学，是普遍的成为大儒的学术内容，而乾嘉学者以东原哲学而言则是晚年会士未遂后的人性逼露，在当时除章实斋了解外颇不能成为支配的学术，这和清初学术不同者，即没有起着社会影响，因而历史的价值亦有限制，他的学术仍以经学支配学界，如实斋所惊叹者：

往仆以读书当得大意，又年少气锐，专务涉猎，泛览不见汇涘，好立议论，高而不切，攻排训诂，驰骛空虚，盖未尝不惆然自喜，以为得之。独怪休宁戴东原振臂呼曰：“今之学者，毋论学问文章，先坐不曾识字。”仆骇其说，就而问之，则曰：“予弗能究先天后天，河洛精蕴，即不敢读‘元亨利贞’；弗能知星躔岁差，天象地表，即不敢读‘钦若敬授’；弗能辨声音律吕，古今韵法，即不敢读‘关关雎鸠’；弗能考三统正朔，周官典礼，即不敢读‘春王正月’。”仆重愧其言！因忆向日曾语足下所谓学者只患读书太易，作文太工，义理太

贯之说，指虽有异，理实无殊。(《遗书·与汝南论学书》)

然而后来实斋亦悟东原由词通道之过火，谓不能“以此概人”。

任公说:“此书(疏证)盖百余年来未生反响之书也，岂其反响当在今日以后耶?然而论学正统派之运动，遂不得不将此书除外。吾常言，清代学派之运动，乃研究法的运动，非主义的运动也。”(《清代学术概论》，七十页)

任公言东原哲学的反响，未能支配时代，这话颇是;而言清代学术运动的道理则非是。任公和适之在这里虽然认为清代学术全盛时代在乾嘉二朝，但亦有异，任公以考据学为全盛时代的意义，而适之则以东原哲学为其含义。二说尽管不同，而皆误断历史则无异趣。

这样讲来，东原哲学的历史地位便可以知道的，他不能如适之所论，作为清代哲学的建设去评价，而反是清初学术运动狭隘化以后的一种复兴的先导，在历史意义上讲来，他部分的是光明的灯塔，不是方东树的批驳所能埋没的。

二、钱穆先生反评价，又如何呢?钱氏关于东原学术与惠栋学术的相承相接方面，关于东原思想的前后转变方面，关于东原学术之考核为义理之源方面，都有考证，确为适之夸大东原的最好批评。然而，钱氏所论亦有误解之处：

第一，他反驳东原批评宋儒之人性论，多见卫道之主观态度。例如东原解性、命之说，纯系东原自己的独见，与船山之解性命皆不必与孔孟一致是相同的（自然东原在这一点没有船山的深刻），而合不合于孔孟，或近不近于荀子，只言其真理可也，即与荀子较近，与孟子较远，又有什么异端之害。钱氏重视东原的这些地方，无意中为程朱辩护，似乎不承认他的哲学地位。

第二，他论东原，多证东原思想的转变及其模仿荀子与惠栋的论断，似乎除了转变没有其独创的价值。

第三，他反对东原论性之说，引朱蓉生的话为证，按朱氏此段话实批判不倒东原，且朱子明言“圣人教人千言万语，只是存天理，灭人欲”，何能以辞害意，此类话在习斋《朱子语类评》中尤比东原反对得深刻。太炎先生颜戴并称，谓东原理欲不相外之说，比程朱二元论高明，殊为的言。至于钱氏以船山与东原相同，则近于见其一未知其全，他举船山所以识超于东原者在于船山说：“庶民者流俗也，流俗者禽兽也，人之所以异于禽兽者，君子存之，小人去之，壁立万仞，止争一线。”(《俟解》)——他在东原章与船山章皆论之。这更说远了，要知道古人学术，糟粕多有，提粹炼精，后人研究者之事，船山庶民与禽兽之比正时代所限的立言，和他的禽兽与夷狄之比相同其立言，我们现在怎能据庶民——禽兽，夷狄——禽兽的认识做根据呢？船山当日饱尝外族之患与自成之乱的痛苦，愤极而言，实古人隐痛之语，未可作理论看。至于举此谓识超于东原，那不惟是暗暗地对于适之放一冷箭而已，而且亦诬蔑了船山。

第四，据此而言，钱氏与胡氏相反，把东原哲学的历史地位轻轻抹杀，我们认为他主观成见之蔽，误解了历史。不从正面和胡氏商榷，而故意低抑东原，甚至举出东原在四库馆盗窃图书以炫己之发见，以为证件，事若诚有之，乃贤者之玷，但这能否认他的学术淹博么？又举太炎论东原之文，则以太炎“取其排程朱，……谓东原著书特发愤于清廷之酷淫，皆一时之权言耳”。然此实并非权言，正太炎的真认识。反之，以太炎评东原“欲当即理乃逮政之言，非饬身之典”，却推为实旨。这在太炎的哲学中，我们认为是历史现实与唯心思想的矛盾（参看太炎章），逮政与饬身分离，哲学真成了不可思议的天理之学了，天下何有不受实际检证的真理呢？太炎之论是者，钱氏权变其说，太炎之论非者，钱氏则反实其旨，这都由于他贬斥东原的立场所产生的误解。

第三节　东原哲学的新评价

东原哲学思想的着重点和习斋不同。他们之间尽管有互通之处，而哲学体系的建立则在所建立的地基上分了歧路。习斋的哲学基地，着重于他所憧憬的新人类，新世界，故他的行为哲学，置行为学于将来社会的基础之上（参看本书第四章）；而东原的哲学基地则不然，似乎和斯比诺沙相同，“置伦理学于宇宙观的基础之上”。他们之间，哲学的方法论也极异，习斋“格物”的对象都是“实践，实验与产业”的大步骤，故他的知识论是以实践为前提；而东原的哲学方法论则不然，他的“格物”是指“审察尽物”，与恕谷之走入思辨方法论相似，故他的知识论着重在由词通道，知识成为行为的命令，否定了知识媒介性的过程关系。

东原哲学思想的体系和船山亦不同。他们之间在自然哲学方面尽管有互通之处，都是从易传的研究入手，但他们从自然哲学到人类性论或知识论所建立的体系则大有区别。船山由絪缊生化论到性命论或知识论是一贯的，性为“日生”之谓，命为“日降”之谓，知识为“日存”之谓，有一条红线贯注着全部哲学；而东原则不然，其在自然哲学上所建立的“生生不息”论，到了社会哲学则思辨形式化了：命，谓有所限，性，谓在其全，知，谓由“善”之必然，适尽性之自然，最后复以“权”论而挽救体系上之不统一。（参考本书第一章与下面东原哲学）

在这里，我们认为东原思想的天地比之船山习斋更狭隘，故他的哲学思想所具有的光芒虽不能忽视（尤其在乾嘉时代），而其规范则不能不说逊色于清初大儒的成就。我们历史地研究古人，既不能没有真理的信仰，堕于“客观主义”，又不能以主观成见的好恶是非，而远于“客观研究”。

（一）东原的自然哲学

东原所谓的“道”，是指哲学上的存在（Sein），这“存在”是可感觉的实体。他说：

……道，指其实体，实事之名。……语道于天地，举其实体实事而道自见。……语道于人，人伦日用咸道之实事。(《孟子字义疏证》三二)

出于身者，无非道也，故曰“不可须臾离，可离非道”。“可”如“体物而不可遗”之可。凡有所接于目而睹，……有所接于耳而闻，……无接于目接于耳之时，或惰慢矣，惰慢之身，即不得谓之非失道。道者，居处饮食言动，自身而周于身之所亲，无不该也。(《疏证》三三)

这样看来，他首先是把存在肯定，“存在”的东西是“自身而周于身之所亲”的物质，和费尔巴哈相似，人亦是物质的一部分，不过人为受命所限是最高级的物质罢了。故他在人类概念上，亦和费尔巴哈的一般的抽象人类性概念相似，说：“气化生人生物以后，各以类滋生久矣，然类之区别，千古如是也，循其故而已矣。”（同上，二〇）这里，他对于人类性的了解，是贫乏的。

物质是可感觉的东西，故接于耳目的便是“道”。

道是可感觉的物质存在，这为东原唯物论思想的最基本命题。此其一。其二，物质是生生不息的运动体，他说：

天地之气化，流行不已，生生不息。（《疏证》三二）

道犹行也，气化流行，生生不息，是故谓之道。《易》曰：“一阴一阳之谓道。”《洪范》：“五行，一曰水，二曰火，三曰木，四曰金，五曰土。”行亦道之通称（诗，载驰，女子善怀，亦各有行。毛传云，行道也，竹竿，女子有行，远父母兄弟。郑笺云，行，道也）。举阴阳则赅五行，阴阳各具五行也。举五行即赅阴阳，五行各有阴阳也。……分于阴阳五行以有人物，而人物各限于所分以成其性。阴阳五行，道之实体也。……（同上，卷中，《天道》十六）

所谓物质运动，流行不息，其间又是合法则的运动，这是东原研究天文算术所应得出的理论，他说：

凡天之文，地之义，人之纪，分则得其专，合则得

其分，分也者道之条理也，合也者道之统会也。……生生者化之原，生生而条理者化之流。(《法象论》)

道，言乎化之不已也。……生生者化之源，生生而条理者化之流。……生则有息，息则有生，天地所以成化也。(《原善上》卷一)

一阴一阳盖言天地之化不已也，道也。一阴一阳，其生生乎？其生生而条理乎？……未有生生而不条理者。……人物之生，其善则与天地继承不隔者也。(《原善》三)

《易》曰："天地之大德曰生。"气化之于品物，可以一言尽也，生生之谓欤？生生之呈其条理，……惟条理是以生生。……生者至动而条理也。……卉木之株叶华实，可以观乎生，果实之白，全其生之性，可以观乎息。(《原善》四)

天地之生生而条理也。是故去生养之道者，贼道也。(《原善下》卷九)

天地人物事为，不闻无可言之理者也。诗曰"有物有则"是也。物者，指其实体实事之名，则者，称其纯粹中正之名。实体实事罔非自然，而归于必然。……(《疏

证》十三）

自然界的条理都有“必然”的合法则联系，这里东原稍与船山接近者，即“继善”之善，指必然；而“成性”之性指自然，则与船山异趣了。自然为什么有此合法则运动呢？在船山有其哲学的理论，而东原则似限于经验主义，没有答案，仅云：

一偶以仪阴，一奇以仪阳。(《疏证》十八）

哲学的理论范畴显出了贫乏，没有船山变化法则的丰富了。惟他辩解道器之说，提出“谓之”的字义，却补充了船山“谓之”的解释，颇为名论。东原“由词通道”的理论固然不够圆通，而由词以帮助通道的知识，则极会使用形式逻辑的语言学，他说：

问:《易》曰，“形而上者谓之道，形而下者谓之器”。……朱子云，“阴阳气也，形而下者也所以一阴一阳者，理也，形而上者也。道，即理之谓也”。……《易》之解可得闻欤？曰：气化之于品物，则形而上下之分也，形乃品物之谓，非气化之谓。《易》又有之,“立天之道，曰阴曰阳”。直举阴阳，不闻辨别“所以阴阳”而始可当道之称。……一阴一阳流行不已，夫是之为道而已。古人言辞,“之谓”“谓之”有异，而凡曰“之谓”，以上所称解下，如《中庸》“天命之谓性，率性之谓道，修道之谓教”，此为性道教言，若曰性也者，天命之谓也，道也者，率性之谓也，教也者修道之谓也。《易》“一阴一阳之谓道”，则为天道言之，若曰道也者，一阴一阳之谓也。凡曰“谓之”者，以下所称之名，辨上之实，如《中庸》“自诚明，谓之性，自明诚，谓之教”，此非为性教言之，以性教区别“自诚明”“自明诚”二者耳。《易》“形而上者谓之道，形而下者谓之器”，本非为道器言之，以道器区别其“形而上”“形而下”耳。形谓已成形质，形而上犹曰形以前；形而下犹曰形以后。(如言千载而上，千载而下，诗，下武维周，郑笺云，下犹后也。)阴阳之未成形质，是谓形而上者也，非形而下明矣。器言乎一成而不变，道言乎体物而不可遗不徒阴阳非形而下，如五行……有质可见，固形而下也，器也。其五行之气，人物咸禀受于此，则形而上者也。……六经孔孟之书，不闻理气之辨，而后儒创言之，遂以阴阳属形而下，实失道之名义也。(《疏证》卷中，十七)

在语言学上东原的解释甚当，而在理论上则东原实不及船山。船山所言道、器，是统一的，东原所言道、器，则是分裂的。所谓“器言乎一成而不变”，殊无历史观点，比船山之作器、述器、成器的变革论，显然不可以道里比较的。惟东原，据这一观点的唯物论而批判宋儒的二本论，确具卓识，他说：

老庄释氏……以神为有天地之本，遂求诸无形无迹者为实有，而视有形有迹为幻。在宋儒，以形气神识同为己之私，而理得于天，推而上之，于理气截之分明，以理当其无形无迹之实有，而视有形有迹为粗。益就彼之言而转之，因视气曰空气（陈安卿云，二气流行……只是空气。必有主宰之者，理是也），视心曰性之郛郭（邵子云，心者性之郛郭）。是彼别形神为二本，而宅于空气宅于郛郭者为天地之神与人之神；此别理气为二本，而宅于空气宅于郛郭者为天地之理与人之理。……触于形而上下之云，……创为理气之辨，不复能详审文义。其以理为气之主宰，如彼以神为气之主宰也；以理能生气，如彼以神能生气也。(《疏证》十九。东原评语之后皆有宋儒议论的引证，从略）

（二）东原的人性论

我们从东原的自然哲学所言生化之源流而言，表面上好像船山的生化论，而实则大有区别。船山的生化史的秩序论，是说明条理法则的日新日成，日变日革，器变而道亦变；而东原的生化论却没有历史哲学的发展，所谓“生者至动而条理”，他不重视至动，而重视条理，故把条理看成“则者，称其中正纯粹之名”，经过这一抽象的手法，在人性论上产生了他的特异理论。我们先从他由自然法以至人性的“人法自然”观点上来研究。他说：

性言乎本天地之化，分而为品物者也。限于所分曰命，成其气类曰性。(《原善》卷上，一)

人物之生，其善则与天地继承不隔者也。有天地然后有人物，有人物而辨其资始曰性。人与物同有欲，欲也者性之事也。人与物同有觉，觉之者性之能也。(同上，三)

性者，分于阴阳五行以为血气心知，品物区以别焉。(《疏证》二十)

这是东原由天道以至人性的所谓“继善成性”论。

人物品别都是从天地之化而各成气类。品质之别是怎样形成的呢？他说在于“限于所分”之命，这里和船山释“命”相反了，船山的命论极其天才，谓之“命日降，性日受”，而东原则反是，他说：

天道，五行阴阳而已矣。分而有之以成性，由其所分，限于一曲，惟人得之也全。曲与全之数判之于生初。人虽得乎全，其间则有明暗厚薄，亦往往限于一曲，而其曲可全，此人性之与物性异也。言乎其分于道，故曰“天命之谓性”。(《原善》卷上，九)

气化生人生物以后，各以类滋生久矣。然类之区别，千古如是也，循其故而已矣。在气化曰阴阳，曰五行，而阴阳五行之成化也，杂糅万变，是以及其流形，不特品物不同，虽一类之中又复不同。……人物以类滋生，皆气化之自然。……分于道者，分于阴阳五行也，一言乎分，则其限之于始，有偏全厚薄清浊昏明之不齐，各随所分而形于一，各成性也。然性虽不同，大致以类为之区别。(《疏证》二十)

凡有生即不隔于天地之气化。……人物之生生本乎是。由其分而有之不齐，是以成性各殊。知觉运动者，统乎生之全言之也。由其成性各殊，是以本之以生，见乎知觉运动也亦殊。气之自然潜运，飞潜动植皆同，此生生之机肖乎天地者也。而其本受之气，与所资以义者之气则不同。……凡血气者，皆形能运者也。由其成性各殊，故形质各殊，则其形质之动而为百体之用者，利用与不利用亦殊。……人则能扩充其知，至于神明，仁义礼智无不全也。……性者，血气心知本乎阴阳五行，人物莫不区以别焉，是也。而理义者，人之心知有思辄通，能不惑乎所行也。(《疏证》二十）

按东原由其生化流行不息之自然天道观，立为大前提，本可以得出进化论的成性说，但他没有在自然天道观强调了运动，仅着重在自然条理的化成，故在性论上便产生了“分于所限”的类别万物观点，而且这种类别即形成于船山所反对的“受命之初”，东原所谓“人物而辨其资始曰性”，或所谓“限之于始”。天的受性全与曲之分，即在降命之初即形成一种类概念，人虽异于万物而“能扩充其知”与“不惑乎行”，亦有所曲，但可能尽乎全。天受命于千古之前，即照原来的类别“循其故”，故万物的类别进化是没有突变的。他认为这是自然的气化而然。“类也者性之大别也”，“舍气类更无性之名”。

东原哲学上成性的自然史起源说，是最幼稚贫乏的，故在自然哲学上是生化不息论，到了成性哲学上则变做了限成类别论。我们再看他讲人性论，如何在自然与人性二者间统一呢？

东原自然哲学的生化观念是运动的条理，而人性的适应于自然者，则不是生化变革，而是把生化观念解释而为生养观念。这里，东原语言学的天才亦呈现出毛病来了，而没有船山“日生性也”的语言学的价值之高大。他说：

耳目百体之所欲，血气资之以养，所谓性之欲也，原于天地之化者也。是故在天为天道，在人咸根于性而见于日用事为，为人道。(《原善》卷上，六)

饮食男女，生养之道也，天地之所以生生也。……天下国家，……天地之生生而条理也。是故去生养之道者，贼道者也。细民得其欲；君子得其仁。遂己之欲，亦思遂人之欲，而仁不可胜用矣。(《原善》卷下，九)

“性譬则水也，欲譬则水之流也。节而不过，则为

依乎天理，为相生养之道，譬则水由地中行也。(《疏证》十一)

人之生也，莫病于无以遂其生。欲遂其生，亦遂人之生，仁也。欲遂其生，至于戕人之生而不顾者，不仁也。……凡出于欲无非以生以养之事。……圣人治天下，体民之性，遂民之欲，而王道备。(同上，十)

生养之道，存乎欲者也，感通之道，存乎情者也，二者自然之符，天下之事举矣。(《原善》卷上)

耳目百体之所欲，血气之资以养者，生道也。(绪言)

天地之生化与人类的生养，本不是相类的东西，而东原则以生养配于生化，在理论体系上是一个大大的缺点，但他并没有自己感觉到体系的裂痕，尤其把“仁”解为生生之意，和船山“存性”之论相反。故他就“生生之谓仁”(《原善》卷上，四)，发挥他的人性论的基点，他说：

仁者，生生之德也。“民之质矣，日用饮食”，无非人道所以生生者。一人遂其生，推之而与天下共遂其生，仁也。……自人道遡之天道，自人之德性遡之天德，则气化流行，生生不息，仁也。……在天为气化之生生，

在人为其生生之心，是乃仁之为德也。(《疏证》三六)

因此，他把性之事能，与性之德分别而言，而性之德是伦理学的最高范畴，这须与“大共”之“善”无违，始全其性德。所以东原所言之“善”指“天下之大共”，而性德指私的反面即天下大公。从生养之资，设定了一个“相生养之道”，即抽象的理想人类性。他说：

欲也者性之事也，……觉也者性之能也。欲不失之私则仁，觉不失之蔽则智。仁且智非有所加于事能也，性之德也。言乎自然之谓顺，言乎必然之谓常，言乎本然之谓德。天下之道尽于顺，天下之教一于常，天下之性同之于德。性之事配五行阴阳，性之能配鬼神，性之德配天地之德。……善以言乎天下之大共也，性言乎成于人人之举凡自为性其(疑其字为之字之讹)本也。……明乎天地之顺者可与语道，察乎天地之常者可与语善，通乎天地之德者可与语性。(《原善》卷上，三)

东原在《原善》一书中，以仁智之德理想化了性之事能，他说：

人之有欲也，通天下之欲，仁也。人之有觉也，通天下之德，智也。恶私之害仁，恶蔽之害智。不私不蔽，

则心之精爽，是为神明。（同上，卷下，五）

仁智之性德，通天地之全德，尽其养生之道，他又说：

从生而官器利用以驭横生，去其畏，不暴其使。智足以知飞走蠕动之性，以驯以养，知卉木之性，良农任以莳刈，良医任以处方。（《原善》卷中，二）

惟东原的性德论，则是以崇“智”为内容，他说：

人生而有欲，有性，有知，三者血气心知之自然也。……惟人之知小之能尽美恶之极致，大之能尽是非之极致，然后遂己之欲者，广之能遂人之欲，达己之性者，广之能达人之性，道德之盛，使人之欲无不遂，人之情无不达，斯已矣。（《疏证》三十）

所以仁仅是人生自然之符，“生生之谓仁”仅是动机方面人生之本来欲求，而使欲求达于充满之境，必须把握必然，而把握必然者，则为智能。他在《原善》卷上多所发挥，只举一二例于下：

生养之道，应乎欲者也，感通之道，存乎情者也，二者自然之符，天下之事举矣；尽美恶之极致，存乎巧者，宰御之权由斯而出，尽是非之极致，存乎智者也，贤圣之德由斯而备，……精之于底于必然，天下之能举矣。

性之欲，其自然之符也；性之德，其归于必然也。归于必然，适全其自然，此之谓自然之极致。……知其自然，斯通乎天地之化，知其必然，斯通乎天地之德。

关于自然与必然之论在东原哲学的知识论方面自有光辉的议论，以下详言；这里我们研究他的性论，在内容上讲来，他是以“智”为性德的决定要件，仁仅为必要要件罢了。例如他说自然之道，人物同其天性，而人之所以异者，即在于知识理性之必然把握。《原善》卷中四云：

耳目鼻口之官接于物，而心通其则。……耳能辨天下之声，目能辨天下之色，……心能通天下之理义，人之才质得于天，若是其全也。……惟据才质为言，始确然可以断人之性善（按善谓全）。……人有天德之知，能践乎中正，其自然则协天地之顺，其必然则协天地之常，莫非自然也；物之自然不足以语此。

因此他虽然讲孟子的四端，而却在内容上讲孔子智愚，而言：“智于天地人物事为，咸足以知其不易之则。”

（《疏证》二四）细绎他的人性论是基于两个要素，一为可能的要素（或必要的条件），二为现实的要素（或决定的条件），上面所讲的“仁”指前者，“智”指后者。懂得了他的这一理论，便可以知道他为什么说“惟据才质为言，始确然可以断人之性善”。才质是对性而言，性指可能的东西，才指现实的东西，而决定人性之可以达于“全”，则在才质。所以，他的人性论，基本上是才质论，适之先生即不明了这一点，所以似乎又怀疑他的性善论，而不敢批评，仅云他讲“全”字有语病。东原的哲学文字颇简奥，《原善》一书开首几句话，即包括了他的思想全部。他区别性、才说：

成其气类曰性，各如其性以有形质，而秀发于心，征于貌色声，曰才。资以养者存乎事；节于内者存乎能。事、能殊致存乎才，才以类别存乎性。有血气斯有心知，天下之事能于是乎出。君子是以知人道之全于性也。呈其自然之符，可以知始；极于神明之德，可以知终。由心而底于神明，以言乎事则天下归之仁，以言乎能则天下归之智。

所谓存乎事者，即“生生之谓仁”，欲性自然之符，或他说“好生畏死”的生养自然。如果“辨其始”，则言性，性之事据他说是“欲”；如果“尽自然之极致”，则言才，才之能据他说开始于“觉”而达于神明。所以，性以言乎天下之“事”，才以言乎天下之“能”，而仁与智即换元于性与才。性为必要之认识，才为决定之认识，必要者无之不成人性，有之亦不能即说明人性，而决定者则无之不成人性，有之更可以“确然知人之性善”。（其理可参看使用价值与交换价值在经济学上的分辨，然以下所论不可拘泥。）

东原在《孟子字义疏证》一书中，将上面的理论，更加发挥，我们在这里，多费一点笔墨把它弄清楚。他说：

才者，人与百物各如其性以为形质，而知能遂以别焉。……气化生人生物，据其限于所分而言，谓之命，据其为人物之本始而言，谓之性，据其体质而言，谓之才。由成性各殊，故才质亦殊。才质者，性之所呈也。舍才质，安睹所谓性哉？（《疏证》二九）

由此看来，“才”是就知能区别而言，和他言“智”的地方相合。人物本始成性各殊，而“才”一如其成性之本始而受形质。他云“才之美恶，于性无所增，亦无所损”，颇含机械的观点，比船山之性论相差远甚。但他言性之全不可见，而才之量不可限，则是卓见。他说：

所谓性，所谓才，皆言乎气禀而已矣。其气禀之全则性也，其体质之全，则才也。禀受之全无可据以为言，如桃杏之性全于核中之白（即言桃仁、杏仁），形色臭味无一弗具，而无可见，及萌芽甲坼，根干枝叶，桃与杏各殊，由是为华为实，形色臭味无不区以别者，虽性则然，皆据不见之耳。……人之形官器利用大远乎物，然而于人之道不能无失，是不践此形也。犹言之而行不远，是不践此言也。践形之与尽性、尽其才，其义一也。（同上）

东原此论，实在分析讲来，性乃指人性之“质”，才乃指人性之“量”，质是不可见闻的，惟呈现于才，作为性之现象形态，则其量始可见有全有曲，始可知有美有恶，有是有非，即接上文他所云：“人之知，小之能尽美丑之极致，大之能尽是非之极致。……知之失则为蔽，蔽则差谬随之矣。……不蔽则其知乃所谓聪明圣智也。”故人性之善，在他讲来，不是善恶之善，而是全曲之全，“性以本始言”，言性具备可能的全德，而“才以体质言”，言才具备现实的全德，“尽其才”者即践形而至于人性之全量，所谓“圣智”。他解释孟子字义，亦可以看出这一点区别，他说：

孟子于性本以为善，而此云“则可以为善矣”。“可”之为言，因性有等差，而断其善则未见不可也。下云“乃所谓善也”，对上“今曰性善”之文。继之曰“若夫为不善，非才之罪也”。“为”犹成也。卒之成为不善者，陷溺其心，放其良心……（同上，三十）

他反对了程子“性无不善，不善者才也”之说，讥刺了朱子谓程子密于孟子之说以后，更说明才质在于后天的充养，故更指人性现实的要素，他说：

人之初生，不食则死，人之幼稚，不学则愚。食以养其生，充之使长，学以养其良，充之至于贤人圣人。……才虽美，譬之良玉，成器而宝之，气泽日亲，久能发光，可宝加乎其前矣；剥之蚀之，委弃不惜，久且伤坏无色，可宝减乎其前矣。（同上，三一）

这是反理学最有价值的议论，故理学家言复性之初，东原则说成才之终。他主张“语其至，非原其本”，说：

圣人亦人也，以尽乎人之理，群共推为圣智。尽乎人之理非他，人伦日用尽乎其必然而已矣。推极于不可易之为必然，乃语其至，非原其本。后儒从而过求，徒以语其至者之意言思议，视如有物，谓与气浑沦而成。……举凡天地人物事为，求其必然不可易，理至明显也。从而尊大之，不徒曰天地人物事为之理；而转其语曰理无不在，视之如有物焉。将使学者皓首茫然，求其物不得！（《疏证》十三）

"语其至"即他所谓"归于必然，适全其自然，此之谓自然之极致"，而与"复其初"之说相反，他说：

试以人之形体与人之德性比而论之。形体始乎幼小，终乎长大，德行始乎蒙昧，终乎圣智。其形体之长大也，资于饮食之养，乃长，日益加，非复其初，德性资学问，进而圣智，非复其初，明矣，……然人与人较（按即言才之较量），其才质等差凡几，古贤圣知人之才质有等差，是以重学问，贵扩充。……程子朱子……所谓理，别为凑治附着之一物，犹老庄释氏所谓真宰真空之凑泊附着于形体也。理既完全自足，难于言学以明理，故不得不分理气为二本，而咎形气。……虽六经孔孟之言具在，咸习非胜是，不复求通。呜呼，吾何敢默而息乎！

东原的人性论，从自然哲学的体系演绎上讲来，颇不统一，然而从人性论的才质至极方面讲来，则为光辉的理性主义，由此始可以讲他的知识论。

（三）东原的知识论

东原既把才质归于现实之性，所谓“存乎才质所自为谓之性”，复把性德归于“语其至”的智能，则他在知识上的精辟处便可以知道的。他说：

智者不凿，不凿则……易从，易从则有功，有功则大，可大则贤人之业，非智而能若是乎？（《原善》卷上）

自然者，散之于日用事为，必然者，秉之以协于中，达于天下。知其自然，斯通乎天地之化，知其必然，斯通乎天地之德。故曰，知其情则知天也。（同上，按化指现象，德指本质）

东原的知识论是和他的人性论密切相关的，人性论主“语其至，非原其本”（本即始），知识论便主“谓要其后，非原其先”（绪言初稿），所以他关于存在与思维，所论异常平实。他说：

物者事也，语其事，不出乎日用饮食而已矣。舍是而言理，非古贤圣所谓理也。(《疏证》三)

存在的事物是有合法则的条理，这是客观的实有本质，他称为“必然”。他说：

天地人物事为，不闻无可言之理者也。诗曰“有物有则”，是也。物者，指其实体实事之名，则者，称其纯粹中正之名。实体实事罔非自然，而归于必然，天地人物事为之理得矣。(《疏证》十三)

就事物言，非事物之外有理义也，有物必有则，以其则正其物而已矣。(同上，八)

在物之质者曰肌理，曰腠理，曰䐈理。得其分，则有条不紊，谓之条理。(同上，一)

东原关于“存在”的事物联络，说明简捷，在绪言初稿中则谓“理非他，盖其必然也”。因此他反对宋儒的“理”在事先之说。

六经孔孟之言以及传记群籍，理字不多见。今虽至愚之人，悖戾恣睢，其处断一事，责诘一人，莫不辄曰

理者，自宋以来始相习成俗，则理如有物焉，得于天而具于心，因以心之意见当之也。（同上，五）

他反对程朱之“如有物焉”之理，谓“朱子于其指神为道、指神为性者，皆转以言乎理”，“程子朱子谓气禀之外，天与之理；非生知安行之圣人，未有不污坏其受于天之理者也。……是天下之人虽有所受于天之理，而皆不殊于无有”。惟他亦如船山之认识张载，言张子“推行有渐为化，合一不测为神”诸语，乃“见于必然之为理，不以理为别如一物，于六经孔孟近矣”。（《疏证》卷上）

东原的思维哲学，首从感觉出发，他说：

耳目鼻口之官接于物，而心通其则。（《原善》卷中）

耳目鼻口之官，臣道也；心之官君道也。臣效其能，君正其可否。（《疏证》八）

心能使耳目鼻口，不能代耳目鼻口之能。彼其能者，各自具也。……盈天地之间，有声也，有色也，有臭也，有味也，……外内相通，其开窍也。……而开窍于耳目鼻口以通之。既于是通，故各成其能而分职司之。（同上）

东原的知识论，是认感觉为第一次的，惟他没有认识过程的分析，接着便是一套中心认识问题。他的最精彩的论断便是自然与必然的分析，他在绪言初稿中就说：

阴阳五行其自然也；精言之期于无憾，所谓理也。理非他，盖其必然也。……期于无憾无失之为必然，乃要其后，非原其先。

必然之与自然，非二事也。就其自然明之尽而无几微之失焉，是其必然也。（此句下面所云在《疏证》中加以修改）

他在《孟子字义疏证》定稿中，云：

人之异于物者，人能明于必然，百物之生各遂其自然也。（十五）

自然之与必然二事，（下同绪言文）……如是而后无憾，如是而后安，是乃自然之极则，若任其自然而流于失，转丧其自然，而非自然也。故归必然，适完其自然。（同上）

此论有部分地相似“自由乃必然之把握”这一命题，大体上他说，如果放任自由，而不把握必然并占有自然，则人类是自然的奴役，而非自然的主人，反丧失自由，这道理是接近科学的。但东原是观照论者，不是实践变革论者，故亦仅能部分地接近真理而已。

什么是观照论呢？这是形式逻辑较低级的认识论，不是说完全错误，而是说对于真理认识的有程度的反映。中国有句谚语，“当局者迷，旁观者清”，这句话的应用程度是有限的，问题越深刻下去，则反乎这一命题，而是“当局者清，旁观者迷”了。因为真理是具体的，在历史过程中，只有经实践躬行的检证，才能一点一滴把自然占有而为必然，从而不断地批判了旧的媒介认识，更新了活的媒介理论。所谓“不知庐山真面目，此身必在庐山中”，亦以观照而言，若深刻下去，世界与人类则不是庐山与此身的比拟，人类即在世界若干的列中，置身于一系列而看他系列，复置身于本系列而自觉乎本系列，宁是“要知庐山真面目，此身必置庐山的实践中”。所谓观照论，即以裁判者的资格代替履践者的资格，对于认识论上的反映论是远离开了的。以下我们研究东原知识论的这两方面。

第一，东原的知识论，出发于必然的认识，这是最有价值的学说。他在绪言初稿中即云："知条理之说者，其知理之谓也。""就天地人物事为求其不易之则是谓理。"这是由客观存在的条理把握真理的说法，原则上颇没有问题，他说：

理义非他，可否之而当，是谓理义。然又非心出一意以可否之也。若心出一意以可否之，何异强制之乎？是故就事物言，非事物之外别有理义也。有物必有则，以其则正其物，如是而已矣。就人心言，非别有理以予之而具于心也。心之神明，于事物咸足以知其不易之则。譬有光皆能照，而中理者乃其光盛，其照不谬也。(《疏证》八)

东原此论颇似费尔巴哈，除了末句"譬有光"以下，在下面说明外，大体上是健全的理论。"可否(判断)之而当(正确)"，是有客观条理为依据的，若主观上要心出一意以"可否"事物界之法则运动，便不是"以其物正其则"，而是以其心幻想一个抽象东西，那么不但把握不着必然，而且失去自然，因为他说"必然乃自然之极则，适以完其自然也"。

因此，他更注重对于客观存在的分析，甚至说理的内容就在于“精微之察”，“事物之理，必就事物剖析至微，而后理得”。他在《疏证》卷首语云：

理者，察之而几微必区以别之名也。

接着他论分析认识是人类的法宝，说：

孟子称孔子之谓集大成曰：“始条理者，智之事也；终条理者，圣之事也。”圣智至孔子而其极盛，不过举条理以言之而已矣。……天下事情，条分缕析，以仁且智当之，岂或爽失几微哉？《中庸》曰：“文理密察，足以有别也。”《乐记》曰：“乐者，通伦理者也。”郑康成注云：“理，分也。”许叔重《说文解字》序曰：“知分理之可相别异也，古人所谓理，未有如后儒之所谓理者也。”（《疏证》一）

他以“条分缕析”，规定真理的含义，故说：“天理云者，言乎自然之分理也。”（同上，二）这种分理，因为是客观存在的，故分析判断，皆有公理的同然，而非个人的意见，他说：

心之所同然，始谓之理、谓之义，则未至于同然，存乎其人之意见，非理也，非义也。凡一人以为然，天下万世皆曰是不可易也，此之谓同然。举理以见心能区分，举义以见心能裁断。分之各有其不易之则，名曰理，如斯而宜，名曰义。是故明理者，明其区分也，精义者，精其裁断也。不明，往往界于疑似而生惑，不精，往往杂于偏私而害道：求理义而智不足者也。（同上，四）

东原据此而批判宋儒之“理”为“原其先”的空想，他说：

以水之清喻性，以受污而浊喻性堕于形中污坏，以澄之而清喻学。水静则能清，老庄释氏之主于无欲，主于静寂，是也。因改变其说为主敬，为存理，依然释氏教人认本来面目，教人常惺惺之法。若夫古贤圣之由博学审问慎思明辨笃行以扩而充之者，岂徒澄清已哉？（同上，二七）

此评重在所谓“理要其后，而非原其先”，与习斋批评镜花水月之幻觉，相互发明，惟没有习斋立论的精到。

第二，东原的知识论，不能像适之先生所夸大者，谓完全合于科学。东原所谓“条理得于心，其心渊然而条理，是为智”（《原善》卷上），这是合于科学的，惟他言“同然”则并非历史方法的，而是抽象的千古不易之则，例如“天下万世皆曰不可易也，此之谓同然”，科学上没有这个天下万世皆曰不可易之则，东原没有如船山的认识过程的学说，故他把事理作为平剖面去看待，在平剖面上知义理之极者，谓之圣智之事，在这里最无“发展”的概念。他说：

循之而得其分理，是谓常。……理言乎其详致也。（《原善》卷上）

同于生生之条理，则圣人之事。（同上）

心得其常，耳目得其顺，……故理义非他，心之所同然也。何以同然，心之明之所止，于事情区以别焉，无几微爽失，则理义以名。（《原善》卷中）

他解释格物亦不同于习斋的实证论，而是要求不易之则，和船山所谓失理之理亦是理的命题相反。他说：

致知在格物，何也？事物来乎前，虽以圣人当之，不审察无以尽其实也，是非善恶未易决也。格之云者，于物情有得而无失，思之贯通，不遗毫末，夫然后在己则不惑，施及天下国家则无憾，此之谓致其知。（《原善》卷下）

为什么东原的知识论强调了不易之则，就是因为上面所讲的观照论是他的基本立场，所谓“中理者乃其光盛，其照不谬”。他没有研究人类知识的历史发展，不知道“此光”是一个能动的过程，光照与所照二者之间媒介“必然”是一个可变可革的运动，在人类实践检证中还有认识即自性与对自性的扬弃。

他在绪言初稿中此种观照论已经形成，例如他说“心之精爽所照者不谬，是谓得理”，在《疏证》中更有详论，他说：

思者心之能也。精爽有蔽隔而不能通之时；及其无蔽隔，无弗通，乃以神明称之。凡血气之属，皆有精爽，其心之精爽，钜细不同，如火光之照物，光小者，其照也近。所照者，不谬也。所不照，斯疑谬承之。不谬之谓得理。其光大者，其照也远，得理多而失理少。且不特远近也。光之及又有明暗，故于物有察有不察。察者，尽其实。不察，斯疑谬承之。疑谬之谓失理。失理者，限于质之昧，所谓愚也。惟学可以增益其不足而进于智，益之不已，至乎其极，如日月有明，容光必照，则圣人矣。……故理义非他，所照所察者之不谬也。（《疏证》六）

这一段话是他的观照论的精髓，知识在实践过程中的活动，被作为置身庐山之外照察庐山的真相，去看待。思维活动的机能，被当做一把火光看待，光有大小，明暗，质量之分别，故所照所察者亦有精粗深浅之分别。而万世不易之则，则是如日月之光的圣人始能照察，毫无爽失，巨细不遗。由这里我们可以知道东原的观照论缺乏具体的真理认识，缺乏历史的真理认识，后来章实斋的文化史学，未始非对东原的批判，因为观照论是与由词通道的形式论相为关联的。

东原的观照论对于客观存在的对象运动和主观认识的思维活动二者之间，没有联络的说明，而是把主观与客观作为孤立的商业行为来看待，例如他在《疏证》序言上所言“如持权衡以御轻重，如规矩准绳之于方圆平直”。要知道，对象的认识与认识的对象，只有通过实践实验与产业活动，才能成为历史的人类与人类的历史二者之间媒介的认识，不是“限于所分”的命而使无历史的发展。他于数学甚有心得，因而把初等几何学的方法概括了真理论，产生了万世皆准的抽象定理学，他说：

天地之大，人物之蕃，事为之委曲条分，苟得其理矣，如直者之中悬，平者之中水，圆者之中规，方者之中矩，然后推诸天下万世而准。……夫如是，是为得理，是为心之所同然。……语天地而精言其理，犹语圣人而言乎其可法耳。(《疏证》十三)

但他的观照论下面的必然准则之说，是基于经验主义，却与宋儒的“一本万殊”相反，他说：

宋儒……冥心求理，谓“一本万殊”，谓“放之则弥六合，卷之则退藏于密”，实从释氏……比类得之。……“一以贯之”，非言以一贯之也。道有下学上达之殊致，学有识其迹与精于道之异趣。“吾道一以贯之”，言上达之道即下学之道也。“予一以贯之”，不曰予学，蒙上省文，言精于道则心之所通不假于纷然识其迹也。……一事豁然使无余蕴，更一事亦如是，久之心知之明进于圣智，虽未学之事，岂足以穷其智哉？……六经孔孟之书，……未有空指“一”而使人知之求之者。致其“心之明”(按即指观照之火)，自能权度事情，无几微差失，又焉用知一求一哉？(同上，四一)

东原的绝对不易的法则真理论，回头一看实在和他的自然哲学生化不息的运动论，相去愈远，这是观照论在体系上的大危机，所以他在《疏证》结尾处，忽然提出一个“权”字来补救体系上的裂痕，这个“权”字，在表面上看来他是用“执中无权，犹执一也”，以反对宋儒的“执理无权”，而实在说来他是以“权”字做了自己学说的缝线，其痕迹显然可睹，这不是著者的妄评古人，而是细考其全部哲学体系而得出的认识。而且权变与权衡二义同时混出，亦是东原语言学的未到处。他说：

权，所以别轻重也。凡此重彼轻，千古不易者，常也，常则显然共见其千古不易之重轻。(《疏证》四十)

此权字作权衡之义解，但接着说：

而重者于是乎轻，轻者于是乎重，变也。变则非智之尽能辨察事情而准，不足以知之。……知常而不知变，精义未深，所以增益其“心之明”，使全乎圣智者未之尽也。(同上)

此之说明，又似乎指权变之旨，而混以权准权衡的“心之明”。故他不说事理万变，而反把是非与轻重混同而言，但轻重并包括不了是非。他说：

古今不乏严气正性疾恶如仇之人，是其所是，非其所非，执显然共见之重轻，实不知有时权之而重者于是

乎轻，轻者十是乎重。其是非轻重一误，天下受其祸而不可救。（同上）

在言是非方面，似乎是非为变化的，故《原善》首段云：

名其合变谓之权。

而在言轻重方面，似乎只指“心之明”的权衡或准裁，故《疏证》末句云：

权，所以别轻重，谓“心之明”至于辨察事情而准，故曰权。学至是，一以贯之矣，意见之偏除矣。

所以然者，他在变化法则上没有认识论的基础，而仅以“心之明”的权衡辨察为结论，非圣智者就“未可与权”了。东《原疏》证的哲学，以天才的字义疏证解起，而以非天才的字义疏解终，原因在于“权”字是超出他的哲学体系，很不自然地高举权变之说以缝补天衣，而使用术语。

因为他的观照论，提高了“心之明”，所以又在“权”字一节的结论中，否定实践的检证之在认识论中的重大地位，而强调知识的凌空指示性，他说：

凡异说皆主于无欲，不求无蔽，重行，不先重知。

求其至当，即先务于知也。……重行不先重知，非圣学也。

这显然和习斋的习行之说相反，而为观照论的“旁观者清”的浅肤之谈。

复次，东原的知识论，绪言初稿与《疏证》，最大不同的地方是“理”字在社会哲学上的运用，绪言没有说明，而《疏证》详论之（这一点为钱穆先生指出，不敢掠美，兹注）。按东原理欲不相外之说，《原善》中已有雏形，所谓“欲也者性之事也，欲不失之私则仁”。他以人类的生养，配于天地之生生，上面已经说明。惟他在《疏证》中才提出社会哲学的“理”论，这一理论是从现实的社会观点出发，在清代中叶是最难能而可贵的。虽然在东原哲学中一般都是抽象的观照，而偶然亦有一二处涉及了实际的社会，如在《原善》末尾说：

在位者多凉德而善欺背，以为民害，则民亦相欺而罔极矣。在位者行暴虐而竞强用力，则民巧为避而回遹矣。在位者肆其贪，不异寇取，则民愁苦而动摇不定矣。凡此，非民性然也，职由于贪暴以贼其民所致。乱之本鲜不成于上，然后民受转移于下，莫之或觉也。乃曰，“民之所为不善"，用是而仇民，亦大惑矣。

按这段文章，在《原善》一书中最为突出，并不与他前面所讲的抽象理论有联络，亦与本书序言所云不相贯串，而东原慎重言之，且语气之间甚富生发之感情。所谓“乃曰，民之所为不善”一句，总有人说的，谁说的？我们拿这段话和实斋的《上执政论时务书》相比对，就知道东原所说的，暗示当时的“官迫民反”（如川陕教匪）种种暴政，和珅秉政以来仇民的劣迹。东原所言，暗示之词而已，实斋则大胆地狂指具体的实情了（参看下章）。

从现实具体的事物出发者，便更富于学术的人民性，便更富于历史价值，东原的社会哲学“理”论，颇有十八世纪时代人本主义的思想色彩，我们认为在这一点上才是真正继承了清初大儒的宏图，而考据学则是末节小技。他亦说：“问学……贵其化，不贵其不化，记问之学，入而不化者也。”他在社会哲学上的“化”，和“权”字（“权衡于轻重，于仁无憾、于礼义不忿”）相为照应的。因此，他的观照论亦变做权衡论，这里他亦顾不及重知不重行的命题。而竟以“有为”二字出发。

他说：

宋以来儒者……其辨乎理欲，犹之执中无权，举凡饥寒愁怨，饮食男女，常情隐曲之感，则名之曰人欲，故终其身见欲之难制，其所谓存理，空有理之名，究不过绝情欲之感耳。……天下必无舍生养之道而得存者。凡事为皆有于欲，无欲则无为矣，有欲而后有为，有为而归于至当不可易之谓理，无欲无为，又焉有理？（《疏证》后序）

这里，人类社会是有欲有为的相互活动关系，人类的活动归于至当养生之道，是谓合理，这就不是观照的方法所能辨察的，而是由生活实践中权衡轻重的。故他又批评说：

以无欲然后君子，而小人之为小人也，依然行其贪邪，独执此以为君子者谓不出于欲，不出于欲则出于理，于是谗说诬辞反得刻议君子而罪之，此理欲之辨使君子无完行者，为祸如是也！（同上）

“完行”的生活关系，反成了东原社会哲学基础，因此他在行为方面提出了权乎轻重的道理：

举凡民之饥寒愁怨，饮食男女，常情隐曲之感，咸视为人欲之甚轻者矣。轻其所轻，乃吾重。天理也，公义也，言虽美而用之治人则祸其人。……古之言理也，就人情欲求之，使之无疵之为理；今之言理也，离人之情欲求之，使之忍而不顾之为理，此理欲之辨适以穷天下之人尽转移为欺伪之人，为祸何可胜言也哉？（同上）

故他虽倡言知重于行，而在基本上则寻求权衡人类合理的行为关系：

人伦日用，圣人以通天下之情，遂天下之欲，权之而分理不爽，是谓理。（同上，四十）

这种合理的行为关系，则不是置身于庐山之外观照庐山的真面目，而是在人类自己生活中的轻重权衡。其实这个权衡的合理社会，在他说来亦甚简单，不必圣智才知道的，到了一定历史的发展之下，它是人类的合法要求，那就是近代式的“平等”，因为他既肯定“理者存乎欲者也”，则人民于其历史任务中皆会看到这一欲中之理，用现代语讲来便是“民主”了。他说：

理也者，情之不爽失也。未有情不得而理得者也。凡有所施于人，反躬而静思之，人以此施于我，能受之乎？凡有所责于人，反躬而静思之，人以此责于我，能尽之乎？以我絜之人，则理明。……自然之分理，以我之情，絜人之情，而无不得其平，是也。……情得其平，是为好恶之节，是为依乎天理。(《疏证》二)

东原以上所言之理，是指人与人的平等关系，按“民主就是平等的意思”，他虽然亦和其他近代学者一样地从形式上得出人类近代式的法权思想，但不能以形式性而低估他的价值。他又说：

在己与人，皆谓之情，无过情无不及情之谓理。(同上，三)

他这里所言之情，便指广义的生活，生活之理是平等的，即他引孔子之所云恕道，“其恕乎，己所不欲，勿施于人”，施受的行为至当之处即平等之理。他解释《大学》云：

……所恶于右，毋以交于左，所恶于左，毋以交于右。以等于我言也。曰，“所不欲”，曰“所恶”，不过人之常情，不言理而理尽于此。惟以情絜情，故其于事也，非心出一意见以处之。苟舍情求理，其所谓理，无非意见也。未有任其意见而不祸斯民者？(五)

东原的“等于我”的理欲不相外之说，章太炎谓超过程朱，并认出东原此说为“逮政之言”：

《原善》、《孟子字义疏证》，专务平恕。……如震所言，施于有政，上不訾下，下无怨讟，衣食孳殖，可以致刑措。……夫言欲不可绝，欲当即为理者，斯固逮政之言。（以下评非饬身之典，则太炎的哲学与东原相反，故云。参看下面太炎章）（《释载》）

东原的平等思想，是还元于哲学而言，尚非具体的平等理想，但他已经说到若无此平等的社会关系之“认识”，便是“任其意见而祸斯民”，“意见”二字在政治学便为“朕即国家”的专制。故他反对宋儒以来的“理”，亦归结于不平等，暗示封建政治上超人己关系之横夺，他说：

今虽至愚之人，悖戾恣睢，其处断一事，责诘一人，莫不辄曰“理”者，自宋以来始相习成俗。……于是挟其势位，加以口给者，理伸；力弱气慑，口不能道辞者，理屈。呜呼，其孰谓以此制事以此制人之非理哉？（五）

东原所谓“人等于我”的社会哲学思想是近代的议题，亦是一位汉学家最特色的地方，但他的思想却没有成熟。严格言之，在这一点他是在清初大儒以后复活了十七世纪人文主义的绪统，开启了十九世纪的一线曙光，他的历史价值颇为光彩（胡适之则据形式逻辑把这一点批评得不值一笑了），和当时文学范围内的小说运动（如《儒林外史》,《镜花缘》）相为辐射，他哲学家的范畴和小说家的典型都不是个人的，而是社会的。然而，我们要记住，东原哲学不是清代哲学的建设者。

第八章　继承清初学术传统的文化史学家章学诚

第一节　学诚的时代封锁及其史学特点

章学诚，字实斋，浙江会稽人，生清乾隆三年，卒嘉庆六年（一七三八——一八〇一年）。他是一位当时不得知遇的学人，死后他的言思泯灭多年，始被近人所发掘，自胡适为他作《年谱》以后，他的名字更显。为什么他的遭遇是这样的不幸呢？这丝毫不是偶然的，原因就在于他的时代。

十七世纪的学者，都在那里憧憬着一个未来世界，他们所提出的时代辣手厌人的问题及其历史制作的课题，比朝代更替的课题更加重要，他们对于将要来临的“大壮之交”、“夷之初旦，明而未融”（见《明夷待访录》）

之世界，都“不秘其言”，所谓“风雨如晦，鸡鸣不已”，他们都是运用全人格的自我意识，绘制自己的理想（从学术的意识觉醒到社会觉醒），所以他们的经济、政治的图案，换言之，他们的世界观，大都是在程度不相齐等的民主要求正途上。然而，十八世纪的中国历史，没有简洁地开入近代的程途，反而形成了一个反动的高潮，这便是中山先生在《民族主义》里所描绘的康熙乾隆文化政策高压之时代。不论中外，异族统治的厄运，常能使历史的进程速度停顿，人类的智慧在这样悲剧中产生着曲线活动，清代异族统治中国的历史正亦没有例外。我们研究近世思想的步伐，必须要明白这个东西。

康熙以来的文化政策，比蒙古人高明到万倍，一方面大兴文字之狱，开四库馆求书，亦命有触忌讳者焚之（见章太炎《检论·哀焚书》），他方面则重儒学，崇儒士，这不但表现在他十二年荐举山林隐逸，十七年荐举博学鸿儒，十八年开明史馆，而且表现在他的指导理论，打击当时新兴的“经世致用”之学，即大清康熙皇帝的宋学提倡，如十二年上谕命编太极图论，十六年亲制四书解义序，五十一年上谕朱子配享孔庙，以及选任大臣多理学名家等等。然这不是他的唯一政策，据任公先生云，在朝理学与在野汉学形成了一个对峙，实难巩固统治。因此，在他的时代便有《图书集成》的编纂，至雍正三年告成，书凡六千一百〇九部。升化了经世之学的汉学，毕竟不同于清初的知识武器，故到了乾隆时代在朝汉学，亦就同时提倡，作为理学的补修政策。乾隆三十八年至四十七年，招集了海内学者三百人入四库馆，编定了闻名的《四库全书》，凡七万九千七十卷。任公云这是“汉学的大本营”，故乾隆朝的政策更是封建文化笺注与烦琐并行提倡的指导方针。东原说：“值上方崇实学，命大臣举经术之儒。”（见《江慎修事略状》，乾隆壬午）同时，自雍正元年（一七二三）放逐西洋教士以来，中国学问与西洋科学断绝关系，故十八世纪的西欧文明，暂时停止输入。对外的闭关封锁与对内的“钦定”封锁，相为配合，产生了所谓乾、嘉为研古而研古的汉学（方法论另论），支配着当时学术界的潮流，皮锡瑞说：

国（清）朝经学所以盛者，由其上能尊崇经学，稽古右文故也。康熙五十四年，御纂《周易折中》二十二卷，乾隆二十年御纂《周易述义》十卷，康熙六十年钦定《书经传说汇纂》二十四卷，钦定《诗经传说汇纂》二十卷，乾隆二十年御纂《诗义折中》二十卷，乾隆十三年钦定《周官义疏》四十八卷，钦定《仪礼义疏》四十八卷，钦定《礼记义疏》八十二卷，康熙三十八年，钦定《春秋传说汇纂》三十八卷，乾隆二十三年御纂《春秋直解》十六卷，乾隆四十七年钦定《四库全书总目》，……乾隆五十八年诏刊十三经，……嘉庆八年复命廷臣磨改以期尽善，……足以别黑白，而定一尊。（皮著：《经学历史》）

所谓御纂的诸书，如康熙所纂多出李光地诸人之手，据章太炎云："李光地，……会康熙尊朱学，故以宋学名，……时贵训诂，即稍稍理故书；贵文言幽眇，即皮传《周易》与《中庸》篇，为无端崖之辞。……卒以附会得人主意，称为名相。自光地在朝，君臣相顾欢甚。……时令参订朱熹书，常曰：知光地者莫如朕，知朕者亦莫如光地者也！"（章著：《检论》）

李光地承旨编纂了一大批书（如《周易折中》，《性理精义》），更上书颂扬清室的文化，说：

臣观道之与治，古者出于一，后世出于二。孟子叙尧舜以来至于文王，率五百年而统一续，此道与治之出十一者也。……孔子之生东迁，朱子之生南渡，天益付以斯道，而时不逢，此道与治之出于二者也。自朱子以来，至我皇上，又五百年，应王者之期，躬圣贤之学，天其殆将复启尧舜之运，而道与治之统复合乎！伏维皇上承天之命，任斯道之统，以升于大猷，臣虽无知，或者得依附末光，而闻大道之要，臣不胜拳拳！

李某这样颂扬的“统”策，即康熙以来的法宝，所以清代史学家全谢山斥李曰：“君家相公之书，其貌则经者，其人则纯乎纬者也！”（《鲒埼亭集外编》卷四十四）

在这样钦定御纂的汉学世界，亦正如皮氏说：“乾嘉以后，许郑之学大明，治宋学者已鲜说经，皆主实证，不空谈义理，是为专门汉学。”（同上）我们在本章所研究的章学诚，即在此专门汉学，不谈义理的支配潮流中，发出了一种学术性的抗议，部分地继承十七世纪的大儒传统。所谓“部分地”，乃就其学术性的文化哲学而言，尚没有全面地深刻光大了清初大儒的近代意识，他自己说：

余仅能议文史耳，非知道者也。然议文史而自拒文史于道外，则文史亦不成其为文史矣。因推原道术，为书十三篇，以为文史缘起，亦见儒之流于文史，儒者自误以谓有道在文史外耳。(《文史通义·自序》)

实斋之“仅能议文史”，谓不外于道，而非道之全体，实在是他的“史德”，然而就是这一文化哲学或文化史学的理论，便足以成为当时最出色的时代抗议，诚如他说：“所撰著，归正朱先生（筠）外，朋辈征逐，不特甘苦无可告语，且未有不视为怪物，诧为异类者。”(《与汝楠论学书》) 这在“专门汉学”的空气中，实斋似受异端之嫌疑。同书又说：

学者祈向，实有专属，博详反约，原非截然分界。及其所取愈精，故其所至愈远。……十年闭关，出门合辙，卓然自立以不愧古人，正须不羡轻隽之浮名，不揣世俗之毁誉，循循勉勉，即数十年中人以下所不屑为者而为之，乃有一旦庶几之日，斯则可为知者道，未易一一为时辈言耳。

他在《与汪龙庄书》亦说：

拙撰《文史通义》，中间议论开辟，实有不得已而发，……然惊世骇俗，为不知己者诟厉。姑择其近情而可听者，稍刊一二，以为就正同志之质，亦尚不欲遍示于人也。

《文史通义》一书是他的代表作，自他三十五岁起开始写作（据胡适所著《实斋年谱》），至“稍刊一二”之年（五十九岁，据钱穆考），中经二十四年的光景，限于“惊世骇俗”，当力求“近情”，恐尚不至言所欲言者。而《校雠通义》之失于盗，是否偶然大有寻味，据《年谱》，是时他正失礼于×海度，出走河南，他这个好为议论，招人诟病的人，有可能是由于他的思想而招来故意的不速之客，《年谱》记他的性格云：

及门章学诚议论如涌泉，先生（指朱筠）乐与之语。学诚姗笑无弟子礼，见者愕然，先生反为之破颜，不以为异。（李威：《从游记》）

他使“见者愕然”于他的言论风度，这甚不合乾嘉时代的世俗好恶，故他的学术晦于当时的原因，亦就不是偶然的了。他更说：

学诚从事于文史校雠，盖有所发明，然辩论之间颇乖时人好恶，故不欲多为人知，所上敝帚，乞勿为外人道也。……世俗风尚必有所偏，达人显贵之所主持，聪明才俊之所奔赴，其中流弊必不在小，载笔之士，不思挽救，无为贵著述矣！苟欲有所挽救，则必逆于时趋，时趋可畏，甚于刑曹之法令也。……韩退之《报张司业书》谓："释老之学，王公贵人方且崇奉，吾岂敢昌言排之？"乃知《原道》诸篇，当日未尝昭扬众目。太史公欲藏之名山，传之其人，不知者以为珍重秘惜，今而知其有戒心也。……今世较唐时为尤难矣。……若夫天壤之大，岂绝知音，针芥之投，宁无暗合？则固探怀而出，何所秘焉？（《遗书·上辛楣宫詹书》）

这是他给当时名儒钱大昕（辛楣）的信，一种畏戒时趋之情毕现，他所谓"达人之所主持，聪明才俊之所奔赴，其中流弊必不在小"，可以说是对于时代"专门汉学"的抗议，主持者正是康熙以来的文化政策执行者，奔赴者则是他所谓的利禄文士，那里还有清初大儒活生生的气象容乎其间么？这种风气，他后来在《文史通义》中概乎言之，仔细研究几乎每篇都有反对当时"专门汉学"的议论，兹举其要旨于下：

天下不能无风气，风气不能无循环。……所贵君子之学术，为能持世而救偏。……风气之开也，必有所以取，学问、文辞与义理，所以不无偏重畸轻之故也。风气之成也，必有所以敝，人情趋时而好名，循末而不知本也。是故开者虽不免于偏，必取其精者，为新气之迎，敝者纵名为正，必袭其伪者，为末流之托，此亦自然之势也。而世之言学者，不知持风气，而惟知循风气，且谓非是不足以邀誉焉，则亦弗思而已矣！（《文史通义·原学下》）

这显明地是对于汉学风气而发，因为他首句即云“世儒之患，起于学而不思”。原考清初学者开风气者，义理、文辞、学问并没有分家，即以博雅者如顾亭林氏而言，亦以考证为手段，经世致用为目的，亭林所谓“理学即经学”的主旨，有所谓“当世之务”的前提，和乾嘉学者的经学实在是两个东西，不容混同。因为以经学挽救理学的空谈是一回事，而以经学只限于训诂名物又是一回事。手段，实斋谓之“功力”，他说：

王伯厚氏……诸书，谓之纂辑可也，谓之著述不可也，谓之学者求知之功力可也，谓之成家之学术，则未可也。今之博雅君子，疲精劳神于经传子史，而终身无得于学者，正坐仰王氏，而误执求知之功力，以为学即在斯尔。学与功力实相似而不同，学不可以骤几，人当致功乎功力则可耳，指功力以谓学，是犹指秫黍以谓酒也。（同上，《博约中》）

乾嘉学者的朴学成绩自有历史地位，我们如何了解它的地位呢？著者以为这是要分辨问题的主流与因此主流而派生的副作用，如历史上的反动战争十字军东征，雅片战争等等，问题是中古与近代人类的悲剧，然而其间的副作用，十字军东征所带来的东西商业繁兴可以使欧洲人民自觉，雅片战争军舰所带来的欧洲科学，可以使东亚人民自觉，如果我们不识悲剧历史的中心意义，而妄以为战争与文明就有一般的必然关系，那便大大地错误了。同样地，专门汉学，自康熙以至乾嘉二朝，已成为中国文化的统治政策，其间指导的主流，是企图腰斩清初活文化的人民性与社会性，在古典的经籍中使失去个性的发展，从文化上“开明”的烙印冲淡那异族统治的仇恨，然而这亦可能产生了副作用，即乾嘉学者的治学方法以及由经学的整理而淹流于一般文献（尤其子学，如与章实斋同时的汪中即招来“墨者”的头衔）的探寻。实斋亦云：

其始也，以利禄劝儒学，而其究也，以儒术徇利禄，斯固不足言也；而儒宗硕师，由此辈出，则亦不可谓非朝廷风教之所植也。(同上，《原学下》)

他在《文史通义·假年》篇更明白攻击着汉学空气，他首先设喻云："学问之于身心，犹饥寒之于衣食也，不以饱暖慊其终身，而欲假年以穷天下之衣食，非愚则罔也。"最后他竟以"妖孽"二字痛斥汉学了(注意，他之痛斥汉学并不是扶宋学，同时他亦接受反宋学的所谓"取其所以精"，他是在正途上，而与方东树的"汉学商兑"在歧路上相反)，他说：

今不知为己，而骛博以炫人，天下闻见不可尽，而人之好尚不可同，以有尽之生，而逐无穷之闻见，以一人之身，而逐无端之好尚，尧舜有所不能也。孟子曰，"尧舜之智而不偏物"，……今以凡猥之资，而欲穷尧舜之所不偏，且欲假天年于五百焉，幸而不可能也；如其能之，是妖孽而已矣！

他更有两段具体的议论，因忌戒为怀，都编于外篇。他说：

或曰，联文而后成辞，属辞而后著义，六书不明，五经不可得而诵也。然则数千年来，诸儒尚无定论，数千年人不得诵五经乎？故生当古学失传之后，六书七音，天性自有所长，则当以专门为业，否则粗通大义而不凿，转可不谬乎古人，而五经显指，未尝遂云霾而日食也。（说文字原课本书后，《文史通义》外篇二）

就经传而作故训，虽伏生大儒，不能无强求失实之弊。……离经传而说大义，虽诸子百家未尝无精微神妙之解，以天机无意而自呈也。（吴澄野太史历代诗抄商语，《校雠通义》外篇）

第一段话，钱穆先生谓“明对由字以通其词，由词以通其道之说而发”，第二段话，谓“明对求道必于六经之说而发”，所述极是。实斋把汉字最基本的知识——音韵学，作为少数专家之业看待，而把离经诸子认为并不叛道，亦具“精微神妙”之见解，可谓近代文化史学家的大胆言论，是清初大儒的传统精神。

他以“立言之士，以意为宗”，在《文史通义》“辨似”篇，亦针对文章家考据家而言。他说：

学问之始，未能记诵，博涉既深，超越记诵。故记诵者，学问之舟车也，人有所适，必资乎舟车，至其地，则舍舟车矣；一步不行者，则亦不用舟车矣，不用舟车之人，乃托舍舟车为同调焉，故君子恶夫似之而非者也（原注：程子见上蔡多识经传，便谓玩物丧志，毕竟与孔门一贯不似）。

按此段话，是两方面的批评，第一面批评汉学，永远在资舟车的旅途中，不知有其目的地，更不知知识"即自性"与"对自性"的发展，所谓"博涉既深，超越记诵"者是；第二面批评宋学，永远站在此岸而遥视彼岸，不用舟车的工具而想冥造目的地的景象。船山的知识论对此有丰富的内容，实斋虽未知船山，但含有船山时代的遗绪。

然而他毕竟在当时的汉学封锁中不能成为显学，而且到了晚年只得变通一些自己的主张，和汉学妥协，故修志一事便成了他的主要工作（虽然他争修志的义例），在修志的藩篱里埋没了他的天才发展实算不小，他在《文史通义·感遇》篇虽极力辩解真学伪学，而亦不能不说，"君子假兆以行学，而遇不遇听乎天"了，他说：

圣贤岂必远于人情哉？君子固穷，枉尺直寻，羞同诡御，非争礼节，盖恐不能全其自得耳。

后之学术曲而难，学术虽当，犹未能用，必有用其学术之学术，而其中又有工拙焉。身世之遭遇，未责其当否，先责其工拙。学术当而趋避不工，见摈于当时，工于遇而执持不当，见讥于后世。沟壑之患逼于前，而工拙之效驱于后，呜呼，士之修明学术，欲求寡过，而能全其所自得，岂不难哉！且显晦，时也，穷通，命也，才之生于天者有所独，而学之成于人者有所优，一时缓急之用，与一代风尚所趋，不必适相合者，亦势也。

皮锡瑞引《四库提要》评二千年经学得失，案云：

琐者，国朝汉学也。提要之作，当惠戴讲汉学专守许郑之时，其繁称博引，间有如汉人三万言说“若稽古”者。(《经学历史》)

由性理的烦琐到考证的烦琐，其烦琐的对象不同，而拘束人性的独立发展，如实斋所谓“以意为宗”“全其自得”者，则殊途同归。惠（定宇）戴（东原）讲学之时，宗许宗郑，各立门户，世称吴派与皖派，实斋就在这个时候出来挽持风气，他的代表作即《文史通义》与《校雠通义》二书，他自云此二书是“乖时人之好恶”（见前引）。我们仔细审察以上二书的内容，《文史通义》

略当今日所谓之文化史学，《校雠通义》则当今日所谓之学术史，他说：

人不幸而为古人，不能阅后世之穷变通久，而有未见之事理；又不能一言一动，处处自作注解，以使后人之不疑，又不能留其口舌，以待后生掎摭之时，出而与之质辩，惟有升天入地，一听后起之魏伯起尔！然百年之后，吾辈亦古人也，设身处地，又当何如？……鄙人所业文史校雠，文史之争义例，校雠之辨源流，……皆不能不驳古人。……古人差谬，我辈既已明知，岂容为讳？但期于明道，非争胜气也。(《与孙渊如观察论学十规》)

"古人有未见之事理"，这是在当时经学世界的有力抗议，故宗许宗郑，在他看来都是一种自我束缚，古人差谬，今人亦可批评，故他对于东原的《郑学斋记》有一篇书后，说：

戴君说经，不尽主郑氏说，而其《与任幼植书》，则戒以轻畔康成。人皆疑之，不知其皆是也。大凡学者于古未能深究其所以然，必当守师说，及其学之既成，会通于群经与诸儒治经之言，而有以灼见前人之说之不可以据，于是始得古人之大体而进窥天地之纯。故学于郑而不敢尽由于郑，乃谨严之至，好古之至，非蔑古也。乃世之学者喜言墨守。……墨守而愚，犹可言也，墨守而黠，不可言矣。愚者循名记数，不敢稍失，犹可谅其愚也，黠者不复需学，但袭成说，以谓吾有所受者也。盖折中诸儒，郑所得者十常七八，黠者既名郑学，即不劳施为，常安坐而得十之七八也。夫安坐而得十之七八，不如其求"自得"者之十之一二矣，而犹自矜其七八，故曰德之贼也。（按东原此书，斥株守古人，为贼经害道者。在《与某书》中，言之更详，谓"志存闻道，必空所依傍，汉儒故训有师承，亦有时附会"。）

这可见他注重"自得"厌弃因袭，所谓"师说"不过是"自得"之桥梁罢了，此为他著书的出发点。他言"文史之争义例，校雠之辨源流"，在他处则云："史学义例，校雠心传，则皆前人从未言及，亦未有可以标著之名。"（《家书》七）今分述于下：

一、《文史通义》之近于历史哲学，近人颇多言之者，惟既不审文化史学的内容，又将《校雠通义》亦混同并提。这里我们要把它弄清楚才是。实斋自己说：

郑樵有史识而未有史学，曾巩具史学而不具史法，刘知几得史法而不得史意，此予《文史通义》所为作也。(《志隅·自序》)

吾于史学，盖有天授，自信发凡起例，多为后世开山，而人乃拟吾于刘知几，不知刘言史法，吾言史意。(《家书》七)

史识，史学，史法是指什么呢？而史意又是指什么？这些在实斋学术中都有特别的意指，不可以随便看过。他说：

才，学，识三者，得一不易，而兼三尤难。……史所贵者义也，而所具者事也，所凭者文也。孟子曰，“其事则齐桓晋文，其文则史”，义则夫子自谓“窃取之矣”。非识无以断其义，非才无以善其文，非学无以练其事。(《文史通义·史德》)

他更具体地说明义，事，文三者，他说：

夫事即后世考据家之所尚也，文即后世词章家之所重也，然夫子所取，不在彼而在此，则史家著述之道岂可不求义意所归乎？（同上，《申郑》)

由此看来，史学，他所指者为典章名物之考据。史识，他所指者又是什么呢？据他赞郑樵“有史识而无史学”而言，似谓得史义而又不然，他说：

郑樵稍有志乎求义，……郑君区区一身，僻处寒陋，独犯马、班以来所不敢为者而为之，立论高远，实不副名。(《申郑》)

故无史学之史识，乃指立论高远，思而不学，义理虚悬而无薄，不能得其史义，他说：

学博者长于考索，岂非道中之实积，而骛于博者，终身敝精劳神以殉之，不思博之何所取也。……言义理者似能思矣，而不知义理虚悬而无薄，则义理亦无尚于道矣。此皆知其然而不知所以然也。程子曰“凡事思所以然，天下第一学问”，人亦盍求所以然者思之乎？(《原学下》)

其次，他所指的史法，多见于《文史通义》外篇，而所言刘知几之得史法者，谓：“刘议馆局纂修，吾议一家著述，截然两途，不相入也。”(《家书》七）这样看来，他是所谓“吾于史学，贵其著述成家，不敢方圆求备，有同类纂（同上）。”但方圆求备者又何所指呢？按智方神圆之说，时见于他的文中，他说：

《易》曰："筮之德圆而神，卦之德方以智。"间尝窃取其义，以概古今之载籍。撰述欲其圆而神，记注欲其方以智也。夫智以藏往，神以知来，记注欲往事之不忘，撰述欲来者之兴起，故记注藏往似智，而撰述知来拟神也。藏往欲其赅备无遗，故体有一定，而其德为方，知来欲其决择去取，故例不拘常，而其德为圆。(《文史·书教下》)

方圆求备，似指通史，所谓"概古今之载籍"者是，而实斋的史学，为文化史哲学，故云不必求备于方圆，而自能按义领会，所谓"知其所以然"。他的"史意"一名，当即文化历史发展的所以然之义理，故以"议文史亦未能自拒于道外"。他说：

为所当然，而又知其所以然者，皆道也。……学术无有大小，皆期于道。……学术当然，皆下学之器也，中有所以然者，皆上达之道也。器拘于迹而不能相通，惟道无所不通。是故君子即器以明道，将以立乎其大也。(《文史通义》外篇三，《与朱沧湄中翰论学书》)

文求其是，而学思其所以然。……服郑训诂，韩欧文辞，周程义理，出奴入主，不胜纷纷，君子观之，此皆道中之一事耳。未窥道之全量，而各趋一节以相主奴，是大道不可见，而学士所矜为见者，特其风气之著于循环者也。（同上，《答沈枫墀论学书》）

由此看来，一个时代各有一个时代的风气，此不过历史发展的“一节”，而求所以然之理，则是把握历史的“全量”或全链，而通其一般的合法则性。他在《文史通义·答客问上》，更明白说：

史之大原，本乎春秋之义，昭乎笔削，笔削之义，不仅事具始末，文成规矩已也，以夫子“义则窃取”之旨观之，固将纲昂天人，推明大道，所以通古今之变，而成一家之言者，必有详人之所略，异人之所同，重人之所轻，而忽人之所谨，绳墨之所不可得而拘，数例之所不可得而泥，而后微杼杪忽之际，有以独断于一心；及其成书也，自然可以参天地而质鬼神，契前修而俟后圣，此家学之所以道也。……若夫君臣事迹，官司典章，王者易姓受命，综核前代，纂辑比类，以存一代之旧物，是则整齐故事之业也，开局设监，集众修书，正当用其义例，守其绳墨，以待后人之论定则可矣，岂可语于专门著作之伦乎？

由这一段话看来，他所谓得“史意”之史学，表面上似乎略当今日所谓的历史哲学，而内容则仅及于文化史学。他的书中时常提到孟子言“其事则齐桓晋文，其文则史，其义则丘窃取之矣”，而说明史意即此所谓之“义”。而所含的批判对象，正对于当时“开局设监，集众修书”的四库馆评击，故他曾有《四库全书》应重流变的建议，不为采纳，而对于王伯提之纂辑诸书云：“盖逐于时趋，而误以襞积补苴为尽天地之能事也，幸而生后世也，如生秦火未毁以前，典籍具存，无事补辑，彼将无所用其学矣！”（《博约》）此即暗射当时考证学仅以史事为足，而不知史意之说，他与邵二云书更云：“学问为铜，文章为釜，而要知炊黍芼羹之用，所谓道也。风尚所趋，但知聚铜，不解铸釜，其下焉者，则沙砾粪土，亦曰聚之而已。”（按此说比亭林采铜山之说更进一步）

实斋的“史意”与现在所谓“史观”相似，把历史通过人类的智慧而作“炊黍芼羹之用”。然而我们仔细研究实斋的理论，却又有另外的东西，常混合于“史意”中兼谈，而且常占重要的地位，那便是他把历史学时常返原于文化史学（甚至学术史学）去说明。这是研读古书最应该留意的所在。例如，他论到“史意”，时常举风气循环的例子，风气者，他指学术的趋向，而此一趋向不过为一时代的偏见。史学则要克服这种偏差，而说明其风气所以然之变迁，这明明着重在文化史学的狭义史学，不一定为一般的历史哲学。他的举例甚多，仅示一二于下：

高明者，多独断之学，沉潜者，尚考索之功。天下之学术，不能不具此二途，譬犹日昼而月夜，暑夏而寒冬，以之推代而岁功成，则有相需之益，以之自封而立畛域，则有两伤之弊，故马、班史祖，而伏、郑经师，迁乎其地，而弗能为良，亦并行其道，而不相为背者也。（《文史·答客问中》，此文是他答复“义旨”所举之例。至于高明与沉潜二者之循环论，乃一最无力的学术史看法，另当别论，参看第一编，第四章详论。）

天浑然而无名者也……不得已而强之名，定趋向尔，后人不察其故，而徇于其名，……而纷纷有入主出奴之势焉。汉学宋学之交讥，训诂辞章之互诋，德性学问之纷争，是皆知其然而不知其所以然也。学业将以经世也，如治历者，尽人功以求合于天行而已矣。……其前人所略，而后人详之，前人所无而后人创之，前人所习而后人更之，……要于适当其宜而可矣。周公承文武之后，而身为冢宰，故制作礼乐，为一代成宪，孔子生于衰世，有德无位，故述而不作，以明先王之大道；孟子当处士横议之时，故力距杨墨，以尊孔子之传述；韩子当佛炽盛之时，故推明圣道，以正天下之学术；程朱当末学忘本之会，故辨明性理，有以挽流俗之人心：其事与功，皆不相袭，而皆以言乎经世也。故学业者，所以辟风气也。风气未开，学业有以开之，风气既弊，学业有以挽之。人心风俗，不能历久而无弊，……因其弊而施补救，犹历家之因其差而议更改也，……风气之弊，非偏重则偏轻也，……非因其极而反之，不能得中正之宜也。好名之士，方且趋风气而为学业，是以火救火，而水救水也。(同上,《天喻》)

实斋不言道统心传，而由学术文化史家的眼光，把历代思想学业的变迁，认为“犹历家之因其差而议更改”，更谓是“一种不得不然之势”，皆经世之学在时代发展中的一节，而时代变化，学业亦必然“极而反之”，这是卓见。在后面，我们将要具体地详述他的这一见解，这里所要知道的是，他的《文史通义》形式上是历史哲学，而内容上则是文化或学术史学。他说：

道有自然，圣人有不得不然，其事同乎，曰不同。道无所为而自然，圣人有所见而不得不然也。……周公……适当积古留传，道德大备之时，是以经纶制作，集千古之大成，则亦时会使然，非周公之圣智能使之然也。盖自古圣人，皆学于众人之不知其然而然，而周公又遍阅于自古圣人之不得不然，而知其然也，……此非周公智力所能然，时会使然也。……君师分而治教不能合于一，气数之出于天者也。周公集治统之成，而孔子明立教之极，皆事理之不得不然，而非圣人异于前人，此道法之照于天者也。……后人盛推孔子，过于尧舜，因之崇性命而薄事功，于是千圣之经纶，不足当儒生之座论矣！（伊川论禹稷颜子，谓禹稷较颜子为粗，朱子又以二程与颜孟比长短，盖门户之见，贤者不免，古今之通患）夫尊夫子者，莫若切近人情，不知其实，而但务推崇，则元之又元，圣人一神天之通号耳，世教何补焉？（同上，《原道上》）

实斋言道，首论“道者，万事万物之所以然”，按照历史哲学讲去，则必先说明此所以然之道如何贯彻于历史的合法则变化，但他不然，接着便说明文化的起源，立世垂教的自然理势，而得出他所要说明的文化或学术史学，“不得不然”或“时会使然”之文化变革论，故他所论“不得不然之势”的史学，在内容上仅为一种文化史的发展律，尚不是历史哲学的所谓“史观”。实斋的文化史学，最具特色的，是把神秘的道统论推翻，反对把圣人看做“元之又元之神天通号”，而忘记治化流变不得不然之势，这一理论是清初大儒的优良传统，不但继承梨洲，“所谓浙东之学，言性命者必究于史，此其所以卓也”（浙东学术），而且继承傅青主经子不分、五经皆王制的理论，更精取了清初学者费氏父子的学术史意见，实斋读了费锡璜《贯道堂文集》，深加赏识，说：“纵横博辨，闳肆而有准绳，周秦诸子无以过之。”

二、《校雠通义》一书，因失于盗，现所存者仅系断片。按他著书的计划，好像是要继承《汉书·艺文志》的传统，写作一部中国学术史大纲或通论，而发展《明儒学案》。他在叙言中说：

校雠之义，盖自刘向父子，部次条别，将以辨章学术，考竟源流，非深明于道术精微群言得失之故者，不足与此。……今为折中诸家，究其源委，作《校雠通义》，总若干篇，勒成一家，庶于学术渊源，有所厘别。

“辨章学术，考竟源流”，甚合于学术史的主旨，书中皆商讨学术文献的渊源流别，而尤对于《庄子·天下篇》与《荀子·非十二子篇》的论旨深慕不置。按《天下篇》是中国最早的学术史论（作者并非庄周），首言诗书礼乐先王之道的成立，次言春秋缙绅先生的过渡儒学，末言诸子各得一察自好的道术分裂，此篇是古代的名著（参看拙著:《中国古代思想史》），实斋依此在《文史通义》里面，关于诸子学术的评论，已超出汉以来异端的成见，而云:“诸子思以学易天下，固将以其所谓道者，争天下之莫可加，而语言文字未尝私其所出也。……诸子奋起，由于道术既裂，而各以聪明才力之所偏，每有得于大道之一端，而遂欲以之易天下，其持之有故，而言之成理者，故将推衍其学术，而传之其徒焉。”（《公言上》）这是仿照《天下篇》的论断而立说的，他的思想中颇含荀、庄的成分，故至云:“荀、庄皆孔子再传门人。”(《校雠》卷三,《汉志六艺》第十三）故又把《天下篇》与《荀子·非十二子篇》并重，推崇《天下篇》说：

六艺之书与儒家之言，固当参观于《儒林列传》。道家名家墨家之书，则列传外，又当参观庄周《天下篇》也。盖司马迁叙传所推六艺宗旨，尚未究其流别，而庄周《天下》一篇，实为诸家学术之权衡，著录诸家宜取法也。观其首章列叙旧法世传之史，与诗书六艺之文，则后世经史之大原也：其后叙及墨翟，禽滑厘之学，则墨支（墨翟弟子），墨别（相里勤以下诸人），墨言（禹湮洪水以下是也），墨经（苦获已齿，邓陵子之钘属皆诵墨经是也），具有经纬条贯，较之刘、班著录，源委尤为秩然，不啻《儒林列传》之于六艺略也；宋尹文田骈慎到关尹老聃以至惠施公孙龙之属，皆诸子略中，道家名家所互见。然则古人著书，苟欲推明大道，未有不辨诸家学术源流。(同上，卷二，第十四之二十三）

此为实斋《校雠通义》的中心论点，他又说：

自刘、班而后，艺文著录，仅知甲乙部次，用备稽检而已。郑樵氏兴，始为辨章学术，考竟源流，于是特著校雠之略，虽其说不尽当，要为略见大意。……焦竑未悉古今学术源流，不于离合异同之间，探求其故；而观其所议，乃是仅求甲乙部次，苟无违越而已，此则可谓簿记守成法，而不可为校雠家议著作也。（同上，卷二，第十二之二）

但实斋所谓之校雠，尚不同于今之学术史的编制，而是一种艺文学案，在群书汇编中，说明其中的源流变化，故他说：

古人著述，不徒为甲乙部次计，如徒甲乙部次计，则一掌故令史已矣，何用父子世业，阅年二纪，仅乃卒业乎？盖部次流别，申明大道，叙列九流百氏之学，使之绳贯珠联，无少缺逸，欲人即类求书，因书究学，至理有互通，书有两用者，未尝不兼收并载，初不以重复为嫌。……古人最重家学，叙列一家之书，凡涉此一家之学者，无不穷源至委，竟其流别，所谓著作之标准，群言之折中也。（同上，卷一，第三之一）

他又说：

群书既萃，学者能自得师，尚矣。扩四部而通之，更为部次条别，申明家学，使求其书者，可即类以明学，由流而溯源，庶几通于大道之要，而有以刊落夫无实之

文词，泛滥之记诵，则学术当而风俗成矣。(《遗书·周书昌籍书目录序》)

他站在辨明源流的学术史家立场，自然要推崇荀子，他说：

汉志最重学术源流似有得于太史叙传及庄周《天下篇》，荀卿《非十二子》之意，此叙述著录，所以有关于明道之要，而非后世仅计部目者之所及也。(同上，卷二，第十之三)

他主张“即器以明道，会偏而得全”，如关于天文、地理、法律诸学之书有如下言：

天文，则宣夜、周髀、浑天诸家，下逮安天之论，谈天之说，或正或奇，条而列之，辨明识职，所谓道也；汉志所录泰一、五残、星变之属，附条别次，所谓器也。地理，则形家之言，专门立说，所谓道也；汉志所录《山海经》之属，附条别次，所谓器也。(同上，第十之六)

后世法律之书甚多，……就诸子中掇取申韩议法家言，部于首条，所谓道也；其承用律令格式之属，附条别次，所谓器也。(同上，第十之八)

实斋道、器之分类有似理论与实际之分别。他的编著方法，重在“互著”，谓“非重复互注之法，无以究古人之源委”，更重在“别裁”，谓“得裁其篇章，补苴部次，别出门类，以辨著述源流”。

由上面一二两节看来，他的文史为文化史学，校雠则学术史概论，然二书内容亦不是完全截然分辨，相互在“义例”与“源流”二者间补充说明亦不少，因为都是“通义”。通者，他说：

通者，所以通天下之不通也。……通史人文，上下千年，然而义例所通，则隔代不嫌合撰。(《文史通义·释通》)

他认“通”，要识其流变，他例举如下：

训诂流而为解经，一变而入于子部儒家，再变而入于俗儒语录，三变而入于庸师讲章：不知者习而安焉，知者，鄙而斥焉，而不知出于解经之“通”，而失其本旨者也。载笔汇而有通史，一变而流为史钞，再变而流为策士之括类，三变而为免园之摘比：不知者习而安焉，而不知出于史部之“通”，而亡其大原者也。(同上)

通有横通与纵通之分，“取心之所识，虽有高下、偏全、大小、广狭之不同，而皆可以达于大道，然亦有不可四冲八达，不可达于大道，而亦不得不谓之通，是谓横通。”纵通，则指集合横通而言，“用其所通之横，以佐君子之横，君子亦不没其所资之横也。”然而“君子不可以不知流别，而横通不可以强附清流”（皆见《文史通义·横通》）。是知，纵通者即史学。

通义之“义”，他指“义例”，他用“义意”之处甚多，并常用春秋之“义”，“有乎取尔”，似即所谓“别识心裁”，或他举太史公言“好学深思，心知其意”。他在《答客问》三篇中批评独断之学，考索之功，比次之书，假设问答以说明“义旨”，他说：

无征不信，……今先生谓作者有“义旨”，……毋乃背于夫子之教欤？……章子曰：天下之言，各有攸当，经传之言，亦若是而已矣。读古人之书，不能会通其旨，而徒执疑似之说，以争胜于一隅，则一隅之言不可胜用也。……《易》曰“不可为典要”，而书则偏言辞尚体要焉；读诗不以辞害志，而春秋则正以一言定是非也。向令执龙血鬼车之象，而征粤若古之文（按即以易律书），托熊蛇鱼旐之梦，以纪春王正月之令（按即以诗说春秋），则圣人之业荒，而治经之旨悖矣。若云好古敏求，文献征信，吾不谓往行前言可以灭裂也；多闻而有所择，博学而要于约，其所取比有以自命，而不可概以成说相拘也。……诸子争鸣，皆得……一端，庄生所得，耳目口鼻，皆有所明，不能相通者也；目察秋毫，而不能见雷霆，耳辨五音，而不能窥泰山，谓耳目之有能有不能则可矣，谓耳闻目见之不足为雷霆山岳其可乎？……专门之学，未有不孤行其意，虽使同侪争之而不疑，举世非之而不顾，此史迁之所以必欲传之其人，而班固之所以必待马融受业于其女弟，然后其学始显也。……经生决科之策括，不敢抒一独得之见，标一法外之意，而奄然媚世为乡愿，至于古人著书之"义旨"，不可得闻焉。俗学便其类例之易寻（按指比次之书），喜其论说之平善，相与翕然交称之，而不知著作源流之无似，此呕哑啁哳之曲，所以属和万人也。（《文史·答客问中》）

按此段文字精深，第一，言通经必贯经，总择别取，恃于"自命"。第二，言诸子各家一得，未可否认，宜就树木之见而裁以森林之旨。第三，言专门家之言有独创之长，虽孤行其意而不为私。第四，言没有自我创旨而因袭人言，不是学问。这是何等光辉的识见呢！综他所言“义旨”的话看来，“义”即近人之所谓“主义”（ism），或谓心知其意的自命。适之先生甚赏识实斋之学，而“多谈问题，少说主义”的议论，正不是客观，而是“客观主义”，在实斋看来，便要以为这是否认裁成择取的自命，而为一种盲目飞行了，充其量亦不过是他所谓的一种“横通”。

其实，“义则夫子自谓自取”，自取而无主观的能动要素，学术便失去“能塑性”了，实斋所谓“道有自然，圣人有不得不然”者是，所谓不得不然，并非自然的哑巴性，而是适应“时会使然”的一种相对的见识成塑，而实斋的文化史学，在我看来，就在于说明历史发展中，这些一系列的“时会使然”的见识成塑，“自命”“自取”其中“所以然”发展的“通义”。

懂得了主义的自命自取，便不至于误解为宋儒“义理太贯”的冥解，而惟主观是信的独断（dogma）。实斋对于自己非常自信，甚至云“吾于史学，盖有天授”，一看好像一位观念论者，在那里发疯，其实这是效法希天之说（近代语谓之反映论），他说：

学也者，效法之谓也，道也者成象之谓也。……平日体其象，事至物交，一如其准以赴之，所谓效法也，此圣人之希天也，此圣人之下学上达也。……士希贤，贤希圣，希其效法于成象，而非舍己之固有而希之也。然则何以使知适当其可之准欤？何以使知成象而效法之欤？则必观生民以来，备天德之纯，而造天位之极者，求其前言往行，所以处夫穷变通久者而多识之，而后有以自得所谓成象者，而善其效法也，故效法者，必见于行事，诗书诵读，所以求效法之资，而非可即为效法也。(《文史通义·原学上》)

因此，他的史学的主义固然是在于自取自命的心裁，而心裁则不是唯识，反而是自得成象而善其效法，借所效法之资（诗书），而把握自然（社会，文化）成象的变革关系。

我最初研究实斋，不明白《公言》《史德》二篇所言的命意，经过仔细推究，忽然大悟，他是把这二篇的内容，作为“主义”的条件而规定的，实在讲来，没有客观与主观的条件，那么“主义”亦就成为张竞生的“性史”之号为主义了。

一、《公言》上中下三篇，在我看来，是讲主义的人民性，这是客观的条件。在《公言》上篇，他从诗书六义，诸子百家，直叙至汉初经学，都认为“古人之言，所以为公也，未尝矜其文辞，而私据为己有也”。所以为公者，盖指人民性而言，他说：

志期于道，言以明志，文以足言，其道果明于天下，而所志无不申，不必其言之果为我有也。……“敷奏以言，明试以功”，此以言语观人之始也，必于试功而庸服，则所贵不在言辞也。

司马迁曰：“诗三百篇，大抵贤圣发愤所为作也。”是则男女慕悦之辞，思君怀友之所托也，征夫离妇之怨，忠国忧时之所寄也。……诗人之旨，言之者无罚，闻之足戒，舒其所愤懑，而有裨于风教之万一焉，是其所志也。

诸子思以其学易天下，固将以其所谓道者，争天下之莫可加，而语言文学，未尝私其所出也。（以上见《公言上》）

由这三段话看来，他所谓“义旨”的条件，必须依古人之“公言”，观言试功，忠国忧时，激励风教，学易天下，因为真正的言语，是通于家国的，“琐细之言，初无高论，而幸入会心，竟垂经训，孺子跃足之歌，通于家国，时俗苗硕之谚，证于身心，其喻理者，即浅可深，而获存者，无俗非雅也”（《公言中》）。

所以，义旨在公，而非私业，此即所谓“读古人之书，贵心知其意”者。古人之书性质不同，只要是公言立场，皆足以成一家之言，我们依据公言之意而会通，亦可有所标准，如云：“易奇诗正，礼节乐和，以至左夸庄肆，屈幽史洁之文理，无所不包，天人性命，经济闳通，以及儒纷墨俭，名鋠钜法深之学术，无乎不备。”（《公言下》）

二、《史德》篇所言“著书者之心术”，在我看来，是讲主义的真理忠实心，这是主观的条件。他说：

史德者何？著书者之心术也。……欲为良史者，当慎辨天人之际，尽其天而不益以人也；尽其天而不益以人，虽未能至，苟允知之，亦足以称著述之心术矣。而文史之儒，竞言才学识，而不知辨心术，以议史德，乌乎可哉？……气积而文昌，情深而文挚，气昌而情挚，天下之至文也。然而其中有天有人，不可不辨也。……

气合于理，天也，气能违理以自用，人也；情本于性，天也，情能汩性以自恣，人也。史之义出于天，而史之文不能不借人力成之，人有阴阳之患，而史文即忤于大道之公，其所感召者微也！……阴阳伏诊之患，乘于血气，而入于心知，其中默运潜移，似公而实逞于私，似天而实蔽于人，……至于害义而违道，其人犹不自知也。（《史德》）

对于真理的学术良心，是学者的起码条件，不知而自误于偏岩犹是限于自蔽，而故意曲解，则为学人之罪恶。故他在与史氏诸表侄论策对书中，说：“仆于学业，亦小有得，故平日言论，亦小有家数。又口谈笔述，初无两歧，或出矜心，或出率意，详略正变，无所不有，然意皆一律，从无欺饰……生平惟此“不欺”二字，差可信于师友间也。”

关于真理的忠实，是看效法之象的证验，他说：“有天地自然之象，有人心营构之象，……人心营构之象，有吉有凶，宜察天地自然之象，而衷之以理。”（《易教上》）反之，那些故意曲解真理的人，不是追求真理，而是为了利禄之趋使，他说：“好名之人，则务揣人情

之所向，不出于衷之所谓诚然也。且好名者必趋一时之风尚，……必屈曲以徇之，故心术多不可问也。”（《针名》）

由上面所讲，已经清楚地知道他的史学概要所指在什么地方，知道他的代表作《文史通义》，《校雠通义》二书所含主旨在什么地方，这是研究实斋的基础知识。要知道研究思想史，乃正实斋所云“辨章学术，考竟源流”，既不是冬烘先生们之读古人言行，一切都是今人的宝筏，亦不是如“五四”浪漫主义时代之“打孔家店”的态度，把古人当做今人和他争辩。

第二节　学诚的哲学思想

实斋的哲学思想，在传统上言，一部分是继承了他所赞许的“各得大道之一端”之诸子，尤以荀子，庄子，墨子，韩非子为然，一部分则是继承了清初学者的基本思想。

实斋的天道思想，是自然天道观，糅合庄荀二家的学术而成。荀子言：“庄子蔽于天而不知人……由天谓之，道尽因矣。”但在“贵因”方面而言，则庄子确是孔墨二家不求自然哲学的批评者，（孔子仅论三代之损益，而未及历史成因，墨子仅论及三表之所本，而未及本之历史本源。）进一步追求自然天道观。实斋的自然天道观正是《天下篇》的发挥（按《天下篇》成于儒者之手），他说：

道有自然，……道无所为而自然。……

道之大原出于天。

《易》曰，“一阴一阳之谓道”，是未有人而道已具矣。“继之者善，成之者性”，是天著于人，而理附于气，故可形其形，而名其名者，皆道之故而非道也。道者万事万物之所以然，而非万事万物之当然也。（见《原道上》）

夫天浑然无名者也。（《天喻》）

以上所言，皆本于老庄哲学，一望而知，无待说明者，惟“无名万物之始”至“有名万物之母”，实斋便与庄子分途，老庄认为然而不必然，实斋则说“不得不然”，而与荀子接合起来。

荀子说“惟圣人为不求知天”（《天论》），实斋说：

道无所为而自然，圣人有所见而不得不然也。圣人有所见，故不得不然，众人无所见，则不知其然而然。孰为近道？曰：不知其然而然即道也。非无所见也，不可见也。不得不然，圣人所以合乎道，非可即以为道也。……学于众人斯为圣人，非众可学也，求道必于一阴一阳之道也。(《原道上》)

荀子说："天行有常，不为尧存，不为桀亡，应之以治则吉，应之以乱则凶。……天有其时，骋有其财，人有其治，夫是之谓能参，舍其所以参，而愿其所参，则惑矣。"(《天论》) 实斋说：

故道者，非圣智力之所能为，皆其事势自然，渐形渐著，不得已而出之，故曰天也。(《原道上》)

荀子礼论，言王制之产生，即由于不得不然之势，"使欲必不穷乎物，物必不屈于欲，两者相持而长，是礼之所起也。"实斋则说：

人之初生，至于什伍千百，以及作君作师，分州画野，盖必有所需，而后从而给之。……后圣法前圣，非法前圣也，法其道之渐形而渐著者也。三皇无为而自化，五帝开物而成务，三王立则而垂法，……圣人创制，则犹暑之必须为葛，寒之必须为裘，……犹轨辙也。(同上)

荀子说："道者，非天之道，非地之道，人之所以道也，君子之所道也。"（《儒效》）"大天而思之，孰与物畜而制之？从天而颂之，孰与制天命而用之？望时而待之，孰与应时而使之？因物而多之，孰与骋能而化之？思物而物之，孰与理物而勿失之也！"（《天论》）实斋则"本天地生人斯有道"之旨，说：

天定胜人，人定亦能胜天，二十八宿，十二次舍，以环天度数，尽春秋中国都邑。夫中国在大地中，东南之一隅耳。而周天之星度，属之占验，未尝不应，此殆不可以理推测，盖人之胜于天也。且如子平之推人生年月日时，皆以六十甲子，分配五行生克；夫年月日时，并不以甲子为纪，古人未尝有是言也。而后人既定其法，则亦推衍休咎而无不应，岂非人定之胜天乎！《易》曰，"先天而天弗远"，盖以此也。（《天喻》）

我们把握了天体运行的自然法则，而我们的人事就可以配合天体的运行而因时制宜了。但荀子和实斋的思想，亦不尽相同，实斋似有船山的传统（但未能证明其读过船山文献），故看重道的渊流变迁，认为历数之认识天道，亦一过程，所谓"不能历久不差，历家因其差而议更改”，人类某一时代之对于自然法的把握，不过是一个“趋向”罢了。他说：

三垣七曜，二十八宿，一十二次，三百六十五度，黄道赤道，历家强名之以纪数尔。古今以来，合之为文质损益，分之为学业事功，文章性命；当其始也，但有见于当然，而为乎其所不得不为，浑然无定也。其分条别类，而名文名质，名为学业事功，文章性命，而不可合并者，皆因偏救弊，有所举而诏示于人，不得已而强为之名，定趋向耳。（同上）

实斋极称庄荀“有关于明道之要”者，他的哲学思想之“参取”荀庄，正是因了他们具“大道之一端”，他的治学方法比当时人甚为进步，“辨证文字，但明其理，而不过责其人”（同上，《论学十规》），甚至他评戴东原即以此理，而主张不因人而排拒道理，他说：

戴氏好辟宋学，……谓其无异于释老。……仆谓当问其果类圣人君子否耳。……必斤斤而摘其如何近释，如何似老，不知释老亦人，其间亦有不能与圣人尽异者。宋儒于同志所见有歧，辄以释老相为诋毁，此正宋之病。(《与史余村书》)

这是中国古人的通病，不研究内容之所以异同，而只看取形式上的疑似，即动以异端斥人，所以他在《文史通义》中尝慨叹儒者之流愈尊孔而愈糊涂了，所谓“但务推崇，不知其实，元之又元，圣人一神天通号”，痛斥其门户之见（即宗派主义）愈深而愈蔽人的神智了。（参看《朱陆》诸篇）他这种治学精神，自言为“参取”，在《匡谬》一篇中所言，语气间自然有轻重，而婉转说明者则分明在“义取”二字上，为诸子异端抱不平之意。他说：

孟子非杨墨，必取杨墨之说而辟之，则不惟其人而惟其学，故引杨墨之言，但明杨墨之家学，而不必专指杨朱墨翟之人也。……彼异学之视吾儒，何独不然哉？韩非治刑名之说，则儒墨皆在所摈矣。墨者……历诋尧舜文周之行事，必借儒者之言以辩之，故诸难之篇多标儒者，以为习射之目焉。此则在彼不得不然也。……然而其文华而辨，其意刻而深，后世文章之士，多好观之，惟其文，不惟其人，则亦未始不可参取也。

实斋自白“参取”百家之学，见于其天道观者甚明；而关于历史的自然演变，所谓器变事变而道亦变之说，是采取法家“五帝不相复，三代不相袭，各以其治，时变异也”之论，关于“学于众人”的实际生活，是采取墨子三表“原察百姓人民之耳目”之论。以下我们再研究他的存在与思维论。

他关于存在的物体，以为“未有人而道已具矣”，在《匡谬》篇中说：

盈天地间惟万物，屯次乾坤之义也。

这显然指物质实有以及自然的合法则运行。由此出发，在哲学上谓之唯物论。这首先表现在论道器的清初传统，船山、梨洲，亭林所言最详，他亦继承着这种余绪。他说：

《易》曰：形而上者谓之道，形而下者谓之器。道不离器，犹影不离形。……六经即器之可见者也。后人不见先王，当据可守之器，而思不可见之道，故表章先王政教，与夫官司典守以示人，而不自著为说，以致离器言道也。夫子自述春秋之所以作，则云，“我欲托之空言，不如见诸行事之深切明著”，则政教典章，人伦日用之外，更无别出著述之道，亦已明矣。……而儒家者流，守其六籍，以谓是载道之书耳；夫岂有离器言道，

离形存影者哉？彼守天下事物，人伦日用，而守六籍以言道，则固不可与言夫道矣！（《原道中》）

他所指的器，即事物文明典章，道即指述事明理。有时他亦以气与器同视（与船山稍异），谓“天著于人，而理附于气”，有时谓“道者万事万物之所以然”。器之义颇明显，今把他解道之说，举示于下：

《易》曰：“神以知来，智以藏往。”知来，阳也，藏往，阴也，一阴一阳，道也。文章之用，或以述事，或以明理，事溯已往，阴也，理阐方来，阳也。其至焉者，则述事而理以昭焉，言理而事以范焉，则主适不偏，而文乃衷于道矣。（《原道下》）

由此看来，“道”不是一种不可知的东西，而是思维对于存在的反映，所谓藏往知来，事范理昭的认识。道（思维）器（存在）的关系，是器先于道，故云，“道寓于器”，而且是道因于器，故云“道因器而显，不因人而名也”。据此，他批评宋儒，几与清初学者同其声气，他说：

夫子所言，无非性与天道，而未尝表而著之曰，此性此天道也，故不曰，性与天道不可得而闻，而曰，言性与天道不可得而闻也，所言无非性与天道者而不明著此性与天道者，恐人舍器而求道也。夏礼能言，殷礼能言，皆曰无征不信，则夫子所言，必取征于事物，而非徒托空言，以为明道也。曾子真积力久，则曰一以贯之，子贡多学而识，则曰一以贯之，非真积力久与多学而识，则固无所据为一之贯也。……宋儒……以谓是（训诂名物）皆溺于器而不知道也。夫溺于器而不知道者，亦即器而示之以道斯可矣，而其弊也，则欲舍器而言道。夫子教人“博学于文”，而宋儒则曰“玩物丧志”。……夫宋儒之意，似见疾在脏腑，遂欲并脏腑而去之。（《原道下》）

实斋此点意思，又表示于事与理二者的关系问题上。清初学者多言理在事中，实斋继承此旨，他说：

古人未尝离事而言理，六经皆先王之政典也。（《易教上》）

事有实据，而理无定形，故夫子之述六经，皆取先王典章，未尝离事而著理。（《经解中》）

其理著于事物，而不托于空言也。师儒释理以示后学，惟著之事物，则无门户之争矣。理，譬则水也，事物，譬则器也；器有大小浅深，水如量以注之，无盈缺也。今欲以水注器者，姑置其器，而论水之挹注盈虚，与夫空量测实之理，争辩穷年，未有已也，而器固已无用矣。(《朱陆》)

离“事”是谈不上“理”的，要“述事而理以昭”，“理昭而事得以范焉”，换句话说，就是只有从事物中才可以获得认识事物的联络，使之纳于轨范。按实斋此喻，理、水，物、器，适和宋儒之喻理事颠倒，这是他重实在的事物变化所应得出的结论，与船山喻弓矢与射道的关系相为符合。

复次，实斋的知识论更有精彩的地方。他首先承认感觉的基本来源，他说：

声色臭味，天下之耳目口鼻皆相似也；心之所同然者，理也，义也。然天下歧趋，皆由争理义，而是非之心亦从而易焉，岂心之同然不如耳目口鼻哉？声色臭味有据，而理义无形，有据则庸愚皆知率循，无形则贤智不免自用也。(《砭异》)

他的知识论，颇接近于反映论，这看他论名实关系便可以明白的。在这里，他亦“参取”了诸子学术，《墨经上》："名者，实谓也。"《列子·杨朱篇》："名者实之宾也。"实斋以认识是实在的反映，故说：

钦明之为致也，允塞之为诚也，宪象之为宪也，皆先具其实，而后著之名也。(《易教中》)

名者，实之宾也，类者，例所起也。(《书文集》)

名者实之宾，循名而忘实，并其所求之名而失之矣。(《黠陋》)

名实在知识过程中为最基本的理论，实斋的知识论的特色，更在他说明认识是什么。"认识"，在他看来，是一种类似媒介的理论，他说：

《易》曰："成象之谓道，效法之谓乾。"学也者，效法之谓也；道也者，成象之谓也。夫子曰："下学而上达。"盖言学于形下之器，而自达于形上之道也。(《原学上》)

平日体其象，事至物交，一如其准以赴之，所谓效法也：此圣人之希天也，此圣人之下学上达也。(同上)

他所谓"效法"者，即媒介客观的实在，这里包括着"博古"，"通今"，"实践"三者。

一、他认为"六经皆器也"，都是吾人效法之资，他说：

观于生民以来，备天德之纯，而造天位之极者，求其前言往行，所以处夫穷变通久者而多识之，而后有以自得所谓成象者，而善其效法也。(《原学上》)

但博古，只是一种手段，如他所谓的考证之学，故接着说：

故效法者，必见于行事，诗书诵读，所以求效法之资，而非可即为效法也。(同上)

因此，诵读工夫，仅是接收古人的遗产或古人的历经，资以为效法自然实在的真实，如他赞周公："遍阅于自古圣人之不得不然，而知其然。"(《原道上》)所谓明乎"不得不然"，即他史学上所讲的渊源流变，这是最重要的效法之资，因为，在他讲来，虽周公天纵之圣，亦有"时会使然"之势，周公的周代经纶制作，是周代的社会所决定，从整个历史上而言，他谓之"定趋向耳"，"此非周公智力所能也，时会使然也"(详见《原道上》)，学古人的经验，"事变之出于后者，六经不能言"，惟若明辨源流变化之道，则我们所提出的问题便确是我们的时代正要解决者。否则，他所谓"综核前代，纂辑比类，以存一代之旧物，是则所谓整齐故物之业也”，这是不能在死文献中运用活的知识，而“推明大道，所以通古今之变”。

二、博古所以通今，“拘于泥古，则未见其能从时”(《文史通义》外篇)，他说：

所谓好古者，非谓古之必胜于今也；正以今不殊古，而因革异同求其折中也。

学者诵先圣遗言，而不达时王之制度，是以文为鞶帨绨绣之玩，而学为斗奇射覆之资，不复计其实用矣。……书吏所存之掌故，实国家之制度所存，亦即尧舜以来因革损益之实迹也。……君子苟有志于学，则必求当代典章，以切于人伦日用；必求官司掌故，而通于经术精微；则学为实事，而文非空言……不知当代而言好古，不通掌故而言经术，则鞶帨之文，射覆之学，虽极精能，其无补于实用也，审矣！……故舍器而求道，舍今而求古，舍人伦日用而求学问精微，皆不知府史之史通于五史之义也。……孔子曰：“生于今之世，反古之道，灾及其身者也。”夫三王不袭礼，五帝不沿乐。不知礼于时为大，而动言好古，必非真知古制者也……学者昧于知时，动矜博古，譬如考西陵之蚕桑，讲神农之

树艺，以谓可御饥寒而不须衣食也。(《文史通义·史释》)

三、知识若没有实践的标准，学为空虚而无检证，他说：

诵读为学者，推教者之所及而言之，非谓此外无学也。子路曰："有民人焉，有社稷焉，何必读书，然后为学？"夫子斥以为佞者，盖以子羔为宰，乃若是说，非谓学专于诵读也；专于诵读而言学，世儒之陋者也。(《原学上》)

观易大传之所称述，则知圣人即身示法，因事立教，而未尝于施政出治之外，别有所谓教法也。(《原道中》)

他的知识实践论，更有一个特识，即知识与生活合一，他说：

道有自然，圣人有不得然。……圣人有所见，故不得不然；众人无所见，则不知其然而然。孰为近道？曰：不知其然而然，即道也。……圣人求道，道无所见；即众人之不知其然而然，圣人所借以见道者也。(《原道上》)

圣人之所知，正是在众人生活中所实践的检证，不是悬理投器，故又说：

学于众人，斯为圣人。(同上)

这是何等光辉的命题！向大众学习，正是“大道之隐，不隐于庸众”，他又说明为什么学于众人的道理，在于“公是成于众人”，他说：

古人于学求其是，未尝求异于人也。……夫子曰：“俭，吾从众；泰也虽违众，吾从下。”圣人方且求同于人，有时而异众，圣人之不得已也。天下有公是，成于众人之不知其然而然也，圣人莫能异也。贤智之士，深求其故，而信其然，庸众未尝有知，而亦安于然。而负才者，耻与庸众同其然也，则故矫其说以谓不然！(《砭异》)

其次，他论知识的实践，在于见于行事的检证，他说：

极思而未习于事，难持之有故，言之成理，而不能知行之有病也。(《原道中》)

效法必见于行事，诗书诵读，所以求效法之资，非即可为效法也。(《原学上》)

他主张“必习于事而后可以言学”，正是习斋的传统精神，因此他痛斥儒者之学孔子之不得已，而菲薄事功，他说：

学术之未进于古，正坐儒家者流，误欲法六经而思孔子耳。孔子不得位而行道，述六经以垂教于万世，孔子之不得已也。后儒非处衰周不可为之世，辄谓师法孔子，必当著述以垂后，岂有不得已者乎？何其蔑视同时之人，而惓惓于后世耶？故学孔子，当学孔子之所学，不当学孔子之不得已。然自孟子以后，命为通儒者，率皆愿学孔子之不得已者也。以孔子之不得已而误谓孔子之本意，则虚尊道德文章，别为一物，大而经纬宇宙，细而日用伦常，视为粗迹矣。(《与陈鉴亭论学书》)

实斋知识论更有内容决定形式的论断，他说：

成书易，则文胜质矣；取材难，则伪乱真矣。伪乱真而文胜质，史学不亡而亡矣！（前揭《书教上》)

事屡变而复初，文饰穷而反质，天下自然之理也。(前揭《书教下》)

古之文质合于一，至战国而各具之质，当其用也，必兼纵横之辞以文之，周衰文蔽之效也。(前揭《诗教上》)

…… 质去而文不能独存也。(前揭《黠陋》)

夫文生于质也，……… 文生于质，视其质之如何而施吾文焉。……（前揭《砭俗》）

…… 与其文而失实，何如质以传真也。（前揭《古文十弊》）

…… 离质言文，史事所以难言也。（前揭书外篇《州县请立志科议》）

这样论“文”生于“质”的问题，也就是论“形式”与“内容”的问题。他认定“文”与“质”的先后，认定“离质”不能“言文”，也就是认定“内容”决定“形式”；如果离开了“质”，离开了“内容”，所谓“文”所谓“形式”是谈不上的。所以说“离质言文，史事所以难言也”。

他的这一理论，是基于他的史学流变观而来。内容在历史发展中是变化无穷的，故形式亦不能不随内容之变而亦变，他说：

圣人制作，宜质宜文，必当其可。文因乎事，事万变，而文亦万变，事不变而文亦不变，虽周孔制作，岂有异哉。（《砭俗》）

文生于质也。始作之者，未通乎变，故其数易尽，沿而袭之者之所以号善步也。既承不可遏之江河，则当相度宣防，资其灌溉，通其舟楫，乃见神明通久之用焉。……凡为古无而今有者皆当然也，……文生于质，视其质之如何而施吾文焉。（同上）

因此，他认为理的形式是柔性的，而事的内容是刚性的，知识是不能刚愎自用或主观执见。他说：

声色臭味有据而理义无形，有据则庸愚皆知率循，无形则贤智不免自用也。……治自用之弊，莫如以有据之学，实其无形之理义，而后趋不入于歧途也。(《砭异》)

然这不是说他薄义理而仅重经验，相反地，他是正强调人类知识推论的创见，而说："其礼不过曰通于类也，故学者之要，贵乎知类。"(《易教下》) 若除去思维活动的个性创造，他所谓"自取之义"，则谓之"是非因袭"，他说：

知养生者，百物皆可服，知体道者，诸家皆存，六经三史，学术之渊源也，吾见不善治者之瘴厉矣。(《说林》)

知识正是如善治养生，同样是经史子集，有的体会得当而"通天下之志"，反之，有的习固其见，惟人云而亦云。故他首先反对宗派门户之见，这一议论是对于中古一宗传统的抗议，他说：

是尧而非桀，贵王而贱霸，尊周孔而斥异端，正程朱而偏王陆，……吾不谓其不然。……习固然而言之易者，吾知其非真知也。(《习固》)

借人之是非以为是非，如佣力佐斗，知争胜而不知所以争也。故攻人则不遗力，而诘其所奉者之得失如何，则未能悉。(《朱陆》)

文章经世之业。立业亦期有补于世，否则古人著述已厌其多，岂容更易简编，撑床叠架为哉？(《与史余村书》)

吾见今之立言者，本无宗旨，引古人言而申明之；申明之旨，则皆古人所已具也。(《辨似》)

乃有黠者易古人之貌，而袭其意焉；用同时之人有创论者，申其意而讳所自焉……盗名欺世，已非一日之厉也。(同上)

因此，他说明“创见”是与因袭相反的，创见在于“学在是非之先”，因袭则安于“是非之固然”中。他说：

隐微之创见，辨者矜而宝之矣！推之不至乎尧桀，无为贵创见焉；推之既至乎尧桀，人亦将与固有之尧桀而安之也，故创得之是非，终于所见是非也。……积古今之是非而安之如尧桀者，皆积古今人所创见之隐微，而推极之者也。安于推极之是非者，不知是非之所在也。……故于是非而不致其思，所矜之创见，皆其平而无足奇者也。……然被尧之仁，必有“几”，几于不能言尧者，乃真是尧之人也；遇桀之暴，必有“几”，几于不能数桀者，乃真非桀之人也！千古固然之尧桀，犹推始于“几”，……故真知是非者，不能遽言是非也，真知是尧非桀者，其学在是非之先，不在是尧非桀也。（《习固》）

以上《习固》一篇之文，颇有与船山“因而通之”庄学，“以合君子之道”者类似，他的“学在是非之先，不在是非”，是何等重视了人类思维的发展，是何等对于封建固习的革命！

他基于这种新兴思想，反对当时束缚这“学在是非之先”的枷锁，名为《古文十弊》，其中内容实在是“新青年”时代文字思想解放的老师，他的《古文十弊》，一曰，“剜肉为疮”，二曰，“八面求圆”，三曰，“削趾适履”，四曰，“私署头衔”，五曰，“不达时势”，六曰，“同里铭旌”，七曰，“画蛇添足”，八曰，“优伶演剧”，九曰，“井底天文”，十曰，“误学邯郸”。这里实斋文史的反抗要素，亦和近世西欧学者反对“剧场偶象”，“市场偶象”，“井底偶象”之旨相同，其人文主义的精神，应是清初大儒的优良遗绪之文化发挥。

复次，实斋哲学中关于人性论的问题，显然接受荀子的理论，这一问题在中国哲学史上最有特识的，首推船山，实斋则强调了后天的“践履实用”，他首先批评了性命的空论，他说：

性命非可空言，当征之于实用。（《书孙渊如观察原性篇后》）

天人性命之理，经传备矣。经传非一人之言，而宗旨未尝不一者，其理著于事物，而不托于空言也。（《文史通义·朱陆》）

性命之说，易入虚无，朱子求一贯于多学而识，寓约礼于博文，其事繁而密，其功实而难，虽朱子之所求，未敢必谓无失也。（同上）

实斋的意思，人性善恶是不可这样空谈，谈要从具体的人与事中来谈。他认为孔子并没有这样来空谈性命，但他的性命之理，都在他所谈的具体的人与事物之关系中。实斋说：

子贡曰："夫子之文章，可得而闻也。夫子之言性与天道，不可得而闻也。"盖夫子所言，无非性与天道，而未尝表而著之曰：此性此天道也。故不曰，性与天道，不可得闻，而曰，言性与天道，不可得闻也。所言无非性与天道，而不明著此性与天道者，恐人舍器而求道也。(《原道下》)

空谈性之善恶，实斋是反对的。因而他也不相信一般人所谓性是善的。他说：

果形有一定之恶，则天下岂有无形之性？是性亦有恶矣。(《书孙渊如观察原性篇后》)

为什么谓性有恶又有善呢？这其实是后天的环境所规定；人主本身是谈不上什么善恶的。所以他又说：

富贵公子，虽醉梦中，不能作寒酸求乞语。疾痛思难之人，虽置之丝竹华宴之场，不能易其呻吟而作欢笑。(《文史通义 · 文理》)

因为如此，实斋特别着重于"践形"，着重于"功力”，换言之，即着重于教育。认为要有好的教育人们方可以为善，荀卿相信人性为恶，亦主张需要教育，所谓伪（阮元亦释为）的工夫。实斋说：

荀子著性恶，谓圣人为之化性而起伪，伪于六书，人为之正名也。荀卿之意，盖言天质不可恃，而学问必借于人为，非谓虚诳欺罔之伪也。而世之罪荀卿者，以谓诬圣为欺诳，是不察古人之所谓，而遽断其非也。（前揭书《说林》）

认人性为恶的，需要加上人为的工夫，就是相信人性为善的，如孟轲和王伯厚，也认为需要“扩充”的工夫，需要“致”的工夫。假若不做“扩充”的工夫和“致”的工夫的话，还是无法为善的。实斋说：

王氏致良知之说，即孟子之遗言也。良知曰致，则固不遗功力矣。朱子欲人因所发而遂明，孟子所谓察识其端而扩充之，胥是道也。（前揭书《博约下》）

所以实斋最后这样认定，不管认为秉性是善的也好，是恶的也好，都是空谈；归根结底，还是需要教育，需要践履的工夫。他说：

《易》曰：“一阴一阳之谓道”，阳变阴合，循环而

不穷者，天地之气化也。人秉中和之气以生，则为聪明睿智，毗阴毗阳，是宜刚克柔克，所以贵学问也。（前揭书《质性》）

世有童年早慧，诵读兼人之倍蓰，而犹不止焉者，宜大异于常人矣！及其成也，较量愚柔百倍之加功，不能遽胜也。（前揭书《假年》）

秦王遗玉连环，赵太后金椎一击而解，今日性理连环，全借践履实用，以为金椎之解。（《书孙渊如观察原性篇后》）

他的意思，不论秉性怎样，总是“贵学问”，需“百倍之加功”，“全借践履实用”的；否则，即认为有所谓善性，也无法成为其好人的。

总之，我们从实斋的特别着重“践履”，着重需要“百倍之加工”的地方看来，实斋虽没有明白说出性是无分于善恶，但他不相信性有一定的所谓善恶是实在的；他只承认“人秉中和之气以生”罢了。这颇近似于船山的“性，日生者也”。

第三节　学诚在中国史学上的分析理论

船山的中国历史分析是关于通史的，实斋的中国历史分析是关于文化，学术的。他二人是中国近世史学家的不幸者，命运都是没有显于当时的。

实斋的文化，学术史学，力求“史意”的源流发展，所谓“滥觞流为江河，事始简而终巨也”(《书教中》)。历史之流，比之水流，颇可把握着自然运动的史则。

他关于历史的起源论，仅当原始与农村公社至文明史的起源而言，他说明文明社会的成立，基于客观的必然而言，他说：

人生有道，人不自知，三人居室，则必朝暮启闭其门户，饔飧取给于樵汲，既非一身，则必有分任者矣，或各司其事，或番易其班，所谓不得不然之势也，而均平秩序之义出矣。(《原道上》)

此段社会原论，在体例上是由荀子的“礼论”发展的，在荀子，谓之人生而有群，如果实斋以“群”仅指均平的秩序，这是原始公社之义。但这个群的社会均平之秩序，在荀子讲来，群而不得不争，而必有另一必然之势来接踵史的舞台，实斋便接着说：

又恐交委而互争焉，则必推年之长者持其平，亦不得不然之势也，而长幼尊卑之别形矣。（同上）

前一阶段是“取给于樵汲”，似有渔猎社会的影子，此一阶段似氏族父长制的农村公社，在科学的历史上讲来，这是一个过渡，族长由于战争与公共事业（如水利灌溉等，尤其东方）等，个人权力的尊重逐渐附与了社会的职能，在西方谓之“第一人”——即“君”字的原义，在东方谓之“予一人”（见于《书经》）。

实斋捉摸着异常合理，适之先生仅以“社会生活”了解，殊不够味。实斋又说：

至于什伍千百，部别班分，亦必各长其什伍，而积于千百，则人众而赖于干济，必推才之杰者理其繁，势纷而须于率俾，必推德之懋者司其化，是亦不得不然之势也，而作君作师，画野分州，井田封建学校之意著矣。故道者，非圣人智力之所能为，皆其事势自然，渐形渐著，不得已而出之，故曰天也。（同上）

此段似适合于文明社会国家的起源，因为文明社会的第一特征是城市与农村的分裂，在中国古文献的“邦”

与“封”二字同义，“国”与“城”二字同义，颇表示城市国家的渊源，这里所谓“画野分州”即城市与农村的第一项分工，甚有社会史的影子。

关于实斋的具体划分时代，我们不能依据为近代历史的知识，如他所云“三皇无为而自化，五帝开物而成务，三王立制而垂法”，然而他亦说：“至战国而羲神黄帝之书杂出焉，其书皆称古圣，如天文之《甘石星经》，方技之《灵素》《难经》，其类实繁，则犹匠祭鲁般，兵祭蚩尤，不必著书者之果为圣人，而习是术者奉为依归，则亦不得不尊以为经者也。”(《经解中》) 他虽然详辨伪托之盛行于战国，不尽是完全无影子拟造（参看《诗教上》)，但他已经肯定战国实有拟制伪造“封建”之著作，而说“依托古人，其言似是”。这里是实斋不能解决的两面论法。一方面说“百家之学，多争托于三皇五帝之书矣，艺植托于神农，兵法医经托于黄帝，好事之徒，传为三坟之逸书”；他方面又说“不知书固出于依托，旨亦不尽无所师承”(《书教中》)。

上面是他的史论，而他的史学重要见解，实在是文化史学，他说：

古治详天道，而简于人事；后世详人事，而简于天道，时势使然，圣人有所不能强也。(《文史》外篇，《方志立三书议》)

在清初学者，如傅青主，已经言五经乃王制，实斋则演为“六经皆史也”，“六经皆生王之政典也”，“六经皆器也”诸命题。这是他在当时最放肆的论著，亦是他被后人所最注意的学旨。他说：

六经不言经，三传不言传。……古之所谓经，乃三代盛时典章法度，见于政教之实。(《经解上》)

异学称经以抗六艺，愚也；儒者僭经以拟六艺，妄也。六经初不为尊称，义取经纶为世法耳。(《经解下》)

六经皆史也，……古人未尝离事而言理，六经皆先王之政典也。

他的“六经皆史”，消极方面是清初反理学的发展，积极方面更把中国文献的源流演进，规定为“时会使然”的“趋向”。尊经而不能通经，非愚即妄，所谓通者，当即他所指的如《庄子·天下篇》渊流变易之旨。他说：

《易》曰：“形而上者谓之道，形而下者谓之器。”道不离器，犹影不离形，后世服夫子之教者自六经，以谓六经载道之书也；而不知六经皆器也。……夫子述六经以训后世，亦谓先圣先王之道不可见，六经，即其器之可见者也。后人不见先王，当据可守之器，而思不可见之道，故表章先王政教，与夫官司典守以示人，而不自著为说，以致离器言道也。夫子自述春秋之所以作，则云“我欲托之空言，不如见诸行事之深切著明”；则政教典章，人伦日用之外，更无别出著述之道，亦已明矣！……而儒家者流，守其六籍，以谓是特载道之书耳。夫天下岂有离器言道，离形存影者哉？彼舍天下事物，人伦日用，而守六籍以言道，则固不可与言夫道矣。(《原道中》)

他的古代文化史论，多据《天下篇》的道理。委实讲来，中国有文明是从周代开始，在西周，因为是氏族维新制度，没有国民的人类出现，故政教或官师合一，学问是在官府，理所应然。实斋强调此制，除他对于古制的理想当另论外，所谓“古者私门无著述之学”，“文章制作，存乎官守”，大体上是合于历史的。他说：

理大物博，不可殚也，圣人为之立官分守，而文字亦从而纪焉。有官斯有法，故法具于官，有法斯有书，故官守其书，有书斯有学，故师传其学，故弟子习其业，官守学业皆于一，而天下以同文而治，故私门无著述文字。(《校雠通义》卷一)

据庄子《天下篇》云，在春秋时代，中国文化的保存与研究者，是邹鲁的缙绅先生，专门以六艺为职业，这由科学见地而言，亦可以说是意识家与事业家的分裂前趋者，孔墨二家所以皆出于缙绅儒者，而批判地发展了学术，都由于六艺之过渡时代（春秋）。实斋说：

至战国而文章之变尽，至战国而著述之事专，至战国而后世之文体备，故论文于战国，而升降盛衰之故可知也。战国之文，奇邪错出，而裂于道（按此句即《天下篇》之道为天下裂，裂者按意识家的分工而言，故可谓之“专”，此则国民出现，贤者出现使然，参看拙作《贤者考》一文），人知之，其源出于六艺，人不知也。(《诗教上》)

诸子源出六艺之论，在我们研究，是一种批判的发展，如孔子在人类性的道德情操方面批判六艺具文，墨子在人类性的知识方面否定礼乐具文（参看拙著《中国古代思想学术史》)。实斋以六艺足以尽道体之所说，诸子得其一端之说，犹拘于传统思想，而他说九流与六艺的关系，颇值得部分地参考，他说：

诸子之为书，其持之有故，而言之成理者，必有得于道体之一端，而后乃能恣肆其说，以成一家之言也。所谓一端者，无非六艺之所该，故推之而皆得其所本，非谓诸子果能服六艺之教，而出辞必衷于是也。老子说本阴阳，庄列寓言假象，易教也。邹衍侈言天地，关尹推衍五行，书教也。管商法制，义存政典，礼教也。申韩刑名，旨归赏罚，春秋教也。其他杨墨尹文之言，苏张孙吴之术，辨其源委，挹其旨趣，九流之所分部，七录之所叙论，皆于物曲人官，得其一致，而不自知为六典之遗也。(《诗教上》)

实斋此论本于《七略》，诸子出于王官之说，惟他稍进一步，言及“口耳竹帛之迁变”，学术下私人的发展，他说：

著述专于战国，盖亦出于势之不得不然矣。(《诗教中》)

所谓势之不得不然者，指“道术将为天下裂”，而“裂”者则史学上所言地域单位的国民人类出现之故。

他更注意诸子与诗教的源流关系，更为卓见。按西周春秋之交，有所谓变风变雅者出现，咒骂天命，批评君子（氏族贵族），作者认为这是西周悲剧社会之歌声，正代表了“国人”（自由民）的呼声，实是“不治而议论”的诸子自由批判思想的前趋者。实斋说：

战国之文，……多出于诗教，何谓也？曰战国者纵横之世也。……战国抵掌揣摩腾说以取富贵，其辞敷张而扬厉，变其本而加恢奇焉。……比兴之旨，讽谕之义，……纵横者流，推而衍之，是以能委折而入情，微婉而善讽焉。(《诗教上》)

此段所论，言诗教之旨实为诸子善讽的先趋，可称创见。他更由诗教的民间性，说明诸子继承风雅声诗之变。他说：

古无私门之著述，未尝无达衷之言语也，惟托于声音，而不著于文字，故秦人焚诗书，书阙有间，而诗篇无有散失也，后世竹帛之功，触于口耳，而古人声音之传，胜于文字，则古今异，而理势亦殊也。……典章散而诸子以术鸣，故专门治术，皆为官礼之变也，情志荡，而处士横议，故百家驰说，皆为声诗之变也（谈天雕龙，坚白同异之类，主处理者，谓之百家驰说，其言不过达其情志，故归于诗，而为乐之变也）。……后世文体，备于战国，而诗教于斯可谓广矣！（《诗教下》）

在这一点，实斋史学主辨源流，他在“言情达志，敷陈讽谕”八字上看出声诗与百家的关系，颇得诸子源流的关键。所以他是十八世纪研究诸子的最有成绩者，为傅青主以来的优秀作家，在他的书中关于孟，荀，墨，庄，法，名诸家多所引证，认为他们都是和六经一样地公言其理而非私意（见上引），他说：

圣门身通六艺者七十二人，然自颜、曾、赐、商，所由不能一辙，再传而后，荀卿言礼，孟子长于诗书，或疏或密，途径不同，而同归于道也。……徇于一偏，而谓天下莫能尚，则出奴入主，交相胜负，所谓物而不化者也。（《博约下》）

他在这里是取客观的分析，与从来道统之论相反，故又说：“学必求其心得，业必贵于专精，类必要于扩充，道必抵于全量，性情喻于忧喜愤乐，理势达于穷变通久。”（同上）

他崇拜战国诸子，是在学术自由的“道公而学私”

之下兼容发展，不主绝学孤诣，以为专制的独宗一己的手段。他说：

道同而术异者，韩非有解老、喻老之书，列子有杨朱之篇，墨者述晏婴之事，作用不同，而理有相通者也；术同而趣异者，子张难子夏之交，荀卿非孟子之说，张仪破苏秦之从，宗旨不殊，而所主互异者也。(《说林》)

他这样地说明战国诸子在变种古典共和之下，而有光辉的文化出现，他基此得一结论，即人民性的学术是一种共举：

人之有能有不能者，无论凡庶圣贤有所不免者也。以其所能，而易其不能，则所求者，可以无弗得也。(《说林》)

渥洼之驹，可以负百钧而致千里，合两渥洼之力，终不能致二千里……言乎绝学孤诣，性灵独至，纵有偏阙，非人所得而助也。两渥洼驹不可致二千里；合两渥洼之力，未始不可负二百钧而各致千里，言乎鸿裁绝业，各效所长，纵有抵牾，非人所得而私据也。(同上)

他虽然说周末道裂，但亦就文字进化上推求文化的发展，他说：

上古淳质，文字无多，固有具其实而未著其名者；后人因以定其名，则彻前后，而皆以是为主义焉。(《易教中》)

他因此说诗之流别，所以盛于战国者，即因为人类文字取象的进步，他说：

诗之流别，盛于战国人文，所谓长于讽喻，不学诗，无以言也。然战国之文，深于比兴，即其深于取象者也。庄列之寓言也，则触蛮可以立国，蕉鹿可以听讼；离骚之抒愤也，则帝阙可以上九天，鬼情可以察九地，他若纵横之说，飞钳捭阖之流，徙蛇巧虎之营谋，桃梗土偶之问答，愈出愈奇，不可思议，然而指迷从道固有其功，饰奸售欺亦受其毒。(《易教下》)

复次，实斋论史学的源流演变，推始自《尚书》，他说：

宪法久则必差，推步后而愈密，……史学亦复类此。《尚书》变而为《春秋》，则因事命篇不为常例者，得从比事属辞为稍密矣，左国变而为纪传，则年经事纬，不能旁通者，得从类别区分为益密矣。(《书教下》)

《尚书》一变而为左氏之《春秋》，《尚书》无成法，而左氏有定例以纬经也；左氏一变而为史迁之纪传，左氏依年月，而迁书分类例以搜逸也；迁书一变而为班氏之断代，迁书通变化，而班氏守绳墨，以示包括也。（同上）

他以简明语句分析史学的流变，即所谓“族史转为类例”者是。《尚书》《春秋》是古代的族史，《史记》《汉书》则是渐入于中古的类例，其间变化之迹，这亦是他所谓因了时代不得不然之“推步”了。他论中古史学则多所批评，如云：

《尚书》圆而神……折入左氏，而合流于马班，盖自刘知几以还，莫不以谓书教中绝，史官不得衍其绪矣。又自隋经籍志著录，以纪传为正史，编年为古史，历代依之，遂分正附，莫不甲纪传而乙编年，则马班之史，以支子而嗣春秋，荀悦袁宏且以左氏大宗，而降为旁庶矣！司马《通鉴》，病纪传之分，而合之以编年。袁枢纪事本末，又病《通鉴》之合，而分之以事类。按本末之为体也，因事命篇，不为常格，非深知古今大体，天下经纶，不能网罗隐括，无遗无滥。文省于纪传，事溪于编年，决断去取，体圆用神，斯真《尚书》之遗也，

在袁氏初无其意，且其学亦未足与此，书亦不尽合于所称。故历代著述诸家，次其书于杂史，自属纂录之家，便观览耳。(同上)

他以后世史家皆浅肤之作者，但“作者甚浅，言者甚深”，亦可就其纂辑，以通其流变，故他把中古庸俗的历史，重复朝代变易的记载，而无家学史识以为之通变，则当做一堆材料，“待后人之论定可矣”。他说：

若夫君臣事迹，官司典章，王者易姓受命，综核前代，纂辑比类，以存一代之旧物，是则所谓整齐故事也；开局设监，集众修书，正当用其义例，守其绳墨，以待后人之论则可矣，岂所谓语于专门著作之伦乎？(《答客问上》)

所以，中古时代的史学尽是些“效子莫之执中，求乡愿之无刺”。平平稳稳，无过无咎，谁敢为如孔子“义则窃取”之心裁，甘为人们冠以异端的帽子？于是他以为“史文等于科举之程式，胥吏之文移，而不稍有变通矣”(同上)。然而通过中古历史，正如在剧场的出演角色，主角之外必有反派的角色，在学术上正统支配之下，亦不断有异端的讽刺，虽则说要遭受责罚的。他说：

间有好学深思之士，能自得师于古人，标一法外之义例，著一独具之心裁，而世之群怪聚骂，指目牵引为言词，譬若猵狙见冠服，不与龁决毁裂，至于尽绝不止也。郑氏通志之被谤，凡以此也！（同上）

实则他所遭受的境遇正是这样，所以语气间颇含有义愤，他接着说出他主观的评论来：

嗟呼！道之不明也久矣！六经皆史也，……孔子之作《春秋》也，盖曰“我欲托之空言，不如见诸行事之深切著明”，然则典章事实，作者之所不敢忽，盖将即器而明道耳！……道不明而争于器，实不足而争以文，……而世之溺者不察也！太史公曰：“好学深思，心知其意。”当今之世，安得知意之人，而与论作述之旨哉？

我们同情这位“通古今之变而成一家之言者，必有详人之所略，异人之所同，重人之所轻，而忽人之所谨，绳墨之所不可得而拘，类例之所不可得而泥”（同上），抱负中古解放思想的史学家！

他认史从迁、固而后，没有别识心裁，流为文与事的两歧，“文即后世辞章家之所重也，事即后世考据家之所尚也”(《申郑》)。故从这两点，他批评当世辞章家如方苞，云：“小慧私智，一知半解，未必不可考古人之间，拾前人之遗，此论于学术，则附于不贤识小之例。”(《答问》)他评论当世考据家如戴东原，云：“凡戴君所学，深通训诂，究于名物制度而得其所以然，将以明道也。时人方贵博雅考订，见其训诂名物有合时好，以为戴之绝诣在此；及戴著《论性》,《原善》诸篇，于天人理气实有发先人所未发时，时人则谓空说义理，可以无作，是固不知戴学矣！”(《书后》)他的评判，皆甚得当。

最后，他亦如费密之论学术流变，还元于人性的质性，这里，他重视个性发展对于学术的成就，其言可谓石破天惊。他说：“是尧舜而非桀纣，尊孔孟而拒杨墨，……求于所以为言者，宗旨茫然也，譬如彤弓湛露奏于宾筵，闻者以谓肄业及之也，或曰宜若无罪矣，然而子莫于焉执中，乡愿于焉无刺也！惠子曰：‘走者东走，逐者亦东走，东走虽同，其东走之情则异。’观斯人之所言，其为走之东欤，逐之东欤？”(《质性》)

中古学术无个性，盖见于此旨。因此，他言个性在古代（如他所举庄屈时代）是尽其发展的，而后世（如他所举言性天的时代）则不能发展的，他说：

人秉中和之气以生，则为聪明睿智，毗阴毗阳，是宜刚克柔克，所以贵学问也。……孔子曰："不得中行而与之，必也狂狷乎！狂者进取，狷者有所不为。"庄周，屈原，其著作之狂狷乎！屈原不能以身之察察，受物之汶汶，不屑不洁之狷也；庄周与天地精神相往来，而不傲倪于万物，进取之狂也。昔人谓庄屈之书，哀乐过人，盖言性不可见，而性之奇至如庄屈，狂狷之所以不朽也。乡愿者流，话中行而言性天，剽伪易见，不足道也。于学其于人，而以情著于文，庶几狂狷可与乎！……夫情本于性也，才率于气也，累于阴阳之间者，不能无盈虚消息之机。……屈原忧极，故有轻举远游餐霞饮瀣之赋，庄周乐至，故有后人不见天地之纯。古人大体之悲，此亦倚伏之至理也。（同上）

他方面，因为过分重视质性，把学术的流变还于高明与沉潜二种质性的循环，则不够科学，他说：

自汉以来，学者以其所托之撰述以自表见者，盖不少矣。高明者，多独断之学，沉潜者尚考索之功，天下

之学术，不能不具此二途，譬如日昼而月夜，暑夏而寒冬，以之推代而岁功成。……(《答客问中》)

惟他虽然把学术流变还于质性，远于他所谓“时会使然”的论据，而主张则主“相需之益，以之自封而立畛域，则有两伤之弊”(同上)。按他的理想而言，则兼容并包，实后来蔡孑民先生所本(蔡氏整理过实斋著作，参看胡著《实斋年谱》)，而世所称赞的“北大精神”，亦有学术的渊源。

他根据了拘泥质性而严立门户的流弊，批判宋明以至清代的学术，他说：

世儒之患，起于学而不思……学博者长于考索，岂非道中之实积，而骛于博者终身敝精劳神以循之，不思博之何所取也；才雄者健于属文，岂非道体之发挥，而擅于文者终身苦心焦思以构之，不思文之何所用也；言义理者似能思矣，而不知义理虚悬而无薄，则义理亦无当于道矣。(《原学下》)

宋儒有朱陆，千古不可合之同异，亦千古不可无之同异也。末流无识，争相诟詈……为陆氏之学者，攻朱氏之近于支离，谓陆氏之偏于尊德性，为朱氏之学者，攻陆氏之流于虚无，各以所畸重，争其门户。……但既自承朱氏之授受攻王陆，必且博学多闻，通经服古……今攻王陆之学者不出博洽之儒，而出荒俚无出之学究，则其所攻与其业相反也。(《朱陆》)

按实斋《朱陆》篇乃为戴东原而发，他究明学术流变，在清代攻朱子者，正是朱子数传而后起者，他说：

今有薄朱氏之学者，即朱氏之数传而后起者也。……其人不自知也。……性命之说，易入虚无，朱子求一贯于多学而识，寓约礼于博文，其事繁而密，其功实而难。……沿其学者，一传而为勉斋九峰，再传而为西山鹤山东发厚斋，三传而为仁山白云，四传而为潜溪义乌，五传而为宁人百诗，则皆服古通经，学求其是，而非专己守残，空言性命之流也。……生乎今世，因闻宁人百诗之风，上溯古今作述，有以心知其意，此则通经服古之绪，又嗣其音矣；无如其人，慧过于识，而气荡乎志，反为朱子诟病焉，则亦忘其所自矣。(同上)

清代考证之风，推其渊源，当自朱子始，客观地研究学术流变者，当不能像习斋作风，一壁推翻，惟亦如习斋所言，学术有支配之势，不是全力副之者，不算“学求其是”，故宋儒仍不失为空谈性天之学。实斋在明流变方面，言东原学术所自，渐变发达而至朴学，甚得体裁，而把学术支配之势否认，以为“朱子授人口实，强半出于语录，语录者出于弟子门人杂记，未必无失初旨”（同上），而为朱子辩解空谈性命，则颇有传统思想。

他对于朱陆异同，亦搜求到本源，即不切人事，不明史实，只在名词上争辨门户。这一论断，实得真理之具体性，他说：

朱陆异同，干戈门户，千古桎梏之府，亦千古荆棘之林也。究其所以纷纶，则惟腾空言，而不切人事耳。知史之本于《春秋》，知《春秋》之将以经世，则知性命无可空言，而讲学者必事事，不特无门户可持，亦且无以持门户矣！（《浙东学术》）

他据此，论清初学术的分派，虽宗旨不同，而相互推服（如梨洲尊重亭林为当世学人，其子上亭林书详言之，而亭林则赏识梨洲《明夷待访录》，谓三代之制不难徐图，参看第一编），就在他们都以经世之学为骨干，不是空言德性，此断可谓特识。他说：

浙东之学，虽出婺源，然自三袁（袁燮，袁肃，袁甫）之流，多宗江西陆氏。而通经服古，绝不空言德性，故不悖于朱子之教。至阳明王子，揭孟子之良知，复与朱子抵牾，蕺山刘氏，本良知而发明慎独，与朱子不合，亦不相诋也。梨洲黄氏，出蕺山刘氏之门，而开万氏弟兄经史之学，以至全氏祖望辈，尚存其意，宗陆而不悖于朱者也。惟西河毛氏，门户之见，不免攻之太过，虽浙东人亦不甚以为然也。

世推顾亭林氏为开国儒宗，然自是浙西之学，不知同时有黄梨洲氏出于浙东，虽与顾氏并峙，而上宗王刘，下开二万，较之顾氏，源远而流长矣。顾氏宗朱，而黄氏宗陆，盖非讲学专家各持门户之见者，故互相推服，而不相非诋。学者不可无宗主，而必不可有门户，故浙东浙西，道并行而不相悖也。浙东贵专家，浙西尚博雅，各因其习而习也。

天人性命之学不可以空言讲也。……儒者欲尊德性，而空言义理以为功，此宋学之所以见讥于大雅也。……故善言天人性命者，未有不切于人事者。三代学术，知其史而不知有经，切人事也；后人贵经术，以其即三代之史耳。近儒谈经，似于人事之外，别有所谓义理。浙东之学，言性命者，必究于史，此其所以卓也。

……浙东之学，虽源流不异，而所遇不同，故其见于世者，阳明得之为事功，梨洲得之为隐逸，万氏兄弟得之为经术史裁，授受虽出于一，而面目迥殊，以其各有事事故也。彼不事所事，而但空言德性，空言学问，……不得不殊门户，以为自见地耳，故惟陋儒，则争门户也！

……史学所以经世，固非空言著作也。……六经……正以切合当时人事耳。后之重著述者，舍今而求古，舍人事而言性天，则吾不得而知之矣。学者不知斯义，不足言史学也。（整齐排比，谓之史纂，参互搜讨，谓之史考，皆非史学）（《浙东学术》）

实斋这一篇文章，不仅是他的学术精神，而且是他评论清初学术的精神。清初学者皆倡经世致用之学，学有内容，而宗朱宗王皆是形式，所以专家与博雅，正殊途而同归，没有把门户之见摆在第一位，拿名词来吓人，然自十八世纪以降，乾嘉对外关闭，对内统治，学者间都失去了清初传统的精神，故又有方苞诸人的空谈性命，重整理学，更有专门考证文献的汉学家，标宗许郑，以趋他所谓的“风气之蔽”，这都是没有经世内容的空虚言论，实斋挽风气者在此。他继承清初学术的传统，独以史学号召者，亦他所言之“不得已”，因在当时是不许全面地探求社会制度的，他自己与朱少白书痛言：

鄙著《通义》之书，知己者许其可与论文，不知其中多有为之言，不尽为文史计者。关于身世之枨触，发愤而笔之于书，尝谓百年而后，有许通义文辞与老杜歌诗同其沉郁，则是仆身后之桓谭也。(《章氏遗书佚篇》)

至于他在语气间重浙东过于浙西，固有万氏兄弟史学的影响使然，而当时“博雅”之学，走入歧途，使他对于亭林百诗不得不低其估计，以为刺激，虽偏向，亦不蹈乡愿无刺的精神。然亦有实斋所不知者，实斋著作，自云是学孔子的“不得已”，亭林在当时，亦何尝得已，他的“六经之旨，当世之务”的排偶句子，亦是一种方法，企图在考证古今得失之表面上，说明当世所应走的理想，而后来人不了解他，便只奉他为清代考证学的鼻祖，形成了后世的考证学风尚。其实亭林的主旨，在于经世致用，而他的所谓考证，一方面和孔子之不得已差不多，另一方面他所致力的也还是为了经世致用，为了怎样能尽力于现社会的改造。实斋主张学孔子，多多的用力于实践，而所谓著作，只是不得已的“行有余力”的事。这最合清初学术的精神。

实斋的反乡愿无刺与子莫执中之精神，必然要发为对于现实批判的言论，他虽然说“不得已”著作，但亦并没有完全升化于学术性的抗议方面，如戴东原的理学害民之说，他在《上执政论时务书》中曾不惜蹈当时洪亮吉流戍的命运，而直攻封建的隐弊。他说：

由官迫民反观之，则吏治一日不清，逆贼一日得借口以惑众也。以良民胁从推之，则吏治之坏，恐亦有类于胁从者也。盖事有必至，理有固然。……其最为寇患相呼吸者，情知亏空为患，而上下相与讲求弥补，谓之“设法”。“设法”者巧取于民之别名耳。盖既将“设法”，上下不能不“通融”，州县有千金之“通融”，则胥吏得乘而牟万金之利，督抚有万金之“通融”，州县得乘而谋万金之利。……侧闻所“设”之“法”，有通扣养廉而不问有无亏项者矣；有因州县所亏之大，而分累州县者矣；有人地本属相宜，特因不善“设法”，上司委员代署，而勒本员闲坐会城，或令代摄佐贰者矣；有贪劣有据，勒令缴出赃金，而掩覆其事者矣；有声名向属狼藉，幸未破案，而丁故回籍，或升调别省，勒令罚金若干，免其究者矣；有肮脏之决，不问人地宜否，但能担任“弥补”，许买升调者矣：种种意料难测，笔墨难罄之弊，皆由“设法”而生。

实斋上面所描写的种种“设法”，正是乾嘉的盛朝，这已经笔墨难罄的封建制度，在清初学人是攻之不遗余力，而在乾嘉时代的学人论说中，却为凤毛麟角。他亦和他的前辈民主主义启蒙学者相似，在同书中提出了要求廉价政治的愿望，他说：

自乾隆四十五年以来，讫于嘉庆三年而往，和珅用事三十年，上下相蒙，惟事婪渎货，……以百万计。一时不能猝办，州县徐括民财归款。贪墨大吏，胸臆习为宽侈，视万金呈纳，不过同于壶箪馈问，属吏迎合，非倍往日之搜罗剔括，不能博其一欢！官场如此，日甚一日，则今之盈千百万所以干而涸者，其流溢所注，必有在矣。道府州县，向以狼藉著者，询于旧治可知；而奸胥巨魁，如东南户漕，西北兵驿，盈千累万，助虐肥家，亦必可知；督抚两司，向以贪墨闻者，询于廷臣可知。……今之寇患，既其所酿，今之亏空，皆其所开，其罪浮于川陕教匪，骈诛未足蔽辜！

实斋以上的言论，非常激昂，我们读了他的文章犹为他的生命担忧，然而他的“文德”正寄于这里。他的现实言论虽仅见于此，但我们亦可想见他的“言公”是不是具有人民性的了。

第九章　复兴诸子异说的墨者汪中

第一节　汪中的特独精神及其诸子复兴

汪中，字容甫，江都人，生清乾隆九年，卒乾隆五十九年（一七四四——一七九四年）。出身贫寒，少为书佣，以《广陵对》与《哀盐船》文，闻名于世，三十以后研究经史百家，卓然成家。当时学者大都称他镕铸经史诸子，自成一家之言。阮元为《容甫诗集》序云：

……容甫，雄于文，镕铸汉唐，成一家言。……尤精史学，自言深于《春秋》。生平多谐谑凌轹，时辈人以故短之。然钱大昕，段玉裁，王念孙，程瑶田，未尝不极口推崇。尝为顾炎武，胡渭，梅文鼎，阎若璩，惠栋，戴震作《六君子颂》，足见其谦己乐善也。

刘台拱亦说：

钩贯经史，镕铸汉唐，卓然自成一家。

王念孙说：

余为训诂文字声音之学，而容甫讨论经史，榷然疏发，挈其纲维。……容甫才卓识高，片言只字，皆为世宝之。……自元明以来，说经者多病凿空，而矫其失者又蹈株守之陋：为文者虑袭欧曾王苏之迹，而志乎古者又貌为奇伟而俞失其真。今读《述学》内外篇，可谓卓尔不群矣。……其贯穿于经史诸子之书，而流衍于豪素，揆厥所元，抑亦酝酿者厚矣，若其为人，孝于亲，笃于朋友，疾恶如仇，而乐道人善，盖出于天性使然，视世之习熟时务而依阿澳涊者何如也？（《述学叙》）

王引之说：

先生于六经子史以及词章金石之学，罔不综览，乃博考三代典礼至于文字训诂名物象数。……识议超卓，论者谓唐以下所未有。为文根柢经史，陶沿汉魏，不沿欧曾王苏之派，而取则于古，故卓然成一家言。性质直不饰容止，疾当时为阴阳拘忌释老神怪之说，斥之不遗余力，而遇一行之美，一文一诗之善，则称之不置。（《行状》）

按以上诸家咸重视容甫独创的精神，亦一致以容甫性格特立，不容时尚，卢文弨所谓“君实不狂，而众曰狂”。惟章实斋评人素高其旨，对于容甫深加诋毁，他说：

其人聪明有余，而识力不足，不善尽其天质之良，而强言学问，恒得其似而不得其是。(《文史通义》外篇)

汪氏之文，聪明有余，真识不足，触隅皆悟，大体茫然。(《述学驳文》)

按实斋所谓“聪明”，指万殊之博学，所谓“识力”指一贯之宗本，一致以容甫有独创的特见，无大体的系统。章汪二人，在乾嘉学术界都是不容于当世风习的，这二支异军皆不能支配主潮，章氏自居于“成一家之言”，汪氏共认为“卓然一家”，他们既未形成学派，则亦如诸子“各得一说以自好”，而评诋他说以裂道术，颇合思想异变的趋向。

又按容甫“谐谑凌轹”，“疾恶如仇”的个性，并不是一位人云亦云的人，他在学术上因了贫困不幸短命，不能大成，这是事实，而他勇于说自己的话，言人所不敢言，却足称为当代的凤毛麟角，在思想史上应该大书特书的。阮元说：

汪中，……好古博学，长于经谊（王昶《春融堂集》），……著《周官征文》，《左氏春秋释疑》，皆依据经证，箴砭俗学（孙星衍《汪中传》）。（《揅经室续集》卷二）

朱文正公典试江南，……曰吾此行必得汪中，孙星衍。公搜落卷，得其经文策，曰此必汪中也，及折卷得君（星衍）名，而汪实未就试。（《揅经室二集》卷三）

由阮元的话看来，容甫实是一位封建社会的叛道者，他的怀疑精神与教条信仰颇不相容，翁方纲反对他研究墨学，而亦不能不称赞他的精神，翁氏说：

昔翰林蒋士铨掌教扬州，汪中以“女子之嫁往送之门是何门”为问，蒋不能答，因衔之，言于学使者，欲置汪中劣等，吾尝笑蒋之不学也。（《复初堂文集》卷十五）

江藩说：

言世多淫祀，尤为惑人心，害政事，见人邀福祠祷者，辄骂不休，聆者掩耳疾走，而君益自喜。于时流不轻许可，有盛名者，必肆讥弹，人或规之，则曰：“吾所骂者，皆非不知古今者，惟恐莠乱苗耳，若方苞，袁

枚辈，岂屑屑骂之哉？”（《汉学师承记》）

所以，像容甫这样杰出人才，在四平八稳的封建考场中，当然要求之于“落卷”之中了，他自己亦说：

往者人之立言，其始欲摧我以求胜，其卒归乎毁，方以媚于世，是适足以发吾之激昂耳！（《述学》内篇，《与刘临端书》）

懂得他的“箴砭俗学”的精神，我们就知道他要脱出时代的藩篱，而自由探寻二千年来被人所鄙弃的“异端”了。诚如他所云“君子之学，如蜕然幡然迁之”，故他的诸子研究，在历史意义上讲来，实蜕化出一个新的局面，发展了清初大儒的子学复兴任务。

我们首先看他的《荀子通论》。按荀子学术的复兴，在清初已有迹象，乾嘉学者更多受荀学的影响，戴东原，钱大昕便是显例。钱氏说：

《荀子》三十二篇，世所共訾謷之者惟《性恶》一篇。然多未达其旨趣。……世人见篇首云“人之性恶，其善者伪也”，遂掩卷面大诟之，不及读之终篇。今试平心而读之，荀子所谓“伪”，只作为善之为，非诚伪之“伪”，故曰：“不可学不可事而在人者谓之性，可学而能可事而成之在人者谓之伪。"《古书》伪与为通，尧典、平秩南讹，《史记》作南为，《汉书·王莽传》作南伪，此其证也。若读伪如为，则其说本无悖矣。(《潜研堂文集》卷二十七)

然而把荀子崇章为孔子学说的真传者，还没有人敢说，有之，惟汪容甫，他是首先为荀子作年表者，他说：

荀卿之学，出于孔子，而尤有功于诸经。(《荀卿子通论》)

他引证古籍，说明毛诗为荀子所传，韩诗为荀子之别子，《左氏春秋》为荀子所传，《谷梁春秋》为荀子所传，曲台之礼为荀子之支流余裔，易为荀子所善治者，因此他说：

自七十子之徒既没，汉诸儒未兴，中更战国暴秦之乱，六艺之传赖以不绝者荀卿也。周公作之，孔子述之，荀卿子传之，其揆一也。……《史记》载孟子受业于子思之门人，于荀卿则未详焉。今考其书，始于《劝学》，终于《尧问》，篇次实仿《论语》。六艺论云，《论语》子夏仲弓合撰，风俗通云，谷梁为子夏门人，而《非相》，《非十二子》，《儒效》三篇，每以仲尼子弓并称，

子弓之为仲弓犹子路之为季路，知荀卿实出于子夏仲弓也。（同上）

按荀子所称之子弓，历来说者有三，即子贡，仲弓，与肝臂子弓。容甫这里以子弓为仲弓，其说甚近。我们不在此考证子弓其人为谁，仅仅要知道他崇章荀子，是和周公孔子并提的，这种以孔荀之学而代替孔孟之学的翻案，实二千年来的思想蜕化，容甫的胆识是惊人的。

复次，容甫在当时最被时人目为异端的，是他的墨学。按墨学自汉武帝定儒术为一尊以后，除晋鲁胜，唐乐台二人以外，几成绝学。清初，墨子之学始渐渐引起学者注意，顾亭林傅青主都有崇章墨学之嫌，而颜习斋则六经其表而墨学其里者，颜氏之反宋明理学，颇似墨者之“非儒”。到了乾嘉时代，墨子复兴，公开研究墨子的如张惠言（《墨子经说解》），王念孙（《读墨子杂志》），毕沅（《墨子注》），以及孙星衍，卢文弨诸人，而汪容甫就在这时试释墨子，编成专书，他的书虽没有传本，但据他的研究则可证他必有《墨子集解》的一类专书无疑，他说：

墨子七十一篇，亡十八篇，今见五十三篇，明陆稳

所叙刻，视他本为完，其书多误字，文义昧晦不可读，今以意粗为是正，阙所不知。(《述学·墨子序》)

今定其书为内外二篇，而以其徒之所附著为杂篇，仿刘向校《晏子春秋》例，辄于篇末述所以进退之意，览者详之。(《墨子序》)

中既治墨子，牵于人事，且作且止，越六年，友人阳湖孙季仇星衍以刊本示余，则巡抚毕侍郎卢学士咸有事焉。(《墨子后序》)

他还有《墨子微》一书，据他自序云：

又宋古书之涉于墨子者，别为表微一卷。(同上)

他考证墨子学术的成立，一反淮南以来“法夏”之说，而归结于时代之“各执一术”(参看拙著《中国古代思想史》)，洵为卓识，他说：

季仇谓墨子之学出于禹，其论伟矣。非独禽滑厘有是言也，庄周之书则亦道之曰：不以自苦为极者，非禹之道。是皆谓墨之道与禹同耳，非谓其出于禹也。昔在成周，礼器大备，凡古之道术，皆设官以掌之。官失其业，九流以兴，于是各执其一术以为学，讳其所从出，而托于上古神圣以为名高，不曰神农，则曰黄帝。墨子质实，未尝援人以自重，其则古昔，称先王尧舜禹汤文武者六，言禹汤文武者四，言文王者三，而未尝专及禹，墨子固非儒而不非周也，又不言其学之出于禹也。公孟子谓君子必古言服，然后仁，墨子既非之，而曰子法周而未法夏，则子之古非古也。此因其所好而激之，且属之言服，甚明而易晓，然则谓墨子背周而从夏者非也。惟夫墨离为三，取舍相反，倍谲不同，自谓别墨，然后托于禹以尊其术，而淮南著之书尔。(《墨子后序》)

按容甫以上所论，颇与实斋考竟学术源流之旨暗合，而进一步以为墨子是“学焉而自为其道者”。原来诸子之出，是与中国古代贤人，国民（即自由民）之出相为表里，墨子尚贤，更为显著，故国民的个性活动，自然要走自为其道的路径，容甫此言可称不易，他说：

墨子者，盖学焉而自为其道者也。故其节葬曰，圣王制为节葬之法，又曰，墨子制为节葬之法，则谓墨子，自制者是也。故曰，墨之治丧以薄为其道（孟子《滕文公》篇），曰，墨子生不歌，死不服，桐棺三寸而无椁，以为法式（庄子《天下》篇），曰，墨者之葬也，冬日冬服，夏日夏服，桐棺三寸，服丧三月（韩非子《显学篇》）。

使夏后氏有是制，三子者不以蔽墨子矣。(《墨子后序》)

容甫不但为墨子辩千古之枉曲，而且把儒墨显学并称的历史首先矫正，一扫二千年来异端的诬蔑，他说：

墨子之学，其自言曰："国家昏乱，则语之尚贤尚同，国家贫则语之节用节葬，国家喜音沉湎，则语之非乐非命，国家淫僻无礼，则语之尊天事鬼，国家务夺侵凌，则语之兼爱非攻。"此其救世，亦多术矣。……传曰，"世之学老子者，则绌儒学，儒学亦绌老子"，惟儒墨亦然，儒之绌墨子者，孟氏荀氏。荀之礼论，乐论，为王者治定功成盛德之事。而墨之节葬，非乐，所以救衰世之弊，其意相反相成也。若夫兼爱特墨之一端，然其所谓兼者，欲国家慎其封守，而无虐其邻之人民畜产也。虽其先王制为聘问吊恤之礼，以睦诸侯之邦交者，岂有异哉？彼且以兼爱教天下之为人子者，使以孝其亲，而谓之无父，斯已过矣！后之君子，日习孟子之说，而未睹墨子之本书，其以耳食，无足怪也。世莫不以其诬孔子为墨子罪，虽然，自今日言之，孔子之尊，固生民以来所未有矣；自当日言之，则孔子鲁之大夫也，而墨子宋之大夫也，其位相埒，其年又相近，其操术不同，而立言务以求胜，虽欲平情核实，其可得乎？是故墨子之诬孔子，犹孟子之诬墨子也，归于不相为谋而已矣。吾读其书……其述尧舜，陈仁义，禁攻暴，止淫用，感王者之不作，而哀生人之长勤，百世之下，如见其心焉！诗所谓“凡民有丧，匍匐救之”之仁人也。其在九流之中，惟儒足与之相抗，自余诸子，皆非其比。历观周、汉之书，凡百余条并孔墨，儒墨对举；杨朱之书，惟贵放逸，当时亦莫之宗，跻之于墨，诚非其伦。自墨子没，其学离而为三，徒属充满天下。吕不韦再称“巨子”（《去私》篇，《尚德》篇），韩非谓之“显学”，至秦汉之际而微。孝武之世犹有传者，见于司马谈所述，于后遂无闻焉，惜夫！以彼勤生薄死而务急国家之事，后之从政者，固宜假正义以恶之哉？（《墨子序》）

容甫《墨子序》作于乾隆四十五年（一七八〇年），在当时是一种石破天惊的议论。他在这篇序内除考证墨子年代与《墨子》一书成书前后而外，主要论点已见上。兹综合他的论断，约为：

（一）墨子学术为救世之作，墨子为救世之仁人，不可以洪水猛兽以诬之，或假仁义以恶之。

（二）墨子为当世之显学，九流之中惟儒学始可与他相抗，其余则非其比伦，力辩孟子把杨墨并称，不合史实。

（三）孔荀并称，代替孔墨并称，故以墨子与荀子相反相成，其互相批评，不害学问之发展。

（四）儒墨相攻，归于不相为谋，是道不同之故，不能有正统与异端之分别，力辩孟子以“无父”之说诬陷为过枉，而后世人云亦云，则更属耳食，没有自我的判断。

这样的议论在乾嘉时代是不容许的，所以，做过宰相的一位翁方纲便代表了当时的传统思想，对于容甫妄加诋毁，甚至拿一个“墨者”的头衔加诸汪中头上，主张褫革容甫“生员”衣顶，宣布为名教罪人，好像现在开除学籍的处分。如果以反革命墨子的“笑柄”来讲，不知道余友郭沫若先生是否同意翁氏的荒唐，翁氏说：

有生员汪中者，则公然为墨子撰序，自言能治墨子，且敢言孟子“兼爱无父”为诬墨子，此则名教之罪人，又无疑也。……今见汪中治墨子之言，则当时褫革其生员衣顶，固法所宜矣！汪中者，昔尝与予论金石，颇该洽，犹是学士也，其所撰他条亦尚无甚大舛戾。今或姑以此准折焉，不名之曰“生员”，以当褫革，第称曰“墨者汪中”，庶得其平也乎！然而夷之怃然以后，则已身向正学矣，所以孟门弟子尚许之，尚惜之，书曰“墨者夷之”；若汪中，岂当此称哉？（《复初堂文集》卷十五）

我们看了翁方纲的话，正替容甫在“名教之罪人”一叛名之下担心，然而他则并不以为应加屈服，反而说过：

摧我，……归乎毁，方以媚于世，是适足以发吾之激昂耳。（见前引）

按墨子研究，在洋务运动的光绪时代，颇没有什么名教问题，而在乾嘉学术封锁时代，却是甘冒不韪的凌轹，“时辈以故短之”，当属轻事，“墨者”二字才是最辣毒的帽子了。

容甫的《墨子校释》，可惜失传，其实他不仅于墨子有惊人的议论，而且于周秦诸子，多有心得，他说：

向者于周秦古籍，多所校正，于墨子已有成书，诚不及先生所刊之精确，不敢自匿，谨录序目奉上，又有后序篇在季仇书中，乞教之！（《述学·与毕侍郎书》）

他关于宋人之崇章《大学》，深致怀疑，所由出发的立论，和陈乾初暗合（参看第二章），他说：

《大学》，其文平正无疵，与坊记、表记、缁衣伯仲，为七十子后学者所记，于孔氏为支流余裔，师师相承，不言出自曾子，视《曾子问》、《曾子立事》诸篇，非其伦也。宋世禅学盛行，士君子入之既深，遂以被诸孔子。是故求之经典，惟《大学》之格物致知，可与傅合；而未能畅其旨也，一以为误，一以为缺，举平日之所心得者著之于书，以为本义固然，然后欲俯则俯，欲抑则抑，而莫之违矣。习非胜是，一国皆狂，即有特识之士，发痛于心，止于更定其文，以与之争，则亦不思之过也。诚知其为儒家之绪言，记礼者之通论，孔门设教，初未尝以为至德要道，而使人必出于其途，则无能置其口矣。(《述学补遗·大学平议》)

容甫以宋儒由《大戴礼》中所采而被于孔教之《大学》，为宋人禅学化装的伎俩，在于借此而俯抑自如，独断其说。这亦是翁方纲所谓"舛戾"之一。他所言《大学》是孔学的支流余裔，颇有以孔学还诸孔学，以流派还诸流派的学术史价值，他以下举的疑问皆诉诸理性认识，可与乾初所疑相证，他说：

周秦古书，凡一篇述数事，则必先详其目，而后备言之。……今定为经传，以为二人之辞，而首末相应，实出一口，殆非所以解经也。意者，不托之孔子，则其道不尊，而中引曾子则又不便于事，必如是而后安尔。（同上）

门人记孔子之言必称子曰、子言之、孔子曰、夫子之言曰，以显之，今《大学》不著何人之言，以为孔子，义无所据。（同上）

孔子曰，中人以上可以语上也，中人以下，不可以语上也。明乎教非一术，必因其人也。其见《论语》者，问仁，问政，所答无一同者，闻斯行诸，判然相反，此其所以为孔门也。标《大学》以为纲，而驱天下从之，此宋以后门户之争，孔子不然也。宋儒既借《大学》以行其说，虑其孤立无辅，则牵引《中庸》以配之。然曾子受业于孔门，而子思则其孙也，今以次于《论语》之前，无乃傎乎！盖欲其说先入人心，使之合同而化，然后变易孔氏之义，而莫之非，所以善用其术，而名分不能顾也。（同上）

容甫以宋儒“合同而化”，“驱天下从之”，区别于孔学之“教非一术，必因其人”，实在是学术和教条的分水岭，他反对教条而高扬学术，在精神上是属于近代的思维方法，而继承了清初大儒的有价传统。

其次，他有《老子考异》一篇，证老聃，老子，老莱子三人各不相蒙，五千言作者之老子，是晚出于孔子之后的人，这是有价值的发现，其有功于后人之治中国思想史者甚大。他以此疑及庄子寓言云：

若庄子载老聃之言，率原于道德之意，而《天道》篇孔子西藏书于周室尤误后人，寓言十九，固已自揭之矣。(同上)

再，他关于《吕氏春秋》一书，说明了由周代平民私学之成立以至周末学术的融合，亦具创见，他说：

周官失其职，而诸子之学以兴，各择一术以明其学，莫不持之有故。言之成理，及比而同之，则仁之与义，敬之与和，犹水火之相反也。最后《吕氏春秋》出，则诸子之说兼有之。故《劝学》,《尊师》,《诬徒》,《善学》四篇皆教学之方;《学记》,《大乐》……制乐诸篇……则六艺之遗文也;……《贵生》,《情欲》,《尽数》,《审分》,

《君守》五篇，尚清净养生之术，则道家流也；《荡兵振乱》，……七篇，皆论兵，则兵权谋形势二家也；……而《当染》篇全取墨子《应言》篇，司马喜事则深重墨氏之学。……司马迁谓不韦使其客人人著所闻以为备天地万物古今之事，然则是书之成，不出于一人之手，故不名一家之学，而为后世修文御览华林遍略之所托始。……（同上，《吕氏春秋·序》）

容甫对于周秦诸子崇荀尊墨，对于汉代学者则推许贾谊，而以贾谊为荀子弟子，为其作年表以章扬，这可以看出他不替封建时代说教者张目，而替那些有血肉个性的悲剧人物表白的，他表章贾谊正是反对了封建文化的桎梏，他说：

刘向别录，其叙左氏传云，荀卿授阳武张苍，苍授洛阳贾谊。然则生固荀氏再传弟子也，故其学长于礼。……春秋者，秉周礼而其变者也，吾于荀氏贾氏之言礼也益信。刘子骏称汉朝之儒惟贾生而已，岂虚言也哉？……呜呼，汉世慕尚经术，史氏称其缘饰，故公卿或持禄保位，被阿谀之讥，讲授之师仅仅方幅自守，文吏又一切取胜，盖仲尼既没，六艺之学，其卓然著于世

用者贾生也。(《述学》内篇,《贾谊新书序》)

第二节 汪中的社会思想及其史学

容甫的社会思想和其治学精神是一贯的，他既有批判性的治学精神，便亦可以具有人民性的社会思想。

乾隆三十五年十二月乙卯盐船火焚，坏船百有三十，焚及溺死者千有四百。他作《哀盐船》文，时文比之变雅，“惊心动魄，一字千金”。

这却不是文字上的价值，而是他代替人民的痛苦善于控诉出他们的哀音，抗议了政府对人命的草菅。我们又可以在他关于封建妇女的悲剧生活之言论中，看出他的近代人道主义思想。他颇有男女自由的暗示，在“礼”的外衣之下说明出来：

媒氏，中春之月令会男女，于是时也，奔者不禁，若无故而不用令者罚之。会读若司会，且训计也。……凡男女自成名以上，媒氏皆书其年月名焉，于是时计之，则其年与其人之数皆可知也。其有三十不取，二十不嫁，虽有奔者不禁焉，非教民淫也，所以著之令以耻其民，

使及时嫁子取妇也。…… 婚姻之道可以观政焉。(《述学》内篇，《释媒氏文》)

他不但主张男女社交自由，而且，他反对愚妇的从死习俗，反对女子不改嫁守礼的恶果，他说：

夫妇之礼，人道之始也。…… 许嫁而婿死，适婿之家事其父母，为之立后而不嫁者，非礼也。……今也，生不同室，而死则同穴，存为贞女，没称先妣，其非礼孰甚焉。…… 先王恶人之以死伤生也，故为之丧礼以节之，其有不胜丧而死者，礼之所不许也，其有以死为殉者尤礼之所不许也。…… 事苟非礼，虽有父母之命，夫家之礼，犹不得遂也。是故女子欲之，父母若婿之，父母得而止之；父母若婿之，父母欲之，邦之有司，乡之士君子得而止之。(《述学》内篇，《女子许嫁而婿死从死及守志议》)

婚姻之礼，成于亲迎，而后世不知，乃重受聘。以中所见，钱塘袁庶吉士之妹，幼许嫁于高秀水，郑赞善之婢幼许嫁于郭，既而二子皆不肖，流荡转徙，更十余年，婿及女之父母咸欲改图，而二女执志不移，袁嫁数年，备受棰楚，后竟卖之，其兄讼诸官，而迎以归，遂

终于家，郑之婢为郭所窘，服毒而死。……若二女者可谓愚矣，本不知礼，而自谓守礼，以陨其生，良可哀也！（同上）

他因了饱受他的母亲居霜之痛苦，曾经设想一个“贞苦堂”的制度，为社会设计福利。他不赞成那些为死者表扬的虚文，谓“虚文无济，未足以充子之志”，而感到封建社会“人道之穷，虽圣人亦不能事为之制”。他的设计，虽有乌托邦的成分，但毕竟是代表人民利益的梦想者。他说：

凡州县察其寡妇之无依者，造屋一区为百间，间各户使居之，命之曰贞苦堂。外为门，有守门者。门左为塾，凡其兄弟亲戚之男子来省者，待于其所，以其名族召之，则出见之。妇有姑若子女三人者月给米一石，钱二百，终岁绵六斤，布五匹，其多少以是为差。任以女工丝枲之事，而酬其直。门右为库，有主藏者，非六十以上不得充，主门者亦如之。择乡大夫之敦笃有智者总其事，出入赢缩之节，官吏不得问焉。门外为社，有师一人，凡孤子五岁至十岁者学焉，命之曰孤儿社。三年视其材分志趣，而分授以四民之业。……至十六，度能自食其力，以次减其廪，至二十则举而迁之于外，其贤者能者，既老则使掌其堂之事，各修其业以教社之子弟。其富且贵者，十分其赀，而三入之堂。……此其大略也，其他损益之惟其人。（原注：此事所忧者财不足耳。经费之所出不可预定，惟不宜置田，以田有水旱之虞，且须关白布政司也。多一监临察核之法，即生一吏胥耗蠹之弊，驯至案牍滋而实意亡矣。）是以哀苦蕉萃之秋日聚而相习，则夜哭之感不生（按此汪先生之亲历），而从一而终者众矣，少蓄其力则老而不衰，而孝子得以终其养矣（按此语亦汪先生之隐痛处），幼有所长，而督之以恒业，则夫人思自奋，而材智出矣。（《述学》别录，《与剑潭书》）

他说这种制度是他不能养母的“郁郁之心”，推而求天下之母得其养，可谓“墨者”。因了他具有人类、社会的理想，所以他和乾嘉学者的世界观不同，而有“独学之忧”。他说：

中尝有志于用世，而耻为无用之学，故于古今制度沿革，民生利病之事，皆博问而切究之，以待一日之遇。下至百工小道，学一术以自托，则自食其力，而可以养

廉耻，……何苦耗心劳力饰虚词以求悦世人哉？此吾藐然常有独学之忧……（同上，《与朱武曹书》）

他虽然在当时考据之学空气中，注意制度沿革，如云：

国初以来，陋有明之习，潜心大业，通于六艺者数家，故于儒学为盛。迨乾隆初纪，老师略尽，而处士江慎修崛起于婺源，休宁戴震继之，经籍之道复明。（《汪贡生墓志铭》）

然他毕竟脱出汉学的藩篱，而自谓继承顾炎武经世致用之学，如云：

中少日问学，实私淑顾宁人处士，故尝推六经之旨，以合于世用，及为考古之学，惟实事求是，不墨守，所为文恒患意不称物，文不逮意，不专一体。（《与毕侍郎书》）

在有些地方是和颜习斋近似的，如他说：

讲习也，习肄也，肄讲也。国语，三时务农，而一时讲武。……古之为数也四术，书则读之，诗乐同物，诵之歌之弦之舞之，揖让周旋，是以行礼，故其习之也，恒与人共之，而时习之。……孔子适宋，与弟子习礼大树下，鲁诸儒讲礼乡饮大射于孔子冢，皆讲学也。礼乐不可斯须去身，故孔子忧学之不讲，后世群居终日，高谈性命，而谓之讲学，吾未之前闻也。(《述学》别录,《讲学释义》)

尤有进者，他的考古之学，不仅实事求是，而在于“推六经之旨以为世用”，我们看了上面他考证礼制而主张男女合理的婚姻关系，便知道他的话是真实的。因为他的确把考证之学当做史学去看待的，而不是故步自封的所谓“汉学”去拘守的。他论史重心知其意，颇与实斋暗合，他说：

祸之有无，史之所不得为者也，书法无隐，史之所得为者也，君子亦为其所得为者而已矣，此史之职也。百世之上，时异事殊，故曰古之人与其不可传者死矣，所贵乎心知其意也。(同上,《左氏释疑》)

他于文字语言在史学上的地位，则比东原由语言文字以求心志之说进步了，他说：

古之名物制度，不与今同也，古之语不与今同也，故古之事不可尽知也。若其辞则有二焉，曰曲曰形容。……有曲焉，词不过其意则不鬯，有形容焉，名物

制度可考也，语可通也，至于二者，非好学深思莫知其意焉，故学古者知其意则不疑其语意矣。(《述学》内篇，《释三九中》)

按容甫的史学，规模闳远，他说：

中之志乃在《述学》一书，文艺其末也。(《与刘临端书》)

《述学》一书没有成功，今传之《述学》内外篇，不过他的散文罢了，然据他研究《明堂通释》《释童》，《居丧释服解义》诸篇，以及关于周秦诸子评论文章看来，《述学》内容诚如刘临端所云：

君搜辑三代西汉学制，以及文字训诂度数名物有系于学者，分别部居，为《述学》一书，属稿未成；更以平日读书所得，及所论撰之文，分《述学》内外篇。(《汪君传》)

据他的儿子喜孙所作年谱略记《述学》一书的内容，谓："博考先秦古籍三代以上制度废兴，使知古人之所以为学者，凡虞夏第一，周礼第二，列国第三，孔门第四，七十子后学者第五，又列通论释经旧闻典籍数典世官，目录凡六。"他的《述学》纲目如下。

观周礼太史当时行一事则有一书，其后执书以行事，又后则事废（春秋已然）而书存（孔门），比于告朔之饩羊。至宋儒以后，则并其书之事而去之矣。

有官府之典籍，有学士大夫之典籍。当得行一事则有一书传之，后世奉以为成宪，此官府之典籍也。先王之礼乐政事，遭世之衰，废而不失，有司徒守其文，故老能言其事，好古君子，闵其浸久而遂亡也，而书之简毕，此学士大夫之典籍也。

古之为学士者（官师之长），但数之以其事，其所诵者，诗书而已。其他典籍，则皆官府藏而世守之，民间无有也。苟非其官，官亦无有也。其所谓士者，非王侯公卿大夫之子，则一命之士，外此则乡学小学而已。自辟雍之制无闻，太史之官失守，于是布衣有授业之徒，草野多载笔之士，教学之官，记载之职，不在上而在下。及其衰也，诸子各以其学鸣，而先王之道荒矣。然当诸侯去籍，秦政焚书，有司之所掌，荡然无存，而犹赖学士相传，存其一二，不幸中之幸也。

孔子所言，则学士所能为者，留为世教；若其圣教之大者，圣人无位，不复举以教弟子。

礼乐征伐，失在诸侯大夫，又后而有四豪游侠之徒出，而学问乃在士大夫。

周之衰也，典章制度，考之故旧则犁然俱存，而历世既久，徒以沿袭失之，而不复能知其制作之义。孔子则眷然于一王之而被诸当世，故云人存政举，又曰待其人而后行。庄子则一以为无用而思欲尽去之。

喜孙所记《述学》内容当近真实，嘉靖徐有壬氏亦有《述学故书跋》一文，赞扬为唐宋以下儒者未能所见及者，他存容甫《述学》的书目，如下：

古之学出于官府，人世其官，故学世其业，官既失守，故专门之学废。

卷一　虞夏殷之制

卷二　成周之制……

周礼……

幼仪，曲礼，内则，学则

卷三　周衰列国（异礼，失礼，变古，存古，举社，从礼，乐，制度之失）

卷四　孔门，言，行，储说，通通附

卷五　七十子后学者

卷六　旧闻，典籍原始

卷七　阙

卷八　通论甲（古之学在官师瞽史），通论乙（史数典，史释经，史司图籍），通论丙（史明天道，史世官世业）

由此看来，容甫的《述学》巨著，是一本有价值的史学，若天假其年而使书成，要比实斋的成就更大。（焦循《读书三十二赞》，列《孟子字义疏证》第十一，《文史通义》第十九，《述学》第二十七）他没有写成这本大作，原因是贫困把一个天才残害了，他的诗集中多身世感伤之句，如：

当年负米最伤贫。

最是梦回呼不应，昏镫落月共栖神！

细雨春镫夜欲分，白头闲坐话艰辛，出门便是天涯别，明日思亲梦里人！

白头空有子，终岁走风尘！

子壮大兮母病羸，老不得养兮何以生！

他在幼小的时候早因饥饿把他的身体磨折到贫血的程度。（按江藩《汉学师承记》云："容甫以劳心故病怔忡，闻更鼓犬声，心怦怦动，夜不成寐。”又云：“近日患怔忡，一构思则君火动而头目晕眩矣。”）由他自己详述他的身世看来，使我们表无限同情心，他说：

直岁大饥，乃荡然无所托命矣，再徙北城，所居止三席地，其左无壁，覆之以苫。日常使姊守舍，携中及妹傫然匄于亲故，率日不得一食，归则借藁于地。每冬夜号寒，母子相拥，不自意全济，比见晨光，则欣然有生望焉。(《述学》补遗,《先母邹孺人灵表》)

他在中年时代治学，亦不是如一般富贵公子，安居乐业，而是如他说“牵于人事，且作且止”，他研究学问，正在饥饿中执笔，请看他的感慨：

光伯叩城，竟以冻死，楚望读经，终日未饭，恐为其续奈何！（《上竹君先生书》）

冻饿的容甫，书佣成家，在历史上亦可谓卓然不移的人物，他的思想走了和富贵人士不同的道路，在当时怀有“独学之忧”的激昂，时人以“变雅”悲剧学者称赞，实在是历史的悲剧。清代封建的没落，在容甫思想中已经看到了意识的觉醒了。

江藩所录他最爱的容甫一文，颇能看出容甫的悲剧，今转引于下：

昔刘孝标自序生平，以为比迹敬通，三同四异，后世诵其言而悲之，尝综平原之遗轨，喻我平生之靡乐，异同之故犹可言也。夫亮节慷慨，率性而行，博极群书，文藻秀出，斯惟天至，非由人力，虽情符曩哲，未足多矜。余元发未艾，野性难驯，麋鹿同游，不嫌摈斥，商瞿生子，一经可遗，凡此四科，无劳举例。孝标婴年失恃，藐是流离，托足桑门，栖寻刘宝；余幼罹穷罚，多能鄙事，赁舂牧豕，一饱无得：此一同也。孝标悍妻在室，家道轗轲；余受诈兴公，勃溪累岁，里烦言于乞火，家构衅于蒸梨（按指他和妻离异），蹀躞东西，终成沟水：此二同也。孝标自少至长戚戚无欢；余久历艰屯，生人道尽，春朝秋夕，登山临水，极目伤心，非悲则恨：此三同也。孝标夙樱羸疾，虑损天年；余乐里关心，负薪永旷，鳏鱼嗟其不瞑，桐枝惟余半生，鬼伯在门，四序非我：此四同也。孝标生自将家，期功以上，参朝列者，十有余人，兄典方州，余光在壁；余衰宗零替，顾景无俦，白屋藜羹，馈而不祭：此一异也。孝标倦游梁楚，两事英王，作赋章华之宫，置酒睢阳之苑，白璧黄金，尊为上客……余簪笔佣书，倡优同畜，百里之长，再命之士，苞苴礼绝，问讯不通：此二异也。孝标高蹈东南，端居遗世，鸿冥蝉蜕，物外天全；余卑栖尘俗，降志辱身，乞食饿鸱之余，奇命东陵之士，生重义轻，望实交陨：此三异也。孝标身沦道显，籍甚当时，高斋学士之选，安成类苑之编，国门可悬，都人争写；余著书五车，数穷覆砖，长卿恨不同时，子云见知后世，昔闻其语，今无其事：此四异也。孝标履道贞言，不干世议；余天谗司命，赤口烧城，笑齿啼颜，尽成罪状，跬步方蹈，荆棘已生：此五异也。嗟呼，敬通穷矣，孝标比之，则加酷焉；余于孝标，抑又不逮，是知九渊之下，尚有天衢，秋荼之日，或云如荠，我辰安在，实命不同，劳者自歌，非求倾听，目瞑意倦，聊复书之！（见《汉学师承记》引）

他的胆识，敢于言所欲言，无所顾虑，又如卢文弨所云："不恕古人，指瑕蹈隙，何况今人，焉免勒帛？众畏其口，誓欲杀之，终老田间，得与祸辞！"（《抱经堂文集》卷三十四）

第十章　依据数理逻辑建立均衡哲学的思想家焦循

第一节　戴派数理学研究及其治学精神

我们在上面已经研究过东原哲学的观照论是和数理学的理论还元具有密切关系。戴学的赞成者与继成者，如钱大昕，凌廷堪，焦循，阮元，都在数学天文学上深有研究，而和以上诸人相契而专门研究历算学者更有李锐，汪莱，此二人据焦循说，是他们中间的谈天三友（据焦循子廷琥所述《里堂事略》）。由东原学派数学研究发展而言，东原是继成梅定九的“算法”研究，仅把定九的西洋算法，与中国周髀结合，“东原以西人三角即古人勾股，乃易其弦切割线为矩分引数诸名，……以求同于古所云者，其用心盖綦密矣”（钱大昕语），并“务为简奥，变易旧名，恒不易了”（焦里堂语），而他的后继者，不但批判了东原的研究（《句股割圜记》三篇），而且由“算法”侧重于“算理”，这一发展，影响于他们的治学方法甚巨。

关于东原的数学研究，钱大昕最早不满于其抑梅进江（慎修），谓：“宣城（定九）能用西学，江氏则为西人所用而已。……当今学通天人者，莫如足下，而独推江无异辞，岂少习于江，而特为之延誉耶？抑更有说以解仆之惑耶？”（《潜研堂文集》卷三十三,《与东原书》）

凌廷堪（江藩谓其“声音训诂，九章八线，皆达其极而抉其奥”），为服膺东原的哲学者，他从东原的“分”理论归结于礼论，而于东原的数学，则甚不以为然，尤不满于他把译名改为难懂的古名，他说：

戴氏《句股割圜记》，惟斜弧两边夹一角，及三边求角用矢较，不用余弦，为补梅氏所未及，其余皆梅氏（定九）成法，亦即西洋成法，但易以新名耳。如上篇即平三角举要也，中篇即堑堵测量也，下篇即环中黍尺也。其所易新名，如角曰觚，边曰矩，切曰矩，弦曰内矩，分割曰径引数，同式形之比例曰同限互权：皆不足异。（以下批评其经纬倒置）……记中所引新名，惧读之者不解，乃托吴孝思以注之，如矩分，今曰正切云云。夫古有是言，而云今曰某某可也，今戴氏所立之名皆后于西法，是西法古，而戴氏今矣，而反以西法为今，何也？凡此皆切所未喻者。（焦著《释轮序》）

按东原治学的方法，有两条根源，一即音韵文字学，一即数学，前者为段玉裁阮元诸人所专门发展，后者为焦里堂汪莱诸人所专门发展。关于数学的研究，在东原以后颇为盛极一时，虽与东原之学不走一途的汪中亦重视之，以己所不能为憾事，江藩说：

藩弱冠时，即与君（汪中）定交，日相过从，尝谓藩曰："予于学无所不窥，而独不能明九章之术，子年富力强，何不为此绝学？"以梅氏书见赠，藩知志位布策，皆君之教也。（《汉学师承记》）

由此可知当时以天文数学为通儒的不可缺少的学问。阮元为戴学的最后重镇，他有一段话说得甚为扼要，今录于下：

数为六艺之一，而广其用则天地之纲纪，群伦之统系也。天与星辰之高远，非数无以效其灵，地域之广轮，非数无以步其极，世事之纠纷繁赜，非数无以提其要。通天地人之道曰儒，孰谓儒者而可以不知数乎？自汉以来，如许商，刘歆，郑康成，贾逵，何休，韦昭，杜预，虞喜，刘焯，刘炫之徒，或步天路而有验于时，或著算术而传之于后，凡在儒林类为算。后之学者，喜空谈不务实学，薄艺事而不为，其学始衰，降及明代，寖以益微。……惟我国家（清朝）……为学之士，甄明度数，洞晓几何者，后先辈出，专门名家，则有若王晓庵，薛仪甫，梅征君，儒者兼长，则有若惠士奇，江慎修，戴庶常，莫不各有撰述，流布人间。……江都焦君里堂，……湛深经学，长于三礼，而于推步数术尤独有心得。比辑其所著，加减乘除释八卷，天元一释二卷，释弧三卷，释轮二卷，释椭一卷，总而录之，名曰《里堂学算记》。……元尝考算氏之遗文，泛览欧逻之述作，而知夫中之与西，枝条虽分，而本干则一也。……中之与西不同其名，而同者其实，乃疆生畛域，安所习而毁所不见，何其陋欤！里堂会通两家之长，不主一偏之见。……里堂之说算，不屑屑举夫数，而数之精意无不包简无遗，典而有则，所谓扶以文义，润以道术者非

耶？（焦著：《学算记·总序》）

我们读了阮元的这一段话，知道他们当时的学者重视数学之演绎法足以“效其灵”，“步其极”，“提其要”，作为实事求是之实学的基本知识。不但此也，他亦说明了算理比算术之重要，显示东原《句股割圜记》的“术”，与《里堂学算记》的“学”之异趣，故云“不屑屑举夫数，而数之精意无不包简无遗，典而有据，所谓扶以文义，润以道术者”。焦氏之数学重学理，江藩亦云：

焦君里堂，厉节读书，综经研传，钩深致远，复精推步，稽古法之九章，考西术之八线，穷弧矢之微，尽方圆之变，与凌君仲子（廷堪），李君尚之（锐）齐名。……戴编修震，分纂详述诸轮之法，而不及大阳地半径差。清蒙气差，椭园之说，不亦偵乎！（《焦著释椭序》）

汪莱是当时的一位数学家，他亦从数理逻辑，说明焦学，他说：

……一曰，两者交通咸和，二与一为三是已。二曰，损之又损，一尺之捶日取半是已。三曰，合异为同，道通其分也。四曰，散同以为异，其分也以备。此四者，始终相反乎无端，千转万变而不穷，整之齐之，斯而析

之，言若当法，其理不竭。(《集南华经语为焦著释弧序》)

黄承吉对于当时数理研究，认为是学术之发展，他说：

求之古先，盖论法者居多，言理者绝少，即闲有之，亦与法相淆，而于举纲挈领之要，未尽合也。今之学是学（算）者，吴县李尚之（锐），歙县汪孝婴（莱），吾邑焦里堂（循）。……孝婴之学主于约，在发古人之所未发，而正其误，其得也精；尚之之学主于博，在穷诸法之所由立，而求其故，其得也贯；里堂则以精贯之旨，推之于平易。以为理本自然，取刘徽注《九章算术》之意，著《加减乘除释》八卷，凡弧矢之相求，正负之相得，方员凸凹之异形，齐同比例之殊制，靡不先列其纲，次疏其目。……夫由疏之密，今古非有殊途，因难而易，中西本无二辙，虽称名举类，优绌互形，正其权舆，一言可解。古人好学，必曰心知其意，里堂之书，殆周髀以来诸书之统纪。……(焦著《加减乘除释·序》)

当时术与学之间颇有争论，关于当然与所以然二者在数学上的道理，李锐亦与焦循商榷如下：

足下云，有其当然，亦必有其所以然。锐愚以为其所以然，不外乎所当然也。何者？古法自三统以来，见存者约四十家，其于日月之盈缩迟疾，五星之顺留伏逆，皆言其当然，而不言其所以然。本朝时宪书……皆言其当然，而又设言其所以然，然其当然者，悉凭实测，其所以然者，止就一家之说衍而极之，以明算理而已。（焦著《释轮序》）

焦循的《学算记》各篇，是当时的代表作品，凡经学家与数学家都一致承认他的成就。他的数理思想可以拿他的两句话作为中心，即“名起于立法之后，理存于立法之先”，他应用了这一数理哲学，从文字上与从数学上研究，得出演绎法，故支配他的思想系统者，即此演绎逻辑，今录他的说文与算学论于下：

刘氏徽之注《九章算术》，犹许氏慎之撰《说文解字》。士生千百年后，欲知古人仰观俯察之旨，舍许氏之书不可，欲知古人参天两地之原，舍刘氏之书亦不可。……循谓古人之学，期于实用，以乂百工，察万品，而作书契，分别其事物之所在，俾学者按形而得声，若夫声音之间，义蕴精微，未可人人使悟其旨趣，此所以主形而不主声也。惟算亦然，既有少广句股，又必指而别之曰方田，曰商功，既有衰分盈不足方程，又必明以示之曰粟米，曰均输，亦指其事物之所在，而使学者人人可以案名以知术也。然名起于立法之后，理存于立法之先。理者何？加减乘除四者之错综变化也。而四者之杂于九章，则不啻六书之声杂于各部，故同一分合之术，用于衰分，复用于粟米，同一齐同之术，用于方田，复用于均输，同一弦矢之术，用于句股，复用于少广。……（《加减乘除释·自序》）

焦循的名、理论，是名主其形，理主其数。他根据了数学的理论还元，以为“理”是数的错综变化，“数”为先天的存在，故派生出数先形后之说（符号逻辑），他说：

自一至九，数也；加减乘除，错综此数者也。乘而后有幂，再乘而后有体，有幂有体，则数已成形。故平方立方纵方，生于加减乘除，而加减乘除所生而致者，实尽乎此。句股者，生于形者也，形复生形，而非数无以驭，则加减乘除又为句股之所用也。句股为用形之始，故为众形之所从生。盖有句股，而复用以割圆，则圆之形成；有句股而化之为锐钝，则三角之用著；鳖臑为句股之立者，规之即成；立圆又弧三角之弦切所集也。西人萨儿理得（按即欧氏）几何学原本一书，精于说形，梅勿庵明以句股之理。……学者由数以知形，由形以用数，悉诸加减乘除之理，自可识方圆幂积之妙。（《加减乘除释》卷三）

因此，一切万事万物的变异，析其理由，都是“理之一”或“数之约”，他说：

九章之术，方田、少广、商功、句股，其原出于自乘，粟米、均输、盈不足、方程，其原出于差分，……盖有共数，有分数，有差数，由共而分，由分而差，以乘来者，以除而复，以分来者，以合而复，其理本一，其数本约，析之以至于繁，变之以成其异，得其理之一，自仍归于数之约也。故隐其中等，而举其分数及差数，以问其共数，则为盈朒；隐其乘得之数，而举其共数及差数，以问其分数，则为差分；和其等数，而举其差数，以问其共数，则为双套之盈朒；和其等数，而举其共数，以问其差数，则为贵贱之差分……（同上，卷八）

他在方法论上颇强调抽象的数学“通约”，曾用以研究易经，例如他用数的变化析言齐同之理，说：

同者，同其所不同，齐者，齐其所不齐。何为不同？如云三人赐五鹿，七人赐九鹿，三人七人，所谓不同也；以三七相乘，均得二十一，则同其所不同矣。惟不同，故不齐，母既同矣，子可以齐，故互乘之，而不齐者齐。（同上，卷六）

当时数学家研究借根法（即天元一）之理，亦从纯理方面发展，如李锐简述其理云：

立天元者，算氏之至精者也。为算之道，皆据所已知之数，求所未知之数，然而所谓数者，自一而累之而十百千万，自一而析之而分厘秒忽等数也。所未知之数，虽未知几何，而必为一数，则可知此“天元一”之所由立也。已知之数，见数也；未知之数，虽知其必为一数，究借算也。见数与见算不同类，故必别太极于天元外也。不相加减，则生正负，何也？减所不可减，非负不能通其变也，以天元乘，则层累而上，以天元除，则层递而下。……此之积数与彼之积数，其天元、太极之等不同，而其为积数则同，故曰“如积”也。彼此之积数同，则以彼消此，或以此消彼，相消之后必减尽而空，更无积数矣。……惟无积数，故除之开方之而得所立“天元一”

几何之实数，假尚有数，不得尔也，此立天元术之大略也。（焦著《天元一释》李叙）

焦循著《天元一释》一书，明言欲“通其理”，“盈朒和较之理，故析其微芒之分”，他说：

“天元”之名，不著于古籍，金元之间，李仁卿学士，作《测圆海镜》、《益古演段》两书，以畅发其旨趣。宋末秦道古数学九章，亦有立天元一法，而术与李异。……国朝按文穆公（定九）悟其为欧逻巴借根法之所本，于是世始知“天元一”之说。……循习是“术”，因以教授子弟，……因会通其“理”举而明之，而所论相消相减，与尚之（李锐）之说差者，盖尚之主辨“天元”借根之殊，故指其大概之所近，循主述盈朒和较之理，故析其微芒之所分，阅者勿疑有异义也。（《天元一释·序》）

焦循的数理逻辑是他治学的精神，他在易学上流于均衡论者（调和论为胡适之所指出，而未知他的学问根源实为均衡论），即由于执定抽象的同一或数的还元，例如他解易理说：

绘句股割圆者，以甲乙丙丁等字，指识其比例之状，按而求之，一一不爽，义存乎甲乙丙丁等字之中，而甲乙丙丁等字，则无义理可说。于此言“密云不雨，自我西郊”，于彼亦言“密云不雨，自我西郊”，即犹甲乙丙丁等字之指识其比例也。义存于“密云不雨，自我西郊”之中，而“密云不雨，自我西郊”则无义理可说也。若执云、雨、西郊附会阴阳方位，皆是望文生义。圣人之言至实，谈者以空虚说之，遂视为庄生之寓言，佛氏之禅语矣。……读《易》者当如学算者之求其法于甲乙丙丁。……夫甲乙丙丁指识其法也……《易》之辞指识其卦爻之“所之”，以分别“当位”“失道”也。(《易话上·学易丛言》)

这样地，焦循把真理抽象地还元于符号之间的“所之”“关系”(关系二字，尚非罗素的新实在论术语，而是类似一种函数)，所以，他又说：

算法之甲乙丙丁，皆是借用，而易辞有借用，亦有实指，……不拘一例，随在以为引申，故灵妙不可臆度也。说四声者，不曰平上去入，而曰天子圣哲，其妙颇似易辞，盖天子圣哲四字，自成文理，实平上去入之假借，易辞各自成文理，而其实各指其“所之”。(同上)

懂得了以上数理逻辑的运用，才能够明白戴派后起者尤其焦循的理论根据，焦循的方法论可以用“引申比例”四字包括之，故云：“学易十许年，悟得比例引申之妙。”（《易话下》）王引之说焦氏易学：“至精至实，要其法，比例二字尽之，……使株守汉学而不求是者，爽然自失。”（《与焦氏手札》）

第二节　“通”儒焦循的中心思想——易学

焦循，字理堂，一字里堂，江都人，生于乾隆二十八年，卒于嘉庆二十五年（一七六三——一八二〇年）。他是乾嘉时代的一位最笃实的学者，曾闭户十余年研究经学，由数理逻辑贯释《易经》，更由治《易》的方法，通释诸经。他的易学三书（《通释》，《图略》，《章句》），用数理逻辑的支配精神，完成易学的均衡论，其理论价值后面详述，其治学态度确属谨严，据他自己讲，一反前人先天心法与迷信纳甲之说，而使易学成为一种学问体系。这是理性主义的途径，比东原的哲学体系更“密”（密字为他自己所自豪者），阮元赞为“石破天惊”，王引之赞为“精锐凿破混洞”，可当当时“通儒”之雅名。

里堂之学源于数学，上节已经说明，现在我们研究他怎样用数学以治易学，并研究他的易学理论是什么一种哲学体系。

《易经》一书为周秦晚出的一本神秘的奇书，二千余年来不知道费了多少学者的心血在这本书上要求理解，直到最近林语堂从美国跑回战时的中国，还在那里瞎讲。我们把里堂的易学整理出来，不是赞成他的易学全貌（如他不考证《易经》的出世时代，强调加我数年五十以学易一句，而不知鲁论之易字为亦字，强辩孟子不言易而皆易之大旨，等等），而是指明他把易学从神秘的宝塔取出来，诉诸那种没有“质”的移行而仅“数”量关系的演变逻辑（机械论的根源）。

他的易学是由易学的抽象的量变法则为基础，这是毫无疑问的，英和说：

古今易学，无虑数百家，其大旨不外二端，曰理曰数而已。……言理者斥数，其弊流为庄老，言数者置理，其弊涉于方术。……后儒高谈性命，推论图书，立无极之名，创先天之说，支离附会，去易弥远。……群经皆可理释，而惟《易》必由数推。……数实可据，理虚而无凭也。……焦子理堂，深明洞渊九容之数，因以测天之法测《易》，其视《易》之爻位，犹天之躔度，凡山泽雷风水火，若七政恒星之昭布，一一可窥器而辨其方也；其视爻位之往来，犹躔度之交错，凡山泽雷风水火之变化，若七政恒星之经纬迟速，一一可布算而寻其绪也。所著《雕菰楼易学》,……无不条分缕析，珠连绳贯，以观其通,《易》之数得是书而明,《易》之理亦即是书而备矣。……今观所学，非列国，非汉，非唐，非宋，发千古未发之蕴。(《雕菰楼易学》序)

阮元亦说：

《周易》为群经之首，古今治此学者独多，有列国人之《易》，有汉人之《易》，有晋唐人之《易》，有宋人之《易》。……今求之晋以后之《易》，皆不能使《易》之经文，语语有因，字字有据，然则空论而已。……焦氏……下帷十余年，足不入城，尤善于易，取易之经文与卦爻，反复"实"测之，得所谓"旁通"者，得所谓"相错"者，得所谓"时行"者，举六十四卦，三百八十四爻，尽验其往来之迹，使经文之中所谓当位、失道、太中、上下应、元亨利贞诸义例，皆发之而知其所以然。盖深明乎九数之正负比例，六书之假借转注，始能使圣人著书之本意，豁然于数千年后。闻所未闻者惊其奇，见所未见者服其正，卓然独辟，确然不磨，……此大清文治之所以轶乎前也，岂焦氏一人之所“通”哉？（焦著《易学序》）

里堂的易学三书，自言他由数学之理实测者，说明甚多，仅选录一段如次：

余学《易》所悟得者有三：一曰旁通，二曰相错，三曰时行。……夫《易》犹天也，天不可知，以实测而知，七政恒星错综不齐，而不出乎三百六十度之经纬；山泽水火错综不齐，而不出乎三百八十四爻之变化。本行度而实测之，天以渐而明，本经文而实测之，《易》亦以渐而明，非可以虚理尽，非可以外心衡也。余初不知其何为“相错”，实测经文传文，而后知比例之义，出于相错，不知相错，则比例之义不明。余初不知其何为“旁通”，实测经文传文，而后知升降之妙，出于旁通，不知旁通，则升降之妙不著。余初不知其何为“时行”，实测……而后知变化之道出于时行，不知时行，则变化之道不神。……十数年来以测天之法测《易》，发明

旁通，相错，时行之义，……非能越乎前人，亦由前人之说而密焉耳。(《易图略序》)

复次，里堂之易学，自云发明《易传》所言旁通，相错，时行之义，这些术语在他的哲学思想中是最占重要地位，应该要研究明白的。

什么叫做“相错”？他说：

《说卦》云，天地定位，山泽通气，雷风相薄，水火不相射。天地，乾坤也，山泽，艮兑也，雷风，震巽也，水火，坎离也。天地“相错”，上天下地成否，二五已定为定位。山泽“相错”，上山下泽成损，二交五为通气。雷泽“相错”，上雷下风成恒，二交五为相薄。水火“相错”，上水下火成既济，六爻皆定，不更往来，故不相射。此否彼泰，此损彼咸，此恒彼益，此既济彼未济，而统括于八卦相错一语，六十四卦，皆天地，山泽，雷风，水火之相错也。传又自发明之云，水火相逮，雷风不相悖，山泽通气，然后能变化而成万物。变“不相射”而云“相逮”，不相射谓既济，相逮谓既济变通于未济也，不相射则寂然不动，相逮则感而遂通矣（《尔雅》，逮，与也，即谓感应相与）。变“相薄”而云“不

相悖”，……不相悖由于相薄也。(《易图略》卷四)

这样看来，“相错”二字，是构成分子在可能统一的错综方面具有对立之义。他所举的易卦是否是物质的构成分子为另一问题，而他则由数学概念使八卦符号化，作为最原始的基本因子去认识的。

什么叫做“旁通”？他说：

在卦爻为旁通，在算数为互乘。(《易通释》卷二十)

旁通情，即所以类万物之情。(《易图略》卷六)

取类谓旁通也。(同上)

旁通之义，即由一索，再索，三索之义而推，索即摩也，刚柔相摩即吾与尔靡之靡，一以贯之者也。(《易图略》一)

这样看来，“旁通”即一种“类通”，言矛盾之结合，然而“旁通”还有一种合法则的谱法，他说：

伏羲画八卦，重为六十四卦，其旁通行动之法，必有口授。……如棋有车马炮卒士相帅将，按图排之，必求之于“谱”，乃知行动之法，而精微奇妙存乎其中；若舍去“谱”而徒排所谓车马炮卒士相帅将者，不敢动移一步，又何用乎其为棋也？六十四卦，车马炮卒士相

帅将也，文王周公孔子之辞“谱”也，不于辞中求其行动之用，是知有棋，而不知有谱也。(《易学丛言》)

他以“旁通”之理，是易“辞”的内容，所谓“辞也者各指其‘所之’”。因此，他据数学甲乙丙丁之指识其法，推之于易理，而云“易之辞指识其卦之‘所之’，以分别当位、失道也”(见上节引)。甲乙内丁是抽象的符号，其表面没有意义，其关系则含有至理。“所之”云者，即是说明数量之间的错综关系，故他说“所之者，旁通也”。这样讲来，“旁通”，不但是对立的序次，而且是对立序次之间更抽象的“所之”关系。他说：

《易》重旁通；乃卦之序，不以旁通而以反对。用反对者，正所以用旁通也，无反对即用旁通为序，见反对有穷而旁通不穷也。……万物之情，非生而即类者也，神明之德，非生而即通者也。自然而定位者天地也，自然而变通者，寒暑日月也。……反对者，自然者也，一阴一阳之谓道。反对之卦，不能一阴一阳，即不能合于道，故必旁通以为道也。如震反为艮，男仍是男，巽到为兑，女仍是女，男女长幼，皆父母一气所生，生而相序，故列以为序；夫妇必由嫁娶，不容任其自然，故不

以旁通序也。卦之有旁通，如人之有夫妇也；序以反对，而辞例指其所之，所之者旁通也。(《易图略》卷六)

惟旁通，始生变化，故对立仅为序次，而“所之”的相互对比，才能言变化的抽象的对立数量关系，他说：

“辞也者，各指其所之”，所之者何？即刚柔之相推者也。刚柔者，爻也，就其反对而序之，无以见其变化也；推而使有“所之”，乃生变化。……六十四卦之序不动，而有“所之”乃动。……文王虑学者仅见其以为反对为序，而不知以“旁通”为“所之”之变化也，而指之以辞。……譬之说句股割圆者，绘圆弧角之形，此伏羲所设之卦也；为天元为幕，则卦之爻也；使不标以正负之目，明以甲乙丙丁之名，则其比例和较之用不可得而知，……故系辞如读洞渊九容之细草，细草所以明天元之法，彖辞爻辞所以明卦之变通，可相观而喻也夫。(《易图略》卷六)

什么叫做“时行”？他说：

《传》曰变通者，趣时者也。能变通即为时行，时行者元亨利贞也。……孔门贵仁之旨，孟子性善之说，悉会于此。大有之五，为乾二之坤五之比例，故《传》

言元亨之义，于此最明，云太中而上下应之。大中谓二之五，为元，上下应则亨也，盖非上下应，则虽太中不可为亨。既济《传》云，利贞，刚柔正而位当也。刚柔正，则六爻皆定，贞也，贞而不利，则刚柔正而位不当，利而后正，乃能刚柔正而位当。由元亨而利贞，为而复元贞，则时行矣。……阴变阳为“得”，阳变阴为“丧”，自阳退而为阴，谓之“反”，自阴进而为阳，谓之“复”，是为反复其道，复而不反则亢，反而不复则迷。……《易》之一书，教人……穷可以通，死可以生，乱可以治，绝可以续。……孔子曰，假我数年，五十以学《易》，可以无大过矣。……又举恒九三，不恒其德，或承之羞，断之云不占而已矣。占者变也，恒者久也，羞者过也，能变通则可久，可久无大过，不可久则至大过。所以不可久而至于大过，由于不能变通，变通者，改过之谓也。（《易图略》三）

很明显的，“时行”之义，即变化的均衡。太中为“元”，上下应为“亨”，刚柔当位为“利贞”，故“时行”者，即除去了变化的质的内容，而仅以数学的机械排置，作为中心，除去了发展的更高级的本质，而仅以循环奇偶正负的错综，作为中心。这种均衡思想，有系统地绵密地提出来，在焦氏实可谓“通”，而在哲学上是一种空虚的循环论，在焦氏是可谓“实”（由反对宋儒的易理而言），而在哲学上是一种符号的“实在论”。

里堂“时行”的均衡理论，首重所谓“太中”为元，因此他反对了前人的太极玄学的解释，而以“太极”释为“时中”。这在理论的真实性上是不成立的，但这样解《易》，的确是比二千年来汉唐宋明的学者，进步得可观，他说：

易有太极四字，于太极上明冠易字，易者，交易也，交易乃有太极，则太极岂是合而未分之名？余谓欲明太极，必先求太极二字之义。太或读泰，其义则同；极，中也，太极，犹云太中。太极二字，《易》书无之，孔子用此二字，以明时行之道。传中原自互相发明，不必远求而自得，何也？《易》之言太，皆指阳，《易》之言中，皆指五。传中称太者不一而足，称中者亦不一而足，而太中二字，惟见于大有。《传》云，柔得尊位，太中，而上下应之曰大有。此太中二字，与太极二字，遥遥相应。……与时谐极，即与时谐中也。变通所以趋时，趋时则谐极，趋时所谓“易”也。……易而有太极，时中之谓也，何以时中，惟易则有之。易者变而通之也，其先天时极，变而通之，则有太极，是谓易有太极。……盖二五交易，为太中，为太极，所谓形而上者道也，成既济，六爻皆定，无复更改，为器，所谓形而下者器也。……易有太极，乃有大业，故业之大，属生而不属成。太极二字，并非实有一物，如太乙北辰之类，亦非虚无元渺，如老氏庄生之说，云易、云太、云生、云极、云是、云仪、云象、云业、……本无疑义，说者不肯从经文传文中求之，而各附会以臆说，宜其不可合耳。(《易通释》卷十九，并参看《易话》)

懂得他的“时行”均衡论的大旨，就可以明白他所谓“所之，以分别当位与失道”之义。这里当位，失道二术语，亦是他的易学的一重要法则，颇当于均衡论的“建设—破坏—再建设”的循环数量变化，他说：

易之动也，非“当位”即“失道”，两者而已。……当位则吉，失道则凶，然吉可变凶，凶可变吉。……凶可以变吉，则示人以失道变通之法，吉可以变凶，则示人以当位变通之法，易之大旨，不外此二者而已。……

余谓文王作十二言之教曰，元、亨、利、贞、吉、凶、悔、吝、厉、孚、无咎，元亨利贞则当位而吉，不元亨利贞则失道而凶，失道而消不久固厉（训危），当位而盈不可久亦厉，因其厉而悔则孚（训信），孚则无咎，同一改悔，而独艰难困苦而后得。有孚则为吝，虽吝亦归于无咎。明乎此十二言，而易可知矣。（《易图略》卷二）

按元亨利贞吉凶……等义，在他的《易通释》一书中首先通释，今举其难明者，引他的《通释》如下：

悔亡者，谓改悔不成两既济也。（《通释》一）

循按悔者，有因盈而悔，有因消而悔，因消而悔者谓之吝。吝，《说文》作遴，难行也，不能即合于道，由艰难困殆而后得也。《系辞传》云，爱恶相攻而吉凶生，远近相取而悔吝生，情伪相感而利害生。凡易之情近而不相得则凶，或害之，悔且吝，情实也，伪反乎情，无实也；变而通之为利，反乎利则为害，远近犹言先后缓急；易之，谓变而通之。（同上）

厉字训危。总全《易》而通之，厉与无咎相表里，未晦吝则厉，既晦吝则无咎。一则因满盈而危，满盈而能变通，则晦终吉；一则因伤害而危，伤害而能变通，

则吝无咎。知其危而悔而吝，由悔吝而无咎，此其大略也。（同上）

从上面的理论讲来，“当位”与“失道”，“吉”与“凶”，“厉”与“无咎”相对概念的变化，实在是均衡论的主旨（循环观念）。里堂的易学逻辑在这里是一种抽象的还元术。

均衡论者常把矛盾认为相对的，同一认为绝对的，而且因了没有质的移行法则，又流为相对主义。里堂的易学，上面已经说过，是以“齐同比例”的法则贯通万物的变化，故亦更有均衡论的应有的偏见。他所谓“齐同”即以“同一”为绝对的，所谓“比例”即指相对的法则（在现实问题上即流为机会主义）。他的大旨如下：

以六书之假借，达九数之杂糅，事有万端，道原一贯，义在变通，而辞为比例，以此求易，庶乎近焉。比例之用，随在而神，……泰、否为乾坤之比例，既济、未济为坎离之比例，益、恒为巽震之比例，损、咸为艮兑之比例……（《易图略》卷五）

乾隆丁未，余始习九九之术，既明九章，又得秦道古李仁卿之书，得闻洞渊九容奥义，读《测圆海镜》卷首《识别》一册，而其所谓正负、寄左、如积、相消者，精微全在于此，极奇零隐曲之数，一比例之，无弗显豁可见，因悟圣人作《易》，所倚之数，正与此同。夫九数之要，不外齐同比例，以此之盈，补彼之朒，数之齐同如是，《易》之齐同亦如是，以此推之得此数，以彼推之亦得此数，数之比例如是，《易》之比例亦如是。说《易》者于一卦一爻，是知五雀之俱重，六燕之俱轻（按此指燕雀算法），而不知一燕一雀，交而适平，又不知两行交易，遍乘而取之，宜乎左支右绌，莫能通其义也。（下引易例）……洞渊九容之数，如积相消，必得两数相等者，交互求之，而后得其数，此即两卦相孚之义也，非有孚则不相应，非同积则不相得。《传》明云，衰多益寡，又云，参伍以变，错综其数，又云，引而申之，触类而长之。其脉络之钩贯，或用一言，或用一字，转相牵系，似极繁赜，而按之井然，不啻方圆弦股，以甲乙丙丁之字指之，虽千变万化，缘其所标以为之词，无不了然可见。（同上）

复次，他以比例与引申比类而言，又是何说？“比例”指相对的抽象结合，“引申”则指此抽象的结合为纯粹物（不能执具体的一物，而仅以纯粹的范畴而言），他的要旨如下：

伏羲之卦，有画无辞，文王周公以辞指其画之“所之”。……孔子作《传》，亦以其未易“质言”也，而翼之赞之，舍卦爻所之，以观《十翼》，觉其平泛无所附，知其为指卦爻之“所之”，得其引申比例之妙，遂觉象辞爻辞必合如是……。《小戴记·经解》，称易教洁净精微；准南泰族训，谓《易》之义清明条达，以引申比例推之，乃叹洁净精微清明条达八字，确不可移。（《学易丛言》）

赵东山与宋枫林书，称洪氏说《春秋》云，《春秋》本无例，学者因行事之迹以为例，犹天本无度，历家即周天之数以为度。余谓《易》亦然，其引申之迹可按而测矣。（《学易丛言》）

《易》中有世俗之解，深中人心，如不事王侯，高尚其事，以为巢由之隐遁，干父之蛊，以为蔡仲之象贤；……若此者不一而足，不知自外面观之，其辞似如是，而引而申之，殊不如是，说《易》者，未容执一辞以望文生义也。（《学易丛言》）

里堂由数理逻辑引申于哲学体系，大致如此，学者如欲详知其内容，可以参看他的《学算记与易学》一书。总言之，他的思辨哲学，并不能误会为动的逻辑，实质上反而是一种形式逻辑的演绎法。他有一段妙文，载于《易通释》卷末，这段文章，是否为易经数字的偶合，姑且不论，但他的数理逻辑之应用，则是可以由此看出分晓的；而且我们在这里不批评他的数字抽象还元论之不足以解释质的移行法则（如他通释邑、国、邦以及祖考诸名，则看出不是历史的质的通释，没有阮元的《释祖》、《释邮表畷》二篇的价值，而真理在纯粹抽象逻辑之下便歪曲了），但他的纯理哲学之完整，则是可以由此作为代表的。他的妙文如下：

循按"天地之数五十有五，大衍之数五十，其用四十有九"，三数不齐，说者牵合附会。（以下评诸说）……秦九韶数学九章，……所说大衍五十，其用四十有九之义，于经为合。此必非秦氏之所创，盖有所受，经生不明算数，而其法传诸畴人（按指世官），尚可考见焉。五十有五，为天地之合数，自天一地二，天三地四，天五地六，天七地八，天九地十相加所得之数也。明云，天数五，地数五，五位相得而各有合：天数二十五，地数三十，合一三五七九为二十五，合二四六八十为三十，又合二十五三十为五十有五。云二十五，云三十，云五十五，皆是实数。惟变化而行鬼神，有大衍之数。何为变化？在卦爻为旁通，在算数为互乘。衍字与演字同，周语，“水土通为演”，《汉书·扬雄传》，“辞之衍者”，注云，衍，旁广也。需二旁通晋五，《传》云，“衍在中也”。大衍之衍，即衍在中之衍，衍为流通旁达，大衍犹云大通，乃由少而蔓延，引申以至于广大。……大衍之数五十者，天一地二、天三地四互乘之数也。何为互乘？一乘二为二，二乘三为六，此二三之互乘也；二乘三为六，六乘四为二十四，此二三四之互乘也；三乘四为十二，一乘十二仍为十二，此三四一之互乘也；四乘一为四，四乘二为八，此四、二之互乘也：合为五十，所谓大衍也。彼此互乘，蕃衍滋溢，故得为衍。……（以下说以一二三四互乘之理由，略）……其用四十有九（述诸说从略），……而必系以大衍之数五十，何也？其用即大衍之用也。大衍者，取天一地二，天三地四而衍之为五十也。五十何以不可用？其奇数不齐也。其不齐何也？一一数之奇一，二二数之，三三数之，四四数之皆奇二，奇不齐，不可以用，则必有以齐之。齐之何如？先齐其一二三四之等，以为无等也。凡约其数奇一则无等，以一约二约三约四皆奇一，以二约三，以三约四亦奇一，惟以二约四则奇二，仍有等，必改二为一，以一约四乃无等（此秦氏之连环求等）。于是以一一三四为定母，互乘之，为十二，为十二，为四，为三，谓之得数。以一约十二，奇一，以三约四，奇一，以四约三，不可约，乃用求一法求之，得三。其一一一三谓之乘率，用乘衍数，以初一乘十二，仍为十二，以次一乘十二仍为十二，以次一乘四，仍为四，以次三乘三得九，共三十七，加衍母十二，为四十九，是为用数，所谓其用四十有九。……其用以一二三四之生数，其得以六七八九之成数，易取生生，故用生数也，以生为始，以成为终也。必以奇一为枢，乃得六七八九之数，故“五十不可用”，而用四十九。而此四十九，即五十所约而得之，故四十九乃五十之“用”数，五十乃五十五之“衍”数，衍而用之，乃成变化而行鬼神。五十者，一二三四所衍也，四十九者，约一二三四为一一三四之所衍也。一二三四之衍母为二十四，一二三四之衍母为十二，是半之也，以其半衍而用之为三十七，仍加十二，为四十九，仍以一二三四为用也，以一二三四之衍数不能奇一，变化而为一一三四之衍数，一一三四之衍数仍不能奇一，又变化而为三十七之用，三十七不可以得六七八九，又加衍母为四十九，是四十九与五十，为一二三四之所变通，即为一二三四求六七八九之枢纽。……求等求一，所以化不一为一，皆自然造于微。(《易通释》卷二十)

为什么产生焦氏的前无古人的易学呢?

如果说西欧泛神论是商业资本主义时代的产物，则里堂的相对哲学与均衡论是中西学术（尤其数学）沟通以来，随世界商业交通而产生的一种体系。嘉靖时代，东印度公司的力量至为发展，雅片流入中国，中国漏银运动，已将中国结合于世界商业范围之内，法令的封锁抵抗不住世界经济的浪潮。焦氏在哲学上的同一、相对诸论，是一种观念的预觉，比康有为的商业救国，其价值高出万倍，阮元说里堂之“通”不是清代一人之“通”，而是时代学术所凑集而成的“通”。这话颇中肯，因为如果没有中西学术的沟通，并将数学知识汇合起来，他不会运用数学逻辑而通易理（严格讲来，是里堂的世界观）；如果没有嘉靖初年的商业流通成为世界的形势，白银漏入印度，复流入于西欧，使中国银货币的沉淀死藏，好像没入蒸馏器中，“不断地发汗”，银值因而猛涨，产生了最初以“土票子”（雅片信用货币）为业的山西票号，或初期的商业银行（参看拙作《票号史的研究》一文，刊于《中山文化教育季刊》），那么他便不会得出相对均衡的比例世界观。这是里堂哲学的历史秘密。在思想上的反映，那便是他所谓：“理存于立法之先，理者何，加减乘除之错综变化也”，亦即阮元所谓“中之与西不同其名，而同者其实，……里堂说算，……数之精意无不包括无遗，典而有则”。他是在抽象的理论上，预见了世界商业的等价关系。

里堂的相对主义的均衡论之内容如何？

他在《易通释》卷三至卷五曾把这内容显示出来。卷三释易、交、当、应、乘、通、往、来、至、几诸字义，卷四释刚柔、大小、新旧、远近、内外、上下、进退、得丧、存亡、生死诸字义，卷五释道、命、性情才、教、法律、仁义礼信知、誉惧、功权、民、君子、小人诸字义。我们择其要旨简述于下。

他首先以“易”为“变更反复之义”，“一气反复往来是为道”，这是循环哲学的本旨。“易”与“交”，据他说“义同而有异”,“交”指“交相爱”,“交由于孚”，这是同一性的意思,“易”指“既交之后，易而变通,……上下应之，则不能一阴一阳，两两相孚，必易而后成一阴一阳也”，这是量变的意思。二者间的关系，则他说“交而不易，则盈不可久，易而不交，则消不可久也”。因此，他以“交易为全易大义所在”，这没有世界商业循环变动的大来历，实在不能得出这样的“交易”哲学。

他的当位、上下应的说明，已见上述。“当”指变化中的建设，不当则谓破坏。“应”即均衡的另一说法，他说:“所谓应，谓应刚之得中，刚得中，即刚中，刚中即当位。”又说:“何以亨，以上下皆应，故云刚柔应也。刚、柔、应三字，紧接柔、得、中三字，即刚得中而应也，即得中而应乎刚也，即太中而上下应也。”这是均衡思想的折中理论。

复次，他论相对的意义颇详，例如刚柔条云:“刚通于柔，柔通于刚，刚又通于柔，是为迭柔刚。……刚则存，柔则亡，柔用刚而进，刚用柔为退。”于大小条云：“齐小大者，存乎卦，齐者整齐之也。……齐则大通于小，小进为大，不齐则大不孚于小，小不进于大，小不进于大，则小而又小，以至于匪，故凡卦以刚通于柔为孚，既孚则以柔进为刚，乃为利，齐亦利也。”这都是相对的抽象观念，其他如新旧，内外，上下，进退，存亡，得丧，亦然。他的相对主义的均衡论在“生死”条下说得最明显，他说：“死非谓形丧也，谓‘中’亡也，生非谓形在也，谓‘中’未亡也。中未亡，故终则有始。”他更以这一方法，应用于人性论，以性情为相对的，他说：

《白虎通》云：性者阳之施，情者阴之化也。《论衡》云：性生于阳，情生于阴（《说文》，性，人之阳气，性善者也，情，人之阴气，有欲者也）。性即道之一阳，情即道之一阴。……性为“人生而静”，其与人通者，则情也，欲也。传云：六爻发挥，旁通情也。成己在性之各正，成物在情之旁通，非通乎情，无以正乎性，情属利，利属贞，故利贞兼言性情，而旁通则专言情，旁通以利言也，所谓“感物而动，性之欲也”。……以血气心知之性，为喜怒哀乐之情，则有欲。欲本乎性，则欲立立人，欲达达人，己所不欲勿施于人。……以己之情度人之情，人己之情通，而人欲不穷，天理不灭，所谓善矣。……才者能达其情于天下者也，才能达其情，而情乃可旁通，性命乃可各正，情不旁通，故人欲穷，既不各正，故天理灭。不以己之欲不欲，通乎人之欲不欲，是无情，无情是不近人情。传云：凡易之情近而不相得则凶。近乎情则相得，不相得则不近乎情。……舍情而言善，舍欲而求仁，舍才以明道，所以昧乎羲文孔孟之传者也。

里堂把宋儒性与欲二者绝对的鸿沟，不可逾越的对立，化而为相对的动静，相互转化的一致，这是进步的理论，但他的通情、穷欲以至尽性之说，则是由均衡论所派生的折中调和论，比之于东原的性论为一种妥协论。

第三节　焦循返原于易理的一般思想

里堂是戴学的继成发展者，他的《论语通释》一书，即依据东原的治学精神或仿照《孟子字义疏证》而作的，他说：

循读东原戴氏之书，最心服其《孟子字义疏证》。说者分别汉学宋学，以义理归之宋，宋之义理诚详于汉，然训诂明乃能识羲文周孔之义理，仍当以孔之义理衡之，未容以宋之义理即定为孔子之义理也。(《寄朱休承学士书》)

他虽然以明训诂为识义理的必要学问，而且他的易学三书与《孟子正义》亦首重训诂，但他却已经感觉到乾嘉之学的“其弊也琐”，不主张把学问执一，拘于传注，别成立一种考据之学，而主张“通核”是学术的主脑。这是他的数理逻辑的必然归结。他分治学有五种，宜五者相济，不宜执一不化，五者为：

一、通核：通核者，主以全经，贯以百氏，协其文辞，揆以道理，人之所蔽，独得其间，可以别是非，化拘滞，相授以意，各慊其衷；其弊也，自师成见，亡其所宗。

二、据守：据守者，信古最深，谓传注之言，坚确不易，不求于心，固守其说，一字句不敢议，绝浮游之空论，卫古学之遗传；其弊也，局蹐狭隘，曲为之原，守古人之言，而失古人之心。

三、校雠：校雠者，六经传注，各有师授，传写有讹，义蕴乃晦，鸠集众本，互相纠核；其弊也，不求其端，任意删易，往往改者之误，失其本真，……

四、摭拾：摭拾者，其书已亡，闻存他籍，采而聚之，如断圭碎璧，补苴成卷，虽不获全，可以窥半；是学也，功力至繁，取资甚便，不知鉴别，以赝为真，亦其弊矣。

五、丛缀：丛缀者，博览广稽，随有心获，或考订一字，或辨证一书，略所共知，得未曾有，溥博渊深，不名一物；其弊也，不顾全文，信彼屈此，故集义所生，非由义袭，道听途说，所宜戒也。（见《文集》卷八，《辨学》）

以上所言，无异对于清学之总评价，比实斋的《文史通义》（此书里堂列于读书三十二赞之中）更进步，有清算清学的宏圆。惟实斋之讲“义指”，还元于六经皆史，而里堂之讲“通核”则还元于六经之“数”，前者辨源流，后者通逻辑。

里堂之学，得一“通”字，他的代表作如《易通释》，《论语通释》，都是通贯之取意。阮元赞他为“通儒”，非一人之“通”，实清代学术成果之“通”，颇具道理。清学到了嘉靖时代，已交临于个性之再自觉的关头，因为清初学者的自觉是世界天文算学在基督教的输入夹带中渗透于近代的思维，而嘉靖以后清代学者的再自觉，则是西洋民权、法治在雅片圣品的输入夹带中渗透于近代的思维，前者是和平的，后者是烈性的，在烈性的冲破古老帝国的秘密之下，巨波泛浪，震史惊俗，比梨洲所谓“天崩地裂”者尤为汹涌，这是公羊学派大做荒唐梦呓的原因。里堂晚年著作已经到了十九世纪的初叶，故他的“无性灵不可以言经学”的命题，正是清算经学而要求“天下之知觉自我始，是为作”。这不但和宋儒毫无相同之点，而且包含着时代的自觉。他批评“考据”学风，暗示了所谓纯汉学的结束，他所持的道理如下：

第一，他重视个性性灵，反对崇拜。“自周秦以至于汉，均谓之学，……无所谓考据也。……经学者，以经文为主，以百家子史天文算术五行六书七音等为之辅，汇而通之，析而辨之，求其训诂，核其制度，明其道义，……以己之性灵，合诸古圣之性灵，并贯通于千百家著书立言者之性灵。……无性灵不可以言经学。”

（《文集》卷十三，《与孙渊如观察书》）

因此，他以为“证之以实”，复要“运之于虚”，虚者即他的数理逻辑。他说：

古学未兴，道在存其学，古学大兴，道在求其通。前之弊患乎不学，后之弊患乎不思。证之以实而运之于虚，庶几经学之道也。乃近来为学之士，忽设一考据之名目，循……反复辨此名之非。（同上，《与刘临端教谕书》）

第二，他重视贯通，反对执一。“作者之谓圣，述者之谓明。作述无等差，各当其时而已。人未知而已先知，人未觉而已先觉，因以所先知先觉者教人，俾人皆知之觉之，而天下之知觉自我始，是为作。已有知之觉之者，自我而损益之，……而作者之意复明，是之谓述。……孔子非不作也，时不必作也，……宋元以来，……皆自为述孔子，而甲诋乙为异端，乙斥甲为杨墨，……果能述孔子之所述乎？”（《述难》二）

他把真理看为变化的，各人有各人的时代思维，“圣人之道日新不已，譬如诸天度，愈久而愈精，各竭其聪明才智以造于微，以所知者著焉。”（《述难》一）这种精神在于摈斥主观的独断，“不善医者，先具一病以拟其人……，或县一不切之药以泛应千百人之病，……善医者，能各审其人之病而无我之心，则必于阴阳表里虚实之所，骨空经脉营卫度数之理，金石水火飞潜草木之性，无一物不深索而穷究，不名一物而无物不明。……学者述人，必先究悉乎万物之性，通乎天下之志，一事一物，其条缕分别，不窒不诧，然后各如所得，且能道其所长。”（《述难》五）

据此，他反对当时的所谓汉学，“学者述孔子而持汉人之言，惟汉是求，而不求其是，于是拘于传注，往往扞格于经文，是所述者汉儒也。……唐宋以后之人亦述孔子者也，持汉学者或屏之，……或知其言之足征而取之，又必深详其姓名，以其为唐宋以后之人，一若称其名，遂有碍乎其为‘汉学’者也！”（《述难》四）

严格讲来，里堂是主张作而不述的，而“述”者实在是一种他的外貌，犹之乎他的哲学是均衡论，由数理逻辑还元而为他的世界观，但他则并不考据《易经》这部书的作者，完全托出羲文周孔的外裳而传说自己的性灵知觉，他说以经文为主，以子史算理等学为辅，汇而通之，析而辨之，实在讲来，他是以经文为外观，以子史算理等学为内容，汇通辨析他的均衡论。所以他说：

近之学者，以考据名家，断以汉学，……其同一汉儒也，则以许叔重、郑康成为断，据其一说，以废众说。荀子所谓“持之有故”，持即据之谓也。……“宁道孔颜误，讳言服郑非”，然则服郑之外皆屏之矣。服郑之外皆屏之，则仍两汉诡诡之习（即上言两汉各执其一），盖必据郑以屏其余，与必别有所据以屏郑，皆据也，皆非圣人一贯忠恕之指也。班固论诸子曰：“九家之说，蜂出并作，各引一端，崇其所善，……其言虽殊，辟犹水火，相灭亦相生（按下文仍有相反相成之语，未引）。……若能修六艺之术，而观此九家之言，舍短取长，可以通万方之略。”然则九流诸子，各有所长，屏而外之，何如择而取之，况其为说经之言乎？（《论语通释·释据》）

里堂以上的话，表面上是反对据守，实际上是破除一尊的成见，在当时这种议论是具有解放性质的，颇受汪中《荀子通论》与《墨子序》的影响（他的读书三十二赞，列《述学》一书），里堂所“择而取之”的数理逻辑，在九流之中，如班固所言，不过是“阴阳家者流，盖出于羲和之官，敬顺昊天，历象日月星辰，敬授民时，此其所长也”。但他竟取其所长，还元而“通万方之略”，引申而说六经之旨。他的相对哲学，在理论上必求合于经典，因此，“攻乎异端”一条成为他解释《论语》的要旨。班固所谓“相灭相生，相反相成”的道理，在里堂文献中一再引据，这是他通易的先决问题，亦是他通理的先决问题，故这里我们把他的“异端”之说，首先介绍出来。

里堂的思想，与其说为“通”于理的抽象体系，毋宁说为“通”于认识论的形式逻辑，他在清代既欲清算当时的治学方法，则他的思想中心，便不得不要求提出圆通的方法论。他释“攻乎异端，斯害也已”一章，在各书中互见者多处，他训“攻”为攻错之攻，攻乎异端即云与异端诸学相互剀切错磨，训已为止，即谓不执一端，而相互切磋，则悖害便止绝了。他说：

皇侃以异端为诸子百家之书，邢疏仍之。汉贤良策问云，或曰良玉不琢，又云，非文无以辅德，二端异焉。《韩诗外传》云，别殊类使不相害，序异端便不相悖。盖异端者，各为一端彼此互异，惟执持不能通则悖，悖则害矣。有以攻治之，即所谓序异端也，斯害也已，所谓使不相悖也。攻之训治，见《考工记》，攻木之工注，《小雅》可以攻玉，传云攻错也，《系辞传》爱恶相攻，虞翻云攻摩也。彼此切磋摩错，使紊乱而害于道者悉归于义，故为序。韩诗序字，足以发明攻字之意。已止也。……杨氏……墨氏……端之异者也，杨氏若不执于为我，墨氏若不执于兼爱，互相切磋，……是为攻而害止也。……解攻字为距为辟，未尽善，……不作弹击之义。(《论语补疏》卷上)

里堂把相对主义的理论，提到重要的地位，他的这种方法是由“易”以通诸经所采取的路径，他常说懂得易旨相错，旁通，时行的道理，便可以了解孔子的仁学，孟子的性学，他以为“执其一端为异端，执其两端为圣人”(《论语通释·释异端》)，故又说：

循按何晏以小道为异端，注一以贯之云，天下殊途而同归，百虑而一致，知其“元”则善举矣。与此注(按何云：攻，治也。善道有统，故殊途而同归，异端小同归也)互相发明。何晏以老庄之学说经，谓善道有统，即庄子所谓通于一而万事毕也。……有两端则异，执其两端，用其中于民，则有以摩之而不异。刚柔，两端之异者也，刚柔相摩则相观而善，孟子言杨子为我，墨子兼爱，又特举一子莫执中，然则凡执一皆贼道，不必杨墨也。执一则不能攻，贼道则害不止。……有统则仍执一无权，非易地皆然之恉，亦不指相观而善。……汉世惟贾逵通五经之说，奏曰："三代异物，损益随时，先帝博观异家，各有所采，易有施孟，复立梁邱，尚书欧阳，复有大小夏侯，今三传之异亦犹是也。"损益随时，即易地皆然之义，逵之说近矣。袁绍客多豪俊，并有才说，见郑康成，儒者未以通人许之，竟设异端，百家互起，康成依"方辩"对，咸出问表，皆得所未闻，莫不嗟服。盖以儒者执一不能通，故各为一端以难之，是为竟设异端。康成本通儒，不执一，故依方辩对，谓于众异之中而衷之以道也，是即康成之攻乎异端矣。道中于时而已，故孔子曰：我则异于是，无可无不可。各执一见，此以异己者为非，彼亦以异己者为非，而害成矣。（《论语补疏》卷二）

里堂在当时敢于提出执一贼道，相观而善的论旨，实在是有胆识的命题，他的损益随时之说，除了折中调和的方面，在知识论上亦颇有价值，这是他依据数学，研究“天度，愈久而愈精”的推论，他说：

闻见之外有不知，闻见之内亦有知之有不知。……盖异端者生于执一，执一者生于止知此而不知彼，止知彼而不知此。知之为知之，不知为不知，则不执一矣。……执一者，知其一端，不复求知于所不知，不求知于所不知，……以为此不知者，不必知者也，不必求知而已知其非也。(《论语通释·释知》)

然而他是重视“以方辩对”的两端之说，没有绝对的是与非，是非是以“时”而得。这“时”字即他的《易通释》中“时行”之义，他的相对主义的弱点便在这里，他说：

杨子惟知为我，而不知兼爱，墨子惟知兼爱，而不知为我，子莫但知执中，而不知有当为我当为兼爱之事。杨则冬夏皆葛也，墨则冬夏皆裘也，子莫则冬夏皆夹也，趋时者裘葛夹皆藏之于箧，各依时而用之，即圣人一贯之道也。……圣人之道，贯乎为我兼爱执中者也，善与人同，同则不异也。……记曰：“夫言岂一端而已，夫

各有所当也。”太史公曰：“人道之经纬万端，规矩无所不贯。”（《攻乎异端解》下）

里堂的相对论，既没有历史的具体意义，则抽象的“时中”仍是一种数学上的量度概念，故他论知识亦犹之乎葛裘夹三者，都主张“藏之于箧，依时而用”，先验地自成一套可凉暖的循环工具，而不知知识过程的高级性的质的移行法则，是在实践过程中媒介实在，复在具体的认识中扬弃过去的媒介理论，不仅是一种“量”的反复。

执一则不通，趋时则权，所以他的相对论发挥了东原的“权”说：

权也者，变而通之之谓也。法无良，当其时则良，……夏尚忠，殷尚质，周尚文，所损所益，合乎道之权。易之道在于趋时，趋时则可与权矣。若立法者，必预求一无弊者而执之，以为不偏不过，而不知其为子莫之执中。夫杨子之为我，墨子之兼爱，当其时则无弊。……治寒而用乌附，治热而用硝黄，无弊也，用而当则乌附硝黄之恶隐矣。苟恶其毒，而择不寒不热和平无害之味投之，鲜不误矣！（《说权》一）

《春秋公羊传》云：权者何，反于经然后有善者也……说者疑于经不可反，夫经者法也，法久不变则弊生，故反其法以通之，不变则不善，故反而后有善。(《说权》三）

立足于时间观念的相对哲学，故以杨墨之道“当其时则无弊”，而把不偏不过的和平药方认为“执中”之贼道，这是有价值的论说。此外，他的变法之说，未可忽视，实在是在理论上关于变法运动的预见。他和定庵同时，定庵便在变制方面产生了他的有名政论了。古文家引公羊说，里堂有离心之倾向。然而，里堂亦只能局限于此，他的“时行”观念，不是发展的学说，而是数学上的一种 X 性，在他论圣与仁的各条，都可以看出来的，例如他说：

能通其变为权，谓能通其变为时。然而豪杰之士无不知乘时以运用其权。而远乎圣人之道者，未能神而化之也。大而化之之谓圣，圣而不可知之之谓神，神化者通其变而人不知之也。……通变神化者，此尧所以民无能名，舜所以无为而治。……名之而无可名，无消诈之迹，而诈自消，无争息之形，而争自息，如天日运于上，

寒暑昼夜风霆霜露，民安之而莫容测。(《易话二·通变神化论》)

“执一则不通”的反面，在里堂的用语中是“一以贯之”。这“一”不是“一”数之一，而在“生”的意义上谓之“元”，他以“元”字解释孔子的“仁”，在“成”的意义上谓之“通”，他以通贯互训，“通之为言贯也”。由知识论方面研究，所谓“一以贯之”，略有后来孑民先生所主“兼容并包”四字之义。

第一，“兼”之义如下：

人各一性，不可强人以同于己，不可强己以同于人，有所同必有所不同，此同也而实异也，故君子不同（强同之谓）也。(《论语通释·释异端》)

第二，“容”之义如下：

凡后世九流二氏之说，汉魏南北经师门户之争，宋元明朱陆阳明之学，其始缘于不恕，不能舍己克己，善与人同，终遂自小其道，近于异端。使明圣人一贯之指，何以至于此！……孟子曰：“物之不齐，物之性也。”惟其不齐，则不得以己之性情例诸天下之性情，即不得执己之所习所学所知所能例诸天下之所习所学所知所能，故有圣人所不知而人知之，圣人所不能而人能之。知己有所欲，人亦各有所欲，己有所能，人亦各有所能。圣人尽其性以尽人物之性，因材而教育之，因能而使之，而天下之人，共包涵于化育之中。……克己则无我，无我则有容天下之量。……贯者通也，所为“通神明之德，类万物之性也”。(《文集·一以贯之解》)

第三，“并”之义如下：

伯夷之清，伊尹之任，柳下惠之和，三子不同道，其趋一也。清、任、和，其性也；不同道，即分于道也；其趋一，则性不同而善同矣。(《论语通释·释一贯忠恕》)

第四，“包”之义如下：

多与一相反也，儒者不明一贯之旨，求“一”于“多”之外，其弊至于尊德性而不道问学，讲良知良能而不复读书稽古。或谓一以贯之，即贯其多，亦非也。……多闻者，己之所有也，己有所闻，即有所不闻，己有所知，即有所不知。……艺有六，流有九，学诗不学易，不知易也，学名不学法，不知法也，虽一技之微，不入其中而习之，终不能知。谓明其一即可通于万，岂然也哉？(同上，《释多》)

里堂以上相对哲学的“一贯”之义，在历史意义上是近代的思维方法，含着部分的真理，似将习斋的分工世界理论化了，在人类的财产法权与性能法权要求形式平等的时代，这一绝对的相对哲学是进步的思想。然而“分工”是个性的解放，同时亦是个性专门化在生产关系中的束缚。相对的存在，是有历史的，而相对的体系，则为数理逻辑的一般抽象。所以他有时把一贯作为和解来看，仍然归于他的均衡论，他说：

今之讼者，彼告之，此诉之，各持一理哓哓不休。若直论其是非，彼此必皆不服。说以名分，劝以逊顺，置酒相揖，往往和解。(《理说》)

里堂的相对哲学，不仅限于知识论，而且推论于社会思想，在社会思想方面，他的“一贯”论是指着平等的“平”义。他在知识论上以为：“一贯则其道大，异端则其道小。孟子以为大舜有大焉，善与人同。善与人能同天下之志，故大，执己不与人同，其小可知，故小道为异端也。……百家九流，彼此各异，使彼观于此而相摩焉，此观于彼而相摩焉，则异者相易而为同，小者旁通而为大。”(《论语补疏·虽小道必有可观者焉章》)

在社会思想上亦以理要“运之于虚”，异者相易而为同，小者旁通而为大，他说：

多学而识，仍自致其功，而未尝通于人。孔子以忠恕之道通天下之志，故无所不知，无所不能。……忠恕者絜矩也，絜矩者，格物也。物格而后致知，故无不知，由身以达家国天下，是一以贯之也。(《论语补疏·予一以贯之章》)

在这里，一贯是作“通于人”而言，所谓“一贯者忠恕也，忠恕者，成己成物也。”(《一以贯之解》)“何谓通？反乎己以求之也。己所不欲，勿施于人，则足以格人之所恶，己欲立而立人，己欲达而达人，则足以格人之所好，……故格者，絜矩也，絜矩者，恕也。”(《格物解》)这是他的易理“旁通”的“虚用”。他以为己与物是相对的，执己与执物，或说为我与兼爱。都是一偏之执，“通天下之志”者在于通于己物之间的关系，这种关系即通情的平等关系，他说：

人之情能旁通。……以己之情通乎人之情，以己之欲通乎人之欲，……如是则情通。(《孟子正义·乃若其情即可以为善章》)

他知道人类是不平等的，故主张不以己之知见习能而例诸天下之知见习能。根据他的“旁通情”的道理而言，则人人可以各尽其性，各因其材而成器，个个人之间虽然不平而相异，而个个人相通其情的社会关系，如数学上的互乘，是可以相衡的，故云：

人之有技若己有之，保邦之本也；己所不知，人其舍诸，举贤之要也。……克己则无我，无我则有容天下之量。……以善济善，而天下之善扬，以善化恶，而天下之恶亦隐。贯者，通也。(《一以贯之解》)

他以这样的通情，解释“仁”字，他说：

由一己之性情推极万物之性情，而各用其极，此一贯之道。

不使天下之立达皆出于己之施，忠恕之道，至此始尽，圣人之仁至此始大，一贯之指至此合内外出处而无不通。(《释仁》)

以己之心通乎人之心，则仁也。知其不宜，变而通之乎宜，则义也。仁义由于变通，人能变通故性善，物不能变通故性恶。(《孟子正义 · 性犹杞柳章》)

因此，“仁”即天下之人的相互通约，如数学之最大公约数和最小公倍数，用《论语》上的话，前者为“己所不欲勿施于人”，后者为“己欲立（达）而立（达）人”，于是社会关系便在不齐的物情上而通以和善的函数学。他说：

在家无怨，仁及乎一家矣，在邦无怨，仁及乎一国矣，天下归仁，仁及乎天下矣。仁及家国天下，不过己所不欲勿施于人，……由己所欲而推之，则能好天下之所好，由己所不欲而推之，则能恶天下之所恶。（《论语补疏》卷下，《克己复礼章》）

里堂的理想假定，是一种主观的设计，而不是人类学的研究，正如费尔巴哈说得好：道理不是生物学的，心理学的，而是人类学的。里堂便由数学逻辑的均衡论，一转而为心理关系的均衡论，他在结论上把社会关系和解于旁通之中，他说：

格物者，旁通情也。情与情通，则自不争。……吾犹人也，谓理不足持也，法不足恃也，旁通以情，此格物之要也。（《使无讼解》）

以我之所欲所恶推之于彼，彼亦以彼之所欲所恶推之于我。各行其恕，自相让而不争，相爱而不相害。（《格

物解》)

均衡论的结局，总以同一是绝对的，矛盾是相对的，里堂亦然。

复次，里堂的性论首重性欲的相对，已如上言。他说明孟子性善之指，颇肯定知识的时宜。他说：

饮食男女，人之大欲存焉。欲在是，性即在是。人之性如是，物之性亦如是。惟物但知饮食男女，而不能得其宜，……人知饮食男女，圣人教之，则知耕凿之宜，嫁娶之宜，此人之性所以无不善也。人性之善所以异于禽兽者全在于义。(《孟子正义·性犹杞柳章》)

知知者，人能知而又知，……惟人之欲异于禽兽之欲，即人之性异于禽兽之性。(同上)

里堂有《性善解》五篇，大要说明人能知故善之义，而反对宋儒“论性善，徒持高妙之说”。此所谓“知”，即指“义”。“道有理也，理有义也。何谓理？理者分也。何谓义？义者宜也。其不与行者非道也，可行矣乃道之达于四方者。各有分焉，即各有宜焉。……弗宜则为失道，失道非德也。故道必察乎其理，而德必辨乎其义。传曰理于义者，分于义也，分于义则正性命，保全太和。”（《易话上·道德理义释》）他释性，仍由易出发，以知变化万端而宜之理，作性善的客观天度，而且以义与利统一于智。所以又说：

其性能知事宜之在我，故能变通。上古之民，始不知有父，惟知有母，与禽兽同，伏羲教之嫁娶，定人道，无论贤智愚不肖，皆变化而知有夫妇父子。始食鸟兽蠃蜅之肉，饥则食，饱则弃余，神农教之稼穑，无论贤智愚不肖，皆变化而知有火化粒食。是为利也。……人之所异于禽兽者，在此利不利之间，利不利即义不义，义不义，即宜不宜，知宜不宜，则智也。……智，人也，不智，禽兽也。几希之间，一利而已矣，即一义而已矣，即一智而已矣。（《孟子正义·天下之言性也章》）

这样看来，“善”字已经还元而为理性之能力，不是普通术语善恶之善，故他以“赤子之心犹天地有洪荒”，而反对老庄之抱朴返真，谓：“不失赤子之心而即为大人，如是庸人匠贾，皆可自命圣贤，相习成风，其祸天下，与吃叶事魔者等矣。”（《孟子正义·大人者不失其赤子之心章》）这与船山学旨相近。这里，他与孟子较远，反而与荀子较近，他自言“旁及荀董杨班之说”，在性论方面，解释孟子，则云：“非教无以通其性之善，教即荀子之所谓伪也，为也。为之而能善，由其性之善也。”（同上，《滕文公为世子章》）因了他从知识上论性，故接受了荀子的“天论”思想，摆脱命定论，而趋向于目的论。他说：

《易·系辞传》云，乐天知命。此所谓知命申明同天之义。圣人不忍天下之危，包容涵蓄，为天下造命，故为知命，是为乐天。天之生人，欲其并生并育，仁者以天为量，故以天之并生并育为乐也。（同上，《交邻国有道乎章》）

道变化而不已。命分于道，则有所限。有当安于所限者，不舍命是也；有不当安于所限者，申命、改命、致命是也。命而能改，能申，能致，则命不已，即道不已，如是乃为知命。（《易通释》卷五，命条）

天下之命，造于君子。孔子栖栖皇皇，不肯与沮溺荷篆同其辟世者，圣人于天道不谓命也。百姓之饥寒囿于命，君子造命，则使不饥不寒，百姓之愚不肖囿于命，君子造命，则使之不愚不肖。口体耳目之命，已溺已饥者操之也，仁义礼智之命，劳来匡直者主之也。故己之命听诸大，而天下之命任诸己，是知命也。……徒付之无可如何，是不知命。……第以守穷任运为知命，非孔子所云之命也。(《补疏·不知命无以为君子之章》)

均衡论者常流于机械论，而里堂哲学在这里颇异，因为强调思维的主观功能，便以为“无推步之术则寒暑乱，无测验之术则日月乱”，而思维的反映在他看来便成了思维的创制了。他说：

孟子言一治一乱，总古今之事迹而为言。……圣人则天趋时，故阴阳迭用，仁义互通，以成长治不乱之天下。……处乱则拨乱以反乎治，处治则继善以防乎乱。……故谓否极而泰；泰极而否者，此不知易者也。……大抵气化皆乱，赖人而治，而长治者，人续之也，治而致乱者人失之也。无推步之术，则寒暑乱，无测验之术，则日月乱。不勤耒耨，田畴乃芜，怠于政教，人民乃紊。说者以阳为治，以阴为乱，则将暑治而寒乱乎？日治而月乱乎？故否泰皆视乎人，不得委之气化之必然也。(《阴阳治乱辨》)

他把自然与社会合法则的运动，分离而言，是有价值的论断，而将社会合法则的运动不过视为“事迹”。

没有事迹之间的他所谓之一般变易移行法则，一惟人力是崇，则不是真理了。里堂的自然哲学和他的社会哲学是在体系上显出最显明的裂痕，这里，我们认为他在“通”字上面逢到严重的矛盾。（太炎说：“焦循为《易通释》，取诸卦爻中文字声类相比者，从其方部，触类而长，所到冰释，或以天元术通之，虽陈义屈奇，诡更师法，亦足以名其家。”——《检论》）

第十一章　总结乾嘉汉学的文史学者阮元

第一节　阮元的研究方法

阮元，号芸台，江苏仪征人。生于乾隆二十九年，卒于道光二十九年（一七六四——一八四九年）。他是一位清朝的封疆大吏，做过浙江，江西，河南的巡抚，做过两广，云贵的总督。编纂《经籍纂诂》（百六卷），刻成《皇清经解》（一千四百余卷）。他又见日本山井鼎的《七经孟子考文补遗》，编辑《十三经注疏校勘记》二百六十八卷）。王引之说："展一韵而众字毕备，检一字而诸训皆存，寻一训而原书可读。"（《纂诂序》）颇道出芸台汇集乾嘉汉学的功绩。

如果说焦循是在学术体系上清算乾嘉思想，则阮元是在编纂上总结乾嘉成果。他不但是一位戴学的继承者，而且是一位根据汉学家的精神而倡导学风的人，李元度说：

阮元为浙江巡抚时，立诂经精舍，祀许叔重郑康成两先生。延王述庵，孙渊如主讲席。课以经史疑义及小学天文地理算法，各搜讨书传，条对不用扃试糊名制。……不十年舍士致身通显及撰述成一家言者，不可殚数，东南人才极盛焉。(李元度《先正事略》)

他不是一个哲学家，而是一个历史辨析学家，他虽然和里堂同乡姻娅（称里堂为姊夫），并推崇里堂为通儒，而他的治学态度则与里堂不同，里堂主通核，芸台主训诂，惟在殊途上而并归于完成乾嘉汉学家的学术。里堂不执一端的学旨，芸台的“诂经精舍”所收罗当时人才的盛举，正在他所谓“贯行”上实现了一部分。

如果说里堂之“通”，非一人之“通”，乃乾嘉学者之共通成果（芸台语），则芸台之“博”，亦非一人之“博”，乃乾嘉学者之共博成果。他不但编纂了训诂各书，而且在学问的研究上，由经史子集以至天文，历算，地理，物理（他有《自鸣钟》一篇讲重学，可参考），由小学直求之古代吉金、石鼓、刻石、石经诸学，颇具文化史，文学史（例如《四六丛话序》一文）的天才。胡适之先生谓“阮元虽然自居于新式的经学家，其实他是一个哲学家”，这话错了，因为哲学家起码要有自己的体系，然而我们读破芸台的《揅经室集》，除了接受东原的一些思想外，丝毫找不出他的自己哲学思想，好像里堂的均衡论那样的体系。如果说他的方法论可以代表哲学，那么他在方法论上的具体业迹，正是文化史或思想史的贡献，他虽然说“经立乎史之前”（《通鉴训纂序》），而大体上则从事于古代思想的返原，故亦好像接受实斋的六经皆史论，无意之间说“书之性近于史”（《四史疑年录序》）。他的主观主张以最古的义训说明最确的真理，这不是他的有价值的学术精神，反之他在客观上追求历史的义训，则是真正的历史学家的路径，例如《释仁》《释性》《释佛》诸篇皆是。我们研究思想史，主要是在客观上论究古人的遗产，洗炼净除了他的梦呓，而保留继承他的时代思维。自然在洗炼工作上，我们亦不是坐上近代的飞机而和乘牛车的古人作难，如有些朋友之论墨子，更不是坐上人力车而和驾八人大轿的古人比例，如钱穆先生之论东原与阮元；而洗炼后所值得吾人崇章者，亦不是如胡适之先生崇章东原，做一个新东原主义者，如冯友兰先生崇章朱子，做一个新理学主义者的。

首先，我们研究芸台的治学精神。他的确发展了东原“由字以通辞，由辞以明道”的方法（适之谓之剥皮），东原的由训诂以明义理的治学方法，在哲学上是大大有问题的，而在学术史上则是乾嘉精神所在，芸台据此方法以广泛引申于历史渊源方面，不失为乾嘉学者的最后重镇。芸台说：

圣人之道，譬若宫墙，文字训诂，其门径也，门径苟误，跬步皆歧，安能升堂入室乎……学人求道太高，卑视章句，譬犹天际之翔，出于丰屋之上，高则高矣，户奥之间，未窥实也。或者但求名物，不论圣道，又若终年寝馈于门庑之间，无复知有堂室矣。是故正衣尊视，恶难从易，但立宗旨，即居大名，此一蔽也；精校博考，经义确然，经不逾闲，德便出入，此又一蔽也。（《揅经室一集》卷二，《拟国史儒林传序》）

由以上一段话看来，好像他在那里折中汉宋的，而研其实，在文气之间已经有重汉轻宋的口味。按《拟国史儒林传序》一文，体例在于颂扬清朝，他在文字上尽其委婉曲折之能事，首述学术之流变，对于汉儒，“复兴六经”，崇章备至，对于魏晋玄学，认为“儒道衰弱”，对于宋儒轻轻叙过，不加扬抑，对于明儒认为“不出朱陆，空疏甚矣”，对于清朝学者谓“卓然不惑，求是辨诬”，“精发古义，诂释圣言”，“好古敏求，各造其域”，真是一位大臣的手笔。依照他的这样述学，无论如何得不出“两汉名教得儒林之功，宋明讲学得师道之益”（按功，益二字亦有分寸），但他竟然谓“未可偏讥而互诮”，末归结于训诂与道义折中两是之说。为什么他做出这样的矛盾文章？实在是由于他所云“我朝列圣，道德俱备，包涵前古，崇宋学之性道，而以汉儒实之”一句文化政策。所以，这篇文章是官样格式，不是他的内心话。在他的书中，时常指斥阳明良知之说，谓：“儒家借良知为宗旨，非以庄子此说（复性）为祖乎？……可以不说一切经而面壁见性也。”（《揅经室总集》卷三，《复性辨》）惟他没有东原的锋芒，敢于明白批评宋子（但文义上则甚露骨）。虽然如此，他不但没有赞扬过宋儒，而且用阳明“晚年定论朱子”的方法，而反过来把朱子定论为汉学精神者，他说：

朱子……晚年讲礼，尤耐繁难，诚有见乎理必出于礼也。古今所以治天下者礼也。五伦皆礼，故宜忠宜孝即理也。然三代文质损益甚多，……使居周而有尚白者，若以非礼折之，则人不能争，以非理折之，则不能无争矣。故理必附乎礼以行，空言理则可此可彼之邪起矣。朱子晚年（下引其欲修礼经之言，从略）……拳拳于……圣贤礼经，益精益勤之明证实据。若如王阳明诬朱子以晚年定论之说，直似朱子晚年厌弃经疏，忘情礼教，但如禅家之简静，不必烦劳，不必凄黯矣，适相反矣。然则三礼注疏，学者何可不读，盖未有象山篁墩阳明而肯读仪礼注疏者也，其视经注直以为支离丧志者也。(《揅经室续集》卷三，《书陈氏学蔀通辨序》)

芸台的大前提是以理附于礼始不成空理，这是说理依据实践行为才为实在的真理，比东原的观照论进步甚大（适之反谓不当，亦错了），颇受凌廷堪（仲子）的影响（参看他所撰《凌廷堪传》便知）。然而，他的小前提是研究礼经注疏便能窥见实理，（？）故结论朱子亦在晚年为实理的提倡人，这就不合形式逻辑的道理了。原芸台的这样三段论法，不管缺点如何，他是主观上想把朱子和清儒拉成一家的，做大臣之苦心是跃然如在纸上。

反之，在芸台的书中，到处可以见到崇拜汉学，信仰汉儒的材料，他正和朝廷配祀朱子相反，在他的讲舍中，不但把诂训之学标榜为学旨，而且拜祀许郑以明诸生之志，定宇东原以来汉学在于宣传，到了芸台则组织汉学的最高学府了，他说：

圣贤之道存于经，经非诂不明。汉人之诂，去圣贤为尤近。……远者见闻不如近者之实也。元少为学，自宋人始，自宋而求唐求晋求汉，乃愈得其实。……选两浙诸生学古者，读书其中，题曰诂经精舍者，汉学生徒所居之名，诂经者不忘旧业且最新知也。……奉许郑木主于舍中，群拜祀焉，此诸生之志也。……谓有志于圣贤之经，惟汉人之诂多得其实，去古近也，许郑集汉诂之成者也。……汉之相如，子云，文雄百代，亦由凡将方言，贯通经诂，然则舍经而文，其文无质，舍诂求经，其经不实。为文者尚不可以昧经诂，况圣贤之道乎？

(《揅经室二集 · 西湖诂经精舍记》)

由诂求经的大学教育，在诂经精舍与学海堂皆然（参看他的《诂经精舍与学海堂策问》），他更崇郑康成为集大成之儒者，说：

元尝博综遗经，仰求往哲行藏，契乎孔颜微言，绍乎游夏，则汉大司农高密郑公其人矣！……两京学术，用集大成，天下师生，久而弥笃，固不以齐鲁域焉。(《揅经室四集》卷二，《郑公祠碑》)

他不仅对于许郑表章为天下法师，且对于汉儒的训诂都高其评价，如关于赵岐的《孟子注疏》说：

赵岐之学，以较马郑许服诸儒稍为固陋，然属书离辞，指事类情，于训诂无所戾，孟子七篇之微言大义，借是可推。(同上)

由上面看来，芸台实在不是折中汉宋，而是更比东原进一步地以语言文字可以通贯经传的大义，他更说：

稽古之学，必确得古人之义例，执其正，穷其变，而后其说之也不诬，政事之学，必审知利弊之所从生与后日所终极，而立之法，使其弊不胜利，可持久不变。盖未有不精于稽古而能精于政事者也。……金坛段若膺先生，……研摩经籍，甄综百氏，聪可以辨牛铎，舌可以别淄渑，巧可以分风擘。……学者以其说求之，斯说文无不可通之处，说文无不通之处，斯经传无不可通之处也。……自先生言出，学者凡读汉儒经子汉书之注，如梦得觉，如醉得醒，不至冥行擿植。……先生于语言文字，剖析如是，则于经传之大义，必能互勘而得其不易之理。(《揅经室一集》卷十一,《汉读考周礼六卷序》)

他所以信仰两汉训诂者，因为他们的学问近古，还没有杂糅了两晋以后的附会，这在文艺复兴的意义上而言，是有近代的价值的，在历史还元上而言，是有考竟源流的价值的。至于他的惟古是真的主张，可以由他的方法论自己否认的。他说：

两汉经学所以当尊行者，为其去圣贤最近，而二氏之说尚未起也。老庄之说盛于两晋，然道德庄列本书具在，其义止于此而已，后人不能以已之文字，饰而改之，……浮屠之书，语言文字，非绎不明，北朝渊博高明之学士，宋齐聪颖特达之文人，以已之说，附会其意，以致后之学者绎之弥悦，改而必从。……吾固曰，两汉之学纯粹以精者，在二氏未起之前也。我朝儒学笃实，务求其难，务求其是，是以通儒硕学，束发研经，白首而不能究，岂如朝立一旨，暮即成宗者哉！（《揅经室一集》卷十一，《汉学师承记序》）

为什么他的方法论——实事求是，可以否定他的主观理想呢？因为“求是”在“实”的彻底应用上，如果有了新发现的“实际”，则“真际”亦当随之而变，例如他根据周金的知识新工具，就以为违背汉儒的注疏亦可合乎真理。他说：

余以为儒者之于经，但求其是而已矣，是之所在，从注可，违注亦可，不必定如孔贾义疏之例也。歙程易田孝廉，近之善说经者也，其说考工戈戟钟磬等篇，率皆与郑注相违，而证之古器之仅存者，无有不合。通儒硕学咸以为不刊之论，未闻以违注见讥。盖株守传注，曲为附会，其弊与不从传注、凭臆空谈者等。夫不从传注，凭臆空谈之弊，近人类能言之，而株守传注曲为附会之弊，非心知其意者未必能言之也。（同上，《焦里堂群经宫室图序》）

因此，由训诂以通经义，亦可以作为明辨古代作者之心志去看，这就成为历史的了。他说：

“不可泥于字，而必使作者之志昭著显白于后世。”

(《揅经室一集》卷十一,《十三经注疏校勘记序》) 他在《揅经室集自序》结尾亦云:“余之说经,推明古训,实事求是而已,非敢立异也。”如果除开他的理想不计,仅就“推明古训,实事求是”八字研究,他的方法正是中古玄学的对立物,给道统的理学家“冥行擿植”,“凭臆空谈”者,“如梦得觉,如醉得醒”。

第二节　阮元的文化史学说

他的方法论既然明白,我们就可以研究他的文化史学,这里首先看他的语言文字史,其次看他的由语言原义而求得的古代原始经义。这两个题目是《揅经室集》中的中心思想,在这部集子的编制上亦暗示着这两个次序,例如一集卷一以至卷十,大体上便是依照这个次序的,续集亦把这两个中心首置于一集卷一之中。这里先举出他的一段话作为引子:

古书之最重者,莫逾于经,经自汉晋以及唐宋固全赖古儒解注之力,然其间未发明而沿旧误者尚多,皆由于声音文字假借转注未能通彻之故。我朝小学训诂,远迈前代，至乾隆间惠氏定宇，戴氏东原大明之，……怀祖先生家学特为精博，又过于惠戴二家，先生经义之外，兼核诸古子史，哲嗣伯申，……引而申之，所解益多，著《经传述闻》一书，凡古儒所误解者，无不旁征曲喻，而得其本义之所在，使古圣贤见之，必解颐曰，吾言固是数千年误解之，今得明矣。……伯申及余门，余平日说经之意，与王氏乔梓投合无间。是编之出，学者当晓然于古书之本义，庶不致为成见旧习所胶固矣。虽然，使非究心于声音文字以通训诂之本原者，恐终以燕说为大宝，而吓其腐鼠也。(《揅经室一集》卷五，《经传述闻序》，并参看前引崇赞段玉裁之序文)

第一，芸台论语言文字的源流

语言的起源，依据近代科学的研究，是发生于劳动的表情意思，而传导这种意思者，首先是简单的声音。芸台论语言起源颇有卓见，他说：

古人字从音出，喉舌之间，音之所通者简，天下之大，言之所异者繁，《尔雅》者近正也。(《揅经室一集》卷五，《与郝兰皋论尔雅书》)

义从音生也，字从音义造也。(同上，卷一,《释矢》)

按近世语言学者，颇认人类声音之发，与对于劳动工具使用的感觉有密切关系，芸台解矢一篇的“矢”，即先民在一个时代(蒙昧)所使用的主要器具。他在《释矢》篇接着说：

试开口直发其声曰施(尸为同音，夷傢匜移为音近字，孟子、孟施舍，赵岐注、施发声)，重读之曰“矢”(屎为同音，雉薙豸为音近字)，施矢之音皆有自此直施而去之彼之义。古人造从于从也(也即同匜)之施字，即从音义而生者也。……矢为弓弩之矢，象形字而义生于音，凡人引弓发矢，未有不平引延陈而去止于彼者(《尔雅》，矢雉，引延陈也)，此义即此音也。

这是说明古人使用的劳动工具(矢)是义生于音的，他下面接着又研究狩猎获物，他说：

雉，野鸡也，其飞形平直而去，每如矢矣。故古人名鸟之音与矢相近，且造一从隹从矢之字曰雉也。雉与豸、矢同音，每相假借。雉有度量之义，凡物自此止彼，平引延陈而度之，约略如矢雉之去曰雉，以绳则曰緻。……庶有豸乎，释文，豸本作雉，……豸者止也，平也，解也，此雉亦当训止也，平也。……明乎此，可知古人造字，出于音义，而义皆本音也。

芸台“义生于音”之说，发现惊人，故他说：“以声音为主，而通其训诂，……以简通繁，古今天下之言，皆有部居，而不越乎喉舌之地。”（同上，卷五）他有《释门》一篇，亦同此旨，他说：

凡事物有门可进，进而靡已者，其音皆读若“门”，或转若免，若敏，若孟，而其义皆同其字。……凡物中有间隙可进者，莫首于“门”矣。古人特造二户象形之字，而未显其声音，其声音为何？则与釁同也。釁，门同部也。因而釁又隶变为亹，为璺，为璺。……《周礼》太卜注，璺，玉之拆也，《方言》亦云，器破而未离谓之璺。释文注，璺本作璺，是璺璺，同音同义也。玉中破未有不赤者，故釁为以血涂物之间隙，音转为盟，盟誓者亦涂血也（《水经注》，孟津即盟津，《谷梁传》，盟津亦即孟津），其音亦同也。……若夫进而靡已之义之音则为勉（《说文》，勉从免声），勉转为每，“亹亹文王”，当读若每每文王。亹字或作斖（文亦音），再转为敏（《汉书》，以闵勉为敏勉），为黾，其声则为黾勉，收其声则为矗没，又为密勿，没乃门之入声，密乃敏之入声，又《尔雅》孟勉也（猛字从孟者以此,《尔雅》，兽曰虋，亦猛进之气也）。……亹亹文王，即勉勉我王，勉亹同也，进无已也。……孟又转为懋，为劢，为勖。……“文莫吾犹人也”，犹曰黾勉吾犹人也。（同上，卷一）

按以上释矢，释门二字，都有历史的意义暗示其间，和人类认识的过程，感觉，表象，判断，推理颇有联结的。“矢”，首先是劳动过程的感觉，即“自此直施而去之彼”，其次转为表象，即“平引延陈而度之”，最后转为判断，即止，平，解之义。“门”，首先是人类活动的感觉，即“有门可进”，其次转为表象，即离合之义，最后转为判断，即道德观念的黾勉不已之义。这种历史当然不是一蹴而至，其间更有复杂的变迁，而义本于音的语言发展，由此看出点规律。

义本于音，上例已明。由音发义，成立文字。中国古文字是以殷末甲骨为最早，文字既为文明起源的条件，则文化亦应由甲骨开始。惟芸台只见到吉金（论吉金的文字，颇有研究），他从吉金研究文字源流，实在是科学精神。兹举两篇他的论说如下。其一，《释祖》

一篇，他说：

元按诸古谊，且，古祖字也。古文祖，皆且字。商文戊祖丁尊作× 尊作，孟祖辛彝作，祖乙卣作，祖已卣作，祖丁觚作，瞿祖丁卣作（此文与且字近矣），周齐侯钟作具作，皆祖之古文。今音祖，则古切且千也切，不知古音古谊正相同也。（同上，卷一）

这是祖妣的祖字，由音生义的氏族重要文字。祖字之义到了变风变雅时代，就有明显的变化了，他说：

又按且，始也。且与祖同字同音，则其谊亦同。《尔雅》释诂，祖，始也，凡言祖皆有始谊，言且亦即有始谊，经传中言既某且某者，皆言终如此，始又如此（既训终，且训始）。王怀祖给事谓元曰，《诗》言终风且暴，终和且平，终温且惠，终皆当训既。……元为之加证曰，终即既，既终也，且始也。（下引《诗·郑风》既且之证）……又按且，粗也，姑也。且训为始，始有草创之谊，即为粗略之谊。《说文》，粗，疏也，粗从且得声得谊。且又与䀈通借，皆不攻致之谊。《诗·唐风》，王事靡䀈，毛传，䀈，不攻致也。……

其二为《释邮表畷》一篇，内容颇有古代国家成立的说明，惟过去学人在“封建”二字上蒙蔽着，未能得出科学的实指来。他说：

将欲于平坦之地分其间界，行列，远近，使人可以准视望止行步无尺寸之差而不可逾焉，则必立一木于地，且垂缀他物于木上，以显明其标志矣。（著者按：此数语颇嫌笼统，实则古人“封”疆之封，最初为丰字，乃原始作城的前行阶段。）……邮，从邑从垂，垂，远边也。垂，从土从𠂹，𠂹，草木华叶，象形也。盖古者边垂疆界，其始必正其四至焉，四至之边，必立木为表，垂缀物于上，以准远近之望，而分疆界焉。（著者按：古代疆界以木垂象，是也；惟疆界，国界，则指城市与农村的划分。国与城二字同字，国门者，即指城门，国境之外为野鄙。）《说文》邮字乃以垂邑二字会成一意，其声则生之于斿，故斿流旒通借，字义随音生。（著者按：邑即国字之义，从邑之字为后起，周金国名大都不加邑，而春秋文献中才加旁邑，如郑如鄦等。）……诗长发，受小球大球，为下国缀旒。《礼记》郊特牲曰，飨农及邮表畷禽兽。郑康成注，邮表畷谓田畯，所以督约百姓于井间之处也。……立一木为标志，缀一物于上，即球也，诗之球及裘，同音假借字也，故以裘为标志，即以表为标志也。（著者按：国野立分，乃文明社会之成立，其间须立标志，田畯这位官人是对付野人的。）……旗之旒，冕之旒皆以物相联缀为名，诗长发之球，乃表裘之裘，长发之缀旒，是言受地于天子诸侯之封疆，树立联缀之裘，以定四界也。（著者按：此释诗长发之文至深刻，而封疆则为古代殖民之义。）……畷，说文叕，篆作，缀，联也，又缀合著也，畷，两陌间道也。按缀为以物系属于物之义，叕缀畷辍皆通。……祋字亦音义相近，故诗候人荷戈与祋。《说文》祋，殳也，或说城郭市里高悬羊皮，有不当入而欲入者，暂下以惊牛马曰祋。此乃以木缀裘之明证。（著者按：城郭市里与鄙野为对，叕即分离国野，非田陌之联络，下文释表字，颇不合。至引散氏盘吉金之证明，文献至为宝贵，惟该盘之表字应释作封字。）……加田于叕之字名之曰畷，此亦字随音生，实一义也。……（同上，卷二）

芸台以上的训诂，实接近于历史学的真实处，后来王国维的业迹正把这些方面发展了。由字以通古制古义，属于历史的，非常得体，而由字以通古制古义，属于哲学的，则为古人的主观偏见了。

文字的起源首为“名”，名义皆从音起，已如上言。芸台又关于“名”之起源，说：

古人于天地万物皆有以名之。故《说文》曰，名，自命也，从口从夕，夕者冥也，冥不相见，故以口自名。然则古人命名之义，任口耳者多，任目者少，更可见矣。名也者，所以从目所不及者而以口耳传之者也。……名著而数生焉，数交而文见焉，古人铭词有词有韵，而名之曰铭，铭者，名也，即此义也。(《释名》曰，铭，名也。《礼记·祭统》曰，铭者，自名也。)(同上，三集，卷二，《名说》)

目所见者，指具体的这个那个，从耳口传之者即抽象之概念了。他又论古代文字和语言的差异说：

许氏《说文》，直言曰言，论难曰语。《左传》曰，言之无文，行之不远。此何也？古人以简策传事者少，以口舌传事者多，以目治事者少，以口耳治事者多，故为一言，转相告语，必有愆误，是必寡其词，协其音，以文其言，使人易于记诵，无能增改。……古人歌诗箴谚语凡有韵之文，此道也。……不但多用韵，抑且多用偶，即如乐行、忧违，偶也，……庸言、庸行，偶也，……进德、修业，偶也，知至、知终，偶也，……同声、同气，偶也。……凡偶皆文也，于物两色相偶而交错之，乃得名曰文，文即象其形也。（同上，《文言说》）

古人简策繁重，以口耳相传者多，以目相传者少，是以有韵有文之言行之始远。……《论语》二十篇名之曰语，即所谓论难曰语，语非文矣。……《古人》简策，在国有之，私家已少，何况民间，是以一师有竹帛，而百弟子口传之，非如今人印本经书，家家可备也。（同上，《数说》）

按西周古文，即所谓有韵之雅言（子所雅言），《论语》即当时的口语白话，学术下私人以后，文学大大地变化了，诸子私人著作自孔子以后产生了和金铭、颂雅不同的活东西，正是历史。芸台论“文”以韵偶为义，谓之古义可，谓之非古义即不成其为文则不可。故他的《释颂》一篇，亦当如此研究。他说：

《诗》分风雅颂。颂之训为美盛德者，余义也。颂之训为形容者本义也，且颂字即容字也（颂正字，容假借字。《诗谱》，颂之言容。《释名》，颂，容也，并以假借字释正字。《说文》，容训盛，与颂字义别。后人专以颂为歌颂功德字，而颂之本义失矣）。故《说文》，颂，皃也，从页公声。籀文作额，是容即颂。《汉书·儒林传》，鲁徐生善为颂，即善为容也。容养羕，一声之转，古籍每多通借。……所谓商颂，周颂，鲁颂者，若曰商之样子，周之样子，鲁之样子而已，无深义也。……三颂各章皆是舞容，故称为颂，若元以后歌曲者舞者，与乐器全动作也。风雅则但若南宋之歌词弹词而已，不必歌舞以应铿锵之节也。……所谓夏者，即九夏之义。《说文》，夏从夊从页，从臼，臼者，两手两足，与颂字义同，周曰颂古曰夏而已。……明乎人身手足头皃之义，而古人名诗为夏为颂之义显矣。……此乃古人未发之义，因释之如此。（同上，卷一）

芸台《揅经室集》第一篇即研究语言文字的起源与流变，这篇文字所言庖牺神农黄帝仓颉者，都是神话，而其中则颇有文字史的部分真理，他说：

庖牺氏未有文字，始画八卦。然非画而已，必有意立乎卦之始，必有言传乎画之继。其意若指此或连或断之画，以为此乾坎艮震巽离坤兑也，其言遂以音传之曰，此乾坎艮震巽离坤兑也，坎则传为臋音之言，巽则传为唇音之言，而坎巽等字尚未造也。至黄帝时（？）始有文字，后人始指八卦之字而读之，以寄其音，合之以成其书。……故六书出于八卦，而指事、象形、形声、会意、转注、假借，皆出于《易》。……书契取于夬，是必先有夬卦，而后有夬意，先有夬意，而后有夬言，先有夬言，而后有夬书，先有夬书而后有夬辞也。

言语文字是否出于八卦，大有问题，然而他把八卦的符号说明做好像童子军的旗语、手势或方向暗记，而后始寄以音读，而后更有语言命题，则近于古代文字的推测。在这里，他这样以历史眼光说《易》，把中古先天、太极的神秘因素，被拆散得烟消云散！（《易》，彖字训材，音训相兼，证为分别之分义，所谓言其音而意即在其中，此亦对于《周易》从历史的研究入手，可参看他的《释易彖意》）

第二，芸台论古文字与古制度

芸台深明金石之学，他引用周器散氏盘等以佐证经说，以及从韵读上认识周金文字（后来王国维在此两方面更有成绩），皆为历史学的贡献。他由周器考证古制

（他所谓三代者是虚拟之词，应仅限于周代而言），已经开创近人研究古史的途径，所谓：“吾欲观三代以上之道与器，九经之外舍钟鼎之属，曷由观之。”

考道器之说，为宋明清三代学者争辩最热闹的问题，由道器观的哲学认识，划出了一条唯心、唯物的辩论史，本书第一编已有详述。他对此一问题，给予了一个历史渊源的说明，卓见超特，他说：

形上谓道，形下谓器。商周二代之道，存于今者有九经焉，若器则罕存者，所存者铜器钟鼎之属耳。古铜器有铭，铭之文为古人篆迹（著者按：铭文为西周古文，与后来之篆字大有区分，汉人所谓古文，乃指六国古文，非殷周古文，参看下章），非经文隶楷缣楮传写之比，且其词为古王侯大夫贤者所为，其重与九经同之。……今之传者，使古圣贤见之，安知不载入经传也。器者，所以藏礼，故孔子曰，唯器与名不可以假人。先王之制器也，齐其度量，同其文字，别其尊卑，用之于朝觐燕飨，则见天子之尊，锡命之宠；……用之于祭祀饮射，则见德功之美，勋赏之名，孝子孝孙，永享其祖考而实用之焉。且天子诸侯卿大夫，非有德位保其富贵，则不能制器。……然则器者，先王所以驯天下尊王敬祖之心，教天下习礼博文之学，商祚六百，周祚八百，道与器皆不坠也。且世禄之家，其富贵精力必有所用，……先王使用其才与力与礼与文于器之中，礼明而文达，位定而王尊，愚暴好作乱者鲜矣！故穷而在下，颜子箪瓢不为俭，贵而在上，则晋绛钟镈不为奢，此古圣王之大道，亦古圣王之精意也。……故吾谓欲观三代以上之道与器，九经之外，舍钟鼎之属，曷由观之。(《揅经室三集》卷三，《商周铜器说上》)

按“礼，所以别贵贱”，“君子勤礼，小人尽力”，即芸台所言“别其尊卑”者。“礼”为周代的文明，殷墟甲文中尚无礼字。我们在这里应仅限于周代的文明社会，礼器一源，“礼”所以指文明社会的中国古代政治制度，“器”则所以藏此制度，所谓“名与器不可以假人”。王国维先生《殷周制度论》一名文，开首即以文明社会的分界——城市文明立言，说明了周代受土受民的灭国条件（按殷代不能灭国，王氏已证明之，据学理而言，灭国受民只有在古典社会内部分工的基础上始有可能，前于此则受民无用，多数的例子是将对方败者的族员作为牺牲杀戮），后面则将周制归结于道德文明。又按道德文明的意识，是与文明社会相映，凡抽象的字如德字孝字，甲文未见，周金始出。由此而言，形下谓器，指具体的政治（或云城市）生活（宗子维城），而形上谓道，则指诗书之中的文明意识，颇合史实。芸台谓道存于九经（实则只能言诗书），器所以藏礼，以别道器的文化，乃名贵之论。此其一。按“礼”制，不下庶人，王国维先生在《殷周制度》一文中，亦说明此旨，换言之，“礼”即墨子所指责的氏族王公大人天生的缛礼，墨经中所谓之“贵者公”（公指公族），亦孟子所谓贵者，天子尊爵，是良贵也。中国古代文明，和希腊不同，就在于中国保存了氏族良贵的制度，不像棱伦变法除去血统单位而建立地域单位的制度。周代的铭器，芸台谓“非有德位保其富贵，则不能制其器”，与“器所以藏礼”，正指贵族生活的宗子制度。实则周代的贵族之贵如尊爵等意义，即由尊爵等藏礼的酒器而来（参看王国维《释尊》诸篇文字），彝器的彝字后亦转为民彝之彝，指贵族法而言。这里富贵不分，所以周器锡土锡民的财富是常载于所锡的铭器之中，芸台亦云：“钟鼎彝器，三代之所宝贵，故分器赠器，皆以是为先，直与土地并重。”（《积古斋钟鼎彝器款识序》）凡子子孙孙（氏族）永宝用之“器”，与先王受疆土的土地（《周书·梓材》）、子子孙孙世享之殷民（《周书·康诰》），是分不开的礼制。此其二。至于道与器，在形式上虽有形上与形下之分，而其实一源，器之大者铭文有数百字，如盂鼎直可与《周书》之诰体相似，芸台亦云“古器铭字多者或至数百字，继抵《尚书》百篇，而有过于汲冢者远甚”（同上），故汤盘孔鼎（参看郭沫若先生的考证），亦载于经典的言道书中。在道与器的内容上而言，器既是藏礼的制度，道则为所以维持此制度的教条，故道实依于器。此其三。以上所言芸台道与器的历史说明，值得吾人注意，他不但打破了汉以后认彝器如神物或玩物的看法（他说，“自汉至唐，罕见古器，偶得古鼎，或至改元称神瑞”，“北宋以后，高原古冢，搜获甚多，始不以古器为神奇祥瑞，而或以玩赏加之”），而且洗净了道器玄学观点的独断，而历史地拆散出一个道器真相来。

他的道器观，不是哲学的，而是历史的，因而形而上或形而下，亦不必如王船山，戴东原训诂“谓之”的道理，看一看古代彝器的政治性质怎样支配当时的社会，便可以明白“器之藏”了。他说：

三代时鼎钟为最重之器。故有立国以鼐彝为分器者，武王有分器之属，鲁公有彝器之分，是也；有诸侯大夫而赐以重器者，周王予虢公以爵，晋侯赐子产以鼎，是也；有以小事大而赂以重器者，齐侯赂晋以地而以纪甗，鲁公贿晋卿以寿梦之鼎，郑赂晋以襄钟，齐人赂晋以宗器，陈侯赂晋以宗器，燕人赂齐以斝耳，徐人赂齐以甲鼎，郑伯纳晋以钟镈，是也；有以大伐小而取其重器者，鲁取郓钟以为公盘，齐攻鲁以求岑鼎，是也；……有铸政令于鼎彝以为重器者，司约书约剂于宗彝，晋铸刑书于刑鼎，是也；且有王纲废坠之时，以天子社稷而与鼎器共存亡轻重者，武王迁商九鼎于洛，楚子问鼎于周，秦兴师临周求九鼎，是也：此周以前之说也。（同上，《商周铜器说下》）

这种分类，并不科学，我们依据现存吉金来分别彝器的性质，则更有价值。例如锡土锡人者为类，禋祀先王者为类，建邦立国者为类，灭国俘族者为类等等。总之，彝器是中国古代氏族贵族政治的藏礼工具，和西欧古代的法律性质相近，而内容则以有无氏族制的存在为区别。所以在中国，“毁其宗庙，迁其重器”，与“捁其国家”相若。

他关于古代制度，所著《明堂论》、《明堂图说》（按此清代学者有不少著作，至王国维始告结束）、《孝经郊祀宗祀说》、《宗礼余说》、《大雅文王诗解》、《咸秩无文解》，都是很有价值的文章。这些文章，皆关于古代国家的宗礼制度，研究历史者应加参考。他的《明堂论》，所言远古传说，当须洗炼，而关于周公宗礼的制作，关于当时周代重要的禋祀政治，诸篇内容则甚具理由。按王国维据卜辞材料，已证明殷代无坛墠之制，就是说殷代仍在氏族公共墓地制度之时代，没有宗庙社稷（或国家）的历史，此层极关古史性质，不可不辨。芸台言周公明堂宗祀的创立，始配祀文王于上帝，其所引《尚书》“惇宗将礼称秩元祀”诸条最初宗礼见于文献的证据，所引周金中“太室”的证据，都说明周公建立古代的超个人以上的权方（制礼作乐），与周公营洛邑（即东国）或城市国家相为一体。他说：

周公摄政，若不来洛践阼，亲行宗礼，以收天下之心，则天下必不保为文武成王之天下，此不必为周公讳；惟周公毅然曰，我弗辟。我无以告我先王，且克敉宗礼之后，始名宗曰明堂，制礼作乐，归政成王。(《宗礼余说》)

他考证周公之践阼与周公之克敉宗礼，是重要史实，他以为周公祀明堂的时候，周代典章礼乐尚继承殷代氏族的旧礼，他说：

《书·洛诰》曰："周公曰，王肇称殷礼，祀于新邑，咸秩无文。"又曰："称秩元祀，咸秩无文。"此两言"无文"者谓无诗也。古人称诗之入乐者曰文。……周公祀明堂之时，但秩序祀，礼用殷礼，而乐则殷乐。诗不可用，周乐诗又未敢遽作，故曰咸秩无文也。(《续集》卷一)

殷礼是什么呢？这不能在旧的古籍传说中得出结论，请参看王国维先生的《殷礼征文》，根据甲骨文字，始知道殷礼也者，是所没有墠坛宗庙之制的公共墓地，其历史相当于氏族同盟体制时代。周代的宗礼，因为保存着氏族制度，故可以继承殷礼的禋祀祖先的宗教，而又因为建立国家的体系，故其命维新，制定了明堂制度。

芸台《大雅文王诗解》一篇，考证《大雅·文王》篇为周公以后的作品，确为不易，他的旧邦维新之说如下：

周虽旧邦，其命维新，言周之建邦虽旧，追宗祀明堂基命定命之后，天命又新，非言新于文王在时也。……今周文王在明堂配上帝也。仪型文王，万邦作孚，言宗礼克敉，惟以文王之德为仪型，万邦始心服，……始可谓之新受天命也。（同上）

《周金》有“在武王嗣文王作邦”之句，《周书》有“文王肇国在西土”之句，故邦国成立起于文王，而受天大命的新命，不论《周金》或《周书》皆指受土受民的文明。在《周金》与诗书言帅型先王或仪型文武者，没有远古人物，都是仅上称文王，文王以前的人物毫无痕迹。这样看来，周代的文明是以周公的明堂宗礼克敉为决定点，而肇始者则西伯文王，所以禋祀首以文王居上，克配上帝，芸台的考证，启示后来研究者不少。（以上古史的知识，乃专门学问，这里解释简略，读者可以参阅拙著古史三书：《中国古代社会史论》、《中国古史疏证》、《王国维古史考释集解》。）

第三，芸台论古文字与古代思想

胡适之谓芸台长于用归纳法来寻求文字训诂的变迁，这话是对的，惟我们要知道他有时用归纳法所统计的材料，亦有失于非历史的取择，例如他论“性”字把《尚书·召诰》与《孟子》的材料置于同一历史的范围之内分析，他论“顺”字把春秋战国的材料与西周《诗经》的材料一样分析，便是。而且，我们应该研究他所举出的字，不仅限于归纳出抽象的定义而已，更主要的还是研究这些字在各该时代具体的意义，如果不这样去寻味，那么他的贡献是说不出所以然来的。例如《释顺》的顺字，他由《诗》、春秋三传、《孝经》、《易经》等书中寻其意义，他的第一结论是：

有古人不甚称说之字，而后人标而论之者，有古人最称说之恒言要义，而后人置之不讲者。（同上,《一集》卷一）

这是历史的研究，由此可以看出古代文字思想的变迁，但他的第二结论云：

圣人治天下，万世不别立法术，但以天下人情顺逆，叙而行之而已。（同上）

这就成了抽象的理想了。按古代道德伦理诸字的出现，殷代甲文中没有痕迹，在《周金》与西周的可靠文献《周颂》、《周书》(只限于今文十五六篇)中始生端倪，例如德、孝二字便是(参看拙著《中国古代思想史》)。“顺”字在西周不是主要的伦理规范，《诗》《周颂》无顺字，《大雅》顺字多与德字相连，如“应侯顺德”，“顺德之行”，且多对外而言，如“王此大邦，克顺克比”，“有觉德行，四国顺之”。“顺”字成为重要伦理者，大约起始于变雅时代，周代社会当时发生激烈的变动，呈现了奴隶社会的矛盾，如夷厉以后的《诗·大雅》板、荡、抑各章的诗人悲怨。顺字在此诸章中，如言：

其维哲人，告之话言，顺德之行；其维愚人，覆谓反僭，民各有心！

无竞维人，四方其训(顺)之，有觉德行，四国顺之，……敬慎威仪，维民之则；其在于今，兴迷乱于政，颠覆厥德，……罔敷求先王，克共明刑。(《抑》)

维此惠君，民人所瞻，秉心宣犹，考慎其相；维彼不顺，自独俾臧，自有肺肠，俾民卒狂。

维此良人，作为式谷；维彼不顺，征以中垢。(《柔桑》)

由上面《大雅》诗句所出的“顺”字看来，诗句都是对照的体裁，一方面有顺德者，他方面有不顺德者，而且含有古今不同的感慨。这只怕是“顺”字一义在悲剧时代的出现理由。（参看《释训》篇，训字通于顺字）

芸台的第二结论并没有把这些理由说明，反而在理想上歪曲了历史。实在讲来，他所举的“顺”字是春秋以至秦汉之间的文献，这时“顺”字固如他说是“至德要道”，因为天下无道，政由诸侯而大夫、而陪臣，即是说在经济意义上是由氏族单位渐向地域单位转变，故顺字不仅如在西周时代仅限于贵族伦理，而且普及成为一般的道德情操。他归纳了《孝经》章句的顺字，如“天地之经，而民是则之，则天之明，因地之利，以顺天下”等文句，他说：“本孝悌忠敬以立身处世，故能保其禄位，守其宗庙；反是则犯上作乱，身亡祀绝。春秋之权所以制天下者，顺逆间耳。”（《释顺》一集，卷一）这种思想，是七十子后学以后的产物，和他举的《礼经》文句，如“仁者顺之体也”相并而为战国至嬴秦的和解伦理。他提出了“最重要之字”的渊源，这是有价值的归纳，而再行归纳并研究时代精神则须我们研究。

同样地，芸台《释达》一篇，亦为春秋末年的思想，他说：

达之为义，圣贤道德之始（?），古人最重之，且恒言之，而后人略之。……后儒持明体达用之论，而达专属用，非孔曾本义也。(《一集》卷一)

这亦是最好的思想史分析的方法。按“达”字所以为春秋的思想，因为那时已经有“贤”者国民人类出现（参看拙作《贤者晚出考》一文），自由民国人参加了政治活动，参加了学术活动（学术下私人），才能“下学而上达”。这时不似西周的“周亲”氏族贵者恒贵了，而那些出身鄙贱的人亦相对地能自展个性，作宰出任，所以儒者尊贤，墨者尚贤，而倡功业之“达”。芸台这篇文字，比《释顺》一篇更好，他所举的材料不似前一篇用时代不同的东西抽象，而主要据《论语》说明春秋时代达字一伦理思想的重要，他说：

达之义，春秋甚重之，达之为义，学者亦多问之。《论语》:“子张问士，如何斯可谓达矣？子曰……夫达也者，质直而好义，察言而观色，虑以下人，在邦必达，在家必达。……”《大戴礼》:“曾子曰……君子进则能达，岂贵其能达哉？贵其有功也。”绎孔曾此言，知所谓达者，乃士大夫（？）学问明通，思虑不争，言色质直，循行于家国之间，无险阻之处也。……故《论语》曰：“子曰，赐也达，于从政乎何有？”“夫仁者己欲达而达人”，“不怨天，不尤人，下学而上达。”此达之说也。《论语》曰：“诵诗三百授之以政，不达。”《孟子》曰：“君子之志于道也，不成章不达。”此不达之说也。（同上）

由此看来，“达”的伦理思想，是春秋以至战国的国民活动所产生的政治修养，惟有在氏族政治解体的时候，一般市民或私人才可以由成章下学而上达于从政邦家，芸台的解释虽没有历史的说明，而颇显示出实事求是的历史研究。这里，他亦有文艺复兴的主观色彩，即他反对宋儒以来“明体达用”的玄学，而把达用的功利古说举示出来以为解答，所以他又说：

元按，达也者，士大夫智类通明，所行事功及于家国之谓也。（同上）

“愿望是思想的父亲”，凡文艺复兴的战士都有这一主观的倾向。

复次，芸台论古今“性”说变化之历史，亦是思想史的研究，值得我们介绍。按性命之论，在中国中古思想史上是一个主要的论争题目，唐宋以来性的玄学大为发展，到了晚明以及清代复从性的玄学反驳过来而倡性的实学，这场官事打得“不亦乐乎”，“洋洋大观”，所以到了后来，浅识者流把这一问题竟认为不可解决的问题，以为参与这种论争者即为“无谓之争”，徒生枝节而已。实则，此一问题，在近代哲学上的解答早已没有什么神秘，活的历史的人性论已经代替了从前死的类概念的人性论了。而且，此一问题，又可从思想史上予以解答，各个时代有其本时代的人性思想，它不过是思维过程史的一个题目罢了。芸台的性命训诂，自然有他的时代的主观愿望，以复古训之义而为自己的主张，但他的思想史的训诂，要求将思想还元于各自时代的真面目，则更是他的学术的价值。在这里，我们认为无批判地完全崇章阮氏之说者，固为近视，而有成见地完全抹杀阮氏之说者，更失学者态度。他首先从“性”字渊源上讲起，他说：

余讲学不敢似学案立宗旨（按此句暗评宋儒），惟知言性则溯始《召诰》之节性，迄于《孟子》之性善（按此二句亦为历史的，不能一律等视），不立空谈，不生异说而已（按此二句，空谈诚可谓未立，异说则然也）。性字之造于周召之前；从心则包仁义礼智等在内，从生则包味臭声色等在内（按此二句，第一句甚得历史研究，第二三句则望文生义）。是故周召之时解性字朴实不乱，何也？字如此实造，事如此实讲。周召知性命有欲，必须节之。节者，如有所节制，使不逾尺寸也。……（按末数句，字之始造，是与事实相接，言性不离欲，确为古人思想，但以下他引中庸“率性”而谓仍是周召节性之义，说没有玄想而一从实事，则未必然也。）（《揅经室再续集》卷一，《节性斋主人小像跋》）

上文，我们仅从他的历史还元方法着手研究，他以言性在中国最早文献上始自《召诰》之“节性”，这断案自差强人意。他亦在《性命古训》一篇序文云：“先举《尚书·召诰》……以建首”，似芸台已有《尚书》真伪的知识，以周书一部分与商书以前的文献乃七十子后学者所为。但他在该篇本文所云，则颇有出入，“按《尚书》之《虞性》（著者按：虞性原文为“不虞天性”，郑康成以度训虞，属商书）节性，毛诗之弥性，言性者所当首举而尊式之，盖最古之训也，学者远涉二氏，而近忘圣经何也？”此文中举出商书《西伯戡黎》篇之文，研其用意，商书之文可据亦可不据，尚无定见。至于《汤诰》之“降衷恒性”，王应麟谓言性之始，芸台则以古文《尚书》而否认之。据近人考证的结果而言，芸台所谓“言性溯始《召诰》之节性”，殊为不易。

性字出现，在《尚书》始于《召诰》，在《诗经》始于《大雅·卷阿》。《卷阿》一诗，文献名贵，旧说以为成王时代之诗，未可确信，但依所述氏族君子的模样看来，不能在夷厉时代以后。从文句上讲来，《召诰》：“节性，惟日其迈。王敬作所，不可不敬德。”《卷阿》：“岂弟君子，俾尔弥尔性，似先公酋矣。……”这种性说，诚如芸台所云“实无高妙之旨”，“但言无困病之忧，即是考终福命，……此周时人所说之性，非李习之所复之性”。就性字之古训，芸台所谓从心从生之说便弄错了。按性字周金中作生，龙姞敦，“用蕲眉寿绾绰，永命弥厥生”，齐仲子姜镈，“用求考命弥生”，此弥厥生，弥生之生，即《卷阿》弥尔性之性，是性字原即生字，从心则后起之事，言包仁义礼智在内，为春秋以后的思想了。但芸台于古字训诂方面究竟是忠实的研究态度，故亦在“性命古训”后面即赞成生之谓性的古训，说：

按性字本从心从生，先有生字，后造性字，商周古人造此字时，即已谐声，声亦意也。然则告子生之谓性一言本不为误，故孟子不骤辟之，而先以言问之曰：“生之谓性也，犹白之谓白欤？”盖生之谓性一句为古训，而告子误解古训，竟无人物善恶之分。……孟子非辟其生之谓性之古说也。

性命二字，在西周可靠文献以及西周现存吉金之中考证，命字甚多见，性字则殊生疏，此一断语，一究便知，无待详引。芸台谓“周初古人亦不必定于多说性字”，此话不易。周初古人的性命观究竟如何呢？“字如此实造，事如此实讲”，是芸台较近真理的答案。然而这并没有解答了具体历史，据著者研究：第一，性命之文在西周氏族君子的意识中，实是最初天人合一的宗教思想。殷代甲文帝与祖不分，天与人（此人字指族人）不分，乃氏族共同体人类没有分裂的朴素意识；周初便不然，帝与祖分裂，天与人（亦指族人）分裂，故产生了周金，周颂，周书中先王（文王）配天的天命新论，这便是周公明堂制度建立的观念，而礼祀的宗教便和殷代区别出来。第二，天命观是周初的最重要思想，故性字虽为周初古人并不多说之字，而命字确为这时的支配语汇。第三，性命的规范仅限于先王配天、降福氏族公孙的理由，还没有一般的人类性命观，只是说明"有孝有德"的配天命教义。第四,"性"字出现,亦不是一般的人性论(如性善性恶)思想，而仅于指示贵族照先公先王的样子以终天命罢了。(以上诸点颇简略，详看拙著《中国古代思想史》)这里，我们把"性"字的古文献抄在下面：

伴奂尔游矣，优游尔休矣，岂弟君子，俾尔弥尔性，似先公酋矣！玺宇昄章，亦孔之厚矣，岂弟君子，俾尔弥尔性，百神尔主矣！尔受命长矣，弗禄尔康矣，岂弟君子，俾尔弥尔性，纯嘏尔常矣！有冯有翼，有孝有德，以引以翼，岂弟君子，四方为则！四方为纲！(《大雅·卷阿》)

这是歌颂氏族君子或后王帅型先王受命，俾子子孙孙万福无疆的诗句，周金所谓"永命弥厥生"，"用求考命弥生"者可以互证。《书·召诰》："节性，惟日其迈。王敬作所，不可不敬德。"下文亦言要监于夏殷之坠厥命，祈天永命，而且还说：

若生子，罔不在厥初生，自贻哲命，今天其命哲，命吉凶命历年；知今我初服。……王其德之用，祈天永命……

由此看来，初服受命为王，是和生子初生相比，天降命与天降生相同，天既命哲，则亦如降生之有理，而天之永命，是和弥厥生相应，只要敬德孝祖便可以如《卷阿》所言永继先公先王之禄位。性命古训，是这样的，"永命"与"弥生"相配合，即永远为主之义。

故芸台在此篇后文里把"初生"之义解释为贵者所以降生的意思，他说："君臣贵贱，群类不同，各有性命，即《召诰》所说罔不在厥初生，亦即诗所谓实命也。"这是何等忠实的训诂。他又说："此诗俾尔云云之文法，与天保定尔之俾尔单厚何福不除等句相同，虽言性而有命在内，故郑笺兼性命言之，且言无困病之忧，即是考终福命。"解释亦当。

芸台因此，研究性命古训与威仪不可分，亦精确之说。他说：

圣人……因其动作，以礼义为威仪，威仪所以定命，定如诗“天保定尔，亦孔之固”之定。能者（按此二字有语病，周制初期能者贤者尚未出现，应为贵者，或通用君子）勤于礼乐威仪，以就弥性之福禄；不能者（按此三字亦不妥）惰于礼乐威仪，以取弁命之祸乱（按此属变雅所谓哲人之愚了）。是以周以前（按应言周初）圣经古训，皆言勤威仪以保定性命，未闻如李习之之说，以寂明通照复性也。威仪者，人之体貌，后人所藐视为在外最粗浅之事，然此二字古人最重之。（《一集》卷一）

他的威仪说，是由《左传》“君子勤礼，小人尽力”二句开首研究，附于《性命古训》篇的文内，解释古人“威仪”是性命的内容，主要引诗书的材料为证件。首言《左传》二节，证古人“未尝求德行言语性命于虚静不易思索之境”，然《左传》非西周文献，于是他说：

或左氏之言少有浮夸乎，试再稽之《尚书》，书言威仪者二（《顾命》，《酒诰》）；再稽之《诗》，诗三百篇中言威仪者十有七。……敬慎威仪，惟民之则。威仪抑抑，德音秩秩，受福无疆，四方之纲。抑抑威仪，维德之隅，敬慎威仪，以近有德。……威仪者，言行所自出，故日慎尔出话，无不柔嘉，淑慎尔止，不愆于仪。

此谓谨慎言行，柔嘉容色之人即力威仪也。（下引仲山甫古训是式，威仪是力之章句为证）……且百行莫大于孝，……《诗》曰，敬慎威仪，维民之则，靡不有孝，自求伊祜矣。……且力于威仪者，可祈天命之福，故威仪抑抑为四方之纲者，受福无疆也。……反是，则威仪不类者，人之云亡矣，威仪卒迷者，变乱蔑资矣。且定命即所以保性，《卷阿》之诗言性者三，而继之曰，为圭如璋，今闻今望，四方为纲。此即凫鹥威仪为四方纲之义也。凡此威仪为德之隅，性命所以各正也。（下引孔子之言）……（同上）

按他的威仪为性命内容的古训，不但指出性命的古代意识，而且指出性命是勤礼君子所以做贵族的理由，这种以威仪为统治者支配手段之说，暗示古代社会的历史根源的研究，值得我们敬佩！

他亦有在历史研究的正途上，跑了野马，说“古性命之训虽多，而大旨相同”，把西周作品与战国作品（主要为《孟子》）平列地置于一处，比较归纳起来，这点被胡适之先生所重视为有价值者，反而是他的毛病。实在讲来，性命作为抽象的人类性要求理论一般化者，溯始于诸子，尤以孟子以后为最流行。他关于孟子性善论的训诂与发挥是继承东原的传统，主要说明：性、欲无善恶之分，告子说“食色性也”四字本不误，孟子惟辟其义外之说，而未辟“食色性也”之说。孟子所言之性食色在内，不过以礼节之罢了。他甚赞汉儒赵岐的章注，没有晋唐以后别欲于性之外。这点，他在《性命古训》篇的最后一节详言，因为不出东原、里堂的思想路线，我们在此从略不讲。就历史次序上而言，《礼》、《乐》、《易传》应属于晚周思想，他仍拘于传统而与《诗》《书》并论，这亦是训诂考据之学在清代尚未完成之事实。惟他解释《易传》与《乐记》颇有新道理发现，以为“寂然不动”是对卜筮而言，“人生而静感于物而动”是对音乐而言，则把晋唐宋明儒者玄学的根据拆散得如失老家。他说：

按《乐记》“人生而静，天之性也”二句，就外感未至时言之。乐即外感之至易者也。……欲生于情，在性之内，不能言性内无欲。……经文明云，“性之欲也”，欲固不能离性而自成为欲也。……又按，《周易·系辞传》曰：“易无思也，无为也，寂然不动，感而遂通天下之故。”此节所言，乃卜筮之鬼神，处于无思无为寂然不动之处，因人求卜筮，感而遂通，非言人无思无为寂然不动，物来感之而通也，与《礼记》《乐记》“人生而静，感于物而动，性之欲也”为音乐言之者，不相牵涉。而佛书内有言佛以寂静明觉为主者，晋唐人乐从其言，返而索之于儒书之中，得《乐记》斯言及《周易》寂然不动之言，以为相似，遂附会之以为孔孟之道本如此，恐未必然也。又按《易》此节曰，“寂然不动，感而遂通天下之故，非天下之至神，其孰能于此”。此言神道在易筮之内，寂然不动；凡有人来筮者，能因人感，而知天下之故，所以易道为天下之至神非说儒者之身心寂然不动，有感遂通也。否则，天下至神，虽周孔不能，况一介儒士乎？（同上）

他从西周起，讲明“性”字的始义，继述及周秦诸子的性理（此点应剥取其中精审处），最后揭发晋唐宋明的性说渊流，在大体上看来，是思想史研究的规模，比仅在原则上空讲考竟学术源流的章实斋更有价值了。我们把他对于中古思想史的述评在这里介绍一下。他说：

晋唐人嫌味色声臭安佚为欲，必欲别之于性之外。此释氏所谓佛性，非圣经所言天性。梁以后言禅宗者，以为不立文字，直指人心，乃见性成佛，明顿了无生。……此与李习之寂照复性之说更远。……按李翱《复性书》曰："情之动静弗息，则不能复其性，而烛天地为不极之明。……故觉则明。……诚者，圣人性之也，寂然不动，广大清明，照乎天地，感而遂通天下之故。弗虑弗思，情则不生，情既不生，乃为正思，正思无虑无思也。……"商周人言性命多在事，在事故实而易循。……晋唐人言性命多在心，在心故虚而易于附会。习之此书是也。……释典内云："佛者何也？盖穷理尽性大觉之称也。其道虚玄，固已妙绝常境。心不可以智知，形不可以象测。同万物之为而居不为之域，处言教之内而止无言之乡。寂寞虚旷，强名曰觉。"（翻译大论）……释氏之说，皆李习之复性之说所由来，相比而观，其迹自见。……《易》文言明以利贞为情性矣，又言六爻发挥，旁通情矣，然则情可绝乎，性可复乎？（同上）

又案，释氏所说直指人心，见性成佛之性字，……此在梵书之中本不知何称名，是何字样。自晋魏翻译之人求之儒书文字之内，无一字相合，足以当之者，遂拈出“性”字，迁就假借以当之。盖世之视“性”字者，已进于释老而离于儒矣。六朝人不讳言释，不阴释而阳儒，阴释而阳儒，唐李翱为始。……象山阳明更多染梁以后禅学矣（按芸台避宋儒朱子）。（同上）

他又在《复性辨》一篇中说：

庄子缮性曰：“……文灭质，博溺心，然后民始惑乱，无以反其性情而复其初。”元读《庄子》，未尝不叹其说为孔颜之变局也。……唐李翱复性之书即本之于此，而反饰为孔颜之学，外孔颜而内老庄已不可矣，况又由庄入释乎！……后人不能文，不能博，有复性之一说焉，可以不读书，日安佚而其名愈高，孰不乐趋之？（《续集》卷三）

他又详辨“性”字在晋唐以后的附会流变，说：

性字……晋宋姚秦人翻译者，执此物（指本来面目）求之于经典内（经典释文，典者老庄也），有一“性”字，似乎相近，彼时经中性字纵不近，彼时典中性字已相近。于是取以当彼无得而称之物。此譬如执台字以当窣堵波，而不别造塔字也。……唐李习之以为不然，曰吾儒家自有性道，不可入于二氏，于是作《复性书》，其下笔之字明是……从心从生之性字，其悟于心而著于书者，仍是浮屠家无得而称之物。此譬如以塔为西域夷人所居，甚卑屏之，而其所造所居所崇者必以台。且曰，此毛诗内文王之灵台，……问以尔台何形？则曰，高妙之至，七级九级，六窗八窗，栏杆齐云，相轮耀日。呜呼，是直以塔为台，口崇古台，而心炫西塔，外用台名，内用塔实也。是故翻译者，但以典中性字当佛经无得而称之物；而唐人更以经中性字当之也。（同上，《塔性说》）

他关于“性”论思想史的述评，大要如上。然则他有没有主观的主张呢？曰有。他主张博文约礼，在事功上言性言命，而反对面壁见性的中古玄谈，颇有文艺复兴的宏图。这种主张是不是进步的呢？曰是。他的这种人文主义的传统精神，的确是近代的课题。宋明儒的性玄学是假借孔孟的道统，清代学者的性实学是还元孔孟的真面目，即在学术真相上而言，他的分析也具进步的研究，这是没有问题的。

复次，我们再研究他的孔子学说史的论断。和上面的训诂一样，他在这里亦是区别春秋思想与宋明思想的历史分野。按中国中古思想的最大毛病便是缺乏分析精神，笼统于心传之学，如朱子在《大学》章句序中说：

三千之徒，盖莫不闻其说，而曾氏之传，独得其宗，于是作为传义以发其意。及孟子没而其传泯焉……宋德隆盛，治教休明，于是河南程氏两夫子出，而有以接乎孟氏之传。

这种斩绝历史，观念地划一思维史之企图，清代学者驳斥得可谓体无完肤。乾嘉学者更由思想源流方面另辟研究的途径，芸台即是这样研究的一位能手。他的孔子学说的认识，仍根据训诂做起点，他关于宋明以来"一贯"的唯心论哲学，认为不是孔子的圣教，更不是所谓宗传，而他的基本任务，则欲在认识论的实践真谛上求得解答。首先我们看他如何把"心"字从虚灵冥照的本体上返原而为对于外界去认谈分析的人类性能，他说：

汉刘熙《释名》曰："心，纤也，言纤微无不贯也。"此训最合本义，盖纤细而锐者皆可名曰心，但言心而其鑯锐纤细之意见矣。《说文》，心部次于思部，思部次于囟部系部，䌨字即从囟得声得意。今人俗书尖字，古作鑯，鑯与纤同义。《易》说卦云，坎其于木也，为坚多心。虞翻云，坚多心者，枣棘之属。按枣棘之属初生未有不先见尖刺者，尖刺即心也。《说文》，朿字即今刺字，解曰，木芒也。故重朿为枣，并朿为棘，皆归朿部，皆有尖心之木也。……诗凯风吹彼棘心，棘心夭夭，皆言枣棘初生有尖刺，故名曰心，非谓其木皮外里，赤心在内也，心果在内，风安得吹之？且《易》曰坚多心,《礼记》曰松柏有心，皆谓心为尖刺，故可曰多心，有心。……(《一集》卷一,《释心》)

他以纤锐尖刺的性质训心字，而且以“心”既纤析外界，便不能云赤心在内，于是把“心”作为认识分析的手段去看待，它时时和物质世界交接呼吸。这样一来，心的本体如菩提树与明镜台便不知去向了。即有所谓“心传”，而所传者不过是一种纤细尖刺的认识力而已。

心在风中吹着，犹之乎认识在实践中检证一般。因此，他解释《论语》的中心思想，与汪中之训诂相同，他说：

学而时习之者，学兼诵之行之。凡礼乐文艺之繁，伦常之纪，道德之要，载在先王之书者，皆当讲习之贯习之，《尔雅》曰，贯，习也。转注之，习，亦贯也。时习之习，即一贯之贯。贯主行事，习亦行事，故时习者，时诵之，时行之也。《尔雅》又曰，贯，事也。圣人之道，未有不于行事见而但于言语见者也。故孔子告曾子曰，吾道一以贯之。一贯者，壹是皆行之也。又告子贡曰，汝以予为多学而识之者欤？予一以贯之。此义与告曾子同，言圣道壹是贯行，非徒学而识之。……此章乃孔子教人之语，实即孔子生平学行之始末也。（《一集》卷二，《论语解》）

按"一贯者，壹是皆行之也"的训诂，据《论语》的文义以及孔子的学说而言，亦比较圆通。训诂，如果说一切皆由文字而可通义理，或如果说一次就由文字把古人之意活现，便为夸张之说，但满意的训诂，则无疑的可为通解历史的基本知识，芸台此处所解，至少可以说"近似"二字。他据此分辨了朱子"一旦豁然贯通"之说与孔子"一以贯之"之说完全两途，他说：

圣贤之言，不但深远者非训诂不明，即浅近者亦非训诂不明也。就圣贤之言而训之或有误焉，圣贤之道亦误矣，说在《论语》之一贯。《论语》“贯”字凡三见：曾子之一贯也，子贡之一贯也，闵子之言仍旧贯也，此三贯字不应有异。元按，贯，行也，事也，(《尔雅》，“贯，事也”。《广雅》，“贯，行也”。《诗·硕鼠》，“三岁贯女”，《周礼·职方》，“使同贯利”，《论语》，先进，“仍旧贯”，传注皆训为事。《汉书·谷永传》云，“以次贯行”，后汉光武《十五王传》云，“奉承贯行”，皆行事之义。) 三者皆当训为行事也。孔子呼曾子告之曰，“吾道一以贯之”，此言孔子之道皆于行事见之，非徒以文学为教也。一与壹同（一与壹同，经史中并训为专，又并训为皆。《后汉·冯绲传》，《淮南·说山训》，《管子·心术》篇，皆训一为专。《大戴·卫将军》，《荀子》劝学臣道，《后汉书·顺帝纪》，皆训一为皆。《荀子·大略》，《左·昭廿六年》，《谷梁·僖九年》，《礼记·表记》，《大学》，皆训壹为专。至于一壹二字通用之处，经史中不可胜举矣）。壹以贯之，犹言壹是皆以行事为教也。弟子不知所行为何道，故曾子曰，夫子之道忠恕而已矣；即《中庸》所谓忠恕违道不远，施诸己而不愿勿施于人。……此皆圣贤……极实之得，亦即天下古今极大极难之道也。若云贤者因圣人一呼之下，即“一旦豁然贯通”焉（著者按此句出于朱子《大学章句》，阮氏隐其出处），此似禅家顿宗“冬寒见桶底脱”大悟之旨，而非圣贤之道也。何者？曾子若因一贯，而得道统之传，子贡之一贯又何说乎？不知子贡之一贯，亦当训为行事。……此夫子恐子贡但以多学而识学圣人，而不于行事学圣人也。……卒之告子贡曰：予一以贯之，亦谓壹是皆以行事为教也。……闵子曰：“仍旧贯，如之何？”此亦仍旧行事，不必改作也。故以行事训贯，则圣贤之道归于儒；以通彻训贯，则圣贤之道近于禅矣。鄙见如此，未知尚有误否，敢以质之学古而不持成见之君子。（同上，《论语一贯说》）

按以上所详辨“贯”字之义，分明是区分孔子与朱子“归儒”与“近禅”的思想不同之处，贯行者为孔子的一贯之道，通彻者为宋儒的一贯之道，二者没有“心传”的。他所谓“以通彻训贯”者，亦暗指朱子，如朱子《论语注》云：“贯，通也。……圣人之心浑然一理，而泛应曲当，‘用’各不同。曾子……未知其‘体’之一尔。……”这里体用二字的语源，据顾亭林李二曲所讨论，即来自佛典；至于训贯为通，即所谓一旦豁然贯通之通彻。清代学者读《论语》多感到行事的实践，而宋儒读《论语》则如程子云“颐读《论语》……愈久，但觉意味深长”，这“意味深长”四字，好像众妙之门，“浑然”超出言诠的。

又按芸台的《论语一贯说》的次篇为《大学格物说》，亦继其分辨古今思想的异变而立说，文中曾言：“先儒论格物者多矣，乃多以虚义参之，似非圣人立言之本意。元之论格物，非敢异也，亦实事求是而已。”这种从容委婉的态度，是他的本色，但骨子里则很结实地批判了宋儒。

《大学》一书，清儒陈乾初，汪中已经怀疑，著有专篇论究。《中庸》一书，其中或有子思之作，而亦多汉人之文，亦为清儒以来所大体考明。（按此二书，冯友兰不顾朱子，列在秦汉思想之中。）芸台对于这两本《大戴礼》所载而为宋儒崇章的书，亦接收了当时汉学家考订的意见，他在《中庸说》（续集卷一）中说：“《中庸》为子思所作，自天命之谓性，至父母其顺矣乎，似《中庸》之大义已止于此；自鬼神之为德已下，似别成一篇，与《中庸》无涉。”故他似已经论及《中庸》一书的内容，不成一人之手。他在《大学格物说》篇中，首云“礼记大学篇”字样，文中虽称曾子著书，而没有如宋儒所谓“孔子之意，而曾子述之”，这亦受了陈乾初汪中考证的影响（按他读过《南雷文定》，见此篇注中）。在这些地方，他已经不同于宋儒治《大学》《中庸》的态度了，已经微露出学庸思想应与孔子分开研究的线索。他所谓“先儒多以虚义参之”，有朱子的话在下面：

右传之五章，盖释格物致知之义，而今已矣！间尝窃取程子之意，以补之曰：……大学始教，必使学者即凡天下之物，莫不因其已知之理而益穷之，以求至乎其极。至于用力之久，而一旦豁然贯通，则众物之表里精粗无不到，而吾心之全体大用无不明矣。此谓物格，此谓知之至也。

他对于这种“虚义”，认为不是古人的本意，而依汉儒所谓实事求是的态度去发现古人的立言所指。他的训诂如下：

致知在格物。物者，事也，格者，至也，事者，天下国家之事。……格有至义，即有止意。履而止于其地，圣圣实践之道也。凡经传所云"格于上下","上下不格",……"暴风来格",及古钟鼎文"格于太庙","格于太室"之类,皆训为至,盖"假"为本字,格字同音同义相借也。小尔雅广诂曰,'格,止也"。知止即知物所当格也。至善之至,知止之止,皆与格义一也。……《仪礼·乡射礼》曰,"物长如笥",郑注云,"物谓射时所立处也"。……盖物字本从勿,勿者,《说文》,州里所建旗趣民事,故称物物。……射者所立之位,亦名物者,古人即通会此意以命名也。……故曰,格物者,至止于事物之谓也,凡家国天下五伦之事,无不当以身亲至其处而履之,以止于至善也。……(《一集》卷二)

按他训"格"之古义,至确。《大学》中未始没有履物的含义,而如谓其中完全与古义相同,毫无新义,在秦汉人思想中实亦未必然。这里已经包含着他的"实践"之主张,此在知识论上他虽然没有哲学的发挥,但亦颇名贵。他没有走上东原的观照论,胡适之先生批评云:"不了解戴学的真精神,岂不可叹?"实在讲来,戴学在这一点却是弱处,芸台在东原旧路上改正是发展,而恕谷在习斋实践主义上修理,则是倒车。适之的实验主义之所以在书本上，与乾嘉学者的考据方法之所以在经传中，都有他们的理论局限，而适之硬把东原认为中兴清代学术的人，规定为超出向大世界迈步前进的清初大儒之上，亦是这个原因。

芸台还有《论语论仁论》、《孟子论仁论》二篇，亦重“仁”字历史的研究。他说：

按夏商以前无仁字（虞书德字惠字，即包仁字在内）。……仁字不见于尚书虞书商书（仲虺之诰，“克宽克仁”，太甲，“怀于有仁”，皆古文尚书），《诗》雅颂，《易》卦爻辞之中。此字明是周人始因“相人偶”之恒言而造为“仁”字。……《论语》曰，“虽有周亲，不如仁人”，著于经矣，必非始于孔子也。……《论语》，周亲仁人，亦书之逸文（今在古文泰誓）。……然则仁字之行，其在成康以后乎？（《一集》卷九，《孟子论仁论》）

按仁字不见于虞夏商书及《诗》三颂，《易》卦爻辞之内，似周初有此言而尚无此字。其见于毛诗者则始自《诗》国风“洵美且仁”。……（《一集》卷八，《孔子论仁论》）

这种研究是最合乎实事求是的精神。按“仁”字，在可靠的古书中，不但不见于西周，而且不见于孔子以前的书中（《诗》国风洵美且仁之句，颇似后人所记者，且为孤证）。芸台引《周礼》仁字，断为初见最古者，亦似把周礼看成西周作品了。更据地下材料，仁字不但不见于殷代甲文，更不见于周代吉金，其为后起之字，实无问题。考周代人名，用道德之字取名者甚多，而以仁字为名者，则始于六国年表开首的周元王，《史记·索隐》云，元王名仁，系本名赤。这还在孔子之后。芸台疑仁字之出“在成康以后乎”乃本于《周礼》为西周文献而假定的，如果以国风，《论语》始见其字为之测度，或在春秋时代乎？至多仅能云，或在宣王中兴之后乎？为什么如此测度呢？因为在周初的伦理诸字，如德、孝、敬、恭等，皆指氏族君子高尚之行谊，换言之，这些字是属于“周亲”，是亲亲之属，那时“君子居国”（即城市）“小人狎野”，礼于国者仅为氏族贵族，还没有市民的角落。而“仁”字便不同了，我们依“虽有周亲，不如仁人”逸文而言，就可以看出仁人与周亲是相对的。这字应和“贤”字的出现相距不远，或稍在后。贤者既是和亲者相对而言，如亲亲、尊贤之于儒家的调和论，非亲、尚贤之于墨家的改革论，都是在氏族与国民二者历史的变动中所产生之最大的论辩，那么“仁”字亦当是随着“贤”字的人类活动而设计的，所谓“上世亲亲而爱私，中世上贤而说仁，下世贵货而尊官，……世事变而行道异也”(《商君开塞》篇)。这里中世云者，颇当变风变雅以后以至春秋之世。又按“贤”字周书周颂都没有见到（仅一巫贤之名），周金中没有痕迹，初见于《诗 · 大雅》“序宾以贤”，石鼓文“××多贤”，著者认为在这些地方的贤字尚是好射手之义，如《仪礼·乡射礼》亦云“释获者遂进取贤获。……若右胜则曰右贤于左，若左胜，则曰左贤于右”，贤字在转为一般知能上而表示普遍人类贤智之义，还在这文献以后的。（参看拙作《贤人考》一文）所以仁字更在贤字转变训义之后的。考贤者国民人类跑上历史舞台，在古代中国与西洋颇异，前者是逐渐从氏族制崩溃的废墟上抬起头来，古文献表现这种历史者，始于西周之末，盛于春秋之时，而大事斗争于战国时代（法家与重人不相立）。因此，我测度“上贤说仁”之最原始史实，至多在宣王中兴以后，或更后简直在春秋时代。(参看拙著《中国古代思想史》)国风“洵美且仁”之诗句亦当西周末春秋之初。

从这里讲来，孔子论仁的历史背景亦可摸到了几分。芸台研究孔子之仁学，是根据《论语》言仁的五十八章，凡一百有五个仁字，比较其义的，这种办法固然不能完全凭赖(因为还不是严格历史的)，但由此则把宋儒注仁的玄学暴露得原形毕现。他说：

元窃谓诠解仁字，不必烦称远引，但举《曾子·制言》篇“人之相与也，譬如舟车然，相济达也，人非人不济，马非马不走，水非水不流”，及《中庸》篇“仁者人也”，郑康成注“读如相人偶之人”数语，足以明之矣。春秋时孔门所谓仁也者，以此一人与彼一人相人偶，而尽其敬礼忠恕等事之谓也。相人偶者，谓人之偶之也，凡仁必于身所行者验之而始见，亦必有二人而仁乃见，若一人闭户斋居，瞑目静坐，虽有德理在心，终不得指为圣门所谓之仁矣。盖士庶人之仁，见于宗族乡党，天子诸侯卿大夫之仁，见于国家臣民，同一相人偶之道，是必人与人相偶，而仁乃见。郑君“相人偶”之注，即……《论语》已立立人，已达达人之旨，能近取譬，

即马走水流之意。……（同上）

他在此篇后文列举孔子论仁之章句研究，在第一二条下，他引《礼经》与《诗经》笺注人之耦之意，说：

人耦犹言尔我亲爱之辞，独则无耦，耦则相亲，故其字从人二。……元案《论语》问管仲，曰人也，……此直以人也为仁也，意更显矣。

其余各条中，亦有可参考者例如：

曰并（即堂堂乎张也，难与并为仁矣），为并即相人偶之说也。

颜子克己，己字即自己之己，与下为仁由己相同，言能克己复礼，即可并人为仁。……仁虽由人而成，其实当自己始，若但知有己，不知有人，即不仁矣。……若以克己字解为私欲，则下文为仁由己之己，断不能再解为私。……心与仁究不能使之浑然为一曰，即仁即心也，此儒与释之分也。……宋后字书，皆注己作私，引《论语》克己复礼为证，则诬甚矣！……凌次仲教授曰："即以《论语》克己章而论，下文云为仁由己，而由人乎哉？人己对称，正是郑氏相人偶之说，若如《集注》所云，岂可曰为仁由私欲乎？"

他在此篇最后说：

元此论乃由郑氏相人偶之说序入，学者或致新僻之疑，不知仁字之训为人也，乃周秦以来相传未失之故训，东汉之末，犹人人皆知，并无异说。康成氏所举相人偶之言，亦是秦汉以来民间恒言，人人在口，是以举以为训，初不料晋以后此语失传也。

按“人”字在西周可靠文献中，常人、老成人，皆指族人而言，尚不是一般地指国民人类而言。周金中多有人字，便严与民字分别，如“邦人、正人、师氏人”皆言人为族人，即锡人之器，如“州人、策人、军亭人”，亦指三族人。故“人”与“仁”在西周未可混通，芸台说：

再溯而上，则《小雅·四月》：“生祖匪人？胡宁忍予！”此匪人之人字，实即仁字，即人偶之意，与《论语》“人也，夺伯氏邑”相同。盖周初但写人字，《周礼》官后始造仁字也。（同上）

这便弄错了。先祖匪人之人字，言先祖不是尊贵的族人么？毫没有再溯而上的必要了。所以在春秋末，仁人或可以混通，而西周即在变雅中亦仍保存“人”字的原始古义。——这是我们读了上文所应知道的第一点。

复次，“仁字训为人也”，在文献上仅于《春秋》见之，尚不得泛称周代。《论语》中的仁字，有两大分类，一、言人类的道德情操，如为仁由己，刚毅木讷近仁之类，在国民的一般人类情操上泛言“我欲仁斯仁至矣”的性之相近，这是氏族制破产而自由民抬头的进步思想，故仅就这方面而言，“仁”是作为人的最高道德去看待，如：“若圣与仁，则吾岂敢？”如孔子许人忠字清字，而难以得到仁的评价，评弟子的能力，而谓“未知其仁也”。二、言仁与贵族君子的关系，凡从政、使民、匡天下的至德要道，最后为仁，这里存在着现实上的仁心与仁政，是君子之道，故云“君子而不仁者有以夫，未有小人而仁者也”，后来孟子便更发挥为“君子存之，小人去之”了。基于以上两种思想，故儒家便主亲亲与尊贤的二元论，以求两种人的统一，所谓“道二，仁与不仁而已矣”。（孔墨俱道仁义，为春秋末战国初的新思想，孔子与墨子不同，墨子是尚贤的一元论，否定了亲亲，主张兼爱，反对别君、别士。兼、别二字为分类与不分类的区别。）如何统一呢，孔子说“君子笃于亲，则民兴于仁，故旧不遗，则民不偷”。由近及远，由贵及贱，使两种人都均和于一致之点，这是因了新人类出现，不能抹杀现实，而对于“礼不下庶人”的西周思想所为的修正。芸台关于这点，亦解释得颇当，他说：

可见亲亲而仁民，仁民而爱物之序，孝悌为仁之本，即孟子所谓未有仁而遗其亲者也，所以尧典必由亲九族而推至民雍也。博爱平等之说，不必辩而知其误矣。

按儒家亦有“虽有周亲，不如仁人”的话，此话出处当在孔子以前，颇无疑问，这为孟子强调仁政，民为贵社稷次之，所本。但讲“仁”的道理，总是由周亲以至仁民。如果这样的论断不差，则汉人“相人偶”的训诂，在人与人间的关系尽管不明，而颇有周亲与庶人共同相处的意思，譬如耦耕者同执一犁以从事农耕，或如“人之相与，如舟车然，相济达也，人非人不济……”道二之偶，虽然不齐，而毕竟是在一架农具或舟车之下，共同维系工作。至于谁拉着社会的舟车，谁指挥着这拉舟车的人，则为另一问题，墨子的说法是谁有能力谁做指挥，谁没有能力谁拉车，这便是他的“兼”论，接近于芸台所谓“博爱平等之说，不必辩而知其误”者，荀子评为“慢差等”，可知儒家所谓“偶”，需要如孟子求国中之贤的话，不使“卑逾尊，疏逾戚”（即周亲）。孔子说五种道德行之于天下为仁的话当为孟荀所本：“恭则不侮，宽则得众，信则人任焉，敏则有功，惠则足以使人”——所请“偶”者，乃上与下之人偶，这是我们所应知道的第二点。

芸台亦言“相人偶”之言为秦汉人的话，这样说来，以此训诂孔子的仁字，便不一定可靠，故他末言他解释孔子的仁字是仅从这里入手，而主要是研究“仁字之训为人也”在周代的意义。的确，西周的文献关于仁字，虽然不能明白，而春秋的仁字则有人的含义，如问管仲曰人也，人与仁通借。或者，这所谓人可释为“配做尊贵的贵族”或执政者，但在别的地方，如“士不可以不弘毅，……仁以为己任”，已经明言士人是担当于仁字的，而士人如孔子弟子子张等便是鄙野之流出身的。由人的国民资格的扩大，故仁的道德理论，如“其心三月不违仁”，亦就在人类性上渐作为普遍的情操去规定了，孔子的新道德观在此。——这是我们所应知道的第三点。

芸台的研究是历史的，故宋儒以来的仁字观念论与孔子的仁字功业论（如管仲如其仁、如其仁之评价），在此篇文字中多有比较区别的论断，例如他说：

仁与人心究不能浑而为一，若直号仁为本心之德，则是浑成之物，无庸用力为之矣。

这是明显地批判宋儒的“仁者浑然与物为体”，“仁则私欲尽去而心德之全也”。他又说：

视听言动，专就己身而言，若克己而能非礼勿视、勿言、勿动，断无不爱人，断无与人不相偶者，人必与己为仁矣。……一部《论语》，孔子绝未尝于不视不听不言不动处言仁也。颜子三月不违仁，而孔子向内指之曰，其心不违，可见心与仁究不能浑然而为一曰，即仁即心也，此儒与释之分也。

但能无损于人，不能有益于人，未能立人达人，所以孔子不许为仁。

仁道以爱人为主，若能保全千万生民，其仁大矣，故孔子极许管仲之仁。

这里所言含有他的主观见解，不必是同于孔子者，但从这里亦不是区别不开孔子与宋儒的思想——拆散了“心传”。这是我们所应知道的第四点。

如果说他的《论语论仁论》一篇在主张的倾向上反宋学，则《孟子论仁论》一篇是反明学，例如“良知良能”的良字训为实字，以“良知即心端，良能即实事，舍事实而专言心，非孟子本旨”，批评阳明明镜无所留染，良知之体如明镜之说，谓：“不解王文成何所取而以为圣贤心传之秘？！”

末了，我们知道，清代学者的分析方法，超越前人者，实价值至高。然而历史的分析者，清初费密父子，清中叶章实斋、汪中开其风气外，还没有更系统的学术，其余各家都是依据纯理论的态度争辩论难，令人总有难以心折之处，觉得亦好像韩非子批评孔墨俱道尧舜，各自以为皆是真尧舜。芸台的古代思想分析，在这一点颇当清代汉学思想的殿军，虽然分析并未至严密科学的境地，而分析的方法则运用了汉学家的成果，使人更容易了然于历史自历史，存在于客观世界，而心传自心传，可任人假设的。依据历史尽可以反对否定中古的玄理，而并不能依据历史反对他们无自由讲话的权利。只有像翁方纲才想把汪中讲话的权利褫夺，而卢文弨所云汪中被人所誓欲杀之者是。芸台是位饱学的大臣，不可能有像习斋、容甫的锋芒，更不可能有东原、实斋的激昂，雍雍大雅，谆谆善诱，更显出他的客观公正的态度，引导人摈除意气而忠实于历史。

第三节　汉学总结者的功绩与方东树的反汉学

尤有进者，一个总结汉学风气的人，因了他的治学求是求真的态度，不但在古文家学方面有所贡献，而且对于后来今文家汉学更有提携的功绩，就是反汉学的方东树其人，他亦能包容在他的幕下。今文家龚定庵、康有为都直接间接受了芸台的诂经精舍、学海堂两个开明大学的恩泽，定庵为段玉裁的外孙，受芸台的洗礼自不待言，即有为的学术渊源，亦导于学海堂，有为的老师为朱次琦（九江），而九江即受知于芸台做过学海堂都讲，由九江的宋汉融合论，始派生了有为的今文学。我们这里，举定庵的话来做证据。他说：

今大学士仪征阮公所燕居曰揅经室，入是室也，无杂宾，无杂言焉。夫言之庞，由学之歧也，所居之猥𡡉，由耆好之俚也，宾客之蔆孰滐譁，由主人之不学也。……

虽以龚巩祚之旲然熹言百家，登是堂，愀乎非五经之简毕不有敢言焉。…… 陈氏与巩祚游阮公之门者也。(《问经堂记》)

由这话，可以知道喜言百家的定庵今文家，对于芸台的学养深服之情，是何等逼真。他的《阮尚书年谱序》更推崇芸台备至，由他所述芸台的学问，如训故之学、校勘之学、目录之学、典章制度之学、史学、金石之学、九数之学、文章之学、性道之学、掌故之学看来，条理分明，恰得要领，非有精审研究者不能写出的，更至他亦不能不说："不道问学，焉知德性？"他自云写这篇文章，把芸台所著书二十四卷研究卒业，始"撮其括要而言"，确是实话。他说：

公毓性儒风，励精朴学，兼万人之姿，宣六艺之奥。…… 汇汉宋之全，拓天人之韬，泯华实之辨，总才学之归。彼区区文儒之异传，龂龂经人之异师，皆所谓得支亡干，守隅昧方。伟哉绝业，莫之与京已！…… 两汉以降，…… 求其出秉斧钺，入总图师，朝宁倚焉，师儒宗焉，岂可遘与？公宦辙半天下，门生见四世，七科之后辈，尚长齿发，三朝之巨政，半在文翰。幽潜之下士，拂拭而照九衢，蓬荜之遗编，扬扢而登国史。斗南人望，一而无两！……公知人若水镜，受善若针芥，爨材牛铎，入聪耳而咸调，文梓朽木，经大匠而无弃。器萃众有，功收群策。……凡在僚友，畏其敏，服其大，此公之功在察吏者也。……公先视浙学，……乃设精舍，颜曰诂经，……今兹来粤……斠士之堂，榜曰学海，想见俊髦之翕集，与其波澜之壮阔焉，此公之功在训迪者也。……

芸台“学海”之名，实后来孑民先生北大学海之先导，“波澜壮阔”，训迪后学，虽今文家亦不能不服其大。古文家由他总结颇易了解，而后来学术发展更由他训迪，从“学海”里翻浪而涌现出维新思想，则不易被人觉察。他以一个大教育家立于清代积弱的嘉庆末至道光初的时代，乃中国学术史的可特书者。他在教育家地位而言，不但没有成了后来学术发展的绊足石，反而是一个启迪者。

反之，当时方东树的《汉学商兑》那种理学家的独断炎势，大有不惜把历史撕破、人类毁灭来攻击汉学家，而以“乱经畔道”，“厉禁言理”，“异端邪说”，“有害名教”，加汉学家罪名，则正好像连他们的说话权利亦要禁止的，比之芸台的态度，适成反比。然而，历史是残酷的，还要谈玄理么，所来了的新历史，是外而帝国主义的雅片战争，内而太平天国的农民战争！（阮元的后一任两广总督即林则徐，阮氏在林氏之前已有禁烟之议。方东树死的同年即洪秀全称天王的一年。）这说明是没有走了习斋所谓“文衰而返于实”的路线，而走了他所惧的“文衰而返于野”的路线。

按汉学至毕沅与阮元，都是以通儒做了封疆大吏，他们的汉学提倡，影响更大，正如《汉学商兑》的作者方东树传所言："道光初，其焰尤炽，先生忧之，乃著《汉学商兑》，辨析其非，书出，遂渐熄。"（苏惇元）从阮元以后，汉学亦的确一落千丈了。为什么呢？是不是方东树一书之出，辨析汉学之非，而又转入理学之是了呢？真的如方东树所言“考证汉学，以文害辞，以辞害意，弃心而任目，……使其人……翻然厌之，则必于陆王是归”么？任公说：

方东树之《汉学商兑》，却为清代一极有价值之书（原著加圈点）。其书成于嘉庆间，正值正统派炙手可热

之时，奋然与抗，亦一种革命事业也（？）。（《清代学术概论》，一一三页）

任公过于重视了此书的价值。此书析辨汉学之诬处，即有部分的理由，亦不是在于研究学术，而主要是以卫道者的心传法宝，重新提倡理学的。例如他的重序说：

宋代程朱诸子出，始因文字以求圣人之心，而有以得于其精微之际。语之无疵，行之无弊，然后周公孔子之真体大用，如拨云雾而睹天日。……后世之学者，不幸不见天地之纰，古今之大，赖程朱出而明之，乃复以谀闻驳辩，出死力以诋而毁訾之，是何异匹夫负十金之产，而欲问周鼎者也，是恶知此天下诸侯所莫敢犯也哉？

按他的重序从头到尾是说明古今学术史的变迁，巧词比喻，遁词独断，可谓丽文！他比汉儒为古经耕耘的农夫，比宋儒为古经舂食的主妇（按舂者在古为女子职，故这里如此给他举名），这是什么历史学？他的意思是“求圣人之心”者，“莫敢犯”，犯之则为“邪诐大肆”（上卷语）。他不说理由，只拿云雾、天日之字眼做独断，比之汉学家由训诂以明经义的研究法，则更有清醒与梦醉的分别（芸台的话）。原来他自己说：

余平生读书，不喜异书。……惟于朱子之言有独契。觉其言言当于人心，无毫发不合，直与孔孟无二。……故见人著书凡与朱子为难者，辄恚恨，以为人性何以若是其蔽也！（三序）

这是何等主观的独断，要知道“当于事实”者其学术价值更大，就说是“异书”罢，亦应理性一点去研究，不能以自己人心的“独契”，就来一个“恚恨”，甚至直求到“人性”中去。这样的书（他的《书林扬觯》一书则更令人读了如饱吃一场玄风的扬沙）怎样能如任公所赞为“革命事业”？在这里，著者以为适之的相反意见倒值得写在下面。

到阮元的时候，汉学越得意，朱学也就要更妒忌，更愤恨。于是姚鼐的同乡弟子方东树愤愤地起来提出最激烈的反革命。（按这句话不完，应有“的言论”三字。见《东原哲学》，一七三页）

理学家的《汉学商兑》固然是时代的回光返照，然而汉学毕竟亦就告了一个段落，这却又不是适之过崇汉学与科学相等的看法所能理解的，他似乎以为汉学文化不应在此时消沉，而竟消沉的原因，那就是野蛮的太平天国毁灭文化之罪过，他说：

咸丰以后，汉学之焰确然渐熄，但其中的功罪，……不如归到洪秀全和杨秀清的长发军了。（同上）

长发军对于汉学有这样的世仇么？即以当时兵马灾害，扰及治安而言，亦不能妨碍中兴之臣再复兴汉学，但中兴大臣没有这样做者，自有历史说明，也不是适之的“基础”看法，如云：“乱平之后，曾国藩一班人也颇想提倡朴学（？），但残破困穷的基础之上已建不起学术文化的盛业了。”（同上）适之以朴学斯文沦丧为盛业之难以再建，发出极大的感慨，这完全陷于主观的痛惜心，与恚恨心都是一源。我的看法，是汉学本身，在又一个大时代的风浪中，比明末清初更大的风浪中，显得成了小脚女子，步不入大世界的荆棘，更难斩荆除棘做开路先锋。他们的“实”退回古经中，如今的“实”是要进而蹈入社会了。我的四句汉学论，在这里便是关节：

蔽于古而不知世。蔽于词而不知人。有见于实，无见于行。有见于阙，无见于信。（解释见上）

经太平天国，雅片战争以后的中国思想界，要寻搜世界，要追求个人，要跃入和人民联系的实践中，要信仰将来所来临的“绝对”历史。在这里，正要求人类的解放理想，在文学上谓之浪漫主义，而主敬主静的玄思，空想的理学心学对之如风马牛之不相及，这属事理之必然，即汉学的纤小细腻的手法亦无所措其手足。汉学的绝路在此。江藩的《汉学师承记》与阮元同时便已经结算了清代汉学史了，在晚清，汉学家虽亦有所贡献，如章太炎、王国维的业迹，亦不是学术思想的主流，而仅附属于历史学中去了，这看太炎、静庵二位先生自称考证朴学为通识历史的话，便了然了。

如果说全谢山的清初诸大儒的神道碑墓志铭等，述评他们的思想学术活动，为十七世纪中国学术史的总结，则江藩的《汉学师承记》，述评乾嘉汉学家的思想学术活动，为十八世纪中国学术史的总结（江氏书的次序，以阎百诗起首，而将黄梨洲、顾亭林附录于后，颇示分期），亦犹之乎黄梨洲之《明儒学案》总结明代学术的活动，因为述评思潮的著作，恒在一段思潮告一阶段的时期，中外皆然。

由这里我们就知道姚鼐、方东树的反抗汉学不是基于正途上迈步的思想运动，而是一种逆流。单就他们的思想价值本身而论，前人亦多没有高价评述，不论今文学家或古文学家都对之不胜其讽刺，今举今文家皮锡瑞，古文家章太炎的话如次，可供认识的参考：

皮氏说：

江藩作国朝《汉学师承记》，焦循贻书诤之，谓当改国朝经学师承记，立名较为浑融，江藩不从；方东树遂作《汉学商兑》，以反攻汉学。平心而论，江氏不脱门户之见，未免小疵；方氏纯以私意肆其谩骂，诋及黄震与顾炎武，名为扬宋抑汉，实则归心禅学，与其所著《书林扬觯》，皆阳儒阴释，不可为训！（《经学历史》）

章氏说：

方苞、姚范、刘大櫆，皆产桐城，以效法曾巩归有光相高，亦愿尸程朱为后也，谓之桐城义法。……桐城诸家，本未得程朱要领，援引肤末，大言自壮。（……诸姚生于纨绔绮襦之间，特稍恬惔自持，席富厚者自易为之，其他躬行未有闻者，既非诚求宋学委蛇宁静，亦不足称实践，斯愈庳也。）……姚鼐欲从（戴）震学，震谢之，犹亟以微言匡饬。鼐不平，数持论诋朴学残碎，其后方东树为《汉学商兑》，徽识益分。（东树亦略识音声训故，其非议汉学，非专诬谰之言，然东树本以文辞为宗，横欲自附宋儒，又奔走阮元、邓廷桢间，躬行佞谀，其行与言颇相反。……今人宁尊郑氏，而黜贾马，其见已鄙，酿嘲之由，宜在兹乎？）（《检论》卷四）

*　　　　*　　　　*　　　　*

乾嘉以来，汉学家辈出，成就颇巨，江藩《汉学师承记》一书为专门叙述这个时期著述的史记，可以参考。拙著所述者仅当时的代表作家，其余未能一一列举。兹将江氏的目录抄之于后，读者应与拙著互对研究。

卷一

阎若璩　张弨　吴玉搢　宋鉴　胡渭　黄仪　顾祖禹　张尔岐　马骕　王尔膂

卷二

惠周惕　惠士奇　惠松崖（栋）　沈彤　余古农　江艮庭　褚寅亮

卷三

王鸣盛　金日追　钱大昕　钱塘　钱坫

卷四

王兰泉　朱筠河　武亿　洪亮吉　张惠言　臧琳

卷五

江永　金镑　戴震

卷六

卢文弨　纪昀　邵晋涵　任大椿　洪镑　汪元亮
孔广森　李文藻　桂馥

卷七

陈厚耀　程晋芳 贾田祖　江德量　汪中　顾九苞
顾凤毛　刘台拱　钟褱　徐复　汪光爔　李钟泗　凌
廷堪

国家出版基金项目
NATIONAL PUBLICATION FOUNDATION

《三联经典文库》

第二辑

2012年国家出版基金项目

三联经典文库

160

近代中国思想学说史

（一）

侯外庐 著

生活·讀書·新知 三联书店

图书在版编目(CIP)数据

近代中国思想学说史（1–4）/ 侯外庐著. -- 北京:
生活·读书·新知三联书店, 2014.1
（三联经典文库第二辑）
ISBN 978-7-108-04673-4

Ⅰ. ①近… Ⅱ. ①侯… Ⅲ. ①思想史－中国－近代
Ⅳ. ①B25

中国版本图书馆CIP数据核字(2013)第246479号

《三联经典文库》出版缘起

适逢生活·读书·新知三联书店八十华诞，为弘扬传统，接续文脉，回报读者，服务社会，我们决定策划出版《三联经典文库》。

1932年7月，生活书店在上海创办，此后，读书出版社和新知书店相继成立。本文库第一辑、第二辑所选图书，来自于这三家出版单位及其分支机构，以及1948年生活·读书·新知三联书店成立后的出版物，始于1932年，截至1951年，两辑各一百种。此为第二辑，涉及政治、经济、社会、军事、思想文化诸领域，涵盖专著、文集、散文、小说、诗歌、传记、报道等体裁，既有直面现实、追求真理、讴歌真善美、抨击假恶丑的原创作品，又有引介世界各国先进文化、传播新知、开启民智的逐译之作，真实记录了那一代知识分子的思考与探索、理想与愿景和对中华民族文化传承与创新所做出的努力与贡献。

本文库所辑入各书，多为名家名作，在版本方面，以初版一印本或经著译编者审定、修订、增订过的版本为首选，因此本文库又具有较为珍贵的版本价值和收藏价值。

本文库还将编选续辑，使之成为恢弘文化工程。诚挚希望读者给予批评和指正，帮助我们完善编选工作，再现三联经典作品之风采。殊为遗憾的是，由于年代久远，一些原著译编者及其后人未能取得联系并奉付稿酬，诚盼版权所有者与我们联系。祈愿三联前辈所创造的精神财富能薪火相传，为中华文化的伟大复兴增光添彩。

《三联经典文库》编辑委员会

2013年8月

凡　　例

一、本文库为重排本，由繁体字竖排版改为简体字横排版。

一、以忠实于原作、整旧如旧为编辑原则，对当时使用的专有名词、外文译名，以及民国时期的语言和特色予以保留。

一、原书注释如旧，编者所出的注释，均以“编者注”标明，以示与原书注释的区别。

一、对原书残缺或字迹漫漶之处，以□示代。

一、对繁简文本转换时的“如右”、“见左”一类，对应改为“如上（前）”、“见下（后）”。

一、对原书中各种错讹脱衍之处，直接订正，不再以其他符号标示。

一、对数字、标点符号的用法，在不损害原文语义的情况下，做必要的规范。

一、本文库各书均前插原书书影、原书版权页和文库版“本书出版说明”。

一、本书出版说明的撰写，以客观中立为原则，扼要介绍本书的内容、版本流转、著译编者的情况。

本书出版说明

本书是十七世纪以至清末民初的思想史，共计三编。十七世纪的启蒙思想，气象博大，影响深远，以王船山、黄梨洲、顾亭林、颜习斋等为代表，是为第一编；十八世纪的汉学运动，为学问而学问，是乾嘉对外闭关、对内安定的学术暗流，是清初大儒思想的余波，以戴东原、章学诚、汪中、焦循、阮元为代表，是为第二编；十九世纪中叶以至二十世纪初叶的文艺再复兴，更接受了西洋学术的直接影响，内容殊为复杂多面，直与现代文化相连，以龚定庵、康有为、谭嗣同、章太炎、王国维为代表，是为第三编。本书引文极多，即使对著者的评述有疑问，读者也可审辨原文，自作判断。

本书作为"新中国大学丛书"之一种，由生活书店初版于 1947 年 5 月，此次出版即以初版为底本。原书末附有"勘误表"，在原书出版时有的错误已改，有的未改。此次出版，我们将表中所列错误，一一对应改正，故将此表删除。本书体量较大，原书只分上下册，为方便阅读，我们分别将上下册各拆分为两册，并将原书引文用有别于正文的字体标出。

侯外庐（1903-1987），原名兆麟，又名玉枢，自号外庐，山西平遥人。1923年入北平法政大学法律系，次年入北平师范大学历史系。1927年夏赴法留学，次年在巴黎旅欧支部加入中国共产党。1930年春回国，任哈尔滨法政大学经济学系教授。“九·一八事变”后，一度入狱。抗战爆发后，参与进步学术文化活动，从事著译，主编《文汇报》周刊《新思潮》。1947年转任香港达德学院教授。1948年回东北工作。1949年后，历任中央人民政府文教委委员、北京师范大学历史系主任、北京大学教授、西北大学校长、中国科学院社会科学哲学部委员、中国社会科学院历史研究所所长、中国史学会理事、中国哲学史学会名誉会长等职。著述极丰，主要著作有《中国古代思想学说史》、《近代中国思想学说史》等，合著有《中国思想通史》等。

生活·读书·新知三联书店

2013年8月

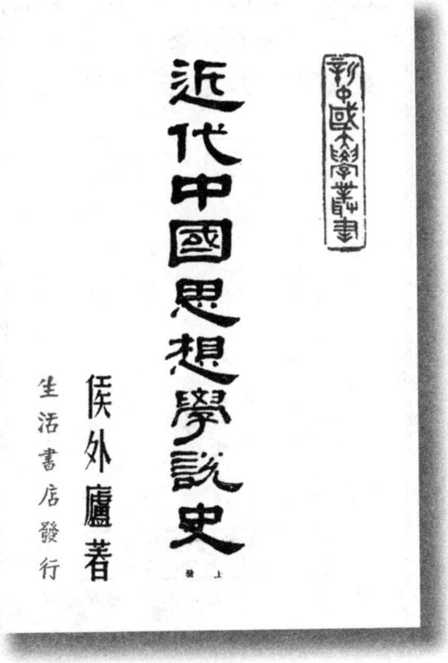

新中國大學叢書

近代中國思想學說史

上冊

侯外廬著

生活書店發行

生活书店 1947 年 5 月初版书影

新中國大學叢書
近代中國思想學說史
上册

著者 侯外廬
發行人 徐伯昕
發行所 生活書店 上海重慶南路六號 重慶·新加坡
特約經售處 聯營書店 重慶·漢口·成都
上下兩册國幣肆拾元
·外埠酌加郵運費·
中華民國三十六年五月勝利後第一版
[113] S. 0001—1500

原书版权页

目 次

新中国大学丛书编辑缘起 1
新中国大学丛书特约编撰 3
自 序 5

第一编 第十七世纪中国学术之新气象

第一章 形式知识上解放的哲学家王船山 11
第一节 船山学说对于传统的发展 11
第二节 船山的自然史哲学——细缊生化论 39
第三节 船山自然哲学的诸范畴及其局限 53
第四节 船山关于思维与存在的哲学 68
第五节 人性论与道器观，人类的能动性 80
第六节 船山人性论中的近代命题 99
第七节 船山的知识论 108
第八节 船山的人类史论 134

第二章　近代启蒙思想家黄梨洲　168
第一节　梨洲的近代基本观念　168
第二节　梨洲的近代民主思想　185
第三节　梨洲的哲学思想与近代的思维方法　206
第四节　梨洲的诗文论　229
第五节　陈乾初与潘用微对于黄说之补充　241

第三章　高树经验主义旗帜的顾亭林　260
第一节　亭林思想的特独精神　260
第二节　亭林的方法论　285
第三节　亭林的社会思想　306

第四章　近代世界的预言者颜习斋（附李恕谷）　336
第一节　习斋的新世界观　336
第二节　习斋反玄学的基本思想　376
第三节　习斋的经世论与恕谷之补充　415
第四节　李恕谷与习斋之学术异同　425

第五章　中国第十七世纪的西北思想家　438
第一节　首创诸子研究的傅青主　438
第二节　折中体用二元的李二曲　476

第六章　清初的西南学者与流亡学者　496

第一节　近世中国第一位流亡儒者朱舜水　496

第二节　十七世纪的政论家唐铸万　515

新中国大学丛书编辑缘起

抗战的胜利结束，民主和平建国的开始，为中国开辟了一个空前伟大的时代，配合着这样一个时代，自然需要一种新的进步学术——适应民主和平建国的要求和指导这一时代顺着历史轨迹向前迈进的新学术。从它的本质上讲，这种新时代的学术，首先应当为实现中国之独立自由幸福而服务。同时新中国的学术，不只是为中华民族的自由服务，它是民族性的，同时又是世界性的。中国学术界负有与政治经济的建设任务相配合的学术建设的使命。敝店发行这套大学丛书，就是为想在这一使命上尽我们一份力量。这套丛书的基本立场，只是“学术自由”四个大字，除反民主反科学的或含有法西斯主义和各式各样专制独断主义臭味的东西外，一切在学术上站得住的有价值的作品，可以作为大学课本或参考书的，敝店都极端欢迎列入本丛书内。

近代西洋哲学史纲	王剑秋	译
近代中国思想学说史	侯外庐	著
中国史纲（第一卷）	翦伯赞	著
新社会学大纲	李　达	著
近代社会思想史	平　心	著
新经济学大纲（增订本）	沈志远	著
近代经济学说史纲	沈志远	著
世界经济史纲	彭迪先	著
中国经济史	杜国庠	著
世界经济地理教程	吴清友	译
中国经济地理	陈　原	著
新财政学大纲	千家驹	著
新政治学大纲	邓初民	著
中国政治思想史	吕振羽	著
现代国际关系史	张铁生	著
比较宪法（上）	章友江	著
民法总论	周新民	著
中国文学史	郑振铎	著
科学新论	卢于道	著

新中国大学丛书特约编撰

千家驹	王寅生	王亚南	戈宝权	沈志远
何思敬	吕振羽	李紫翔	周予同	周谷城
周建人	周新民	吴　晗	吴清友	林汉达
林砺儒	茅　盾	施复亮	胡　绳	范文澜
侯外庐	马叙伦	马哲民	马寅初	章友江
郭沫若	曹靖华	陶行知故	张志让	张东荪
张明养	曾昭抡	费孝通	彭迪先	叶圣陶
闻一多故	潘　菽	潘大逵	潘光旦	邓初民
郑振铎	翦伯赞	卢于道	顾颉刚	

自　序

著者治中国思想学说史有年，古代思想史已经问世，本想将过去的研究大纲扩充范围，按照次序，继写秦汉思想史，再及中古玄学史，宋明理学史，最后至近世思想史，惟有一个先决难题实须研究清楚，即社会史的时代认识是：中古至近世的中国社会颇易辨析，而古代至秦汉的中国社会则颇难于研究，学者间至今犹无共认的定论。著者在写《中国古代思想学说史》之前，曾写一部《中国古代社会史论》，以为根据，不如此而研究古代思想，必流于附会臆度，故秦汉思想史的工作，亦须先之以秦汉社会史论始能朴实说理。因此，我把写作的程序变更，先关于十七世纪以至清末民初的思想史整理出来，然后回头从事中古诸朝的思想研究，期以十年或有全部更完整的贡献。其次，中国先秦诸子思想之花果，固然可以比美于希腊文化，而清代思想之光辉，亦并不逊色于欧西文艺复兴与宗教改革以来的成果。我们认识与继承这两个时代惊心动魄的文化遗产，在研究岗位上说来亦宜首先有所发抒己见，以供同好学人的参考。

本书共分三编，第十七世纪的启蒙思想，气象博大深远，应作特独研究，是为第一编；第十八世纪的汉学运动，为学问而学问，正是乾嘉对外闭关对内安定的学术暗流，戴（东原）章（实斋）二子不过是清初大儒思想的余波（梁任公谓清代的学术极盛时代，不确），是为第二编；第十九世纪中叶以至二十世纪初叶的文艺再复兴，更接受了西洋学术的直接影响，内容殊为复杂多面，直与现在文化相连，是为第三编。此中学术演变的因果关系，原拟别写绪论一章专门分析，编于书首，以备学者读完全书运用个人思想的参证，但因了行文的方便，却分述于各章之中，学者自可按步寻获，故无再总括的必要。

本书所采的研究方法，仅“朴实”二字，这亦是正统学者应守的治学精神，间有与先我研究的学者怀具论点上不同的地方，亦本虚心商榷之旨，以期学术愈讨论而愈明白，非敢自认己见独是而抹杀前人的心血，因各人皆有独自创见，“以文会友”同时亦是“以友辅仁”，船山先生所谓“不敢执一以贼道，无强天下必从其独见”。

抑有进者，治学应“实事求是”与“自得独立”二者并重，二者看起来，好像相反，而实相成，犹之乎“忠恕违道不远”。顾亭林先生所谓“徒抱小不可也，徒抱大犹不可也”。“实事求是”可以存古人之真实面目，惟我们在万卷丛书中淘拣金粒，势不能不有所剪裁，有所剪裁则易生断章取义之毛病，故本书引证各家自己的言论，尽可能地求其详尽，即使评述有疑问的地方，读者当可审辨原文，自作判断。“自得独立”可以抒发古人立言之所以然，因为研究问题在于决疑，不同于摄影师的照相术，摄影惟肖是求，而决疑只有在现象的背隐处去掘发，个人之“自得”愈深刻，则本质上的意义愈能表露（甚至恰好和一家表面的言论相反），“自得”亦所谓“资之深，取之左右逢其源”者是。独立之学更为可贵，它自然要求主观的自信，然而却须排除主观主义，它自然要求客观的把握，然而却须排除客观主义，这与调和汗漫的研究态度相反，不能依违于彼此之间，更不能局促于一曲之内。因为知识者一过程也；我们之视古人，亦犹后人之视我们；我们不能独立有所负于时代，则对于古人有所独立尽发其时代的光辉思想者未能了解，而古人的账簿亦何赖于我们再去缕列；我们不能独立有所负于时代，则后人自可依其时代的知识能力以探研古人，而后人的学识亦何赖于我们今日多此一举。所以在今日时代的独立之学，正是研寻古人时代独立之学的必要资本，古人的资本如果是单纯再生产，今人的资本则须扩大再生产，然而不知道扩大再生产的自己资本，就亦不知道单纯再生产的古人资本，那么对于古人思想学说的历史评价便得不出确实的结论。著者学浅，未敢自居有所独立自得之深造，而常以这种为学精神自悬鹄的，亦有读书得间而著于篇者，亦王国维先生引汪容甫的话，“斯由天致，非由人力，虽符曩哲，未足多矜者”，不有自信，亦不急于论断史实一字，评定古儒一句而已。

本书在写作时候，多蒙友人瞿菊农先生，左胥之先生借阅材料，在出版方面多蒙万克哉先生热心赞助，这里深表谢意了。

外庐。民国三十三年，元旦日。序于渝市山谷中。

第一编

第十七世纪中国学术之新气象

第一章　形式知识上解放的哲学家王船山

第一节　船山学说对于传统的发展

王船山是第十七世纪（一六一九——一六九二年）中国的伟大哲学家，他和黄梨洲、顾亭林被学者称为清初的三大师，但他们所走的学术路线，黄顾二子较近，而王子则以一位哲学的思想家开启近代人的思维方法。他在湖南瑶洞里著作有那样大的成就，我们不能不钦服他可以和西欧哲学家费尔巴哈并辉千秋，他使用颇丰富的形式语言成立他的学说体系，我们又不能不说他可以和德国近世的理性派东西比美。船山思想昔人专门研究者颇鲜，梁任公先生曾录述过一些船山的知识论断片，而后来从事研究者，亦尚浅肤，不论罗列论点与轮廓要旨，都不能表达船山的学问所在。船山之学，盛于清末策论时代，当时争诵船山史论，以求膺识时务之选，其注意民族革命者，则专论船山华夷思想，以为反清的号召［如章太炎先生序《船山遗书》，未及学术一字，仅云“当清之季，卓然能兴起顽儒，以成光复之绩者独赖而农（船山）一家言而已矣”。在太炎的著作中尊顾非黄，对王亦未与顾并重］。

（一）船山的时代，是一个暴风雨降临的世界。黄梨洲谓之“天崩地解”者实当之。个人自觉，产生了他的近世人本主义思想，对于当时现实的批判，如所著《噩梦》、《搔首问》、《黄书》多集中封建的横征横夺，而立论于“民之有生理”，例如他说：

自万历间，沈一贯，顾天峻，汤宾尹一流，结宫禁宦寺，呼党招摇，士大夫贪昧者十九从之，内有张彝宪，曹化淳辈，为之主持，诸君子才一运肘，即为所掣，唯一死谢国而已！（《搔首问》）

他称“岭南从无廉吏”，“其甚者，若李待问，加派练饷，每秋在一石至二三钱，重剥民资，府州县官，练乡兵何尝有一卒之用，徒充墨吏囊橐，为害愈深”。

（同上）

明代官田制度，已含有“原始积蓄”的暴夺意味，船山于此云：

言三代以下弊政，类曰疆豪兼并，赁民以耕而役之，国取十一，而疆豪取十五，为农民之害。乃不知赋敛无恒，墨吏猾胥，奸侵无已。夫家之征，并入田亩，村野愚懦之民以有田为祸，以得疆豪并者为苟免逃亡，起死回生之计。惟疆豪者乃假与墨吏猾胥相浮沉以应，无艺之征，则使夺豪右之田，以畀贫懦，且宁死而不肯受。向令赋有成法，而不任其轻重，孤儿独老，可循式以输官，则不待夺有余授不足，而人以有田为利，强豪其能夺之乎？赋役名数不简，公费驿递不复，夫家无征，一切责之田亩，田不尽归之疆豪不止，而天下之乱且不知所极矣！（《噩梦》）

此段文字所指，与《明史·食货志》所言相合。这比英国圈地时代的原始蓄积的无法，犹有过之。他亦如当时学者反对“折银”，惟他更要求廉洁：

光录寺岁费二十四万，……至正德移太仓银一百一万有奇为“金花”（即折银货币课税），以供游幸犒赐之用，凡四倍于岁供，而国遂虚。嘉靖初，新都总已于遗诏未能复归太仓，以待新主之善政，因循一年，遂转为醮坛之费，醮坛罢而御用承之，相沿以至于匮乏。（同上）

船山的政治思想，甚可与十六世纪欧洲“廉价教会”的要求，十七世纪以后“廉价政府”的要求相比照，而他之主张“所有”神圣，不得任意侵害，则又和洛克的思想相类似。故他主张“纾富民”，而最大的批判集中到“故家大族”法纪外（超经济）的强夺。在《黄书》中有一篇《大正第六》，极可参证，今节录于次：

……故家大族，盘枕肤腴，湛游财贿者，以乱阿衡之治，故盘庚之诰曰，无总于货宝，生生自庸。……传曰，国家之败由官邪也，官之失德，宠赂彰也，可不戒与！……农夫泞耕，红女寒织，渔凌会波，猎犯鸷兽，行旅履霜酸，悲乡土，淘金采珠，罗翠羽，探珊象，生死出入，童年皓发，以获赢余者，岂不顾父母，拊妻子，慰终天之恩，邀须臾之乐哉；而刷玄鬓长指爪宴安谐笑于其上者，密布毕网，巧为射弋，甚或鞭楚斩杀以继其后，乃使县罄在堂，肌肤剟削，含声陨涕，郁闷宛转于老母弱子之侧，此亦可寒心栗体矣！而以是……大官貤封，门荫层系，封堙以至于无穷，则金死一家，而害气亦迸集焉！夫故家名族公卿勋旧之子孙，其运数与国家为长短，而贼害怨咨之气偏结凝滞，则和平消霣，倾否折足，亦甚非灵长之利也。……天地之奥，田区蚕所宜，流肥潴，聚江海，陆会所凑，河北之滑浚，山东之菁济，晋之平阳，秦之泾阳三原，河南大梁陈睢，太康东傅于颖，江北淮扬通泰，江南三吴滨海之区，歙休良贾，移于衣冠，福广番帕之居僦，蜀都盐锦，建昌番布，丽江氂毡金碧所自产，邕管容贵，稻畜滞积，其他千户之邑，极于瘠薄，亦莫不有素封巨族，冠其乡焉。此盖以流金粟，通贫弱之有无，田夫畦叟，盐鲑布褐，伏猎酒浆所自给也。卒有旱涝，长吏请蠲账，卒不得报，稍需日月，道殣相望，而怀百钱，挟空券，要豪之门，则晨户叩而夕炊举矣。故大贾富民，国之司命也，今吏极亡赖，然朘刻单贫，卒无厚实，抑弃而不屑，乃借锄豪右，文致贪婪，则显名厚实之都矣。以故粟货凝滞，根柢浅薄，……贫弱孤寡，佣作称贷之途窒，而流死道左相望也。汉法积粟多者拜爵，免罪，比文学孝秀，今纵鹰鸷攫猎之，曾不得比于偷惰苟且之游民，欲国无贫困，以折入于××（原缺文），势不得已，故惩墨吏，纾富民，而后国可得而息也。

今按船山此段文字，虽有他所谓“观物避炎威”之诗意，而颇具洛克的近代思想，更接近于亚旦斯密斯之“国民之富”的观点，“大贾富民，国之司命”，在于自由参加产业活动，和“故家大族”，“墨吏猾胥”之超经济剥削，是相为对立。故他说：“率天下养百官而不足，纵百官食天下而有余，此何异饥鹰以攫雉乎！”他同情人民，主张厚民生，兴利源，而反对操细民之生命，他说：

今一邑之小，补生徒者养于民，成岁贡者养于民，偕乡计者养于民，登进士者养于民，授职官者养于民，……以操细民之生命，其不一旦得当裂冠冕而泄其不堪者寡矣。（《黄书·慎选第四》）

他的“贤廉得意，亦移风振俗之一道”说，即个人自觉人本主义思想，他曾实践此旨，戒子孙十四条中，“勿作胥吏”之戒，并云“能士者士，其次医，次则农工商贾，各惟其力”，这是对于封建社会桎梏个性的一种控诉。

在船山的时代，不但中国民族经济变动以及王朝由明而清为异族所统治，而且外国的商业资本主义以及其文明，已经冲入中古不动的中国，万历年间天主教和天主教相依附的天人历算诸学，更惊醒了梦里摸索的宁静生活。这些科学知识是和泛神论的第一次上帝下凡相关联，船山的泛神论易学以及走向科学方法的思维，都受了外来文明的影响。他和利玛窦辩论过意志神（上帝）的理论，他亦如十六世纪以来的泛神论，把天或上帝活在人类的理性中，说："人之于天，量之不相及也，人之事天，理之可相及者也，……不欲其离之弗与相及，则取诸理也，不欲其合之骤与相及，则取诸量也。……然而有昧始者忘天，则亦有二本者主天矣。"（《周易外传》卷五）船山天论，是照自然法看取的，甚或反对迷信礼拜，故他评利玛窦说："如近世洋夷利玛窦之称天主敢于亵鬼倍亲而不恤，虽以技巧文之×××××××。"（原缺文）

他又和利玛窦作关于地球蛋形的辩论，此点有时代的限制使他怀疑地形弹丸，而根据的方法则为事物相对观念（戴传贤先生云，“先生有不尽精微者，时代限之”。见《遗书 · 序》），比一般天地绝对观念是进步的，而船山最进步的形式思想，在此亦因了形式的孤行，而没入相对主义。然而利玛窦附会中国浑天家“地处天中犹卵”之说，则接近术士怪妄，为船山所反对，是犹未拿科学本身而折服一个求真理的学者，亦是其中原因（参看《思问录·外篇》）。但科学毕竟为船山吸收，如他说：“纪世者以一君为一世，一姓为一代足矣，倘令割周之长补秦之短，而无盈缩之差，岂不徒为紊乱乎，西夷以巧密夸长，大率如此。”他反对“后世琐琐壬遁星命之流，辄为增加以饰其邪说，非治历之大经”，而谓：“名从实起，次随建转，即今以顺古，非变古而立今，其尚允乎！”他的“名从实起”说，受有近代科学的影响，从“巧密夸长”而解救了高谈性命，是有历史意义的。

（二）船山对于中国文化传统的发展，是最值得我们研究的。他对于学术传统的批判发展是最名贵的学说要素，这也不是偶然的，他的时代正在要求变古，已经不是朱子的观点，三代以下“天地也是架漏过时，人心也是牵补度日”，所以他反对复古，谓“洪荒无揖让之通，尧舜无吊伐之道，汉唐无今日之道，则今日无他日之道”，“谓井田，封建，肉刑之不可行者，不知道也，谓其必可行者，不知德也，勇于德则道凝，勇于道则道为天下病矣”，故论学重在必征（见第二节）。因此，他对于前人思想传统发展者，在他说来亦是“勇于德”了，亦是“即今以顺古，非变古而立今，其尚允乎！”

船山之学，涵淹六经，传注无遗，会通心理，批判朱王（对朱为否定的修正，对王为肯定的扬弃），中国的传统学术，皆通过了他的思维活动而有所发展，他的方法则是近代的，例如他说：

致知之途有二，曰学曰思，学则不恃己之聪明而一唯先觉之是效，思则不徇古人之陈迹而任吾警悟之灵。……学于古而法则具在，乃度之于吾心，其理果尽于言中乎？抑有未尽而可深求者也？则思不容不审也。乃纯固之士，信古已过，而自信轻，但古人有其言，而吾即效其事，乃不知自显而入于微，自常而推于变者，必在我而审其从违；而率然效之，则于理昧其宜，而事迷其几，为罔而已矣！尽吾心以测度其理，乃印之于古人，其道果据为典常乎？抑未可据而俟裁成者也？则学不容不博矣。乃敏断之士，信心已甚，而信古轻，但余虑之所通，而即欲执为是，而不知先我而得者，已竭其思，仿古而行者不劳而获，非私意所强求，而曲折以求其道，则乍见为是而旋疑其非，为殆而已矣！……学非有碍于思，而学愈博则思愈远，思正有功于学而思之也。（《四书训义》卷六）

这是最好的治学方法，而且是船山自己时代的精神，这已经批判了宋明理学，而自觉乎历史的从违，厌弃于中古独断，故程子斥读史为玩物丧志，他评谓，读经亦何尝不玩物丧志，惟重在自觉罢了。

由此可知他发展传统思想的精神是甚自负的，船山对于学术史上的人物，实际上亦正如他所谓应问：其理果尽于言中，抑有未尽而可深求？其道果可据为典常，抑未可据而俟裁成者？例如他敢于怀疑“序卦传非圣人之书”，敢于把老庄法相诸书与六经同时注解，皆属深求与裁成一类。他的学问亦正是他所谓“学愈博则思愈远”，反对了宋明的空想，他的直接传统，在我看来，已经不是理学，虽然有张载理学的外貌。在他“先我而得者已竭其思”的人，影响了他的学说的，实在不是张载，方法论上是老庄与法相宗，在理想上是汉代的一位学者——王充。今分别详述于下：

第一，他是尽其能事地痛斥佛老二氏的世界观，这在他的书中到处可见，但他所著的《老子衍》、《庄子解》、《庄子通》、《相宗络索》，则绝少批评，纯系虚心的研究，而所研究者多出卓见。这显然超出宋明儒者笼统抱定太极图旨而糅合老释的旧套，而是在知识上丰富自己。

船山学说中最明显地吸收了老庄相宗的知识论成分，尤以于庄子为然，例如庄子的“万物皆种（读为种子之种，因庄子无类概念）也，以不同形相禅”一命题，庄子言“形”与梦境的“景”或“假相”相当，不是形式之形，过去学人好为进化论的附会，应当改正。变化哲学在庄子手中为幻变，否定现实的客观性，而船山的命题则改为“万物日生，以不同类相禅而富”，所谓“生于有而备于大繁”，所谓“天地之间流动不息皆其生者也”。

他颇赞庄子，谓“庄生之说，皆可因以通君子之道……不问庄生之能及此与否，而可以成其一说”，因此他谋“因而通之，与心理不背”(《庄子通·序》)。同时，他在许多论点，如先天，后天，实虚，有无，体用诸方面，攻击老庄，直斥为狂妄，这是对于宋明学者“外儒内老”的苦心批评，实际是批评了宋儒，他评庄子的最中肯之语谓不知物理，“庄生以意志测物，而不穷物理”。

又例如，船山颇赏识庄子的“参万岁而一成纯”之语，但谓万岁荒远，不能以意志测之，而取乎见闻之证，说：“万岁亦荒远矣，虽圣人有所不知，何以参之？乃数千年以内，见闻之可及者，天运之变，物理之不齐，治乱之数，质文风尚之殊，自当参其变而知其常，以立一纯之局，而酌所以自处者，压乎无穷之险阻而皆不丧其所依，则不为世所颠倒，而可与立矣。使我而生乎三代将何如？使我而生乎汉唐宋之盛时将何如？使我……则我生乎今日而将何如？岂在彼在此，遂可与俱沉浮耶，参之而纯之一审矣。”(《俟解》)

这样把庄子的普遍的“恶无限”，修正而为据德（特殊）以通道（一般）。

船山书中变化的哲学，多相对的观念，如昼夜、东西、往来、寒暑等，显然是“因而通之”的庄子一说，我们且举一例比较一下他在《庄子通》中的庄说与他自己的王说。《庄子通·逍遥游》说：

多寡长短轻重大小，皆非耦也，兼乎寡则多，兼乎短则长，兼乎……小则大，故非耦也。大既有小矣，小既可大矣，而尽一大小之区，吾不知其所从生？然则大何不可使小，而困于大，小何不可使大而困于小，无区可尽，困亦奚生？夫大非不能小，不能小者势使之然也，小非不能大，不能大者情使之然也。天下有势……我心有势，……势者矜而已矣，矜者目夺于成形而已矣。(《庄子通》)

船山在他的著作中，成为已说者亦多此相对思想，惟不同于庄子的绝对的相对主义，例如：

就其所见则固以东为生，以西为没，而道无却行。方其西没，即所不见者之西生矣，没者往也，生者来也，往者往于所来之舍，来者来于所往之墟。……经纬相通也，运行相次也，而人之所知者半，所不知者亦半，就其所知，则春为我春，秋为我秋，而道无错序，不秋于此，则不可春于彼，有所凝滞，则亦有所空虚，其可知者则以孟春为始，兼其不可知者，则以日至为始。(《周

易外传》卷一，《泰》）

大辨体其至密，昔之今为后之昔，无往而不复者，亦无复而不往，平有陂，陂亦有平也，则终古者天地，终古者天地之际也。

“非耦”之论，在船山书中多见，而立于兼耦之论，故他亦说：“天下有截然分析而必相对待之物乎（即云绝对），求之天地……万物无有此也，反而求之于心抑未谂其必然也。”（《周易外传》卷七）然船山和庄子的分水岭，则必须指出，庄子非耦齐物之说，表面上归结于自由放任的自然，实际上则放弃必然的把握，连自由放任本身亦兼放弃，船山则不然，“因而通之”，他常分可知与不可知，可知者，即上面所谓“不欲其离之弗与相及，取诸理也”，不可知者，即上所谓“不欲其合之骤与相及，取诸量也”，因此，他在非耦论之后便说：“大辨体其至密，而至密成其大辨，终不可使其际离焉，抑终不可使其际合焉。……辨不易昭，而密难相洽也，则终古此天地之际亦终古此艰贞矣；……居此际也，正其体，不息其行，积其至轻，荡其至重，……知其至密，而后见运化之精，知其大辨，而后见功用之极。”（《外传》卷一,《泰》)所以，船山是把庄子认为“能辨其至密”者，但这一认识论的路径，船山则把握着而为认识的媒介性，而发展了庄子齐物论之媒介无用观（因之而已）。船山重知见的知识论，后面详述，这里仅就他颠倒庄子的部分，举一例以明之。他说：

可见者，所可撰者也，有撰者可体，故未有撰者可通，圣人依人以为则，准见以为道，故曰过此以往未之或知也，未过此者可知以所见，形色之所以为天性，而道之所以不远人与。今夫门有开阖，则近而比邻，远而胡越，皆可用吾往来也，今有人焉，行不自门，驰魄飞形，而以往以来，为怪而已矣！（同上，卷六）

这是实证的知识论，以之批评庄子甚得要领。船山把握必然以言自由，不是所谓“闻道大笑”的游戏观所敢望的。他又说：

动乎喧润之几，成乎动挠之用，底乎成以忻悦乎有生，此变化以成物有然者，然而非已所固然而见其然矣，无已，则察乎他物以知之，固然而有天地，见其位定，固然而有山泽，见其气通，时而知有雷风，见其相薄。与其事而亲之以为功，则知有水火，疑其相射而终不相

射也。此人之所目遇而心觉，知其化有然者惟然，故后天先天之说不可立也。（同上，卷七）

因已然以观自然，则存乎象，期必然以符自然，则存乎数，人之仰观俯察而欲数之欲知之，则有事矣，有事则有时，有时则有渐，故曰象自上昭，数由下积，象有大小，数有多寡，大在而分之以知小，寡立而合之以为多，象不待合，小以知大，数不得分，多以知寡。是犹掌与指也，立全掌之象于此，而拇、食、将、无名、季指之别，粲然分之而皆可知，掌象不全立一指焉，弗能知其为何指也；若以数计指也，则先拇以为一，次食以为二，次将以为三，次无名以为四，次季以为五，而后五数登焉，故象合以听分，数分以听合也。（同上）

船山此论盖知识的“大辨体其至密”，而把握至密的对象性。儒家的方法论本有不至密的来源，船山“因而通之”而倒而用之，发展了“君子之道”。

船山的自然法论，和近代欧洲启蒙学者思想路线“人法自然”的绝对理想相似，而他的学说渊源则在形式上吸收老庄的自然天道观，例如他赞刘某之说：“圣学言天，异端言心，……庄子一书只是一“天”字，老子道听自然，自然者天也，浮屠一真法界亦天也；不体天于心以认之，而以天道为真知，正是异端窠臼。”（《搔首问》）他亦和宋明儒一样，出入老释，然而他研究老子则正如在《老子衍》自序说：

废诸家以衍其意，盖入其垒，袭其辎，暴其恃，而见其瑕矣。……夫其所谓瑕者，何也？天下之言道者，激俗而故反之则不公，偶见而持之则不经，凿慧而数扬之则不详，三者之失老子兼之矣。

所以他是在研究老子，不是前人的“滥之于事理因果，则支补牵会”，“引禅宗互为缀合，以相糅杂也”，没有研究即没有批判，更没有发展。所以船山比宋明以来笼统抹杀老庄论者高明万倍。他同时在“瑕”之外亦就见其瑜，故他亦说：

治天下者，生事扰民以自敝，取天下者，力竭智尽而敝其民，使测老子之几，以俟其自复，则有瘥也。……较之释氏之荒远苛酷，究于离披缠棘，轻物理于一掷，而仅取欢于光怪者，岂不贤乎！（《老子衍》）

老子之几，在“反者道之动”一语，故有天下者，实是不常的，船山注云：“方往方来之谓反，气机物化皆有往来，原于道之流荡推移吐纳，妙于不静。”这一理论，在船山书中反复说明，例如他在《周易外传》第五章，即详言流行不息的往来天道观，名曰“生化之理”，他说：

太虚者，本动者也，动以入动，不息不滞。其来也，因而合之，其往也，因往而听合其往也。（以下则与老子异）养与性仍弛乎人，以待命于理数，其来也，理数绍命而使之不穷，其往也，浑沦而时合，其来也，因器而分施，其往也，无形无已而流以不迁，其来也，有受有充而因之皆备。抟造无心，势不能各保其故然，亦无待其故然，而后可以生也。……贞来而善往者，同有道矣，生化之理，……相因以类，往来必贞。

复次，船山固常以异端之名痛斥老释（尤其对于禅宗最甚）者，但船山的思维过程的分析比前儒进步的原因，正又赖其“通而因之”了相宗，他的《相宗络索》一书，可谓最好的相宗研究入门，认识论中主观与对象的分析，如果把相宗之对象的认识与认识的对象扶正起来，在十七世纪以前的中国学术界不能不于此求“大辨体其至密”的方法，船山言名理，亦讽释氏，“何足为名理而矜言之”，他说：

释氏之所谓六识者，虑也，七识者，志也，八识者，量也，前五识者，小体之官也。呜呼，小体，人禽共者也，犹禽之所得分者也，人之所以异于禽者，唯志而已矣，不守其志，不充其量，则人何以异于禽哉？有诬之以名曰染识。……（《思问录·外篇》）

从感官到感觉，知觉，表象，记忆，判断，综合分析，意识，理性，是一列的认识过程。第七识亦云末那识，船山云志也，第八识亦云阿赖耶识，船山云量也，皆判断以后的意识过程。船山志与量之分颇严，“效乎志以为撰必实有”，此言可据而得之理，理有撰者可体，未撰者可通，而至于不能合之骤相及者，故云取诸量。志与量皆实在的“其际不可紊，其备不可遗”。思维的实在性，在相宗学派是否定的，船山综括其旨云：

五位唯识——此以唯识一宗该尽万法，一切事物见相善恶凡圣，皆识所证，流转者，此识之流转，还灭者，即于此识而还灭之，百法统万法，五位统百法，若自非识，彼法不成，一由阿赖耶旋生七位，建立种种迷悟规矩，凡一切相皆从见生，见相皆从自证分生，一散

而万，相宗所以破法执理之妄也。(《相宗络索》)

船山的认识是正视的，故释氏“矜言之名理”显然被他所吸收，惟思维与存在的问题则趋向了唯物论的路径，他说圣学与异端最大不同处是：

目所不见，非无色也，耳所不闻，非无声也，言所不通，非无义也，故曰知之为知之，不知为不知。知其不知者存，则既知有之矣，是知也。因此而求之者，尽其所见，则不见之色章，尽其所闻，则不闻之声著，尽其所言，则不言之义立，虽知有其不知，而必因此以致之，不迫于其所不知而弃之，此圣学异端之大辨。(《思问录·内篇》)

他丰富了自己，武装了自己，正如他的诗句：“坎流邈殊途，既济愉同归。比肩通异理，蒙袂轻调饥。”然而在这里有一个问题，宋明儒者皆有所谓内释老外儒学之称，即“朱子道，陆子禅”是，这和船山有什么分别呢？据著者的研究，分别在这里：宋明儒者多吸收了二氏的世界观，反之船山则否定了二氏的世界观，而吸取了二氏的方法论。

船山谓二氏不“穷物理”，或“轻物理于一掷”，而受二氏影响的宋明理学家则在“绝物”或“窒欲”上用功夫，这些皆在他的书中攻之不遗余力。他自己做学问，据他一再自云，在“檠括”二字，他说：“境识生则患不得（得而据之谓德，即把握），熟则患失之（何谓熟？熟指思维媒介，故他云‘力其心不使循乎“熟”，引而之无据之地，以得其空微，则必有慧之报之，释氏之言悟止此矣’），与其失之也，宁不得，此余所知而自惧者也。五十以前不得者多矣，五十以后未敢谓得，一往每几于失，中间不无力为檠括，而檠括之难，余自知之，余自提之。”（《自序》，凡二见）“檠括”，在我看来，是指“三际之难”，所谓“过去吾识也，未来吾虑也，现在吾思也，……其际不可紊，其备不可遗，呜乎难矣！”（《思问录·内篇》）他反对泯三际，而希求圣功之巧，即“大匠能与人以规矩，不能使人巧之巧”，他说这是圣功，在于“博求之事物以会通其得失，以象××无形而尽其条理，巧之道也。格物穷理而不期旦暮之效者遇之”。（同上）

第二，船山更是汉代王充的继承者。

这里我们不能尽量比较二王的学问同异，仅就重要的地方研究一下。船山书中，可以说从孟子起（如论性善）没有不在他的批判之下，惟于王充，一再称为知言或得理。我最初还不觉得十分重要，以为这是反对变复、灾异等迷信方面应具有的心印处，后来经过一番仔细比较，才知道二王学术渊源是有一条红线贯注着，比他所尊许的张载，在他思想中有更多的脉络可寻。

王充的《论衡》一书，富有批判精神，在中国思想史上敢于提出问题（最辣手的时代问题）而诉诸理性的，实最出色，他几乎没有一篇不是反对武断与盲从的。如对于邹衍五行灾异之说，对于汉儒纤纬三统之论，皆攻击无遗。这一点，船山是同其精神的，他反对陈抟以来的太极图说，反对星相家，变复家，浑天家，方术家，诸不合科学之论，亦不一而足，谓“邵子之学，为术士射覆之资，要其源，则先天二字启之也”。他关于这些理性以外的穿凿附会，不是斥之曰“邪说”，便是非之曰“妖妄”，与王充相似。例如他怀疑《月令篇》，云：

《月令》之书，战国先秦道丧而托于技，盖非圣之书，而吕不韦、刘安以附会其邪说，戴氏杂之于礼，后儒登之于经，道愈裂矣。变复之术，王充哂之，亦知言

夫。(《周易外传》卷五)

王充谓“邹衍之书，多计度，验实反为少”，在《实知篇》又说:“凡论事者违实，不引效验，则虽甘义繁说，众不见信。论圣人不能神而先知，先知之间，不能独见，非徒空说虚言，直以才智准况之工也，事有证验以效实。”这是科学的理性，亦是批判主义的武器。船山亦然，他更应用近代历学而反对日食灾变之说(见后面引)，他有很多地方是采取了王充《谈天篇》、《说日篇》的论断，这论断的所本在王充谓之“证验以效实”，船山则云“征之以可闻之实”。例如:

谓天开于子，子之前无天，地辟于丑，丑之前无地，人生于寅，寅之前无人。吾无此邃古之传闻，不能征其然否也。谓酉而无人，戌而无地，亥而无天，吾无无穷之耳目，不能征其虚实也，吾无以征之，不知为此说者之何以征之如是其确也！考古者以可闻之实而已，知来者以先见之几而已。故吾所知者，中国之天下，轩辕以前，其犹夷狄乎，太昊以上，其犹禽兽乎，禽兽不能全其质，夷狄不能备其文，文之不备，渐至于无文，则前无与识，后无与传，是非无恒，取舍无据，所谓饥则呴啕，饱则弃余者，亦直立之兽而已矣。……轩辕以前蔑不夷矣，文去而质不足以留，……又返乎太昊以前，而蔑不兽矣，至是而文字不行，闻见不征，虽有亿万年之耳目，亦无与征之矣，此为混沌而已矣。(《思问录·外篇》)

按这段话是评邵子之说，不但主张“闻见之征”，接受王充的传统，而且发展了古史知识，已经近似于古代史学的科学研究（如文明社会以文字为准）。这里所谓近似者，指形式的理论而言，至于轩辕太昊是否为野蛮夷狄，抑应征之于见闻之实的殷墟书契，而论文明起源，则又为另一个问题，不能于“所知者”外难古人。

这里已经涉及二王知识论的相似之点，王充说：

可知之事者，思虑所能见也，不可知之事，不学不问，不能知也。不学自知，不问自晓，古今行事，未之有也。夫可知之事，惟精思之，虽大无难，不可知之事，励心学问，虽小无易，故知能之士，不学不成，不问不知。(《论衡·实知篇》)

天下事有不可知，犹结有不可解也。见说善解结，结无有不可解，结有不可解，见说不能解也，非见说不能解也，结有不可解，及其解之，用不能也。圣人知事，事无不可知，事有不可知，圣人不能知，非圣人不能知，事有不可知，及其知之，用不知也。(同上)

这是船山“学愈博而思愈远”，“非学不知，非博不辨”的来源，故亦如王充否定生知先知，谓圣人前知千岁之验为虚。“圣人亦揆端推类，原始见终，从闾巷论朝堂，由昭昭察冥冥。”(《实知篇》)船山则云：“朱子以尧舜孔子为生知，禹稷颜子为学知，吾无以知六圣贤之所自知者何如，而夫子自言曰，发愤忘食，亦安见夫子之不学？”“今乃曰生而知之不待学而能，是野人贤于君子矣。”(《读四书大全说》卷七)，船山亦在知识上分不可知与可知二截，不可知者亦谓之“幽”，可知者亦谓之“明”，前者为“理”，后者为“量”，这是船山知识论的要点，但他却发展了王充理论，二截不是绝对的，由可知渐达于不可知，例如他说：

可见者所撰者也，有撰者可体，故未有撰者可通，圣人依人以为则，准见以知道。(见上)

太极者混沦皆备不可析也，不可聚也，以其成天下之聚不可折也，以其入天下之析不可聚也。虽然，人之

所以为功于道者，则断因其已然而益测之，以尽其无穷。（《外传》卷五）

船山解释博学多闻为工夫，工夫所至，自近于一贯，非一贯之以先觉，正是这个意思。

复次，人类性的问题，在先秦至汉已有多种说法，王充一一评之，见于《论衡·本性篇》与《率性篇》。今比较二王之说于下：

王充

性本自然，善恶有质。

人性有善有恶，犹人才有高有下。

性可如沿工，锻炼可变易故质。

性重在“习”，甚赞孔子习相远之说。

性重在教导，可使之为善。

王船山

性在气质中，无性外之气质。

人性日生而新，殊质者为才，偏而有差。

性可如玉工，修饰其自然之文以成其用。

性重在“习”，亦赞孔子习相远之说。（《鲁论》二十篇皆言习）

性重养其习，失教失导即为下愚。

二王性论最相近似，为中国讲性论的最完善者，而船山继善成性论，性日生日新论，更多卓见，下文详论。

其他同点不胜枚举，王充《齐世篇》的进化说，“使汤武在唐虞，亦禅而不伐，尧舜在殷周，亦诛而不让”，文质异世，影响了船山的古今因变说。王充《自然篇》的自然天道观，“天地之动行也，施气也，体动气乃出，物乃生也，自然之化，阴阳二气所消长，而物自成藏”，影响了船山的絪缊生化论。王充具有丰富的物本论思想，故船山言“气”，已含有哲学上的物质范畴，他说：

> 太极……从来说者，竟作一圆圈，……悖矣！此理气遇方而方，遇圆而圆，或大或小，絪缊变化，初无定质。……王充谓从远观火，但见其圆，亦此理也。（《思问录·外篇》）

船山思想，并不高谈性命，乃“言必征实，义必切理”。实在是王充学说的复活与发展，《清史·儒林传》所言甚确：

> 王夫之……其言《易》，不信陈抟之学，亦不信京房之术，于先天诸图及纬书杂说，排之甚力，而亦不空

谈玄妙，附会老庄之旨，故言必征实，义必切理，其说《尚书》，诠释经文，多出新义，然词有根据，不同游谈，其说《诗》，辨正名物，训诂以补传笺诸说之遗，皆确有依据，不为臆断。

此传作者颇对船山有研究，故语多中肯，章太炎谓曾国藩“壹志为胡清效死，晚犹刻而农言以悔过。诵其书者毋狃于曾氏前事可也”。（见《船山遗书序》）然观曾氏《船山遗书序》，却未有一语传道船山真学，而仅对于《注正蒙》与《注礼》二书云：“幽以究民物之同原，显以纲维万事，弭式乱于未形，其于古昔明体达用盈科后进之旨，往往近之。”直与宋儒齐观，曾氏固非了解船山者。船山之于宋明理学传统，以梁任公谓清学是“理学之一大反动”言之，乃近代的思想方法的精神（梁云，清学与文艺复兴绝相类，颇有语病），惟分析论之，船山为颠倒理学的头足者，理学之外表甚浓，而其内容则洗刷干净。近人犹有研究船山而不注意其内容者，比梁氏之见更逊色远了。

第二节　船山的自然史哲学——絪缊生化论

“絪缊”二字在张载理学中指“太和”或二气本体之所涵，船山注张载《正蒙》一书，则有新义，颇近哲学上的“物质”范畴。他说：

天不听物之自然，是故絪缊而生化。(《思问录·内篇》)

此理气遇方而方，遇圆而圆，或大或小，絪缊变化，初无定质。……王充谓从远观火，但见其圆，亦此理也。(同上，《外篇》)

“絪缊”，太和未分之本然，相荡其必然之理势，胜负因其分数之多寡，乘乎时位，一盈一虚也。胜则伸，负则屈。胜负、屈伸、衰王、死生之“成象”，其始则动之几也。此言天地人物消长死生自然之数，皆太和之几。(张子《正蒙注》卷一)

絪缊太和，合于一气，而阴阳之体具于中矣。(同上)

夫“缊”者，其所著也(原注直略反)，著者，其所归也，归者，其所充也，充者，其所调也。是故无以为之“缊”，既郛立而不实，亦瓦合而不浃，既绝党而

相叛，亦杂类以相越矣。而不见天地之间乎，则岂有坚浮外峙，而庞杂内塞者乎？（《周易外传》卷五）

由此看来，“细缊”或气，好像是“从远观火”的实有块，颇当哲学上的物质范畴，而不是科学上的物质。物质是多种多样的实在，包含着极丰富的内容，而有一定的自然律，即天地人物消长死生自然之数，归著充调的联结运动，这实在的“细缊”，必有“材”而后有生理，他说：

万物者，天之生物，天之理也，无物不资天以力，则天无择于物而生之矣，而必先有其可生之材，乃乘其生理而生之，既有其已生之材，乃就其生机而厚之，无不因也。故物之植立而栽者，则气至而受，风雨至而益荣培之矣，其倾侧而本不固者，则气至而不能受，风雨至而反之摇动覆之矣。（《四书训义》卷三）

这是王充《物势篇》与《自然篇》的发展，所谓：“万物生天地之间皆一实也，天地为炉，万物为铜，阴阳为火，造化为工。”（《物势篇》）船山把宋明儒以来的理气还元而为生化，理为生之理，气为生之气，有材始有理，故他比王充进一步倡言生化之运动。他说：

涵者其体，生者其用也。轻者浮，重者沉，亲上者升，亲下者降（尚没有地心吸力说，故云），动而趋行者动，动而赴止者静，皆阴阳和合（近代语即矛盾统一）之象所必有之几，而成乎情之固然，犹人之有性也。（《正蒙注》卷一）

他反对张载《正蒙》言“易所谓絪缊，庄生所谓生物以息相吹”之说，而强调物自身的运动，云：

升降飞扬，乃二气和合之动机，虽阴阳未形，而已全具殊质矣。生物以息相吹之说，非也。此乃太虚之流动洋溢，非仅生物之息也。（同上）

物质“絪缊”的实在，体言其性，用定其形、象。他认为体不可见，由用及体，在形象中是“生而日生”，故云“天地之间，流行不息皆其生焉者也”。他有时把“理”作泛神论看，说：

气其所有之“实”也，其“絪缊”而含健、顺之性，以升降屈伸条理必信者，神也，神之所为，聚而成象成形，以生万变者化也。故神，气之神，化，气之化也。

所有之实的“气”，是生化不息的东西（范畴）。神亦在这范畴中，理亦在这范畴中，他于是把宋明儒的理学（超生化的主宰）棺盖，而建立了他的生化史观，他说：

天地之间流行不息，皆其生焉者也。故曰，天地之大德曰“生”。自虚而实，来也，自实而虚，往也，来可见，往不可见，来实为今，往虚为古，来者生也。然而数来而不节者将一往而难来，一嘘一吸，自然之势也。故往来相乘而迭用，相乘迭用，彼异端固曰，死此生彼，而轮周之说兴焉。死此生彼者，一往一来之谓也。夫一往一来，而有同往同来者焉，有异往异来者也（量同质同，量变质变），故一往一来，而往来不一。……天地之大德，既在“生”矣，阳以生而为气，阴以生而为形，有气无形，则游魂荡而无即，有形无气，则骨骼具而无灵（此言所指，实内容与形式）。……男女媾精而生，所以生者，诚有自来，形气离叛而死，所以死者，诚有自往。……乃欲知其所自来，请验之于所自往，气往而合于杳冥，犹烦热之上为泾也，形往而合于土壤，犹薪炭之委为尘也。所以生者，何往乎？形阴气阳，阴与阳合，则遂付以均和而主持之，分而各就所都，则无所施和而莫适为主（此言所指者为同一性），杳冥有则土壤有，实则往固可以复来，然则归其往者，所以给其来也。顾既往之于且来，有同焉者，有异焉者。其异者，非但人物之生死然也，今日之日月，非用昨之明也，今岁之寒暑，非用昔岁之气也，明用昨日，则如镫如镜，而有息有昏，气出昨岁，则如汤中之热，沟浍之水，而渐衰渐泯，而非然也，是以知其富有者惟其日新，斯日月贞明而寒暑恒盛也。……不用其故，方尽而生，莫之分剂，而自不乱，非有同也。其同者，来以天地之生，往以天地之化，生化各乘其几，而从其类。天地非能有心而分别之，故人物之"生化"也，谁与判？……所以生者，虚明善动，于彼于此，虽有类之可从，而无畛之可画，而何从执其识命相报乎？……则任运自然，而互听其化，非有异也。是故天地之德生人物也，必使之有养以益生，必使之有性以纪类，养资形气，而运之非形气，性资"善"（即德，见后释）而所成者丽于形气。（《周易外传》卷六）

这段话，显然是在方法论上吸收了老庄的思想，而批判老庄自然天道观，在理论体系上吸收王充自然的史观，而充实了王充的哲学。他之来生往化论，着重在变化哲学，其内容含有近代启蒙要素，而和宋明理学不变哲学相反。所以，这既不是老庄相对主义的没落思想，更不类柏格森之物质危机思想。他论生化之“同”者，指“善动”，善动者何？即合法则的运动。故他说：

太虚者，本动者也，动以入动，不息不滞。其来也因往而合之，其往也因而听其往也。……其来也因器而分施，其往也，无形无已而流以不迁。其来也，有受有充，而因之皆备，抟造无心，（王充谓天地不故生）势不能各保其故然，亦无待其故然，而后可以生也。（同上）

生化之理，一日月也，一寒暑也，今明非昨明，今岁非昔岁，固已异矣，而实而翕者明必为日，虚而辟者明必为月，温而生者气必为暑，肃而杀者气必为寒，相因以类，往来必贞，莫之一而自如其恒。（同上）

此必然的合法则运动范畴，便非理学的先天表德，后者毋宁是他的反对物，因为静亦动，“动而趋行者动，动而赴止者静”。他论生化之“异”者，是立于庄子“万物皆种以不同形相禅”（“种”读如种子之“种”，非种类的之种。形谓景，指虚妄，非形式之形）说之反面，他肯定物质的形气（形式内容），肯定“存在”（Scin）

的类与新类，“其类有者惟其日新”，而类与新类则相续不已，他因此说物“不齐”，观念甚新，曰：

“尧之既崩，不能再生而为尧，桀之既亡，不能再生而为桀，借其再生，则代一尧而国一桀矣。”（同上）这是何等胆识之命题。

上面所言为船山细缊生化论的要旨，所谓“细缊不息为敦化之本”，现在要知道他的自然史哲学，乃基于存在之实在，而不是高谈性命，不是如他所说，“朱子曲圣意以伸己说”者。他说张子“《正蒙》一编，所以发‘实际’之藏”，又说“充两间皆一实之府”，可见他和空谈“真际”者不同道了，故他讲的理都是实理，所谓“念起而实理见端，物至而实理有象……一念而有一念之实理，万念而有万念之实理。实理不间断于两间，即不间断于至诚之心”。（《四书训义》卷四）他讲生化史之存在实理说：

道生于有，备于大繁，皆实而速行不息。（《周易外传》卷七）

天下之性万变，而无非实。（同上）

这者，物所众著而共由者也，物之所著，惟其有可见之实也，物之所由，惟其有可循之恒也。既盈两间而无不可见，盈两间而无不可循。故盈两间皆道也，可见者其象也，可循者其形也，出乎象入乎形，出乎形入乎象，两间皆形象，则两间皆阴阳也。……夫谁留余地以授之虚而使游？谁复为大圆者以函之而转之乎？（同上，卷五）

末二语即反对宋明理学之先天形式，而反转过来拉至两间皆一实，所谓“太虚一实也”，而为物质所著所由。上面的“道”字，如果据他谓“天下无象外之道”（《外传》卷六）“象外无道”（《正蒙注》卷六）而言，则道即哲学上之“存在”一义罢了，因为“存在”正是“物所共由，物所共者”的概念。上面的“虚”字是对老庄而言，船山所使用虚实之“虚”字，则指一个大形式，如他说：

“虚”者太虚之量。实者气之充周也，升降飞扬而无间隙。（《正蒙注》卷一）

故虚言物质形式，实言物质内容，离开形式与内容的“道”，是没有的。他说：

盈天地之间皆“器”矣。器有其表者，有其里者，成表里之各用以合用而底于成，则天德之乾，地德之坤，非其“缊”焉者乎？是故调之流动以不滞，充之而凝实以不馁，而后器不死，而道不虚生。器不死，则凡器皆虚也，道不虚生则道皆实也。……若夫县道于器外以用器，是“缊”与表里异体；设器而以道鼓动于中，是表里真，而“缊”者妄矣！（《周易外传》卷五）

故道只有“存在”之意义下而“谓之”（参看下面“谓之”的船山说）罢了，离开“器”（指文物典章以至文明制造）的表里而县道设器，都是空想，他甚赞“伏义亦后天”之语，以此，他又从功效上而言，云：

天下之用，皆其有者也，吾从其用而知其体之有，岂待疑哉？用有以为功效，体有以为性情，体用胥有，而相需以实，故盈天下而皆持循之道。……何以效之，有者信也，无者疑也，桐非梓，梓非桐，狐非狸，狸非狐，天地以为数，圣人以为名。……据器而道存，离器而道毁。其他光怪景响，妖祥倏忽着，则既不与生为体矣，不与生为体者无体也，夫无体者惟死近之，不观天地之生而观其死，岂不悖与！……车者行也，所载者神也，形载神游而无所积，则虚车以驶于荒野，御者无所为而废其事，然而不败者鲜矣！故天地之贞化，凝聚者为魂魄，充满者为性情（即性日生之谓），日予其性情使充其魂魄者，天之事也，日理其魂魄以贮其性情者，人之事也，然后其中积而不败矣。老子曰："三十辐共一毂，当其无有车之用。"夫所谓无者，未有积之谓也，未有积则车之无即器之无，器之无即车之无，几可使器载货，而车注浆，游移数迁，尸弱而弃疆，游移数迁则人入于鬼道，尸弱而弃疆则世丧于身。息吾性之存存，断天地之生生，则人极毁而天地不足以立矣。故善言道者，由用以得体，不善言道者，妄立一体而消用。（《周易外传》卷三）

器物文明，都是实在的，据实在的器物文明而道理是存在的，离开它就没有另外的道理。船山言天下皆持循之道，即在具体的对象中有概念，生生的天地万物都在变动日新，而存在的人类认识亦随之而因革，概念亦在日新之中。实在之"有"，是在功效上可见之，故他的体亦是实有的体，如果把穷理的哲学，悬在空中，而万事万物"依照"此理求售，理死而器亦死，必非"日新富有"或"积"极的生化史所能容。所谓"积"之义，乃发展之谓，持此义不但批判了老子“无”的自然天道观，而且否定了宋明理学“虽未有物而已有物之理”（朱子）之无积天道观。或有以为存在者皆杂多，不足以言“真际”，船山反对说：

夫可依者有也，至常者生也。……既已为人矣，非蚁之仰行，则依地住，非螟之穴壤，则依空住，非蜀山之雪蛆不求暖，则依火住，非火山之鼠不求润，则依水住。……物物相依，所依之足依，无毫发疑似之或欺，而曰此妄也，然则彼之所谓“真空”者，将有一成不易之型……何不取两间灵蠢，姣丑之生，如一印之文，均无差别也哉？是故阴阳奠位，一阳内动，情不容吝，机不容止，破块启蒙，灿然皆有，静者治地，动者治功，治地者有而富有，起功者有而日新，殊形别质，利用安身，其不得以有为不可依者其亦明矣。（同上，卷二）

存在的实有皆“实际”，所谓“破块启蒙，灿然皆有”。杂多之物物相依联结，“有而富有，有而日新”，如果否定物物互依联结的这种日新发展，而成立“一成不易之型”（先验的绝对范畴），以概括万变，超乎地空水火，则人和蚁螟蛆鼠齐一，为“一印之文”，殊不知理型概念就在于“殊形别质”的联结发展上而博求，不断的博求“一点一滴的物自身，可能达到近似的物自身”。船山在形式知识上已经是把握到真理，做到他的“檠括”工夫了。他更反对绝物的思想，仍根据了物之依存性而论：

此无他，不明物之不可绝也。且夫物之不可绝也，以己有（依）物，物之不容绝也，以物有（依）己。己有物而绝物，则内戕于己，物有己而绝己，则外贼于物，物我交受其戕杀，两害而极于天下。况乎欲绝物者，固不能充其绝也，一眠一饮而皆与物俱，一动一言而依物起，不能充其绝而绝之，物且前却而困己，己且龃龉而自困。

这里已经包含着近代的戡天思想，因为封建社会正是“物前却而困己，己龃龉而自困”。“自由”在“必然”的把握上取得，即他所谓“得而据之谓德”，“勇于德则道凝”，若反超乎“必然”，空想一个全自由，则这全自由或“天理”者，正是不自由“自困”之同义语罢了，即他所谓“勇于道，则道为天下病矣”！这反映到思想上之保守性，亦如他所评者“尹和靖曰，其心收敛不容一物，非我所敢知"！物质概念，在船山思想中正迈步走向近代的门户，不但看出"有而富有，有而日新"之丰富多样性，而且看出物物的依存性，其所云言动而依物起的命题，是他的纲缊生化论中最特色的要点。所以他的自然史实在观之结论是：

散而归于太虚，复其"纲缊"之本体，非消灭也，聚而为庶物之生，自"纲缊"之常性，非幻成也。聚而不失其当，故有生之后，虽气禀物欲，相窒相梏，而克自修治，即可复健顺之性，散而仍得吾体，故有生之善恶治乱，至形亡之后，清浊犹依其类。（《正蒙注》卷一）

这是王充"物势论"万物相用亦相害的发展。纲缊生化，是建于客观存在的实有依成性上面，气禀物欲，相窒相梏，而亦可变为相依相存，复健顺之性。"天下亦变矣"，合则有生有毁，离则各依其类。这和老子的"绝欲"，宋儒以来的"灭欲"，论旨相反。欧洲十六世纪宗教革命后的思想，启蒙学者多建立"自然法"之前提，由"自然法"的健顺常性，而推证理想的人类社会，这合法则之思维活动，亦可在十七世纪的中国哲学中得到实例，船山其最著名者。他的进步的自然理论，比满德威尔的“蜜蜂寓言”更富有严密的体系，而在一般论点上颇有康德的二力相背说之观点，部分地追寻到黑格尔的历史哲学，他的以上所论，正是一种中国失掉了反省与自我之觉醒，如黑格尔说：

主观性的成分，意志的自己反省，……在这里实在不存在。……在中国，那个普遍的意志直接命令个人，做些什么，个人则敬谨服从，因而失掉反省与自我。假如他不服从，而与实际生产发生差池，他亦不加若何的内省。……所以全部政治实缺乏了主观的成分，因之不是以道德心理为基础的。(《历史哲学》，七一三——七一四页)

船山的生化论，首先把天理这一普通的意志，还元而为日生日新的贞常性，使“一成型”下降于人类实际生活上，如云：“万物皆有固然之用，万事皆有当然之则，所谓理也。唯人之所可必知，所可必行，非人之所不能知不能行者，而别有理也。具此理于中，知之不昧，行之不疑者，则所谓心也，以心循理，而天地民物固然之用，当然之则各得焉，则谓之道。……理者人心之实，即天理之所著所存者也。”(《四书训义》卷八）故他所谓“欲之至公，即理之至正”，正是人类心理上的反省，但这一原则，必须如世界启蒙学者，在自然法上取得根据，因此产生了“生有备繁”的生化自然哲学。

第三节　船山自然哲学的诸范畴及其局限

上面所述，我们已经知道船山学说中有很丰富的概念，如运动、发展、依存诸术语，在前节亦可知道了一些消息，今详论其意义及其时代的局限如下：

“运动”——运动范畴，在他的哲学中是仅次于“物质”或“絪缊”，“实藏”，他说：

若其未尝生者，一亩之土可粟可莠，一罂之水可沐可灌，“型范”未受于天，“化裁”未待于人也。……不动之常惟以动验，既动之常，不待反推，是静因动而得常，动不因动而载一。故动而生者，一岁之生，一日之生，一念之生，放于无穷，范围不过，非得有参差傀异或作或辍之情形也。其不得以生为不可常，而谓之妄，抑又明矣。夫然其常而可依者，皆其生而有，其生而有者非妄必真。故雷承天以动，起万物之生，造物之有，

而物与无妄，于以对时，于以育物。(《周易外传》卷二)

自然万变，都在运动中，运动与物质实有，以及“生”的范畴，同时具有。自然如此，人类亦然，他说：

吉凶悔吝之生乎“动”也，则曰不动不生。不生则不肇乎吉，不成乎凶，不贻可悔，不见可吝。……统此者贞而已矣，惟其贞也，是以无不胜也，无不胜则无不一矣。且夫欲禁天下之动，则亦恶从而禁之，天地所贞者可观，而明晦荣凋弗能禁也，日月所贞者可明，而阴霾晕珥弗能禁也。……当其吉不得不吉，而固非我荣，当其凶不得不凶，而固非我辱。……天既不俾我为块土矣，有情则有动，且与禽鱼偕动焉，抑不俾我为禽鱼矣，有才则有动，且与野人偕动焉。……天下日动，而君子日生，天下日生，而君子日动。动者道之枢，德之牖也。(《周易外传》卷六)

老庄亦有运动概念，惟认动为相对的，“知其动，守其静”，推而至于知其明一面的相对，而守其暗一面的绝对。船山“因而通之”，认动为常性，以贞一之动而统其吉凶悔吝之变，故他说：

凡物与事皆有其所自始，而倚于形器之感以造端，则有所滞而不通。惟乾之元，统万化而资以始，则物类虽繁，人事虽赜，无非以清刚不息之动几贯乎群，动则其始之者，即所以行乎万变而通者也。(《周易内传》卷一,《上经》)

气数有衰王，而无成毁蒸陶，运动以莫与为终始，古今一至。(同上，卷六)

因此，他把太虚、太极，另外解释以“动”，如云：

“太虚，本动者也。”(见上)

太极动而生阳，动之动也，静而生阴，动之静也。…… 废然之静，则是息矣，况天地乎? (《思问录·内篇》)

“变化”——此在船山哲学中，为其要旨，他讲变化概念者，实不胜举，而他论“天下亦变矣”的命题，则有多种含义。

画前有易，无非易也，无非易而舍画以求之于画前，不亦愚乎? 画前有易，故画生焉，画者画其画前之易也。(《思问录 · 内篇》)

两端者，虚实也，动静也，聚散也，清浊也，其究一也 (张子)。实不窒虚，知虚之皆实，静者静动，非

不动也，聚于此者散于彼，散于此者聚于彼。……非合两而以一为之纽也。（同上）

此言变化含相对的意味，亦上节所云今日非昨日，今岁非昔岁，因为在变化中是没有绝对的死概念，故他有一段名论：

天下有截然分析而必相对待之物乎（绝对之义）？求之于天地，无有此也，求之于万物，无有此也，反而求之于心，抑未谂其必然也。……天尊地卑，“义”奠于“位”，进退存亡，“义”殊乎“时”，是非善恶，“义”判于“几”，立纲陈常，“义”辨于“事”，若是者可谓之截然而分析矣乎？天尊于上，而天入地中，无深不察，地卑于下，而地升天际，无高不彻，其界不可得而剖也；进极于进，退者以进，退极于退，进者以退，存必于存，邃古之存不留于今日，亡必于亡，今者所亡不绝于将来，其局不可得而定也；天下有公是而执是则非，天下有公非而凡非可是，善不可谓恶，盗贼亦窃仁义，恶不可谓善，君子不废食色，其别不可得而拘也。（《周易外传》卷七）

这是庄子齐物论的再版，但他和庄子不同，乃在封建社会崩溃开始的时候，把尊卑、进退、存亡、是非、善恶，都说为相对的，其“义”不定，实为大胆的理论形式，言宋明学者之所不能言。他认为宋儒如邵子执绝对之义，乃限于知识之贫乏，不知大化之神，故云：

著其往则人见其往，莫知其归矣；饰其归则人见其归，莫知其往矣。故川流之速，其逝可见，其返而生者不可见也，百昌之荣，其盛者可知，其所从消者不可知也。离然耳目之限，为幽明之隔，岂足以知大化之神乎？……往不穷来，往乃不穷，川流之所以可屡迁而不停也，来不穷往，来乃不穷，百昌之所以日荣不匮也。（同上）

然而船山是抄袭庄子的绝对的相对主义么？不然。他反对邵子，言其执绝对的“义”（类概念），而同时亦反对庄子，言其执抽象的“理”。穷理于实在的才情变化，始和“义”之时、位、几、事，不是否定这些形象，故“变化”又因于时、位、几、事而有合法的“秩序”。他说：

盖阴阳者终不如斧之施薪，已分而不可合，沟之疏水，已去而不可回，争豆区铢絫之盈虚，辨方四圆三之圜经，以使万物之性命，分崩离析，而终无和顺之情，然而“义”已于此著矣；秩其秩、叙其叙，而不相凌越矣，则穷“理”者穷之于此而已矣。今夫审声者，辨之于五音，而还相为宫，不相夺矣，成文者，辨之于五色，而相得益彰，不相掩矣，别味者，辨之于五味，而参调已和，不相乱矣。使必一宫一商一徵一羽，序而间之，则音必喑，必一赤一青一玄一白，列而纬之，则色必黯，一苦一咸一酸一辛，等而均之，则味必恶，取人禽鱼兽之身而判其血气魂魄以各归，则其生必死，取草木谷果之材而齐其多少华实以均用，则其效不成。（同上）

这是反对了庄子齐物论对于特殊合法则性之无力处理，放弃过程中各依其类的把握，即把一般与特殊分裂为二，故他又在知识论上发挥“观变者周流不可为典要”之旨。他说：

所恶于执中之无权者，惟其分仁义刚柔为二物而均之也，穷理而失其和顺（和顺即指秩序），则贼道而有余，古今为异说不一家，归于此而已矣。两间之有，孰知其所昉乎？无已，则将自人而言之：今我所以知两间之有者，目之所遇，心之所觉，则固然广大者先见之，其次则其固然可辨者也，其次则时与相遇若异而实同者也，其次则盈缩有时，人可以与其事而乃得以亲用之者

也。（同上）

万物的秩序是有级次的，由一般到特殊，最特殊的是“盈缩有时，人可以与其事而乃得以亲用之者”。在时变的条件之下，知道这一特殊性，他谓之“德至而道凝”，而特殊性则和一般性又为同一的，他谓“道定而德著”。但，他甚强调具体的事理，故云“勇于德而道凝，勇于道则道为天下病矣”，这正是宋儒坚持抽象空理的致命伤病。他反对分裂做二的绝对正反而复均之的方法论（俗谓二元论），颇具真理。（详论见后）

船山的变化范畴，更有“有而富有，有而日新”的意义，即是由故推新，“生”非一成不变，非受生之日为始，而是日受其生，日新其性。他说：

张子曰，“日月之形，万古不变”，形者言其规模仪象也，非谓质也。质日代而形如一。……江河之水，今犹古也，而非今水之即古水，灯烛之光，昨犹今也，而非昨火之即今火，水火近而易知，日月远而不察耳。爪发之日生而旧者消也，人所知也，肌肉之日生而旧者消也，人所未知也。人见形之不变，而不知其质之已迁，则疑今兹之日月，为邃古之日月，今兹之肌肉，为初生

之肌肉，恶足以语日新之化哉。(《思问录·外篇》)

我们不要为现象所蒙蔽，以为那物质是没有变化似的，其实现象的运行中已经含着质的变化。他又说：

天地之德不易，天地之化日新，今日之风雷，非昨日风雷，是以知今日之日月，非昨日之日月也。风同气，雷同声，月同魄，日同明，一也。抑以知今日之官骸，非昨日之官骸，视听同喻，触觉同知耳。皆以其德之不易者，类聚而化相符也。……守其故物而不能日新，虽其未消，亦槁而死，不能待其消之已尽而已死，则未消者槁。故曰，“日新之谓盛德”，岂特庄生藏舟之说为然哉？（同上）

船山说明一切事物都在推陈出新，我们不能只是守着陈的而不知新的，如果只知“守其故物而不能日新”，那么其结果“虽其未消，亦槁而死”。然而所谓新的事物也并不是突如其来的，它是从旧的事物中所诞生的，是起了扬弃作用的，他说：

易言往来不言生灭。……以知人物之生，一原二气至足之化。其死也，反于絪缊之和，以待时而复，特变不测而不仍其故耳。生非创有，而死非消灭，阴阳自

然之理也。(《周易内传》卷五)

“生非创有”，就是说新的事物中还包含有旧的成分，因此死非消灭，亦有它的因素为新事物所继承。故“生”固不可以说突然而来，而“死”也不可以说突如其去的，都是由渐变而至于突变的，所以船山说：

今且可说死只是一死，而必不可云只是一次生。生既非一次生，则始亦非一日始矣。庄子“藏山”，佛氏“刹那”之旨，皆云新故密移，则死非顿然而尽，其言要为不诬：而所差者，详于言死，而略于言生。……断不可以初生之一日为始，正死之一日为终。(《读四书大全说》卷六)

“断不可以初生之一日为始，正死之一日为终”，意思即说，渐变的“有而富有，有而日生”，生之中含有死，死的关节处正是更生的消息。船山言渐变之理多见，他又说：

冬以生温于寒，夏以生凉于暑，夏以成温而暑，冬以成凉而寒，力有余而数未尽，则损益各二以尽之，数已终而力竭，功必以渐而不可骤，则损益各一以渐易之。(《周易外传》卷五)

复次，变化之自然史，“新故相资，而新其故”，“推故而别致其新”，而却不是循环变化，它是有进化的规律。船山反对异端看自然史为“始巨而终细”，而认识了由简朴至“备于大繁”，他说：

万法一致，而非归一也，致顺归逆也。夫彼之为说也，亦有测也，谓天下之动也，必增其静也，必减其生也，日以增而死，日以减而灭。千章之木不给于一埵之灰，市朝之人不给于原阜之家，初古之生，今日而无影迹之可举，因而疑天下之始巨而终细，独不曰，前此之未有，今日之繁然而皆备乎？且以为由一而得万，如窍风之吹于巨壑，或疑其散而不归，浸以万而归，如石粟之注于蠡瓢，不忧其沓而难容耶？强而归之，必杀其末，以使之小，是以轻载重，以杪承干，而化之弱丧以不立矣。（同上，卷六）

但这不是说船山完全把握到变化运动，他所使用的概念常是抽象的二力相背相成之名词，如阴阳、往来、刚柔等，这是时代的限制，故他的变化观点，虽然有推故致新的原则，而原则却是抽象的，每达到具体说明更高级的新类，便常要发生弱点。他讲治乱变化，非常高明；而具体的历史法则，则不能再使用抽象的概念，例如他对于汉唐史说明。他的一般法则颇具真理，而局限于治乱概念，他说：

治乱循环，一阴阳动机之几也，今云乱极而治，犹可言也，借曰治极而乱，其可乎？乱若生于治极，则尧舜禹之相承，治已极矣，胡弗即报以永嘉之祸乎？方乱而治，人生治法未亡乃治，方治而乱，人生治法弛乃乱。(《思问录·内篇》)

“突变”一种概念，在他的用语中有“突如之来”，而未能成熟，这看他论人类史即可以明白。由野蛮到文明的阶段甚得要领，而文明以后的历史，除反复古一原则外，其“备于大繁”的具体法则却为他所不能说明。这是为什么呢？因为他的变化概念中是有均衡论的根源，自然是均衡——破坏——再均衡，而没有生物进化论的低级到高级之质的移行法则，没有社会进化论由低级形态到高级形态之质的移行法则，而云：“唯以至一贞天下之动，而随时处中在运动之间而已。”(《正蒙注》卷二)这里就是十七世纪的船山先生所成就的局限，而不能超出了形式上真理的追求。我们可以随便举一二例如下：

一阴一阳之谓道，无偏胜也，然当其一一而建之，定中和之交，亦秩然顺承其大纪，非屑屑焉逐位授才而一一之也，此天地之所以大，虽交不密，叙不察，而无损于道。(《周易外传》卷四)

万物各以材量为受，遂因之以有终始，始无待以渐生，中无序以徐给，则终无耗以向消也。其耗以向消者或亦有之，则阴阳之纷错偶失其居，而气近于毁（破坏——注），此亦终日有之，终岁有之，终古有之，要非竟有否塞晦冥倾坏不立之一日矣（均衡——注）。尝试验之天地之生亦繁矣，倮介羽毛动植灵冥，类以相续为蕃衍，由父得子，由小向大，由一致万，固宜今日之人物充足两间，而无所容；而土足以居，毛足以养，邃古无旷地，今日无余物，其消谢生育相值，而偿其登耗者，适相均也（均衡时建——注）。……要其至足之健顺，与为广生，与为大生，日可以作万物之始，有所缺，则亦有一物而不备矣，无物不备，亦无物而或盈，夫惟大盈者得大虚，今日之不盈，岂虑将来或虚哉？（同上）

船山盈虚、往来、成毁、消长、生灭等变化理论，大都接近均衡论的题旨，而没有“质”的移行说明，故云：“中无定在，而随时位之变，皆无过不及之差。”（《正蒙注》卷四）消谢生育相值而偿其登耗，无过不及之差而得其时中，而“成形成质有殊异，而不相逾者，亦形气偶然之偏戾尔。”（同上，卷三）

在十七世纪的商业资本主义时代，问人类新到来的世界是什么，这是过分的问题，问人类必然要变化而来一个新世界，则是颇能解决的问题，船山的时代局限如此，故他的理论局限亦不能不留在均衡论的认识。

自然法则的变化条理，船山亦有许多概念，例如他说明矛盾的道理：

细缊之中，其一阴一阳，或动或静，相与摩荡，乘其时位（即时空），以著其功能，五行万物之融结流止，飞潜动植各自成其条理，而不妄。（《正蒙注》卷一）

对立物有“感”而同一物有“遇”，而成万物形象之自然理势：

感者，交相感。阴感于阳而形乃成，阳感于阴而象乃成。遇者，类相遇。阴与阴遇形乃滋，阳与阳遇象乃明。感、遇则聚，聚已必散，皆升降飞扬自然之理势，风雨

雪霜，山川人物，象之显藏，形之成毁，屡迁而已。结者，虽迟久而归其原，条理不迷，诚信不爽，理在其中矣。（同上）

“感”为相反相成（统一或综合）的概念，他说：

惟异生感，故交相诉合，既感之后，而法象以著。（同上）

对立者物感，始有运动，感有“轧”有“触”，故云：

不感则寂，感则鸣，本有可鸣之理，待“动”而应之必速，良能自然之动机也。（同上，卷三）

感物因错综而成变化，他说：

错者同异也，综者屈伸也。万物之成，以错综而成用。或同者，如金铄而肖水，木灰而肖土之类，或异者，如水之寒，火之热，鸟之飞，鱼之潜之类；或屈而小，或伸而大，或始同而终异，或始异而终同，比类而观，乃知此物所以成彼物之利。（同上，卷三）

错因向背，同资皆备之材，综尚往来，共役当时之实。会其大全，而非异体，乘乎可见，而无殊用。……向背之间，相错者皆备矣，往来之际，相综者皆实也。迹若相诡，性奚在而非善，势若相左，变奚往而非时。

以生以死，以荣以贱，以今以古，以治以乱，无不见之天心，无不可合之道符。(《周易外传》卷七)

自然的物物相感，是相反相成的合法则运动，正如黑格尔所谓“凡存在的皆是合理的，凡合理的皆是存在的”。船山则云：“莫不各因其情以量，出入相互，往来相遇，无一定之度数，杂然各致而推荡以合符焉。”然而他把这个实在的对立物之矛盾与返原了的同一性，作为平衡看待，而没有达到矛盾为绝对，统一为相对之境地。他说：

以气化言之，阴阳各成其象，则相为对，刚柔，寒温，生杀，必相反而相为仇；乃其究也，互以相成，无终相敌之理，而解散仍返于太虚。……相反相仇，则恶，和而解，则爱。阴阳异用，恶不容已，阴得阳，阳得阴，乃遂其化，爱不容已。太虚一实之气所必有之几也，而感于物乃发为欲情之自生也。(《正蒙注》卷一)

万物存在之“一实”，是有定序的，而此定序，则不是孤立“相对待”(即绝对鸿沟)的，而是错综的“摩荡，变化无穷”，因此又导出环节的概念，他说：

若使但依种性而成，则区别各相肖；唯聚而成，散

而毁，既毁而复聚，一唯阴阳之变合，故物无定情，无定状，相同而必有异。（同上）

这个聚散、成毁之变化是流行不息的，“续有时则断，有际续其断者”。

第四节　船山关于思维与存在的哲学

宋明以来的理气观，是烦琐哲学的中心论点，这在船山的生化论中建立了崭新的命题。黄梨洲说，“离气无理”，“离器而道不可见”，顾亭林说，“离器而道无可寓”，船山之学更富哲学，故他的论据比黄、顾二氏更为确实详明，他肯定气为第一次的，理为第二次的，这一思维与存在的问题，在船山学说中是最光辉的。兹选他的几段精到话录之于下：

“气者，理之依也，气盛则理达天，积其健盛之气，故秩序条理，精密变化而日新。……天地之产，皆精微茂美之气所成，人皆精以养生，莫非天也。气之所自盛，诚之所自凝，理之所自给。推其所自来，皆天地精微茂美之化，其酝酿变化，初不丧其至善，释氏斥之为鼓粥饭气，道家斥之为后天之阴，悍而愚矣！”（《思问录·内篇》）——此言“理”依存于“气”。

“若其实则理在气中，气无非理。气在空中，空无非气。……其聚而出为人物则形，散而于太虚则不形。”（《正蒙注》卷一）——此言“理”即“气”之聚散。

“人不资气而生，而于气外求理，则形为妄，而性为真，陷于邪说矣！”（同上）——此言“理”“气”非二元。

“鼓动于太虚之中，因气之纯杂，而理之昏明疆柔，性各别矣。故自风雷水火以至犬牛蛇虎，各成其性，而自为理，变化无迁，无一成之法则也。”（同上）——此言“理”非一个绝对的抽象。

“理本非一成可执之物，不可得而见，气之条理节文，乃理之可见者也，故其始之有理，即于气上见理；殆其得理，则自然成势，又只在势之必然处见理。”（《读四书大全说》卷九）——此言“理”是一个客观存在之认识。

“质是人之形质，范围著者生理在内，形质之内形气充之，而盈天地间，人身之内，人身之外，无非气者，故亦无非理者，理行乎气之中，而气与理主持分剂者也。故质以涵气，而气以涵理，故一人有一人之生，一人有一人之性也。若当未涵时，则是天地之理气，盖未有人者是也。”（同上，卷七）——此言气、质与理、性皆为统一物。

船山以上所言者，多散见于其遗书，他的意思至明，理依气生，气日新，理日新；气是存在的物质运动，理因气之条理，有何气成何理；理只见于气上，而天下无所谓一成型范之理；人类生身与客观对象都是气，气质之性涵理，理性非在气质以外。是气或物质细缊为第一次的，而理或思维为第二次的。因此，他所言者是人类事物之理（法则），而不是超实在的“一成型”。他说：

万物皆有固然之用，万物皆有当然之则，所谓“理”也，唯人之所可必知所可必行者，非人之所不能知不能行，而别有“理”也。具此理于中而知之不昧，行之不疑者，所谓“心”也（认识）。以心循理，而天地民物固然之用，当然之则，则各得焉（把握），则谓之“道”。自天而言之，则以阴阳五行成万物，万物之实体而有理（自然法则）。……合于人而为性情，以启其知行者，而有其心。则心之于理所从出，皆本非二物(反映之谓)，故理者人心之实，而心者即天理之所著所存者也（思维与存在之媒介同一）。(《四书训义》卷八)

实在的万物性质有其法则，由存在的合法则运动而反映为思维理则，故理都是“可持循之道”，认识是媒介对象的实在性，没有不可特循的迹先，而别设一个型范，而待世界的日新条理来“依照”的，故云“以心循理”，不是以心“立理”。他的时代，西洋历法已输入中国，他依据“法大明之日”，而说明理之因气，是一个“过程”，甚得思维与存在的发展关系。他说：

有即事以穷理，无立理以限事。所恶于异端者，非恶其无能为理也，冏然仅有得于理，因立之以概天下也。……异端之言曰，“万变而不出吾之宗”，宗者冏然之仅得者也，而抑曰吾之宗矣，吾其能为万变乎？如其不能为万变，则吾不出吾之宗，而非万变之不出也。无他，学之未及，不足以言，而迫欲言，则冏然亦报以仿佛之推测也。……彼（指天地日月等）皆有理以成乎事（客观合则性），谓彼之理即吾宗之秩序者犹之可也（认识合则性），谓彼之事一吾宗之结构运行也，非天下之至诞者孰敢信其然哉？……文伯之论曰，“国无政不用善，则自取谪于日月之灾”，呜呼，此古人学之未及，私为理以限天，而不能即天以穷理之说也。当历法大明之日，朔望转合之不差，迟疾朒朓之不乱，则五尺童子亦知文伯之妄！……日月惟有运而错行之事，则因以有合而相掩之理，既惟有合而相掩之理，因而有食（日食）而不爽之事。故人定胜天，亦一理也，而不可立以为宗，限日食之理而从之也。(《续春秋左氏传博议》卷下）

运而错行，亦合法则的天体运动，这个运行规律是在古人认识过程中不能知其合而相掩之理，遂以远而不似的主观认识以概之，今人学之已及，认识过程中始含有近而相似的概念，得合而相掩之理，以证有而不爽之事，故云“有即事以穷理，无立理以限事”，立理以限事不是近代哲学家，而凡野蛮人优能为之。船山此论，甚合十七世纪世界的近代思维方法，所以然者，他把握（形式上）着变化哲学（使庄子的变化思想颠倒过来）。他曾分别“气”与“质”。气即近代语的量，发为思维过程由量变质之说，而论虽失理之气，亦在理中，所谓“没有错误的人是一事不做的人”。这见解异常高明，下面是他的一段妙文：

已失之后（指理），日受天气以生，而气必有理，即其气理之失和，以致于戾，然亦时消时息，而不居以久其所也。……气虚者，质之量不足，气浊者，质之牖不清也。……故气以其条理而或乱，抑亦不相继续或挠也。质能为气之累（认识有限制），故气虽得其理，而不能使之善。……不能为质之害（认识可发展），故气虽不得其理，而不能使之不善。乃人之清浊刚柔不一者，其过专在“质”，而于以使愚明而柔强者，其功专在“气”，质一成者也，故过不复为功，气日生者也，则不能为质分过，而能为功于质。且“质”之建立者固“气”矣，气可建立之，则亦可操其张弛经纬之权矣（发展），气日生，故性日生（原注：生者气之理），性本气之理，而即乎气，故言性必言气，而始得其所“藏”，乃气可与质为功，而必有其与为功者，则言气而早已与“习”相摄矣。是故质之良者，虽有失理之气，乘化以入，而不留之为害，然日任其质，而质之力亦穷，则逮其久，而气之不能害者且害之矣。盖气任生质□□□□□□（脱文）型范，型范虽一成，而一无时不有消息，始则消息因仍其型范，逮乐与失理之气相取，而型范亦迁矣；若夫由不善迁于善者，则亦善养其气，至于久而“质”且为之改也。……乃所以养其气而使为功者，何恃乎？此人之所能也，则“习”（实践）是也。是故气随习易，而习且与性成也。质者性之府也，性者气之纪也，气者质之充，而习之所能御者也，然则气效于“习”，以生化乎“质”，而与性为体。……质以纪气，而与气为体（原注：可云气与性为体，即可云性与气为体），“质”受生于“气”，而“气”以纪理（原注：此句紧要）。……就“气”言之，其得理者，正也，其失理者亦何莫非理也；就“质”言之，其得正者，正也，其不正者，亦何莫非正也？气之失理，非理之失，失亦于其理之中。已刚而亦乾之健，已柔而亦坤之顺，已清而象亦成，已浊而形亦成亦均，夫祁寒之以成其寒之能盛暑，而以成其暑之能也。善养者何在而不足与天地同流哉？质之不正，非犬羊草木之不正也，亦大正之中，偏于此而全于彼，长于此而短于彼，乃有其全与长之可因，而其偏与短者之未尝不可扩。（《读四书大全说》卷七）

此段讲理气的道理，是宋明以来之总的自觉发展，已经因追求到实践，把循环论证跌开，达到颇高的理论水准，可谓前无古人，作者读中国古人哲学，还没有遇到这样深刻的文章！

思维与存在的媒介，因了实践的气日充，量日丰，把对象认识去改善，而后把人类自己改善。“型范”，即今哲学术语的类概念，他不认为有“一成型”的不变的人性类概念，而可以由于实践的善养，与由于践实的不善养，而变化其“质”。故“气为质之充”，是言“量”的范畴，因了“量”在“习”中的功效，而生化乎“质”。量是日生的，性亦是日生的，故“质”亦是日变的，如寒因气之充而变为暑。由量变质，不仅向上发展而已，亦有向下变化的，故“气以理纪质”者，由量之充而发展，是得“理”之正，由量之不充，而得“理”之反，都是“理”的过程之一型范，而因变化所得之正与反，都是“理”的节文过程，得理与失理，都是理。这一能动性的思维与存在之哲学，可与黑格尔的认识论比美。船山的性论最完善，后面仍要详细研究，他释“性者日生者也”，在语源上亦合，按存世两周金文，“性”之原字即“生”字，已有明证，如金文的“厥生”，即诗言

“尔性”。因此，他把宋明儒以来所高谈的性命，从新规定了活生生的发展内容，并依之说明“理在日成”中，“未成可成，已成可革”，不可能有一成不变的“理”存在的，论“性”之要点亦如此。他说：

性者，生理也，日生则日成也。夫天命者，岂待初生之顷命之哉？……天之生物，其化不息，初生之顷，非无命也；……幼而少，少而壮，壮而老，亦无非命也。……不更有所命，则年逝而性亦可忘也。……形日以养，器日以滋，理日以成，方生而受之，一日生而一日受之，故天命于人，而人日受命于天，故曰性者生理也，日生而日成之也。……惟命之不穷也而靡常，故性屡移而异，抑惟理之本正也，而无固有之疵，故“善”来复而无难，未成可成，已成可革。性也者，岂一受成形不受损益也哉？……形气者，亦受于天者也，非人之所自有也，而新故相推，日生不滞，如斯。（《尚书引义》卷三）

船山从天命观，到无常日富的新命观，是否定了绝对的天命，从常性论，到日生而新的生化论（《思问录》云“命日新而性富有也”），是否定了绝对的固性，因此，

“气与性为体”，亦即从超乎现实的“理”，到实践中日新而富的理，是否定了绝对的理概念。理，不但是以丰富的内容发展而亦发展，而且是以主观的认识官能（质）日生日新而亦日富日善。“未成可成，已成可革”之性理说，是他的生化论的一特点，宋明以来的性理观到此划一时代。

他既首先肯定实在的气，日生的气，又肯定由气日充实的质，即因实践改变了人类官能而生化乎质，则性在气质之中亦日新而富有，并非一降生就命定了的。性的体是能动的日受其生，性的用是能动的日至其善，从名实关系上言之，有如下说：

言性者，皆曰吾知性也，折之曰，性弗然也，犹将曰，性胡不然也？故必正告之曰，尔之所言性者非性也。今吾勿问其性，且问其知，知实而不知名，知名而不知实，皆不知也，言性者于此而必穷。目击而遇之，有其成象，而不能为之名，如是者，于体非芒然也，而不给于用，无以名之，斯无以用之也；习闻而识之，谓有名之必有实，而究不能得其实，如是者，执名以起用，而芒然于其体，虽有用，固异体之用，非其用也。夫二者，则有辨矣，知实而不知名，弗求名焉，则用将终绌，问以审之，学以证之，思以反求之，则“实在”而终得乎名，体定而终伸其用，此夫妇之能，所以可成乎忠孝也；知名而不知实，以为既知之矣，则始终于名，而惝恍以测其影，斯问而益疑，学而益僻，思而益甚其狂惑，以其名加诸回异之体，技辞日兴，愈离其本，此异同之辨说所以成淫辞也。(《姜斋文集》卷一)

前者为经验论，后者为唯名论，在船山的意思，经验论者虽不能得“性”之用，未知其所以然，但积经验尚可以如夫妇之知能而知道日常生活；唯名论者则游戏于名，而怀疑于实，则极可贼道，故云：“与性形影绝，梦想不至，但闻其名，随取一名而当之也。”(同上)

他又从理与象，道与象，说明象之实在，道与理乃由象所摄取者，象为第一次的，道理为第二次的。他说：

在天而为象，在物而为数，在人心而为理，古之圣人于象数而得理也，未闻于理而为之象数也。于理而立之象数，则有天道，而无人道。(原注：疑邵子。实则疑宋儒之外儒内道知有天而不知人。)(《思问录·内篇》)

天下无象外之道，何也？有外则相与为两，即甚亲而亦如父之于子也；无外则相与为一，虽有异名，而无若耳目之于聪明也。父生子而各自有形，父死而子继，不曰道生象，而各自为体，道逝而象留。然则象外无理，欲详道而略象，奚可哉？今夫象，玄黄纯杂，因以得“文”，长短纵横，因以得“度”，坚脆动止，因以得“质”，大小同异，因以得“性”，日月星辰，因以得“明”，坟埴墟壤，因以得“产”，草木华实，因以得“财”，风雨散润，因以得“节”。……象不胜多，而一之于“易”，“易”聚象于奇偶，而散之于参伍错综之往来。相与开合，相与源流，开合有情，源流有理。……然则汇象以成“易”，举“易”而皆象，何居乎以为兔之蹄，鱼之筌也？夫蹄非兔也，筌非鱼也，鱼兔筌蹄，物异而象殊，故可执筌蹄以获鱼兔，亦可舍筌蹄而别有得鱼兔之理，畋渔之具伙矣。……言未可忘，而奚况乎象？……道亦因言而生，则言象意道，固合而无畛，老庄之言，弃民彝绝物理，胥此焉耳。（《周易外传》卷六）

这样看来，文理、度理、质理、情理、明理、产理、财理、节理，皆指因对象而综摄的表象或抽象的概念，所谓“理”者，乃指条理，而“易统会其理”者，始把概念活化起来，在变化发展中取得“理论的”的概念或动的总理，这便是“道”，近人名之曰哲学，船山以“易”名之，或别云“生化之理”。各理都有真理性，因为物象皆实在，名言亦实在，它同时具有相对的真理性，然而不是老庄的真理游戏，即不是绝对的相对主义。

第五节　人性论与道器观，人类的能动性

人类不仅反映自然，而且能够循自然的规律而改造自然（或世界），因而复改造自己的气质。船山的道器观更富有近代思想的内容，这不仅因为他认识器先道后，而且更因为他把人类对于自然（或世界）的创造活动，提到妥当的地位，谓创器即所以创道。他和主观观念论者相反，乃是依据对象的合法则性（实在），而创造法则，不是他所谓“惝恍以测其影”。船山的道器论，尚没有人研究得清楚，就因为偶有人说到道器论时，亦和他的理气论混同，而且也没有把“器”字看得明白的。

他所谓之“器”与“气”不同，“气”指宇宙细缊

的大量，而“器”则谓这大量的实在秩序或客观规律。他所谓之“象”，即气之表现形态（“象”在“气”之始），而“器”则是这一现象形态的本质，然都是时变的。如上所言，象的玄黄纯杂，而有“文”的本质，象的长短纵横，而有“度”的本质，其他性、节、财、产皆因象而立，在人始谓之理。我们研究。一家的学说，首先要知道他的特别使用的术语，否则是不可能研究的。船山的这些术语，是在他的文字全体中才可以得到了解，仅看一段颇流之于断章取义，现在仅录一段重要文字于下：

阴阳与道为体，道建阴阳以居，相融相结而“象”生，相参相耦而“数”立，融结者称其“质”而无为，参耦者有其为而不乱。“象”有融结，故以大天下之生，“数”有参耦，故以成天下之务。“象”者生而日生，阴阳生人之撰也，“数”者既生而有，阴阳治人之化也。阴阳（气）生人而能任人之生，阴阳治人而不能代人以治。……“象”日生而为载道之“器”，“数”成务而因行道之“时”。“器”有大小，“时”有往来。载者有“量”，行者有程，亦恒龃龉，而不相值。……“时”固不可御也，“器”固不可扩也，御“时”而“时”违，扩“器”而“器”

败。……“器”有小大，斟酌之以为载，“时”有往来，消息之以为受。……其非君子也，则恒反其“序”（法则），反其“序”者执“象”以常，常其常而昧其无穷，乘数以变，变其变而瞀其有之。……而非君子之“器”，则失“序”而不能承。（《周易外传》卷五）

由上文节录，可以看出器之为器，是由复杂多样的现象而来，且为“时器”。器是秩序定律，为象之本质，而时器则为更深刻的本质，因为“象日生”，而载道之器而亦发展。知此，才可以研究他的道器论。他说“其序之也，无先设之定理”，“神化形而上者也，迹不显，而由辞以想其象，则得其实”（《正蒙注》卷二），“阅物之万，应事之赜，因物事而得理，推理而必合于生”（《外传》卷二），“道者天地之通理”（《正蒙注》卷一）。这样，器不但在道（总理）之先，而且道器是一个东西，知其器即所以知其道。故云：

据器而道存，离器而道毁。（《周易外传》卷三）

统此一物，形而上则谓之道，形而下则谓之器，无非一阴一阳之和而成，尽器则道在其中矣。

圣人之所不知不能者器，也夫妇之所与知与能者道

也，故尽器难矣，尽器则道无不贯，尽道所以审器。知至于尽器，能至于践形，德盛矣哉！（皆见《思问录·内篇》）

本来把握着“器”之必然，本身便是道，所谓“尽道所以审器”，然尽器实难，必然之把握是历史的。而不是“先设的一个定理”臆测的。船山云尽器则道在其中，道无不贯，命题光辉。他在《读四书大全说》说明从多学而识的工夫同时即为求乎一贯，亦尽器贯道之同义语，故评：“程子见人读史则斥为玩物丧志，玩物丧志者，以学识为学识，而俟一贯于他日者也。若程子之读史则一以贯乎所学所识也。古之人学日新有得，必如以前半截学识，后半截一贯，用功在学识，取效在一贯，……夫子在志学之年且应不察本源，贸贸然求之而未知所归也。”（卷六）因此，器在道先，器日尽而道愈明，而道器上下之分别，他说不过拟议“谓之”而已（《易》云：形而上者谓之道，形而下者谓之器），其实“盈天地之间者皆器也”，“道不虚生，则凡道皆实也”，而不能“悬道于器外”（见上）。下面是他的道器论之精刻文字：

“谓之”者从其谓而立之名也，“上下”者初无定界，从乎所拟议而施之谓也。……天下惟器而已矣，道者器之道，器者不可谓之道之器也。无其道则无其器，人类能言之（宋明儒者皆言之），虽然，苟有其器矣，奚患无道哉？君子之所不知，而圣人知之，圣人之所不能，而匹夫匹妇能之，人或昧于其道者，其器不成，不成，非无器也。无其器则无其道，人鲜能言之。洪荒无揖让之道，尧舜无吊伐之道，汉唐无今日之道，则今日无他日之道者多矣。未有弓矢而无射道，未有车马而无御道，未有牢醴璧币钟磬管弦而无礼乐之道，则未有子而无父道，未有弟而无兄道，道之可有而且无者多矣。故无其器则无其道，诚然之言也，而人特未之察耳。故古之圣人能治器而不能治道，治器者则谓之道，道得则谓之德，器成则谓之行，器用之广则谓之变通，器效之著则谓之事业。……如其舍此，而求诸未有器之先，亘古今，通万变，穷天穷地，穷人穷物，而不能为之名，而况得其实乎？老氏瞀于此，而曰“道在虚”，虚亦器之虚也。释氏瞀于此，而曰“道在寂”，寂亦器之寂也。谣词锞炙，而不能离乎器，然且标离器之名以自神，将谁欺乎？……故作者之谓圣，作器也，述者之谓明，述器也，神而明之存乎其人，神明其器也，识其品别，辨其条理，善其用，定其体，则默而成之，不言而信，成器而据之为德也。呜呼，君子之道，尽乎器而已矣。辞所以显器，而鼓天下之动，使勉于治器也。（以下评王弼，亦可参考）（《周易外传》卷五）

以上一段话，大意谓：（一）形上形下无定界，不过拟议之词。（二）天下惟器，知其器，成其器，即所以明道，昧于道者即是说不知其器。此二点至明，无待解释，更有进者：

（三）器先道后，器先存在，而器的秩序条理始得为认识与行为的法则，器不存在，即不可能反映为认识的道理，他所举之历史的证例，异常高卓，与中山先生所谓有枪炮之发生始有现代战术者，相映成辉，而拿破仑战术和第二次世界大战的复杂运动战术，在未有战器改革之先，谁也梦想不到的。这里导出他的变革哲学，器正为今日之道，器反则又为他日之道，他更有名例如："宋之去今五百年耳，邵子谓南人作乱自此始，则南人犹劣于北也；洪永以来，学术节义，事功文章，皆出荆扬之产，而贪忍无良，弑君卖国，结宫进、附宦寺、事仇雠者，北人为尤酷焉。则邵子之言，验于宋而移于今矣。今且两粤滇黔，渐向文明，……地气南移，在近小者有如此者，推之荒远，此混沌，彼文明，又何怪乎？”（《思问录·外篇》。考《思问录》题材，原仿王充《论衡》之《问孔》《刺孟》诸篇，故多新义。）这是尤足说明今日无他日之道，因之，他言器与道是立足于言之“可证”者，言可证者有史，他便对于古史得出前无古人之名断，与朱子所谓秦汉以下“天地也是架漏过时，人心也是牵补度日”，而否定历史发展者不同，例如他论“肉刑”为三代古法，在文字上他把肉刑与所谓“井田”“封建”二者并列，但云：“上古朴略之法，存而不论焉可也。”（《尚书引义·舜典四》）野蛮与文明是有它们的器（秩序）可证，我们不能由文明退回到野蛮而合所谓道，他说：

目不能征其虚实也，吾无以征之。……考古者以可闻之实而已，知来者以先见之几而已。故吾所知者，中国之天下（此句他常用之，可见当时闻见已是世界的，他的解放思想，由此限定语的谨慎可以知之），轩辕以前其犹夷狄也，太昊以前其犹禽兽乎，禽兽不能全其

"质"，夷狄不能备其"文"，文之不备，渐至无文，则前无与识，后无与传，是非无恒，取舍无据，所谓饥则呴呴，饱则弃余者，亦植立之兽而已矣。……文去而质不足以留，且将食非其食，衣非其衣，……又叙乎太昊以前，而几不兽矣。至是而文字不行，见闻不识，虽有亿万年之耳目，亦无与征之矣，此为混沌而已矣。(《思问录·外篇》)

这里显然把庄子的相对论颠倒过来"因而通之"，而批判了庄子，批判了宋儒。质、文皆时代的"器"，因器而有时代的"道"，故气在必征，而道亦在必征，有征则复古是"失道"了。道有时代，古者依其器有古道，若必欲复古道，而昧今之器，他说这是无"德"，德者，是指现实的把握，把握有得而据之，即道在其中（特殊的合法则性与一般的合法则之同一者），他说：

谓井田、封建、肉刑之不可行者，不知道也，谓其必可行者，不知德也。勇于德则道凝，勇于道则道为天下病矣。德之不勇，褊宽博且将惴焉，况天下之大乎？(《思问录·内篇》)

"勇于德则道凝，勇于道则道为天下病"，船山的又一新义，命题亦光辉照人。“真理是具体的”，一语破迷，即所谓“治器谓之道，道得谓之德”，“成器而据之为德”，否则只在器之先，求其“互古今，通万变，穷天地人物”者抽象其名，名则不实，亦虚寂罢了，“离器而道毁”。因为“道之可有而且无者多矣”，仅成器而时据之，始见道之大有，没有一个“豁然贯通”的武器，即没有一个表里精粗无不到的道。

（四）他所谓治器，作器，述器，更为特色，前人亦未了解者。船山既元生化史，推源于“生”，而“备于大繁”，则不是简陋之“朴”，所能尽生化之理。他说：

朴之为说，始于老氏，后世习以为美谈。朴者，木之已伐而未裁者也，已伐则生理已绝，未裁则不成于用，终乎朴则终乎无用矣。如其用之，可栋可楹，可豆可俎，而抑且可溷可牢，可扭可桎也。人之生理在生气中，原自盎然充满，条达荣茂，伐而绝之，使不得以畅茂，而又不施琢磨之功，任其顽质，则天然之美既丧，而人事又废，君子而野人，人而禽，胥此为之。若以朴言，则唯饥可得而食，寒可得而衣者，为切实有用，养不死之躯以待尽，天下岂少若人耶？自鬻为奴，穿窬为盗，皆

以全其朴，奚不可哉？养其生理自然之文，而修饰之以成乎用者，礼也。（《俟解》）

这段评老氏的妙文，实在是近代人类的自我反省（如黑格尔所论），人文主义的实质在此。“成用”，不是玄奥的道理，“泥古过高，菲薄方今，以蔑生人之性”（《读通鉴论》卷二十），那是绝不能“成用”的，故不识其器是无以成其用。这已达到了人类创造的能动精神方面。所谓创造亦有条件的，无车的条件，不能创造御之理，无器之条件，不能创造容之理，而是有一定的“时”与“序”，彻时而时违，扩器而器败，上文已明言之。所以，作器，述器，治器（不但具体的物件，而且包括文明，他说诗书礼乐皆圣人所治之器）乃自然有其序，人类成其“用”，成器则他说圣人有所不能，而匹夫匹妇有能之者，自然予之，人类成之，自然日生而予之，人类日新而成之，他说：

成必有造之者，得必有予之者矣，臻于成与得矣，是人事之究竟，岂生生之大始乎！有木而后有车，有土而后有器，车器生于土木，为所生者为之，擦之斫之断之埏之，车器之乃成，而后人乃得之，既成既得之，物

之利用者也。(《周易外传》卷一)

人类与自然的关系犹不仅此，自然在生化乎秩序中，人类亦在生化乎性质中，自然予者以及人类成者亦在生化乎媒介关系中，“资始之元亦日新而与心遇，非但在始生之俄顷”（同上），所谓“性日生”者是。由此，便导出他的成器论之哲学基础，客观与主观的生化史论。“历史是人类创造的”，但这不是主观观念论么？否否！他有一名论，谓之“继善成性论”，贯彻此理，但了解首先亦要把他的术语弄清楚，否则必望文生义。钱穆先生这一点便解释错了，他说：“道为天演之现象，（？）善则天演淘汰中继续生存之适应，而性则仅是生物于适应中所得之几种生理也。”（《中国近三百年学术史》第三章，九九页）按船山此旨，与生物进化论风马牛不相及，成器者人也，其他生物不能成器，只能备器，与佛兰克林言“人为造工具的动物”相似。创造者人也，其他生物无创造能动的精神，只有生化的适应性，与哲人所云“历史是人类创造者”相似。船山在《正蒙注》卷三中，有生物之说特详，除因科学未发达，有未妥处外——如言植物无呼吸——其他颇可参证，他说动物

“各含其性”，植物则“有质无性”，人为最得天秀者，“其体愈灵，其用愈广”，天有序，物有秩，人能知秩知序者，这里即继善成性的根源。

船山的继善成性论是由易辞上传“一阴一阳之谓道，继之者善也，成之者性也”一句演成的。道、善、性、成、继，皆其特独的术语。（甲）“天则道而已矣”，“道”指自然细缊，兼形式与内容，兼本质与现象，兼环与练，所谓“道则多少阴阳无所不可矣”。（乙）“善”指物德，事物的品别或条理，即器之所以为器者，所谓“善者因事而见”。（丙）“性”指“生之理”，所谓“命日降，性日受”，“性者，生理也，日生而日成也”，性不是一个绝对的类概念，而是一种人类发展的本能，它和自然相与为能，日生日存，“成性存在，存之又存，相仍不舍”，没有外界的万变，即没有人类性的日生日存，而“尽性”即指存此性而把握自然的必然或所谓“善”，故云：“命日受则性日生，目日生视，耳日生听，心日生思。形受以为器，气受以为充，理受以为德。取之多用之宏而壮，取之纯用之粹而善；取之驳用之杂而恶，不知其所自生而生。是故君子自强不息，以存性也，……有生之后，日生之性益善而无恶矣。”(《尚书引义·太甲二》)(丁)“继”字，他说“天人之际”，异常重视，以哲学术语释之，这是认识上的实践意义。黑格尔说：“理念是在概念当作今日‘即自的’和“对自的”东西而被规定的限度内，是实践的理念，是行为。”(《黑格尔论理学》第三部，一九三页)认识是就对象的运行中，或就对象的“即自身”和“对自身”，而把握着对象的实在；然而正因为如此，另一方面，人类认识，在概念成为实践的意义上，由“即自存在”成为“对自存在”(Fur-Sich-Scin)时，才最后把握或占有真理，“实践是客观认识的检证规准”。这样，在实践中变革了现实的认识，同时亦就是认识的被扬弃。黑格尔称媒介性(认识)之被扬弃而达到现实性。(同上，一九七页)我认为船山的“继”字，即不完全地说明了此点，所谓不完全者，即仅是“形式的”，与黑格尔“形式地”把握真理是同路，而比较更为形式。(戊)末了，“成”指什么呢？“成”为道德的评价，包含知能二者的创造活动，即所谓日生不息的取多用宏，取纯用粹。他说：“成犹定也，谓一以性为体而达其用也，善端见而继之不息，则终始一于善，而性

定矣。……性之善者不能尽掩，有时而自见。”（《止蒙注》卷三）

明白了他的术语，便可以研究下面的文章。他说，“言道者统而同之，不以其序，知道者鲜矣”，所以对象与认识之间是以“序”论，这是要旨。因为他的诗亦言“天道不可见，往来孰能亲”，因了“序”才可以言道。如果我们亦如评黑格尔的办法，把“统而同之”的道（天）去掉吧，则留下的就是物质合法则的过程联结，认识的媒介。“道”，他说是：

天则道而已矣。……道无时不有，无动无静之不然，无可无否之不任受。（《周易外传》卷五）

这是不可知论之残余，对象的认识只能从“因事而见”的善讲起，则去道亦与存道没有多大分别。故我们首先研究他言“善”之精义，他说：

调之有适然之妙，妙相衍而不穷，相安而各得，于事，善也，于物，善也。

善则天人相继之际，有其时矣。善具其体，而非能用之，抑具其用，而无与为体，万汇各有其善，不相为知，亦不相为一性，则敛于物之中，有其量矣。有其

时，非浩然无极之时，有其量，非融然流动之量。（同上，节文）

这样看来，“善”为对象的实在现实性，万汇（对象）各具性以发展相继，而它是哑巴，不过是自然的运动网结。对象有时具体而不能被认识所媒介以至占有，有时具用而不能被认识所说明以至检证。“即自存在”与“对自存在”的相继转化，只是透过认识才能于事物而显现为统一。因此，“善”者即“器”之抽象名词罢了。这里便发生“天人之际”的“继”，自然联结，认识亦在联结，对象的环练通过认识的环练，“即自存在”与“对自存在”始统一起来，故云“有其时”。他说：

甚哉，继之为功于天人乎！天以此显其成能，人以此绍其生理者也。……不继不能成天人相绍之际。存乎天者，莫妙于“继”，然则人以达天之几，存乎人者亦孰有重于“继”乎？夫繁然有生，粹然而生人，秩焉，纪焉，精焉，至焉，而成乎人之性，惟其“继”而已矣。道之不息于既生之后，生之不绝于大道之中，绵密相因，始终相洽，节宣相允，无他，如其“继”而已矣。以阳继阳而刚不馁，以阴继阴而柔不孤，以阳继阴而柔不靡，以阴继阳而刚不暴。无穷之谓恒，充之不歉之谓诚，持之不忘之谓信，敦之不薄之为仁，承之不昧之为明，凡此“所以善”也，则君子“所以为功于性”者亦此而已矣。继之则善矣，不继则不善矣，天无所不继，故善不穷，人有所不继，则恶兴焉。……学成于聚，新故相资而新其故，思得于永，显微相次而显察于微。其不然者，禽兽母子之恩，啀啀虞虞，稍长而无以相识，夷狄君臣之分，炎炎赫赫，而旋以相戕，则唯其念与念之不相“继”也，事与事之不相“继”也。……天命之性有始终，而自继以善无绝续也。川流之不匮，不忧其逝，有“继”之者耳，日月之错，不忧其悖，有“继”之者尔。（同上，节文）

以上举例，虽多“形式的”（比黑格尔更形式的），但这是“成器而据之为德”的最高哲学——认识，占有对象的媒介理论。对象（天）显其变化，人类认识绍其实在联结以日生（性），万汇有其秩序而不自知，人类认识媒介出“即自存在”与“对自存在”。在这里，认识便是学思，“学成于聚，思得于永”，把旧的变为新的，把现象（显）推到本质（微）。“述器”、“作器”、“成器”，就在这里。故云“知至于尽器，能至于践形，德盛矣哉”，德即认识占有之谓（据之）。他的认识论应另研究，此处明器、述器、作器已是他的理论中心，“不识，无迹之可循，不能为之名也；不知、不预测其变也。知能日新，则前未名者，礼缘义起。俟命不贰，则变不可知者，冥升不息，以斯而顺帝之则，乃无不顺也。识所不逮，义自喻焉，况其识乎？知所不预，行且通焉，况其知乎？”（《思问录 · 内篇》）这是说“礼”制过去是没有的，亦不能名的，在知能日新之下，礼缘义起（义指相对的时空条件），与黑格尔的法律论，以法制是历史的产物者，相似。

复次，“继”即联结之谓，在于“天以此显其成能，人以此绍其生理”，故认识的媒介，即“绍天有力之天人之际”，人类的能动性以此。“天不言，物不言，其相授受，以法象相示而已，形声者物之法象也，……言者人之大用也，绍天有力，有异乎物者也。子贡求尽人道，故曰：‘子如不言，则小子何“述”焉？’（述者以船山之意当指述器）竖指摇拂目击道存者，吾不知之矣！”（同上）述器即尽人道，即“继”的内容，使对象的联结性（善）媒介出来，而复改变了自己的认识之性能。他批判那些冥想求道者之不重视言语认识，即不知继善成性者。

“继”之为功于天人，显然是指认识与对象的媒介性理论，这一理论亦不就如此其单纯，惟船山已经形式地达到这一理论的精刻处，则无疑问的。继善既明，再论其所谓成性。“性者，善之藏也”，则性和善皆在联结中渗透反映的。善既是“未成可成，已成可革”者，则性也不是一受命不变易的，而是“新故相资，而新其故”，“一日生而一日受”，他在《周易外传》卷五上引文一节中说：

恢恢乎大之则曰，“人之性犹牛之性，牛之性犹犬之性”，亦可矣，当其继善之时有相“犹”者也，而不可概之已成乎人之性也；则曰“天地与我同根，万物与我共命”，亦可矣，当其为道之时同也，共也，而不可概之相继以相授而善焉者也。……善者性之所资也，……犹子孙因祖父而得性，则可以姓系之，而善不于姓而始有，犹子孙之不可但以姓，而必系之以名也。

性可存也，成可守也，善可用也，继可学也，道可合而不可据也，至于继，而作圣之功，蔑于加矣。

船山的“性”论最具特识，我认为这是中国思想史上言“性”之善恶的先秦诸子所不及者。在上面已经引证过他的“性日生”的理论，言性不是受命之日而自成，而是日生而日受，日在性中丰富其绍天之力。他把“性”和“习”（实践行为）统一起来，而赞成孔子“习相远”之说为最无语病，在实践中检证了“善”之可继，或甚至可成者可革，因而扬弃了认识的媒介，性亦“新故相推”，而复使自己亦更日受其新命，“可革者亦可成”。成性即这样地存存以至于善。所以，他说继善之初，即认识的最原始之时，人性与物性有共同点，然而不能限制人性的发展，而以为这就是人类性，或用一个一成型而“概”念化起来；为道之质，即认识的能动性，人性是不可限量的，可以说有万物与我共命之可能，然而这不是先天的范畴，一蹴便这样到了自由的王国，而要在历史的相继相授中，才不断的存性以至于“善”境。人类性是有活动的内容，船山所说明的成性，即着重了历史的过程，有否定性的发展本质，类似黑格尔谓人性是“自己运动和生命力所固有的脉搏跳动”。这不但是在理论上超过先秦诸子，而且是富有近代革命性的。

第六节　船山人性论中的近代命题

懂得他的人性论之继善成性论，即可以知道他的人性论中之理欲合性说，所谓“理欲皆自然”（《正蒙注》卷三），理欲相变说，所谓“有欲斯有理”，“理欲同行异情”说，以及“理寓欲中”说。这都是宋儒以来“灭人欲”的反对命题，本质上是近代的。他说：

有象乎，无象乎？其无象也，耳目心思之所穷，是非得失之所废，明暗枉直之所不施，亲疏厚薄之所不设，……无形无色……而别有以为涤除玄览乎？若夫其有象者，火有其热，水有其濡，草木有其根茎，人物有其父子，所统者为之君，所合者为之类，有是故有非，有欲斯有理。（《周易外传》卷二）

这不但指出理欲皆性，而且指出是非理欲是相对的，是非可变移，理欲可转化。因为他说：

礼虽纯为天理之节文，而必寓于人欲以见，虽居静而为感通之则，然因乎变合以章其用。唯然，故终不离人而别有天，终不离欲而别有理也。离欲而别为理，其为释氏为烈，盖厌弃物则而废人之大备矣。……五峰曰“天理人欲同行而异情”。韪哉！昧合颜孟之学而一原者，其斯言也。夫即此好货好色之心，而天之以阴骘万物，人之以戴天地之大德者，皆其以是为所藏之用。……于此声色臭味，廓然见万物之公欲，而即为万物之公理，……使不于人欲之与天理同行者，即是以察夫天理，则虽若有理之可依据，而总于吾视听言动之感通而有其贞者不相交涉……孟子承孔子之学，随处见人欲，即随处见天理，学者循此以求之，所谓不远之复者，又岂远哉！（《读四书大全说》卷八）

这里的主旨，就是阐明人们终不能“离人而别有天，离欲而别为理”，而天理即在人欲之中，所以说“廓然见万物之公欲，而即为万物之公理”，“随处见人欲，即随处见天理”，船山更一再地说：

人欲之各得，即天理之大同。（同上，卷四）

天理充周，原不与人欲相对垒。（同上，卷六）

又在《四书正义》上这样说：

王道本乎人情，人情者，君子与小人同有之情

也。……孟子既深达天理人情合一之原，而知王道之可即见端。私欲之中，天理所寓。(卷二)

天下之动，人欲之，彼即能之，实有其可欲者在也。此盖性之所近，往往与天理而相合者也。(卷三)

以我爱人之心，而为爱人之理，我与人同乎其情也，则亦同乎其道也。人欲之大公，即天理之至正矣。(卷二)

若犹不协于人情，则必大远于天理。(卷二)

孟子所言之王政，天理也；无非人情也。人情之通天下而一理，其即天理也。非有绝己之意欲以徇天下，推理之清刚以制天下者也。(同上)

宋儒受着释氏的影响，把理欲对立起来，而船山则把天理统一于人欲之中。前者是理欲二元论，后者则是理欲一元论了。

船山一方面反对减人欲之说，他方面说真能纵欲，欲即变为理。他说：

君子之用损也，用之于惩忿，而忿非暴发不可得而惩也。用之于窒欲，而欲非已滥不可得而窒也。……性主阳以用壮，大勇浩然，亢王侯而非忿。情宾阴而善感，好乐无荒，思辗转而非欲。而尽用其惩，益摧其壮，竟加以窒，终绝其感。一自以为马，一自以为牛，度才而处于镎，一以为寒岩，一以为枯木，灭情而息其生，彼佛老者，皆托损以时修，而岂知所谓损者，……岂并其清明之嗜欲，强固之气质，概衰替之，以游惰为否塞之归也哉！是故专性者必录其才，达情者以养其性。故未变则泰而必亨，已变则损而有时。既登才情以辅性，抑凝性以存才情。损者，衰世之变矣。处其变也，而后惩窒之事起焉。若夫未变而忆其或变，早自贬损以防意外之迁流，是惩羹而吹韲，畏金鼓之声而自投车下，不亦愚乎！（《周易外传》卷三，《损》）

“惩忿”“窒欲”都有碍于人类个性之发展，都是中古自然经济的产物，所以说“尽用其惩，益摧其壮，竟加以窒，终绝其感”，乃违背了人性。

不肖者之纵其血气以用物，非能纵也，遏之而已矣。纵其目于一色，而天下之群色隐，况其未有色者乎。纵其耳于一声，而天下之群声闷，况其未有声者乎。纵其心于一求，而天下群求塞，况其不可以求者乎。……无遏之者，无所不达矣。故曰形色天性也，形其形而无形者宣，色其色而无色者显。……纵其所堪，而昼夜之道，鬼神之撰，善恶之几，吉凶之故，不虑而知，不劳而格，无遏焉而已矣。一朝之忿，一念之欲，一意之任，驰而不返，莫知其乡，皆惟其遏之也。（《诗广传》卷四）

因此，他说理欲皆性，不过是“同行异情”罢了。

理自性生，欲以形开，其或冀夫欲尽而理乃孤行，亦似矣；然而天理人欲同行异情，异情者，异以变化之几，同行者同于形色之实。（《周易外传》卷一）

理欲同源于形色（对象），而成之者“性”，性既“新故相推”，日生而日新，日新而日富有，日富有而日能显其“德”，则理欲“异以变化之几”，今日之欲未必非他日之理，今日之理亦未必非他日之欲。例如财产在中古自足经济为欲，在近代为个性发展之理，在将来目为私有制度之欲。“养其生理（性）自然之文，而修饰之以成用”，乃道欲于理，由不合理至于合理。因为：

人之有心，昼夜用而不息，虽人欲杂动，而所资以见天理者，舍此心而奚主；其不用而静且轻，则寝寐之顷是也。……才以用而自生，思以引而不竭。（《周易外传》卷四）

船山谓“天下亦变矣”，故人性亦动，“不动之常，惟以动验，既动之常，不待反推”，如塞性于静，他说：“周公孔子日动以负重，将且纷胶瞀乱而言行交诎，而饱食终日之徒，使之穷物理，应事机，抑将智力沛发而不衰，是圈豕贤于人，而顽石飞虫贤于圈豕也。”（同上）宋明儒走的路线，都是中古的不动天地，故反映而为中古的贱形自足思想，船山则云：

其常而可依者，皆有其生而有，其生而有者，非妄而必真，……故贱形必贱性，贱情必贱生，……离生必谓无为真，而谓生为妄，而二氏之说昌矣。（《周易外传》卷二）

彼佛老者，皆托损以鸣修，而岂知所谓损者，……岂并其清明之嗜欲，强固之气质，概衰替之，以游惰为否塞之归也哉。（同上，卷三）

他认为贱形与损欲，是“衰世之变”，故性不是“一受形不受损益”，而是日益而生的，才情皆效动，是继善成器而动，不是“绝物而始静”。

船山又把理欲从义务权利方面研究，谓看得权利轻者，看得义务亦轻，而二者之关系颇如“群己之权界”，各取其分之所当，他说：

吾惧夫薄于欲者之亦薄于理，薄于以身受天下者之薄于以身任天下。……是故天地之产，皆有所用，饮食男女，皆有所贞。君子敬天地之产而秩以其分，重饮食男女之辨而协以其安。苟其食鱼，则以河鲂为美，亦恶得而弗河鲂哉？苟其娶妻，则以齐姜为正，亦恶得而弗齐姜哉？（《诗广传》卷二）

人类的欲望是要设法满足的，但也只能“敬天地之产而秩以其分，重饮食男女之辨而协以其安”了，过度是不可以的。

同时船山认为这种相当满足的欲望，使得大家都能获得，要以平均主义为原则，他说：

君子只于天理人性上絜个均平方正之矩，使一国率而由之。则好民之所好，民即有不好者，要非其所不可好也，恶民之所恶，民即有不恶者，要非其所不当恶也。……惟恃此絜矩之道，以整齐其好恶而平施之，则天下之理得，而君子之心亦无不安矣。所谓父母者，鸤鸠七子之义，均平专壹而不偏不吝也。不然，则七子待哺，岂不愿己之多得，而哺在此具怨在彼矣。曰民者，公辞也，合上下前后左右而皆无恶者也。……（《读四

书大全说》卷一）

他以为要做到“天下之理得”，要“合上下前后左右而皆无恶”，只有“整齐其好恶而平施之”，只有“平均专一而不偏不吝”，若一方面，无厌的荒淫，他方面“外有旷夫，内有怨女”，一方面“庖有肥肉，厩有肥马”，他方面“民有饥色，野有饿殍”，则正是他所谓的人欲世界，封建社会最显出这样的分离。

平均主义的思想，在近代亦是进步的，船山在这里是和他在政治思想上要求廉价政治是相应的。所以他有礼乐居本，衣食居末之说。“离欲而别无理”是在人性论上而言，离礼乐而不能专求衣食，是在政治制度上而言，二者不可混同，船山所以强调礼乐者，正是基于平均主义而理想一个君子之道，在思想上是一线相承，没有矛盾的。例如他说：

衣食足而后廉耻兴，财物阜而后礼义作，是执末以求其本也。……夫末者以资本之用者也，而非待末而后有本也。待其足而后有廉耻，待其阜而后有礼乐，则先乎此者无有矣。无有之始且置之，可以得利者，无不为也。于是廉耻刓而礼乐之实丧，迨乎财利荡其心，慆淫骄辟，乃欲反之于道，……末由得矣。且夫廉耻刓而欲知足，礼乐之实丧而欲知阜，天地之大，山海之富，未有能厌鞠人之欲者矣。故有余不足，无一成之准，而其数亦因之。见为余，未有余也，然而用之而果有余矣。见其不足，则不足矣，及其用之而果不足矣。官天地，府山海，而以天下为家者，固异于持赢之贾。积粟之农，愈见不足而后足者也。通四海以为计，一公私以为藏，彻彼此以为会。消息之者道也，劝天下以丰者知也，养衣服之源者义也，司财物之生者仁也。仁不至，义不立，知不浃，道不备，操足之心而不足，操不足之心而愈不足。奚以知其然也？竞天下以渔猎之情，而无以长也。由此言之，先王以裕民之衣食，必以廉耻之心裕之，以调国之财用，必以礼乐之情调之。其异于管商之末说，亦辩矣。（《诗广传》卷三）

这含有近代的“法权”思想，从平均主义达到形式的平等主义，和卢梭的天赋平权说不同，而强调了政治上人为的调节，肯定了道德律之节制。所言“廉耻”，与顾亭林等相似，正是明末横夺现象的抗议。同时要知道，船山言道德，指人类之易知简能，而不是一个空虚的教条。他在教育意义上强调“习”者亦因此故，而谓《论语》一书“习而已矣”，故此处礼乐是对日常的实践而言，所以他说：

孟子言性，孔子言习，性者天道，习者人道。《鲁论》二十篇皆言习，故曰性与天道不可得而闻也。已失之习，而欲求之性，虽见性且不能救其习，况不能见乎？（《俟解》）

第七节　船山的知识论

一个哲学家不是站在一切人类之上给人类分类的人，如果他把各种科学的实际知识一遍一遍地分给别人，而剩下来的空洞“真际”是他的知识领域，则这种知识是“莫须有”，无怪乎有些人说科学发达到分离独立的一定程度，便无哲学了，在前些年胡适之便这样说过的。这里，便产生了对于哲学的看法，原来哲学是在科学之中，一样地说明科学的实际，而不限于一种角度，如数学的“量”概念，物理学的机械概念，然而这些“述器”的日新认识，使哲学可能渐进于媒介实在的真实，是无疑问的；同时它又不和科学完全一样，它是理论的科学，所谓“理论”也者，是综合人类知识形式，而在历史实践中去具体检证，例如对立统一的法则，科学是不管的，哲学即在这“理论化”了的科学上执行范畴学的任务。然而这又不是完全形式的，哲学愈和科学分离而结合，愈能在实践中得到准绳，即愈能达到事物发展的具体媒介之检证，反之，哲学愈是和科学混合（例如古代）而玄远，愈不能指导人类的行为，即愈不能成为科学。

船山的知识论，在学派上是接近于理性论者，而和顾亭林之接近于经验论者不同。但他不和康德一样，把真理和经验，把悟性与理性分离（黑格尔认为这是古典哲学在近代的表现疾病），我们在上面引过船山对于唯名论与经验论的批判，他曾说：

知实而不知名，知名而不知实，皆不知也。……目击而遇之，有其成象，而不能为之名，如是者，于体非芒然也，而不给于用，无以名之，斯无以用之也；习闻而识之，谓有名之必有实，而究不能得其实，如是者，执名以起用，而芒然于其体，虽有用，固异体之用，非

其用也。（同上）

前者为经验论，后者为唯名论，但船山认为经验还是实在的，而并不和悟性绝离，所以他区别以上二论，则有轻重之分辨，他接着说：

夫二者则有辨矣，知实而不知名，弗求名焉，则用将终绌，（假使）问以审之，学以证之，思以反求之，则“实在”而终得乎名，体定而终伸其用，此夫妇之知能，所以成乎忠孝也；知名而不知实，以为既知之矣，则终始于名，而惝怳以测其影，斯问而益疑，学而益僻，思而益甚其狂惑，以其名加诸迥异之体，技辞日兴，愈离其本。（同上）

因此，他认为在实际的经验里所得的判断，虽不完全真实，但如果学思不已，终可以达到真理，日常生活的夫妇行为是有真理价值的；反之，虚立主观的世界，以超出客观的实体，那就再没有可救济的办法了，愈学思而愈到牛角尖里。黑格尔说：

日常生活上获得真理的事情，是不必特别反省，也可以考察出来。我们在日常生活上，一切考察都有着思维和对象的一致之坚固确信，这种确信，是有最大的意义。假使说我们的认识，只不过是主观的认识，或者这种认识以外的认识是我们所不能把握的东西，那么这种绝望的主张，是我们时代的疾病。（《黑格尔百科辞典》二二节）

船山的知识论，在这点是和黑格尔相近，而与康德相远。因此，他反对主观观念论颇多锋利字句，其例甚多，今择录二段于次：

庶物之理，非学不知非博不辨，而俗儒怠而欲速，为恶师友所锢蔽，曰何用如彼，谓之所学不杂，其惑乎！异端少所见而多所怪，为绝圣弃智，不立文字之说，以求冥解，谓之妙悟。……（《俟解》）

盖尝论之，何以谓之德，行焉而得之谓也，何以谓之善，处焉而宜之谓也，不行胡得，不处胡宜，则君子所谓“知”者，吾心喜怒哀乐之节，万物是非得失之几，诚明于心而不昧之谓耳。……今使绝物而始静焉，……洞洞焉，晃晃焉若有一澄澈之境，……庄周瞿昙氏之所谓“知”尽此矣。……有儒之驳者起焉，……取大学之教，疾趋以附二氏之途，以其恍惚空明之见，名之曰，此明德也，此致知也，此致良知而明明德也，体用一，知行合，善恶泯，介然有觉，颓然任之，而德明于天下矣！天下之畏难苟安以希冀不劳无所忌惮而坐致圣贤者，翕然起而从之。……（《大学补衍传》）

宋明儒者空明之见，澄澈之境，不是理性本身，而是幻觉的代名词（参看习斋的知识论），故凡冥解妙悟之说，没有不和中古的宗教相联结，二氏之学所以成为宗教者以此。船山是目击到知识的对立——迷信之为物，所以他把“质朴”冥悟的末流，指斥得体无完肤：

以小说杂剧之所演，游髡妖巫之所假者为鬼神，如钟馗斧首也，而谓为唐进士，张仙孟昶像也，而谓求嗣之神，文昌星也，而谓之梓橦，玄武龟蛇也，而谓修行于武当，皆小说猥谈。涂关壮缪之面以朱，绘雷震之喙以鸟，皆优人杂剧倡之。而鬼神乱于幽，礼乐乱于明，诚为可恶，乃名山大川仅供游玩行歌，互叫自适情欲，取野人不容昧之情而澌灭之，则忠孝皆赘疣，不如金粟之切于日用，久矣。（《俟解》）

他重理性，是近代的思想，故又对于中古不求征知的玄学，多所攻击，如云：

邵子曰，天开于子消于亥，地辟于丑消于戌。不知至健之清以动者何容施消，至顺之浊以静者何所以受其消？此殆陈抟以来狎侮阴阳之言，非君子之言理气之实也。(《周易外传》卷六)

他在别处反邵子玄学，是拿“征以见闻”而言，乃求之于感性的认识（见上），此处是以推理而言，乃求之于理性的认识，实具特见。他所以认为经验论者之知实而不知名，由学问审思而犹可得真理，就因为感性认识，亦是实在的，可以发展而为理性认识，这里我们就要研究他的思维过程论了。

上面已经论到船山的存在与思维说，他认对象是实在的，而命题的大意是“有即物而穷理，无立理以限事”。因此，在思维过程论，应该重视感觉的实在。他指对象为“客形”，说：

日月之发敛，四时之推迁，百物之生死，与风雨露雷，乘时而息，一也，皆“客形”也，有去有来谓之“客”。(《正蒙注》卷一)

所谓乘时而息的客形，即运动中的一静止状态，为认识所寄寓，故是相对的。人类对于“客形”的物感或物交，是首先以感觉为最基础的。他说：

识知者，五常之性，所与天下相通而起用也。知其物乃知其名，乃知其义；不与物交，则心具此理，而名不能言，事不能成。赤子之无知，精未彻也，愚蒙之无知，物不审也，自外至曰“客感”。（同上）

他言感觉，谓之“客感”，这是认识的第一次东西，没有这“客感”而与物交，则判断（名）与推理（义）是不可能的。故“客感”是实在的。

离明在天为日，在人为目，光之所丽，以著其形，有形则人得而见之明也。（同上）

此论视觉之实在，其他感觉亦然，他说：

视听言动，无非道也，则耳目口体（感官）全为道用，而道则无徇物自恣之身，合天德而广大肆应矣。（同上，卷四）

身谓耳目之聪明也，形象莫非天性，故天性之知，由形色而发，智者引闻见之知以穷理，愚者限于见闻而不反诸心，据所窥测为真知。（同上）

“客形”有“形、声、臭、味、温凉、动静六者”，在客感则有此六觉，“温凉，体之觉，动静，体之用，……人资以生，而为人用，精而察之，条理具秩序分焉，……

知天化者，则于六者皆得其所以然之理。”（同上，卷三）

以上所言指感性认识，感性是天性之知，由形色而发，始达到理性认识，谁也不能超出感觉而独立地另设一个概念生活。然而，感觉是有其限界，不能专依赖感觉之报告，就可以谓之“知识”，同时亦不能不广用感觉之报告而“存神”以思，故他说：

累者，累之使御于见闻之小尔，非欲空之而后无累也。内者心之神，外者物之法象，法象非神不立，神非法象不显，多闻而择，多见而识，乃以启发其心思而会归于一，又非徒恃存神而置格物穷理之学也。（同上，卷四）

由这里，便进至理性的认识，它不是和感性的认识分离，而宁是一个过程。因为，万物对象是在运动变化中，知见亦在日新中，由感性之知至于理性之知，船山谓恃于存性善养。他说：

天地之生人为贵，惟得五行敦厚之化，故无速见之慧。物之始生也，形之发知皆疾于人，而其终也钝，人则具体而储其用，形之发知视物而不疾也多矣，而其既也敏，孩提始知笑，旋知爱亲，长始知言，旋知敬兄，

命日新而性富有也。君子善养之，则耋期受命（受命亦日新，见上）。(《思问录·内篇》)

这里，船山把知识作为一过程看，以儿童到长成的知识过程比喻人类的知识过程，实合至理。人类知识之流，是积古今人物为一体者，乃历史的，故在既发达之后，感性认识仅为补助作用，他说：

知见之所自生，非“固有”，非固有而生者，日新之命也。原知见之自生，资于见闻，见闻之所得，因于天地之所昭著，与人心之所先得（过去经验），人心之所先得，自圣人以至于夫妇，皆气化之良能也；能合古今人物为一体者，知见之所得，皆天理之来复，而非外至矣，故知见不可不立也。……介然恃其初闻初见之知为良能，以知见为客感，所谓不出于频者也，悲夫！（同上）

船山此说，指“客感”为人心之先得，不能专依以为知见，因为“知见”或理性认识日新而受命，积古今知识于个人生活的时代，犹孩提之童至成人，经过无量数的错误改正而成为一种知识洪流。这不是说一经得前人之积知，便可以闭住耳目的感觉去空想，要紧的还在日日求助于感觉，而日新其理性的富有。他说：

开者伸也，闭者屈也，“志”交诸外而气舒，气专于内而“志”隐，则神亦藏而不灵，神随“志”而动止者也。开则与神化相接，耳目自为心效日新之用，闭则守耳目之知而困于形，习为主而性不能持权，故习心之累烈矣。(《正蒙注》卷三)

船山所谓“志”为一特有术语，指相宗的第七识，即末那识，成唯识论谓之意识，似指思维过程判断一事，因为“第七以所执为量”，他说人类要守其“志”。他把相宗的前五识名为“小体之官”，指感觉，把第六识名为“虑”，谓人禽皆所得分，似指具体计度的直观。“志”则人之独得其优，故为理性部分的重要过程。而第八识则名为“量”，量有现量、比量、非量之分，在船山的知识论中指综合分析以至推论之总性能。故云：“理之可相及者也，若此者其象也，圣人因以制事天之典礼，斟酌以立极，则非拟议不为功。……不欲其离之弗与相及，则取诸理也，不欲其合之骤与相及，则取诸量也。”(《周易外传》卷五)

“志”与“量”有别，“效乎志以为撰必实有”，“可见者所撰者，有撰者可体”，是谓“志”作判断解释的证明；而“量”则重在“拟议”，“未有撰者可通，圣人依人之则，准见以知道”，必赖于分析综合推理等性能，故云：“象可以测数，数亦可以测象，象视其已然，静之属，数乘自有，动之属。……太极者混沦皆备，不可‘析’也，不可‘聚’也，以其成天下之‘聚’不可‘析’也，以其入天下之‘析’不可‘聚’也。虽然，人之所以为功于道者，则断因其已然而益‘测’之，以尽其无穷，而神而明之，分而剂之，裒而益之。……”（同上，卷五）可见对象“分”“聚”无穷，而人则必综合（聚）分析（分）以至由已然而推理（测），以尽其无穷，此所谓量，他说人要“存其量”。他解释孔子的“仁”字，即以“存其量”言之，而与对象的富有世界相适应，相感通，即理性之最高活动，似乎当于黑格尔的理念自己运动，如云：“仁之为德，此心不容已之几也，此身所与生之理也，以此身心与天下相酬酢，而以合乎人心之同然者也。”“心无不适而身效其安，身无不安而物得其顺，为仁矣。”“仁者吾心存去之几，而天下感遇之理也，存吾心以应天下，而类天下以存吾心。”“仁者心无不存之谓。”“吾存之于无时可弛之心，而岂因知觉之浮动，闻见之便给，遂使此心废其守静立诚之学，以任所能言而言之耶？故才欲逞而性闲之，理欲明而性更审之，必外不失物理之几微，内不离吾心之静正。”（以上皆见《四书训义》卷十六）

据此，船山已把释氏所矜之名理扭转过来，以运用“大辨体其至密”者。船山重理性的认识，故把孔子的仁学从知识论上解释，类似近代欧洲学者复用亚力斯多德的名学然。故重智主义是他的哲学灵魂。他说：

四德（元亨利贞）何以不言“智”乎？象言大明终始，六位时成，则言“智”也。今夫水，火资之以能熟，木资之以能生，金资之以能生，土资之以能浃，是故夫“智”，仁资之以知爱之真，礼资之以知敬之节，义资之以知制之宜，信资之以知识之实。故行中四德之中，而彻乎六位之终始，终非“智”则不知终，始非“智”则不知始，故曰“智则巧譬也”，巧者圣之终也，曰“择不处仁焉得智”，择者仁之始也。是“智”统四德而遍立其位，故曰时成，各因其时而借以终，“智”亦尊矣！（《周易外传》卷一）

我们仍然研究他的知识过程，上面已将感觉说明，现在看他讲思维过程的判断或名言。他反对释氏之废名言，为不知人道，而发挥孔子的正名，为人道之始。他说：

知其物，乃知其“名”，知其“名”，乃知其义。（见上）

形之所从生与其所用，皆有理焉，仁义中正之化裁所生也。仁义中正可心喻而为之名也，得恻隐之意则可自名为“仁”，得羞恶之意自名为“义”，因而征之于事。……（《正蒙注》卷二）

知象者本心也，非识心者象也。存象于心而据之为知，则其知者象而已。象化其心，心唯有象，不可谓此吾心之知也明矣。见闻所得者象也，知其器知其数，知名尔；若吾心所以制之之义，岂彼所能昭著乎？（同上，卷四）

由上面看来，“名”以存象于心为根据，据之判断而得，以显器数之法象，是一个思维过程，述器明器之所必经之过程，然而名言止于概念，而还须征之于事而得“义”，故命题推论乃生，命题谓之辞，所谓“由辞以想其象则得其实”；推论者何？他说：

即所闻以验所进，据所闻以义类推之。(同上，卷四)

（皆其义也）皆博文之益也，存神以立本，博文以尽其蕃变。(同上)

天下之物相感而可通者，吾心皆有其理，唯意欲蔽之则小尔。由其法象，"推"其神化，达之万物一源之本，则所以知明处当者，条理无不见矣。(同上)

……言所不通，非无义也。故曰知之为知之，不知为不知。知有其不知者存，则既知有之矣，是知也，因此而求之，尽其所见，则不见之色章，尽其所闻，则不闻之声著，尽其所言，则不言之义立，虽知有其不知，而必因此以致之，不迫于其所不知而索之。(《思问录·内篇》)

义类推之，而明对象的条理。推论由言起，但不限于言，可"推"出形色以外的事物本质关系，故云"知有其不知，必因此以致之"。但这不是否定了名言的玄理，而正是基于名言判断，故他说：

言有大而无实，无实者不祥之言也。(《宋论》卷六)

知者貌言视听，思之和也。思不竭貌言视听之材，而发生其仁智，则殆矣。故曰天地不交否，思而不学则

殆。(《思问录·内篇》)

言无者激于言有而破除之也。就言有者之所谓有，而谓无其有也。天下果何者而可谓之无哉？言龟无毛，言犬也，非言龟也，言兔无角，言麋也，非言兔也，言者必有所立，而后成其说。(同上)

所以，他论“推”，不是“先设定之理”，而是依乎客观真实之名。“推”之过程既知，则且看他说“推”之功能：

通者化，虽变而吉凶相倚，喜怒相因，得失相互，可会通于一也。“推”其情之所必至，势之所必反。(《正蒙注》卷二)

因果关系是有一定的秩序，“推”则言其必然。但船山到这里和形式逻辑便不同了，因为他是有动的逻辑之成分，在上面几节已详言之，他反对演绎法的绝对的推理，执一死“义”以概变化之流。他认为“有是必有非”，是非为相对的，“倘挟吾之是以摘彼之非，庸距不可而已亦有歉矣”，故说“殷之顽民称乱不止亦有情理之可谅”(同上，卷四)。天地之义分于“位”，存亡之义分于“时”，是非之义分于“几”，纲常之义分于“事”，在他看来，这不是永久不变的（参看上节引文），故他说：

进极于退，退者以进，退极于进，进者以退，存必于存，邃古之存不留于今日，亡必于亡，今日所亡不绝于将来，其局不可得而定也。天下有公是，而执是则非，天下有公非，而凡非可是，善不谓恶，盗贼亦窃仁义，恶不谓善，君子不废食色，其别不可得而居也。（见上）

因此，他把知识分为两种，一种是限于见闻之知，一种是德性之知，前者执于“意”（成见），后者大其“志”，前者囿于一偏，后者则是通于万变而“存”之，“存”者“日新”之谓。

耳与声合，目与色合，皆心所翕辟之牖也。合故相知，乃其所以合之故，则岂耳目声色之力哉？（《正蒙注》卷四）

“合故相知”，仅限于事物的“假相个体”，“其所以合之故”是对于事物的联结性而言，囿于成见者，在他看来不能通乎万变：

成心者，非果一定之理不可夺之志也，乍然见闻所得，未必非道之一曲，而不能通其感于万变，徇同毁异，强异求同，成乎已私，违大公之理，恃之而不忘。则执一善以守之。终身不复进矣。……(通变)学者即未能至，而不恃其习成之见，知有未至之境，则可与适道，而所未至者皆其可至者也。(同上)

意者，心所偶发，执之则为成心矣。……志在始于志学，而终于从心之矩，一定而不可易者，可成者也；意则因感而生，因见闻而执，同异攻取，不可恒而习之为恒，不可成者也。故曰，学当知志意之分。(同上)

由上言之，那些形式概念的知识，是“徇同毁异”，“强异求同”，“不可恒而习之为恒”，因此成为绝对的不变认识论，或形式逻辑的知识论；反之，通变的认识论，则是媒介对象的知识，日新不已，虽不能即云谓知至，则渐进可以至于真知或真知近似性。前者“恒”者不可成，实在是“缘见闻而生之知，非真知”，后者“变”者可成。他分前者为两种人而批判之，他说：

不能究所从者，不知细缊之实为聚散之府，则疑无所从生，而惟心法起灭，故立十二因缘之说，以无明为生死之本。统而论之，流俗之徇欲者，以见闻域其所知也；释氏之邪妄者，据见闻之穷而遂谓无也。致知之道，

惟远此二患，大其心以体物体身而已。（同上）

因为“物无定情，无定状，于同必有异”，“变化数迁，无一成之法则”（同上，卷一），如果仅拿出一个“型范”以概其发展，乃是“以已闻见之知，倚于名法，设立政教，于事愈繁，于道愈缺”（同上）。

“推”之思维，不能执一“义”，故云“知所以求穷乎神，义所以求善其化”。义类之推，不能偏执一迹，而要明万化：

知者，洞见事物之所以然，未效于迹而不昧其实，……义者，因事制宜，刚柔有序，化之所自行也。以知知义，以义行知，存于心而推行于物。（同上，卷二）

“存于心而推行于物”，正是认识媒介的发展理论，存谓日发展充实之谓，推行谓具体在事物实际中的检证。他把这个“存心”之德，谓之“仁”，颇合理性论者的要旨。他讲“存”在认识中的价值云：

存，谓识其理于心而不忘也，变者，阴阳顺逆事物得失之数，尽知其必有之变，而存于心，则物化无恒，而皆预知其情状而裁之。“存”四时之温凉生杀，则节宣之裁判矣，存百刻之风雨晦明，则作息之裁定矣，化

虽异而不惊，裁因时而不逆。（同上）

这里，不但把事物作为过渡的或向“他在”转变的东西，而且说明认识是随对象的推移而“裁”之，认识本身便是一个过程，故，“存”即“即自性”到“对自性”的依据，“裁”即媒介。

这颇近于评黑格尔的话：“关于理想变为现实的思想，是深刻的。它对于历史非常重要，但在人类生活上，也可以看到它保有许多真理。理想和物质的区别，也同样是条件的，而不是不可超越的东西。”这亦适合于“存于心而推行于物”与“裁因时而不逆”之命题。所谓“存之于心，推而行之，无不合于理，则天不违矣，理者，天之所必然者也”（同上）。他名“存”而推之之知为“德行之知”，他说：

因理而体其所以然，知以天也，事物至而以所见所闻者证之，知以人也，学识之知于德性之所喻，而体用一源，则其自诚而明也。（同上，卷三）

故他虽重德行之知，而以之与见闻之知可以统一，不是不可逾越的，很深刻。他又说：

天下有其事，而见闻乃及之，故有尧有象，有瞽瞍有舜，有文王幽厉。有三代之民，事迹已著之余，传闻而后知，遂挟以证性知，为之梏矣。德行之知，循理而及其原，廓然于天地万物大始之理，乃吾所得于天，而即所得以自喻者也。（同上）

他为什么推崇德性之知，而且将此与神，天相并而言呢？这亦没有神秘，他说“日生者神，而性亦日生”。这样地他是把天神返原于自然的新生，把性返原于人类生命力的跳动，而“德行之知”正指存在与思维之间发展的统一。

船山穷理尽性之说，常有圣人与常人之别，言圣人知其微，常人知其显，这自然含有“理念”自己运动的心本论思想，惟他在“性”论上则常否定天生的圣性，亦否定天生的常性，他说：

万类不齐……天之神化广大，不能择其善者而已其不善者，故君子或穷，小人或泰，各因其时而受之，然其所受之中，自有使人各得其“正”之理，则生理之良能自感于伦物而得动，性贯乎所受不齐之中而皆可尽，此君子一所以有事于性无事于命也。（同上，卷三）

因此，“德性之知”，乃指日存其性而适应万变的认识体，或谓之“真见”，然这是和宋儒“真际”（与实际截然分立）之知相反的。

船山知识论中最特色的，是重视真理的标准，实践与行为。关于这一理论，已详见于继善成性论，今再扩充解释于下：

他的“作器”理论，是有实践的标准，所以知识是“存于心而推行于物”，“存之于心，推之于行，无不合理”者，而不能推行于物，不能推之于行的知识，是没有真理的标准。他反对离行以为知，而以知行有并进之功，说：

盖云知行者，致知力行之谓也，唯其为致知力行，故功可得而分，功可得而分，则可立先后之序，可立先后之序，而先后又相互为成。则由知而知所行，由行而行则知之，亦可云并进而有功。（《读四书大全说》卷四）

这是说知行可作统一体看的。但行总是决定的标准，他说：

且夫知也者，固以行为功者也；行也者，不以知为功者也。行焉可以得知之效也，知焉未可以得行之效也。将为格物穷理之学，抑必勉勉孜孜，而后择之精，语之详，是知必以行为功也。行于君民亲友喜怒哀乐之间，得而信，失而疑，道乃益明，是行可有知之效也。其力行也，得不以为歆，失不以为恤，志壹动气，惟无审虑却顾，而后德可据，是行不以知为功也。冥心而思，观物而辨，时未至，理未协，情未感，力未赡，俟之他日，而行乃为功，是知不得有行之效也。行可兼知，而知不可兼行，下学而上达，岂达焉而始学乎？君子之学，未尝离行以为知也，必矣。(《尚书引义》卷三，《说命》)

他最反对把知识当做空洞概念，这当然不是“德性之知”，他说，这样的离行之知，不是玩物便是绝物：

离行以为知，其卑者则训诂之末流，无异于词章之玩物，而加陋焉；其高者瞑目据悟，消心而绝物，得者或得，而失者遂叛道以流于恍惚之中，异学之贼道也，正也于此。……皆先知后行，划然离行以为知者也。而为之辞曰：“知行合一”，吾滋惧矣。惧夫溺于行，墨者之徒，为异学哂也；尤惧乎浮游于惝恍者之偕异学以迷也。行之惟艰，先难者尚知所先哉！（同上）

他反对宋明以来的知行说，而把人伦物理之知以身尝试验为准则，这正是重智主义的内容。他说：

知行难易之序言，学者聚讼而不已。夫道在天下者，可以意计推也，道在吾身者不可以意计推也。然则讼知行难易之序者，殆以意计推度，而非甘苦之已尝，自取其身心而指数乎？岂惟君子哉，虽不肖者且有其知与行者矣。其与能者未与知也，而所未与知者，曲而不全，执而不通，信其得然而不喻其所以然也，乃其曲者既知其一曲矣，其执也则终始知之矣，其必然也则亦历历不昧于已矣，心若见之，口不能宣之。虽不得曰与知，而亦冥之可不蹶也。若夫其与知而不与能，则终焉始焉，里焉表焉，一若司庾之吏持筹委悉，而要不获一粟之用也。(《续左氏传博议》卷上)

故知是在锻炼的甘苦中而证实，宋儒执先后之序者，常否定知识的实践或力行，他又说：

宋诸先儒，欲折陆杨知行合一，知不先、行不后之说，而曰知先行后，立一划然之次序，以困学者于知见之中，且将荡然以失据，则已异于圣人之道矣。说命曰，“知之非艰，行之惟艰”，……夫人近取之而自喻其甘苦者也，子曰，“仁者先难”，明难者必先也，先其难而易者从之易矣。先其易而难者在从，力弱于中衰，情疑于未艾，气骄于已得，矜觉悟以遗下学，其不倒行逆施于修涂者鲜矣。知非先行非后，行有余力而求知，圣言决矣，而孰与易乎？若夫陆子静杨慈湖王伯安之为言也，吾知之矣，彼非谓知之可后也，其所谓知者非知，而行者非行也，知者非知，为而犹有其知也，亦倘然若有所见也；行者非行，则确乎其非行，而以其所知非行也，以知为行，则以不行为行，而人之伦、物之理，若或见之，不以身心尝试焉。浮屠之言曰，“知有是事便休”，彼直以倘然之知为息肩之地，而顾诡其辞以疑天下曰，吾行也。运水搬柴也，行住坐卧也，大用赅乎此矣。是其销行以归于知，终始于知而杜足于履中蹈和之节文，本汲汲于先知以废行也。而顾诎先知之说，以塞君子之口，而疑天下。其诡秘也如是，如之何为其所罔，而曰知先后行，以堕其术中乎？（《尚书引义》）

像陆杨所谓“知不先行不后”的这种知行合一，实际上就等于失知废行，都是悖谬的，而与力行以求知之说相反。

由他的性论出发，他亦反对生知之说，因为德性之知正是即习即知，即存即富，他对于朱子分尧舜孔子为生知，禹稷颜回为学知，表示抗议，说：

今乃曰生而知之不待学而能，是野人贤于君子矣。……夫子……自言曰，‘发愤忘食”，亦安见夫子之不学？（同上）

他更对于中古手工业式的秘传授道，认为邪说，颇有近代知识为众人工具的抗辩，说：

语学而有云秘传密语，不必更问而即知其为邪说。……密室传心之法，乃玄禅两家自欺欺人事。……王龙溪、钱绪山天泉传道一事，乃摹仿慧能神秀而为之，其无善无恶四句，是身为菩提树四句传语，……学者当远之。(《俟解》)

按无善无恶四句心传，黄梨洲亦疑之，船山则直接把明儒的法宝推到中古博物馆去了。

船山的知识修养有三句名言，即：

学易而好难，行易而力难，耻易而知难。

在知识论上，使知识一个真理工具，从封建的高贵享乐品，宣布而为众人存心推行的述器作器，船山是首居一功者，而能在知识论上系统地攻击封建的独断知识者，亦以船山为最有力。

他在知识上最大建树有二点：

（一）他反对“一成型”的形式概念，而认知见之生“非固有”，正类于黑格尔说：“在未认识以前，先欲认识事情，正和在未入水以前，先欲学游泳的烦琐哲学之聪明形式同样，是支离灭裂的东西。”这些哲学者，“不能不用单纯的言语来欺骗自己”，而停止对象，执守自己的形式，船山评佛氏云：“佞佛者，皆非所据而据，心危而附之以安者。……离人割欲，内灭心而外绝物。”（《读通鉴论》卷十五）

（二）他反对人类知识的自然朴素说，而认知见是学思的历史积累，不学即野人自限，他的“存”性的知识，日新其认识的“网之联结点”，最为出色。因为“本能的人类即野蛮人，是不把自然分离的”，德性之知的人类才有日存日知的认识发展，所以他的知识论是历史的实践，存性尽器不是大其心，大辨体密不是藏于密，如果超越历史的认识过程而求一贯，则如他说：

大其心以涵天下者不见天下之小，藏于密以察天下者不见天下之疏。方步而言趋，方趋而言走，方走而言飞，步趋犹近也，飞则固非可欲而得者矣。（《宋论》卷六）

第八节　船山的人类史论

我们在第一节已经大体知道船山的自然史哲学，絪缊生化论，他的这一基础哲学，便是他的历史观的根源。但社会的进化观，不是与自然史演变等一，而有具体的法则。故他说：

人之道，天之道也，天之道，人不可以之为道也。语相天下之大业，则必举而归之于圣人，乃其弗能相天与，则任天而已矣。鱼之游泳，禽之翔集，皆其任天者也，人弗敢以圣自尸，抑岂曰同禽鱼之化哉？天之所生而生，天之所杀而杀，则是可无君也，天下之所哲而哲，天下之所愚而愚，则是可无师也，天之所有因而有之，天之所无因而无之，则是可无厚生利用之德也，天之所治因而治之，天之所乱因而乱之，则是无秉礼守义之经也。……夫天与之目力，必竭而后明焉，天与之耳力，必竭而后聪焉，天与之心思，必竭而后睿焉，……可竭者天也，竭之者人也，人有可竭之成能，故天之所死犹将生之，天之所愚犹将哲之，天之所无犹将有之，天之所乱犹将治裁之于天下，正之于已，虽乱而不俱流，立之于已，施之于天下，则凶人戢其暴，诈人敛其奸，顽人砭其愚，即欲乱天下而天下犹不乱也。功被于天下而阴施其裁成之德于匪人，则权之可乘，势之可为，虽窜之流之不避怨也，若其权不自我，势不可回，身可辱，生可损，国可亡，而志不可夺。虽然，天亦岂必我为匪人之饵，饱彼而使之勿脱于钩哉？（《续春秋左氏传博议》卷下）

船山这一段话，可以说是他的史学出发点，这里面包含着人类在历史的活动中比自然史犹宽大的论点，包含着人类的主观能动性，不是躺在客观自然的怀抱中宿命，而是日在客观的凝固性对面而裁化自然与历史，执行可塑的柔软性的成能。船山，在极度广泛的形式，是指出了一个可贵的图影，尽管离得具体的真理尚远。

这段话，同时亦是对于中国过去最富自然史哲学的老庄，给以知天不知人的批判，史称老子“贵因”，即主要是因他具有着些史学的相对论，船山在这里是找到了中国古代哲人中的劲旅来批判发展的。

按中国史学，先秦诸子是多以“王”“霸”这两个字而区分历史的发展，孟子的王、霸或德、力二分论，荀子的王、霸、富或德、力、养（以富服人）三分论，皆显著者，但儒家的历史观念并不清晰，到了老庄由霸反王，由王返帝的贵因论，法家上世亲亲，中世上贤，下世贵货的世变道异论，亦都是脱胎于王霸说。降及秦汉，更产生了历史循环的自成命定观，如邹衍的五德循环，朝代相替说，董仲舒的三统循环，帝王继统说。到了唐韩愈则有道统相继存亡绝续说，宋以来更有邵康节的元会运世，天地开辟循环说，朱子的三代天理后世人欲的划运说。

船山在他的史论中，对于上面的思想，都给以批判，尤其对于秦汉以下的思想指斥得不留余地。我们分别详述他的批判于后：

（一）他虽然犹保留三代盛世的观念，但在内容上则从历史的进化观，已经否定了王霸分期之说。他的立说，是由野蛮到文明的进化论出发，他常说明太昊以前人类犹禽，轩辕以前人类为夷狄（指野蛮人），划分野人之“质”与华人之“文”，这是最合近代科学的论断。他把三代的“国”，认为部落，所谓：“自远古以来，各君其土，各役其民，若今化外土夷之长，名为天子之守

臣，而实自据为部落，三王不能革，以待后王者也。”（《读通鉴论》卷十五）

所以他认“上古朴略之法，可存而不论”，因为历史亦是“有而富，备于大繁”，以古代之简朴而绳套今之繁兴，他说是泥古过高菲薄方今，这些思想见于他论封建与郡县的时代演进史，正如黑格尔说：

“每个时代有它的独特的环境，它是代表一种个别形势，以至于只有从它本身，应该唯一地依据着它才能够判辨。”船山说：

就事论法，因其时而酌其宜，即一代而各有弛张，均一事而互有伸诎，宁为无定之言，不敢执一以贼道，有自相蹠盭者矣，无强天下以必从其独见者也。（同上，叙论四）

船山的“世殊而道异”说，包含着有内容的思想（将在下面详细举其说论证），故他的书中没有古代王霸说的桎梏。

（二）他最对于秦汉以来的神秘历史思想不满，所以批判他们亦至精透。他论汉代以符瑞谶纬以附会王道，说：

汉之初为符瑞，其后为谶纬，驳儒以此诱愚不肖，而使信先王之道，呜呼陋矣；武帝之淫词以求长生，方士言之，巫言之耳，儿宽儒者也，其言王道也，琅琅乎大言之无顾矣，巧附会缘饰以赞封禅之举，与公孙卿之流相为表里。武帝利赖其说，采儒术以文其淫诞先王之道，一同于后世缁黄之徒，而灭裂极矣。至于谶纬则尤与莲教之托浮屠以鼓乱者，均出一轨！（《读通鉴论》卷三）

他评五德三统之说谓之邪说妖妄，他说：

论之不及正统者何也？曰正统之说不知其自昉也。自汉之亡，曹氏司马氏乘之以窃天下，而为之名曰禅，于是为之说曰必有所承以为“统”，而后可为天子，义不相授受而强相继系，以掩篡夺之迹，抑假邹衍五德之邪说与刘歆历家之绪论，文其诙辞，要岂事理之实然哉？“统”之言合而并之之谓也，因而续之之谓也，而天下之不合与不续也多矣；盖上推数千年中国之治乱，以迄于今，凡三变矣，当其未变，固不知后之变也奚若，虽圣人弗能知也。商周以上有不可考者（此语确科学），而据三代以言之，其时万国各有其君（部落之谓），而天子特为之长，王畿之外，刑赏不听命，赋税不上供者，天下虽合而固未合也。王者以义正名而合之，此一变也。……及乎春秋之世，齐晋秦楚，各据所属之诸侯，以分裂天下，至战国而疆秦……而天下并无共主之号，岂复有所谓统哉？此一合一离之始也。汉亡而蜀汉魏吴三分，晋东渡而十六国……裂土以自帝，唐亡而……各帝制以自崇，土其土，民其民，……无所谓统也。……此一合一离之局，一变也。至于宋以迄于今，当其治也，则中国有共主，当其乱也，中国并无一隅分据之主，盖所谓统者绝而不续，此又一变也。……离矣而恶乎统之？绝矣而固不相承以为统，崛起以一中夏者，奚用承彼不连之“统”乎？……当其治无不正者以相干，而何有于正？当其乱既不正矣，而又孰为正，有离有绝，固无“统”也，而又何正不正邪？以天下论者，必循天下之公，天下非一姓之私也。……若邹衍之说，尤妖妄而不经，君子辟之断断如也。（同上，叙论一）

这不但对于邹衍而发，并对于董仲舒三统论亦深讥之，而与王充的《论衡》思想脉络相连，因为他论“正统之论始于邹衍五德之邪说，以惑天下，而诬古帝王。……汉以下其说虽未之绝，而争辩五德者鲜，唯正统则聚讼而不息”（同上，卷十六），所以他对于“天下非一姓之私”，发为以下的道理：

改正朔，易服色，汉儒以三代王者承天之精意在此，而岂其然哉？正朔之必改，……行之数百年必差。夏商之季，上敖下荒，不能厘正，差舛已甚，故商周……惩其差舛而改法，亦犹汉以来以至于今，历凡十余改而始适于时，不容不改者也。若夫服色，则世益降，物益备，期于协民瞻视，天下安之而止矣。……其曰，夏尚玄，殷尚白，周尚赤，吾未知其果否也；莫尊于冕服，而周之冕服，上玄而下纁细，何以不赤也？牲之必骍也，纯而易求耳，非有他也。（同上，卷十九）

（三）他详论唐宋以来的史识，谓承缁黄之说，亦至精刻，凡批判皆有他的理性主义为根据，他说：

言有大而无实，无实者不祥之言也。明主，……智小而图大，忘陋而欲饰其短者，乐而引取之，以拑天下之口，而遂其非。……王安石之入对，首以大言震神宗，帝曰：“唐太宗如何？”则对曰：“陛下当法尧舜，何以太宗为哉？”又曰：“陛下诚为尧舜，则必有皋夔后稷，彼魏徵诸葛亮何足道哉？”呜呼，使安石以此对，扬于尧舜之庭，则靖言庸违之诛膺之久矣……舜于耕稼陶渔之日，得一善则沛然从之，岂耕稼陶渔之侣所言善言，所行善行，能轶太宗葛魏之上乎？大其心以涵天下者不见天下之小，藏于密以察天下者不见天下之疏，方步而言趋，方趋而言走，方走而言飞，走趋犹相近也，飞则固非可欲而得者矣。故学者之言学，治者之言治，奉尧舜以为镇压人心之标的，我察其情，与缁黄之流推高其祖以树宗风者无以异。韩愈氏之言曰，尧以是传之舜，舜以是传之禹，相续不断，以至于孟子。愈果灼见其所传者何道耶？抑仅高举之夸其所从来邪？愈以俗儒之词章，安石以申商之名法，无不可曰尧舜在是，吾甚为言尧舜者危也，……孔孟所称述者不一定，以何者为尧舜之法治哉？……尧曰无名。舜曰无为，非无可名而不为其为也，求一名以为独至之美，求一为以为一成之侀，不可得也。……法依乎道之所宜，宜之与不宜，因乎德之所慎，合道与德而言法，韩愈之所云“传”，安石之所云至简至易至要者，此也。(《宋论》卷六)

船山此论，乃根据时代的具体历史，而言实在的道理，他认唐韩愈之传道说，王安石之复古说，皆不是根据时代的要求立论，就史而言，他们不过把古代耕稼陶渔之日的事实而由简以绳繁，就治而言，他们则近于汉儒，不过借尧舜高其祖，“以镇压人心”罢了。

船山评邵康节的史论最多见，而对于“天开于子，地辟于丑”之说，认与京房陈抟变复思想同类，他用“实证”的论理辟之甚详，前面已述之。他的性日生之说，亦适用历史观，断后代之人类总比前代文明，他说：

唐虞以前无得而详考也，然衣裳未正，正品未清，婚姻未别，丧祭未修，狉狉獉獉，人之异于禽兽者无几也。……三代之季，尤历历可征焉，当纣之世，朝歌之沉酗，南国之淫奔，亦孔丑矣。……春秋之世，弑君者三十三，弑父者三，卿大夫之父子相夷，兄弟相杀，……日盛于朝野。……然则治三代之民难，而治后世之民易，亦较然矣。封德彝曰，“三代以还，人渐浇伪”，象、鲧、共、飞廉，恶来，……岂秦汉以下之民乎？（后世）……民固不乏败类，而视唐虞三代帝王初兴，政教未孚之日，其愈多矣……。邵子分古今为道德功力之四会，帝王何促？而霸统何长？霸之后又将奚若耶？泥古过高而菲薄

方今，以蔑古人之性，……君子奚取焉。(《读通鉴论》卷廿)

封德彝之说与朱子一源，皆去理性主义远甚，而距邵子独断近甚，平心而论，船山的进化历史观，是近代的眼光；他们是中古的小天地观，犹蜘蛛之织网，依样不出檐下与树间。

以上诸人的史识有其诡辩，船山亦有点疾之太甚，这表示他的坚信心。他说：

小道邪说，惑世诬民，而持是非以与之辨，未有能息者也，而反使多其游词以益天下之惑。是与非奚准乎？理也，事也，情也。理则有似是之理，事则有偶然之事，情则末俗庸人之情，易以歆动沉溺不能自拔者也。以理折之，彼且援天以相抗，天无言不能自辨其不然，以事征之，事有适与相合者，而彼挟之以为不爽之验；以情夺之，彼之言情者在高贵利达偷生避死之中，为庸人固有之情，而恻隐羞恶之情不足以相胜。(同上，卷二十)

但船山亦不尽谓不可辨，此不过忧愤之言，故他又说：

疑信相参之际，人有隐情，而我亦与之隐，则疑终不释，豁然发其所疑而示之以信，岂有不测之明威哉，无不可共见之心而已。（卷六）

船山不仅消极的批判，而且在史学上确有极大的贡献，在欧西近代史学未输入中国之先，船山的创见可称为“破天荒”。

我们在下面把他的重要建树分述一下。

（一）船山的历史理论

船山在自然史论中，谓理为气之理，故由气的秩序见理，同样地，他在人类史论中，谓理为势之理，故由势之必然处见理。他说：

言理势者，犹言理之势也，犹凡言理气者谓理之气也。理本非一成可执之物，不可得而见，气之条序节文，乃理之可见者也，故其始之有理，即气上见理。迨其得理，则自然成势，又只在势之必然处见理。（《读四书大全说》卷九）

他怀疑古人王霸之分野，小德役大德，小贤役大贤，谓之王，小役大，弱役强，谓之霸，前者以理，后者以势。他明说“既可曰役，则皆势也”，而既皆乘势而生，亦皆理也，故前者理也，后者“虽不得谓强大之役人为理之当然，而实不得谓弱小之役于人非理之所过也……岂非理哉？”因此，他把理看作客观的发展律，故云：

凡言势者，皆顺而不逆之谓也，从高趋卑。从大包小，不容违阻之谓也。夫然，又安往而非理乎，知势之不可以两截沟分……（同上）

这好像黑格尔所云“凡存在的皆合理的，凡合理的皆存在的”，顺必然之势而存在者，即理，他说：

极重之势，其末必轻，轻则反之也易，此势之必然者也。顺必然之势者理也，理之自然者天也。（《宋论》卷七）

在这里，他的史论，超出历来先设的定理，以天理的一成型范而概历史的发展，而把握到理势的统一，以说明客观的合法则运动，所以他在“叙论”一，首先反对“统论”，谓“论之不及正统”，在叙论二，言：

推其所以然之由，辨其不尽然之实，均于善而醇疵分，均于恶而轻重别，因其时，度其势，察其心，穷其效。（《读通鉴论》叙论二）

“推其所以然之由，辨其不尽然之实”，即讲历史发展的真理。这一理论，船山亦有用之不确者，亦有用之得体者，然而他都是在独创的尝试中，“自成一家之言”。他最得体的，是古史由野蛮至文明的发展。辨其不尽然之实者，他用可征的理由，反对天地开辟的谬说，推其所以然之由者，他用三代生活简朴，后世生活繁备的理由，说明质与文为必然演化的理势（参看《思问录·外篇》，由禽兽而野人，由野人而文字发明，一段文字，见上面所引）。

他更注意到历史具体的阶段说明，因为真理不是抽象的，他说：

就事论法，因其时而酌其宜，即一代而各有弛张，均一事而互有伸诎，宁为无定之言，不敢执一以贼道，有自相蹠盭者矣，无强天下以必从其独见者也。（同上，叙论四）

把握具体的真理更是“先难”的，船山在这一点，亦有不确者，亦有近似于确者，然而同样亦都是在独创的尝试中，成一家之言。例如他论古代史的变革，便相对地把握着具体历史，在三百年前实属难能而可贵。没有史前史以劳动工具划分时代的标志（如石器时代，青铜器时代，铁器时代），没有古代社会以蒙昧，野蛮，文明划分时代的材料，是不可能十分具体地把握历史，故船山对于邃古知识，重在言之有征，无征则常云“不可考而详”，然他有忠实的求真态度，对于历史的时代近似性常发挥出有价值的言论。例如他说，“商国以上有不可考者，其时万国各有其君”，他说古代万国像今之土司，古代圣贤皆为军长，“伊尹周公皆六军之长”，古代土地国有，诸论皆近于科学，实清初的思想解放证明。他说：

设为规画措之科条，尚书不定，孔子不言，岂遗其实即弗求哉？以古之制治古之天下，而未可概之今日者，君子不以立事，以今之宜治今之天下而非可必之后日者，君子不以垂法。故封建井田朝会征伐建官颁禄之制，尚书不定，孔子不言，岂德不如舜禹孔子者何敢以记诵所得者断万世之大经乎？……夏后一代之法固不行于商，……成周一代之规，初不上因于商夏。孔子曰：“足食足兵民信之矣。”何以足何以信，岂靳言哉？言所以足而即启不足之阶，言所以信而且致不信之咎也。孟子之言异是何也？战国者古今一大变革之会也，侯王分土各自为政，而皆以放恣渔猎之情，听耕战刑名殃民之说，……抑不能预谋汉唐以后之天下。势异局还……是有“徒善不足为政”之说，而未成乎郡县之天下，犹可遵先王之理势。所由与尚书孔子之言异也。要非参万世而咸率由也。（同上，叙论四）

船山的史论的最大精神即在企图说明历史具体时代的特性，这在原则上是科学的，他说一代有一代的制度特性，不能混同，故结论为“要非参万世咸率由”，古之制不可概今日，今之制之不可垂后日，所贵乎明史者则在于认史的发展理势，这是一个封建时代大胆的论断，直至今日犹足以示范那研究历史的紧要前提。（自然，具体的问题是不能局限于船山的学识，因为理论的发展在船山亦不能“预谋”清初以后的天下，这一点正是船山的史学方法的延长。）

船山史论犹有一个特点，即研究不仅是建设一个博物馆或陈列所，而是重在明了历史的得失成败，以为人类的借鉴，他说：

所贵乎史者，述往以为来者师也。为史者记载徒繁，而经世之大略不著，后人欲得其得失之枢机以效法之无

由也，则恶用史为？（同上，卷六）

惟这种历史任务，更形艰巨，他认为论史之弊有二，“放于道而非道之中，依于法而非法之审”，歪曲历史者固不能知史之事征，而如“司马迁班固喜为恢奇震耀之言”，亦难以供史事之推行，他说：

盖尝论之：史之为书，见诸行事之征也，则必推之而可行。战而克，守而固，行法而民以为便，进谏而君听以从，无取于似仁似义之浮谈，只以致悔吝而无成者也。则智有所尚，谋有所详，人情有所必近，时势有所必因，以成与得为期，而败与失为戒，所固然矣。（同上，叙论三）

史家亦同于科学家，是忠实于自己忠实于真理的人，不是所谓“以为慷慨悲歌之助，……以为放言饰说之资”，而是：

求安于心，求顺于理，求适于用；顾惟不逮，用自惭恧，而志则已严。（同上）

因此他敢于说，“宁为无定之言，不敢执一以贼道，无强天下必从其独见”。这样的治史态度，可谓谨严。时有所限，自然有所不逮，而正因为不以全知全能的空想家“执一以贼道”，而自期“为无定之言”，则不逮者有后之学者继善，船山固逮成于清初的十七世纪而无惭恧了。所以他解释“资治通鉴”四字，就说明史之所以能资为认识的行为指南者，“岂曰此论者立一成之例而终古不易哉？”（同上，卷末一语）这是说抽象到最后的一个万应圣乐（表德），则一成型的概念等于说无概念，犹之乎万应定能治百病而不能治一病。史不是《封神演义》，而是一冶炼人类的大洪炉，故云：

资治者，非知治知乱而已也，所以为力行求治之资也。览往代之治而快然，览往代之乱而愁然，知其有以致治而治，则称说其美，如其有以召乱而乱，则诟厉其恶。……亦玩物丧志也，夫治之所资，法之所著也，善于彼者未必善于此也。……无不可为治之资者，无不可为乱之媒。……善取资者，变通以成乎可久，设身于古之时势为己之所躬逢，研虑于古之谋为为己之所身任，取古人宗社之安危代为之忧患，而己之去危以即安者在矣；取古昔民情之利病代为之斟酌，而今之兴利以除害者在矣。得可资，失亦可资也，同可资，异亦可资也。（同上）

船山此论，把历史作为一个实践存性的教养机体，人类加入这一有机体的某个环节，就要在他的全练发展中，不但躬行实践自己时代的任务，而且把自己的历史特环摆在全练中，如个体的孩童到成年时代在错误与更正中取之于生活，故成功可资，而错误亦可资，反复同者可资，而非反复异者亦可资。今人为古人代为之忧患斟酌者，即如成年人经略自己童年教养时代，童年时代与成年时代不同，不能一概而论，故变通是一个要义，否则，“无不可为治之资者，无不可为乱之媒”，然而成年时代是童年时代的发展。没有古人的治乱、得失、利害、善恶之先行实践，今人是没有所资以为自己的教训，即不能适应“备于大繁”的文明进步（即尽器，参看上节）。船山在史学上的资“治”论，正是他的絪缊生化论之人道推充，他的继善成性论之具体说明，亦是他的存性认识论之实证理由。这一系统的学说，我名之曰船山主义。

他所谓史“鉴”，即在知识论上的“推”，“据所闻以义类推之，”“推其情之所必至，势之所必反”，就所知者而推其所不知，他说：

鉴者，能别人之妍媸，而整衣冠尊瞻视者可就正焉。顾衣冠之整，瞻视之尊，鉴岂能为功于我哉？故论鉴者于其得也，而必推其所以得，于其失也，而必推其所以失，其得也必思易其迹而何以亦得，其失也必思就其偏而何以救失，乃可为治之资，而不仅如鉴之徒悬于室，无与照之者也。（同上）

他把史识与具体的实践行为联结，是知识论中最高级的过程，这种知识是活泼具体的，而不仅如“鉴”之教条，因为易其迹，就其偏，不是教条所可给与得失之几，而是如他所谓“甘苦自尝”的检证。形式逻辑在这里是无能的。故又云：

道无方，以位物于有方，道无体以成事之有体，鉴之者明，通之也广，资之也深，人自取之，而治身治世，肆应而不穷；抑岂曰此所论者立一成侀而终古不易也哉？（同上）

他说“通”者，是指分类而不偏执，如云：“通者何也？君道在焉，国是在焉，民情在焉，边防在焉，臣谊在焉，臣节在焉，士之行己以无辱者在焉，学之守正而不陂者在焉，虽扼穷独处而可以自淑，可以诲人，可以知道而乐，故曰通也。”（同上）他的史论之“论”，即根据史势史则，而立为史说或史学，他说：

引而伸之，是以有论，浚而求之，是以有论，博而证之，是以有论，协而一之，是以有论，心得而可以资人之通，是以有论。（同上）

船山的历史理论亦同于他的生化论，含有均衡论观点，对于低级形态到高级形态的发展，限于时代，避免突变的理论，避免质的移行的说明，所以他一方面云“天下之势循则极，极则反”（《春秋世论》卷四），而另一方面仍在离合的循环上寻求解答，他说：

天下之势，一离一合，一治一乱而已。……一合而一离，一治而一乱，于此可以知天道焉，于此可以知人治焉。（同上，卷十六）

故他在“叙论一”中，分中国数千年治乱为三变（见上引句），他的三分阶段之说比前人是科学到万倍，已经接近于氏族社会，古典社会，封建社会之分期说，但他所论者则甚为离合的形式所限制，三种离合阶段，破三统之说而有余，而建立质的移行法则而不足。

复次，我们在本节开首即认为他的基本观点，“天之道，人不可以之为道”说，富有近代个人主义的思想，但同时他因了均衡论的支配，对于突变的把握常流于自然流变观，他说：

君子顺乎天，而善因乎天，人固不可与天争久矣，天未然而争之，其害易见，天将然而犹与之争，其害难知。争天以求盈，虽理之所可，而必遇其数，过乎理之数，则又处于极重之势，而渐以向轻。君子审乎重以向轻者之必渐以消也，为天下乐循知以不言而辨，不动而成，使天下各得其所，嶷然以永定而不可复乱。夫生之将然矣，而犹作气以愤兴，若旦夕之不容待，何为者耶。古之人知此也，故审于生民涂炭之极，察其数之将消，居贞以俟命，徐起而顺，众志以图，成汤之革夏，武周之胜殷，率此道也，况其非革命改制之时乎？（《宋论》卷七）

船山的历史渐消进化说代替了突变说，原因是这样的：因为清初悲剧时代没有产生领导的中心力量，做悲剧的主动角色。这里毫无别的神秘因素。我们在本节首段引用文之结语，就可以明白，他说：“虽然，天亦岂必以我为匪人之饵，饱彼而使之勿脱于钩哉？”这一疑问非常重要，故在理论上，他说明了将来的社会一定不是现在的社会，所谓他日之道非今日之道，所谓“今之宜治今之天下而非可必之后日者”，这是十七世纪的社会觉醒，然而旧的社会将死，新的社会力量并没有形成，旧的拖住了新的，诚有“匪人之饵”使人勿脱其钩之苦，尤其在当时加了一层外族的压迫，桎梏更复杂上，船山对于将来的社会，亦如他说古人，不能“预谋”，这又是和十八世纪的学者不同的所在。（关系这一点参看《姜斋文集》，《君相可以造命论》一篇，他反对造命说，而主张受之顺之，与他的日受命日新性的论断颇异。）总之，大悲剧时代，船山思想是一面镜子。

（二）船山的历史叙述

船山有一句时代知识的科学话，即“吾所知者，中国之天下”，在利玛窦来中国的时候，天下已有欧洲非美，人种已有红黑黄白，船山只言其可征而知者，与宋明儒之信口天地开辟之说迥然有别。

船山对于中国历史的斜述，是十七世纪的宝贵的理性认识，在上面看他的批判，就可以知道他的建树，今概述他的要点如次。

他的古史叙述颇为名贵，上文已言之。他对于史前史以不能证而阙疑，船山若知今日之地下材料，当无此论，他说：

天地之气，衰旺彼此迭相易也。太昊以前，中国之人，若鹿麋聚乌集，非必日照月临之下而皆然也。必有一方焉，如唐虞三代之中国也。既人力所不通，而方彼之盛，此之衰而不能征之；迨此之盛，则彼之衰而弗能述以授人，故亦蔑从知之也。(《思问录·外篇》)

这里说明混沌至文明的路径，文明是如何来源不得而知。在文明社会以前，船山居然敢云那是禽兽或夷狄，颇合近代科学的研究，他说：

吾所知者，中国之天下。轩辕以前，其犹夷狄乎，太昊以上，其犹禽兽乎？禽兽不能全其质，夷狄不能备其文。文之不备，渐至于无文，则前无与识，后无与传，是非无恒，取舍无据，所谓饥则呴呴，饱则弃余者，亦植立之兽而已矣。(同上)

船山的夷狄论，是基于围绕中国的落后种族，在意义上当野蛮人而论，他常以善恶，治乱与华夷并列，除民族思想而外，实有历史的区别。他比较如下：

夷狄——法制疏略，民处衣食粗犷。自安其逐水草，习射猎，忘君臣，驰突无恒之素。

中国——有城郭之可守，墟市之可利，田土之可耕，赋税之可纳，婚姻仕进之可荣。（参看《读通鉴论》卷二十八）

这一比较是颇有价值的，他以有城市与农村的分裂为文明，反之为野蛮，甚合科学的近代历史学。

船山常论三代以前“茹毛饮血，茫然于人道”，“若其编氓皆善耶，则帝王之功德亦微矣”。因此，他把帝王之功德与文明阶段相连，甚有史学价值。他说：

食之气静，衣之用乃可以文。蒸民之听治，后稷立之也。无此疆彼界，皆陈常焉，后稷一之也。故帝贻来牟，丰饱贻矣，性情贻矣。……人之异于禽兽者，粲然有纪于形色之日生而不紊，故曰：“思文后稷，克配彼天。”……来牟率育而大文发焉。后稷之所以为文，而文相天矣。……不粒不火之禽心其免矣夫。（《诗广传》卷五）

船山把文明社会与农业经济相并而论，实其创识。根据国家起源为西周文明说而言，船山颇暗示周代为中国文明史的发轫，历史未进入文明时期，在船山史识之下为部落酋长时代，他说：

古之天下，人自为君，君自为国，百里而外，若异域焉。治异政，教异尚，刑异法，赋敛惟其轻重，人民惟其刑杀，好则相昵，恶则相攻，万其国，万其心，而生民之困极矣！尧舜禹汤弗能易也。（同上，卷廿）

这段话，颇示尧舜禹汤还是酋长的家父长时代，而真正进入文明社会，他有一句可注意的话“至殷之末，殆穷则必变之时”。他继续说：

至殷之末，殆穷则必变之时，而犹未可骤革于一朝。故周大封同姓而益展其疆域。（同上）

这里便至他论“封建”之说。“封建”二字在中国古史别有含义，不过说“周道亲亲”罢了。我们试看船山如何解释周制（或别名之曰封建）：

古者士各仕于其国，诸侯私其土，私其人，既禁士之外徙，而羁旅之臣新，君有其情不固之疑。三代（应云周代）圣王，欲易之而不能也。乃其为卿大夫者类以族升。则役于相习之名分，而民帖然以受治。农之子恒为农，虽有隽才觖望之情，不生赏罚。……乃逮周之季世，世禄之家，迭相盛衰，于是陈鲍高国栾却赵范（诸氏族）且疑忌积而起寻戈矛，兄弟姻亚互修怨于顾盼之

间，而蹀血覆宗，亦人伦之大泽斁矣。（同上）

这里说明周制是诸侯私其土私其民的盟族社会，卿大夫与人民的鸿沟为“氏所以别贵贱”，这一组织或所谓“封建”到了春秋时代在氏族本身暴露了危机，内乱以兴，晋族陈鲍诸氏据《左传》言亦就降为奴隶了。

按船山的批评，“封建”的周制最大的桎梏在于氏族制度无贤愚之分别，这与墨子《尚贤》《兼爱》篇所论相似其旨，他说：

安于其位者习于其道，因而有世及之理。虽愚且暴犹贤于草野之罔据者，如是者数千年而安之矣。强弱相噬而尽失其故，至于战国，仅存者无几。……古者诸侯世国，而后大夫缘之世官，势所必滥。士之子恒为士，农之子恒为农，而天之生才也无择，则士有顽而农有秀，秀不能终屈于顽，而相乘以兴，又势所必激也。……势相激而理随以易，意者其天乎？（同上，卷一，《首篇》）

原古代或古典的西方古代，或亚西亚的东方古代，氏族单位必代以国民单位。这是人类史的大变革，不论激变与缓进，总依这个规律移行。春秋到战国的贤者运动正是古代国民的觉醒。船山此论，谓国民智愚标准代替氏族标准是“势相激而理随以易”，卓见实超人一等。

船山由土地制度上论“封建”的周制说：

封建之天下，天下仅有其千里之畿，且县内之卿大夫分以禄田也，诸侯仅有其国也，且士大夫分以为禄田也，大夫仅有其采邑，且家臣还食其中也。……其富者必其贵者也，且非能自富而受之天子，受之先祖者也。降及于秦，封建废而富贵擅于人，其擅之也，以智力屈天下也。智力屈天下而擅天下，智力屈一郡而擅一郡，智力屈一乡则擅一乡，莫之教而心自生，习自成。乃欲芟夷天下之智力均之于柔愚，……虽日杀戮而只以益怨。……后世愿朴之农民，得田而如重祸之加乎身，则强豪之十取其五而奴隶耕者，农民甘心焉。……轻其役，薄其赋，惩有司之贪，宽司农之考，民不畏有田，而强豪无挟以相并，则不待限而兼并自有所止。若窳惰之民有田而不能业，以归于力有余者，则斯人之自取，虽圣亦无如之何也。（同上，卷五）

此论所谓“封建”周制，在土地所有方面，为土地氏族所有或国有，所谓“富者必其贵者”；但这种制度的氏族所有单位，终必被国民地域单位所代替，所谓

“富贵擅之于智力”，土地私有制必然而产生。船山以上明变的史论，确具卓见，他说这个变迁谓“封建不可复行于后世，民力所不堪，而势在必革也”。（同上，卷五）这好像是指劳动力的古代危机，必然要在私有生产手段上有所救济。至船山谓智力有余者私有应得，窳惰者而为贫人，则斯人自取，在个人竞争心上看取合理的法则，把社会的群的关系还原而为个性关系，实含有一种理想，即像亚旦斯密斯的理想。

船山的国民之富主张，以富人为国之灵魂，若使均田，则他说：

此犹割肥人之肉，置瘠人之身，瘠者不能受之以肥，而肥者毙矣。（《宋论》卷十二）

由以上船山的古代史叙述看来，颇近似于说明东方的古代社会。这个社会起于殷之末所谓“至殷之末，殆穷而必变之时”，中经战国的氏族制没落，所谓“战国者一大变革之会也”。以至秦人之变法，建立郡县，土地私有制，惟直到汉朝，据船山说“封建之在汉初，灯炬之光欲灭，而姑一耀其焰”，似犹有古代世界的回光返照。所云“封建”一名乃沿习用，惟在前人仅在想象上盛道封建，而船山《读通鉴论》开首一语，所谓“两端争胜而徒为无益之论者，辩封建也”，则相对地规定了它的性质。

为什么由古代转入秦汉，说是势理必然，“郡县之与封建殊，犹裘与葛之不相沿也”。就形势上说，他以为周代渐趋合一，殆秦汉始做到合一，“习久而变者必以其渐”。这一划分“封建”为过渡之说，颇难成立，而他把时代的变易发展律在这里形式地强调起来，则是高论。他说：

周大封同姓而益展其疆域，割天下之半而归之姬姓之子孙，则渐有合一之势，而后世郡县一王亦缘此亦渐统一，……然后风教趋于划一，而民生之困，亦以少衰。故孔孟之言治详矣，未尝一以古万国之制欲行于周末，则亦灼见武王周公绥靖天下之大权，而知邱民之欲在此而不在彼。以一姓分天下之半，而天下之瓦合萍散者渐就于合，……大封同姓者，未可即一，而渐一之也”。（《读通鉴论》卷廿）

他在人群变化上立论，颇为中肯，以为周制世官世禄，富者即贵者，智愚强柔不分，其势难久，逮乎郡县制，则以智力分富贵，兼并必然而生。私有制代替了国有制，他说："秦以私天下之心而罢侯置守，而天假其私以行其大公。"

把春秋战国以来氏所以别贵贱的大私更革，"秦汉以降，天子孤立无辅，祚不永于商周，而若东迁以后交兵毒民，异政殊俗，横敛繁刑，艾削其民，迄之数百年而不息者亦革焉，则生民之祸亦轻矣。郡县者，非天子之利也，国祚所以不是也；而为天下计利害，不如封建之滋也多矣。"（同上，卷一）故周代社会的利害计算滋甚，完全在氏族血统的贵族身上打算，而秦汉以降则把利害公开于国民的智力，故云"天假其私以行其大公"。这一转变，实"势在必革"。

因此，他论土地所有的变迁，第一为："古之人民去茹毛饮血者未远，圣人教之以耕，而民皆择地而治，惟力是营，其耕其芜，田无定主，国无恒赋。"第二为：建立所有关系的时代，故他接着说："迨周并者千有八百诸侯，自擅其土，以取其民。……不容不画井分疆，定取民之则，使不得损益焉。……天子之尊，下为遍氓作主伯之计，诚有不得已也。"这是土地所有建立于氏族所有的经界之时代。第三为：人民自己可以私有土地的时代，他说："及汉以后，天下统一……上无分土逾额之征，下有世业相因之土，民自有经界，而无烦上之区分。……或弱民有世田而不敢自列于户，或丁壮有力而不但自耕其田，夫亦患田之不辟，而民之不勤，百姓不足而民亦贫耳。"（《宋论》卷二）

他的反复古之论，多散见于其著作中。由上面的分析看来，古代制度文物自有其理相因，未能概今之宜，他说："三代之王者，其能逆知六国强秦以后之朝野，而预建万年之制哉？"因此，他在制度因革方面便倡各个时代的时务：

魏玄同上言欲复周汉之法，……其言辩矣，实则不可行也。一代之治，各因其时，建一代之规模，以相扶而成治。……未有慕古人一事之当，独举一事，杂古于今之中，足以成章者也。王安石惟不知此，故偏举周礼一节，杂之宋法之中，而天下大乱。周之所以诸侯大夫命其臣，若封建相沿，民淳而听于世族，不可得而骤合并以归天子也，故孔子之圣，天子不得登庸。……三代之末流亦一病矣。……法无有不得者也，亦无有不失者也。……若法则因时而参之礼乐刑政。……举其百废其一，而百者皆病，废其百举其一，而一者可行乎？浮慕前人之一得，夹糅之于时政之中，而自矜复古，何其窒也！……读古人之书，以揣当世之务，得其精意，而无法不可用矣。于此而见此之长焉，于彼而见彼之得焉；一事之效，一时之宜。一言之传，偏据之而曰三代之隆，两汉之盛恃此也，以固守而行之者王安石，以假窃而行之者王莽而已。(《读通鉴论》卷十三)

船山古今因变之说，多精于古史，而汉以后的历史叙述，如赞汉高祖之仁，唐高祖之慎，皆以安定时代的现实为根据，在没有知道中国以外的天下之船山，正与黑格尔的国家论之对其形式知识走了相反的路径相似，乃悲剧时代的迂路。法国近世经济学者凯纳，是亚旦斯密的前导者，有著名的经济表以说明近代的经济图式，然而他的取例则说中国的清朝乾嘉安定时代，可见近世启蒙学者，曾把安定的治绩当做了一个将来的理想社会，王船山亦然。

惟船山对于将来的社会，则亦如凯纳有他的理想，那便是个人主义的经济，如他说：

诚使减赋而轻之，节役而逸之，禁长吏之淫刑，惩猾胥里蠹之恫喝，则贫富代谢之不常，而无苦于有田之民，则兼并者无可乘以恣其无厌之欲，人可有田而田自均矣。(《宋论》卷十二)

最后，我们要崇赞船山的民族思想，关于这点，前人论者很多，兹恭录他的赞重庆诗五首，以见爱国情绪之高洁。原题为《滇峡谣五首》，所谓“谣”者，盖他避清人注意，亦其所谓“惧而夺其所好”，“观物避炎威”吧？船山亡国之恨，观其诗亦知其志。

（一）弹子矶

弹子矶空峙，翻风燕不迷，朝天台已筑，
何处着丸泥？

（二）望夫江

烟水凝眸远，蘼芜且着花，章台扳折后，
依旧属韩家！

（三）观音岩

苍壁空青破，清江拂翠开，越王虚胜概，留待佛东来！

（四）飞来寺

辛苦滇江水，晨潮接暮潮，飞来金碧影，劫火不曾烧！

（五）归猿洞

故山原有主，新宠讵难忘，犹恐孙郎妒，相邀弄夕阳。

第二章　近代启蒙思想家黄梨洲

第一节　梨洲的近代基本观念

黄梨洲（宗羲），浙江余姚人，生明万历三十八年，卒清康熙三十四年（一六一〇——一六九五），他比船山长九岁，但著述的年代则相若。这个时代是世界史的天翻地覆时期，经过十六世纪的宗教革命而跃入近代商业资本主义的世界，在他生世前十年，英国东印度公司已成立，中国亦早在商业与科学（天文数学）方面和欧洲联结起来；同时，他经过了中国农民二十年的叛乱，经历着外族（满清）统治中国的压迫，饱尝了他和当时魏阉与马（士英）阮（大铖）黑暗势力斗争的教训。凡此种种多面复杂的生活，增实丰富了他的血液，改变了传统上对于世界的观念。他的一生活动，从十九岁替父尊素（东林名士）草疏申冤起至设“证人”讲会，自云“濒于十死”，约可分为三期：少年时期犹继东林余绪，从事反抗淫威的党争，以著书斥阮大铖而最具胆识，几遭残杀；中年时期纠合同志抗清，设世忠营，走四明山，待明统既亡，遂清算东林、复社，而根本作反封建的政治理想，以《明夷待访录》一部伟著结束（据钱穆先生考，《明夷待访录》成于五十四岁，为梨洲最后政治成绩，五十八岁始兴证人书院，此后即转入理学研究，是也）；晚年放弃政治活动，作纯学术的贡献，不受清人之诏。谓“身遭国变，期于速朽”，中国第一部学术史——《明儒学案》，即其代表作，而史学与科学（数学天文）实开近代先河。

中山先生说：“他们（明朝遗民）的眼光是远大的，思想是很透彻的，观察社会情形也是很清楚的。”（《民族主义》第三讲）

梨洲政治与学术的活动，既有如上所云之时期区分，则研究他的思想，亦应按他的生平经历，经济、政治，而后哲学史学，前者颇具体而多面，后者则趋向一般的概念，不明白具体生活的认识，而笼统言其所抽象之理则，实难于说明大共名之下的时代实指。

前人研究清初儒师，多云“经世之学”，这是不错的，然而问题之更要者，在于经其何世，世系何经，世如变世，所变者安在，经非常经，应经者安指。研究梨洲经世之学的“世”，是十七世纪，经过了农民战争时代的暗中摸索，而开始意识到近代，正如威尔斯所说十六世纪以后的历史，是“人类自动地改造人类社会的整个计划的一故事”，人类从狭小的天地中出来，探望了自然复至社会觉醒；而近代初期经世之学的“经”，则复有种种复杂的形式，梨洲所理想者近似于十六世纪以后的农民平民异端，（据科学分析，当时宗教革命时代的异端有三派，一即要求廉价教会的“城市异端”，二即要求法律平等的农民平民异端，三即平等之外梦想千载太平的平民反对派异端。）故梨洲的民主主义思想，更有细密研究的价值，不是一句话便可交待的。

中古社会不生产的滥费，在西欧首先表现于僧侣寺院，近代宗教改革便是把生活的矛盾集中于教会的攻击，而思想则成为神学的异端（Theological heresies）。梨洲是中国近代第一个颠倒本末，而崇赞生产的工商者，他说：

今夫通都之市肆，十室而九，有为佛而货者，有为巫而货者，有为优倡而货者，有为奇技淫巧而货者，皆不切于民用，一概痛绝之，亦庶几乎救弊之一端也。此古圣王崇本抑末之道，世儒不察，以工商为末，妄议抑之，夫工固圣王之所欲来，商又使其愿出于途者，盖皆本也。(《明夷待访录》财计三)

这是他的“工商皆本”之论，在三百年前当为珍奇，我们认他为平民的异端，并非杜撰。他这一主张是积极在“富民”，消极则攻击封建特殊的享乐，中国没有教权，而确有迷信，他对迷信习俗之生活（所谓通都生活）认为实不廉价，云：

习俗未去，蛊惑不除，奢侈不革，则民仍不可富也。何谓习俗？……婚之筐篚也，装资也，宴会也，丧之含殓也，设祭也，佛事也，宴会也，刍灵也，富者以之相高；贫者以之相勉也。何谓蛊惑？佛也，巫也，佛一也，而有佛之宫室，佛之衣服，佛之役使，凡佛之资生器用无不备，佛遂中分其民之作业矣；巫一耳，而资于楮钱香烛以为巫，资于烹宰以为巫，资于歌吹婆婆以为巫，凡斋醮祈赛之用无不备，巫遂中分其民之资产矣。何谓奢侈？其甚者倡优也，酒肆也，机坊也，倡优之费一夕而中人之产，酒肆之费一顿而终年之食，机坊之费一衣而十夫之暖。故治之以本，使小民一循于礼，投巫驱佛。（同上）

梨洲“投巫驱佛”之论与唐宋以来辟佛之旨严有区别，他不是基于卫道的立场（如韩愈原道观），而是基于工商的生产，通都（城市）的繁荣，“民富”的增殖，习俗（封建）的根去，这在思想史上可称破天荒的“怪说”（“怪说”二字见梨洲自云，“如南雷余集怪说”，怪说者异端的别名）。

梨洲的货币论更有近代的特点，前人研究梨洲者多所忽视，何得言其经世之学？（梁任公先生《中国近三百年学术史》只有一句话“主张废止金银货币”。）他首先说明封建式的金银（权力手段）沉淀，货币流入宫廷，集中于达官猾吏，而真正作为货币职能之融资，在民间则干竭，加以赋税剥削如故，形成危机，这样虽劝农力耕亦不能救“宛转汤火之民”，所言皆在客观上对封建经济的攻击，他说：

……今矿所封闭，间一开采，又使宫奴专之，以入大内，与民间无与，则银力竭，二百余年天下金银网运至于燕京，如水赴壑，承平之时，犹有商贾官吏返其十分之二三；多故以来，在燕京者既尽泄之边外，而富商大贾达官猾吏，自北而南，又能以其资力尽敛天下之金银而去，此其理尚有往而复返者乎？夫银力已竭，而赋税如故也，市易如故也，皇皇求银，将于何所致？故田土之价不当异时之十一，岂其壤瘠与？曰否，不能为赋税也；百货之价亦不当异时之十一，岂其物阜与？曰否，市易无资也。当今之世，宛转汤火之民，即时和年丰无益也，即劝农沛泽无益也，吾以为非废金银不可。（同上，财计一）

所谓资金之“往而不复返”，正货币学上商品流通之僵死，而价格暴落百分之九十（土地、百货），一因剥削如故，一因市场无资，实在指的是封建经济危机。原封建社会之货币单位皆杂行而不统一，其阻碍商品流通者中外皆然，梨洲批评币制的缺点，颇有价格革命的自觉，他说：

有明欲行钱法而不能行者，一曰惜铜爱工，钱既恶薄，私钱繁兴，二曰折二折三，当五当十，制度不常。三曰铜禁不严，分造器皿，四曰年号异文，此四害者昔之所同，五曰行用金银，货不归一，六曰赏赉赋税，上行于下，下不行于上，……故今日之钱不过资小小贸易，公私之利源皆无赖焉。（同上，财计二）

他的币制批评注意在制不统一，妨碍“公私之利源”，颇中封建经济之要害，他的主张有近代价值者，却不在“废金银”，而在其理想，“千万财用流转无穷”，货币之用不在于储藏沉淀，而在于它在一大蒸馏器中，“使自己不断的发汗”。他说：

钱币所以为利也，唯无一时之利而后有久远之利，以三四钱之费得十钱之息，以尺寸之楮当金钱之用，此一时之利也；使封域之内常有千万财用，流转无穷，此久远之利也。（同上）

货币死藏，使货币与一般的商品离异，封建的“超经济剥削”，即在于单视货币为政治权力，梨洲所谓“罔民而收其利”，不视为经济的信用手段，梨洲所谓“钱仅为小市之用，不入赋税，使百务并于一途（即指集中于燕京），则银力竭”。因此，他把货币返原于商品，粟帛与钱相若，作者认为是一个伟大的发现，他说：

古之征贵征贱，以粟帛为俯仰，故公上赋税有粟米之征，布缕之征是也，民间市易，诗言握粟出卜，孟子言通工易事，男粟女布是也，其时之金银与珠玉无异，为馈问器饰之用而已，三代以下用者，粟帛而衡之以钱，故钱与粟帛相为轻重。……孔琳之曰，先王制无用之货，以通有用之财，此钱之所以嗣功龟贝也，谷帛本充衣食，分以为货，劳毁于商贩之手，耗弃于割裁之用，此之为弊者著自于曩。然则昔之有天下者，虽钱与谷帛杂用，犹不欲使其重在钱也。（财计一）

梨洲此论，已摸索到货币的源流处，惟时代有局限，我们不能苛评古人，他由强调商品流转，探源于币、物一致，复由币、物一致，而说明货币之职能，实具重商主义的成分，故他主张“废金银”，其消极方面乃反对金银货币的死藏，（明英宗以来折金花而以银充赋，银只有上转而无下输，银经过超经济的滤斗皆到达官猾吏之手。）而积极方面则为货币统一，使商品流通，请看他的主张：

吾以为……废金银其利有七，粟帛之属小民，力能自致，则家易足，一也；铸钱以通有无，铸者不息，货无匮竭，二也；不藏金银（死藏），无甚贫甚富之家，三也（封建的贫富）；轻赍不便，民难去乡，四也；官吏赃私难复，五也；盗贼胠箧，负重易迹，六也；钱钞通路，七也。（财计一）

钱币统一之利，属于商业经济者以二七两项为主，亦他所谓“钱币，使封域之内常有千万财用流转无穷，此久远之利也”。他论统一货币之法云：

诚废金银，使货物之衡尽归于钱，京省各设官鼓铸有铜之山，官为开采，民间之器皿，寺观之像设，悉行烧毁入局，千钱以重六斤四两为率，每钱重一钱，制作精工，式样划一，亦不必冠以年号，敛田土赋粟帛外，凡盐酒征榷一切以钱为税，如此而患不行吾不信也。（财计二）

以铜币统一货币之说另当别论，而他的货币划一之说，则有利于工商，确为不易。他不但主张划一货币，而且亦理想纸币流行的蒸馏器，故主张近似国家银行的“宝钞库”，统一发行之权，主张有准备金的信用货币，以保证钞价，使“钞与钱货不相离”。他说：

按钞起于唐之飞钱，犹今民间之会票也。至宋而始官制行之，然宋之所以得行者，每造一界，备本钱三十六万缗，而又佐之以盐酒等项，盖民间欲得钞则以钱入库，欲得钱则以钞入库，欲得盐酒则以钞入诸务，故钞之在手与钱无异。其必限之以界者，一则官之本钱当使与所造之钞相准，非界则须增造无艺，一则每界造钞若干，下界收钞若干，诈伪易辨，非界则收造无数。宋之称提钞法如此，即元之所以得行者，随路设立官库，贸易金银，平准钞法，有明宝钞库不过倒收旧钞，凡称提之法俱置不讲，……但讲造之之法，不讲行之之法，官无本钱，民何以信？……诚使停积钱缗，五年为界，敛旧钞而焚之，官民使用，在关即以之抵商税，在场即以之易盐引，……则谷帛钱缗不便行远，而囊括尺寸之钞，随地可以变易，在仕宦商贾，又不得不行，德璟（崇祯间臣）不言钞与钱货不可相离，而言神道设教，……何不深考乎？（财计二）

梨洲的经济思想，已有“国民之富”的萌芽，一则曰“天下之安富”，再则曰“金银……与民间无与，则银力竭”，三则曰“人民繁庶”，其内容是近代的无疑。

我们在清初学者间除船山外常逢到“复古制”之说，梁任公先生谓之“复古即解放”，颇以文艺复兴的观点来比拟，命题虽不正确，但已接近真实。原西洋宗教革命时代，改革者是与神秘说不可分离的，而性质程度在前述三派中虽有区别，但上帝的解释自由，则为他们中间的共同特点。例如代表平民反对派的孟彩尔（真正的近代市民革命领袖），“在基督教形式的大衣之下，传布一种泛神论，这种泛神论酷似近代的思维方法”。清初学者的复古说，亦有区别，但他们的三代观念确是具有近代的思维方法，与十六世纪以来的泛神论价值相当。明白了这一点，梨洲所称三代圣王的道理便易晓然，他是披着古代帝王的服装，而说着近代人的要求，启蒙学者亦只能如此；而表里如一的思维方法，则是工业革命以后的历史。

在土地制度的改革方面，梨洲是主张复井田制的。在这里，我们不从事研究井田制的历史，而只把它是作为他的一种理想来把握的。有明一代田制，以官田，庄田为害至巨，“熹宗时，桂、惠、瑞三王及遂平，宁国二公主庄田动以万计，而魏忠贤一门横赐尤甚，盖中叶以后，庄田侵夺民田，与国相终”。(《明史》卷七七,《食货一》)“占地土，敛财物，污妇女，稍与分辨，辄被诬奏，官校执缚，举家惊惶，民心伤痛入骨。”(同上)《明史》言孝宗时，天下土田止四百二十二万八千五十顷，官田视民田得七分之一，而顾亭林言“一府之地土，无虑皆官田，而民田不过十五分之一”(《日知录》卷十)，是知土地向皇室外戚阉宦之封建强占，甚为集中。赋税苛役特重，江南“亩税有二三石者”(《明史·食货二》)，“江南之民，一困于赋，再困于役，盖已皮尽而骨存矣”(《复社纪略》)，“父老问逋税故，皆言富豪不肯加耗，并征之细民，民贫逃亡，而税额益缺”(《续文献通考》卷二)此外，折银为正赋，征收并于田赋，名一条鞭法，皆示扰民之政。梨洲的理想，是从这样的现实出发，故他首说当时因土地与税租制度而惹起了民无可耕之田的现象：

其赋之于民，不任田而任用，以一时之用制天下之赋，后王因之，后王既衰，又以其时之用制天下之赋，而后王又因之，呜呼，吾见天下之赋日增，而后之为民者日困。……今天下之财赋出于江南，江南之赋至钱氏而重，宋未尝改，至张士诚而又重，有明亦未尝改，故一亩之赋，自三斗起科，至于七斗，七斗之外尚有官耗私增，计共一岁之获，不过一石，尽输于官然且不足，乃其所以至此者，因循乱世苟且之术也。(同上，田制一)

斯民之苦暴税久矣，有积累莫返之害，有所税非所出之害，有田土无等第之害。何谓积累莫返之害？……有明两税丁口而外，有力差有银差，盖十年而一值，嘉靖末行一条鞭法，通州府县十岁中夏税秋粮，存留起运之额均徭里甲土贡，顾募加银之例一条总征之，使一年而出者分为十年，及至所值之年，一如余年，是银力二差又并入两税也，未几而里甲之值年者杂役仍复纷然，其后又安之，谓条鞭两税也，杂役值年之差也，岂知其为重出之差乎？……万历间旧饷五百万，其末年加新饷九百万，崇祯间又增练饷七百三十万，倪元璐为户部合三饷为一，是新饷练饷又并入于两税也，至今日以为两税固然，岂知其所以亡天下者之在斯乎！……税额之积累至此，民之得有其生也亦无几矣。……何谓所税非所出之害？……有明自漕粮而外，尽数折银，不特折钱之布帛为银，而历代相仍不折之谷米亦无不为银矣，不特谷米不听上纳，即欲以钱准银，亦有所不能矣……天下之银既竭，凶年田之所出不足以上供，丰年田之所出足以上供，折而为银，则仍不足以上供也，无乃使民岁岁皆凶年乎！天与民以丰年，而上复夺之，是有天下者之以斯民为雠也！……何谓田土无等第之害？……今民间田土之价悬殊不啻二十倍，而有司之征收划以一，则致使不毛之地岁抱空租，亦有岁岁耕种而所出之息不偿牛种。……何怪乎土力之日竭乎！吾见有百亩之田而不足当数千亩之用者，是不易之害也。（田制三）

梨洲所论三害，官田，庄田的封建强占尚未言及，在田制二中云，“民自有之田，以法夺之”，当指此点。同篇亦云“州县之内官田居十分之三”。第一二害指封建的巧夺，学语谓之“经济外强制”，第三害则指无级差地租，赋租划一于上等田土，以至生产所获“不偿牛种”，以近世经济学创始者重农学派的“经济表”而言，生产者没有再生产的可能。至所谓折银上供，银只流向不生产者，而无经济的流通，则又据“经济表”上所言，货币流通便停顿，银不是价格的担负者。梨洲所拟方案有三，如下：

（一）土地使用的平均主义，这在近代初期的土地改革上是进步的意思，与法律平等相表里，似针对官田、庄田的不平等强占而言。“授田于民，以什一为则，夫授之田以二十一为则，其户口则以为出兵养兵之赋，国用自无不足。”（财计三，按他反对募兵制，见《兵制篇》）

（二）税出负担的平均分任主义，这和他主张“废金银”相关，所以然者，他不是无原则地反对货币赋税，而是因货币集中所生的不平现象，至为残酷，故理想出小市民或农民性的平均任宜政策。当时如《明史》言：“小民所最苦者，无田之粮，无米之丁，田鬻富室，产去粮存，而犹输丁赋。”（卷八，食货二）折银输赋，更为货币集中的不平，“正统时以银一两当米四石，成化时一两只当一石，行法未几，而民之苦乐前后又复顿殊。”（《续文献通考》卷二）因此，他说：“圣王者而有天下，其必任土所宜，出百谷者赋百谷，出桑麻者赋布帛，以至杂物皆赋其所出，斯民庶不至困瘁尔。”（财计三）按他钱币的信用货币论（钞），谷帛与钞流通，钞可随地变易，官民使用一致，则亦非仅重视实物，故云：“其有纳钱者，后世随民所便。”所以他的方案，乃针对折银上供之不平而发，在本质上为进步的。

（三）厘定土地的级差，分为五等，劣等者“休一岁二岁，未始非沃土”，以轮换耕植，适其地力之再生。他说：“今丈量天下田土，其上者依方田之法，二百四十步为一亩，中者以四百八十步为一亩，下者以七百二十步为一亩，再酌之于三百六十步，六百步，为亩分之五等，鱼鳞册字号一号以一亩准之，不得赘以奇零，如数亩而同一区者不妨数号，一亩而分数区者不妨一号，使田土之等第不在税额之重轻，而在丈量之广狭，则不齐者从而齐矣。是故田之中下者，得更番而作，以收土田之利。……”（同上）“不齐从而齐”一语，是梨洲思想的出发点。

梨洲土地改革的主张为复古井田制，虽有土地国有的表面形式，而他所重者则在“田土均之”。土地国有的意义是所谓近代美国的路线，因绝对地租之不存在，彻底取消了封建剥削。而土地平均使用，亦在近代东欧各国试行者，原亦为进步的民主思想，梨洲主张近于后者。他说：

古之圣君方授田以养民，今民所自有之田，乃复以

法夺之，授田之政未成，而夺田之事先见，所谓行一不义而不可为也。（田制二）

先王之制井田，所以遂民之生使其繁庶也。（同上）

这是他的理想。养民遂民繁民在于平均授田，他以卫所屯田之法，而企划出“井田”图案，足称经世之学，他说：

每军拨田五十亩，古之百亩也，非即周时一夫授田百亩乎？五十亩科正粮十二石听本军支用，余粮十二石给本卫官军俸粮，是实征十二石也，每亩二斗四升，亦即周之乡遂用贡法乎。天下屯田，见额六十四万四千二百四十三顷，以万历六年实在田土七百一万三千九百七十六顷二十八亩律之，屯田居其十分之一也。授田之法未行者特九分耳。由一以推之九，似亦未为难行，况田有官民，官田者非民所得而自有者也，州县之内官田又居其十分之三，以实在田土均之，人户一千六十二万一千四百三十六，每户授田五十亩，尚余田一万七千三十二万五千八百二十八亩，以听富民之所占，则天下之田，自无不足，又何必限田均田纷纷，而徒为困苦富民之事乎？故吾于屯田之行，而知井田之必可复也。（田制二）

梨洲“齐之”而“均之”的改革论，是土地制度上表现的民主主义，虽然他注意了所谓“富民”。

第二节 梨洲的近代民主思想

上节所言梨洲的近代观念，皆引自其代表作《明夷待访录》，此书前卢梭《民约论》三四十年，原本据全谢山言“多忌讳不尽出”，今本尚非足本，清乾隆间列为禁书。今应首先对于此书研究三点如下：

（一）此书类似“人权宣言”，尤以《原君》、《原臣》、《原法》诸篇显著说出民主主义，当时顾亭林见之，谓“知百王之敝可以复振”，崇拜自不偶然，无疑为一代表时代精神的作品。清末维新运动，此书所以成为当时青年的宝筏者，实因他所讲平等之旨价值甚高，首倡者其情至切，其信至笃。这由梁任公先生的话可以看出来的：

> 我们在学生时代，（《待访录》）实为刺激青年最有力之兴奋剂，我自己的政治活动，可以说是受这部书的影响最早而最深！（《中国近代三百年学术史》，四七页）

这话自是实在，任公更三替此书宣传，颇类“人权宣言”之力量，他说：

此书（《待访录》）……光绪间我们一班朋友曾私印许多送人，作为宣传民主主义的工具。（同上，注）

梁启超谭嗣同辈倡民权共和之说，则将其书（《待访录》）节钞，印数万本，秘密散布，于晚清思想之骤变，极有力焉。（《清代学术概论》，三十二页）

窃印《明夷待访录》……等书，加以案语，秘密分布，传播革命思想，信奉者日众，于是湖南新旧派大哄！（同上，一四一页）

此犹为民国十年以后著作家之任公所言，若有他清末加案语的文献复按，更可知宣传者之任公对此书，当不下路德的新圣经。

（二）梨洲此书在清初为一近代意义的伟著，梁任公先生云“凡启蒙时代之大学者，其造诣不必极精深，但常规定研究之范围，创革研究之方法，而以新锐之精神贯注之”，《待访录》之合于“近代的思维方法”者犹须具体论之，这里有一问题，即此书之方法与其序文似是而非的矛盾。序言有“吾虽老矣，如箕子之见访，或庶几焉，岂因夷之初旦，明而未融，遂秘其言也”云云。这话遂成为后人的争论，章太炎讥此书为向满洲上条陈，梁任公则辨为光复有日，梨洲正欲为代清者说法，以弟子万季野北上，戒其勿上河汾太平之策，证梨洲绝无向清廷讨生活之理。按章氏之论苛不当体，梁氏辨之确具道理，梨洲晚节清白，他拒清诏更有“身遭国变，期于速朽”之语，而辞博学鸿儒。讥讽“引里母田妇而坐之于王孙之列”，谓应诏则“断送老头皮”（与陈介眉书），未能因“箕子”之比一句，断章而离事实，以取义其行为。钱穆先生辨云“一亡国遗臣之不能无所待者，正见其处心之愈苦”，与梁氏之辨皆在消极方面着想。原梨洲的理想不但满清政府非其对象，即三代以下二千载皆非其对象，他在种族战争中已经表现过他的种族平等的斗争，故他的平等理论实没有向异族统治者的不平的压迫去做尺度衡量，而且他更超过了王朝更替的中古君臣之义，去寻求新的制度，如威尔斯所言：“十六世纪以后的近世欧洲，王朝的更替并不重要，历史的兴趣全集中在政治组织和社会组织之试行上面。”（《文化史》）这在《待访录》序中，开宗明义即把中古分为一乱，而客观的历史使他憧憬近代式的一治，善读古人书者当得其旨，他说：

余尝疑孟子一治一乱之言，何三代而下之有乱无治也？乃观胡翰所谓十二运者，起周敬王甲子以至于今，皆在一乱之运，向后二十年交入大壮，始得一治。(《待访录》首句)

这样看来，他是不以朝代更替为时代，而是以中古一乱为时代，在他所经历的历史前途，是有将来的信仰，所谓“一治”，颇梦想着远处光明，所谓“夷之初旦明而未融”；然而清人异族统治了中国，显把一线光明斩绝，故他说：“然乱运未终，亦何能为大壮之交”，下便言箕子见访云云。因此，他以箕子自居者，固不是朝代的箕子，而是历史制度的箕子。《原君》、《原臣》、《原法》、《学校》诸篇的内容正说明他的新制度的梦想。这是积极的理由。“梨洲老人”（序言自署）不秘其言，在二百余年后宣传此书的青年学生如梁任公诸人身上给了“兴旧剂”，见访者可见是历史的了（即不是人君，而是人民）。

（三）《明夷待访录》一书是东林、复社的自我批判。因为东林以来的党争标榜，只局限于君子与小人的分类，党争方法则为所谓清议。前者，梨洲亦谓：“即有知之者，亦言东林非不为君子。”后者梨洲云：“东林为清议所宗，祸之招也，……清议者天下之坊也。”（皆见《明儒学案》、《东林学案》）“累江谓先生曰，近有怪事，知之乎？先生曰，何也？曰内阁所是，外论必以为非，内阁所非，外论必以为是。先生曰，外间亦有怪事，累江曰，何也？曰外论所是，内阁必以为非，外论所非，内阁必以为是。”（同上，《顾宪成学案》）其最后武器，则为气节，高攀龙所谓“若学问不气节，这一种人为世教之害不浅”，他死节犹疏云：“大臣受辱，则辱国，故北向叩头，从屈平之遗则，君恩未报，结愿来生。”（同上，《高攀龙学案》）此项气节表现于后来反清运动者，洵东林的优良风格，顾亭林谓“党锢之流，独行之辈，依仁踏义，舍命不渝”，明末党人可当顾氏“仁人君子心力之为”（《日知录》卷一三）。梨洲则谓：“数十年来，勇者燔妻子，弱者埋土室，忠义之盛，度越前代，犹是东林之流风余韵也。”（《东林学案》）

然而这种单恃主观的“心力之为”，实在是东林的旧传统，梨洲在《明夷待访录》中所论之经国大计，正是东林以来的自觉。他批评这一趋势说:“昔之学者学道者也,今之学者学骂者也。矜气节者则骂为标榜,志经世者则骂为功利,读书作文者则骂为玩物丧志,留心政事者则骂为俗吏。”(《文案》卷十,《七怪》)又说:“儒者之学经纬天地,而后世乃以语录为究竟。……治财赋者则目为聚敛,开阃扞边者则目为粗材,……留心政治者则目为俗吏,徒以生民立命,天地立心,万世开太平之阔论,钤束天下,一旦有大夫之忧,当报国之日,则蒙然张口,如坐云雾!世道以是潦倒腐泥,遂使尚论者以为立功建业,别是法门,而非儒者之所与也。”(《南雷文定后集》卷三)甚至他说,“有明文章事功皆不如前代”,《待访录·原君》、《原臣》,则明斥“小儒规规焉,以君臣之义,无逃于天地之间”,而以君之一身一姓听从死节,谓之“宫妾私昵者之事”。他对于复社,则评:“本领脆薄,学术庞杂,终不能有所成就。”(《南雷文定后集》卷三)因此,《待访录》的理想,自命一治大法,实在是明代思想的批判发展,他所“创革之方法”所以成为“近代的”者,就因为超过了过去“仁人君子心力之为”,而以勇敢的“怪说”(异端),“无所顾虑的态度”,

设计将来的新世界。

明白了以上三点，我们才可以研究他的平等思想之具体东西，在这里也不是“含有民主主义精神”（梁任公语），“发明民主精义，已为近人所传诵”（钱穆语），一句话所尽研究之能事，要在析辨其所当于近代复杂错综的历史者为何种程度的启蒙路径。

如果说十六世纪的宗教战争理想，是建设上帝的王国，即建设预言的千载太平的天国于地球之上，则十七世纪中国的启蒙理想，是建设“三代”的王国，即建设梦想的圣世王国于地球之上，原则上都是属于平民的要求，梨洲在人民生活的权利上主张着齐之均之的制度（见上），在人民权利关系上亦主张着“天下大公”制度。这里，梨洲的文字有一个特别的格调，即理想与现状对比，换言之古者如此，今也为彼，我们试读《待访录》，几没有一篇不是这样，他言不满意的现状，语尽批判，他言披着“三代”外衣的理想，语极笃信，试举一例如下：“古者以天下为主，君为客，凡君之毕世所经营者，为天下也；今也，以君为主，天下为客，凡天下之无地而得安宁者，为君也。”（同上，《原君》）我们研究的途径，先应举出他的批判，然后说明他的理想。他对于君、臣制度等等，颇示攻击封建的意向：

后之为人君者，以为天下利害之权皆出于我，我以天下之利尽归于己，以天下之害尽归于人，亦无不可，使天下之人不敢自私，不敢自利，以我之大私为天下之公。……凡天下之无地而得安宁者为君也，是以其未得之也，屠毒天下之肝脑，离散天下之子女，以博我一人之产业，曾不惨然曰，我固为子孙创业也。其既得之也，敲剥天下之骨髓，离散天下之子女，以奉我一人之淫乐，视为当然，曰，此我产业之花息也。然则为天下之大害者“君”而已矣！向使无君，人各得自利也。……而小儒规规焉，以君臣之义无逃于天地之间，……乃兆人万姓崩溃之血肉曾不异夫腐鼠，岂天地之大，于兆人万姓之中，独私一人一姓乎？（《原君》）

梨洲此段文章颇当“人权宣言”，(一）他敢于宣布君主为“敲剥”者，“天下之大害者”，更有一个否定的假言，在封建时代是说不出来的，即“向使无君”。墨子亦有政长与人民福利相符的理论，然孟子以“墨子兼爱是无父也”，斥为异端，梨洲明言“无君”，其为异端至明。（二）他同情人民（兆人万姓）的自利自私，谓人人能遂其自利自私，即天下之大公，而君主则不让人民自利自私，他独大私天下的产业。这颇有人权平等，“自由放任”的道理，甚合近代社会初期的思维方法。他批评封建的臣道说：

世之为臣者昧于此义（见下），以臣为君而设也，君分吾以天下而后治之，君授吾以人民而后牧之，视天下人民为人君橐中之私物，今以四方之劳扰，民生之憔悴，足以危吾君也，不得不讲牧之之术，苟无系于社稷之存亡，则四方之劳扰，民生之憔悴，虽有诚臣，亦以为纤芥之疾也。……后世骄君自恣，不以天下万民为事，其所求乎草野者，不过欲得奔走服役之人，乃使草野之应于上者亦不出夫奔走服役，……跻之仆妾之间以为当然。(《原臣》)

这已道破封建臣仆是参加“敲剥”的奔走服役者了。他批评封建无公法，“所谓法者一家之法，而非天下之法也”，他论封建公私之不分，权利义务之不平，说：

后世之法，藏天下于筐箧者也，利不欲其遗于下，福必欲其敛于上，用一人焉则疑其自私，而又用一人以制其私，行一事焉则虑其可欺，而又设一事以防其欺，天下之人共知其筐箧之所在，吾亦鳃鳃然日唯筐箧之是虞，故其法不得不密，法愈密而天下愈乱！论者谓一代有一代之法，子孙以法祖为孝，夫非法之法，前王不胜其利欲之私以创之，后王或不胜其利欲之私以坏之，坏之者固足以害天下，其创之者亦未始非害天下者也，乃必欲周旋于此胶彼漆之中，以博宪章之余名，此俗儒之剿说也。(《原法》)

非法之法，即权利义务无界的专制手段，内容上无好坏，无优劣，都是“敛于上”的口实罢了。梨洲批判可谓中肯，他的理想则是由公平的近代观念出发。他的国家起源论，并无神权的秘密，君者颇类似墨子《尚同》篇所谓“兴天下之大利，除天下之大害”的贤能政者，是人类的谋幸福者,《尚贤》篇所谓人民自由契约的“兼君”。他的观念之稚气是另一问题，而从历史地说明人君由来，已经打破人君天地之义（先天的），所谓“君臣之名从天下而有之者也，吾无天下之责，则吾在君为路人”。(《原臣》) 他说：

有生之初，人各自私自利也，天下有公利而莫或兴之，有公害而莫或除之，有人者出，不以一己之利为利，而使天下受其利，不以一己之害为害，而使天下释其害，此其人之勤劳，必千万于天下之人。(《原君》)

因此，他把君主当做公仆看待，“天下为主，君为客”，他虽然没有说到选举，但亦说“明乎为君之职分，则唐虞之世，（理想云尔）人人能让，许由务光非绝尘也”。至于臣的职分，他说，“臣之与君名异实同”，“以天下为事，则君之师友”，“官者分身之君”，因为他把君臣人物还原为一种机关，“作君之意所以治天下也”，“治天下犹曳大木然，前者唱邪，后者和许，君与臣共曳木之人也”，他把政治还原为一公务，“天下之大，非一人之所能治，而分治之以群工，故我之出而仕也，为天下非为君也，为万民非为一姓也”。所以，他对于王朝之兴亡不在逻辑中占前提，而是以“万民之忧乐”，生活之平等，为基本出发点，他说：

天下之治乱，不在一姓之兴亡，而在万民之忧乐，……为臣者轻视斯民之水火，即能辅君而兴，从君而亡，其于臣道固未尝不背也。(《原臣》)

三代（理想云尔）之法藏天下于天下者也，山泽之

利不必其尽取，刑赏之权不疑其旁落，贵不在朝廷也，贱不在草莽也。(《原法》)

由此导出了他的法治思想，他否定“一家之法”，而主张“天下之法”，由人权的平等推论于法律的平等（这里法律平等的形式性暂置不论），他说：

吾以为有治法而后有治人。自非法之法(一家之法)桎梏天下人之手足，即有能治之人，终不胜其牵强嫌疑之顾盼，有所设施，亦就其分之所得，安于苟简，而不能有度外之功名；使先王之法（理想）而在，莫不有法外之意存乎其间，其人是也则可以无不行之意，其人非也亦不至深刻罗网反害天下。(《原法》)

他的近代意识中犹有责任内阁的要素，他所指宰相者，第一为贤者，第二为有权者，基此，人君之职位不过一虚名罢了。他仍然是在“三代”大衣之下传导今义，他说：

昔者伊尹周公之摄政，以宰相而摄天子，亦不殊于大夫之摄卿，士之摄大夫耳。后世君骄臣谄，天子之位始不列于卿大夫士之间。……古者不传子而传贤，其视天下之位，去留犹夫宰相，其后天子传子，天子之子不

皆贤，尚赖宰相传贤足相补救，则天子亦不失传贤之意，宰相既罢，天子之子一不贤，更无与为贤者矣！（《置相》）

这是说宰相以贤者为条件，如果天子不贤，则不妨当做偶像，但，宰相须有权，不至“使大权自宫奴出”，他又说：

或谓后之入阁办事，无宰相之名，有宰相之实也，曰不然！入阁办事者，职在批答，犹开府之书记也，其事既轻，而批答之意又必自内授之，而后拟之，可谓有其实乎？吾以谓有宰相之实也，今之宫奴也，盖大权不能无所寄，彼宫奴者见宰相之政事坠地不收，从而设为科条，增其职掌，生杀予夺，出自宰相者次第而尽归焉。有明之阁下，贤者贷其残膏剩馥，不贤者假其喜笑怒骂，道路传之，国史书之，则以为其人之相业矣！（《置相》）

宰相之权，他说，要与“天子同议可否，天子批红，天子不能尽，则宰相批之下，六部施行”（同上）。宰相又得设“政事堂”，下设五房。宰相既当责任内阁之权，他说“四方上书言利弊者皆集，凡事无不得达”。

他的近世代议制的意识，是藏在“学校”这一圣王之法古裳之下，因为他把学校当做“公其是非”的机关。他说：

学校所以养士也，然古之圣王，其意不仅此也，必使治天下之具，皆出于学校，而后学校之意始备。……天子之所是未必是，天子之所非未必非，天子亦遂不敢自为非是，而公其非是于学校。(《学校》)

这是富于民主主义的自由思想，显然这是和中古专制政治不相容的。他在这一点意义之下，颇重视清议，他说：

在汉太学三万人危言深论，不隐豪强，公卿避其贬议，宋诸生伏阙捶鼓，请起李纲，三代遗风，惟此犹为相近。使当日之在朝廷者以其非是为非是，……将见君安而国保也，乃论者目为衰世之事，不知其所以亡者收捕党人，编管陈欧，正坐破坏学校所致。(同上)

胡适曾有一篇《黄梨洲论学生运动》一文，亦引上面一段话作为学校是国会的意义看的，胡氏亦甚赞梨洲的乌托邦，该文中说：

黄梨洲不但希望国立大学要干预政治，他还希望一切学校都要做成纠弹政治的机关。国立学校要行使国会的职权，郡县立的学校要执行郡县议会的职权。他说：

“太学祭酒推择当世大儒，其重与宰相等。……每朔日，天子临幸太学，宰相六卿谏议皆从之。祭酒南面讲学，天子亦就弟子之列。政有缺失，祭酒直言无讳。”

“郡县朔望大会一邑之缙绅士子。学官讲学，郡县官就弟子列，北面再拜。师弟子各以疑义相质难。……郡县官政事缺失，小则纠绳，大则鸣鼓号于众。”

这不是行使议会职权么？（见《胡适文存二集》卷一，一三——一四页）

梨洲的自由思想，类此言论者颇多，例如：

天下之议论不可专一，而天下之流品不可不专一也。(《汰存录纪辨》)

论者以东林为清议所宗，祸之招也。子言之，君子之道，辟则坊与，清议者天下之坊也，夫子之议藏氏之窃位，议季氏之旅泰山，犹非清议乎？清议熄，而后有美新之上言，媚阉之红本，故小人之恶清议，犹黄河之碍砥柱也。(《明儒学案》,《东林学案》)

这些见解和认清议为“王治之不可阙”的顾亭林所云正同，如言：“天下风俗最坏之地，清议尚存，犹

足以维持一二，至于清议亡，而干戈至矣。”（《日知录》卷十三）

复次，民主思想在近代是与科学思想不能分离，所以中国五四运动时代便有“德先生”（民主）与“赛姑娘”（科学）之并提。十七世纪的启蒙时代，虽然没有显明的口号，但这种倾向却至为明著，梨洲反对鬼神迷信与无稽方术等社会积习，都是根据科学的理性。他对于每一不合理的社会现象，一方面持消极的批判态度，他方面必依据理性而为积极的说明，他主张把儒者的学术活动广行之于“朝市”，换言之，即公开之于政治（朝）与经济（市），这在当时是最进步的思想。

他反对求仙的妄谈，同时即说明这妄谈的来源是虚伪生活，最后说明“海市”是自然现象，他说：

儒者专意经纶，其运动开阖之所，不得不归之朝市，而山洞崇幽，风烟迅远，势相阔绝，于是学仙者私据之而别生事端，便复傲朝市，以所无有洞天福地之说出，猿鸟亦受驱役矣。……山东海市……颇怪此等妄谈，不可以欺愚者，以始皇之明察，方士焉能以凿空乌有之事，令其听信，……盖登州海市，掩映远山，望之如云，

而此山临视咫尺，阑楯之底，其谓反居水下是也。(《文案》卷一,《明州香山寺志序》)

又，他反对“舍利”之说，首先证明历史的伪造，然后在自然现象中寻求世俗所谓之“神物”者，不过在油灯中的青珠罢了。他说：

阿育王舍利，不特伪造，即其伪造者亦不一人一事。余之所闻，自嘉靖以来者，景濂碑文，作于洪武十二年，距今二百九十三年，已不胜其伪，如此岂自洪武以上历千九百七年之久，舍利依然为刘萨诃故物耶？……然则景濂碑中之神异，亦世俗自欺欺人之说。……不关舍利，是名妄见，岂可以所见之妄，而谓舍利之灵乎？忆余丙寅冬日，书窗油笺，灯注时吐青珠，细于芥子，坚不可破。……或谓此草舍利也。嗟呼，即舍利亦复何奇，而况为伪者乎？彼沾沾其神异者，可谓大惑不解矣！(《文案》卷二,《舍利记》)

又，他反对“鬼荫”之说，根据历史的，理性的，自然的各种论理，说明妄而非真,《续葬书问对》一文详言之，此文实在是一篇反中古迷信的宣言，其科学精神和《待访录》之民主精神相映并辉。今节录于下：

一、鬼荫之说，向有父子同气的附会，他根据人类形体自然的生灭，证明此说害理：

夫人……堕地以来，日远日疏，货财婚宦，经营异意，名为父祖，实则路人，勉强名义，便是阶廷玉树，彼生前之气已不相同，而能同之于死后乎？子孙犹属二身，人之爪发，托处一身，随气生长，剪爪断发，痛痒不及，则是气离血肉，不能周流，至于手足指鼻，血肉所成，而折臂刖足，蒿指劓鼻，一谢当身，即同木石，枯骸活骨，不相干涉，死者之形骸即是折臂刖足蒿指劓鼻也，在生前其气不能通一身，在死后其气能通之子孙乎？昔范缜作神灭论，谓神即形也，形即神也，形存则神存，形谢则神灭。

二、他在上面接受了中国的一位无神论思想家范缜的思想，颇有师承。其次，鬼荫之说言葬地之吉凶可以降福祸，他根据人类情感求安的道理，证明此说为富贵利达之私所使然：

鬼荫之说，……言死者之骨骼能祸福穷通，乃是形不灭也，其可通乎？……古者……悬棺迎庙，……以墓中枯骸无所凭依也。……今富贵利达之私心，充满方寸，叩无知之骸骨，欲其流通润泽，是神不如形，孝子不如俗子也。……程子所谓彼安则此安心者，据子孙之心而为言也，岂在祸福乎？……鬼荫之说不破，则算计上度之心起。受荫之迟速，房分之偏枯，富贵贫贱，各有附会，形气之下，势不得不杂以五行衰旺生克，心愈贪而愈昏，说愈多而愈乱，于是可葬之地少矣！诚知鬼荫之谬，则大山长谷，回溪伏岭之中，其高平深厚之地，何在无之，便是第一等吉壤，精微之论不能出此。……无俟乎深求远索，无可奈何，而归之天命也！

三、鬼荫之说，皆以习俗固然，若无鬼荫，何以人们若干年皆信，他根据历史习惯之不同（如火葬水葬），证明此说正是囿于习惯：

不观宋景濂之志传守刚乎，焚尸沉骨之俗成，缨弁之家亦靡然从之，不然，则以为辱亲也，彼之恶择地，犹此之恶焚尸也，习俗亦何尝之有？

四、鬼荫之说，以古筮择时日而葬之理以饰词，他则说明择时择日，古今不同：

古……葬以日中。……下圹而以宵中，今日择时之害也。风和日出，便于将事，谓之吉日，风雨即是凶

日，筮者筮此也。今之葬者不以雨止，择日之害也。（以上皆见《南雷续文案》）

他认为葬地之说是七怪之一，故又云：

方法，一定不易者也，三元白法，随时改换者也。……年白改换，吉凶亦改换，充彼之说，以求吉地，必一年一改葬而后可。是故方位者，地理中之邪说也，三元白法者，又邪说中之邪说矣！（《文案》卷十）

梨洲更反对中古的虚伪教育，与迷信相并而列，目之为七怪之一，这种把人类当做胡孙的机械反射，确指中古封建的精神，他说：

有所谓神童者，写字作诗，周旋应对于达官之前。……原其教法，唯令学书大字，诗以通套零句排韵而授之，东移西换，不出此数十句而已。问以四书则茫然不识为何物也。……今以教胡孙禽虫之法，教其童子，使之作伪，将奚事而不伪？（同上）

他反对知识之愚昧保守，以医学之例而言，亦七怪之一，他说：

医之难者，以其辨经络也，故伤寒之书疏十二经络，以脉辨之，又以见症辨之，而后投药，不敢不慎也。

鄞人赵养葵著《医贯》，谓江南伤寒之直中三阴者，间或有之，间如五百年，其间之间，言绝无也，其说已谬甚。……今之学医者，喜其说之可以便已，更从而附会之，以为天下之病止有阳明一经而已，公然号于人人，以掩其不辨经络之愚。夫不言已之不识十二经络，而言十二经之无病，犹之天下九州，不言已之足迹未曾历九州，而言天下无九州也。（同上）

总之，梨洲的科学倾向至为明著，这种理性认识的精神正为中古的反对物，因此他把那些愚昧、迷信、虚伪、妄说、神妙、鬼荫等等中古陈朽的东西，谓之“青天白日，怪物公行”。他在《七怪》一文开首云：

王孙满之魑魅罔两，莫能逢之，言川泽山林也，稽叔夜羞与魑魅争光，言昏夜也；今通都大邑，青天白日，怪物公行，而人不以为怪，是为大怪。余欲数之而不胜其多，漫条七端。（同上）

这说明他对于中古的旧现实，是何等深恶痛绝，而谋以新时代的理性去洗刷它们呢！

第三节　梨洲的哲学思想与近代的思维方法

梨洲自五十八岁创证人书院，晚年论学重在理学、经学、史学，以及天文数学，比《明夷待访录》的现实批判已经闪避开露骨锋芒，而还原于一般的思维法则。

清自多尔衮专政至康熙，外族入主中国的政权已经巩固，施行两种文化政策，一主禁诛，一主拢络，双管齐下，扫灭当时的思想。关于前者，首有庄廷鑨刊印李国桢《明书》之狱（顺治十八年），株连者二百余人，惊醒诗社诸子亦在其内。顺治九年禁止士人结社同盟，康熙二十五年查革社学，康熙的十六条学宫圣谕，内有“黜异端以崇正学，讲法律以警愚顽”二条。关于后者，以康熙手段为高明，编印各书，除六经传疏外，有《性理大全》,《朱子全书》。他自己以身作则，研究宋学，谓：“朕在宫中，博观典籍，见宋儒周敦颐《太极图》，义理精奥，实前贤所未发。”（《东华录》，康熙十二年）十六年亲制四书集义，五十一年谕大学士云：“惟宋儒朱子注释群经，阐发道理，凡所著作及编纂之书，皆明白精确。……朕以为孔孟之后，有俾斯文者，朱子之功最为宏巨，应作崇礼表彰。”（同上）奏准朱子配享孔庙，升大成殿十哲之次。《啸亭杂录》亦说：“仁皇夙好程朱，深谈性理，所著几暇余篇，其穷理尽性处，虽夙儒耆学莫能窥测。”

中山先生说：

在康熙雍正时候，明朝遗民排满之风还是很盛。所以，康熙雍正便出了多少书，如《大义觉迷录》等，说汉人不应该反对满人来做皇帝。……到了乾隆时代，连满汉两个字都不准人提起来，把史书都要改过，凡是当中国于宋元历史的关系和明清的关系，都通通删去，所有关于记载满洲匈奴鞑靼的书，一概定为禁书，通通把他销灭，不准人藏，不准人看。因为当时违禁的书，兴过了好几回文字狱之后，中国的民族思想，保存在文字里头的，便完全消灭了。(《民族主义》第三讲）

梨洲《明夷待访录》成于康熙癸卯，是年即因庄狱株连而将吴炎磔于杭州，同死者七十余人。梨洲既不受康熙开明史馆之征诏，则他在这种空气之中便不得不寻求普遍的道理了。这里自然有他的特色，即正在朱子列入文庙十贤之时树起反宋学的旗帜，其思想备见于《明儒学案》。更有进者，他虽然习于传统门户之见，“以正谊明道之余技，犹流连于枝叶”（全谢山评语），争求王学正统，实则他已经扬弃了王阳明的玄学，而走入客观的唯心论，在许多方面他已经是一位反宋明理学的导源人了。钱穆先生在这点论断甚近：

梨洲讲学，初不脱理学家传统之见，……然此特就其争门面争字句处看则然耳；其实梨洲平日讲学精神，早已创辟新局面，非复明人讲心性理气、讲诚意慎独之旧规，苟略其场而，求其底里，则梨洲固不失为新时代学风一先趋也。(《中国近三百年学术史》，二八页)

梨洲在《明儒学案》凡例中说：“尝谓有明文章事功皆不及前代，独于理学，前代所不及也。牛毛茧丝，无不辨析，真能发先儒之所未发，程朱之辟释氏，其说虽繁，总是在迹上，其弥近理而乱真者，真是指他不出，明儒于毫厘之际，使无遁影。”

这似乎是崇明而抑宋，但所谓“牛毛茧丝无不辨析”之烦琐哲学，对于人类个人意志的发展，则没有明断，他在《留别海昌同学序》里，把这一“辨析”哲学，肯定为脱离人生，他说：

尝谓学问之事，析之者愈精，而逃之者愈巧。……宋史立道学一门以别之，……未几而道学又有异同，邓潜谷又分理学心学为二。夫一儒也，裂之为文苑，为儒林，为理学，为心学，岂非析之欲其精乎？奈何今之言心学者，则无事乎读书穷理，言理学者，其所读之书不过经生之章句，其所穷之理不过字义之从违，薄文苑为词章，惜儒林于皓首，封己守残，摘索不出一卷之内，其规为措注，与纤儿细士，不见长短，天崩地解，落然无与吾事，犹且说同道异，自附于所谓道学者，岂非逃之愈巧乎？（《南雷文案》卷二，《留别海昌同学序》）

这段话指透了道学家的底里，从道学本身而为觉醒，在明末东林以来虽有端倪，而探源竟流公开批评者，实清初大师。梨洲甚至说理学家“仅附问答一二条于伊洛门下，便侧身儒者之列，假其名以欺世”，把人生的个人内容弃置，“尚论者以为立功建业，别是法门”（见前引），抽象的天地在概念世界不妨晰辨愈精，成为“概念游戏”（字义之从违），而现实的天地，在生活内容中则虽矛盾崩解，亦“无干吾事”，于是乎逃出实在生活，巧避于空静禅门，或放任于虚灵自在，所以梨洲对此巧避与放任二派，多加以责难，如评陈白沙王龙溪、泰州学派云：

至问所谓得，则曰静中养出端倪，向求之典册，累年无所得，而一朝以静坐得之。似与古人之言自得异，孟子曰君子深造之以道，欲其自得之也，不闻其以自然得也，静坐一机，无乃浅尝捷取之中！……今考先生（白沙）证学诸语，大都从一段自然工夫，高妙处不容凑泊，终是精魂作弄处。(《明儒学案·师说》)

任一点虚灵知觉之气，纵横自在，头头明显，不离著于一处，几何而不踏佛氏之坎堑也哉？……王龙溪，直把良知作佛性看，悬空期个悟，终成玩弄光景。(同上)

渠（邓豁渠）之学日渐幽深玄远，如今也没有我，也没有道，泛泛然如虚舟飘瓦而无着落，……渠学之误，只主见性，不拘戒律，先天是先天，后天是后天，第一义是第一义，第二义是第二义，身之与性截然分为二事，言在世界之外，行在世界之内，人但议其纵情，不知其所谓先天第一义者，亦只得一个无字而已！嗟夫，是岂渠一人之误哉？（《泰州学案》）

在十六世纪宗教改革时代，进步的思想家皆在发现上帝的人类人格化，如孟彩尔云："《圣经》上所说的圣灵不是我们身外之物，圣灵即是我们的理性（Rvason），信仰不过是理性在人身中的活跃。透过活跃的理性，人就上帝化了。天国是在生命之中寻求的，不是超越生命之外的。因为生命之外无天国，所以生命之外无地狱，而且除了人类的私欲和贪求外也无魔鬼。基督也像我们一样的人。"

人类自己的世界寻求，在十七世纪中国哲学中也呈现着特征。因为宋儒把"理"作为形上者看，"形而上者，无形无影是此理，形而下者，有情有状是此器"（《朱子语录》卷九十五）。理是超存在的，"未有这事，先有这理"（同上）。"虽未有物，而已有物之理"（《朱子文集》卷四十六）。这超存在的普遍理谓之太极，"总天地万物之理，便是太极，太极本无此名，只是个表德"（《语录》卷九四）。这一个抽象（表德）是和人欲对立，故宋儒主张"存天理，灭人欲"（同上，卷十二）。天理的天国是在活泼的人生大欲之外，和中古的上帝圣灵（Holy Spinit）初无二致。明儒如王阳明，为梨洲之学所宗者，但亦云："心一也，未杂于人谓之道心。杂以人伪，谓之人心，人心之得其正者即道心，道心之失其正者即人心，初非有二心也。程子谓人心即人欲，道心即天理，语若分析，而意实得之。……天理人欲不并立，安有天理为主人欲从而听命者？”（《阳明传习录》）梨洲于此则曰：“所纪……具言去人欲存天理，不一而足，则先生心宗教法，居然只是宋儒矩矱，但先生提得头脑清楚耳。”更谓“先生每讥宋儒支离而躬蹈之”。

这里没有反省与自我的人本主义，是与东方不变性的封建传统相为适应，故黑格尔说：

主观性的成分或意志的自己反省，……在这里实不存在。……在中国，那个普遍的意志直接命令个人，做些什么，个人则敬谨服从，因而失掉反省与自我。假如他不服从，而与实际生活发生差池，他亦不加若何的内省；即使刑罚，亦不足以影响其内在生活。……所以全部政治实缺少了主观的成分，因之不是以道德心理为基础的。（《历史哲学》，七一三——七一四页）

梨洲虽然在思想的体系上犹保留了“明道的余技”而流连于理学“枝叶”，但在基本上则自觉于人类现实的社会；反省于社会活生的人类，他在《姚江学案》中有一段保留“枝叶”而披寻根柢的话，颇为重要：

从前习熟先儒之成说，未尝反身理会，推见至隐，所谓此亦一述朱耳，彼亦一述朱耳。……自姚江指点出良知，人人现在，一反观而自得，便人人有个作圣之路。……然致良知一语，发自晚年，未及与学者深究其旨。后来门下各以意己搀和，说玄说妙，几同复射，非复立言之本意矣。先生之格物，谓致吾心良知之天理于事事物物，则事事物物皆得其理，以圣人教人，只是一个行，如博学，审问，慎思，明辨皆是行也，笃行之者，行此数者不已是也，先生致之于事物，致字即是行字，以救空空穷理，只在知上讨个分晓之非，乃后之学者，测度想象，求见本体，只在知识上立家档以为良知，则阳明何不仍穷理格物之训，先知后行，而必欲自为一说耶？（《明儒学案》卷十）

这段话是梨洲自己的哲学，并非阳明的哲学，故他末云“得羲说而存之，而后知先生之无弊也”，在后面又云阳明“先生之见，已到八九分，但云性即是气，气即是性，则合更有商量”，并言“质之无从”。古今一派学说之演进，皆是得新说以存旧说，而新说则并非旧说，任公先生以文中拿行字解释致字，谓“有近世实验哲学的学风”，颇为失旨。实验哲学的内容与历史，未可与梨洲比拟，如必欲拟于现代思想，其云“致吾心良知之天理于事事物物，则事事物皆得其理”，显然为两截思想，颇类似客观唯心论的认识论，他晚年最后一文为《学案序文》，亦说：“盈天地，皆心也；变化不测，不能不万殊，心无本体，工夫所至即其本体，故穷理者穷此心之万殊，非穷万物之万殊也。是以古之君子，宁凿五丁之间道，不做邯郸之野马，故其途不得不殊，奈何今之君子必欲出于一途，使美厥灵根者，化为焦芽绝港！”一方面说盈天地皆心，或致吾心良知之天理于事事物物，保持理学传统，他方面说心无本体，工夫所至即其本体，批责求见本体者谓之测度想象，把活生的事物内容化为空虚的表德抽象，所谓“美厥灵根，化为焦芽绝港”，前者即全谢山评价的理学“余技”与“枝叶”，后者即十七世纪思想的根柢，梨洲晚年和陈乾初、潘用微不同者即是否“流连此枝叶”一问题（详见后节），故全谢山总论梨洲之学，便非客观主义（不是说非客观），多斩除“枝叶”而述道全谢山心目中的梨洲根柢，经此一削，便成了经验论了，如：

公谓明人讲学，袭语录之糟粕，不以六经为根柢，束书而从事游谈。

自明中叶以后，讲学之风，已为极敝，束书不观，其稍平者则为学究，皆无根之徒耳！先生始谓学必源本于经术，而后不为蹈虚，必证明于史籍，而后足以应务，元元本本，可据可依，前此讲堂锢疾，为之一变。

梨洲自云："理学不本之经术，非矜集注为秘录，则援作用于轲传。"（《文案》外卷）

他甚至于明白畅论穷经之必要，与穷经之方法，要旨归于自我的理性判断，云：

五经之学，以余所见，传注诗书春秋皆数十家，三礼颇少，仪礼周礼十余家，礼记自卫湜以外六十余家，周易百余家，可谓多矣，其闻而未见者尚千家有余，如是则后儒于经学可无容复议矣，然诗之小序，书之今古文，三传之义例，至少尚无定说，易以象数谶纬晦之，……又以老氏之浮诞、魏伯阳陈抟之卦气晦之，……又复以康节之图书先后天晦之，礼经之大者为郊社禘祫丧服宗法官制，言人人殊，莫知适从。士生千载之下，不能会众以合一，由谷而之川，川以达海，犹可谓之穷经乎？自科举之学兴，以一先生之言为标准，毫秒摘抉，于其所不疑者而疑之，而大经大法反置之而不遵。……充宗生逢丧乱，不为科举之学，湛思诸经，以为非通诸经不能通一经，非悟传注之失则不能通经，非以经释经则亦无由悟传注之失。何谓通诸经以通一经？经文错互，……因详以求其略，因异以求其同，学者所当致思者也。何谓悟传注之失？学者入传注之重围，其于经也无庸致思，经既不思，则传注无失矣，若之而悟之？何谓以经解经？世之信传注者过于信经，……八卦方位载于经矣，以康节离南坎北之臆说，反有致疑于经者，……非附会乎！（《南雷续文案·万充宗墓志铭》）

我们认为全谢山笔削枝叶，不失学者态度，明人好为“晚年定论”之说，在晚年定论一命题之下便渗入了后学的新观念，于根柢上发展了前儒，全谢山亦然，不明这一点，无以言“史”的思想过程。梁任公先生虽有夸大清学之病，而把根柢放大，犹可见其一面，而冯友兰先生抹杀根柢，重视清儒之“流连”者则失实远甚。

更进一步言之，若除开讲慎独“心学”而外，梨洲反对空虚焦绝的“本体”，在万殊中证得一点一滴的“物自身”，而一点一滴实践（行）证得的工夫，即物自身本身，可谓论断卓越！这里，他把人类的魂灵，从“天理”的天堂，召唤于事事物物的人间，“反身理会”，“反观自得”，使圣人与常人的鸿沟泯灭，云“人人有个作圣之路”。他说：“后之学者，穷理之学，必从公共处穷之，而我之所有者唯知觉耳。”（见《蕺山学案》按语）所谓“公共处”即普遍的“表德”，黑格尔所谓这里失掉反省与自我，梨洲反身反观，在生活内容中强调“致即行”之义，如“行”与他所谓经世之学相通，则和近代“生命之外无天国”命题适合，使逃避于现实之外的云雾揭开，迎接历史的“天崩地解”，为启蒙思想家之特色。

全谢山评梨洲流连于理学的“余技”与“枝叶”，《明儒学案》充分呈现着，这是近代初期社会未成熟的应有矛盾，思想的觉悟是愿意的部分与不愿意的部分同时存在，宁肯说不愿意的部分不得不走向距离不愿意者日远而距离愿意者日近。“死的拖住活的”之道理，正是如此。初期启蒙思想家的这种矛盾，与其说是不自然的，毋宁说是现实悲剧历史的实在思维，梨洲的思维过程，钱穆先生就梨洲和陈乾初论辩的关系上，考证梨洲思想转变最后亦放弃其理学枝叶（请参看钱著《近三百年学术史》三六——五一页），结论亦近似历史，说：

此番议论（指梨洲对陈乾初否定《大学》的让步），乃与《学案》序文开首数语（见前引）全相一致。可知梨洲晚年，于其往昔牢执坚守之见解，为理学传统所必争者，已渐放弃。其于乾初论学宗旨，倾倒之情，亦与年俱进也。然《大学》乃宋明六百年理学家发论依据之中心，梨洲以王学传统自负，至此乃不免谓更改与废置（指《大学》）相去亦不甚远，此见学术思想走到尽头处不得不变，尽有豪杰大力亦无如何。乾初说经卓越，固为开风气之先，而梨洲之虚心善变，其思想上之逐层转换，逐层迁移，正足以说明理学将坠未坠时对于学者心理上所生一种最深刻精微之变化，诚为考究当时学术史者一番极有意思之资料也。（见钱著上揭书，五一页）

“最深刻精微”之语颇难捉摸，著者认为这是悲剧历史的思维矛盾。梨洲因阳明有朱子晚年定论之说，亦云阳明：“将向上一几，轻于指点，启后学躐等之弊有之，天假之年，尽融其高明踔绝之见，而底于实地，安知不更有晚年定论出于其间？”（《学案·师说》）据此，如果文献更有证明，梨洲放弃“向上一几”，而完全“底于实地”，亦应有晚年定论。然而在梨洲的文献中，“向上一几”虽不轻于指点，但仍“流连”，所谓“底于实地”者并不因其所流连，而妨碍其说烈光万丈，试看下面他解释阳明的话：

致良知一语，发自晚年，未及与学者深究其旨，后来门下，各以意见搀和，说玄说妙，几同射覆，非复立言之本意矣。先生之格物，谓致良知之天理于事事物物，则事事物物皆得其理。……先生致之于事物，致字即行字，以救空空穷理，只在知上讨个分晓之非。乃后之学者，测度想象，求见本体。……（《姚江学案》）

他就阳明“未及深究其旨”的方面，否定本体（《师说》中亦谓阳明“即工夫即本体”，评为“震霆启寐，烈耀破迷，自孔孟以来未有若此之深切明著者也”），这自然是“底于实地”的方面，从死理中解脱出活理，亦是中心所在，然他接着便在“向上一几”方面流连起来了，就阳明与天泉问答四句道语所谓“无善无恶心之体，有善有恶意之动，知善知恶是良知，为善去恶是格物”，解云：

其实无善无恶者，无善念恶念耳，非谓无善无恶也，下句意之有善有恶，亦是有善念恶念耳，两句只完得动静二字。（同上）

这不是他所谓“牛毛茧丝，无不辨析”，“析之愈巧”的游谈么？《师说》中亦同此例，上言阳明之“深切明著”者，下便说：“禅则先生固尝逃之，后乃觉非而去之矣。夫一者诚也，天之道也，诚之者明也，人之道也，致良知是也，因明至诚，以人合天之谓圣。”这不是他所谓“化为焦芽绝港”的空洞概念么？全谢山以此谓“正谊明道之余技”，余者残余，当指旧思想方法的不适应时代者。梨洲之意固在前者，如说“本意”，如说“破迷”，而于后者则尝致疑辞“不知先生首肯否”，更评阳明与宋儒一辙，不过提得清楚罢了。我们研究古人要分析他的中心所在，其实他对于四句道语，虽没有如船山指出其脱胎于禅宗，但他《答董吴仲论学书》，便非仅疑其不通，而且提出求学重疑问的方法论，他说：

承示刘子质疑，弟……自疑之不暇，而能解老兄之疑？虽然，昔人云小疑则小悟，大疑则大悟，不疑则不悟。老兄之疑，固将以求其深信也。……若徒执此四句，则先当疑阳明之言自相出入，而后其疑可及于先师也。夫此四句，无论与《大学》本文不合，而先与致良知宗旨不合。……先为善去恶，而后知夫善恶，岂可通乎？……四句之弊不言可知。……龙溪亦知此四句，非师门教人定本，故以四无之说救之，阳明不言四无之非，而坚主四句，盖亦自知于致良知宗旨不能尽合也。……如阳明之四句，定阳明之宗旨，则反失之矣。……从来儒者之得失，此是一大节目，无人说到此处，老兄之疑，真善读书者也。透此一关，则其余儒者之言，真假不难立辨耳！（《文案》卷三）

梨洲远宗阳明，师法蕺山，他对于阳明之学发展者有根柢与枝叶之区别，已如上言，他对于蕺山之学发展者亦同其路径，他把其师蕺山“离气无理”之说，崇为“千古不决之疑一旦拈出，使人冰融雾释”，而同时则保留理学传统的“慎独”，他说：

先生之学，以慎独为宗，……盈天地间皆气也，其在人心一气之流行，诚通诚复，自然分为喜怒哀乐，仁义礼智之名，因此而起者也。不待安排品节，自能不过其则，即中和也，此生而有之，人人如此，所以谓之性善。即不无过不及之差，而性体原自周流，不害其中和之德。学者但征得性体分明，而以时保之，即是慎矣。慎之工夫，只在主宰上，觉有主，是曰意，离意根一步，便是妄，便非独矣，故愈收敛，是愈推致。(《蕺山学案》)

梨洲此说，离开宋儒“理为先天”之玄学，犹说“性体周流”，与泛神论者的神在人间的流行说相当，这是商业资本主义时代的拆散哲学所具的色彩，“主宰”已不在天国，分化而为流行性体，时在心中。这是一面，下面他便在另一方面阐扬“有宋以来所未有”之实底，说：

盖离气无所为理，离心无所为性，……奈何儒者亦曰理生气，所谓毫厘之辨，竟亦安在，而徒以自私自利，不可以治天下国家。……先生如此指出，界限清楚，有宋以来所未有也！（同上）

梨洲这种方法，亦在他处见到，如：

先师之学在慎独，……意者师以为心之所存。……意是心之主宰，以其寂然不动之处单单有个不虑而知之灵体，自作主张，自裁生化。……（按以上一面，下则转向）师以为指情言性，非因情见性也，即心言性，非离心言善也。形而上者谓之道，形而下者谓之器，器在斯道在，离器而道不可见。……所谓有物先天地者，不为二氏之归乎？又言性学不明，只为将此理另作一物看。……夫盈天地间，止有气质之性，更无义理之性，谓有义理之性不落于气质者，臧三耳之说也。师于千古不决之疑，一旦拈出，使人冰融雾释。（《文案》卷四）

明白了梨洲的近代思维方法的特质，才可以知道他由拆散先儒本体，而至“离器而道不可见”之说，是有平民异端的立论点。他的哲学是反乎“存天理，去人欲”的哲学，即阳明之言天理人欲之对立者，亦为他质疑，因了“高谈性命”的反动，他在哲学思想上才主张理气一元论，因了自我人生的觉醒，他在方法论上才主张史的实证论（读书不多，无以证斯理之变化；欲免迂儒必先读史）。今就他论理气之学，详述于下：

他在《河东学案》批评薛敬轩说：

先生谓理气无先后，无无气之理，亦无无理之气，不可易矣。又言气有聚散，理无聚散，以日光飞鸟喻之，理如日光，气如飞鸟，理乘气机而动，如日光载鸟背而飞，鸟飞而日光虽不离其背，实未尝与之俱往，而有间断之处，亦犹气动而理未尝与之暂离，实未尝与之俱尽而有灭息之时。羲窃谓理为气之理，无气则无理，若无飞鸟而有日先，亦可无日光而有飞鸟，不可为喻，盖以大德敦化者言之，气无穷尽。理无穷尽，不特理无聚散，气亦无聚散也；以小德川流者言之，日新不已，不以已往之气为方来之气，亦不以已往之理为方来之理，不特气有聚散，理亦有聚散也。(《河东学案》一)

梨洲比敬轩进一步，“无气则无理”，更确于“理气无先后”。理气之别如果从现象与本质二者研究，“理”或本质实在是深刻的现象或“气”，“气”或现象实在是丰富的本质或“理”；如果从存在与思维二者研究，“气”或存在是第一次的，“理”或思维是第二次的，“理”的实在是反映“气”的运动。这里，梨洲新气扬弃旧气，新理代替旧理之说，颇接近于存在与思维的关系论，“日新不已”的理与气皆动交流说，批判敬轩的理气不适应说（理为不动，气为运动），显然有余。

同理，他批判季彭山，说：

先生以为理者阳之主宰，乾道也，气者阴之流行，坤道也，流行则往而不返，非有主于内，则动静皆失其则矣。……夫大化只此一气，气之升为阳，气之降为阴，以至于屈伸往来生死鬼神，皆无二气，故阴阳皆气也，其升而必降，降而必升，虽有参差过不及之殊，而终归于一，是即理也。（《浙中学案》三）

“气”是变化运动的实在；这些变化概念之贫乏如阴阳，消长，往来，升降之类，不是这里所要研究的，甚至循环变化的死运动概念，亦不是这里所要研究的，我们应当知道的，梨洲指气是复杂实在的现实，指理是实在（对象）的条理法则，颇接近于本质与现象的关系问题。他说：

先生（罗整庵）之理气，最为精确，谓通天地，亘古今，无非一气也。气本一也，而一动一静，一往一来，一阖一辟，一升一降，循环无已，积微而著，由著复微；为四时之温凉寒暑，为万物之生长收藏，为斯民之日用彝伦，为人事之成败得失，千条万绪，纷纭轇轕，而卒不克乱者，莫知其所以然而然，是即所谓理也，初非别有一物，依于气而立（反映），附于气以行也（具体）。或者因易有太极一言，乃疑阴阳之变易，类有一物主宰乎其间者（朱子言天理即太极或表德），是不然矣！斯言也，即朱子所谓理与气是二物，理弱气强诸论，可以不辩而自明矣。第先生之论性心，颇与其论理气自相矛盾，夫在天为气者，在人为心，在天为理者，在人为性，理气如是，则心性亦如是，决无异也。（按：理指自然律，性指道德律。）人受天地之气以生，只有一心而已，一动一静，喜怒哀乐，循环无已；当恻隐处恻隐，当羞恶处自羞恶，当恭敬……当是非……，千头万绪，轇轕纷纭，历然不能昧者，是即所谓性也，初非别有一物立于心之先，附于心之中也。先生以为天性正于受生之初，明觉发于既生之后，明觉是心而非性。信如斯言，……与理能生气之说无异，于先生理气之论，无乃大悖乎？（《诸儒学案》中一）

其（曹月川）辨太极，朱子谓理之乘气，犹人之乘马，马之一出一入，而人亦与之一出一入，若然，则人为死人，而不足以为万物之灵，理为死理，而不足以为万物之原。今使活人骑马，则其出入行止疾徐，一由乎人驭之如何尔，活理亦然。先生之辨虽为明晰，然详以理驭气，仍为二之气，必待驭于理，则气为死物。抑知理气之名，由人而造，自其浮沉升降者而言则谓之气，自其浮沉升降不失其则者而言则谓之理，盖一物而两名，非两物而一体也。(《诸儒学案》上二)

以上二段论理，颇示梨洲的哲学中心，现象是更丰富的本质，它是活的，本质或条理，法则是在浮沉升降的现象中的抽象，亦是活的，此其一；其二，本质是依附于现象，现象变化，本质亦随而变化为“高级的”条理法则；(这里高级的发展意义，在梨洲现象循环的认识中是没有说明，惟道理上，既是活的，即为发展的，故如此规定，非有意为古人渲染。) 其三，他既把理气与性心同一而等观，则按自然条理法则之“日新不已”而言，道德规范法则亦是活的，变化的，仁义礼智四端亦有它的历史性，此义梨洲未明言，然逻辑是他的规定，不管“小德川流”而言，毕竟这是“实底”，在川流而上之“大德敦化”，显然二元，乃是“余技”。

复次，梨洲的史的实证论，亦甚光辉。他解阳明“致良知”之致字为行字，已如上言，在《明儒学案》中处处强调实践，反对蹈空，和他的理气一元论是相为照应，更和他的政治、经济的经世之学相为联结。烦琐哲学，他认为是“纤儿细士不见长短，天地崩解，落然无与吾事”之逃世者所为。他论思想史重流变明离合，谓:“濂洛至今日者，儒百十家，余……皆能知其宗旨离合是非之故。”(《文案》卷六)“乃入耳过口，辙焉失之，源远流分，同出一门而不啻楚越之相辽。”(同上)他论史尤注意近代，以求“一治”之法，他这一理论，遂开启浙东史学的先河。手成《明儒学案》，即近代的思想史，凡例云，“此编所列，有一偏之见，有相反之论，学者于其不同处，正宜着眼理会，所谓一本而万殊也，以水济水，岂是学问”，这已经打破二千年来道统与异端的鸿沟歧视，而反对“今之君子必出于一途”，富有新的治学生命。故他在钱先生墓志铭中说:“昔明道泛滥诸家，出入老释，而后返求诸六经，考亭于释老之学亦必究其归趣，订其是非。自来求道之士未有不然者，盖道非一家之私，圣贤之血路，散殊千百家，求之愈艰，则得之愈真，虽其得之有至有不至，要不可谓无与于道也。”(《文案》卷八)他所谓工夫所至即其本体，工夫者当指躬行实践，实践的内容是他的活的理气论之所本。故云“致良知为行，见行不滞于方隅”，如没有实践内容，只在知上讨个分晓之非，必局限于生活一面的方隅，所见亦为“偶像”。他对于薛敬轩之学，至表不合，惟他说：

愚按前辈，论一代理学之儒，惟先生无间言，非以为实践之儒欤？……所谓学贵履践，意盖如此。(《师说》)

他论吕泾野云：

当时阳明先生讲良知之学，本以重躬行，而学者误之，反遗行而言知，得先生尚行之旨以救之，可谓千钧一发！（同上）

他所谓实践，不但说，“学者必先穷经，然拘执经术，不适于用，欲免迂儒，必兼读史”，而且讲到“为万民之忧乐”，“为万民非为一姓”，变革现实的实践，故他崇赞东林的躬行说：

熹宗之时，龟鼎将移，其以血肉撑拒，没虞渊而取坠日者，东林也，毅宗之变，攀龙髯而蓐蝼蚁者，属之东林乎，属之非东林乎？（《东林学案》）

第四节　梨洲的诗文论

清初大师，惟梨洲有专论文学之言论，散见于《南雷文案》诸篇，他的论诗论文要旨，可归本于人文主义的自我解放，和他的政治，哲学诸论脉络相贯，而为近代启蒙的精神遗产。

（一）他论文章，首先反对束缚人性的举业，因为举业的制艺把人类思想枷锁于“一定之说”，不许学者“取证于心”，而作自我理性的是非判断，所谓“科举抄撮之学，陷溺人心”，亭林亦比之为焚书坑儒的历史反动者。他说：

举业盛而圣学亡，举业之士亦知其非圣学也，第以仕宦之途寄迹焉尔！而世之庸妄者遂执其成说以裁量古今之学术，有一语不与之相合者，愕眙而视曰，此离经也，此背训也。于是六经之传注，历代之治乱，人物之臧否，莫不各有一定之说，此一定之说者皆肤论瞽言，未尝深求其故，取证于心；其书数卷可尽也，其学终朝可毕也。……仲升之学，务得于己，不求合于人，故其言与先儒或同或异，不以庸妄者之是非为是非也。（《南雷文案》卷一，《恽仲升文集序》）

他反对盲从与模仿的时文，以为讲门面的拟模，似一种奴性，反之，至文是“胸中流出”的自己要说的话，

他说：

文章之传世以其信也。弇洲太函，陈言套括，移前掇后，不论何人可以通用，鼓其矫诬之言，荡我秽疾，是不信也。(《文案》卷三，《辞祝年书》)

党朱陆而争薛王，世眼易欺，骂詈相高，有巨子以为宗主，则巨子为吾受弹射矣。此如奴仆挂名于高门巨室之尺籍，其钱刀阡陌之数，府藏筐箧所在，一切不曾经目，但虚张其喜怒，以咰喝乎田驺纤子，高门巨室，顾未尝知有此奴仆也。……杲堂之文，……要皆自胸中流出，而无比拟皮毛之迹。……余尝谓文非学所务，学者固未有不能文者，今见其脱略门面，与欧曾史汉不相似，便谓之不文，此正不可与于斯文者也！……但使读书穷经，人人可以自见，高门巨室，终不庇汝，此吾东洲区区为斐豹焚丹书之意也。(《文集》卷二，《李杲堂文抄序》)

他认为有明一代之文"由明而晦"，只有字句的讲求，即只有死形式，只有"唯之与诺"，没有新内容，他说：

欧曾谓学文之要在于志道穷经者，若人亦知经之与欧曾其相似在何等乎？故其持论虽异，其下笔则唯之与诺也，有如假潘水为鼎实别器而荐之曰，此殽蒸也，曰折俎也，吟唱虽异，其为潘水则同也。(《文案》卷十,《七怪》)

今人无道可载，徒欲激昂于篇字句之间，组织纫缀以求胜，是空无一物而饰其舟车也，故虽大辂艅艎，终为虚器而已矣。(《文集》卷二,《陈葵献偶刻诗人序》)

什么是新的内容呢？他说，一曰真感情：

三百年人士之精神，专注于场屋之业，……文不能尽如前代之盛者无足怪也。……夫其人不能及于前代，而其文反能过于前代者，良由不名一辙，唯视其一往深情。……今古之情无尽，而一人之情有至有不至，凡情之至者其文未有不至者也，则天地间街谈巷语，邪许呻咏，无一非文，而游女田夫波臣戎客，无一非文人也。……向使涤其雷同，至情孤露，不异援溺人而出之也。(《文案》卷一,《明文案序上》)

二曰通经术：

文章不本之经术，学王李者为剿，学欧曾者为鄙。(同上，外卷)

鹿门八家之选，……圈点勾抹，多不得要领，故有腠理脉络处不标出，而圈点漫施之字句之间者，与世俗差强不远。……欧公谓正统有时而绝，此是确论，鹿门特以为统之在天下未尝绝也，如此必增多少附会正统之说，所以愈不明也。……鹿门一生，仅得其转折波澜而已，所谓精神不可磨灭者，未之有得，缘鹿门但学文章，于经史之功甚疏。(《文案》卷四,《答张尔公书》)

三曰，重经验、湛思：

科举场屋之心胸原无耿耿治乱存亡之故事。(同上，卷七)

取近代理明义精之学，用汉儒博物考古之功，加之湛思，直欲另为传注，不堕制举方域也。(卷八)

昌黎惟陈言之务去，士衡怵他人之我先，亦谓学浅意短，伸纸摇笔定有庸众思路共集之处，故唯深湛之思，贯穿之学，而后可以去之，怵之。(《文案》外卷)

有平昔不以文名，而偶见之一二篇者，其文即作家亦不能过，盖其身之所阅历，心目之所开明，各有所至焉，而文遂不可掩也。然则学文者亦学其所至而已矣，不能得其所至，虽专心致志于作家，亦终成其为流俗之

文耳！（同上，外卷）

因此，他有“文戒三条”，自己为文谨守戒语，一毫不苟。他分文章为台阁与山林二种，前者言经纶治道，后者叙自我神情，皆不能被流俗与势力所束缚，说理要由理性指示，不为矫激，叙情要由感情出发，不识忌讳。他下面的文章论，可以代表他的有骨肉精神的胸怀：

文章之道，台阁山林。……台阁之文，拨标治本，缅幅道义，非山龙黼黻不以设色，非王霸损益不以措辞，而卒归于和平神听，不为矫激。山林之文，流连光景，雕镂酸苦，其色不出于退红沉绿，其辞不离于叹老嗟卑，而高张绝强，不识忌讳。……今天越郡之志，地逾千里，时将百年，所谓台阁之文也，既有明府名公巨卿以为之主，当世之词人才子，孰不欲附名末简，分荣后祀。……某闻梓人之造室也，大匠中处，众工环立向之，大匠右顾曰斧，则斧者奔而右，左指曰锯，则执锯者趋而左。……某自视不知斧锯安在，明府右顾，则某将空手而奔左，明府左指，则某将空手而趋右，又何待环立而知其不胜任哉，小儒山林之手其无当于台阁也明矣。(《文案》卷三，《辞张郡候请修郡志书》)

以上言文章不能为权势所指挥，下言文章不能违心而迎合世俗：

一代有一代之制作，革命之际每多忌讳隐语阑入，岂可不慎，是又不得不改者也。某读诸家文集及于杂史，间或考之正史，则多同异，考之志则多错谬。…今发见其谬误遗漏，而一一听之，恐既经纂修之后，则明眼所照，遗议不专在前人矣！……志与史例，其不同者，史则美恶俱载，以示褒贬，志则存美而去恶，有褒而无贬，然其所去是亦贬之之例也。越甲……亦有高位久宦，干涉国史者，而或为公论所排，清议所讥，此正当去之以明贬者，试出其家传读之，……试有人与之分别源流，证明实录，彼在瓮天者反以为一人之爱惜。斯时也，起而抗言争执，则丛为怨府，何苦而尝身于市虎乎？若觳觫将顺，则不特为明府之谋不忠，而鲁卫之士有以薄其心胸矣！（同上，《再辞书》）

（二）他论“诗”，多有卓见，他说诗的本质在自然的性情，不专在雕绘诗句，他说：

诗人萃天地之清气，以月露风云花鸟为其性情，其景与意不可分也，月露风云花鸟之在天地间，俄顷灭没，

而诗人能结之不散，常人未尝不有……咏，非其性情，极雕绘而不能亲也。(《文案》卷一，《景州诗集序》)

情者可以贯金石，动鬼神，……即风云月露草木虫鱼无一非真意之流通，故无溢言曼辞以入章句，无谄笑柔色以资应酬。……今人亦何情之有，情随事转，事因世变，干啼湿哭，总为肤受。……今人之诗，非不出于性情也，以无性情之可出也！(《文集》卷二，《黄孚先诗序》)

他认为诗的内容即人生，“一人之性情，天下之治乱皆所藏纳”，不仅出于一途，非仿唐人不可；经史百家的学问皆涵育于胸中，融会贯通，始有诗的哲学理想境地，他说：

诗不当以时代而论，宋元各有优长。……沧浪论唐虽归宗李杜，乃其禅喻，谓诗有别材，非关书也，诗有别趣，非关理也。亦是王孟家数，于李杜之海涵地负无与。至有明北地，摹拟少陵之铺写纵放，以是为唐，而永嘉之所谓唐者亡矣。是故永嘉之清圆，谓之非唐不可，然必如是而后为唐，则专固狭陋甚矣！(《续文案·张心友诗序》)

他这一理论，是由他学诗的经验中得来，他说：

余少学南中，……皆授以作诗之法，如何汉魏，如何盛唐，抑扬声调之间，规模不似，无以御其学力，裁其议论，便流入为中晚为宋元矣！余时……妄相唱和。稍长，经历变故，每视前作，……嚼蜡了无余味。……驴背蓬底，茅店客位，酒醒梦余，间括韵语，……则时有会心，然后知诗非学之所致，盖多读书，则诗不期工而自工，……若只从大家之诗章参句炼，而不通经史百家，终于僻固而狭陋耳。夫诗之道甚大，一人之性情，天下之治乱，皆所藏纳，古今志士学人之心思愿力，千变万化，各有至处，不必出于一途。今必欲……一之以唐，……然盛唐之诗……亦未尝归一，将又何所适从耶？是故论诗者，但当辨其真伪，不当拘以家数。（《南雷诗集·自序》）

离开活的人生，离开高尚的人类理想，便不是真诗，故真诗不能“一之以唐”，不能以时代定一法，是应以活的现实历史（千变万化），渗透于诗人的心思愿力，而形象化。所以，梨洲不把死形式的诗认为诗，而把一个说书小技的艺人，表扬做诗人，可见他是怎样在看重有自我灵魂的人类了，他说：

敬亭在军中久，其豪滑大侠杀人亡命流离遇合破家失国之事，无不身亲见之，且五方土音，乡俗好尚，习见习闻，每发一声，使人闻之或如刀剑铁骑，飒然浮云，或如风号雨泣，鸟悲兽骇，亡国之恨顿生，檀板之声无色。(《续文案·柳敬亭传》)

复次，梨洲申论诗与历史的关系，更具特识。他一反过去的旧说，以为《诗经》没有所谓正变，变风变雅正是时代的一面镜子，孟子说诗亡然后春秋作，他说史亡然后诗作，诗有他自己的时代，时代不同，诗人的情感不同，而诗亦因时代而不亡，历史无穷发展，诗亦无穷发展，那里有“诗亡”之理？这一见解，可谓前无古人，他说：

正变云者，亦言其时耳，初不关于作诗者之有优劣也。美而非谄，刺而非讦，怨而非愤，哀而非私，何不正之有？夫以时论，天下之治日少，而乱日多。……韩子曰：“和平之音淡薄，而愁思之声要妙，欢愉之辞难工，而穷苦之言易好”，向令风雅而不变，则诗之为道狭隘，而不及情，何以感天地而动鬼神乎？是故汉之后，魏晋为盛，唐自天宝而后，李杜始出，宋之亡也其诗又盛，无他，时为之也。……盖诗之为道，从性情出，人之性情，其甘苦辛酸之变未尽，则世智所限容易埋没，即所遇之时同，而其间有尽有不尽者。……“诗亡然后春秋作”，亦知诗有不亡者乎？（《南雷续文案·陈苇庵年伯诗序》）

他更言诗是一面时代的镜子，尤其在“流极之运”的时代，一般俗人，歌功颂德，曲解历史，伪制历史；而诗的创作，是由真性情中流露，不但可以补史之阙，而且可谓诗即是史，他说：

今之称杜诗者以为诗史，亦信然矣；然注杜者但见以史证诗，未闻以诗补史之阙，虽曰诗史，史固无借乎诗也。逮夫流极之运，……但记事功。……犹幸野制遥传，苦语难销，此耿耿者明灭于烂纸昏墨之余，九原可作，地起泥香，讵知史亡而后诗作乎？是故景炎祥兴，诗史不为之立本纪，非指南集柱，何由知闽广之兴，非水云之诗，何由知亡国之惨，……可不谓之诗史乎？……明室之亡，分国鲛人，纪年鬼窟，较之前代干戈，久无条序，其从亡之士，章皇草泽之民，不无危苦之词，以余见者，石斋次野介子霞舟希声苍水澹归十余家，无关受命之笔，然故国之铿尔，不可不谓之史也。（《续文案·万履安先生诗序》）

梨洲的诗，亦自是性情所至的诗，我们由他的诗正可以知道明亡的历史。他的诗中含有耿耿气节的种族光明，今录三首于后：

长夏

终日荒途隔往还，荷风娥媚溉心颜。
砚因蝇集更番涤，笔为蜂巢次第闲。
精骑羞为安性拙，狂歌中断忆时艰。
谁言草木难甘腐，尚以成萤恨欠顽！

卧病旬日未已闲书所忆

北地那堪再度年，此身惭愧在灯前！
梦中失哭儿呼我，天未招魂鸟降筵。
好友多从忠节传，人情不尽绝交篇！
于今屈指几回死，未死犹然被病眠！

送万季野贞一北上己未

管村彩笔挂晴霓，季野观书决海堤。

卅载绳床穿皂帽，一蓬长水汨蓝溪。（余所居地。）

猗兰幽谷真难闭，人物京华谁与齐？

不放河汾声价倒，太平有策莫轻题！

梨洲的诗颇伤感，亭林的诗颇愤恨，故读他们二人的诗有不同的刺激。伤感诗多留余味，而愤恨诗则促促迫人，锋芒毕现，所以亭林诗集多被次耕删修，初印则以蒋山佣笔名刊行，而梨洲诗于千篇中自删仅存十之一二，谓：

“师友既尽，孰定吾文？但按年读之，横身苦趣，淋漓纸上，不可谓不逼真耳！”这亦好像以所咏作自居于史诗了。

第五节　陈乾初与潘用微对于黄说之补充

黄梨洲晚年已经在思想上发生极大的裂痕，这因为王学的传统犹是梨洲的形式束缚。在清代保持理学的道学家看来，黄氏异端将王学正给破坏，而在梨洲同时代的同学弟子则以为他的“余枝”未斩，不够破坏。前者如方苞说：

学之废久矣，浙以东则黄君梨洲坏之，燕赵间则颜君习斋坏之，二君以高名耆旧，立程朱为鹄的，同心于破之，浮夸之士，皆醉沁焉。(《与刘拙修书》)

这是理学家维持道统的话，然而我们知道，如梨洲如亭林正因“高名耆旧”，态度异常和平，梨洲晚年仍崇师说阳明戢山之慎独，亭林晚年则建朱子神祠以明宋学统绪，而一往直前不顾利害以推翻理学的宝座者，清初学者大有人在，但他们都因为态度之无所顾虑，终身不遇，鲜能享名，如陈乾初与潘用微即是。但，黄顾虽名显当世，他们的著作《待访录》,《南雷文定》,《日知录》不能不遭禁，“皆以诋触见烬”(《章太炎检论·哀焚书》)，而为当时痛非，生前著作淹没者，亦毕竟经后世拙发而显其价值。此纪梨洲治思想史有并存相反之论的凡例，亭林戒治史者有两造意见兼录不可以意见取舍的教训，可谓学者态度。所以，陈乾初等思想，不有南雷集之虚心讨论，实难发觉，而乾初等思想之有补充于黄子者，则更显出时代精神。

陈乾初最大胆的言论，是怀疑了《大学》非圣人之书，这怀疑无异把宋儒的家当剿没，故深为当时人所非议。他的立论是基于说理，与船山根据宋儒怀疑序卦传者相同，而不完全是基于后来严格的考证方法。他的《大学辨》云：

陈确氏曰:《大学》首章非圣经也，其传十章非贤传也。程子曰,《大学》孔氏之遗书，而未始质言孔子。朱子则曰，右经一章，盖夫子之意而曾子述之，其传十章则曾子之意而门人记之也。古书盖字皆作疑词，朱子对或人之问，亦云无他左验，且意其或出于古昔先民之言也，故疑之而不敢质，以自释盖字之疑。程朱之说如此，而后人直奉为圣经，固已倍程朱矣。虽然，程朱之于《大学》，恐亦有惑焉而未之察也。《大学》其言似圣，而其旨实窜于禅，其辞游而无根，其趋罔而终困，支离虚诞，此游夏之徒所不道，决非秦以前儒者所作可知。

乾初之辨颇详，今举其要点如下：

（一）古无大小学之分——“首言大学云者，非知道之言也。子言之矣：下学而上达，夫何大小之有？大学小学，仅见王制，大亦读太，作大学者疑即本此。……今乃别之为大学，而若将有所待也，则亦终于有待矣。”

（二）章句之脱胎处——“其曰‘在明明德，在亲民，在止于至善’者，非知道之言也。三言皆脱胎帝典，帝典自‘克明俊德’至‘黎民于变时雝’，凡七句，此以三言括之，似益简切，而不自知其倍也。亲民即在明德之中，至善又即在明亲之中，故帝典克明句下贯一以字，使文理灿然，而此下三在字若三事然，则不通矣。”（按：乾初辨大学三纲领出处为尧典之七句，原文为：‘克明俊德，以亲九族，九族既睦，平章百姓，百姓昭明，协和万邦，黎民于变时雍。’书经尧典，据清代学者考证亦出之后人，颉刚兄所谓累屑地造成的古史。荀子主法后王，评按往旧造说者，托真先君子之言。故出处之谁脱胎于谁，犹为问题。“民”字“德”字卜辞未见，始于周金，可以作确证。）

（三）抽象的“明”字之晚出——“古人之学，虽不离乎明，而未尝言明，推之易诗书可见，恶其逃于虚焉可也。而大学首言明明，固已倍矣。”

（四）理论的质疑——“至善，未易言也。……善之未至，既欲止而不敢，善之已至，尤欲止而不能，夫学何尽之有？善之中又有善焉，至善之中又有至善焉。……而传引之固矣，……皆末学之夸词，伪士之肤说也。而又曰知止云云者，则愈诬矣！……止未有日……故未至而知止，如弗而已，而何遽定静安虑得之可易言乎？且吾不知所谓知止者，谓一知无复知者耶？抑一事有一事之知止，事事有事事之知止，一时有一时之知止，时时有时时之知止者耶？如其然也，则今日而知止，则自今日而后而定静安虑得之无不能，不待言也。脱他日又有所谓知止焉……则他日之知非即今日之未知乎？是定静安虑得之中，而又纷然有所谓未定静安虑得者存。斯旨之难通，固已不待其辞之毕矣。大学之所谓知止，必也其一知无复知者也，一知无复知，惟禅学之诞有之，圣学则无是也。君子之于学也，终身焉而已，则其于知也，亦终身焉而已，故今日有今日之至善，明日有明日之至善，非吾能素知之也，又非可以一概而知也，又非吾之聪明知识可以臆而尽之也。……天下之理无穷，一人之心有限，而傲然自信以为吾无遗知焉者，则必天下之大妄人矣，又安所得一旦贯通而释然于天下之事之理之日也哉！”（按：乾初此论实是他的《大学辨》一书之中心，问题为认识论作近代的提出，与船山知识论的探究，极酷似，读者可以参看第一章。他反对的是玄学冥观，朱子所谓“众物之表里精粗无不到，而吾心之全体大用无不明”。物自身 ding-an-Sieh 不是“素知”，“概知”，“臆知”的，而是不断的由经验之累积而知，具有时空的过程。他把“知识是一过程”之旨，仅在经验论上提出来实为十七世纪的有价遗产，据此而推翻理学所依据的大学纲领，补充了梨洲的见识。）

（五）二元论的质疑——“古之欲明明德于天下云云者，尤非知道之言也。古人之慎修其身也，非有所为而为之也，而家以之齐，而国以之治，而天下以之平。……《大学》纷纷曰‘欲’曰‘先’，悉是私伪，……宁古人之学之多夹杂乃尔乎？（按：此言反对心先物后。）……至正心以往，益加舛谬，既言正心，不当复言诚意，既先诚意，何得又先格致？夫心之与意，固若此其二乎？（按：此反对二元论闪烁。）……凡言诚者，……并兼物言，是故诚可不更言正修治平，而分别若此者，则是所谓诚者非诚，所谓正者非正，所谓修者非修也。而所谓致知格物云者，非即以吾心致之吾心格之乎？心者身之主也，存心公恕，然后能知己之过，知物之性，知己之过，故修之而无弗至，知物之情，故齐治平之可以一贯也。……山阴先生称前后言格致者七十有二家，求其言之可以确然俟圣人而不惑者古未之见，何则？唯《大学》之诬而不可以理求焉故也。（按：此质疑于主观客观之两橛。）”

（六）实践之阙文——“《大学》言知不知行，必为禅学无疑。虽曰亲民，曰齐治平，若且内外交修者，并是推排不根之言。其精思所注，只在致知知止等字，竟是空寂之学。”

上面几点是乾初《大学辨》的重要论点，这在当时，提出了这个擒贼先擒王的方法，颇为凸出，虽梨洲自云“不以其异于先儒而随声为一哄之辨”，而亦不能不有一段曲折的苦心，深致辩解。但乾初则是以近代的怀疑态度，追求真理，而云：“心非吾一人之心，理非吾一人之理，吾其又敢以吾之理为必无疑于天下后世哉？”他的“无所顾虑”的学者态度（梨洲谓“见之论著，同辈为之一閧，不顾也”），实在是时代的叛徒，看他的话自明：

作《大学》者绝未有一言窃附孔曾。而自汉有戴记至于宋千有余年，间亦绝未有一人谓是孔曾之书焉者。……而自程朱表章《大学》以来至于今五百年中，又绝未有一人谓非孔曾之书焉者。……嗟乎，学者之信耳而不信心，已见于前事矣！……向使确（乾初）幸亲承孔曾之教，而于心有未安，犹当辨而正之，况如《大学》之说之甚倍于孔曾者，而欲确终信而不疑，则确无人心者而后可，而确则安敢自昧也！

乾初亦知此种怀疑精神是当时所不容的，故亦详辨其理，谓“春秋善五伯，孟子黜之，不为畔孔子，程朱表章《大学》，后人驳之，岂为叛程朱哉？……吾信诸心而已，亦非敢信诸心，信诸理而已！”他遭当时的反对（一哄），是必然的，复梨洲函颇看出他的痛苦。他说：

弟愚人也，何敢言学。唯是世儒习气，敢于诬孔孟，必不敢倍程朱，时为之痛心。性解诸篇呈教，重蒙驳正，感极涕零！……即一二知己，未能相喻，何况其他！

(《南雷文定·附录》)

乾初的性解诸篇不传于世，惟见于梨洲《文案·与乾初论学书》及乾初墓志铭，就梨洲引述者而言，他的性论甚接近于船山学旨，梨洲亦谓“绝无依傍，绝无瞻顾，可谓理学中之别传”，并谓得其先师之学十分之四五。今节述于下：

(一)性与气、才、情不能分立，其有性之区别者惟“习”。

一性也，……推广言之曰气、情、才，岂有二哉？由性之流露而言，谓之情，由性之运用而言谓之才，由性之克周而言谓之气。性之善不可见，分见于气、情、才，情、才与气皆性之良能也。……人性有善而无恶，故气、情、才皆有善而无恶。……后儒曰既发谓之情，曰才出于气，故皆有善有不善；不知舍情、才之善，又何以明性之善耶？(《文案》卷八，《乾初墓志铭引文》)

此谓性之内容为气、情、才。内容为决定的东西，没有内容，难言性之抽象形式，若空洞言性，他说是“为邪说而立帜”，这一理论是进步的。

(二)辨执不可知的性本体为空想，本体只在实践中把握。

本体二字，不见经传，此宋儒从佛氏脱胎来者。故以为商书维皇降命，中庸天命之性，皆指本体言，此诬之甚也。皇降天命，推本言之，犹言人身之则必本之亲生云耳，其实孕育时，此亲生之身，而少而壮而老，亦亲生之身，何尝指此为本体，而过此以往即属气质，非本体乎？宋儒惟误以此为言本体，故曰人生而静以上不容说，才说性便已不见性（注：程子语），则所谓性而容说者，恰好在何处耶？乐记、人生而静，天之性也二语，本是禅宗，其书大半在荀子，不意遂为性学渊流，可怪也！后儒屡说本体，而无一是本体。……子曰，性相近，则近是性之本体，孟子道性善，则善是性之本体，而此本体固无时不在，不止于人生而静之时也。……曰，乞人不屑，行道之人勿受，则虽下流行乞之徒，而吾性之本体亦无时不在也。……学者惟时时存养此心，即时时是本体用事，工夫始着落。今不思切实反求，而欲悬空想个人生而静之时，……愈求愈远矣。无论人生而静之时，黝然穆然，吾心之灵明，毫未开发，未可言性，即所谓赤子之心，孩提之爱，稍长之敬，亦萌而未达，偏而未全，未可语性之全体，必自知学后，实以吾心密体之日用，极扩充尽才之功，………而后可语性之全体，故曰成之者性也。(同上)

此谓性的内容是日生的，不是受生之时即成型（本体），与船山“日生者性”，以生化之理解释性的实在发展，如出一辙，详释参看船山章。

（三）性之成全在于后天的经验，没有经验中的实际修炼，则为虚而不实。

人性无不善，于扩充尽才之后见之也，如五谷之性，不艺植，不耘耔，何以知其种之美耶？……继善成性，皆体道之全功，对仁智之偏而言。……继之者，继此一阴阳之道，则刚柔不偏，而粹然至善矣。……成之者，成此继之之功，向非成之，则无以见天付之全，而所性或几乎灭矣。故曰成之谓性。……从来解者昧此，至所谓继善成性，则几求之父母未生之前，几何不胥天下而禅乎？故性一也，……言其实，则本天而责人，言其虚，则离人而尊天。离人尊天，不惟诬人，并诬天矣，盖非人而天亦无由见也。是故藨衮勤而后嘉谷之性全，怠勤异获，而曰麰麦之性有善恶，必不然矣；涵养熟而后君子之性全，敬肆殊功，而曰生民之性有善恶，必不然矣。资始流行，天之生物也，各正性命，天之成物也，物成然后性正，人成然后性全，物之成以气，人之成以学，人物之性，岂可同哉？……今夫老农收种，必待受霜之后，以为非经霜则谷性不全，此物理也，可以推人理矣。是故资始流行之时，性非不具也，而必于各正保合，见生物之性之全。孩提少长之时，性非不良也，而必于仁至义尽，见生人之性之全。（同上）

此谓人性不能离合实践的风霜甘苦，而自成其性，必在日新日生中而扩才以见性之全，他以谷物为喻，如船山之以木器为喻，皆反对以性之原始之朴言性。

（四）天理与人欲不是两立的，人欲的至好即天理。

周子无欲之教，不禅而禅。吾儒只言寡欲，不言无欲，圣人之心，无异常人之心，常人之所欲，亦即圣人之所欲也。人心本无所谓天理，天理正从人欲中见，人欲恰好处即天理也。向无人欲，则亦并无天理之可言矣。（同上）

此谓天理与人欲的内容一致，和船山“天理人欲，同行而异情”之说相合。

以上乾初的知识论与人性论，都是补充了梨洲的地方。此外，乾初言死节，谓“非义之义，大人弗为”，而重生前成绩，不重末后一著；言烈妇殉身不是正路，这些更是梨洲崇尚理性（如反七怪）在新道德上之发展。

梨洲虽然说乾初“于圣学已见头脑，深中诸儒之病”，但亦辩解其“主张太过”，可谓“余技”犹存。据钱穆先生考，梨洲的乾初墓志铭，凡三易其稿，最后一稿已不执己见，而《学案·序》之“工夫所至，即其本体”说，则采纳乾初之学而成。钱氏考证，甚合历史。梨洲在该铭文末语亦自云：“昔作铭文，不能深究，今其庶几可以传后。”其前文更云：“今详玩遗稿，方识指归，有负良友多矣，因理其绪言，以识前过。”梨洲此种态度，是学者本色，乾初之学传后，正因梨洲的虚心研究。

潘用微（平格）比乾初更为解放，乾初的《大学辨》析理谨慎，归纳重于演绎，疑中求真，而用微的《求仁录》则没有乾初方法的严密，据浑然一体，见在真心二语，作演绎的推论。他在批评方面，大刀阔斧，举宋明以来理学的传统一笔抹杀，而谓“朱子道陆子禅”（《恕谷后集·万季野小传》引语），据归玄恭所记，谓潘氏认周程朱张象山阳明之学皆杂佛老，把他们斥之为孔庙两庑的一群僧道，据梨洲所云，谓潘氏言程朱落于阴阳，陆王堕于识神，程朱之后学诋陆王，是以老攻佛，陆王之后学诋程朱，是以佛攻老。可谓当时的一位大炮。

用微著作《求仁录》（此书作者未见，据钱穆氏节录文字，与唐敬楷著《清儒学案小识》慈溪潘先生条引文，要旨亦具。惟《学案小识》一书，殊浅陋，他条未可参考），批判宋儒理学，建立他的知识论。他在批判的见地上，首重思维与存在之间的鸿沟不可逾越说，他评论内外体用之说云：

后之学者，存心于腔子谓之立体，视天地万物为外，明物察伦只是应迹，爱亲敬长，平章协和，视为此心之妙用。分内外，分体用，则有动静可分，而吾性不浑然，工夫不浑然矣。

认灵明知觉为心……于是提省照管，操持涵养工夫，有操持则分内外，心意为内，事物为外。以心意为内，则见满前无非引心之境，……使此心常在于腔子。

因此，他的知识论，一反玄学的空想，认为格物即须触物，没有对于象界的认识，格物是空虚的。他说：

工夫切近，只在格通人我，随时随地，惟心之所到，一一格通，浑然深造天地万物一体之实地，学在人伦日用中困勉力行，慎毋蔑视困勉，妄希自然！

致知在格物，是未尝悬空有致知工夫也。致其触物一体之知，在格通身家国天下本是一体之物，未有舍家国天下见在事使交从之实地，而悬空致我一体之知者。

复次，他反对人欲在虚见上去消磨，他说：

人欲只为有人我，须在对境实地上消磨，若在虚见上消磨，则无力。在对境实地上消磨，则必不至遏欲制念，盘桓于腔子，在虚见上消磨，不过遏欲制念，自成其盘桓腔子之病。

按用微的学旨要点，在于“真心见在日用”一语，把宋明以来，体用，理气，主敬，主静诸说，都一起推翻。因此，他的“日用”，“实施”之实践说，指用工夫于家国天下，工夫即本体。他说：

操持者，意也识也，操持此心，是以意识治意识也。

工夫二字，起于后世佛老之徒，盖目伦常日用之外另有一事，故说是工夫。若主敬之学，先立体以为致用之本，穷理之学，先推极知识以为遇事之用，亦是另有一事可说是工夫。呜呼，为主敬穷理之学者，岂知是特地工夫耶？亦曰为尽伦常日用，故不可不主敬穷理也，然则非学养子而后嫁者耶？呜呼，为学本无工夫，力行而已矣。

他一方面批判理学家，不在日用实地求真理，而“别求其心”，他方面提出了“浑然天地万物一体”之一个概念，而对抗“天理”，这“浑然天地万物一体”好像后来玄科论战时代吴老先生讲的“漆黑一团”，在语汇上易生毛病，故梨洲最不折服这一点，说他：“灭气，则天地万物以何者为一体乎？”我们仔细研究他之所谓“浑然一体”者，不是指本体，而是指一种秩序条贯罢了。他说：

……物有本末，事有终始，两语已尽一贯。……格物是打通一贯，物格是实到一贯……自天子以至庶人，壹是皆以修身为本，天子庶人，皆是一贯。其本乱而末治者否矣，其所厚者薄而其所薄者厚，未之有也。……一贯者，一身以贯乎家国天下，一修身以贯乎齐治平，尽吾浑然万物一体之性也。格物者，贯身家国天下为一物，贯修齐治平为一事，所以复吾浑然天地万物一体之性也。自格物之学不明，而一贯之道晦矣！

故据此而言，他之所谓“浑然一体”，不过是指浑然一序，本末终始的一种条理罢了。然而，这里却有一个最值得注意的理论背后的时代实质，若不讲明这一实质，则他的理论便无趣旨。它是什么呢？即浑然一序的平等观。他的理论否定了内外，体用，先后，理气的两截，还元于一个“浑然”。（清初学者之号都多，并都有意义地取号，如颜元之字——习斋，“习”是他的学旨，又号“浑然”，当亦与用微之谓“浑然”有时代的沟通，可参证。）这浑然的代数学，用科学的方法评量，那便是平等的世界观。他亦明白地引用孔子的话“自天子以至庶人，壹是皆以修身为本”，他释为，“天子与庶人，皆是一贯”，在封建社会，提出了这样的实践伦理的一贯序列，实在是民主平等的代数学，犹之乎孔子在中国古代社会“氏所以别贵贱”的鸿沟对立中，提出国民性的平等道德情操，都是时代的优良精神。所以，他的“浑然”的实践伦理思想，背后隐蔽着一个平等世界观。为什么要把这一平等观隐蔽于实践伦理背后呢？这是启蒙学者的一个通例，近代的思想第一步迈进于近代的历史，都是从人类实践伦理的理性生活开始，而这一点并不一定是古人不如近人，而是历史的螺旋发展，不自觉的自我觉醒。

用微的实践伦理不是“自了”，而是有庶人一体之愿，正是补助了梨洲的民主思想，李恕谷谓“用微……其恻世殷，其任道勇，力行于人伦日用亦实，较朱子之自了似过之”，可证其旨，但因为他的方法是演绎的，故有独断之嫌，使梨洲竟认他为“白画魑魉”，在《文案》一书中，如《与友人书》,《续师说》,《寿张奠夫八十序》三篇，梨洲之攻用微，颇超出研究态度。这种关系，就在于用微过分着重了实践伦理，凡不合于他的假定者，从宋儒到当时的“二三子”（用微语）都以为是超乎实践伦理的一群僧道，例如他说：

晦庵不信《大学》，而信伊川之改《大学》，不格物，而补格物之传，以至象山阳明不信曾思，而谓颜子殁而圣学亡。今敢于悖先圣，而不敢于悖后世诸贤，明道伊川改《大学》则信为实然，象山阳明谓颜子殁而圣学亡则尊为确论。若指程朱与象山阳明之学未契孔孟，则必目为狂，反疑其非正学矣。总因学者读注听讲，先入宋儒之说，或又入于阳明龙溪之说，而未尝读孔门经书，故意见偏陂，窠臼难拔。某之所以说不得看注，不得看诸贤语录，盖尝深中其病，确知其害，故不惜痛切言之。

梨洲之攻击用微，在学理方面者犹轻，在批评态度者颇重，例如指用微之訾毁先儒云：

宋人有学者，三年而名其母，母曰，予之于学者，将尽行之乎，愿子之有以易名母也，子之于学也，将有所不行也，愿子之且以名母为后也。夫用微之訾毁先儒，名母之学也。（《文案》卷三，《与友人论学书》末语）

《续师说》一文似亦暗指用微，他说：

乳儿粉子，轻儇浅躁，动欲越过前人，抗然自命，世无孔子，不当在弟子之列，盖不特耻为弟子，相率而耻不为师。（同上，卷十）

梨洲与用微，做学态度不同，在学术上梨洲晚年思想有变，有与用微接近之可能（参看钱穆著《近三百年学术史》第六五页），惟态度上则终始与用微远隔，这和梨洲之于乾初稍具分别。梨洲与乾初的讨论，颇为客观，而对于用微则有疾痛怒视的感情，例如万季野云：

吾少从黄先生游，闻四明有潘先生者，曰“朱子道，陆子禅”，怪之，往诘其说，有据。同学因轰言予畔黄先生，先生亦怒。（《恕谷后集·万季野小传》）

第三章　高树经验主义旗帜的顾亭林

第一节　亭林思想的特独精神

顾亭林（炎武）江苏昆山人，生明万历四十一年，卒清康熙二十一年（一六一三——一六八二年），这时代是他与船山，梨洲二子同其经历的所谓“天崩地解”的时期。人们都知道这一理学反动的时代，是有一个中心问题，贯串于各家，但中心问题却不是随便可以规定的，在最广泛的意义上讲来，是人类开始探寻新的世界，开始设计人类社会的整个计划，所谓“天工开物”（科学先进宋长庚书名），但这里是具有着多方面的角度去窥察，船山走的路线是知识形式的解放，有浓厚的理性哲学精神，梨洲走的路线是政治理想的乌托邦，而亭林则更走了一种特异路线，即经验主义的倡导，至于颜李学派，强调劳动，尤趋向于科学思想的实践。章实斋云：

风气之开也，必有所取，学问、文辞与义理，所以不无偏重畸轻之故也；风气之成也，必有所敝，人情趋时而好名，徇末而不知本也。是故开者虽不免于偏，必取其精，为新气之迎，敝者纵名为正，必袭其伪者，为末流之托。(《文史通义·原学下》)

实斋重视开风气之学，谓其偏者即其精之所在，取其精到独创以迎新风气，可谓学人。这里，他颇看出清初学者的各自风格，各自路线。梁任公先生则有高扬了亭林而抹杀了他儒之嫌，他说：

清初大师，如夏峰梨洲二曲，纯为明学余波，如船山舜水辈，虽有反明学的倾向，而未有所新建设，或所建设未能影响社会，亭林一面指斥纯主观的王学不足为学问，一面指点出客观方面许多学问途径来，于是学界空气一变，二三百年间跟着他所带的路走去，亭林在清代学术史所以有特殊地位者在此。(梁著:《中国近三百年学术史》，五六——五七页)

按任公此断与思想史不合，若谓梨洲为明学余波，则亭林何尝不可谓宋学余波，若谓船山未有新建设，则哲学正是他的建设，而亭林的两面建设，船山亦具同一价值，若指二三百年来清代学者跟着亭林走者是考据学，则又流于实斋所谓“风气之敝”的训诂，不足以尽亭林之学。亭林说：

《黄氏日抄》曰：夫子述六经，后来者溺于训诂，未害也，濂洛言道学，后来者借以谈禅，则其害深矣。(《日知录》卷七)

这一轻重的批评，只有轻重，而不是亭林的学旨。

我们认为清初大师皆世之“显学”，亭林的显学价值甚巨，清代学者乾嘉以后发展了他的经验论，自有历史的狭义价值，在这一点，我认为是王国维最足继承亭林者，例如亭林自谓专门成就为音韵学，《文集》卷四《答李子德书》，所讲由音韵学而明古义，进而考证古制，在后来王国维实继此而大成，例如亭林深信竹书纪年，谓自武王以下皆为可靠史料(如《日知录·考共伯和》所据)，后来王国维更有竹书纪年的疏证，例如金石文字学，亭林继宋欧阳修而多有集录，谓铭辞可以佐理经典，后来王国维在卜辞金文方面的成就实高前人万倍，例如亭林考氏姓制最详，为王国维考殷商之所本，所谓

“兄终弟及”为商人特制者，亭林《日知录》已首先明白提出，“商之世，兄终弟及，故十六世而有二十八王”（卷十四，“兄弟不相为后”条），例如亭林《日知录》“周末风俗”，“帝王名号”等条，都为王国维所发展，且《日知录》的体例亦与王国维的考释诸文相似。王氏遗书中虽没有明言他继承亭林，而线索则显然可见。

从顾亭林到王国维是近代中国学术的宝贵遗产，此点当专文讨论，但即以这种研究路线而论，亭林的经学是和他的新社会运动与民族复兴举义不可分裂，而国维的古史考证虽成就卓绝，却未能推动他由研究方法的近代意识达到近代理想，这亦是乾嘉以来考据学风气之敝，使问题狭小钳入一个天井，因而压榨着世界观的自由出路。任公先生为近代公羊学派的殿军，而近代公羊学派的自由解释思想正是对于乾嘉学者的反动，所谓“托古改制”的家法，则不是亭林的遗产。

世论亭林之学旨莫不提出他的一句名言，“理学即经学”，这一命题，赞之者谓开清学的新风气，评之者则谓“析义未精，言之失当”（方东树）。我们研究亭林的思想，亦从世论讲起。

按：亭林这一命题，在他的书中仅见一次，即《文集》卷三《与施愚山书》云：

理学之传，自是君家弓冶，然愚独以为理学之名自宋人始有之，古之所谓理学，经学也，非数十年不能通也，故曰君子于《春秋》没身而已矣，今之所谓理学，禅学也，不取之五经，而但资之语录，校诸帖括之而尤易也。又曰，《论语》，圣人之语录也，舍圣人之语录而从事于后儒，此之谓不知本矣！

全谢山《神道碑》则把命题的主词与述词倒置，云："（亭林）谓古今安得有所谓理学者，经学即理学也。自有舍经学以言理学者，邪说以起，不知舍经学则其所谓理学者禅学也。"

这里，亭林"理学，经学也"，不是说理学等于经学，而是说理学为经学的一部分，言理不能离开经罢了，全氏所述"经学即理学"则把二者混一，犹之乎说"人，动物也"，而和"动物即人"显然有别，但后来学者大都是据全氏所述的命题讲说，这是一。

其二，亭林"理学，经学也"的命题，主词有一限定，即"古之所谓"，不是说古今皆然。实在讲来，"理"字由孟子起始在义理方面有所阐发，孔墨并不专言理学，到了乾初所谓非成于秦以前圣人之手的《大学》，才建立了一个体系。收入大戴礼中的《大学》《中庸》，到了宋人始把它们独立，而与《论语》《孟子》并称四书。《大学》《中庸》的思想，正是荀子所云的思孟学派的代表作，而玄学的本质亦由荀子说得明白："甚僻达（一本作远）而无类，幽隐而无说，闭约而无解，案饰其辞而只敬之曰，此真先君子之言也。"（《非十二子篇》）宋明理学的依据，即继承了这一思孟学派的传统，所以亭林说"舍圣人之语录，从事于后儒"，盖即指宋儒语录之所本。

其三，亭林在这里是分别一个古今思想史的异同离合，古人没身于经世之学而明理，今人则舍历史制度（六经之所指）与客观现实（当世之务）而空谈性理，那么宋明以来的思想便与前代有别，即支配于禅学（钱穆先生颇有误解，他说："经乃古代官书，亦惟训诂名物考礼考史而止，经学中又何来有理学？亭林此言，实两无所据。……亭林则只以知耻立行，而别标博学于文，将学行分两橛说，博学遂与心性不涉，自与朱子分途。”——见钱著《国学概论》第九章，八三页）。因为真正把学行分为两橛者是宋儒，如所谓“道学”与“儒林”的分家，清初费密驳道学传统，亦云“舍经无所谓圣人之道”，正以宋儒把汉唐思想抹杀，而以糅合佛老的玄理命之曰道统正传，这在亭林看来仅是一种时代思想，而不是所谓“统”。亭林的古今学术变迁观点已经超出了宋明儒者的“绝学”争统观点，他说：

经学自有源流，自汉而六朝，而唐，而宋，一一考究，而后及于近儒之所致，然后可以知其异同离合之指，如论字必本于说文，未有据隶楷而论古今者也。(《文集》卷四，《与人书四》)

其四，亭林亦不是没有批判，仅仅于言明古今的异同离合，谓古之理学在经，今之理学在禅，而反含着批判，所谓“濂洛言道学，后来者借以谈禅，则其害深矣”。他的“理学，经学也”的命题，虽云古人如此，但实指今人之非，而欲复兴古人之是。据思想史上的新命题而言，大致有一个特色，即针对着旧思想的旧命题而矫以反命题，强调了的地方实在代表思维发展的脉络，故亭林的反命题尚为刺激性薄弱者，若与宗教革命时代的

“上帝即人”，法兰西唯物论者的“人即机器”，正统派经济学者的“恶德即善德”，“私利即公理”，比较而言，则他的“理学即经学”，还不算是九十度的折角。他所反对的理学——禅学是脱离现实的空谈：

刘石乱华，本于空谈之流祸，人人知之；孰知今日之清谈，有甚于前代者！昔之清谈，谈老庄；今之清谈，谈孔孟。未得其精而已遗其粗，未究其本而先解其末，不习六艺之文，不考百王之典，不综当代之务，举夫子论学论政之大端，一切不问，而曰一贯，曰无言，以明心见性之空言，代修己治人之实学，股肱惰而万事荒，爪牙亡而四国乱，神州荡复，宗社丘墟——昔王衍妙善玄言，自比子贡，及为石勒所杀，将死，顾而言曰：“呜呼，吾曹虽不如古人，向若不祖尚浮虚，戮力以匡天下，犹可不至今日！”今之君子，得不有愧乎其言。(《日知录》卷七)

今之言学者，必求诸语录，语录之书，始于二程，前此未有也。今之语录几于充栋矣，而误于禅学者实多。然其说盖出于程门。……夫学程子而涉禅学者上蔡也，横浦则以禅而入于儒，象山则自立一说，以排千五百年之学者，而其所谓收拾精神，扫去阶级，亦无非禅之宗旨矣。后之说者，递相演述，大抵不出乎此，而其术愈深，其言愈巧。(《文集》卷六，《下学指南序》)

自宋以下一二贤智之徒，病汉人训诂之学得其粗迹，务矫之以归于内，而达道达德九经三重之事，置之不论，此真告子未尝知义者也。(《日知录》卷七)

王尚书（世贞）发策谓今之学者偶有所窥，则欲尽废先儒之说，而出其上。不学则借一贯之言以文其陋，无行则逃之性命之乡以使人不可诘。此三言者，尽当日之情事矣！故王门高第为泰州（王艮）龙溪（王畿）二人，泰州之学，一传而为颜山农（均），再传而为罗近溪（汝芳）赵大洲（贞吉），龙溪之学，一传而为何心隐（梁汝元），再传而为李卓吾（赞）陶石篑（望龄）。昔范武子论王弼何晏二人之罪，深于桀纣，以为一世之患轻，历代之患重，自丧之恶小，迷众之罪大。(同上，卷一)

综合亭林以上所批评者，和船山梨洲的反玄学态度相同，而更截断，所以然者，船山是以哲理对抗玄理，梨洲是保留余技而暴露玄理，而亭林则根本推翻心理性命的“玄言”，所谓：“永嘉之亡，太清之乱，岂非谈空空，核玄玄有以致之哉！”（同上，卷一）树起了经验主义的旗帜，把日常生活的见闻经历置于第一位，和船山还元“理学”为“生化之理”，梨洲保持王学宗统者大有区别。

按：亭林亦言心、理、性、命诸范畴，但他是否定这些范畴的旧理解，而重新规定为经验主义的实学，以见闻者为准的。他说：

学者之患，莫甚于执一而不化，及其施之于事，有扞格而不通。……君子之学不然，廓然而大公，物来而顺应，故闻一善言，见一善行，若决江河，沛然莫之能御，而无熏心之厉矣。（同上，卷一）

圣人所闻所见，无非易也。若曰扫除见闻，并心学易，是易在闻见之外也。（《文集》卷四）

好古敏求，多见而识，夫子之所自道也，然有进乎是者：六爻之义至赜也，而曰知者观众辞，则思过半矣。三百之诗至泛也，而曰一言以蔽之曰思无邪。三千三百之仪至多也，而曰礼与其奢也宁俭。……此所谓予一以贯之者也。其教门人也，必先叩其两端，而使之以三隅反。……岂非天下之理，殊途而同归，大人之学，举本以该末乎？彼章句之士，既不足以观其会通，而高明之君子，又或语德性而遗问学，均失圣人之指矣。（卷七）

由上面第一二段话看来，他是反对“执一而不化”的演绎法，而提出所闻所见的经验来对抗纯形式的范畴，故又云：“舍多学而识，以求一贯，置四海之困穷而不言，而终日讲危微精一之说，……我弗敢知也！”（《文集》卷三）由第三段话看来，他是承认一贯之道，但他所谓“一贯”，不是先天的东西，而是在问学中会通的原则，他所言易诗礼的原则，仅当于归纳出的一种抽象，所以他把“一贯”还原而为归纳法了。这是他的经验主义之主要论点。明白了这个特点，我们才可以研究亭林。

亭林对于物质是认为实在的。他说：

邵氏（宝）简端录曰，聚而有体谓之物，散而无形谓之变。唯物也，故散必于其所聚，唯变也，故聚不必于其所散。是故聚于气聚，散以气散。昧于散者，其说也佛，荒于聚者，其说也仙。（《日知录》卷一）

君臣父子国人之处，以至礼仪三百威仪三千，是之

谓物。(卷六)

宋人有先理后气与上道下器之论，在亭林则云：

盈天地之间者气也，气之盛者为神，神者天地之气，而人之心也。

这是说一切都是物质的聚散，人心不过是物质的精气。因此，他的道器论与梨洲船山相似，云：

形而上者谓之道，形而下者谓之器，非器则道无所寓，说在乎孔子之学琴于师襄也。……是虽孔之天纵，未尝不求之象数也。(同上)

道不是一个不可认识的本体，而是在经验中取证，不可知者不能像宋人之助苗长的办法，他说：

人之为学，亦有病于憧憧往来者，故天下之不助苗长者寡矣。“过此以往，未之知也”，居之安则资之深，资之深则取之左右逢其原。(同上)

因为亭林是一位经验主义者，否认宋儒的“内学”(即主观观念论)，他和李二曲先生有往来函件，讨论体用二字，认为自朱子始援佛氏术语，引用以注释《中庸》的未发节，并讨论内学外学之分乃仿效佛书“内了心性”之语，而为唐宋元明儒者所窃用(参看《李二曲全集》

卷十六），他在《日知录》中说：

古之圣人，所以教人之说，其行在孝悌忠信，其职在洒扫应对进退，其文在《诗》《书》《礼》《易》《春秋》，其用之身在出处去就交际，其施之天下在政令教化刑罚，虽其和顺积中，而英华发外，亦有体用之分，然并无用心于内之说。……后之学者，遂谓其（佛氏）书为内典，推其立言之旨，不将内释而外儒乎？……谢氏曰……独曾子之学专用于内，故传之无弊。夫心所以具众理而应万事，正其心者正欲施之治天下，孔门未有专用心于内之说也，用心于内，近世学禅之说耳。象山陆氏因谓曾子之学是里面出来，其学不传，……遂于《论语》之外得不传之学。……东汉儒者，则以七纬为内学，六经为外学，举图谶之文，一归之性与天道，不可得闻；而……今之所谓内学，则又不在图谶之书，而移之释氏矣！（同上，卷十八）

亭林批评内学，亦如他批评理学，是从思想史的“异同离合”上讲起，根据着历史而反对玄学，因为宋明儒以来不是悬空拟议道统真传，便是争相独占三圣传心，这是最武断的方法。他和李二曲先生因考内学二字的历史出处，往来辩解三函，正是对于旧日武断思想的剿灭。由此，他把明儒的心学，根本否定，而谓心不待传，所以得理而验于事物者。他说：

《黄氏日抄》，解《尚书》“人心惟危，道心惟微，惟精惟一，允执厥中”（按：即十六字心传）一章曰：“……近世喜言心学，舍全章本旨，而独论人心道心，甚者单摭道心二字，而直谓即心即道，盖当于禅学，而不自知其去尧舜授受天下之本旨远矣。……其后进此书传于朝者，乃因以三圣传心为说，世之学者遂指此书十六字为传心之要，而禅学借以为据依矣。”愚按：心不待传也，流行天地间，贯彻古今，而无不同者理也。理具于吾心，而验于事物，心者所以统宗此理，而别其是非，人之贤否，事之得失，天下之治乱，皆于此乎判。此圣人所以致察于危微精一之间，而相传以执中之道，使无一事不合于理。……圣贤之学……人人所同，历千载而无间，何传之云？俗说浸淫，虽贤者或不能不袭用其语。……《中庸》章句引程子之言曰，此篇乃孔门传授心法，亦是借用释氏之言，不无可酌。（同上）

这样看来，他以“心”为气之心，“所以具众理而应万事”，统宗众理“别是非、得失、治乱”而““验于事物”者，是人人同具的一种思维能力，没有什么真传（真字他亦说不见于六经），而仅为把握“众理”者，故心是适应万变的实在，他说：

《黄氏日抄》曰：“心者吾身之主宰，所以治事，而非治于事，惟随事谨省则心自存，不待治之而后齐一也。……至于斋心服形之老庄，一变而为坐脱立志之禅学，乃始瞑目静坐，日夜仇视其心而禁治之，及治之愈急，而心愈乱，则易伏猛兽，难降寸心。……”又曰：“古人之所谓存心者，存此心于当用之地，后世之所谓存心，摄此心于空寂之境也。造化流行，无一息不运，人得之以为心，亦不容一息不用，心岂空寂无用之物哉？”（同上，卷一）

对象和思维是照映的，对象运行不息，思维亦反映对象而占有对象（得之），运行不息，故在“治事”与“当用”上始有心之存存，没有“外仁外礼外事以言心”（引唐仁卿语），亦没有离开所见所闻，扫除见闻，并心学易（见上），因为易学“所以告人人行事，所谓拟而后言，议之而后动者也”。所以，他赞成唐仁卿的话：

古有好学，不闻好心，心学二字，六经孔孟所不道。……用力于仁，用力于心也，行事，行心也，……谓之不学可也？……所病乎心学者，为其求心也，心果待求，必非与我同类，心果可学，则以礼制心，以仁存心之言，毋乃为心障与？（同上，卷十八）

亭林既反对明儒“用心于内”之说，则他便主张体物于外的经验正为心之统宗众理的基础。他说：

《诗》曰，天生蒸民，有物有则。《孟子》曰，舜明于庶物，察于人伦。昔者武王之访，箕子之陈，曾子子游之问，孔子之答，皆是“物”也，故曰万物皆备于我。惟君子为能体天下之物，故《易》曰，君子言有物而行有恒，《记》曰，仁人不过乎物，孝子不过乎物。（同上，卷六）

这是大胆的解释，更有进者，他既把心作适应对象的思维看，故他竟把“致知”解为知止至物，把“格物”解为当务之急。他说：

致知者，知止也。知止者何？“为人君止于仁，为人臣止于敬，为人子止于孝，为人父止于慈，与国人交止于信”，是之谓“止”，知止然后谓之知至，君臣父

子国人之交，以至礼仪三百，威仪三千，是之谓“物”。（同上）

以格物为多识于鸟兽草木之名，则末矣；知者无不知也，当务之为急。（同上）

这是“致知在格物”的新义，前者致知是以社会人类关系的合理行为作知止的标准，而这些关系都是存在的“物”，而最重要的还是后者格物，格物不能超时代而不切实用，而应于物的关系之间格“当务之急”的物（例如说我们现在是一切为了反攻，距此远者虽要亦待将来之格），乾嘉学者所格者为朴学，就不是亭林的真正传统了。亭林跑到陕西去格物，亦就知道他正躬行他的学术，反满便是他的对象当务之急，同时这亦不背于“心学”，他所谓“合内外之道”的十七世纪新义。这亦无怪乎亭林自称为“明学术、正人心、拨乱世、以兴太平之事”的《日知录》，自信为“有王者起将以见诸行事，以跻斯世于治古之隆；启多闻于来学，待一治于后王，自信其书必传，亦未敢以示人”的《日知录》，被满清宣为禁书，而周敦颐《太极图》则被康熙皇帝赞为空前义理，《朱子经注》被康熙崇为孔孟宗传了。

懂得了亭林的心物说，亦就可以知道他为什么把天道性命还元于人事的日常经验了。他言性与天道如下：

夫子教人文行忠信，而性与天道在其中矣，故曰不可得而闻。

子曰二三子以我为隐乎？吾无隐乎尔！吾无行而不与二三子者是丘也。谓夫子之言性与天道，不可得而闻，是疑其有隐者也；不知夫子之文章，无非夫子之言性与天道。……

子贡之意，犹以文章与性与天道为二，故曰子如不言，则小子何述焉？子曰天何言哉，四时行焉，百物生焉，天何言哉？是故可仕可止，可久可速，无一而非天也，恂恂便便，侃侃訚訚，无一而非天也。

动容周旋中礼者，盛德之至也，孟子以为尧舜性之之事；夫子之文章，莫大乎《春秋》，《春秋》之义，尊天王，攘戎翟，诛乱臣贼子，皆性也，皆天道也。……

今人但以系辞为夫子言性与天道之书，愚尝三复其文，……所以教人学易者，无不在于言行之间矣。……（同上，卷七）

他是以性与天道和人事言行文章只是一件事，外于言行文章没有另外的性与天道，这个道理至简易。同理，他言天命与性命如下：

惟天之命，于穆不已。其在于人日用不知，莫非命也。故《诗》《书》之训曰，“顾諟语天之明命”，又曰“永言配命，自求多福”。是以有动作礼义威仪之则，以定命也。……然则子之孝，臣之忠，夫之贞，妇之信，此天之所命而人受之为性者也。故曰，“天命之谓性”，求命于冥冥之表则离矣。（同上，卷六）

这与船山“命日受而性日生”之说相似，因为命之降并不外于动作礼义威仪之则，而在冥冥中听天由命，则是一种宿命观。按亭林以上所讲宋明儒以来的法宝，性命天道，是从空虚形式拉到人生活动中，倡言经验以外无超经验的东西，人生以外无超人生的天道，这在道理上是正确的思想，惟他之所以为经验主义者亦是在于主张经验的科学（社会的道理占主要点）以外没有理论的范畴学，所见所闻的归纳以外没有个体以上的世界观，这是经验主义所同具的色彩，好像说“多求问题少谈主义”似的；然而自然的合法则运动，社会的合法则运动，思维的合法则运动，确是人类历史的经验所提供，但亦同时是在人类思维发展的历史中可能结晶成为一个指导人类的体系，所谓森林并不仅是树木之和，见木可以不见森林，而见森林正以为见木之指示律。一切事物的内容，是具体的全体性，悟性如科学的同一性与差别性之理解，是把全体的一面表示出来，而常把此一面伪装而为全体性的东西。例如黑格尔批判经验科学的同一性："不单把电气及化学的作用看作同一的东西，并且把消化及同化等过程，也看作单纯的化学过程。"（黑格尔《百科词典》第一卷，二〇二页）因为，日常行为的实践固然是现实的，但亦可能放弃现实性的内在本质，例如亭林企图以日常实践的中国氏族制，作为主要武器而反抗满清的外族统治（见后）。黑格尔说：

倘若我们不为着观察而走到背后，或者在背后并无得以观察的东西，那么在那种确然隐藏着内在的帷帐背后，显然看不出什么来。但同时在一定的事情现存的场合，是可以接近于背后的，而且关于表象，现象，及内在的真实性果然在何处这个问题之知识，显然是严密意味的运动之结果，而这运动是把认识方法即判断知觉及悟性等溶解于自身之中的。（同上，二三二页）

"背后"的秘密，没有如"货币"这一件东西迷惑人类外表的实践行为，而发现货币的内在秘密则是从历史的全体性中知道的。故货币是历史运动的结果，这一运动把人类认识可以迷惑，而亦在一定的历史条件之下，把它可以解放了的。

这里，我们仅说明亭林理论上的局限性，但如果有人不了解或一知半解于认识论，而竟批评实证的个体研究，则亭林是他们的老师，有很多的教训不朽。

亭林的经验主义，清儒以来多有批评他不讲义理的缺点，这种批评乃似是而非的，按他正在讲义理之学，而不过是经验主义的义理。前人不了解亭林与经验主义的关系，所以他们常不得其正确的批评。这里，我们要知道，第一，亭林之反理学思想是比较梨洲、船山更为有力，他不但对于宋明学者树起经验论的反命题，而且在他的经验论的信仰中创作了许多范例，如《日知录》的时代成功作品，这对于中古玄学是可致命的。第二，亭林所依据的进步方法，是有历史意义的，与其说他是树起一种经验论，不如说他是遵守着一种形式逻辑（见第二节）。第三，他的方法自有历史的最高评价，与世界经验主义者相同，而不是如梁任公先生认为可以全盘继承的理论。我们对于亭林的经验主义之指明，与对于船山的理性哲学的指明，不是随意在主义二字上玩弄名词，而正是在问题二字上深入研究，故亭林不能不有障于所见所闻的个体现象，船山亦不能不有障于超经验的循环均衡，古人之伟大若没有敢于在有限点甚至错误中试验他的学术，便不配成为伟大，否则，还是太极图的白圈黑点罢了。

亭林的经验科学的要素，在思想史上是与玄学不能两立的，故心性命天道的旧说，必然要被他抹杀，以之还元于生活中。他的还元术至纯熟，没有一句话不是用经学的文句，如上面所引的“知止”，“文行忠信”，“知者无不知也，当务之为急”，所以他说《日知录》一条之成费日至多者正是因此，他之善披经典外衣而说当代人民要说的话，实可佩服。下面便是用“行己有耻”，“博学于文”二句夫子之言，说出他的经验哲学：

……窃叹夫百余年以来之为学者，往往言心言性，而茫乎不得其解也。命与仁，孔子之所罕言也，性与天道，子贡之所未得闻也。性命之理，著之易传，未尝数以语人。其答问士也，则曰“行己有耻”，其为学则曰“好古敏求”。其与门弟子言，举尧舜相传所谓危微精一之说一切不道，而但曰“允执其中，四海困穷，天禄永终”。呜呼，圣人之所以为学者，何其平易而可循也。故曰“下学而上达”。……今之君子则不然，聚宾客门人之学者数十百人，譬诸草木，区以别矣；而一皆与之言心言性，舍多学而识以求一贯之方；置四海之困穷不言，而终日讲危微精一，是必其道之高于孔子，而其门弟子之贤于子贡也，我弗敢知也。《孟子》一书，言心言性，亦谆谆矣；乃至万章公孙丑陈代陈臻周霄彭更之所问，孟子之所答者，常在乎出处去就辞受取与之间。以伊尹之元圣尧舜其君其民之盛德大功，而其本乃在乎千驷一介之不视不取。伯夷伊尹之不同于孔子也，而其同者则以行一不义，杀一不辜，而得天下不为。是故性也，命也，孔子之所罕言，而今之君子之所恒言也。出处去就辞受取与之辨，孔子孟子之所恒言，而今之君子所罕言也。……我弗敢知也。愚所谓圣人之道者如之何？曰：“博学于文”；曰“行己有耻”，自一身以至于天下国家，皆学之事也；自子臣弟友以至于出入往来辞受取与之间，皆有耻之事也。耻之于人大矣，不耻恶衣恶食，而耻匹夫匹妇之不被其泽。……呜呼，士而不先言耻，则为无本之人；非好古而多闻，则为空虚之学。以无本之人而讲空虚之学，吾见其日从事于圣而去之弥远也。……(《文集》卷三,《与友人论学书》)

从这里，亭林一方面力辟宋明以来离开事物而只言心言性之谬，另一方面，则阐明圣门之学，即在“多学而识”，即在“出入往来辞受取与”之间；换句话说，就是我们要求理求道，即在日常事务之中，即在孳孳不断地向外界的学习之中。所以他说“自一身以至于天下国家，皆学之事也；自子臣弟友以至于出入往来辞受取与之间，皆有耻之事也”。

亭林的经验主义所提出的二个节目，所谓博学于文，行己有耻，看来好像不相关联，仔细研究是针对了明末的士风而言，知耻在消极方面是有所不为的，在积极方面是对于天下国家的人类事业，耻躬之不逮，不是一种堕落的事务实验者认为在什么地方都可以试验试验，所以他谓博学于文之“文”，不是一般文人之文，而耻则是耻于做八股，耻于讲性命，应对于人类事业有责任心。他批评旧的“文”说：

宋史言刘忠肃每戒子弟曰：“士当以器识为先，一命为文人，无足观矣！”仆自读此一言，便绝应酬文字；所以养其器识，而不堕于文人也。(《文集》卷四，《与人书十八》)

能文不为文人，能讲不为讲师，吾见近日之为文人为讲师者，其意皆欲以文名以讲名者也。子不云乎？“是闻也，非达也。”默而识之，愚虽不敏，请事斯语矣。(同上，《与人书二十三》)

唐宋以下，何文人之多也？固有不识经术，不通古今，而自命为文人者矣！韩文公《符读书城南》诗曰：“文章岂不贵，经训乃菑畲。潢潦世根源，朝满夕已除。人不通古今，马牛而襟裾。行身陷不义，况望多名誉。”而宋刘挚之训子孙，每曰：“士当以器识为先，一命为文人，无足观矣！”然则以文人名于世，焉足重哉？此扬子云所谓“摭我华而不食我实”者也……史言欧阳永叔与学者言，未尝及文章，惟谈吏事，谓文章止于润身，政事可以及物。(《日知录》卷十九)

那么他所谓之“文”是什么呢？他说：

文之不可绝于天地间者，曰明道也，纪政事也，察民隐也，乐道人之善也。若此者有益于天下，有益于将来，多一篇多一篇之益矣。(同上)

博学于文，自身而至于家国天下，制之为度数，发之为音容，莫非文也。(同上，卷七)

凡文之不关于六经之指，当世之务者，一切不为。(《文集》卷四,《与友人书二》)

这样看来，亭林所谓“文”，即他所言“传曰文明以止，人文也，观乎人文以化成天下”。文是人文主义，博学则为研究古今变革，化成天下的有益学问，所谓“君子能体天下之物”。这一近代的思想，可以说是中古的解放。

据此，“耻”即不为旧文人而为新文人之实践。故他说“耻匹夫匹妇之不被其泽”。

第二节　亭林的方法论

亭林没有如船山的知识过程之分析论，但有判断以后“验于事物”的方法论，这里，我们要明白，他的经验主义的精神所在即是一种求验的方法，即怎样地“博学于文”。《四库全书·日知录提要》云：

炎武学有本原，博赡而能贯通，每一事必详其始末，参以证佐，故引据浩繁，而抵牾者少。

全谢山《顾先生神道碑》说：

历览《二十一史》，《十三朝实录》，《天下图经》，前辈文编说部以至公移邸抄之类，有关民生之利害者随录之，旁推互证，务质之今日所可行而不为泥古之空言，曰《天下郡国利病书》。

他所提出的方法论，犹之乎解放中古的小脚，令人大阔其步向天下家国去踏寻。第一，他解放了闭门参悟的冥想，学贵验物，上节言之已详，第二，他解放了文人的模仿，学贵解决问题之独创，后者他说：

近代文章之病，全在摹仿，即使逼肖古人，已非极意，况遗其神理而得其皮毛者乎？

《文集·与人书十七》上亦说：

君诗之病，在于有杜；君文之病，在于有韩欧；有此蹊径于胸中，便终身不脱依傍二字。

《日知录·自序》上则云：

愚自少读书，有所得辄记之；其有不合，时复改定；或古人先我而有者，则遂削之。

当时因袭，愚昧，独断，支配着人心，亭林一方面痛斥当时醉心富贵功名的学风，谓：

八股之害，等于焚书，而败坏人才，有甚于咸阳之所坑。(《日知录》卷十六)

他方面以创造的精神，以身作则，谓“其必古人之所未及，后世之所不可无，而后为之”。这是何等自我理性的崇赞！咸阳之坑埋着天下没有灵魂的人，而亭林则高踞在山头招魂呢。

复次，亭林治学方法论，须先明白者，即是否复古？他所谓“非六经之所指……一切不谈”者，究何所云然？《四库全书提要》曾崇其实证精神，但又贬其复古难行，说：

炎武……喜谈经世之务，激于时事，慨然以复古为志，其说或迂而难行，或愎而过锐。

我们认为，其说“法古用夏”，亭林自道，这是任公所谓“复古即解放”的道理，但《提要》批评“迂而难行”与“愎而过锐”颇不能并提。为什么这样排句？

实在讲来，“迂而难行”是表面文章，而“愎而过锐”正是他的方法论，亦犹之乎世界十七八世纪的进步学者，他们的方法论往往自己批评否定了自己的世界观。且亭林的“复古”已经放弃正统，以下诸点治学方法值得我们注意。

第一，他研究古籍，并不是钻研载道之文，而是考证古制，“疏通其源流，考正其谬误”，他的弟子潘耒序《日知录》云：

《日知录》则其稽古有得，随时札记，而类次成书者。凡经义史学吏治财赋典礼舆地艺文之属，一一疏通其源流，考正其谬误。至于叹礼教之衰迟，风俗之颓败，则古称先，规切时弊，尤为深切明著。

潘氏此说甚确，《日知录》之为古制源流论，是亭林首开近代研究路径的范例。

第二，他研究经术思想，亦在发现古今思想之异同离合，而否定了“心不待传”的道统，他说：“经学自有源流，自汉而六朝，而唐，而宋，一一考究，而后及于近儒之所著，然后可以知其异同离合之指。”（见上）

在这一点，他颇暗示以孔子还诸春秋，以百家还诸战国，以汉以下学者还诸各自的时代。例如他论易说：

天下之变无穷，举而措之天下之民者亦无穷，若但解其文义，韦编何待于三绝哉？（上自西周）……下而至于春秋二百四十二年之行事，秦汉以下史书百代存亡之迹，有一不该于易者乎？（《文集》卷三）

第三，他虽然言“法古用夏”，但重在“引古筹今”，而对于信古非今者则云：

后周书《柳虬传》：“时人论文，体有今古之异，虬以为时有今古，非文有今古。”此至当之论，夫今之不能为二汉，犹二汉之不能为尚书左氏，乃剿取史汉中文法以为古，于文殊为不称。（《日知录》卷十九）

此亭林对于古今文字应以活的现代语为据之说，同条下还说：“官职群邑之建置，代有沿革，今必用前代名号，……于理无取，而事有碍。”

他对于改古从己者，亦认为不德，故说引书必用原文，以存实迹，他在《音学五书序》里说：

据唐人以正宋人之失，据古经以正沈氏唐人之失，而三代以上之音部分秩如至颐而不乱，乃列古今音之变，而究其所以不同。

他又说：

三代六经……后人所不能通，以其不能通而辄以今世之音改之，于是乎有改经之病，始自唐明皇改《尚书》，而后人往往效之。……至于近日，……凡先秦以下之书率臆径改，不复言其旧为某，则古人之音亡而文亦亡。(《文集》卷四)

第四，他虽然说遵“六经之所措”，但对于诸子百家之学，并不认为异端，他在《日知录》中一再引用墨子《尚贤》篇之文，亦引用老子之文。他一再说：“有其识者不必遭其时，而当其时者或无其识，然则开物之功，立言之用，其可少哉？”(见《日知录》及《与梨洲书》)所以，立言之用，万殊同归，无所谓异端，他甚至在三百年前首倡诸子研究，说：

子书自孟荀之外，如老庄管商申韩，皆自成一家言，至《吕氏春秋》《淮南子》则不能自成，故取诸子之言，汇而为书。(《日知录》卷十九)

而且明白言九经与诸子百家并读，说：

故愚以为读九经自考文始，考文自知音始，以至诸子百家之书，亦莫不然。(《文集》卷四)

他不但“博学于文”研究到异端，而且研究到外国，我们不能因他言六经而忘记了他综览诸子，更不能因他崇尚三代而忘记了他参考夷狄，他说：

历九州之风俗，考前代之史书，中国之不如外国者有之矣。《辽史》言契丹部族，生生之资，仰给畜牧，绩毛饮湩，以为衣食，各安旧风，狃习劳事，不见纷华异物而迁，故家给人足，戎备整完，卒之虎视四方，强朝弱视。……《邵氏闻见录》，言回纥风俗朴厚，君臣之等不甚异，故众志专一，劲健无敌；自功于唐，赐遗丰腆，登里可汗始自尊大，筑宫室以居妇人，有粉黛文绣之饰，中国为之虚耗，而其俗亦坏。……《史记》言匈奴狱久者不过十日，一国之囚不过数人。《盐铁论》言匈奴之俗略于文而敏于事。宋邓肃对高宗言，外国之巧在文书简，简故速，中国之患在文书繁，繁故迟。《辽史》言，朝廷之上，事简职专，此辽之所以兴也。然则外国之能胜于中国者，惟其简易，若舍其所长而效人之短，吾见其立弊矣。（同上，卷二十九）

他列举外国对于劳动，骑射，社会等次之不甚大异，事简职专之敏速效力，都是善制。（参看《日知录》卷十九，《西域人善天文》）这依据史实的特性而论中外制度，比后来“中学为体，西学为用”之说还要高明到万倍。

以上所言皆亭林方法论解放处，不仅“复古即解放”罢了。他的方法的最重要者即今人所谓之归纳法。他没有方法论的专书，但他却有方法论的示范作品，以及用力的修养，今先就其学问修养博采广证的研究态度概述于下。

《日知录》卷七“朝闻道夕死可矣”条说：

有弗学，学之弗能弗措也；有弗问，问之弗知弗措也；有弗思，思之弗得弗措也；有弗辨，辨之弗明弗措也；有弗行，行之弗笃弗措也。不知年数之不足也，俛焉日有孳孳，毙而后已。……有一未死之身，则有一日未闻之道。

凡学问思辨行为，都不停止地追求，直至死而后已。这是经验论的自白。故他说他的两部代表著作是这样做成的：

予纂辑此书（《音学》）几三十年，所过山川亭障，无日不以自随，凡五易稿而手书者三矣。（《音学五书后

序》)

炎武所著《日知录》,……历今六七年,老而益进,始悔向日学之……不博,见之不卓。……渐次增改,得二十余卷,欲更刻之,而犹未敢自以为定,故先以旧本质之同志。盖天下之理无穷,而君子之志于道也,不成章不达,故昔日之得,不足以为矜,后日之成,不容以自限。(《初刻日知录序》)

复次,我们再看他的方法论的内容:

第一,重调查。

他不独要在书本上搜集证据,并且还注重实地调查,以期能获得一事物的真实面目。潘次耕在《日知录·序言》上这样说:

"先生足迹半天下,所至交其贤豪长者,考其山川风俗,疾苦利病,如指诸掌。"全谢山《亭林先生神道碑》也这样说:"先生所至,呼老兵逃卒,询其曲折,或与平日所闻不合,则即坊肆中而对勘之。"

这种实地调查的方法是最基本的求学方法,缺乏实地调查的条件,那就要陷于八股。

第二，重直接资料。

他平生最恨窃书贼，把古人的制成品，加一点减一点便成了创造，所以他著作《日知录》的原料，比诸采山之铜，他说：

尝谓今人纂辑之书，正如今人之铸钱。古人采铜于山，今人则买旧钱，名之曰废铜，以充铸而已。所铸之钱既已粗恶，而又将古人传世之宝，舂剉碎散，不存于后，岂不两失之乎？承问《日知录》又成几卷，盖期之以废铜。而某自别来一载，早夜诵读，反复寻究，仅得十余条，然庶几采山之铜也。（《文集》卷三）

亭林此语，不但是清初的教训，而且还可以当做今人的教训。今人不注意踏路，就在那里凌空统摄，像煞学者！而真正用功夫的人，便成了一个傻瓜，然而亭林说："识者未必遭其时。"

第三，重广求证据。

这在《日知录》各条中可以看出他的用力处，潘次耕论顾先生：

有一疑义，反复参考，必归于至当，有一独见，援古证今，必畅其说而后止。（同上，序言）

他自己亦说：

……列本证旁证二条；本证者诗自相证也，旁证者采之他书也，二者俱无，则宛转以审其音，参伍以谐其韵。(《音论七》，参伍二字出《韩非子》)

他在《金石文字记序》说：

一二先达之士，知予好古，出有所蓄以至兰台之坠文，天录之遗字，旁搜博讨，夜以继日，遂乃抉剔史传，发挥经典。

我们为了说明他的这一重要方法，举一范例，以证明他的话是的确的，《文集》卷四《答李子德书》即以古音证据言古文字义，今节录于次：

开元敕曰，……洪范无偏无颇，颇字宜改为陂。盖不知古人之读义为我，而颇之未尝误也。易象传，鼎耳革失其义也，覆公炼信如何也。礼记表记，仁者右也，道者左也，仁者人也，道者义也。是义之读为我，而其见于他书者遽数之不能终也。……易渐上九，鸿渐于陆，其羽可用为仪。范谔昌改陆为逵，朱子谓以韵读之良是；而不知古人读仪为俄，不与逵为韵也。小过上亦弗遇过之，飞鸟离之。朱子存其二说，谓仍当作弗过遇之；而不知古读离为罗，正与过为韵也。杂卦传，晋昼也，明夷诛也。孙弈改诛为昧；而不知古人读昼为注，正与诛为韵也。《楚辞·天问》，简在台，喾何宜？玄鸟致诒，女何嘉。后人改嘉为喜；而不知古人读宜为中何反，正与嘉为韵也。……（下略）……诗曰，泛彼柏舟，在彼中河，髧彼两髦，实惟我仪，之死矢靡他。则古人读仪为俄之证也。易离九三，昃之离，不鼓缶而歌，则大耋之嗟。则古人读离为罗之证也。……诗曰，君子偕老，副笄六珈，委委佗佗，如山如河，象服是宜，子之不淑，云如之何。则古人读宜为中何反之证也。……

此文列举之韵读许多字，本证旁证兼采，而以孤证不立。

第四，重辨源流审名实。

上面我们已经说明他在经术思想上是考究古今的异同离合，这是历史的方法，次耕说：

综贯百家，上下千载，详考其得失之故，而断之于心，笔之于书，朝章，国典，民风，土俗，元元本本，无不洞悉。……凡经义史学……一一疏通其源流，考正其谬误。……学博而识精，理到而辞达。（见上）

亭林之明辨历史流变,《日知录》中多有价值的范例,如“帝王名号”条(后为王国维氏所订正),“郡县”条,“都邑”条(亦为王氏所订正),“奴仆”条(亦为王氏所发展,皆据亭林未见的文字),今且举他讲周末风俗之流变如下:

自《左传》之终以至此,凡一百三十三年,史文阙轶,考古者为之茫昧。如春秋时,犹尊礼重信,而七国则绝不言礼言信矣;春秋时犹宗周王,而七国则绝不言王矣;春秋时犹严祭祀重聘享,而七国则无其事矣;春秋时犹论宗姓氏族,而七国则无一言之矣;春秋时犹宴会赋诗,而七国则不闻矣;春秋时犹赴告策书,而七国则无有矣。邦无定交,士无定主,此皆变于一百三十三年之间。

战国为氏族贵族的没落时代,亭林所指之流变,颇关重要。除开他的世界观,他论氏族制是合于历史的。例如:“氏焉者所以为男别也,姓焉者所以为女坊也,自秦以后之人,以氏为姓,以姓称男,而周制亡,而族类乱。”(文集原始)他论音学说:“先之以音论何也?曰审音学之流变也。”故他在《音学五书序》中,颇析辨出“古今音之变，而究所以不同”。他说：

三百五篇，古人之音书也。……自秦汉之文，其音已渐戾于古，至东京益甚。而休文作谱（四声谱），乃不能上据雅南，旁摭骚子，而仅按班张以下诸人之赋，曹刘以下诸人之诗，所用之音，撰为定本，于是今音行而古音亡，为音学之一变。下及唐代，以诗赋取士，其韵一以陆法言《切韵》为准，虽有独用同用之注，而其部分未尝改也。至宋景祐之际，微有更易，理宗末年，平水刘渊始并一百六韵为一百七。元黄公绍作韵会因之，以迄于今，于是宋韵行而唐韵亡，为音学之再变。……炎武潜心有年，既得《广韵》之书，乃始发悟于中，而旁通其说，于是据唐人以正宋人之失，据古经以正沈氏唐人之失，而三代以上之音，部分秩如，至赜而不乱，乃列古今音之变，而究其所以不同，……自是而六经之文乃可读，其他诸子之书，离合有之，而不甚远也。

他在军制论，以审名实为明流变之要旨，更为名贵之论，详见后节。

第五，重明古今史学。

他不但重在“六经之所指”，而且重在古今历史之递变，他说：

自宋以后，史书烦碎冗长，但问政理成败所因，及其人物损益，关于当代者，其余一切不问。……今史学废绝，又甚唐时。……今之论史者独取汉唐混一之事，三国六朝五代，以为非盛世而耻谈之。然其进取之得失，守御之当否，筹策之疏密，区处兵民之方，形势成败之迹，俾加讨究，有补国家。(《日知录》卷十七)

他以不重史学的人，斥之为“俗佞”，甚中当时空谈之病。“人不通古今，马牛而襟裾，心身陷不义。”（卷十九）

第六，重存疑，不盲从。

这在《日知录》中，如考证古书错简（卷七，《考次经文》)，如谓昔人所言兴亡祸福之故不必尽信(卷四，左氏不必尽信)，所以他的研究宁肯阙疑，而贬主观臆度，他说：

近代有好事者，刻九经补字，并属诸生补此书之阙，以意为之。……予至关中，洗刷元石，其有一二可识者，显与所补不同，乃知近日学者之不肯阙疑而妄作如此。（同上，卷十八）

第七，重虚怀广师。

亭林《日知录》之作，谓“平生之志与业皆在其中”，他时在修改增订中，常叹“向日之学不博”，虚怀若谷，老而益坚，他说：

今之为学，不可自小，又不可自大。……自小少也，自大亦少也。（同上，卷七）

时人之言，亦不敢没其人，君子之谦也，然后可与进于学。（同上，卷二十）

他为学不足，谦虚下怀的精神，正是一个学人的过人处，他又说：

人之为学，不日进则日退，独学无友，则孤陋而难成，久处一方则习染而不自觉。……若既不出户，又不读书，则是面墙之士。……子曰十室之邑必有忠信，如某者也，不如某之好学也。（《文集》卷四）

每次高谈无非方人之论。……《论语》二十篇惟公冶长一篇多论古今人物，而终之曰已矣乎，吾未能见其过而内自讼者也。……是则论人物者所以为内自讼之地，而非学之深则不能见己之过，虽欲改不善以迁于善而其道无从也。（同上）

因此，他在《文集·广师》篇，言当世在野的布衣可师之者甚多，以解放自己的孤陋与习染，他说：

学究天人，确乎不拔，吾不如王寅旭；读书为己，探赜洞微，吾不如杨雪臣；独精三礼，卓然经师，吾不如张稷臣；肃然物外，自得天机，吾不如传青主；坚苦力学，无师而成，吾不如李中孚；险阻备尝，与时屈伸，吾不如路安卿；博闻强记，群书之府，吾不如吴任臣；文章尔雅，宅心和厚，吾不如朱锡鬯；好学不倦，笃于朋友，吾不如王山史；精心六书，信而好古，吾不如张力臣（按张氏评亭林《音学五书》）。至于达而在位，其可称述者亦多有之，然非布衣之所得议也。（同上，卷六）

这是何等学人的胸襟！“广师”实难，自大不可也，自小又不可也，次耕所以“综贯百家上下千载”的通儒，给予亭林，颇称得体。

第八，重手脑并用。

亭林的经验方法还有一个特点，即不专门靠书本，而重在实践中检证，船山所谓先“甘苦自尝”者是。他的“修己治人之实学”，并不是后来乾嘉考据学流于一套玩物丧志的倾向所能继承，“当务之急”亦不是他所谓“传食于诸侯之文人”所能了解。他以为文人不做事，“华而不实”，说：

士农工商，谓之四民，其说始于管子。三代之前民之秀者，乃收之乡序，升之司徒，而谓之士，固千百之中不得一焉。太宰以九职任万民，五曰百工饬化，八材计亦无多人尔。武王作酒诰之书曰：“妹士嗣尔股肱，纯其艺黍稷，奔走事厥考厥长。”此谓农也。“肇牵车牛，远服贾，孝用养厥父母。”此谓商也。又曰：“庶士有正越庶伯，君子其尔典，听朕教。”则谓之三士者，大抵皆有听之人矣。恶有所谓群萃而州处，四民各自为乡之法哉？春秋以后，游士日多，齐语言桓公为游士八十人，奉以车马衣裘，多其资币，使周游四方，以号召天下之贤士。而战国之君，遂以士为轻重，文者为儒，武者为侠。呜呼，游士兴而先王之法坏矣！彭更之言，王子垫之问，其犹近古之意与？（《日知录》卷七）

亭林自己不仅这样说，而且还真正地实践他这个言论。我们在他的事迹中不是看到的么：他每到一处，定下来，不是种田，便是垦荒。并且他还不仅个人这样地干着，还邀了许多朋友也同样地干着，他说：

频年足迹所至，无三月之淹。友人赠以二马二骡，装驮书卷。所雇从役，多有步行，一年之中，半宿旅店，此不足以累足下也。近则稍贷赀本，于雁门之北，五台之东，应募垦荒，同事者二十余人，辟草莱，披荆棘，而立室庐于彼。然其地苦寒特甚，仆则遨游四方，亦不能留住也。彼地有水，而不能用，当事遣人到南方求能造水车碾水磨之人，与夫能出赀以耕者。大抵北方开山之利，过于垦荒，蓄牧之获，饶于耕耨。使我有泽中千牛羊，则江南不足怀也。(《文集》卷六,《与潘次耕书》)

从这里，我们看到，亭林和习斋的办法是一样的，决不做空头无用的士人，而的确做到“理论与实践”“劳心与劳力”的统一，并且亭林还历述古代圣王都不只是高高在上，而还是一般的从事劳动的，他说：

享天下之大福者，必先天下之大劳；宅天下之至贵者，必执天下之至贱。是以殷王小乙，使其子武丁旧劳于外。知小人之依而周之，后妃亦必服浣濯之衣，修烦缛之事；及周公遭变，陈后稷先公王业之所由者，则皆农夫女工衣食之务也。古先王之教，能事人而后能使人，其心不敢失于一物之细，而后可以胜天下之大。舜之圣也，能饭糗茹草；禹之圣也，而手足胼胝，面目黎黑。此其所以道济天下而为万世帝王之主也。况乎其不如禹舜者乎？（《日知录》卷七）

总之，他的方法论是“验物”“治事”，他游历遍华北，带着两马两骡，载上一个小图书室，犹之乎拿破仑出征随营的图书馆，并随地抄录材料，访问风俗，探寻真理。他的眼光放到历史、自然、人类、社会、民族的大环境中，这样解放了的亭林是确乎飞出中古封建的小鸟笼子，无怪乎开博学鸿儒科（康熙十七年）开明史馆（十八年）推荐他，他以速死身殉来抵抗，不但他不能辱身事仇，而且更不能再进那个变相八股的小笼子去的。博学鸿儒在那里著书乱真，他则反其道钞书，他说：

著书不如钞书。……凡作书莫病乎其以前人之书改窜而为自作也。班孟坚之改《史记》，必不如《史记》也，宋景文之改《旧唐书》，必不如《旧唐书》也，朱子之改《通鉴》，必不如《通鉴》也。至于近代而著书之文几满天下，则有盗前人之书而为自作者矣。故得明人书一百卷，不若得宋人书一卷也。（《文集》卷二）

康熙在那里著理学语录，亭林则在野外著《日知录》，所以他的《日知录》的书名，不但显示了方法论的时代自觉，所谓“日知其所无，月无忘其所能”，以与宋明以来的空虚独断相对立，而且标明出和满清的不合作精神，以保存民族的气节，《日知录》刻中多有删除（如今刻本“素夷狄行乎夷狄”一条有目无文），诗集中则更多窜改，（参看《四部丛刊》本与《蒋山佣钞本》诗集之异同。）且举他的笔名蒋山佣所著的一首诗于下（今本未刻）：

伤今已抱终天恨，追往犹为爱日欢。
忾若户前闻叹息，俨如堂上坐衣冠。
驯乌止树生多子，慈竹绿池长百竿。（所居石城门内有池有竹）
欲向旧京传孝友，当时谁得似丁兰？

他不做“驯乌”，而放身自然，以培植百竿长竹，为万世之泽以自况，诗意深长！中山先生以下的话，颇合亭林：

他们刚才结合成种种会党的时候，康熙就开博学鸿儒科，把明朝有知识的人，几乎都网罗到满洲政府之下。那些有思想的人，知道了不能专靠文人去维持民族主义，便对于下流社会和江湖上无家可归的人收罗起来，结成团体。……（《民族主义》第三讲）

第三节　亭林的社会思想

（一）他的民族思想

凡政治社会的前途认识，皆最具体的知识，这不论理性派与经验派，在十七世纪的设计都为一种憧憬或梦想，而重要的是研究：他们的梦想本身如何勇于对问题的提出（解决是另一件事），他们所提出的时代最棘手的问题是否同情于人民，他们的理想给予后代社会运动是什么可承继的传统，他们的政治道德怎样做了后代政治改革的启蒙作用。

复杂多面的社会问题，比较书本上的死文字，是更富于活的内容，一个伟大思想家只能够提出他所能够提出的问题，而不是卧在旧现实的说教中给旧的制度冠戴其神圣衣帽，这就值得我们高扬，清初学者的精神便在这里。

亭林在清初异族统治的环境中，背乡弃家，远游北方，正是所谓："天生豪杰，必有所任。……今日者，拯斯人于涂炭，为万世开太平，此吾辈之任也，仁以为己任，死而后已。"（《文集》卷三）他在书中常暗示当日的情形，不主张友人绝望自杀，说天下事变之来有不能尽预料者，可见他是在结合志士乘时而作，所以他明白地讲求明末豪杰之士的可能兴起：

积轻之势固不能有所树立，而变故萌生，难可意料，谁肯独创非常，建房琯之策者哉。虽然，符坚不过氐酋伪主，而其疏属尚有符登，诚得此论而用之，未必无一二才杰之士自兹而奋发也。（《文集》卷四）

梨洲老年不敢渡江，船山晚景局处瑶洞，亭林则比较积极，不愧一个足踏实地的经验主义者，他所以跑到陕西定居，据他说是因为：

秦人慕经学，重处士，持清议，实与他省不同。黄精松花，山中所产，沙苑蒺药，止隔一水，终日服饵，便可不肉不茗。然华阴绾毂关河之口，虽足不出户而能见天下之人，闻天下之事，一日有警，入山守险，不过十里之遥，若志在四方，则一出关门，亦有建瓴之便。（同上）

言外之意似有在此地举义的企望，更有一个当时现实的教训，即李自成张献忠以无智流寇竟能成席卷天下之局势，使亭林把复兴汉族的希望有所寄托于秦人，他是一个经验主义的行道者，这不能不使他去实地考查研究这一希望的可能结果。

亭林的民族思想，多表现在他的诗集里，学者可以作一个整理，这里我们抄他的一首诗来作例子，这首诗题目名之曰《精卫》，或者汪逆“少年头”，读过亭林的诗集，引而取名，然而我们现在读了这首诗，知道汪兆铭正吸收了精卫鸟儿的失败主义，而把终古无绝的信仰坚定心割弃，变节做了亭林先生所谓之燕鹊，飞到敌人的卵翼下“自成其巢”了。

精卫

万事有不平，尔何空自苦？

长将一寸身，衔石到终古。

我愿平东海，身沉心不改！

大海无平期，我心无绝时。

呜呼！君不见：

西山衔木众鸟多，鹊来燕去自成巢？

（二）他的社会思想的出发点

亭林与清初哲人相同，不但是民族的哲人，而且是历史的豪士，他们之间程度不等的近代思想，都富有民主主义启蒙的哲人精神，故亭林经世之学正所以经十七世纪“自身以至家国天下”之所当务，他说：

有亡国，有亡天下。亡国与亡天下奚辨？曰，易姓改号，谓之亡国；仁义充塞，而至于率兽食人，人将相食，谓之亡天下。……是故知保天下，然后知保其国，保国者其君其臣，肉食者谋之，保天下者，匹夫之贱，与有责耳矣。(《日知录》卷十三)

这是十七世纪人类对于世界的兴趣，如历史家威尔斯说的，朝代兴亡并不能范围着他们的理想了。亭林所谓“保国者其君其臣肉食者谋之”，仅指封建专制的私天下而言，不是指民族运动的保国，这是说明易姓改号的那种存亡变革不在他的最高正义心中了，而非具有社会理想与人民事业的前提，不配谈论新政治。匹夫有责的权利与义务观点，乃对于封建的抗议。

研究亭林的社会政治思想，只有从这里了解。因为在他的书中，对于社会制度风俗以及官制兵制的议论，颇似一位公法学者，然而我们认为十七世纪的思想家对于问题之解决远没有其对于问题之提出更为值得重视，这不是说研究问题着重了原则，轻视了方案，相反地正因为具体去认识时代思想，首先要知道，憧憬的世界观即在方案中亦是富有其思想的具体物，不论是以“法古用夏”而筹今，不论是以“封建”“郡县”的外貌而筹今，都合着具体的实指。不明白这一点，则无须乎我们研究思想史。

第一，亭林的社会对象是自有一个图景，这个图景是全般的人民事业，而不是事务主义的头足各自医病者所能达到，因此他怀疑当时封建在位的旧社会神经，他说：

引古筹今，亦吾儒经世之用，然此等事不欲令在位

之人知之，今日之事，兴一利便是添一害，如欲行沁水之转般，则河南必扰。开胶莱之运道，则山东必乱矣！(《文集》卷四)

他的社会图景，是一种理想，这在他的文献中最表示的明白入画，他是拿最通俗的两个字来达意，所谓“风俗”。他说：

日击世趋，方知治乱之关必在人心风俗，而所以转移人心整顿风俗，则教化纪纲为不可阙矣。百年必世养之而不足，一朝一夕败之而有余。(同上)

他的“风俗”论详见于《日知录》十三卷，所指范围至广，可以说是社会制度的代名词。如“秦纪会稽山刻石”条以婚姻制度言风俗，颇对于秦始皇置赞意。“周末风俗”，“两汉风俗”，“宋世风俗”，“清议”诸条的中心问题，都是以“民意”或舆论言风俗，以下各条或言道德，或言人才，或言家庭，或言吏风，或言迷信，或言产业，都为风俗内容。他所谓一切“自正风俗始”者，即社会制度的改革，从匹夫做起，以至“在于中人，理由习俗”，而朝代兴亡的关心是表面的。这里我们试举他言舆论为风俗的关键，研究他的社会图景原来是近代

“大宪章”里的“自由”。他说：

古之哲王所以正百辟者，……存清议于州里。……乡举里选，必先考其生平，一玷清议，终身不齿，君子有怀刑之惧，小人存耻格之风，教成于下，而上不严，论定于乡，而民不犯。……小雅废而中国微（按：变雅即古代的民主），风俗衰而叛乱作矣。……虽二帝之举措，亦未尝不询于刍荛，然则崇月旦以佐秋官，进乡评以扶国是，……王治之不可阙也。……天下风俗最坏之地，清议尚存，犹足以维持一二，至于清议亡，而干戈至矣。洪武十五年，……凡十恶，奸盗诈伪，干名犯义，有伤风俗，书其名于申明亭。……此前代乡议之遗意也。后之人认为文具，风纪之官，但以刑名为事，而于弼教新民之意，若不相关，无惑乎江河之日下已！（卷十三）

这是近代言论自由的启蒙思想，与梨洲的学校论相同，他的这种“清议”论，是以家国天下人民生活为对象，而不用“清谈”之名，清谈者，他认为“指礼法为流俗，目纵诞以清高”，不过是演说老庄之“玄风”，魏晋林下诸贤为之，足以亡国。（参看“正始”条）

他甚赞汉东京之风俗，“论世不考其风俗，无以明人主之功，余之所以斥周末而进东京，亦春秋之意”，然东京风俗是有什么特色呢，他说是清议：

光武尊崇节义，敦厉名实，莫非以明经行修之人，而风俗为之一变，至其末造，朝政昏浊，国事日非，而党锢之流，独行之辈，依仁蹈义，舍命不渝，风雨如晦，鸡鸣不已，三代以下风俗之美，尚无于东京者。故范晔之论，以为桓灵之间，君道秕僻，朝纲日堕，国隙屡启。自中智以下，靡不审其崩离，而权强之臣息其窥盗之谋，豪俊之夫屈于鄙生之议（原注，儒林传论），所以倾而未颓，决而未溃，皆仁人君子心力之为（原注，左雄传论）。可谓知言矣。（卷十三）

他论宋代的兴亡，亦归结于风俗，所指仍为以有否人民的谠论直言为转移。他说：

士大夫忠义之气至于五季变化殆尽。宋兴，……诸贤以直言谠论倡于朝，于是中外荐绅，知以名节为高，廉耻相尚，故靖康之变，志士投袂，起而勤王，临难不屈所在有之，及宋之亡，忠节相望！呜呼，观哀平之可以变而为东京，五代之可以变而为宋，则知天下无不可变之风俗也。

“人才兼南北，议论忘彼此”（他引陆游诗），是他的风俗论之中心思想，故他的社会图景亦好像是梦想着近代的大宪章。

第二，亭林有他的社会图景，更有他的社会必变的自觉，上面我们已经看出他说“天下无不可变的风俗”，风俗既指社会图景（“风俗者天下之大事图景”），则无异云天下无不可变的社会历史，这是哲人对于封建社会灭亡的预感（虽然因异族统治延迟了年代）。他说：

法不变不可以救今，已居不得不变之势，而犹讳其变之实，而姑守其不变之名，必至于大弊。（《文集》卷六，《军制论》）

封建之废非一日之故也，虽圣人起亦将变为郡县，方今郡县之制已极，而无圣人出焉，尚一一仍其故事，此民生之所以日弱，而益趋于乱也。（同上，卷六，《郡县论》）

这是经验主义者审名实的天才见解。因为旧社会的灭亡都是即自的到对自的发展，名在实亡之假象已经孕育着名实不一的矛盾，然而旧的恒常拖住活的，所谓

“讳其变之实，而姑守其不变之名”，大弊者莫过于死亡了。他虽然在论军制“其名然，其实变矣，而上下相与守之，至于极而因循不改”，但其道理正是他的风俗论之变革理论。这与船山“天下亦变矣”的命题相同其精神。

他认为亲亲尊尊长长可以不变，而文物制度则必衰而亡，变而革，其新陈代谢者，在政治上谓之“保民而王”，这犹带了“人道始”的人本主义要素。他说：

……圣人南面而治天下，必自人道始矣。立权度量，考文章，改正朔，易服色，殊徽号，异器械，别衣服，此其所以得与民变革者也。……自古帝王相传之统，至秦而大变。然而秦之所以亡，汉之所以兴，则亦不待谶纬而识之矣，不仁而得天下，未之有也，此百世可知者也，保民而王，莫之能御也，此百世可知者也。（《日知录》卷七）

在上面，他反对了秦汉学者的旧史观，如五德三统的谶纬说（参看船山章），而建立了“明古今之变，而究其所以然”的推理史观。他的大前提便是人道为始的人民生活，所谓“而其大者，人民乐业而已”。（《文集》

卷一）

第三，近代学者有一个基本特色，即把未来社会的人类生活原则，假定而为人类性的自然观，中外相似其思维合则性。船山虽然有“性日生”的存存不息人类性观，但到了具体的问题，则把自私心强调（参看第一章），亭林在这一点更为明白，认自私心为常情，而本质上企图为个人的解放，以反对中古的灭欲说，他云：

天下之人各怀其家，各私其子，其常情也。为天子，为百姓之心，必不如其自为。……圣人者，因而用之，用天下之私，以成一人之公。（《文集》卷一）

聪明的读者，不要以为这一自私自为即社会福利之命题，是应怀疑的，要知道这是古老封建的反命题，它是进步的思想。所谓自私自为，仅对于产业活动而言，在规定的问题内仅是经济的，而非超经济的，因为超经济的权力贪鄙，正是古老封建的特性，一切启蒙学者都在廉洁意义之下呼号，亭林亦然（见后），明白了这个规定的问题，我们就知道亭林以下的话作何解释了。

夫使县令得私其百里之地，则县之人民皆其子姓，县之土地皆其田畴，……县之仓廪皆其囷窌，为子姓则必爱之而勿伤，为田畴则必治之而勿弃，为藩垣囷窌则必缮之而勿损。自令言之，私也，自天子言之，所求乎治天下者如是焉止矣。一旦有不虞之变，必不如刘渊石勒王仙芝黄巢之辈，横行千里，如入无人之境也；于是有效死勿去之守，于是有合纵缔交之拒，非为天子也，为其私也，为其私所以为天子也。故天下之私天子之公也。（同上）

亭林以上的立论，是以县为一单位，把县令看做家主，县的财产看为一县的私有，县的人民看为一个家庭的成员，发展一县的私产，使人民自爱其私产而无以私产为虑。实在讲来，他的立论的出发点，第一，着重了封建的“经济外强制”，人民没有自爱其私的保障，这是近代财产自由，财产神圣之所以为市民学者首倡的根由。明末官田庄田以及横征暴敛，折银搜括，清初学者皆一致以为“人民逃亡以有田为害”，成为一般的危机（再生产之不可能），亭林此论正是私产保障自由的进步理想，不过他以县令之私说明罢了。第二，封建末期再生产之不可能，就在于一方面经济的人权不能自为，而另一方面超经济的权力无限欲为，这是近代绝对的自私心概念所以提出的理由，关于后者，亭林与其他学者相同，盛倡廉洁政治，而评当时“燕歌赵舞，观者忘疲，若类之风雅则罪人矣”（“重厚”条），“士大夫无耻，是谓国耻”（“廉耻”条），他的“行己有耻”的号召，即由此出发，故在《日知录》“名教”条说：

司马迁作《史记·货殖传》谓：自廊庙朝廷，岩穴之士，无不归于富厚，等而下之，至于吏士，舞文弄法，刻章伪书，不避刀锯之诛者，没于赂遗。而仲长统核赋谓：倮虫三百，人最为劣，爪牙皮毛，不足自卫，唯赖诈伪，迭相嚼啮，等而下之，至于台隶僮竖，唯盗唯窃。乃以今观之，则无官不赂遗，而人人皆吏士之为矣，无守不盗窃，而人人皆僮竖之为矣。自其束发读书之时，所以劝之者，不过所谓千钟粟，黄金屋，而一旦服官，即求其所大欲，君臣上下，怀利以相接，遂成风流，不可复制。（卷十三）

关于经济的产业行为，亭林则自信其自私自为的立说，只要田畴仓廪有保障，人民即效死不去，人民富有则国亦富有，含有亚旦斯密斯“国民之富”的意义，他说：

今天下之患，莫大乎贫，用吾之说，则五年而小康，十年而大富。且以马言之：天下驿递往来以及州县上计京师，白事司府迎候上官，递送文书及庶人在官所用之马，一岁无虑百万匹，其行无虑万万里，今则十减六七，而西北之马骡不可胜用矣。以文册言之：一事必报数衙门，往复驳勘必数次，以及迎候生辰拜贺之用，其纸料之费率取诸民者，岁不下巨万，今则十减七八，而东南之竹箭不可胜用矣。他物之称是者不可息数。且使为令者得以省耕敛，教树畜，而田功之获，果蓏之收，六畜之孳，材木之茂，五年之中必当倍益。从是而山泽之利亦可开也。夫采矿之役，自元以前岁以为常，先朝所以闭之而不发者，以其召乱也。譬之有窖金焉：发于五达之衢，则市人聚而争之，发于堂室之内则唯主人有之，门外者不得而争也。今有矿焉，天子开之，是发金于五达之衢也；县令开之，是发金于堂室之内也。利尽山泽而不取诸民，故曰，此富国之莢也。(《文集》卷一)

（三）他的经济思想

亭林的国富论即国民之富，只有在废除超经济的任意剥夺，而令各自为于经济的自私生产，始有“富国之荚”，他开矿“唯主人有之”的私有比喻，实在即财产神圣的意味。而他的县令单位制则和他的拥护氏族组织相关联，颇像凯约的“经济表”（重农学派的经济理论），把资本的流通放在封建农村的框子里去发挥，其内容反而是新的市民的要求，亭林则把地方自治的理想放在过时的氏族框子里去发挥，内容与表面的不一致，正是一般十七世纪以来思想家的特色，说明了旧的与活的之盘根错节关系。启蒙运动之所以然，主要是提出有新的内容之问题，他的问题之解决法常是不脱离已死的形式。钱穆谓亭林有地方自治的思想，语甚正确，惜未明白其道理。

亭林的经济思想，亦和重农主义有相似点，即农业的再生产，惟法国重农主义重视货币的流通，而研究扩大的再生产，而他则重视经济外强制的流毒，研究单纯的农业再生产，这是货币资本发达有异的历史所使然。亭林的时代，都市经济虽然发达，但既感发达之苦，又感发达不足之苦，“旧的拖住活的”，同时赋税折银，作为货币经济的银币成了一个当时的大问题，银币集中于都市是一个问题，而集中于都市的“不生产阶级”（Classe Speril，重农学者的用语），是真的不参加生产的人，而非重农学派所指的市民，又为另一问题，这样的，清初学者皆感到“天下荒荒求银，而银已竭”之现象的货币经济发展不足，反而成为农村经济的恐慌，故他说：

……丰年而卖其妻子者，唐宋之季所未常有也。往在山东见登莱并海之人，多言谷贱，处山僻不得银以输官。今来关中，自鄠以西，至于岐下，则岁甚登，谷甚多，而民且相率卖其妻子。至征粮之日，则村民毕出，谓之民市。问其长吏，则曰一县之鬻于军营而请印者，岁近千人；其逃亡或自尽者，又不知凡几也。何以故，则有谷而无银也，所获非所输也，所求非所出也。夫银非从天降也，卝（古矿字）人则既停矣，海舶则既撤矣，中国之银，在民间者，已日消日耗；而况山僻之邦，商贾之所绝迹，虽尽鞭挞之力以求之，亦安所得哉？故谷日贱而民日穷，民日穷而赋日诎。逋欠则年多一年，人丁则岁减一岁，率此而不变，将不知其所终矣！（《文集》卷一，《钱粮论上》）

因此，亭林本着农民的利益，对于租税，反对征银

(《日知录》有考历代的钱币诸条，可参证)。他主张在不通商贾的地方，最好还是征谷物，若不得已则征十分之三的钱。他说：

先王之制，赋必取其地之所有，今若于通都大邑，行商麇集之地，虽尽征之以银，而民不告病，至于遐陬僻壤，舟车不至之处，即以什之三征之，而犹不可得。以此必不可得者病民，而卒至于病国，则曷若度土地之宜，权岁入之数，酌转般之法，而通融乎其间，凡州县之不通商者，令尽纳本色，不得已以其什之三征钱，钱自下而上，则滥恶世无所容而钱价贵，是一举而两利焉。无蠲赋之亏，而有活民之实，无督责之难，而有完逋之渐，今日之计，莫便乎此。(同上)

同时亭林还历数使用银币的坏处，道：

愚尝久于山东，山东之民无不疾首蹙额，而诉火耗之为虐者。独德州则不然，问其故则曰：州之赋二万九千，二为银八为钱也。钱则无火耗之加，故民力纾于他邑也。非德州之官皆贤，里胥皆善人也，势使之然也，钱重而难运，银轻而易赍，难运则少取之而以为多，易赍则多取之而犹以为少，非唐宋之吏多廉，今之吏贪也，势使之然也。然则银之通，钱之滞，吏之宝，民之贼也。……有两车行于道，前为钱，后为银，则大盗之所睨，常在其后车焉。然则岂独今之贪吏倍甚于唐宋之时，河朔之间，所名为响马者，亦当倍甚于唐宋之时矣。(《钱粮论下》)

关于农民之流亡到都市，在亭林认为这是一个极不好的现象，影响农业的再生产。他说：

人聚于乡而治，聚于城而乱。聚于乡则土地辟，田野治，欲民之无恒心，不可得也。聚于城，则徭役繁，狱讼多，欲民之有恒心，不可得也。(《日知录》卷十二)

在这里，他一方面说明“人聚于城”是不好的现象，另一方面他又说明了要“民之有恒心”，则在于“土地辟，田野治”，是在于要有恒产，生活获得改善。从这个意思出发的亭林还认为贫富悬殊过甚，也是一种极不好的现象。他说：

民之所以不安，以其有贫有富；贫者至于不能自存，而富者常恐人之有求而多为吝啬之计，于是乎有争心矣。(同上，卷四)

亭林是一个重农主义者，所以他认为国家要富强，则莫若务农。他说：

天下之大富有二：上曰耕，次曰牧。国亦然，秦杨以田农而甲一州，乌氏桥姚以畜牧而比封君，此以家富也。弃颍粟而邰封，非子蕃息而秦胙，此以国富也。事有策之甚迂，为之甚难，而率可以并天下之国，臣天下之人者，莫耕若，尝读宋魏了翁疏，以为古人守边备塞，可以纾民力而老敌情，唯务农积谷为要道。……（《文集》卷六，《田功论》）

总之，他的经济思想的前提，是自由经济与私有恒产，他的经济政策的要点，是农业再生产，而都市与货币所以成为他攻击的对象者，是因为当时经济发展之不足，故没有像重农学派的市民意识，而趋向于小生产者的乌托邦——氏族基础废墟上的农村自然乐园。

（四）他的政治思想

亭林的政治思想极富近代民主的内容，他好像是一位公法学者的研究态度，凡公法学上的问题，国家组织，行政系统，公权行使，民意机关，都有他的主张，“援古筹今”，在这一点他比梨洲更实际些。他读了梨洲的

《明夷待访录》，给梨洲一信，推崇备至，谓“百王之敝可以复振，而三代之法可以徐图”，故他的政治思想原则很多与梨洲暗合。他对于君主的解释，是近代的虚君思想，主张人民公权的施行，所谓“保天下匹夫之贱有责”，他说：

所谓天子者，执天下之大权者也，其执大权奈何？以天下之权寄天下之人，而权乃归之天子。自公卿大夫至于百里之宰，一命之官，莫不分天子之权，以各治其事，而天子之权乃益尊。(《日知录》卷十二)

好一个“所谓”的用语！天子一物，居然以“所谓”冠之。

这和他论经济相似，原则上是言人人自私自为，方案则云县令（地方官吏）应自私一县，同样地，原则上是言“以天下之权寄天下之人”，方案则云守令亲民之官应有分权。这亦毫不奇特，因为清初的思想家，有些主张恢复古代的“封建”制度。他们所以要恢复“封建”的原因，就是为了要削弱天子的权限，认为天子的权柄不应该操之过大。换句话说，也就是在那里反对君主专制。至于亭林，他虽不主张复“封建”，但主在实行郡县制之中，应含“封建”之意。他说：

知封建之所以变而谓郡县，则知郡县之敝而将复变。然则将复变而为封建乎？曰不能。有圣人起，寓封建之意于郡县之中，而天下治矣。(《文集》卷一，《郡县论一》)

他的主张的理由，并不在名词上的“封建”或“郡县”，而是他的地方自治论，政权在人民罢了，他说：

……方今郡县之敝已极，而无圣人出焉。尚一一仍其故事，此民之所以日贫，中国之所以日弱而益趋于乱也。何则？封建之失，其专在下；郡县之失，而专在上。古之圣人，以公心待天下之人，胙之土而分之国。今之君人者，尽四海之边为我郡县，犹不足也。人人而疑之，事事而制之，科条文簿，日多于一日；而又设之监司，设之督抚，以为如此，守令不得以残害其民矣。不知有司之官凛凛焉救过之不及，以得代为幸，而无肯为其民兴一日之利者，民乌得而不穷，国乌得而不弱？率此不变，万千百年而吾知其与乱同事，日甚一日者矣。然则尊令长之秩，而予之以生财治人之权，罢监司之任，设世官之奖，行辟属之法，所谓寓封建之意于郡县之中，

而二千年以来之敝可以复振，后之君子，苟欲厚民生强国势则必用吾言。（同上）

他的意思是“其专在上”的专制君主是应变革的，故云：

后世有不善治者出焉，尽天下一切之权而收之在上，而万几之广固非一人所能操也。而权乃移于法，于是多为之法以御防之，虽大奸有所不能逾，而贤治之臣亦无能效尺寸于法之外。……于是天子之权，不寄之人臣（意即人民），而寄之吏胥。……守令无权，而民之疾苦不闻于上，安望其致太平而延国命乎？……守令贤而民事理，此今日之急务也。……

辟官莅政理财治军，郡县之四权也，而今皆不得以专之。……是以言莅事而事权不在于郡县，言兴利而利权不在于郡县，言治兵而兵权不在于郡县，尚何以证其富国裕民之道也哉！必也复四者之权，归于郡县，则守令必称其职。国可富，民可裕，而兵农各得其业矣。（《日知录》卷九）

故他的守令四权论，正指地方权力。在中国古代一个特殊的用语“封建”的外衣内，反对了中古封建专制的民无公权君有私法。因为天子私天下，官制不是建立于人民的福利上，而是为了防变故除异心，“多设监司，重立牧伯，积重累重”莫非互相牵制。（《日知录》卷八）故他对于封建官僚制度痛斥无遗，谓“无官不赂遗，无守不盗窃”，甚至他引墨子异端之言云：

诚如墨子所云，使治官府则盗窃，守城则倍畔；使断狱则不中，分财则不均。（同上，“人才”以下各条多同义语）

因此，他非议生员制度，把生员认为无益于人民的豪绅官僚寄生所，一天一天地养成繁殖，一天一天地苦害人民。他说：

国家所以设生员者何哉？盖以收天下之才俊子弟，养之于庠序之中，使之成德达材，明先王之道，通当世之务，出为公卿大夫，与天子分猷共治者也。今则不然：合天下之生员，县以三百计，不下五十万人，而所以教之者，仅场屋之文，然求其成文者，数十人不得一。通经知古今可为天子用者，数千人不得一也，而嚣讼迩颀以病有司者比比皆是。上之人以是益厌之，而其待之也日益轻，为之条约也日益苛，然以此益厌益轻益苛之生员，而下之人犹日夜奔走之如骛，竭其力而后止者何也？一得为此，则免于编氓之役，不受侵于里胥，齿于衣冠，得以礼见官长，而无笞捶之辱，故今之愿为生员者非必其慕功名也，保身家而已。以十分之七计，而保身家之生员，殆有三十五万人。此与设科之初意悖，而非国家之益也。人之情孰不为其身家者？故日夜求之，或至行关节，触法抵罪，而不止者，其势然也。今之生员以关节得者十且七八矣，而又武生奉祀生之属，无不以钱鬻之。夫关节朝廷之所必诛，而身家之情，先王所弗能禁，故以今日之法，虽尧舜复生，能去在朝之四凶，而不能息天下之关节也。(《文集》卷一,《生员论上》)

废天下之生员，而官府之政清，废天下之生员，而百姓之困苏，废天下之生员，而门户之习除，废天下之生员，而用世之材出。今天下之出入公门以挠官府之政者生员也，倚势以武断于乡里者生员也，与胥吏为缘，甚有身自为胥吏者生员也，官府一拂其意则群起而哄者生员也，把持官府之阴事而与之为市者生员也。……故曰废天下之生员而官府之政清也。天下之病民者有三，曰乡官、曰生员、曰吏胥，是三者，法皆得以复其户，而无杂泛之差，于是杂泛之差，乃尽归于小民。今之大县至有生员千人以上者比比也，且如一县之地有十万顷，而生员之地五万，则民以五万而当十万之差矣；一县之地有十万顷，而生员之地九万，则民以一万而当十万之差矣。民地愈少，则诡寄愈多，诡寄愈多，则民地愈少，而生员愈重，富者行关节以求为生员，而贫者相率而逃且死，故生员之于其邑人，无秋毫之益，而有丘山之累，然而一切考试科举之费，犹皆派取之民，故病民之尤者生员也，故曰废天下之生员而百姓之困苏也。天下之患莫大乎聚五方不相识之人而教之使为朋党，生员之在天下，近或数百千里，远或万里，语言不同，姓名不通，而一登科第，则有所谓主考官者，谓之座师，有所谓同考官者谓之房师，同榜之士，谓之同年，同年之子谓之年侄，座师房师之子谓之世兄，座师房师之谓我谓之门生，而门生之所取中者谓之门孙，门孙之谓其师之师谓之太老师，朋比胶固，牢不可解，书牍交与，道路请托，偏于官曹，其小者足以蠹政害民，而其大者至于立党倾轧，取人主太阿之柄而颠倒之，皆此之繇也，故曰废天下之生员而门户之习除也。(同上,《生员论中》)

据亭林所言，生员“朋比胶固，牢不可解”的官僚系统，实在是封建的宗法传统，故他说当时“官有封建”（此封建指古代宗法），此点清初学者如朱舜水亦有同样的分析（见后），这些寄生者的弊害，亭林所云，即封建的超经济的剥削，其所谓关节钱鬻即指黑暗的无法。他主张废生员，即废除封建官制，他的积极方案，是尊重人才的选举制度，《日知录》卷八、九与《文集》详言之，他首先说：

宋叶适言，法令日繁，治具日密，禁防束缚，至不可动，而人之智虑，自不能出于绳约之内，故人才亦以不振。（《日知录》卷九）

这是对封建制度束缚个性的最透彻话。上面我们已经知道他所谓之风俗论，是以“清议”自由为中心，此略具近代的大宪章精神，乃针对束缚个性的绳约而为解放之法。他在风俗论上，倡议民意，在制度论上，便主张人才的荐举，这是自然的推论。他说：

士有恬退滞淹，或孤塞遗逸，岂能周知？若专引知识则嫌于私，若止循资序，未必皆才。若使有位达官，各举所知，然后克叶至公，野无遗贤矣。……善乎子夏

之告樊迟也，曰："舜有天下，选于众，举皋陶，不仁者远矣，汤有天下，选于众，举伊尹，不仁者远矣。"（同上）

因此，他的选举制度是含着近代的原则，虽没有卢梭《民约论》的三权说，而所言则指三权的倾向，因为他说：

取士之制，其荐之也，略用古人乡举里选之意，县举贤能之士，间岁一人。……夫天下之士，有道德而不愿仕者，则为人师，有学术才能而思自见于世者，其县令得而举之，三府得而辟之，其亦可以无失士矣。（《文集》卷一，《郡县论九》）

他所言选举的组织法，亦有启蒙价值，他说：

用辟举之法，并存生儒之制，天下之人……皆得举而荐之于朝廷。……仿唐人郡县之等，小郡十人，等而上之，大郡四十人而止，小县三人，等而上之，大县二十人而止。约其户口之多寡，人才之高下，而差次之，有阙则补，而罢岁贡举人之二法。其为诸生者选其通隽，皆得就试于礼部。（《文集》卷一，《生员论下》）

亭林的"天下之人皆得举而荐之"原则，及其按人口推举的组织法，在十七世纪是一个大胆的形式建议。

他所言补选者仍为行政与司法的亲民之官，而与立法混合，但他论风俗则已有立法舆论的萌芽思想，如《日知录·艺文篇》曾怀疑孔子，他说：

天下有道，则庶人不议，然则政教风俗，苟非尽善，即许庶人之议矣。故盘庚之诰曰：无或敢伏小人之攸箴，而国有大疑，卜诸庶民之从逆。子产不毁乡校，汉文止辇受言，皆以此也。唐之中世，此意犹存。鲁山令元德秀遣乐工数人，连袂歌于荐，元宗为之感动；白居易为盩厔尉作乐府及诗百余篇，规讽时事，流闻禁中；宪宗召入翰林，亦近于陈列国之风，听舆人之诵者矣。

近代的民主思想，是有各种不同的形式平等之程度，有各种和旧制相纠葛的解决路径，但愈越出古旧朽腐制度的改良（如法兰西），愈近于典型，而愈和中古制度相妥协，愈走入自由主义（如东欧）。十七世纪的亭林，正在启蒙时代，新的曙光将现，即遭外族的侵凌，故在理想上更可能成为远景的，而几千年的旧制传统根深蒂固，在路径上则更可能和农村公社结缘，如帝俄的“米尔”之于民粹思想。亭林的氏族基础论以及寓“封建”宗法于郡县（即地方官吏世袭）论，是一个特色。《日知录》卷二十三、二十四有氏族考，详论古代制度，其他诸条如卷六“爱百姓故刑罚中”条，对于“宗子次于君道”深致向慕，《文集》中亦常着重氏族组织的宗法论（如原姓论），这亦不是“书生之见”（钱穆先生评），而是思想家的历史局限。宗教改革时代之上帝新诠，在中国则为先王新诠，亭林尽其通经之能事而解释三代先王。国民统一时代之农村公社新释，在中国则为宗法新释，亭林的氏族宗法的理论实为代表。我们择举他的要点如下：

有明之初，风俗淳厚，而爱亲敬长之道达诸天下，其能以宗法训其家人而立庙以祀，或累世同居称之为义门者亦往往而有。……至于今日，而先王之所以为教，贤者之所为俗，殆澌灭而无余矣。(《文集》卷五,《华阴王氏宗祠记》)

自治道愈下，而国无强宗，无强宗，是以无立国，无立国，是以内溃外畔，而卒至于亡。然则宗法之存非所以扶人纪而张国势者乎！……汾阴之薛凭河自保于石虎符坚割据之际，而未尝一仕其朝，猗氏之樊王举义兵以抗高歌之众。……唐氏族之有关于人国也如此。……予尝览山东河北，自兵兴以来，州县之能不至于残破者多得之豪姓大族之力，而不尽恃乎长吏。……周官太宰以九两系邦国之民，五曰宗以族得民。……夫不能复封建之治，而欲借士大夫之势以立其国者，其重氏族哉，其重氏族哉！（同上，《裴村记》）

因此，他的寓封建于郡县说，便主张于地方官吏设立世官，私其一县之土地人民，这样他说土地生产因自爱自私，可以发展，若遇外患，因自私其家族土地，则可以合族抵抗有效。亭林的自私说已见前述，别含道理，而他的氏族论除了民粹式的反动梦想外，还因了当时抗清的力量散漫无组织，使他注意于中国的旧宗法血统力量，从而由种族推想到古代的氏族宗法，做反清的号召，寓意亦至曲折。

第四章　近代世界的预言者颜习斋（附李恕谷）

第一节　习斋的新世界观

颜习斋名元，又号浑然，生明崇祯八年，卒清康熙四十三年（一六三五——一七〇四年），河北省博野县人，是中国十七世纪思想史中的一支异军。他对于理学的反动，比王、顾、黄三儒更加毫无保留。按船山的学旨是诉诸理性，亭林的学旨是诉诸经验，梨洲是折中理性与经验二者，开启历史学的先河，他们在时代精神上是宋明理学的异端，但都在形式上而论，保留着理学余拔，船山亭林形式上左袒程朱，梨洲形式上左袒阳明。习斋不然，对于宋以来理学家，一璧推翻，没有一丝形式上的保留。亦有人谓习斋攻程宋特甚，与阳明有传统渊源，是不然，可看“评王学质疑”，习斋亦谓“阳明近禅处比朱子尤多，所谓与贼通声者”(《存人编》卷二)，常朱陆并提，或程朱与陆王并提，肆意讽刺，比之为异端之杨墨，比之两派皆杀人，不欲辨其高下，反之，他没有如船山亭林在文字上犹尊程朱，梨洲在文字上犹尊王刘那样，而赞扬过阳明，他仅以宋之胡文昭、陈文达、张横渠，明之韩苑洛、杨忠愍还明一些道理。他说：

初求之陆王无所得，继求之程宋无所得。……反求之孔孟，则与学王陆程朱……静敬者相左。(《习斋记录》卷三,《与李介石书》)

今何时哉！普地昏梦，不归程朱，则归陆王，而敢别出一派，与之抗衡……熄杨墨著孔道……如昔人者乎？（同上,《寄钱晓城书》)

复次，有人因习斋主功用，以为似实验主义，这亦似是而非。按他重“习”，多指实际事物的制造与证验，而却没有详言经验主义的法宝，归纳法的方法论，如亭林之治学精神；他重事理、物理，指事物的条理，而却没有详言理性主义的知识论，如船山之治学精神。他的论点，异常素朴，仅在于科学意义的专门职业，故他的知识论，不是哲学“理论的”，或范畴本身研究的，亦不是历史“分析的”或流变发展研究的，而是导出一个属于科学知识的世界，那里，如他所常举的例证，医生的临床，兵士的战争，交通工人的筑路，水手的掌舵，农夫的种田，裁缝的成衣，以至艺术家的制乐，法律学者的造法，不是技术便是艺术，所谓“六艺”的旧瓶装新酒。

这个新世界最简洁的提出者，是颜习斋，因此，对于过去理学家所看到的世界，最简洁的以“镜花水月”（见后）攻击者，亦是颜习斋。人类的历史，亦如人类的嗜尚，是有惰性的，人类不但会制作历史，而且还会在另一方面伪撰历史，后者使要制作的新东西，在朽腐的东西前面，感觉旧世界为神圣不可侵犯的。因此，一个新人物所提出的反命题，常是主词不变，而以相反的述词代替旧的述词，其实主词已经另作解释了。例如“神在天上”，泛神论者与宗教改革者，不变主词，仅变反面的述词，说“神在地下”，“神在人性中”；例如“善德和自私的恶德不两立”，近代经济学的先行者，同样地说，“善德即恶德”。命题应用到行为方面亦然，中古是以《圣经》作教条看，但近世初期文学家都是以《圣经》的文句发挥浪漫主义；中古的耶苏圣像是审判农奴时法庭里庄严的偶像，但一九〇五年俄国流血战争时，却由一个牧师把耶苏的圣像高举在示威游行的群众前面。凡此都是主词不变而改变相反的述语。这是不是矫枉必须过正呢？不是的，这正是转变时代的讽刺画历史，凡主词大约都是旧时代的神圣物，人类在这时代，站在神圣物前面，同时又站在他的后面，背后的内容讽刺了面前的形式，客观的历史意义如此。至于旧形式的不可侵犯性，时代里面的风云人物，都很聪明，保守者固然可以不侵犯托出“合法”，进取者则亦以不可侵犯托出“不合法”，然而不可侵犯之下的分水岭就在合法与不合法。明白了这个道理，习斋的新世界才有具体意义。他的反命题是由“天理在先天”，变为“天理在手中”，因而导出新世界的反命题。

任公先生很高扬阎百诗的《古文尚书疏证》，认为他把古文《尚书》证成伪书，有如否认上帝的价值。按宋以来所怀疑的古文《尚书》，有时代的研究意义，但这意义甚狭，不能代表了整个新世界，故在百诗的世界观上是不能如此恭维，而且历史亦没有这样简捷明快，一来就能把上帝否定了，而是有讽刺时代的曲线的。反之，习斋信古文《尚书》，然这不妨碍他对于旧世界的讽刺，与其新世界观的提出，习斋所谓“伪亦无妨”。若仅限于这个狭隘问题，则今文《尚书》中大诰以前者亦秦汉之伪，亦犹是旧世界的根据，习斋所谓：“今与之辨书册之真否，著述之当否，是彼为有弊之程朱，而我为无弊之程朱耳，不几揭衣而笑裸，抱薪而救火乎！”这不是说习斋轻视辨伪是对的，而是说他更说到一个中心——辣手的问题，即什么是我们的世界。故他接着说：

仆读四书诸经亦有正误偶笔，然不欲成书，示人尤而效之也。……有志斯道，……则如禹之终身司空，弃之终身后稷，皋之止专刑，契之止专教而已，皆成其圣矣；如仲之专优治赋，冉之专优足民，公西之专优礼乐，而亦各成贤矣，更不必分心力读一书著一说，斯为真儒之学，而苍生被泽矣。（《习斋记余》卷三，《寄钱晓城书》）

这样看来，他的新世界是一个近代式专门分工的事物界，而反乎把一切知识技艺附庸于空虚教条的虚灵界。

但任公的那一段崇赞百诗为“三百年学术解放的第一功臣”的话，却值得介绍，在习斋身上讲起，他说：

学问之最大障碍物，莫过于盲目的信仰，凡信仰的对象，照例是不许人研究的。造物主到底有没有，耶苏到底是不是人，这些问题，基督教徒敢出诸口吗？……若使做学问的都如此，那么，更无所谓问题，更无所谓研究，还有什么新学问呢？新学问发生之第一步，是要将信仰的对象一变而为研究的对象。……（《中国近三百年学术史》，六九页）

上面所言，大体上是研究近世思想的常识，惟亦更有详细根究的地方而为任公所不能理解者。在近世初期，怀疑不就是问“造物主有没有”，而首先问的是造物主在那里，做什么？其次，疑问亦不是一个完全的怀疑主义，反之，在那个时候，怀疑之外，都是有另一个绝对性的信仰，绝对性的世界观，启蒙学者与十七世纪前后的人物，都无例外地把新将到来的一个历史过程，认为是一个绝对合理的万年乐土，在当时可谓之“信仰将来，信仰人民”，最为进步的思维活动。这里，我们把宗教改革的思想先讲一讲便明白了。

中世纪是从粗野原始时期发展而来，它扫除了古代的文化，仅从古代世界保留下唯一的基督教和失掉文明的城市，结果僧侣得到知识教育的垄断，一切渗透了神学，举凡科学、法律、哲学，都在教条之下作为俘虏。宗教改革，首先攻击的是教会，不是攻击造物主，在他们的哲学理论中，传布一种泛神论（Pantheism），圣灵即是我们的理性，上帝和人类一样的。他们引经据典证实新世界不是超经济的盗劫，而是人与人间交易的平等，这里就是绝对的信仰。他们在不可侵犯的造物主外衣之下，主观上是“复活”，客观上是“讽刺”。

习斋没有师承，他与其说是北方之强（河北博野人），毋宁说是在那时没有濂洛与浙东的严格门户。孟子说：“南方之学者非先王之道，北学于中国，北方之学者未能或之先也。”习斋在当时，也可以说河北武人，非先王之文道，南学于性理，南方之学者未能或之左也。所以，宗教改革时代，《圣经》皆为孟彩尔的注脚，习斋亦甚赞“六经皆我注脚”的象山话。他对于将来的世界有一个敏感，说不是“文”的世界了，代替而兴的，非趋于“实”即趋于“野”，他说：

> 文盛之极则必衰，文衰之返有二：一是文衰而返于“实”，则天下厌“文”之心，必转为喜“实”之心，乾坤蒙其福矣。……一是文衰而返于“野”，则天下厌“文”之心，必激为灭“文”之念，吾儒与斯民沦胥以亡矣。如有宋程朱党伪之禁，天启时东林之逮狱，崇祯末张献忠之焚杀，恐犹未已其祸也。而今不知此几之何向也？易曰：“知几其神乎！”余曰，知几其惧乎！（《存学编》卷四）

这里，他所指的“文”，是当时的形式教条。（一）书的教条，所谓“历代君相以爵禄诱天下于章句浮文之中”，“率古今之文字，食天下之神智”，他喻读这样的教条为吞砒。（二）虚文道文，所谓“人人禅子，家家虚文”，指宋朱子教人半日静坐，半日读书，无异于半日当和尚，半日当汉儒。（三）无用儒生，他尝讥白面书生，为柔弱女子，不能强身，反以害人，他们是“时文”的呻吟者，亦是些教条与谄媚的执行者，他说“为治去四秽，时文也，僧也，道也，娼也”，甚至谓“朱子是圣学之时文”。（四）章句训诂，他以为训诂、清谈、禅宗、乡愿四者，谓宋儒兼而有之。

因此，他把中古的旧教条制度是拿一“文”字来代表了。他所指的转变之机，是有两种路径，一种是历史的顺利前途，即返“文”于“实”，从他所谓“文墨世界”变为“事物世界”，谓“德、行、艺曰物，不微诸物，非德非行非艺也”。后者便是他的新世界观，所谓“乾坤蒙其福”的绝对信仰。一种是历史的悲剧，这一前途，他说不是在“转”，而在“激”，激荡必是出于非法的冲突（如孟子云“今夫水，激而行之，可以在山”）。这一方面，产生了他所指的宋明专制政府的毁“灭”文明，封建危机时代的极端反动（纳粹的毁灭科学，野蛮战争，亦同此理），而如其他中古世界，一切古代文明扫除净尽，回归“野”蛮；另一方面他指出了一个更可“惧”的杀几，即农民叛乱，所谓“张献忠之焚杀”。他在以上两种路径前面怀疑着，说“不知此几之何向？”历史太严酷了，正没有照他的理想顺利地去“转”，而却反照他所忧惧的路程去“激”，在他死后不久乾隆的野蛮政策大大横行，稍后便是洪杨的农民叛乱。中山先生说：

到了乾隆时代，把史书都要改过，……凡是关于记载满洲匈奴鞑靼的书，定为禁书，……不准人看。因为当时违禁的书，兴过了好几回之后，中国的民族思想，保存在文字里头的便完全消灭了。到了清朝中叶以后，会党中有民族思想的，只有洪门会党。当洪秀全起义之时，洪门会党多来相应，民族主义就复兴起来。(《民族主义》第三讲)

自然，我们不能要求习斋明白近代的民主运动，但他的理想则是只有到了十九世纪末叶，中山先生才领导了中国农民，才在民治民有民享口号之下，拉着火车头开进新世界。

上面我们已说明了思想上时代的反命题，主语不变，述语反变之道理。现在我们看习斋的反命题所提出之新世界。按宋儒以来的道统观，言孔孟之道绝而不传，至宋周程始“续乎千载不传之绪”(朱子《中庸章句序》)，例如朱子说：“邹孟氏没而圣人道不传，世俗所谓儒者之学，……浅陋乖离，莫适道统，濂溪周先生奋乎百世之下，乃始深探圣贤之奥，疏观造化之原，而独心得之。……河南程先生既亲见而得其传，于是其学遂行于世。”(《三先生祠记》)又说：“中庸之书，……

孟子没而不得其传焉。……至于本朝，濂溪周先生始得其所传之要，以著于篇。河南二程夫子又得其遗旨而发挥之，然后其学布于天下。”（《中庸集解序》）其他如在《大学章句序》,《中庸章句序》中皆以此旨立论，今世界书局铜板印四书五经中即附录于书前，可参考。并参阅胡适先生的费密学说中关于道统论一段。据此而孙奇逢有“理学宗传”，孔颜思孟以至周程朱王，这一神秘思想支配了几百年，一句命题，即孔孟之学是理学。直到清初始出反动，顾亭林的反命题为“理学，经学也”，理学的主语不变，而反变其述语，所谓“今之所谓理学，禅学也”（见第三章）。颜习斋更进一步，圣学的主语不变，而改变了宋明以来的述语，他说“朱子是圣学之时文”，圣学在宋儒手里是妇女姿态的废物，而圣学实在是“开物成务”的实事实物，他好像宗教改革的解释《圣经》，圣学是在手脑并用的技术世界，他的讽刺画尽其能事，《年谱》中有一段他的妙喻：

请画二堂，子观之：

一堂：上坐孔子，剑佩觿决杂玉革带深衣，七十子侍，或习礼，或鼓琴瑟，或羽龠舞文，干戚舞武，或问仁孝，或商兵农政事，服佩亦如之，壁间置弓矢钺戚箫磬算器马策及礼衣冠之属。

一堂：上坐程子，峨冠博带，垂目坐如泥塑，游、杨、朱、陆侍，或返观静坐，或执书伊吾，或对谈"静""敬"，或搦笔著述，壁上置书籍字卷翰研梨枣。

——此二堂同否？

这不必是完全合乎历史的图画，而是习斋的讽刺画（钱穆先生云："此可谓为孔孟程朱划一极清晰之界线，其情形真可画，使人千载如觌面也。"见氏著前引书一六〇页。颇以此画为真实界线）。在习斋的二堂画里所指，不过是要说两个简洁的世界，一个是如修道院，那里都是失掉人性的教条，阴森森黯然无光；一个是如工作室，那里是满足人性的活动，光明照耀在青天，一个他攻击得体无完肤，别一个他赞扬得至善至美。在他的用语上前者是"文墨世界"，后者是"事物世界"（三事三物），一个是虚灵的"镜花水月"，幻景而已，别一个是实习的"渠沟盆盂"，真迹如此，所谓"文衰而返于实"者，即他的新世界之信仰。

然而，圣学是主语，宋儒以来的理学"续千载不传之绪”，支配了知识界以至政治法律的精神，谁也不敢说不然的，习斋则把圣学即理学的命题，改变为圣学即六艺的命题，实在是最简洁的方法，比亭林“理学，经学也”之说法更无遁词。他更把他所认识的新旧世界，区别为劳动、技艺与静坐、仪式之对立：

入其斋而干戚羽籥在侧，弓矢抉拾在悬，琴瑟笙磬在御，鼓考习肄，不问而知其孔子之徒也；入其斋而诗书盈几，著解讲读盈口，阖目静坐者盈座，不问而知其汉宋佛老交杂之学也。

由此看来，习斋正类似宗教改革时代的《圣经》复活运动，宗教改革者，披着希腊罗马的衣裳，说着古代的语言，而传导近世的人类要求，他亦披着春秋以前的六经衣裳，说着古代的六艺语言，而客观上则讲他自己理想的世界。他又类似那个时代对于教会教条的攻击，暴露了中古教条的非人性生活即非上帝意志，他亦对于中古空虚敬静的教条，毫无保留地痛斥，暴露了那些悟道的装饰品是不合于圣学的精神。他所谓新旧两个世界的“敌对”，不但可在古今不同的形式上画出，而且也可在内容上制出，他在《漳南书院记》里的图案是这样的：

宁粗而实，勿妄而虚（著者注原则，以下为设计），请建正庭四楹曰习讲堂——

东第一斋，西向，榜曰文事课：礼、乐、书、数、天文、地理等科。

西第一斋，东向，榜曰武备课：黄帝、太公以及孙吴五子兵法并攻守营阵、陆水诸战法，射御技击等科。

东第二斋，西向，曰经史课：十三经、历代史诰、制度、章奏、诗文等科。

西第二斋，东向，曰艺能课：水学、火学、工学、象数等科。

其南相距三五丈，为院门，……门内：

直东曰理学斋，课静坐、编著程朱陆王之学。

直西曰帖括斋，课八股举业。——皆北向。……置理学、帖括北向者，见为吾道之“敌对”，非周孔本学，暂收之，以示吾道之广，且以应时制，俟积习正，取士之法复古，然后空二斋，左处傧价，右宿来学。（《习斋记录》卷二）

这样看来，习斋的理想画是制得最为明白，他的第一科的分工，略当纯理科学，第二科略当军事科学，第三科略当社会科学，第四科略当技术科学，这是新的世界；和它们“敌对”的，是理学与时文二科，他说不久即可淘汰的。

但为什么他要用“复古”的话呢？我们的答案是“十九世纪以前的思想改革，形式重于内容”，中国到了十九世纪末叶，才把内容重于形式的思想宣布，那就是民有、民治、民享的三民主义。恕谷说：“亦使先生开其端，而更传夫后人耶？”（《存治编序》）

习斋的这样思想，是在当时足为异端的。他并没有怀疑了圣学，提出任公所谓“有没有”的问题，而是问圣学在那里（参看《习斋记录》卷七,《祭孔子文》数篇），即说明不在空中而在实地，故他说：

予未南游时，尚有将就程朱附之圣门之意，自一南游，见人人禅子，家家虚文，直与孔孟敌对。必破一分程朱，始入一分孔孟，乃定以为孔孟与程朱判然两途，不愿作道统中乡原耳。（《年谱》卷下）

然而反理学的命题，则须有为真理的勇敢心，他说：

立言但论是非，不论同异。是则一二人之见不可易也，非则是千万人所同不随声也，岂惟千万人，虽百千年同迷之局，我辈亦当以先觉觉后觉，不必附和雷同也。(《言行录·学问篇》)

他不附和盲从千百年同迷之局，具有哥白尼的精神，由他的话看来，上下都是千万人的理学信仰者，他的主张是少数的先知先觉，这种新世界的问题提出，容易蒙受异端的头衔，甚至殉理，故他说：

仆妄论宋儒，谓是集汉晋释道大成者。……然宋儒，今之尧舜周孔也。韩愈辟佛，几至杀身，况敢议今世之尧舜周孔乎？季友著书驳程朱之说，登州决杖，况敢议及宋儒之学术品诣乎？此言一出，身命之虞，所必至也。然惧一身之祸而不言，委气数于终误，置民物于终坏，恐结舌安坐，不援沟渎，与强暴横逆纳人于沟渎者，其忍心害理不甚相远也。……故著《存学》一编申明……六府六德六艺之道……著《存姓》一编，大旨明理气俱是天道，……性命气质俱善，……二千年无人道，而某独异！(《习斋记录》卷三，《上陆桴亭先生书》)

他亦因“实文、实行、实体、实用，为天地造实迹，而民物以安以阜”之说，不足以服人口，故云“惴惴恐涉偏私，自是诽谤先儒”（同上），他在《未坠集序》中颇感激李刚主为他用文武之道来辩解：

予世之罪戾人也！……学术者，人才之本也，人才者政事之本也，政事者，民命之本也。无学术则无人才，无人才则无政事，无政事则无治平（按此含民治思想），其如儒统何，其如世道何？于是信程朱之道不熄，周孔之道不著，圣人复起，不易吾言矣！乃断与之判为两途，……岂敢犯之哉（上言“犹不敢犯宋儒赫赫之势焰”），……不得已也。吾友刚主李氏，最爱我者，深忧吾获罪前贤，辑诸儒论学曰《未坠集》，盖欲使天下后世知诸儒之言，亦有合于吾说，吾说为不谬于诸儒，顺其势而救之，使道明，而予亦无罪，意甚善也。然吾深痛三事三物之道竟亡，而天下无儒，不能作道统中乡愿矣。端木子曰，“文武之道未坠于地，在人”，谓道在人而未坠也。今观诸儒之论，……悖于尧舜周孔者坠也，言之不悖于周孔者亦坠也，故予读之而心益伤。虽然，策我者至矣！（同上，卷一）

由此，我们可以了解十七世纪复古重形式的关系了。习斋的思想史论，与其说是争道统，毋宁说是改变道统（主语）的述语，他的思想史观是这样的：

孔子殁而诸子分传，杨墨庄列乘间而起。……焚书坑儒，使吾儒经世之法，大学之制沦胥以亡。两汉起而治尚杂霸，儒者徒拾遗经为训传，而圣学之体用残缺莫振。浸淫于魏晋隋唐，训诂日繁，佛老互扇，清谈词章哗然四起。……五季百氏学术一归兵燹。……宋代当举世愦愦，罔所适向之时，而周子突出，以其传于禅僧寿涯、道士陈抟者，杂入儒道，绘图著书，创开一宗，程朱陆王皆奉之，相率静坐顿悟，验喜怒哀乐未发时气象，曰以不观观之，……而明明德之实功溷矣，相率读经注释，合清谈训诂为一堂，而习行礼乐兵农之功废，所谓亲民者无其具矣。……语录恣其张皇，传赞肆其粉饰，竟若左右虞周，颉颃孔孟者。……两宋及今，五百年学人尚行禹益孔颜之实事否？徒空言相续，纸上加纸，语录中有学，小学大学中无学矣，书卷两庑中有儒，小学大学中无儒矣。（《习斋记余》卷一,《大学辨业序》。并参看《存学编·由道及上陆桴亭书》）

按习斋类似此项议论的话不一而足，以复活古代文明，而说明他的新世界观，所谓“以历代之消可自今日长，历代之衰可自今日盛”。他在《大学辨业序》所云更针对朱子《大学章句序》，今将朱子之说节录于下，以为对照：

及周之衰，……孔子之圣，而不得君师之位，以行其政教，于是独取先王之法，诵而传之以诏后世。……此篇者……外有以极其规模之大，而内有以尽其节目之详者也。……曾氏之传，独得其宗，……及孟子殁而其传泯焉。……俗儒记诵词章之习，其功倍于小学而无用，异端虚无寂灭之教，其功过于大学而无实。……晦盲否塞，反复沉痼，以及五季之衰而坏乱极矣。天运循环，无往不复，宋德隆盛，治教休明，于是河南程氏两夫子出，而有以接孟氏之传，实始尊信此篇，而表章之，既又……发其归趣，……圣经贤传之指，粲然复明于世。

习斋与乾初不同，乾初云“大学首章，非圣经，其传十章非贤传”，习斋则云经为圣经，传非贤传，而把宋儒的道统，改变为学术流变（费密氏对于这一点更有新见解），命题为讽刺的。他的新世界，针对了以上朱子之说，不在天道，而在人间（二千年无人道），他说：

不特学尧舜之精一执中，而并学其和修六府矣，不特学周孔之洗心操存，而并学其三物四教矣，是谓真学，是谓真传。(《记录》卷三)

昔以言本原之地在朝廷，吾则以为本原之地在学校。(《记余》卷一)

习斋虽言道统，却不执一个心传，而是指各尽其才的分工世界，故他论孔子真传，不必为曾孟，七十子各具所长，他说：

自孔子奠楹后，即判为七儒，而惟孟轲氏一脉，传曾子舆之学，他若漆雕，颛孙诸派，皆附此一脉，小闻于后，流不大矣。然据韩非子称儒有七，皆曰真孔子也，孰从而辨其真孔子也。则当时其派盖不相下，殆昌黎所谓学焉而各得其性之所近，然去圣未远，传授必真，不过贤各行其所长，如清、任、和、圣，各成其所优，而其实圣皆尧舜之道，贤皆孔子之学，小异大同，未失尧舜六府，周孔六艺之传也。……宋人之冒乱也，深而难知，为朱者曰我真孔子也，凡不由朱者皆斥之，为陆者曰我真孔子也，凡不由陆者皆斥之。……而以孔门礼乐射御书数观之，皆未有一焉，有其一，亦口头文字而已矣，以孔门明德亲民律之，皆未有似焉，有其似，亦禅宗虚局而已矣。(《记录》卷三,《寄李复元书》)

这一分工世界，他亦以唐虞成周的古衣古语言之，其内容则为事与物，他说：

唐虞之儒和三事修六府而已，成周之儒以三物教万民宾兴之而已，六德即尧舜所为正德也，六行即尧舜所为厚生也，六艺即尧舜所为利用也，孔门之儒以四教，教三千人而已，文即六艺，行即六行。……夫尧舜之道而必以“事”名，周孔之学而必以“物”名，俨若预烛后世必有离事离物而为心口悬空之道，纸墨虚华之学。……训诂，清谈，禅宗，乡愿，……宋人兼之，乌得不“晦”圣道误苍生至此也！(同上,《寄钱晓城书》)

又说：

夫儒者学为君相百职，为生民造命，为气运主机者也。即如唐虞之世，莫道五臣十六相四岳群牧是大人之学，君子之儒，虽司空之一吏，后稷之一椽，九州牧下之一倅，凡与三事之中者，皆大人学、君子儒也。夏商周之世，莫道伯益靡仍莱传说十乱诸公是大人学君子儒，虽其一吏一椽一倅，凡与三物之中者皆大人学君子儒也。孔子之门，莫道颜曾七十贤是大人学君子儒，虽二千九百二十八徒众，但习行一德一艺，皆大人学君子儒也。儒之处也惟习行，……儒之出也惟经济。……离此一路，……即另著一种四书五经，一字不差，终书生也，非儒也。……此义一明，则三事三物之学可复，而诸为儒祸者息熄。(同上)

他所谓之物事，亦统云为“物”，这是对于宋儒以来言性言心的镜花水月世界之一种反驳，由幻景而实境，他说：

大学曰格物，又曰物有本末，兹曰仁人不过乎物，孝子不过乎物。盖周先王以三物教万民，凡天下之人，天下之政，天下之事，未有外于物者也。二千年道法之坏，苍生之厄，总以物之失耳，秦人贼物，汉人知物而不格物，宋人不格物而并不知物，宁第过乎物，且空乎物矣，仁人乎哉？孝子乎哉？吾愿天下为仁人为孝子也。(《记录》卷九，《题哀公问》)

这样，他认为二千年来，失物之故致不能做仁人孝子，新世界的仁人孝子乃惟物是格的新人类。这里，他还分别了二千余年来失物的程度区别，对于战国诸子的世界，犹以为有七成物利，对于汉儒的世界，犹以为有三成的物实，而宋儒的世界则一点“物”也没有了。他说：

吾尝论邪说矣，杨墨仙佛皆异端也，必不得靖，宁使杨墨行世，犹利七而害三也。吾尝论儒术矣，汉之滥觞，宋之理学，皆伪儒也，必不得已，宁使汉儒行世，犹虚七而实三也。例如《礼运》，虽未必尽出于圣人，句句敷理于事，丽文于行，学能体践其一二，皆足以康躬福世，即果滥觞也，不犹益乎？下至其训诂，亦多切于器物度数；宋人则有事外之理，行外之文，且牵释老附会六经四子中，使天下迷酩，……致普地庠塾无一可用之人才，九州职位无一济世之政事。（同上，《礼运》）

此论虽然过火，但不失为一个勇于复活世界的大哲人，正所谓“下二千年不敢下之笔，开二千年不敢开之口”。他的将来世界，在清儒学术世界中，乾嘉以后正走了一段所谓“虚七而实三”的滥觞，汉学家们便训诂着器物度数，晚清则正走了一段所谓“利七而害三”的异端，墨庄之学大行于清末，一直至古文家章太炎的庄子哲学，今文家梁启超的墨子学案。而他的物魂之召，则为五四运动以后的历史了。

复次，他的新世界在召唤失物，已如上言，而且更召呼新人，著《存人编》。他说：

某不度德力，……新著《明太祖佛赞解唤迷途》，合旧作《诛佛论》，集为《存人编》，将为天地扫荡妖氛以救生民。(同上，卷七，《季秋祭孔子文》)

他的《存人编》亦谓之《唤迷途》，共分五唤，第一唤，唤僧道；第二唤，唤修静者；第三唤，唤西域僧人；第四唤，唤高谈性命的名儒；第五唤，唤妖邪杂教。这无异是招中古失掉的“人”魂，故谓之“存人”。这里含着极其浓厚的近代思想，不能以“靖异端”目之。他所召唤来的理想人类，是人本主义的个人自觉，个性自扬，个体自生，个位自动。在这一点，他比清初大儒任何一位都要极端，都要坚决。

他论事论物，都求一个实在的原因，不主张没有答案或答案玄空，例如他评朱子：

“问：风俗如何可变？曰：如何可变，只且自立。”他抄了朱子以上的语录，评曰：“只问到肯綮处，朱子便推开！”(《朱子语类评》，四八页)

“气有盛衰，真宗时，辽人直至澶州，旋又无事，亦是气正盛；靖康时，直弄到这般田地，亦气衰故。”他抄了朱子的以上命定观，评曰：“宋儒论事，只悬空闲说，不向着实处看。如真宗澶渊之役，是一时将相有人，未经周程辈禅宗训诂文字坏士习，六军还可用，高将军还敢斥呵文墨之人；至靖康时……杨时得罢荆公配飨，汤汪等蒙高宗，使宗汝霖李伯纪壮志成灰，秦桧竟杀岳忠武，……乌救灭亡哉？朱子却归之气盛气衰……”（同上，三五页）

这好像墨子评儒者“乐以为乐”的逻辑，不是答复问题。故他论“人”之所以“迷”，首先说出“迷”的着实处，例如他说明第一唤的人们走了脱离现实的世界是因为：一项是贫寒不能度日，因而超度；一项是祸乱迫身，无地自容；一项是父母生子不成，迷信保佑；一项是妄信灾祸，谋来世功果。这是着实的原因。例如他说明第四唤的人们所以迷，首先亦说出“着实处”，他说八股儒士而听邪说，“岂儒者丧心乎，乃……做秀才而贪利肆行为，长官而染指负上，中气必馁，中心必惧，明惧朝廷之法，幽惧鬼神之祸，一闻佛者颟顸之说，乌得不悦，一闻空名利之谈，乌得不服，一闻谶纬消灾之技，又乌得不甘心也”。此与亭林讥士大夫晚年好佛之说类似，惟习斋更云：

窃尝规其故矣：人生之大欲大荣，大肆力以求之不遑恤其他者，富贵道德而已矣，天下之常人，诸事不知，向慕贪富贵则同情焉，天下之贤人，诸事不屑，向慕求道德有独嗜焉。见夫读汉宋注疏，作八股帖括，加表判论策者皆富贵矣，……官吏六公三卿无不从此途得也，天下岂复有不赴此途之常人哉？……见夫闭目静坐，谈性天，集语录，注解经书者称道德矣，汉唐宋明某某，从祀孔庙，丁祀春秋矣，大者某派宗主，小者某派传人，……奉为大儒，仰为君子者，无不从此途出也，天下岂复有不赴此途之贤人哉？（《习斋记余》卷九,《题观礼于乡二章》）

因此，他说明了中古人类的富贵道德之途径原因，进一步召唤新人类，向平实生活的路上引津，他对于第一唤较低级的人说：

不当穿天下人的衣，吃天下人的饭，……我劝你们有产业的僧人，早早积攒些财物，出了寺娶个妻，成

家生子，无产业的僧人，早早抛了僧帽，做生意工匠，无能者与人佣工，挣个妻子，成个人家。(《存人编》卷一)

他的基本思想，以人类在人伦，他以为僧道做了常人，不可名之曰“还俗”，应名之曰“归人伦”，故他的新世界的人类观是感情的：

人为万物之灵，而独无情乎？故男女者人之大欲也，亦人之真情至性也，你们果不动念乎，想欲归伦亦其本心。(同上)

在《年谱》中有的一段人类观念的话，甚趣：

寓白塔寺树园（时年二十六岁）有僧无退者，大言曰：“念经化缘僧，犹汝教免站营财秀才；参禅悟道僧，犹汝教中举会试秀才。”先生曰：“不然。吾教中举会试秀才，正是汝教念经化缘和尚；吾教自有存心养性秀才。”僧又侈夸佛道。先生曰：“只一件不好。”僧问之。曰：“可恨不许有一妇人！”僧惊曰：“有一妇人更讲何道？”先生曰：“无一妇人更讲何道？当日释迦之父，有一妇人，生释迦，才有汝教，无退之父，有一妇人，生无退，今日才与我有此一讲。若释迦父与无退父无一妇人，并释迦无退无之矣；今世又乌得佛教？白塔寺上又焉得此一讲乎？”僧默然俯首。

他主张人类是劳动的活人，故云“自天子至庶人皆所事，早夜勤劳”（《存人编》卷一），在一般的人类性上而言，这里含着平等思想的还元术；同时，他主张人类又是感情的活人，故在一般的人类性上而言类含着男女平权的要素，所谓“无一妇人更讲何道”，他说：

世俗非类相从，止知斥辱。女子之失身，不知律以守身之道；而男子之失身，更宜斥辱也。（《言行录·理欲第二》）

且世俗俱知妇女之污，为失身辱父母，不知男子或污，其失身辱亲一也。（《言行录·法乾第六》）

复次，我们研究他对于第二唤的人们所讲的道理，不仅是基于常识的感情与劳动，而是更深一层，讲起知识论的专门问题。关于此点，后面详论，此处仅提出他的基本理论，感觉与表象是人类认识的第一次东西。他以为聪明的中古善人，把握着空静二字而探究人性的至善，他则谓“吾今以实药济其空，以动药济其静”，他说：

有耳目则不能无视听，……佛不能使人无耳目，安在其能空乎？……道不能使耳目不视听，安在其能静乎？……即使取其愿而遂之佛者之心而果入定矣，空之真而觉之大矣，洞照万象矣，此正如空室悬一明镜，并不施之粉黛妆梳，镜虽明亦奚以为？曰大觉，曰智慧，曰慈悲，而施之于子臣弟友，方且照不及君父而以为虑，照不及自身之耳目心意而以为贼，天地间亦何用此照也？且人人而得此空寂之洞照也，人道灭矣，天地其空设乎？道者之心而果死灰矣，嗜欲不作，……正如深山中精怪，并不可以服乘致用，亦两间一蠹，曰真人，曰至人，曰太上，而不可推之天下国家，方且盗天地之气以长存，乾坤中亦何赖有此太上也？且人人而得此静极之仙果也，人道又绝矣，天地其能容乎？……(《存人编》卷一)

所以，他言人类的“人道”，和乾坤天地之容设并视，而感觉表象正是人类生活最具体的起点东西，由此始可以扩充人道，故云：

目彻四方之色，适以大吾目性之用，……耳达四境之声，正以宣吾耳性之用，推之口鼻手足心意咸若是，……故礼乐缤纷极耳目之娱而非欲也，位育平成，

合三才成一性而非侈也。(同上)

因此，他以为讲空静的人性者，不是别的，而是仅把“幻觉之性”当做真性，他说：

佛轻视了此身，说被此身累碍，耳受许多声，……心意受许多事物，不得爽利空的去，所以将自己耳目口鼻都看作贼，充其意，是死灭了方不受这形体累碍，所以言圆寂涅槃,……总之是要全其一点幻觉之性也。(同上)

复次，他对于第四唤的人们，针对了宋明儒者世界观，即“内佛老而外儒学”，世界观是佛老的，而技术上是儒学的。他说：“唐之昌黎，宋之程朱，明之阳明，皆称吾儒大君子，然皆有与贼通声气处，有被贼瞒过处，有夷踱结社处，有逗留玩寇处。……昌黎诛佛，不遗余力，……又称太颠颇聪明识道理，……则昌黎所见之道理必尚有微异于孔孟者，必尚有微为瞒过者矣，不几逗遛玩寇乎？周子《太极图说》，已多了无极二字，极乃房上脊檩，是最上之称，又加以太字，是就无可名处强指之矣，又何所谓无极乎？至其言性，又不合加一恶字，故程朱由此皆误言气质有恶，又言气质为吾性害，是即为六贼之意。（感觉为妄）浸过，儒道分界矣；朱子尽力与象山辩无极二字，是即为佛之‘空’，老之‘无’隐蔽矣；至程子作诗‘道通天地有形外，思入风云变态中’，又云：‘隔断风尘三十里，白云红叶两悠悠’；朱子动辄说气质恶，动辄说法门；阳明近禅处尤多。习俗移人，贤者不免，所谓与贼通声气者此也。”（同上，卷二）

以上所谓“与贼通声气”的宋明理学家，即指他们的世界观和佛老相通，兹再择举习斋著《朱子语类评》一书之例证实他的说明：

朱子论“谷神不死”曰谷虚，谷中有神，受声，所以能响万物，受物所以生物。

习斋评：朱子解大学明德，以为虚灵不昧，具众理而应万事者，是即老子“谷神不死”之说先入矣。

虚之一字，从何来哉？……朱子错了三事……三物路径，即德性二字早为佛老蔽之矣。

朱子谓庄周说话都说得也是。

习斋评：朱子谓他说话都说得也是，……又何怪乎今儒鹿乾岳孙钟元杜君异皆有三教圣人之说哉？……

盖冒儒者之参于禅老庄列深矣。

朱子谓庄子说得较开阔较高远。

朱子言孟子不辟老庄而辟杨墨……

习斋评：程朱派头，终与尧舜孔孟无干，……朱子并杨墨亦不及，只著述训诂，双目皆盲，其能“为我”乎？入仕二十七年，分毫无益于社稷生民，分毫无功于疆场天地，……其能“兼爱”乎？妄谓之口诗书，身禅静，而别作一色之文人。

朱子谓佛氏《四十二章经》，其说却自平实。

习斋评：佛氏《四十二章经》尤空幻到极处，朱子反道平实，此是禅根先成胸中，不自觉处，正如《论语》注称“佛弥近理”一般病也。

朱子谓道之在天下，一人说取一般，禅家最说得高妙去，吾儒多有折而入之者。……

习斋评：吾谓道之乱道之亡，病根全在“说”字，……道不外六府三事；……学不外三物四教，孔子文即周之艺（按此语亦合历史）……此外无道学，……时习此也。汉人以书“说”，晋人以口“说”，……宋人书口皆“说”，……曰大明道法，抑知实晦之尽乎？

朱子谓释氏说真空，却是有物，与吾儒略同。

习斋评：朱子所见之儒道，即释氏精微，故说略同。

朱子言禅家弄精魂，磨擦得精细有光彩。

习斋评：朱子……谈禅有殊味，……混儒于释，又援释入儒也，故释达之禅易办，而程朱之禅难明。

朱子谓佛书中六根六尘之类，皆极精巧，故前辈学佛者谓此孔子所不及，必欲穷究其说，恐不能得自己出来。

习斋评：朱先生迷至此乎，称其说皆极精巧，人谓孔子所不及他。何理？……却说人穷究其说恐不能得自己出来，尚谓自己穷究其说能自出乎？

朱子言伊川参某僧后有得，遂反之，偷其说来为己使，是为洛学。

习斋评：好洛学！朱子以潘淳曲辩，抑知自己偷其说者，亦不少乎？（以上所引，皆见该书自二二页至三三页，此为一类文字）

按宋儒的世界观与老庄接近，这是不容讳言的，朱子谷神与真空之说，即庄子“迹先”之说，此所以有上半截相通之说，习斋招人魂即从上半截迹先的真空虚静世界召唤于实地世界，他说：

彼多谓佛之上截与吾儒同，……此其人学识，未能洞见性命之本及吾道体用之全，宋明儒者所谓之性无能出乎佛氏之上，一闻禅宗之谈心性，遂倾心服之，谓上截释儒原不异也。嗟呼，不几……根麻而苗麦乎？天地间岂有此理，有上截本仁而下截不爱父母者乎？……吾儒以仁义礼智信为性，而佛以空虚不著一物为性。故忠孝者仁义之发也，仁义者忠孝之源也，后截之忠孝与上截之仁义，如树之根与枝一体也，佛之上截总一空，故为断绝伦物，下截亦总一空也，何得上截同而下截始异哉？（《存人编》卷二）

此辨二元论之终为心本论的矛盾，他不承认“迹”的先后，只承认三事三物的实在，故他的理论是最含物本论的要素。他说：

粗者求之章句，精者求之静敬，……全不见古人充实大化之我贶，全体大用之我酬，再进无工程之可据，回顾无基本之可惜，……遂略以自涂抹其作圣初心，而不染于禅者鲜矣。不知……虚德无果，前路弗凭，正宜返求之实地，虽六德之一德，六行之一行，六艺之一

艺，不自失为儒也。即精力已竭，尺寸莫赎，当痛自悔恨，……何必并为虚大，而背叛于圣道之外哉？（同上）

宋儒的虚大世界观，在和现实违背时，莫有不求之命定气数，这是他所理想的新人之最大敌对处，故他于上文之末，深言患福自求，“真心实力以‘格’天地，感鬼神”，而痛斥气数之论（如上面所举宋之兴亡）。他的人道思想颇有近代戡天主义的因素，这是他信任劳动与技术，艺术与科学的结果，他说：

或问，祸福皆命中造定，信乎？先生曰：“不能。地中生苗，或可五斗，或可一石，是犹人生之命也；从而粪壤培之，雨露润之，五斗者亦可一石。若不惟无所露润，又从而蟊贼之，摧折牧放之，一石者幸而五斗，甚则一粒莫获矣！生命亦何定之有？夫所谓命一定者，不恶不善之中人，顺气数而终身者耳；大善大恶，固非命可囿也，在乎人耳。”或大悦。（《言行录·理欲篇》）

习斋临终时也这样告诫着恕谷道：

学者勿以转移之权委之气数，一人行之为学术，众人从之为风俗，民之瘼矣，忍度外置之乎。（《恕谷年谱》卷下）

习斋的世界观是事物界，不是虚灵界，人之世与世之人都在人情物理之内，世界便在难解决的问题中要求了人类去答复。烦人厌人的富贵贫贱问题，他认为是现实，不能超脱。他说：

六行尤在人情物理，用功离人情物理则无所用，离人情物理用功则非儒。……寺观无富贵熏灼诸色厌人也，羽衲无富贵熏灼诸色污人也；殊不知人之世，即有富贵诸色厌人，犹然人世也，世之人，即彝伦斁败，犹有不亲之父子，……不信之朋友也，寺观则灭绝人伦之地也，羽衲则灭绝人伦之人也。是犹庭堂谷薮然，庭堂即污秽，人处之，谷薮即絜秀，鸟兽处之。……且近世之君子，即视人世而谷薮之，谷薮中未始无庭堂。……前代无论，即如今世可及之君子，亦尚多也。(以下举例)(《记余》卷四)

习斋有一篇《人论》，可以代表他的新世界人本主义，他首先把世界看做一个大家庭，天地即万物与人类的父母，这已经脱笼而出乎封建之狭小天井，解绊而超乎自然经济所束缚着的绝欲畦畔。人伦在这里，不是一个宗法的渺小天地，而是放于自然的伟大环境，天地生生不已，人类存存不息，和船山的生化论有相似的地方，他说：

天地交通变化，而生万物，飞潜动植之族不可胜辨，形象运用之妙不可胜穷，莫非天地之自然也，凡主生者皆曰男，主成者皆曰女，妙合而凝，则又生生不已焉。其生也，气即天气，形即地形，其为生也皆纳天气，食地形。天地者万物之大父母也，父母者传天地之化者也，而人则独得天地之全，为万物之秀也，得全于天地，斯异于万物而独贵，惟秀于万物，斯役使万物而独灵，独贵于万物而得全于天地，则无亏欠于天地，是谓天地之肖子，独灵于万物而为秀于天地，则有功劳于天地，是谓天地之孝子。（同上，卷六，《人论》）

人类是天地的肖子与孝子。肖即云类似，人类类似天地之形，之用，之理，颇有法国唯物论者自然法的近代思想前提，他说：

何言乎肖子也？……是谓形肖。……人两手游空。似飞，象天运也，两足踏地，似植，象地宁也，宫室舟楫，可陆亦可水也，且鱼游水，人游气，是亦潜也，坐卧起趋，……是亦动也，至于寤寐象昼夜，喜怒象春秋，作息象冬夏……长育男女，制造百工，象化生万物，是谓用肖。……人而仁则慈爱惠物，见之于伦为父子，亲也，配德于天地之元，人而义则方正处事，见之于伦为君臣，义也，配德于天地之利，人而礼则辞让居心，见之于伦，长幼叙也，配德于天地之享，人而智则是非不迷，见之于伦，夫妇别也，配德于天地之贞，人而信则至诚无妄，见之于伦，朋友信也，配德于天地之太极，是谓理肖。故曰，人者天地之肖子也。（同上）

人类对于天地的大父母，要实行大孝子的任务，他分言养口体之孝，为劳动精神，谕亲于道之孝，为理性活动，显亲之孝，为改革自然，他说：

何言乎孝子也？种树稼穑、修筑宫室、灌溉园地，以增润地形，饮食其母也，燔柴焚积、熏香蒸物、酿酒扬汤，使气臭上腾，以宣濡天气，饮食其父也，……是谓养口体之孝。天命五德，奉持不失，富贵贫贱，安而受之，夙夜寤寐，时存惕若，灾苦祸殃，劳而不怨，民胞物与，友于得所，五体以致中，善敬亲也，六乐以导和，善承欢也，是谓养心志之孝。鸿蒙未辟，文而明之，洪水泛滥，掘而疏之，气数厄在继体，揖让以化之，族类暴于残贼，放伐以救之，乾坤聋瞶，木铎以醒之，禽兽嚣争，好辨以熄之，小而赭鞭草木以宣阳，日食鼓伐以攻阴，迅雷风烈必变，冬燃火，夏藏冰，凡可爕理者，无不为之，是谓养疾调剂谕亲于道之孝。继天立极，肇修人纪，迄今不谓之洪荒时也，名之曰三皇之世；开物成务，平地成天，迄今不谓之文明渐开时也，名之曰五帝之世；礼明乐备，质文互尚，迄今不谓之世运亨泰时也，名之曰三王之世；王纲解纽，乱贼接迹，笔削以诛之，迄今不谓之五霸叠兴时也，名之曰春秋之世；是天地反因人而著号，谓之显亲扬名之孝。故曰：人者，天地之孝子也。天地者，人之全体也，其孝乎天地者，人之大用也。（同上）

这段人类孝子论，非常名贵，无异人权宣言之适用于大自然者，在封建时代的这样人论实在是近代科学世界的学人预见，而且他更有历史的发展概念，别具特识，所谓“天地反因人而著号”者，宋明儒者是不能梦想的。他亦更进一步论人类的近代分工，这分工是进步的思想，虽然因分工而来的世界是资本主义，是被役使于社会关系，但我们认为这却是历史的思想家，而非概念游戏的理学家，他说：

人生之义虽同，生人之方各异，东西南北，地异而形声各异，至于四海之外，则更异，智愚丑美，禀殊而心貌亦殊，至于习染之深则更殊，以至富贵贫贱……万有之不齐，凡皆二气五行参错代之所为，而不可强也；而人之自为，则不以是拘焉，有为一人之人，有为十人之人，有为百人之人，……有为万人之人，有为一室之人，……有为一国之人，有为天下之人，有为百年之人，有为千万年之人，有为同天地不朽之人，然则为之者愿为何许人也哉。（同上）

以上说明了习斋世界观中的“人”和“物”，他是以人的客观价值为标准而评判人的创造精神，故他反对扩大主观，例如：

朱子：予韶高庙时有所奏陈，上曰，朕只是一个至诚。

习斋评：吾尝言，废尽古圣三事三物之道，而好言敬言诚，正宋人自欺欺人之目上指也。如赵构秦桧全无“人气”，而亦自负至诚，自负敬以直内，呜呼，诚敬也与哉？（《朱子语类评》，三九页）

他论人物是以功业为人物的内容，故他评朱子引方叔圭称本朝（宋）人物盛而功业不及汉唐之说，而将功业之不成委之小人之不去，说：

人物甚盛，而功业不及汉唐，有此理乎？或其所谓人物非其人物也。又谓只缘要去小人，仆更伤心矣！世有恶衣菲食、昼夜焦劳，为社稷生民办边疆选兵将之小人乎？（按指王荆公）世有袖手咿唔、不习行一业、不斡旋一事，间谈间著，在下在上相苟安忍耻，岁币媚敌之君子乎？（同上，五〇页）

第二节　习斋反玄学的基本思想

宋儒以来天理的世界，是中古虚灵的世界，理学在宋代建立了一个所谓“析之愈精，逃之愈巧”（梨洲语）的玄学体系，支配了中国思想界宋元明三代五百年，在中国思想史上的权威从来没有这样广大而深厚的力量。第十七世纪清初学者的反理学潮流，实在不是如梁任公所谓“生、住、异、灭”的循环论，谓：“启蒙者对于旧思潮初起反动之期也，旧思潮经全盛之后，如果之极熟而致烂，如血之凝固而成瘀，则反动不得不起；反动者，凡以求建设新思潮也，然建设必以破坏，故此期之重要人物，其精力皆用于破坏，而建设盖有所未遑。”（《清代学术概论》，三页）这是建设一破坏一再建设之均衡理论，不能规定思想过程“质”的发展史，故他误把清初学者的学术运动归入于破坏期或启蒙期（生），而把乾嘉学者的考据学归入于全盛期（住），实在讲来，这种划期是错误的。按清初学者，不仅破坏，而且建设（虽然建设有时代的局限），他们的宏大规模，是基于近世时代全人格的发展，远超过于乾嘉诸子，戴东原、章学诚不过是他们的学术余绪，已经因了乾嘉的封建暂时安定而减退了全人格的探求，泯除了新社会的光芒，实在没有清初哲人的气象风韵之博大，这是著者公平的研究，非有好恶之情左右古人。即以哲学成就而论，近人好研究戴东原，实则东原哲学比之船山哲学犹东山之于泰山。

清初学者反理学潮流，亦不是如胡适之所谓高明与沉潜二种性格的交替史论，他说：“詹姆士说哲学家有心硬心软二派，高明一派……乃是詹姆士所谓心软的一派，沉潜一派，……乃是心硬的一派。心软，故富于理想，而易为想象力所诱惑，自趋于高明，而陷于空虚。心硬，故重视事实，重视效果，虽不废想象，而步步脚踏实地，然其魄力小者，易堕入拘迂。”又说：“自宋以至明末，五百年中，程朱之学盛行，结果只是一种‘自谓之穷神知化而不足以开物成务’的玄学。这是什么缘故呢？原来两宋时代高明之病太深（？）……高明之家，鬼瞰其室，这个鬼就是玄学鬼。（以下言宋明儒的玄学）……高明的病菌弥漫在空气里，凡要呼吸的人，多少总得吸一点进去，沉潜的抵抗力强的人，也不能完全避免（？）。……五百年来的玄学病，到此（清初）已成强弩之末，……费氏父子一面提倡实事实功，开颜李学派的先声，一面尊崇汉儒，提倡古注疏的研究，开清朝二百余年汉学的风气。”（《胡适文存二集》卷一，三四页以下）按胡氏此论，是思维发展史的横的人性还元，而不是纵的历史说明。这是不合思想史的，宋明二代亦有沉潜之士，为什么不能完全避免高明？清初学者甚多高明性格的人如王船山与傅青主其显著者，何以反对高明的玄学？其实连詹姆士这一人性的分类，亦属机械的类概念，哲学家是有时代的条件，虽极端的一种性格亦不能违背时代而自由提出问题，正如在理学空气中，性格强者亦不能避免玄学（如王安石），在清初反理学思潮中性格软者亦且重因求实。这是研究清初思想所应知道的常识。

此外，任公先生虽然在理论上忘记思想史的“质”的发展，但在文字上却强调清初的“理学反动”，适之先生虽然在理论上把这“质”的发展作为一般的东西看待，但在文字上亦强调清初反玄学病的变革，平心论之，二子的命题，粗糙有之，而大体上则强调得并未背于历史。所谓粗糙者，即言他们没有把思想史“量变”的联结研究，而一刀两断如医病者的开刀，似以为玄学病的反动是割治的办法。钱穆先生对于这一点，在其所著《近三百年学术史》绪论中，似针对梁、胡辩驳，他说：“治近代学术者，当何自始，曰，必始于宋。何以当始于宋，曰，近世揭橥汉学之名以与宋学敌，不知宋学则无以平汉宋之是非。且言汉学渊源，必溯诸晚明诸遗老，然其时如夏峰、梨洲、二曲、船山、桴亭、亭林、蒿庵、习斋，一世魁儒耆硕，靡不寖于宋学。继此而降，如恕谷穆堂谢山乃至慎修诸人，皆于宋学有甚深契诣。而于时已及乾隆，汉学之名，始稍稍起，而汉学诸家之高下浅深，亦往往视其所得于宋学之高下浅深以为判。……故不识宋学即无以识近代也。”（氏著，绪论首段）按钱先生辩解晚明遗老已有清学的发轫，颇合量变的研究，纠正于梁胡学问之胆大而心不细者诚为可贵，然谓清初大儒之寖于宋学，即为宋学的延长，而无批判的质变，则亦矫枉过正了。因为大时代的思潮里，没有一色的清流，其间如河流的压倒倾势，总有逆流与横流贯注着，此其一。其二，外表与内容的矛盾，恒常在启蒙学者身上找寻到深厚的刻印，清初学者以降，为王学支持门面者大有人在，但这是外表，而底里则是否定了外表，另外走了一条大路。其三，人类进化史虽然有“种差”，但就在特征的“种差”上亦遗留着过去淘汰的痕迹，学术亦然，主潮尽管是支配全局，但正如谢山评梨洲，不能不遗留着所谓“余技”，而“晚年定论”之争即扩大了这种余技。其四，反命题在一个新时代不能直接一下把主语割弃，首先常是主语存在，而用述语讽刺了主语，这是死的与活的二者争论的时代战术（参看本章第一节）。

所以，清初反理学的思潮，的确是在理学母胎里生成起来（如习斋先求之于陆王，后服膺于程朱），渐渐量变以至背离，然亦正如傅青主治学所重视的一个“蜕”字，到了十七世纪中叶，如青主云“君子学问，不时变化，如蝉蜕壳，若少自锢，岂能长进”，便蜕壳而出，质变为一种新学术，则从前认为先趋者的“晚年定论”，现在自张旗帜号召一世，理学遂成反理学。钱先生举阳明“拔本塞源之论”，似亦作晚年定论看，谓“与习斋所论无异致”，仅在一非功利一是功利一点区别阳明与习斋，著者认为这是否认了他们中间“质”的不同，未敢同意。阳明的玄学，在习斋思想中没有一丝一毫存留着，这一中心问题，习斋亦详言之，他说：

纸上谈性天而学朱者，进支离之讥，诚支离也，心中矜觉悟而宗陆者，供近禅之诮，诚近禅也。或曰，诸儒勿论，阳明破贼建功，可谓体用兼全，又何弊乎？余曰，不但阳明，朱门不有蔡氏言乐乎，朱子常平仓制，与在朝风度，不皆有可观乎，但是天资高，随事就功，非全副力，如周公孔子，专以是学，专以是教，专以是治也。或曰新建富韬略，何以知其不以为学、教者？余曰，孔子尝言，二三子有志于礼者，其于赤学之，如某可治赋，某可为宰，某达，某艺，弟子身通六艺者七十二人；王门无此，且其擒宸濠，破桶冈，所共事者，皆当时官吏偏将参谋，弟子皆不与焉，其全书所载，皆其门人旁观赞服之笔，则可知其非素以是立教也。是以感孙征君知统录，有陆王效诤论于元诲之语，而敢出狂愚，少抑二千年周程朱陆薛王诸先生之学，而伸前二千年尧舜禹汤文武周孔诸先圣之道，亦窃附效诤论之义，而愿持“道统”者，勿执平生之见解，以误天下后世也。(《存学编·明亲》)

按习斋“明亲”一段，是讲学术史的流变，言宋明学者以“全副力”集中在“纸上谈性天，心中矜觉悟”，即偶有现实的作为，亦无关大局，因为他们是持玄学的“道统”，支配他们学术的内容。程朱陆王之学皆“误天下后世”，不能因其一二事迹，或一二言论，改变了他们的支配学教，这一批判不但要比梨洲对于阳明晚年定论之说更少门户之见，而且说明以全副力量支配学术内容才谓反玄学。这不是说质的转变的最好意见么？他说：

宋儒惟胡子立经义治事斋，虽分析已差，而其事颇实矣。至于周子，得二程而教之，二程得杨谢游尹诸人而教之，朱子得蔡黄陈徐诸人而教之，以主敬致知为宗旨，以静坐读书为工夫，以讲论性天人为授受，以解经注传纂集书史为事业，嗣之者，若真德许衡薛瑄高攀龙诸人，性地各有静功，皆能著书立言为一世宗，而问其学其教，如命九官十二牧之所为者乎？如周礼教民之礼乐备者乎？如身教三千，今日习礼，明日学射，教人必以规矩，引而不发，不为拙工改废绳墨者乎？此所以自谓得孔子真传，天下后世亦或以真传归之，而卒不能服陆王之心者，诚不能无歉也。陆子分析义利，听者垂泣，先立其大，通体宇宙，见者无不竦动，王子以致良知为宗旨，以为善去恶为格物，无事则闭目静坐，遇事则知行合一，嗣之者，若王艮罗洪先鹿善继诸君，皆自谓接孟子之传；而问其学其教，如命九官如十二牧之所为者乎？如周礼……（同上文）者乎？此所以自谓得孟子之传，与程朱之学并行中国，而卒不能服真许薛高之心者，诚不能无歉也。……朱陆……有一守孔子下学之成法，身习夫礼乐射御书数，以及兵农钱谷工虞之属而精之，凡弟子从游者，则令某也学礼，某也学乐，某也学兵农，某也学水火，某也兼数艺，某也尤精几艺，则及门皆通儒，进退周旋无非性命也，声音度数无非涵养也，政事文学全归，人已事物一致也，所谓下学而上达也。（同上）

习斋把宋明以来玄学归结在道统真传上面，他们都没有立根于现实的世界，所谓：“离了治情讲心性，离了平好恶讲治情，离了待人接物讲平好恶，所以为禅学。”（《四书正误》卷一）这一连串的背离现实生活之空想，便是玄学。宋以来便举“理学”二字为标榜，他说：

“前圣鲜有说理者，孟子忽发，宋人遂一切废弃，而倡明理之学，不知孟子所谓理义悦心，有自己注脚，仁义忠信乐善不倦，仁义又有许多注脚，未有仁遗亲、义遗君，居天下广居，立正位行大道，……今一切抹杀，而心头玩弄，曰孔颜乐处，……皆笼盖于释氏极乐世界中。”（《四书正误》卷六）习斋正是反乎这一种“心头玩弄”（近人谓之概念游戏）的玄理，而探求客观世界的事理与物理，所谓：“理者，木中纹理也，其中原有条理。”（同上）这个道理，不在天上，故不是“天理”，而是在人类的身手中，故是物理。他说：

率究心于主敬存诚，静坐著书，为程朱陆王把持门户，求其留心经世济民之业，而身可行之，手可办之者，惟……中博计公杨先生，……每见则举天文地志兵农水利算数，披圆拈诀。(《记余·送杨静甫序》)

习斋反玄学的态度，朱王兼政，没有多大差别，因为玄学既在那里“缵统”，而不从事于三事三物之教义，他说：

果息王学而朱学独行不杀人耶？果息朱学而王学独行不杀人耶？今天下百里无一士，千里无一贤，朝无政事，野无习俗，……今之世家……静坐著书以缵朱子之统，朝廷用其意以行科甲，孔庙从祀，……渐拟四配，……三事三物则扫地矣。(《记余》卷六)

习斋反玄学的目的既明白，我们便可以研究他的基本理论——性理论与知识论。

（甲）习斋的性理论

宋以来性理之说，讲得玄天驾雾，在空中摸索比在地下说老实话是更容易的，他说：

空谈易于藏拙，是以舍古人六府六艺之学，而高言性命也。予与友人法乾王子，初为程朱之学，谈天性

似无龃龉，一旦从事于归除法，已多谬误，况礼乐精博乎？昔人云，画鬼容易画马难，正可喻此。（《存性篇·性说一》）

习斋把高谈性命的玄学喻为画鬼，而把物理研究喻为画马，这是虚、实二者的对照，甚得体裁。故他言性，反于理学家空虚抽象的性，而指为实有的“生”，颇与船山暗合，他说：

生之谓性，若以天生蒸民有物有则，人之生也直，等字解性亦何害。（《正误》卷六）

性不是一个抽象的天上范畴，它的内容是“生”，周金性字即生字，如龙姞敦“永命弥厥生”，齐子仲姜镈“用求考命弥生”，这生字即《诗·卷阿》所言“弥尔性”之性字，人性与人生在古代没有分别的。习斋以生释性是有根据的，他又说：

宇宙真气即宇宙生气，人心真理即人心生理。全其真理，自全其生理，微独自全其生理，方且积其全真理者，而全宇宙之真气，以扶宇宙生生之气。（《记余》卷一，《烈香集序》）

人性的生理，不能为他所谓“戴儒冠和尚”者流分别做二元，而是："性，形不二，一片工夫，……治耳目即治心思也。"（《正误》卷六）性形是二而一之，没有在气质之性外，另外再设定一个义理之性，他说：

天之生万物与人也，一理赋之性，一气拟之形，故吾养吾性之理，尝备万物之理以调剂之，吾养吾形之气，亦尝借万物之气以宣泄之。圣人明其然也，是以昼衣冠，饬簠簋，制宫室，第宗庙，辨车旗，别饮食，或假诸形象羽毛以制礼，范民性于升降周旋跪拜次叙肃让，又镕金琢石窍竹纠丝刮匏陶土张革击木，文羽龠，武干戚，节声律，撰诗歌，……以作乐，调人气于歌韵舞仪，畅其积郁，舒其筋骨，和其血脉，化其乖暴，缓其急躁，而圣人致其中和以尽其性践其形者在此。……帝王"实"见诸宇宙，布护充周，即吾夫子亦"实"见之其身家。（《记余》卷四，《与何千里书》）

性与形不是绝对分离的，气之发展即是性，而且性不能独自离开生之对象而存在，故情与才与性无鸿沟，不过表现于功用上而言罢了。他说：

长短偏全通塞，莫非此理此气也。至于人则尤为万物之粹，所谓得天地之中以生者也。二气四德者，未凝结之人也。人者，已凝结之二气四德也。存之为仁义礼智，谓之性者，以在内之元亨利贞名之也。发之为恻隐羞恶，辞让是非，谓之情者，以及物之元亨利贞言之也。才者，情之为情者也，是元亨利贞之力也。(《存性篇》)

因此他驳宋儒的性二元论的理论，主张感官形气亦性，无分天命之性与气质之性的通理，只能说由感性认识到理性认识的统一，他说：

程子云："论性论气二元则不是。"又曰："有自幼而善，有自幼而恶，是气禀有然也。"朱子曰："才有天命，便有气质，不能相离。"而又曰："既是此理，如何恶所谓恶者，气也。"可惜二先生之高明，隐为佛氏六贼之说浸乱，一口两舌而不自觉。若谓气恶，则理亦恶；若谓理善，则气亦善。盖气即理之气，理即气之理，乌得谓理纯一善而气质偏有恶哉？譬之目矣，眶疱睛，气质也，其中光明能见物者，性也，将谓光明之理专视正色，眶疱睛乃视邪色乎？余谓光明之理固是天命，眶疱睛皆是天命，更不必分何者是天命之性，何者是气质之性，只宜言天命人以目之性，光明能视，即目之性善。其视之也，则情之善，其视之详略远近则才之强弱，皆不可以恶言。盖详且远者固善，即略且近亦第善之不精耳，恶于何加？惟因有邪色引动，障蔽其明，然后有淫视，而恶始名也。然其为之引动者，性之咎乎？气质之咎乎？若归咎于气质，是必无此目而后可以全目之性矣，非释氏六贼之说而何？（《存性篇·驳气质性恶》）

宋儒论性的玄学最爱设孤立分离的假定，习斋极斥其不合逻辑，例如朱子以纸喻气质以光喻性，谓“拆去了纸便自是光”，习斋说：

此纸原以罩灯光，欲灯光明，必拆去纸。气质则不然，气质拘此性，即从此气质明此性，还用此气质发用此性，何为拆去，且何以拆去？（同上）

又例如朱子以水清喻天性，以水浊喻气质，亦乌有之假定，天下之水没有“水流至海而不污者”，故习斋说：

水流未远而浊，是水出泉即遇易亏之土，水全无与也，水亦无如何也。人之……引蔽习染，人与有责也，人可自力也，如何可伦？（同上）

又例如朱子以未发喻性无不善，已发则气有善恶，又是把思维过程孤立分割而假定着。习斋说：

以未发为无不善，已发则善恶形，是谓未出土时纯是禾，既成苗时即成麻与麦，有是理乎？至谓“所以为恶，亦自此理而发”，是诬气质，并诬性。（同上）

又例如朱子把人性的性能分拆开来个别地假定，以言性善气恶，亦是没有的东西，习斋说：

“如人浑身都是恻隐而无羞恶，都羞恶而无恻隐，便是恶”，呜呼，世岂有皆恻隐而无羞恶，皆羞恶而无恻隐之人耶？不过偏胜者偏用事耳。今即有人偏胜之甚，一身皆是恻隐，非偏于仁之人乎？其人上焉而学以至之，则为圣也，当如伊尹，次焉而学不至，亦不失为屈原一流。……为所蔽而僻焉，久之相习而成，遂莫辨其为后起为本来。（同上）

习斋论性为生之理，“性之善，而耳目口鼻皆奉令而尽职”，气质以外没有一个孤立的义理之性，他说：

六行乃吾性设施，六艺乃吾性材具，九容乃吾性发见，九德乃吾性成就，制礼作乐，燮理阴阳，裁成天地，乃吾性舒张，万物咸若，地平天成乃吾性全量，故谓变化气质为养性之效则可，……谓变化气质之恶以复性则不可，以其问罪于兵而责染于丝也。知此，则宋儒之言

理气，皆不亲切。(《存性篇·明明德》)

他的“非气质无以为性，非气质无以见性”之旨，是感性与理性统一的理论，而存性养心之旨，是理性发展的理论，不主把治耳目与治心思孤立地划一鸿沟，这种逻辑，我们也不能因主观成见便不说比理学高明。

他的性命论，与船山“命日降性日生”之旨类似，全性命不是离开实践便可以“一旦”成圣，而是在于“习”，他说：

仆妄谓性命之理，不可讲也；虽讲，人亦不能听也；虽听，人亦不能醒也；虽醒，人亦不能行也。所可得而共讲之共醒之共行之者，性命之作用，为诗书六艺而已。即诗书六艺，亦非徒列坐讲听，要惟一讲即教习；习至难处来问，方再与讲。讲之功有限，习之功无已。(《存学编》)

又说：

惟愿主盟儒坛者，远溯孔孟之功如彼，近察诸儒之效如此，而垂意于“习”之一字，使为学为教，用力于讲读者一二，加功于习行者八九，则生民幸甚，吾道幸甚！（同上）

按宋儒“义理以养心”之说是无异于把义理之性让之古人，“今之人都无”，这不是完全空虚的么？习斋根据“习”的主义评道：

学之患莫大于以义理让与古人。程朱动言古人如何如何，今人都无，不思我行之即有矣，虽古制不得尽传，只今日可得而知者，尽习行之，亦自足以养人，况因偏求全，即小推大，古制亦无不可追者乎？若只口中所谈纸上所见，心内所思之义理养人，恐养之不深且固也。（《性理书评》）

理学家言玄学就是说玄，自认“无用诚为无用”，这是最不通的武断。理性知识的哲学固然不是如经验科学的范围，但说玄说空本身便不是健康时代的人性作用，知识而无指导生活的实际检证，则知识没有是非的标准，所以习斋把谈性命玄学的人指斥为一群假圣人，他说：

断无有圣人而空生之者。……兄于契丹，臣于金元之宋，前之居汴也，生三四尧孔，六七禹颜，后之南渡也，又生三四尧孔，六七禹颜，而乃前有数圣贤，上不见一扶危济难之功，不下见一可相可将之材，拱手以二帝畀金，以汴京与豫矣，后有数十圣贤，上不见一扶危济难之功，下不见一可相可将之材，推手以少帝赴海，以玉玺与元矣，多圣多贤之世，而乃如此乎？噫！（同上）

我们知道，在不健康的时代，如封建社会或法西斯社会，最流行不健康的玄理，这种玄理不是说因其为形式逻辑，反而说是因其不合于形式逻辑，而成了一种胡适之所谓的“玄学病”，习斋则谓之一种女子态，他说：

朱子曰：“胡文定曰：‘岂有见理已明而不能处事者？’此语好！”见理已明而不能处事者多矣！有宋诸先生，便谓还是见理不明，只教人明理。孔子则只教人习事，迨见理于事，则已彻上彻下矣。此孔子之学，与程朱之学，所由分也。二论家语中明明记载，岂可混哉！（《存学篇》）

这是否认气质之性而高谈义理之性的必然归宿，明“理”而离开了历史的现实，不但是玄理，而且是病态的梦理。

复次，理与性合，近人谓之理性，理性的对面是存在。习斋所指的宇宙真气即存在的东西，他以全真气即全生气，全生理即全真理。人既为“已凝结之二气四德”，则气在理先。他说：

曰：“如何是理气教？”曰：“为寒热风雨生存万物者，气也；其往来代谢流行不已者，数也；而所以然者，理也。”（《言行录·齐家第三》）

从这里看来，他不但表明气为客观的实在，理由气所产生（而所以然者理也），且由于气的运动变化，才派生出各种不同的理来。他的理论是有根源的，不仅故意反对那些“居恒传心，静坐主敬之外无余理，日烛勤劳，解书修史之外无余功，在朝莅政，正心诚意之外无余言”（理评）之道学。

（乙）习斋的知识论

习斋的知识论没有如船山思维过程的分析，但其精彩处则有经验论的优点。他首先认感觉为实在，“目彻四方之色，适以大吾目性之用，……耳达四境之声，正以宣吾耳性之用”（见前）。他把健康的感觉（气质）抬到最重要的境地，他说：

耳目口鼻手足，五脏六腑，筋骨血肉毛发，秀且备者人之质也，虽蠢犹异于物也，呼吸充周荣润，运用乎五官百骸，粹且灵者人之气也，虽蠢犹异于物也。……故曰人皆可以为尧舜，其灵而能为者即气质也，非气质无以为性，非气质无以见性也。(《性理评》)

然而他却反对幻觉，因为它是不正常的心理，和事物相违背的假影正是它的材料来源。感觉不然，和事物日日接触，常在对象的反映运动中不断地改变扩大。习斋批评宋明儒者悟道方法的知识基础，不是别的，就是反于感觉的幻觉在那里起着作用。他说（文中言无用之水镜花月，无用二字作“非实在”解，不可泥字面）：

洞照万象，昔人形容其妙，曰镜花水月，宋明儒者所谓悟道，亦大率类此。……吾正谓其洞照者无用之水镜，其万象皆无用之花月也。不至于此，徒苦半生，如腐朽枯禅，不幸而至此，自欺更深，何也？人心如水，但一澄定，不浊以泥沙，不激以风石，不必名山巨海之水能照百能，虽渠沟盆盂之水皆能照也。今使竦起静坐，不扰以事为，不杂以旁念，……做功至此，快然自喜以为得之矣；……予戊申前三十四岁，亦尝从宋儒用静坐功，颇尝此味，故身历而知其为妄，不足据也。天地间岂有不流动之水？天地间岂有不著地不见泥沙不见风之水？一动一著，仍是一物不照矣。……今玩镜里花，水里月，信足以娱人心；若去镜水，则花月无有矣；即对镜水一生，徒自欺一生而已。若指水月以照临，取镜花以折佩，必不可得之数也。故空静之理，愈谈愈惑，空静之功，愈妙愈妄。(《存人编》)

习斋以上一段名文，是认识论的基础知识。感觉与对象的统一，是反映的起点，感觉在运动中，对象也在运动中，感觉不是一种寂然不动之镜水，反而正是日生日新的有机有能的官感，对象不是一种离开现实的古玩字画，反而正是日成日毁的合法则动体，月在天体循轨而行，花在地下新陈代谢。如果把感觉和死镜寂水相比，把对象和空月假花相比，则感性活动全失机能。这也不是感性活动，而是一种幻觉。由幻觉而来的假象，是和由感性活动而接触的现实两样，故幻觉的洞照是“无用”（不实在）之水镜，幻觉的对象是“无用”（不实在）之花月，由此而云悟道的全知，即等于说无知，习斋在《存学编》有类同于上文的一段，即曰“仍一无知人也”。理学家喜爱比喻，但所比喻的假定，都是没有逻辑概念，而亦没有类比的定义。

习斋的知识论既然以健全的感觉出发，则他所重视的理性活动，是和对象界触动的活心，他说：

看圣人之心随触便动，只因是个活心，见可喜便喜，可怒便怒。……宋儒辄言不为事物所胜，……正所谓家禅其心也。(《正误》卷三)

他又说：

朱子谓在家读书间断，……须摆脱得过山间坐一年半岁，做多少工夫，立个根脚，若往应事亦无害。

习斋评：尧舜孔子总是世上的圣人，总是做人世上的工夫，后世虽有书，只记圣人之事业工夫，以便后世遵法谱籍耳，试观摆脱得过山间坐一年半岁，做工夫，还是尧孔工夫否？……(《朱子语类评》)

思维是活的心，对象是现实的物，故云“学文以明理”，文即制度文物，与孔子所言之“文”相合。

他说：

礼乐制度谓之道。(《正时》卷三)

文即六艺也。……实行敦而性命在其中。(同上)

离开对象（有事）的空理，在他看来不是真理，而是假象，他说：

“必有事焉”，学之要也。心有事则存，身有事则修，家之齐国之治皆有事也。无事则道与治俱废，故正德利用厚生曰事，不见诸事，非德非用非生也。德行艺曰物，不征诸物，非德非行非艺也。

李植秀问“格物致知”。予曰：知无体，以物为体；犹之目无体，以形色为体也。故人目虽明，非视黑视白，明无由用也；人心虽灵，非玩东玩西，灵无由施也。今之言致知者，不过读书讲问思辨已耳，不知致吾知者皆不在此也。譬如欲知礼，任读几百遍礼书，讲问几十次，思辨几十层，总不算知，直须跪拜周旋亲下手一番，方知礼是如此。譬如欲知乐，任读乐谱几百遍，讲问思辨几十层，总不能知；直须抟拊击吹口歌身舞亲下手一番，方知乐是如此。是谓“物格而后知致”。……格即“手格猛兽”之格……，且如这冠，虽三代圣人，不知何朝之冠也，虽从闻见而知为某种之冠，亦不知皮之如何暖也，必手取而加诸首，乃知如此取暖。如这蔽蔬，虽上智老圃，不知为可食之物也，虽从形色料为可食之物，亦不知味之如何辛也，必箸取而纳之口，乃知如此味辛。

故曰手格其物而后知致。(《四书正误》)

因此，他的判断论便基于“以物为体”的思维活动，而且判断与感觉是不能相为离异的，他说：

不断，怠也，不觉荒也。夫人日有以荒其心，日有以荒其身，日有以荒其耳目口舌，虽得孔子为师，不能强其心而使之断也。故荒则不觉，不觉则益荒，怠则不断，不断则益怠。……常觉则断有力，常断则觉亦有力。(《记余》卷四，《答刘焕章书》)

如果不在日新月异的思维活动去改变自然而后改变自己的思维能力，而受用孤立的精神，他便指斥说：

程子所言，荡涤邪秽，流通精神，妙不可言，不自知何心期待，一副器物自己料理，铿锵当下便已受用难言云云。此等谁启之哉，谁教之哉？岂非天生一副好乐资性，如后稷童时好种植，孔子戏嬉陈俎豆，非人之所能为也。但不精此道，不终此志，便是负天，便是不尽性。(《记余》卷四，《答何千里》)

习斋亦明“推理”，甚具卓见，他说：

致者推而极之也，解致字最好到底实讲处，却说“自戒惧而约之以至于至静之中，无少偏倚，而其守不失，则极其中，自谨独而精之，以至应物无少差谬”云云。世有至静之中不失其守，而天地便位者乎？有应物无差谬而万物育者乎？……春秋之天地不位，万物不育，将谓孔子至静之守犹有失应物之处，犹有差谬乎？……理之不通明矣。且字义之训诂，亦自相矛盾，夫推者，用力扩拓去，自此及彼，自内而外，自近及远之辞也，推而极之，则又无彼不及，无外不用，无远不到之意也，曾可云约之乎？……（《正误》卷二）

他又说明“方法”的重要，惟他讲的方法是和现实的生活联结，而不是背诵古人的成语，他训诂“方”字颇有趣味（不论其小学源流），他说：

方字，从一，一东西也，——南北也，四面见刀，则方正矣。(《正误》卷四)

方法是一种手段，要栽成或治理对象的，不是欣赏的装饰品或不可言喻的妙诀，他说：

方取其易知，药取其易办，人人可立致，处处可便采。……一举手而病者不劳而平。……孔子之论政，因民之所利而利之，吾之论医，因民之所生而生之。(《习斋记余》卷一,《美惠方集序》)

医理如此，治学亦然，他说：

书是古人为学为治谱也。汉宋儒专以读讲著述为学，……只看得几册文字是文，……解博学用于文无不考，蔽哉！夫文不独诗书六艺，凡威仪辞说，兵农水火钱谷工虞，可以藻彩吾身，黼黻乾坤者，皆文也。故孔赞尧曰焕乎其有文章，……君子无方以学之，则事物洞达、拱办有力，然材料之聚集虽广，恐未必一归于性情之上，条理于国家之间，故又必约之以径曲范围之道，仪文度数之节，使……皆有规矩绳墨之可循。(《正误》卷三)

言方法，则不能离开功用，这在习斋乃指思维的检证，因为“功用”本来是思维的重要内容，倒不是实用主义的近视观念。他首先反对宋儒的方法，他说：

朱子言，只要熟看熟读，别无方法。

习斋评：将圣人方法坏尽，却说看读外别无方法，试看尧舜至孔子何尝有个熟看熟读。(《语类评》，二页)

朱子言学者做工夫，须如大火锻炼通红成汁方好，今学者虽费许多工夫看文字，下梢头，都不得力，不济事者，只缘不熟耳。

习斋评：既废却三物之学，时习之功，则谓大火中锻炼通红成汁是指何物何功。下面乃云……看字文不熟，则朱子说诨半日，皆谓读书乎？读书愈多愈惑，审事机愈无识，办经济愈无力，试历观宋明已事，可为痛哭！（同上，四页）

习斋谓书本上的方法是"见观法"，本身亦靠不住的，他说：

书本上所穷理，十之七分舛谬不实。朱子却自认甚真，天下书生遂奉为不易之理也。如鄘诗、蝃蝀，朱子注，天地之淫气，不知却是一虫为之。……天下扫尽书生见观法，孔孟以前道可传也。(《记余》卷六)

反乎"见观法"，便是证之于天地的实际，他有释"系"字一段话，颇能看出他的治学方法，他请教天文学者的精神是科学的：

系字(按日月星辰系焉句)义千古无人发明。予……夜观天象，忽有流星……摇移，须臾乃定，如有所系状。……录此以俟有得于天文学者。(《正误》卷二)

所以，言方法而以功用为内容，除了实用之外，还有实际的检证。但功用亦不能避去功利，他说：

朱子言江西之学只是禅，浙学却专是功利，……若功利则学者习之，便可见效，此意甚可忧！

习斋评：一南客曹蛮者……谈医云，惟不效方是高手，殆朱子之徒乎？朱子之道大行，使天下无一才，无一苟定时，不愿效也。宋家老头巾，群天下人才于静坐读书中，以为千古独得之秘，指办干政事为粗豪为俗吏，指经济生民为功利为杂霸，使五百年中平常人皆读讲集注，揣摩八股，走富贵利达之场，高旷人皆高谈静敬，著书集文、贪从祀庙廷之典，……并汉唐杰才亦不可得，……万有乃真空矣。(《语类评》五页)

天地真易简，故四时常运，万物常生，帝王圣贤真易简，故三事三物之外无道，五达九经之外无功，宋儒分毫不语此，朱子尤甚。(《语类评》一六页)

截指习射为修身之格法，治家出入丰减，皆有定规，齐家之格法，守荆州先教练兵士，治国之格法，较朱子半日读书半日静坐，……自是。(同上，一八页)

因此，习斋是把理与利合一，他改正董仲舒的话如下：

以义为利，圣贤平正道理也。尧舜利用，尚书明与正德厚生并为三事，利贞，利用安身，……利者义之和也，易之言利更多，……后儒乃云正其谊不谋其利，迂矣！予改云，正其谊以谋其利，明其道而计其功。(《正误》卷一)

因为他重视事理的检证，故他解释古书多从具体方面着想，而避免捉摸不定的抽象术语，其例甚多，今举数则如下。“错”字的新义，他说：

错，鑢也，又厉石也。诗云，他山之石，可以攻错，言举正直之人使之错治诸枉。(《正误》卷三)

“克”字的新义，他说：

古人训克，能也，胜也。己者对人自谓也。朱子惑于六贼之说，创出克去己私之解。(《正误·克己复礼章》)

“操”字的新义，他说：

操，如操舟之操，操舟之妙在舵，舵不是死操的，又如操军操国柄之操，操军必要坐作进退如法，操国柄必要运转得天下，今要操心，却只把持一个死寂，如何谓之操？(《正误》卷六)

“致”字的新义，上已引过，言“推”之义，他又说：

致字不是一用力便了的工夫，曲字不是多端乱营的勾当，乃就吾辈各得赋分之一偏，而扩充去。(《正误》卷二)

因为宋儒忽视后天的认识发展，故习斋以扩充解“致”字，他在别处所言可与这里相印：

自他人视之，吾子为生安之圣，一发齐到矣；而圣心则真觉十五至七十原有许多层次也，……终身用功无已时，……非不志学不用功乃是生安圣人。(《正误》卷三，参看船山否认生知的朱子说)

“立”字“达”字的新义，他说：

这立字便是可与立，立于礼，患所以立等立字，……立家立业立功立国皆是，我欲成立，谁不欲成立。……这达字便是在家必达在邦必达……等达字，我欲通达，谁不欲通达。(《正误》卷三)

“适”字的新义，他说：

适，往也，读如字，犹云无做去意，亦无不做去意，只义上取齐。(《正误》卷三。按无适也，朱子注适作丁历反)

“习”字他说“如数鸟飞然”，“温”字释得更妙：

温有三义，习也，暖也，烀也。重习其所学，如鸟数飞以演翅；又将所以得者暖之，不令冷；又脱洗一层，另焕发一番，如以汤沃毛脱退之意。盖古人为学，全从真践履，真涵养做工夫；至宋人则思读作三者而已，故训温，寻绎也。(《正误》卷三，《温故而知新章》)

“格”字一新义，屡见于他的著述中，训“格杀猛兽之格”，由此把宋明以来的格物玄理还元而为所谓“人性物理”，他说：

按格物之格，王门训正，朱门训至，汉儒训来，似皆未稳。窃闻未窥圣人之行者宜证之圣人之言，未解圣人之行者宜证诸圣人之行。但观圣门如何用功，便定格物之训矣。元谓当如史书手格猛兽之格，手格杀之之格，乃犯手捶打搓弄之义，即孔门六艺之教是也。如欲知礼，凭人悬空思悟，口读耳听，不如跪拜起居，周旋进退，捧玉帛，陈笾笠，所谓致知乎礼者斯确在乎是矣；如欲知乐，凭人悬空思悟，口读耳听，不如手舞足蹈，抟拊考击，抱吹竹，口歌诗，所谓致和乎乐者斯确在乎是矣。推之万理皆然，似稽文义质圣学为不谬，而汉儒朱陆三家失孔子学宗者亦从可知矣。(《记余》卷六)

习斋的知识论，最为重要的是“实践”，即他自号“习斋”之习，这“习”字有多种义，第一它含行为之义，他说：

谓次亭曰：“吾辈向习行上做功夫，不可向言语文字上着力。孔子之书，名论语矣；试观门人所记，却句句是行，“学而时习之”、“有朋自远方来”、“人不知不愠”、“其为人也孝悌”、“节用爱人”等，言乎？行乎？（《言行录·王次亭第十二》）

心上想过，口上讲过，书上见过，都不得力，临事依旧是所习者出。（《存学编》卷一）

颜子所好之学，仆不敢言，但七十子于诗书六艺皆习而通之。后之大儒……好说颜子所好之学，吾不知颜子之好学，即同七十子之习而通之者而涵养更精乎？抑外七十子习而通之者别有一种学而好之乎？从祀孔子庙六庭者非曰滥觞章句，则同打诨禅宗，皆曰学颜子之所学。噫！……（《正误》卷三）

他赞同他的朋友刁蒙吉翻着孟子的语法：

友人刁蒙吉，翻孟子之言曰：著之而不行焉，察矣而不习焉，终身知之而不由其道者众也。其所慨深矣！

（见《存学》）

他自己更透辟地说道：

……然但以读经史订群书为穷理处事以求道之功，则相隔千里，以读经史订群书为即穷理处事，曰道在是焉，则相隔万里矣。……譬之学琴然，诗书，犹琴谱也，烂熟琴谱，讲解分明，可谓学琴乎？故曰以讲读为求道之功，相隔千里也。更有一妄人，指琴谱曰是即琴也，辨音律，协声韵；理性情，通神明，此物此事也，谱果琴乎？故曰：以书为道，相隔万里也。千里万里，何言之远也；亦譬以学琴然，歌得其调，抚娴其指，弦求中音，徽求中节，声求协律，是谓之学琴矣，未为习琴也。手随心，音随手，清浊疾徐，有常规，鼓有常功，奏有常乐，是之谓习琴矣，未为能琴也。弦器可手制也；音律可耳审也；诗歌惟其所欲也；心与手忘，手与弦忘，私欲不作于心，太和常在于室，感应阴阳，化物达天，于是乎命之曰能琴。今手不弹，心不会，但以讲谈琴谱为学琴，是渡河而望江也，故曰：千里也。今目不见，耳不闻，但以谱为琴；是指蓟北而谈云南也，故曰：万里也。（《存学·性理评》）

习字第二义含证验之义，他说：

譬之于医，黄帝《素问》金匮玉函，所以明医理也；而疗疾救世，则必诊脉制药针灸摩砭为之力也。今有妄人者，止务览医书千百卷，熟读详说，以为予国手矣；视诊脉制药摩砭，以为术家之粗，不足学也，书日博，识日精；一人倡之，举世效之，岐黄盈天下，而天下之人，病相枕死相接也，可谓明医乎？愚以为从事方脉药饵针灸摩砭疗疾救世者，所以为医也；读书取以明此也。若读尽医书，而鄙视方脉药饵针灸摩砭，妄人也！不惟非岐黄，并非医也，尚不如习一科验一方者之为医也。（《存学编·学辩》）

朱子看理，多重心而轻行，故将“以”训“为”，“由”训“意之所从来”。（按此谓视其所以，观其所由，察其所安章）予妄谓，人尝有主意如何，而毕竟做不出来，行不出的，看人主意还完不得人，故先看他“所以”，是意如何；所由，所行也，次看他所行如何；所安，所乐也，终看他如此是所安否。（《正误》卷三）

刚峰集言为学在诚致，不先格致。先生云：“此只由不解，格物二字也，不知圣人之言，证以古人之行，不见圣人之行，证以圣人之言。此“格”字乃手格猛兽之格。格物谓犯手实做其事，即孔门六艺之学是也。且如讲究礼乐，虽十分透彻；若不身为周旋，手为吹击，终是不知。故曰:“致知在格物。”(《言行录·刚峰第七》)

习字第三义含大众能学之义，他说：

博学之则兵农钱谷水火工虞天文地理，无不学也，以多读为学，圣人之学所以亡也。(《正误》卷二)

他主张一艺一技之能，皆有造就于性命，不是把性命之习置于常人之外，而专让古人，因此他反叹当代缺少真能习事的人才，他说：

汉宋以来，徒见训诂章句静敬语录，与帖括家列朝堂，从庙庭，知郡邑，塞天下，庠序里塾中白面书生，微独无经天纬地之略，礼乐兵农之才，率柔脆如妇人女子，求一豪爽倜傥之气亦无之。……故仆惟访忠孝恬退之君子，与豪迈英爽之俊杰，得一人如获万斛珠，以为此辈尚存吾儒一线之真脉也。(《习斋记录》卷一，《泣血集序》)

“习”字第四义含“自强不息”之义，他说：

兀坐书斋人无一不脆弱，为武士农夫所笑。(《言行

录》)

今曰，衣冠之士，羞与武夫齿，秀才挟弓矢出，乡人皆惊，甚至子弟骑射武装，父兄便以不才目之。长此不返，四海溃弱，何有已时！(《存学编》)

孔子开章第一句，道尽学宗。思过读过，总不如学过，一学便住，也终殆。不如习过，习三两次，终不能与我为一，总不如时习方能有得，习与性成，方是乾乾不息。(《言行录》)

习斋之“习”，不但以“圣人惟就其性情所自至，使之习乎善以不失其性，”而且以“习行六艺之学，健人筋骨，和人血气，调人情性，长人神智”。因此，“习行经济谱”的习字第五义导出“动”义，他说：

养身莫善于习动，夙兴夜寐，振起精神，寻事去做，行之有常，并不困疲，日益精壮，但说静息将养，便日就惰弱了。故曰君子庄敬日强，安肆日偷。(《言行录·学人篇》)

常动则筋骨竦，气脉舒，故曰立于礼，故曰制舞而民不睡。宋元来儒者皆习静，今日正可言习动。(《言行录·世性篇》)

五帝三王周孔，皆教天下以动之圣人也，皆以动造成世道之圣人也。汉唐袭其动之一二以造其世也，晋宋之苟安，佛之空，老之无，周程朱邵之静坐，徒事口笔，总之皆不动也，而人才尽矣，世道沦矣。吾尝言：一身动则一身强，一家动则一家强，一国动则一国强，天下动则天下强，自信其考前圣而不谬，俟后圣而不惑矣。（《言行录·学须篇》）

"习"字第六义为实、为用，他说：

心中惺觉，口中讲说，纸上敷衍，不由身习，皆无用。（《存学编》）

学须一件做成一件便有用，便是圣贤一流。（《言行录·学须篇》）

他主有用，谓"德性以用而见其醇驳，学问以用而见其得失"，而与宋儒的主敬相反，故他又说：

敬字字面好看，却是隐坏于禅学处。古人教洒扫，即洒扫主敬，教应对进退，即应对进退主敬，教礼乐射御书数，即度数音律审固罄控点画乘除莫不主敬。故曰执事敬，故曰敬其事，故曰行笃敬，皆身心一致加功，无往非敬也。若将古人成法皆舍置，专向静坐收摄徐行

缓语处言主敬，乃是以吾儒虚字面做释氏实工夫，去道远矣。(《存学编》卷三)

复次，他言“外三物而别有学术便是外道”，故习六艺之学，指实在可接近的东西，他说：

中庸是引人向平实处做；向收敛韬晦处做，正患后世凌高厉空，废弃卑迩，张皇表暴之弊也。(《正误》卷一)

“实”指习之有物，如切磋琢磨，大小不拘，一样平等，都得在平实处证得结果。他说：

今解家只理会切磋琢磨四字，不理会四“如”字正义是甚？(《四书正误》卷一)

三达德，自天子至庶人，大而谋王定国，小而庄农商贾，都缺他不得。……农成禾，商聚财，都须一段识见，一段包涵，一段勇气，方做得去。(《正误》卷三)

实与空静相反，故他反对宋儒云：

吾读《甲申殉难录》，至“愧无半策匡时难，惟余一死报君恩”未尝不凄然一泣下也，至览《和靖祭伊川》：“不背其师有之，有益于世则未”二语，又不觉废卷浩叹，为生民怆惶久之。夫周孔以六艺教人，载在经传。

子罕言仁命不语神，性道不可得闻，予欲无言，博文学礼等语，出之孔子之言。及诸贤所记者，昭然可考；而宋儒若未之见也，专肆力于讲读，发明性命，闲心静敬，著述书史。伊川明见其及门皆入于禅而不悟，和靖自觉其无益于世而不悟，甚至求一守言语者亦不可得，其弊不大可见哉？至于朱子追述，似有憾于和靖，而亦不悟也。……（《存学编·性理评》）

习斋"实征""动物"的知识论，在表面上是儒学，而在底里则是墨子学术的复活，他的礼乐论已经还原为制度与艺术，不是墨子所非儒家的礼乐了。下面的话正是他的精髓结论：

尽性者，实征之吾身而已矣；征身者，动与万物共见而已矣。吾身之百体，吾性之作用也，一体不灵，则一用不具；天下之万物，吾性之措施也，一物不称其情，则措施有累。合内外，成人已，通身世，打成一片，一滚做功，近自几席，远达民物，下自邻比，上暨廊庙，粗自洒扫，精通燮理，至于尽伦定制，阴阳和，位育彻，吾性之德全矣。（《存性编》）

庄子《天下篇》评墨子为"天下之好也，才士也夫”，因此亦有人误仿之评习斋为“天下之好，豪杰也夫”。平心论之，习斋攻击宋明大儒诚有墨子非儒的过激论，但他的朴素求真态度，确是一个忠于真理的大儒，三百年前中国出现了这样人物，值得我们把培根、笛卡儿，姑且摆在他的近代地位之下。

他在学术精神上，泥拘于复古的讽刺画，这是他的时代；在一切传统不惜破坏而无保留的习斋风格之下，当他提出了反命题而仅保留了似是而非的主语时，亦得为古人想一想他的封建枷锁，这在著者看来，习斋满身古气，而并没有削弱了他的近代内容，此位学人好像无考证学家的纤手，但其粗大处则心细之至，从他的复古的巧妙解释便知道此中底蕴。

第三节　习斋的经世论与恕谷之补充

习斋是一个彻头彻尾的经世家，他招呼失掉人性的“人”，这“人”在他的规定之下是近代人类（或经世的人），他招呼失掉世界的“事”和“物”，这事物在他的规定之下是近代事物（或征诸事物的经世事物），他在六府三事三物四教的古代言语外表，探求着近代“实学”(《存学编》语)，他也不客气地好像宪法起草人，说：

如天不废予，将以七字富天下，垦荒，均田，兴水利；以六字强天下，人皆兵，官皆将；以九字安天下，举人才，正大经，兴礼乐。(见《年讲》)

他是何等地信仰现在，信仰将来。宋儒以来，把性命义埋让之古人，对于现在将来是漆黑而无光明的，故朱子云秦汉以下“天地也架漏过时，人心也牵补度日”，习斋已经预言着近代世界，故他梦想光明的将来是最实在的，他批评过去的人心说：

文忠之中夜三起，与晦翁之闻警大哭，皆可谓忠愤，而卒不能为国家发一矢，殪一虏也，非学术误之乎？自言一无所能，徒以少喜文字见许世俗，何不猛改，与天下图其有用，而卒借三五书生，优游朝堂，偷安自娱，作太平无事士夫样，……方尽力与热心干国之宰相为敌，方忌妒得军心之大将而阻其任用。……朱子终日著述静坐，见一谈中兴之陈同甫便断绝之，而言上表谏和议志复雠也，有此理乎？（《记录》卷六）

他不但对于陈同甫（宋时之异端）深加赞许，而且为一向被人辱骂的王安石抱不平，在《朱子语类评》中有很多替安石辩解的道理，兹举他辩论安石“矫世变俗”的一段话如下：

荆公之忧，皆司马韩范辈所不知忧者也，荆公之所见，皆周程张邵辈所不及见者也，荆公之所欲为，皆当时隐见诸书生所不肯为不敢为不能为者也。……史氏录此书（万言书）而先加“议论高奇矫世变俗”八字于前。嗟呼，是宋家一代人物识趋卑庸耳，公何高奇哉？宋之世不矫之俗不变之，虽有尧舜何以为治哉？……惜公不能矫不能变也，以公亦务读解诗书，亦以帖括取士也，矫世变俗当以此二事为第一义。（《记余》卷六）

考清初学者间莫不在封建与郡县二制中为是非取舍之辨，有师封建者如黄梨洲，有师郡县者如顾亭林，有不主复古者如王船山，有主复古者如颜习斋，即同属一派，如颜李二子，颜师封建，而李则反对其说（见《平书订》卷二）。这好像民元前后责任内阁制与总统制之论争，民八前后联省自治与中央集权之论争，问题全是表面的，但后面却含着一种向民主途径摸求的梦想。

习斋的经世思想，首重民生的福利，颇有近世初期西洋“大多数乐利”的含义，他说：

郝公函问：“正谊明道二句，似即谋道不谋食之旨，先生不取，何也？”曰：“世有耕种而不谋收获者乎？有荷网持钩而不计得鱼者乎？抑将恭而不望其不侮，宽而不计其得众乎？这不谋不计两不字，便是老无释空之根。惟吾夫子先难后获，先事后得，敬事后食二后字无差。盖正谊便谋利，明道便计功，见于速欲助长，全不谋利谋功，是空寂，是腐儒。”公函曰：“请问谋道不谋食。”曰：“宋儒正从此误，后人遂不谋生。不知后儒之道，全非孔门之道。孔门六艺，进可以获禄，退可以食力，如委吏之会计，一间兮之伶官可见。故耕者犹有喂，学也必无饥。夫子申结不忧贫，以道信之也。若宋儒之学，不谋食，能无饥乎？”(《言行录·教及门》)

由这里我们进一步可以看他的经济思想的土地平均主义，实包含近世最早的进步民主主义内容，他论均田说：

刚主问：“出将奚先？”先生曰：“使予得君，第一义在均田。田不均，则教养诸政俱无，措施处纵有施为，横渠所谓终苟道也。”(《言行录·三代》)

他的耕者有其田的均田思想，是用复井田制的三代文明来讲述的，他说：

岂不思天地间田，宜天地间人共享之。若顺彼富民之口，即尽万人之产而给一人所不厌也。王道之顺人情固如是乎？况一人而数十百顷，或数十百人而不一顷，为父母者，使一子富而诸子贫可乎？……况今荒废至十之二三，垦而并之，移流离无告之民，给牛种而耕焉，田自更余耳。(《存治编·封建》)

习斋四存编，《存性》、《存学》、《存人》三编议论较多，惟《存治编》过简，且关于复古有不自肯定的话，如言“封建亦何患之有”，“天道其能容乎”，而与习斋论学的斩断态度颇不相称。这是思想未成熟的证明。例如他说：

乾坤乃自尧舜夏商周诸圣相开物成务，递为缔造而成者也，人主享有成业，而顾使诸圣人子孙无尺寸之土，……天道其能容乎？(《存治编·封建》)

善哉不可以空言论也，先王遗典，封建无单举之理，……师古之意，不必袭古之迹。……侯庶不世爵禄。视其臣，而以亲为差，侯臣不世邑采，取公田，而以位计数，伯师不私出，列侯不私会，如此者……封建亦何患之有？况……用时必有达务王佐能因而润泽者，……余第妄谓非封建不能尽天下人民之治，尽天下人才之用。(《存治编·封建》)

据他的弟子李恕谷在《存治编书后》言，习斋《存治编》为早年之作，关于封建复古之制多有所商讨处，末则归结于封建者“传贤”也，他说：

陆桴亭封建传贤不传子论，似有当，质之先生，先生曰可；而非王道也。商榷者数年于兹，未及合一，先生倏已作古。此系位育万物，参赞天地之事，非可求异，亦非可强同也。(《存治编书后》)

恕谷亦倡如船山之理势论，正补充了习斋所谓“不必袭古之迹”的意思，他把封建释为“传贤”，更接近于近代的选举理想，他说：

陆桴亭曰，郡县即如诸侯，但易传子而为传贤，子不然之，独未闻古之论尧舜禹耶？昔人谓禹传子为德衰，孟子以天意解之，是未尝言天子不当传贤也。韩昌黎又谓传贤则无定人，非圣得圣，易启乱，传子则有定法，虽遇中才，人莫敢争，是天子之位亦以传贤为贤，

但无人制之于上，故忧后世之纷争。……如桴亭说，正昌黎所谓传贤则利民者大矣！（《平书订》卷二）

恕谷既把“封建”释为传贤，补充习斋之说，故对于井田制度亦不拘泥，仅谓均田在使耕者有田罢了。他说：

非均田则贫富不均，不能人人有恒产，均田，第一仁政也。但今世夺富与贫，殊为艰难，颜先生有佃户分种之说，今思之甚妙。如一富家，有田十顷，为之留一顷，而令九家佃种九顷，耕牛子种，佃户自备，无者领于官，秋收还。秋熟以四十亩粮交地主，而以十亩代地主纳官。……地主用五十亩则今日停分佃户也（二分之一），而佃户自收五十亩。过三十年为一世，地主之享地利终其身亦可已矣，则地全归佃户。……若地主子弟众，情愿力农者，三顷二顷可以听其自种，但不得雇佣以占地利。每一佃户必一家有三四人，可以自力耕锄，方算一家，无者或四家三家共作一家地，不足者一家五十亩亦可，无地可分者移之荒处。（《拟太平策》卷二）

制田之道有七：民与田相当之，方立行之，一也。其荒县人少者即现在之人分给之，余田招人来授，……

二也。……令多者可卖，而不可买，买田者如数而止，而一县之内则必不可或均或不均以滋变端，六也。……或陆或水，不得过授田之数，每家五十亩亦约略言之，行时以天下户口田亩两对酌计可也，七也。(《平书订》卷六)

他说这是“计口授田”之良法，在经济意义是一种平均主义，虽非土地国有制可能打破独占地租之封建剥削，但这却是进步的民主思想。

习斋颇称赞选举制度，以代替中古的贵族专政，他说：

今之制艺，递相袭窃，通不知梅枣，便自言酸甜，不特士以此欺人，取士者亦以此自欺。彼卿相者皆从此孔穿过，……尝谋所以代之，莫若乡举里选之法。(《存治编·重征举》)

恕谷对于这点，更进一步推求出为什么人民要有公权的平等思想，和他的传贤（民主）主张相为里表，他说：

农助天地以生衣食者也，工虽不及农所生之大，而天下货物非工无以发之成之，亦助天地也，若商则无能

为天地生财，但转移耳，固不上于二矣，工为人役，易流卑贱，商牟厚利，易长骄亢，抑之处末，甚有见也。(《平书订》卷一)

若优伶则所以奏乐者，不得无之，古且有伶官矣。……隶为官行刑卒，……其才庸下，而实不可无者，夫既为天地间不可无之人，则皆正人，所为皆正事也，其或为不正，则不教之过，而非隶卒之事即不正也，乃禁其子孙为士，不许与商农工为婚，是以为恶而绝之矣。以为恶而绝之，则当去之矣而可乎，宜更之优隶卒之子孙，为士农工商皆从其便。(《平书订》卷一)

恕谷更论专制之害，颇接近于梨洲，主张变法，以所学者分门担负国家之责任，他说：

陈同甫曰："今立国之势正患文为之密，事权之太分，郡县太轻而委琐不足恃，兵财太关于上而重迟不易举。"……天子以为轻天下之权而总揽于上，究之一人亦不能总揽，徒使天下之善不即赏，恶不即诛，兵以需而败，机以缓而失，政以掣肘而无成，平时则簿书杂沓，猾吏上下之手，乱时则文移迟延，启奸雄跳梁之谋。封建固不可复，而汉之守郡，得专生杀，操兵柄，有事直

达天子，可不鉴其意哉！（《平书订》卷二）

所学非所用，所用非所学，且学正坏其所用，用正背其所学，以致天下无办事之官，庙堂少经济之臣，民物鱼烂。……喆人变法，不再计而决矣。(《平书订》卷六)

经世之学不是囫囵原则，而是基于专门的知识，故恕谷言政治诸端，必求之于专门人才，在位者不必贵者，而能者在职亦可在位，他说：

六府三事，……言水则沟洫漕挽治河防海水战藏冰醝榷诸事统之矣，言火则凡焚山烬荒火器火战与夫禁火改火诸燮理之法统之矣，言金凡冶铸泉货修兵讲武大司马之法统之矣，言木则凡冬官所职虞人所掌，若后世茶榷抽分诸事统之矣，言士则凡体国经野，辨五土之性，治九州之宜，井田封建山河城池诸地理之学统之矣，言谷则凡后稷之所经营，……诸农政统之矣。至三事则所以经纬乎六府者也。……颜习斋曰，正德，正利用厚生之德也；利用，利正德厚生之用也；厚生，厚正德利用之生也。(《瘳忘编》)

按恕谷《瘳忘编》为二十五岁时著作，义多涉及政治，比其《拟太平策》更多生气。我们看他的《拟太平策序》便知道他的所谓“太平策”一语是“病夫”时代的名词了。他说：

中庸论为下不倍曰，非天子不议礼制度考文，而鲁论乃载孔子颜渊夏时殷辂周冕进退三王，何也？中庸所言制度，行其事也，孔颜则辩论之以待君相之用，如后世献策之类。

今常际太平之世，明四目达四聪，令士皆得陈言，而不思治平之策则有负儒矣，非为下之义矣。乃抚枕准周礼拟太平策如左。七十三岁病夫李塨。(《拟太平策序》)

恕谷对于习斋的补充，在经世之学方面甚得关键，复古对于习斋颇有束缚，对于恕谷则稍改变，甚至主张参考西洋诸法，恕谷说：

吾人行习六艺，必考古准今；礼残乐缺，当考古而准以今者也；射御书有其仿佛，宜准今而稽之古者也；数本于古，而可参近日西洋诸法者也。(《年谱》)

第四节　李恕谷与习斋之学术异同

李恕谷，名塨，字刚主，河北蠡县人，生清顺治十六年，卒雍正十一年（一六五九——一七三三）。他不完全是十七世纪的代表人物，已经在晚年折入于近代第二期的考证学途径。他是习斋主义的宣传者，他交游南北，使习斋的学术见闻于当时的朝野者，他的力量甚大，故世人称为颜李学派或四存学派，戴望的《颜氏学记》首编四存学术，即以颜李二子并提，近年四存学会亦以颜李遗书合辑。按颜李一源，在许多论点自有可言的根据，而颜李分家，则世鲜有在主要研究上辨别出来。这里所谓主要研究者，如大家都知道的，恕谷南游之后，和习斋分道，他的著作，宗庙、郊社、田赋诸考辨，论语、周易诸传注，已经和习斋有了距离，一方面走进考据学的狭路，他方面失去了习斋的全人格活动精神，故恕谷在学问范围对于习斋之补充，同时含得在研究方法上对于习斋之背离倾向。但，还有大家所不知道的，即恕谷的知识论大背师说，脱离习斋的实证论，走了习斋所谓的“见观法”。这一区别，不是说他返于宋儒，而是说他近于汉儒。至于方望溪（保守宋儒的最后门户者）的评论恕谷，已为世所诟病，非研究恕谷，实诬蔑习斋，戴望说：

桐城方苞与先生交至厚，尝使子道章从学先生，而方固信程朱，以习斋复圣门旧章为非。每相见，先生正论侃侃，方无辞而退。后先生没，方不俟其子孙之请，为作墓志，于先生德业一无所详，而唯载先生与昆绳论学同异，且谓先生因方言，改其师法。又与人书，称浙学之坏始黄梨洲氏，北学之坏，则始于习斋。故门人威县刘用可深非之，谓其纯构虚辞，诬及死友，今观先生遗书，知用可之言为然也。(《颜氏学记·恕谷传》)

恕谷渐与习斋分离，不是方望溪的虚构所可指出，戴望的话是正确的。恕谷说：

予自弱冠从颜习斋先生游，为明德亲民之学。……年几四十始遇毛西河先生，以学乐余力，受其经学，后复益之王草堂阎百诗万季野，皆学穷二酉，助我不逮，然取其经义，犹以证吾道德经济。……至于五十始衰，自知德之将耄，功之不建也，于是始为周易传注，续之四书传注。……嗟呼，立德无能，立功何日，而乃谆谆立言，怅如之何！（《诗经传注题辞》）

“谆谆立言，怅如之何”，恕谷自己的怅然于师者实甚显明。壬午，恕谷四十四岁南游归里，习斋对他说：“吾素可子沉静淡默，而此见微有浮骄之气，宜细勘改之！”恕谷悚然。（《年谱》）习斋亦知道恕谷受了阎百诗毛大可姚立方万季野诸人的影响，在书上做考据工夫，故给钱晓城书深辨考证之学，亦暗斥恕谷者：

离此经济一路，幼而读书，长而解书，老而著书，莫道讹伪，即另著一种四书五经，一字不差，终书生也，非儒也；幼而读文，长而学文，老而刻文，莫道帖括词技，虽左屈班马，唐宋百家，终文人也，非儒也。……但得此义一明，则三事三物之学可复，而诸为儒祸者自熄。故仆谓古来诗书，不过习行经济之谱，但得其路径，真伪可无问也，即伪亦无妨也。今与之辨书册之真伪，着述之当否，即使皆真而当，是彼为有敝之程朱，而我为无敝之程朱耳，不几揭衣而笑裸，抱薪而求火乎。

我们研究恕谷的学术，不仅是学问内容之和习斋差异，而且在知识论的理论上亦和习斋差异。这差异是很细密的。第一步关于知识的对象并无差异，他是发扬了师说，他说：

纸上之阅历多，则世事之阅历少；笔墨之精神多，则经济之精神少，宋明之亡此物此志也。（《恕谷年谱》）

宋儒内外精粗，皆与圣道相反。养心必养为无用之心，致虚守寂；修身必修为无用之身，徐言缓步；为学必为无用之学，闭门诵读；不尽去其病，世道不可问矣！（同上）

第二步，关于知识的实践性亦没有差异，他说：

道学家不能办事，且恶人办事。（同上）

圣学践形以尽性，今儒堕形以明性，耳目但用于听读，耳目之用去其六七；手但用于写，手之用去其七八；足恶动作，足之用去九；静坐观心而身不喜事，身心之用亦去九；形既不践，性何由全？（同上）

又谓：

读阅久则喜静恶欲，而心板滞迂腐矣。……故予人以口实，曰“白面书生”，曰“书生无用”，曰“林间咳嗽病弥猴”，世人犹谓诵读可以养身心，误哉！……颜先生所谓，读书人率习如妇人女子，以识则户隙窥人，以力则不能胜一匹雏也。（《恕谷后集·与冯枢天论读书》）

第三步，关于知识途径，更是重复习斋的言论，例如：

后世行与学离，学与政离，宋后二氏学兴，儒者浸淫其说，静坐内视，论性谈天，与孔子之言一一乖反，至于扶危定倾，大经大法，则拱手张目授其柄于武人俗士。当明季世，朝庙无一可倚之人，坐大司马堂批点《左传》，敌兵临城，赋诗进讲，觉建功立名，俱属琐屑，日夜喘息著书，曰此传世业也。卒至天下鱼烂河决，生民涂炭，呜呼，谁生厉阶哉？（《恕谷文集·与方雷皋书》）

……其为士者，平居则专帖括，工揣摩，上者勤事词章，或著语录；闭户俯首，如妇人女子。一旦出仕，兵刑钱谷，渺不知为何物，虽武夫俗吏之不如，尚望其长民辅世也乎？三物宾兴之世，学即所用，用即所学，若流弊不至于此，又何怪先生之俯仰而三叹也。（《存治编序》）

……承南宋道学后，守章句，以时文八股应试，高者谈性天，撰语录；卑者疲精死神于举业；不唯圣道之礼乐兵农不务，即当世之刑名钱谷，亦懵然罔识，而搦管呻吟，自矜有学。（《书明刘户部墓表后》）

综上以观，我们知道，恕谷是何等地注重实际的知识；认为实际的知识，不仅超过书本上的知识，并且还以为书本上的知识简直等于废物。这样看来，恕谷的着眼点，是在社会活动的领域里面，是注重实践的。可是在认识与实践的关系上，恕谷就背了习斋的方向，习斋以知识的标准在实验，而恕谷则主先知而后行了。恕谷说：

朱子亦知格物是学文，但仞圣学未甚确。故言有离合，如以穷至性天为格物，则是上达知天命之事，非成童入学事也；以读书讲论文字为格物，则后世文墨之学，非古大学之物也。应接事物，存心省身为格物，则又力行之功，非格物也；以力行为格物，是行先于知矣，倒矣。(《大学辨业》)

不知不能行，不行不可谓真知。故中庸谓道不行，由于不明，道不明，由于不行。如适燕京者，不知路向北往，如何到燕京，至燕京行熟，则知其路方真。然究是二事，究是知在行先，如问燕京路是问，行燕京路是行，中庸好学近知，力行近仁，知之一，行之一，明分为二事，是也。然必先问清路，然后可行。(同上)

习斋以为知识即统一在实践里，如解释格物之“格”字，恕谷则把二者分做平行的二元论，他说：

格物之于礼乐，学也、知也；修身之于礼乐，行也。

说命曰，知之匪艰，行之惟艰。世固有学而不行者，行自更重于学矣；然此乃学而不行之过，非学胜行，学先行之过也。故谓学犹故法，行乃躬行，分轻重可，谓学为小，行为大，分轻重不可也。或曰：如子言，即以事君论，则能学文必能政事矣，然圣门又分政事文学二科，何也？曰：博学于文，与文学亦微有分，博学于文所指广，兵农礼乐射御书数水火工虞之事，皆可学也，文学则专指其考订礼乐，酌古准今，博雅斐然而言，故与德行言语政事可分科也。(《圣经学规纂》)

习斋以为认识即征诸事物；实征之吾身，动与万物共见，即认识的活动，此外别无所谓心性，而恕谷则分为内外二元论，他说：

甲宗朱，乙宗王，辩且争，甲曰道在事物上求，言求心非，乙曰绝去事物，专求心性。予闻之曰，言思忠，貌思恭，忿思难，疑思问，以何思之，即心性也，未有去心而能求事物者也；去耳，聪性何在，去目，明性何在，孟子曰形色天性也，未有去事物而能全心性者也。夫万物皆备于我矣，去万物尚可为心性乎？然非心性，则备万物者何在乎？（《论学》）

恕谷对于朱王二家之分辨与习斋相违，习斋说：

六经皆我注脚，此是陆最精语亦最真语。……有不必注脚之我，尧舜五臣是也，有读尽注脚全不干于我，历代文人是也，有习行注脚，即尽其我，周孔三物之学是也。……闭目静坐，读讲著述之学，见到处俱同镜花水月，反之身、措之世，俱非尧舜正德利用厚生，周孔六德六行六艺路径，虽致良知者见吾心真足以统万物；主敬著读者认吾学真足以达万理，终是画饼望梅，……两家（朱王）之是非勿论。（《记余》卷六）

恕谷内外二元论的主张，显然更违背于其师说“知无体，以物为体”，“非气质无以见性”之旨。恕谷把学行分为二元以至把性物分为二元，是一个理论的两面，他以幼年知而不行，老年行而少知，则更愈说愈远了：

归德周昆来琈问曰：先生言学而后知，知而后行，则修齐治平之事，皆可徐俟之格致后与？曰：非谓尽知乃行也。今日学一礼，遇其礼当行即行之；明日又学一礼，遇其礼当行即行之；知固在行先，而亦一时并进，且迭进焉，非列其僿也。然亦有先后甚远者，如十五入大学，学而未仕，则自不行平治之事；六十居官，且年老不能亲学，则格物之功自少，是也。又问曰：弟子行孝悌，谨信，亲爱，有余力则学文，不几似行先学后乎？曰：非也。即如今一幼学，其父命曰：汝为我粪。可对曰：吾学粪礼乃来乎？猝一朋友来访，可谢曰：吾学相见礼乃会之乎？盖其事前此已学，则行之；即未学，亦必先供其识，待事讫，即速学之，以知其得失焉。……（《论学》）

他不但把知识的标准说歪，而且把人类知识的历史发展否定，这比习斋的知识论要逊色万倍。

以上说明恕谷在知识论离开习斋远去的歧路，这正是他走入考证学的根据，而以“文学”一科的“知先”，违背了师说。但恕谷并不是和习斋完全背向，他在世界观上确是一位习斋的宣道者，继承了习斋的传统，他关于理气观更比其师说得具体，他说：

即以理代道字，而气外无理，……未有阴阳之外，仁义之先，而别有一物为道者；有之，是老庄之说，非周孔之道也。（《中庸传注问》）

后儒改圣门不言性天之矩，日以理气为谈柄，而究无了义。……不知圣经无在伦常之外而别有一物曰道曰理者。……在人通行者名之曰道。故小人别有由行，亦曰小人之道。理字則圣经甚少，中庸“文理”与孟子“条理”同，言秩然有条，犹玉有脉理地有分理也。……今乃以理代道，而置之两仪人物以前，则铸铁成错矣。(《中庸传注问》)

此阐明气在理先，气外无道。他又说：

夫事有条理曰理，即在事中。今曰理在事上，是理别为一物矣。天事曰天理，人事曰人理，物事曰物理。诗曰：有物有则，离事物何所为理乎？(《论语传注问》)

此阐明有事有物方有理，无事无物便无所谓理，理在事物之中，离开了事物，便没有一个所谓先天的理的存在。比方，现在的天文学，就是从“制天而用之”所获得的关于天的道理，社会学就是人类对社会活动的过程中所探讨关于社会的道理；总之，离开了具体的事物便谈不上理。恕谷举例道：

请问穷理是阁置六艺专为穷理之功乎，抑功即在于学习六艺？年长则愈精愈熟而理自明也。譬如成衣匠学针黹，由粗及精，遂晓成衣要诀。未闻立一法曰：学针黹之后，又阁置针黹而专思其理若何也。(《圣经学规

纂》）

的确如此，理是从对事物继续不断的实习中才获得的；离开了事物而空谈理，那是不可思议的。他更从历史发展过程中来阐明“道在事中”道：

道者人伦庶物而已矣，奚以明其然也？厥初生民，浑浑沌沌，既而有夫妇父子，有兄弟朋友，朋友之尽乃有君臣，诛取禽兽茹毛饮血事轨次序为礼，前呼后应鼓舞相从为乐，挽强中之为射，乘马随徙为御，归而计件锲于册为书数，因之衣食滋吉凶备。其伦为人所共由，其物为人所共习，犹逵衢然，故曰道。伦物，实事也，道，虚名也。异端乃曰“道先天地”，曰“有物混成，先天地生”，是道为天地前一物矣。天地尚未有，是物安在哉？且独成而非共由者矣，何以谓之道哉？（《恕谷后集·原道篇》）

这就是说，所有礼，乐，射，御，书，数的道理，都是从具体的事物中所规定了的；习斋的“人性物理”的道，不是天道，而是人道，恕谷发展得更为明切。这种人本主义的世界观，由习斋到恕谷是一脉相传，故他们在人的创造精神上都信仰着现实改造，习斋最早感动恕谷的话是：

学者勿以转移之权，委之气数，一人行之为学术，众人从之为风俗，民之瘼矣，尚忍膜外？（《年谱》）

恕谷亦主张打破因袭，重视创造，他说：

子丕与昆来论画。曰：今人专讲摹仿，与画何与？画天如天，画地如地，画何山川何人物，如何山川何人物而已。先生叹曰：依傍门户而忘圣道之本然者，今之画也。（同上）

第五章　中国第十七世纪的西北思想家

第一节　首创诸子研究的傅青主

（一）青主的生平

傅青主生明万历三十五年，卒清康熙二十三年（一六〇六——一六八四年），初名鼎臣，后改名山，字青竹，后改青主，别号甚多，如公之它，公他，石道人，啬庐，随厉，六持，丹崖翁，浊堂老人，青羊庵主，不夜庵老人，侨山，侨黄老人，朱衣道人，酒肉道人，真山，五峰道人，龙池闻道士等等。他祖籍山西忻州，生长太原，是十七世纪的一位西北解放思想家。他年三十岁时，因了山西提学袁继咸（袁山）被奄党张孙振所诬，逮京下狱，约合当时诸生百三人赴京上书，三上不得达，乃公然在京师揭帖（见附录）呼号于官署请愿，袁案始大白冤雪，与黄梨洲之为父弹劾奄党事，同为三百年前破天荒之学生运动。青主之名至斯闻于天下，后马世奇称赞青主与薛宗周，比之为裴瑜魏邵。他自著《因人私记》一篇文字，即详述袁案始末。这时，京师谣言甚多，迁都之议时闻于大臣之间，他作《喻都赋》一篇，首句谓：

稽古畿之营建，非崇高之自闲，臬德罔以及远，偷一隅而偏安。

赋中隐含忧国之深谋远虑，如云：“上行五帝之德，下咨刍荛之言，……翼遗唐之忧思，斥郑卫之淫僊。”从《喻都赋》一篇作品看来，已经伏下他后来于明亡后忠贞自守的历史，走了类似大诗人屈原的招魂路径。

明亡后，隐居自称居士或道人，与大儒顾亭林甚相契合，以顾氏研究古音，亦影响于青主治学方法，某日晨他问亭林天明矣，用古音“汀茫”二字相戏，传为美谈。亭林云：“潇然物外，自得天机，吾不如青主。”二氏有唱和诗，可见他们的志趣，今录于下：

赠傅处士山——亭林

为问明王梦，何时到傅岩？临风吹短笛，劚雪荷长镵。老去肱频折，愁深口角缄，相逢江上客，有泪湿青衫！

顾子宁人赠诗随报复之如韵——青主

好音无一字，文彩会贲岩，正选高松座，谁能小草镵？天涯之子遇，真气不吾缄，秘读朝陵记，臣功汗浃衫！

傅顾二氏唱和诗，存者尚有亭林酬诗二首，附录于青主诗文集中，末句有云：“待得汉廷明诏近，五湖同觅钓鱼槎。”似二氏有反清的秘密结合。

青主隐居处名松庄，在太原城东南“浮浮若旌幢”的双塔寺下，自号为青羊庵，后改为霜红龛，以秋季树草菜色胥红，而喻晚节。他有青羊庵诗一首，虽隐居不忘复国，正他所言：“贫道岑寂中每耽读刺客游侠传，便喜动颜色，略有生气矣。”（《霜红龛集》三十八）他的诗如下：

心隐亦伤厚，况复肆其簧，多所不忍道，岂复胜篇章？流连郑卫诗，使人不能狂，澹静陶处士，乃有咏荆卿，剑术惜其疏，举杯饮欲忘，重篱不可解，颇异山谷黄。（集四）

青主居庵，清初大儒如阎百诗，潘次耕等人皆拜访过，次耕赠诗有“滓蔵非我区，蝉脱身不辱”之句。

当时清廷严防明朝遗儒特甚；他崇拜的恩师袁继咸曾致书于他，说：“闻黄冠入山养母，甚善甚善，此时不可一步出山也。”寄诗则云：“悠悠千载业，努力慰相思。”次年又寄一札致青主，谓：“晋士惟门下知我甚深，不远盖棺，断不敢负门下之知，使异日羞称袁继咸为友生也。”据全谢山《阳曲傅先生事略》言：“先生得书，恸哭曰，公乎，吾亦安敢负公哉！”可见青主少年识人之明，而亦不愧他冒死上请愿书了。

顺治十一年，他以飞语下太原郡狱，或谓有人劾其与南朝赧帝通而下狱者，总之，他虽然戴上道士黄冠，隐晦得不出山一步，而亦不能免于清廷的注意。他在狱中，受刑抗词不屈，绝粒九日，并诗文自况，文有《游夏问孝二章》，诗有《狱祠树秋夜》，诗句谓“秋夜一镫凉，囹圄真道场”，可见他的胸襟。系狱一年，因了门人以奇计救之得以自由。

后自命学庄列或学佛氏，谓：“老夫学庄列者也，于世间仁义事实薄道之，即强言之亦不能工。”（集十七，

《书张维遇志状后》）“余尝从事于儒而学佛者。”（集十六）他敢于自居于异端之林，实在有解放思想，在三百年前还没有人如此承担者，固不仅“潇然物外”而逃世。

他工于书画，尤长医学，集中论字书之义颇多，而最鄙赵子昂，因他说字如其人，心术坏而手随之矣，故言：“学书之法，宁拙毋巧，宁丑毋媚，宁支离毋轻滑，宁率真毋安排。”他的著作存世者仅《霜红龛集》，所著《性史》，《十三经字训》，《周易音释》，《周礼音辨》，《春秋人名韵地名韵》，《两汉书人名韵地名韵》，《易解》，《左锦》，《明纪编年》，《乡关见闻录》等书，都已佚失，但看他的著作里，学问是宏博的，尤以音韵学见长，且能参证钟鼎文字，这在他的集中还保留着许多小学研究，可以知道的。他的著作所以散失，因为“反常之论”不敢保存于当时，如他说：

贫道昔编《性史》，深论孝友之理，于古今常变多有发明，取二十一史，……兼以近代所闻见者去取而轩轾之……遭乱失矣，间有其说存之故纸者，友人家或有一二条，……然皆反常之论，不存此书，天也！（集二十五，《文训》）

从上面的话看来，他研究学问的方法实为“近代的”，能够取二十一史兼采近代见闻，而自加取舍其间，发明古今常变之理，实是当时的第一等作品，颇类似亭林的《日知录》。

他在晚年因忧患而不能从事著作，自述甚痛，如云：

自恨以彼资性，不曾闭门十年读经史，致令著述之志不能畅快，值今变乱，购书无复力量，间遇之涉猎之耳，兼以忧抑仓皇，蒿目世变，强颜俯首。……或劝我著述，著述须一副坚贞雄迈心力，始克纵横我庾开府萧瑟极矣；虽曰虞卿以穷愁著书，然虞卿之愁可以著书解者，我之愁，郭瑀之愁也，著述无时亦无地，或有遗编残句，后之人诬以刘因辈贤我，我目几时瞑也。（集二十五，《训子侄》）

青主之学博，顾亭林极称先生识字，阎百诗称先生长于金石遗文之学，“每与余穷日继夜不少衰止，欢谓此种学正经史之讹而补其缺，厥功甚大”（《潜邱杂记》语）。“邵阳曹全碑出，先生以谢承《后汉书》考证多所裨，大胜范书也。”（参看《年谱》）此言青主之考证学。全谢山说：“顾亭林之称先生曰，潇然物外自得天机，予则以为是特先生晚年之踪迹，而尚非其真性；卓尔堪曰：青主盖时时怀翟义之志者，可谓知先生者矣。”（《傅先生事略》）全氏此论，证以青主“经子并论”，诸子研究，以及左袒墨子之言，颇得实评。青主自己亦说：“老人与少时心情不相同，除了读书静坐如何过得日子，极知此是暮气。”（集二十六）

康熙十七年开博学鸿词科，京荐青主，他拒不就。次年清廷檄邑长踵门促驾，有类绑票，“先生称疾，有司乃令役夫舁其床以行，二孙侍。既至京师，以死拒不入城，于是益都冯公（相国名溥）首过之，公卿毕至，先生卧床，不具迎送礼。……以老病上闻，许放还山。……特加中书舍人以宠之，益都强先生，……使人舁以入，望见午门，泪涔涔下，强掖之则仆于地，蔚州进曰止止，是即谢矣。次年遂归，大学士以下皆出城送之。先生叹曰，自今以还，其脱然无虑哉！使后世或妄以刘因辈贤我，且死不瞑目矣！闻者咋舌。”（全氏，《傅先生事略》）他在被征的时候，有诗与某令，云：“知属仁人不自由，病躯岂敢稍淹留？民今病虐深红日，私念衰翁已白头。北阙五云纷出岫，南峤复剂遣高秋，此行若得生还里，汾水西岩老首丘。”这样看来，他的民族贞节之情操，实可与亭林诸人比美，洵我中华儿女的好模范。在青主文集中我们常见他责奴性的人们，竟敢评博学鸿词，谓：“博杀鸿杀。在渠肚里，先令我看不得听不得。”这种奴性，正是他的人格表现的反对物，他有读宋史一条文字，甚薄宋儒，多奴小人与奴君子。而与习斋舜水相似，大赞陈同甫，云“同甫容得朱晦庵，而晦庵不能容同甫”（集二十七，杂志二），谢山说“或强以宋诸儒之学问，则曰必不得已吾取同甫”（事略）。故他说：

不知人有实济，乱言之以沮其用，奴才往往然，而奴才者多又更相推激，以争胜负，天下事难矣！偶读宋史暗痛当时之不可为，而一二有廉耻之士又未必中用，……落得奴才混帐。所谓奴才者小人之党也；不幸而君子有一种奴君子，教人指摘不得！（集三十一）

（二）青主的子学研究

青主学术，由存世的《霜红龛集》研究，除仍存有考证与音韵诸学的简略各条，开清代朴学的先河外，在作者看来是以他系统地研究或评注子学为他的学问中心思想。如果说顾亭林的考证音韵学是近代王国维的老师（参看第三章），则我们有理由可以说傅青主的子学是近代章太炎的老师（在太炎丛书中，不见评论青主之言论，颇难索解。偶于赵芷青先生处见青主真迹，千字文，有太炎评语，谓:“傅公自谓挽强压骏，其草书正似之，小楷乃独淳古，盖学道之后，摧刚为柔矣，可宝也。”此证太炎读过青主之文。再青主不喜欧阳文，而深信《汉书》《左传》，亦与章氏前后相似）。我们知道，子学研究是清末文艺复兴的宝贵遗产，而能以哲理贯通诸家，自成一家言者厥为章氏的《国故论衡》，不容讳言，此书实在是民初治中国古代哲学史的桥梁。然在三百年前，援儒入释者有之，外儒内释者有之，而皆对于所谓二氏之学以及杨墨异端，认为与儒宗相反，斥之辟之不遗余力，没有人敢于公然研究，而竟自命为异端，以干犯儒林传统之攻击。清初大儒亦有吸收释道方法论者如船山，亦有兼赞墨学者如亭林，但都是在宋儒古衣之下，传导他们的近代言语。惟青主不然，他大胆地提出了百家之学，以经与子无可轩轾，阐发注释，首开近代子学研究的大门，这不能不说是十七世纪中国思想界的一支异军了。

青主之治子学，与清初诸儒之反理学态度是一脉相承，为大时代学人的全人格发展。他常讥“理学先生”或“道学先生”之包办“正统”，说“理学家法，一味板拗”（集三十八），不可与言学问。他说：

明王道，辟异端，是道学家门面，却自己只作得义袭工夫。（集三十六，《杂记一》。义袭二字，他释“沿袭之谓”）

沿袭是中古烦琐哲学的旧传统，他与诸家之非宋明注脚害人相同，故常勉人勿泥读注解，而要自求个性的解放，他说：

昔人云好学而无常家，家似谓专家之家，如儒林，毛诗孟易之类。我不作此解，家即家室之家，好学人那得坐座屋，胸怀既困，怀居卑劣，闻见遂不宽博；故能读书人，亦当如行脚阇黎，瓶钵团杖，寻山问水，既坚筋骨，亦畅心眼，若遇师友，亲之取之，大胜塞居不潇洒也。（集二十五）

他对于宋明儒者之争持所谓道统，深致厌弃，他听了李某兄弟谈王学正统的话，说：

我闻之俱不解，不知说甚，正由我不曾讲学辨朱陆买卖，是以闻此等说如梦。（集四十）

他其实已经把道统的沿袭看得非常清楚，亭林谓理学即经学，他更谓经学即王制，为后来章学诚六经皆史的张本。他说：

今所行五经四书注，一代之王制，非千古之道统也。（集三十六）

他的这种命题，正是基于怀疑精神而来，故他讲治学方法说：

一双眼睛，不唯不许今人瞒过，并不许古人瞒过。看古人行事，有全是的，有全非的，有先是后非的，有先非后是的，似是而非似非而是的，至十百是中之一非，十百非中之一是，了然于前，取其是而去其非，其中更有执拗之君子，恶其人，即其人之是亦硬指为非，喜承顺之君子，爱其人，即其人之非亦私泥为是，千变万状，不胜辨别，但使我之心不受私蔽，光明洞达，随时随事，触著便了。（集三十六）

他主张博学广闻（见《训子》），亦主张审辨精断，不能执拗道统而自束缚心思，故他评《左传》一书为讲周制的文献（他谓以周礼为中心），以宋儒之非《左传》，“其人即不聋于事，而皆聋于文，亦可笑也。”（集十五）他说：

我于《左传》，薄有所得（按先生曾著《左锦》一书），却非明经家言只是醒的文章之妙。朱晦庵谓是趋炎附势之书，不知何为而为此言？尹焞说只有六经，如《左传》便把文章做坏了也，真令人喷饭！（集三十七）

中古烦琐哲学重独断，故青主复讥宋人理学为“囫囵理学”，他说：

宋人讲诚，死诚也，其中变变化化，纯一无妄之道，岂腐儒执著所窥度，故孟子曰执中无权犹执一也。（集三十八）

因此，他主张“改之一字，是学问人第一精进工夫”，他有训子十六字格言，第十五字为“蜕”字，注谓：“荀子如蜕之脱，君子学问，不时变化，如蝉蜕壳，若得少自锢，岂能长进？”（集廿五）

他又说：

老夫每道宁可老作学生，不可少作学者，生不可量，

者则者矣，者，著也，……岂可自者？（集廿六）

这一方法，已肯定了知识的实践性，不是空阔的教条所执拗着，他说：

学之所益者浅，体之所安者深，闲习礼度，不如式瞻仪型，讽味遗言，不如亲承音旨。（同上）

此与习斋论学之旨有相似处，他有《读经史学解》一文，可作他批评宋儒讲学的代表作，今约录于下：

理本从玉，而玉之精者无理，学本义觉，而学之鄙者无觉，盖觉以见而觉，而世儒之学无见，无见而学，则瞽者之登泰山泛东海，非不闻高深也，闻其高深，则人高之深之也。故调觉之为效，……效先觉而效始不至于日卑。其所谓先觉者，非占哔训诂可以为童子师而先之也，乃孟子称伊尹为先觉。……是觉也谁能效之？谁敢效之？不能效之而文之曰“非其时也”，其时也而不敢效之，曰“吾聊乐尧舜之道”，世之所谓学也。病老子者曰“绝学”，老子之所谓绝者，绝河之绝也，学如江河绝而过之，不沉没于学也，觉也，不沉没于效也，觉也。荀子非子思孟轲，……后世之奴儒实中其非也，……奴儒尊其奴师之说，闭之不能拓，结之不能觿，其所谓不解者，如结褙也，如縢箧也，……本无才也，本无志也，安得其剧大，本无闻见也，安得博杂也，沟犹瞀儒者，所谓在沟渠中而犹然自以为大，盖瞎而儒者也，写奴儒也肖之。……后世之奴儒，生而拥皋比以自尊，死而图从祀以盗名，其所谓闻见，毫无闻见也，安有所觉也？不见而觉几之微固难语腐奴也，若见而觉尚知痛痒者，见而不觉则风痹死尸也。（集三十一）

此段文章乃痛斥道学家之儒，其解释老子“绝学”之旨，训诂当否别一问题，而要不失为青主立在理学反面的治学新义。（按青主集中训诂字义者甚多见，亭林赞为识字，惟所言之新义每自由解说，其不拘泥历来注脚的陈套，则为优点。）

明白了以上青主对于理学的反动以及他对于学问所持的新见解，我们便容易了解他的子学研究之出发点。他在三百年前首先破除学问中异端与正教之划分，他说：

佛经，此家（指儒）回避不敢读，间读之先早有个辟异端三字作难……。凡此家蒙笼不好问答处，彼皆粉碎说出，……教人不骑两头马也。（集廿五）

青主不是反乎儒者辟佛而辟儒，而是把学术作为是非长短之古人发明应衡诸自己的取舍，故他又说：

无如失心之士，毫无餐采，致使如来本迹，大明中天而不见，诸子著述，云雷鼓震而不闻，盖其迷也久矣！（集十六）

所谓云雷鼓震的诸子著述，确亦是二千年来在中国学术界，因为定于一宗之小天地而不闻于人世，把人的宝藏弃置鄙薄，一笔抹杀，青主发现古文艺的道理，颇近似于西欧复兴古希腊文明之创始者。他不把经书作为制度的史实看，而且批判了二千年文以载道之神秘脉传，他说：

仔细想来，便此技到绝顶，要他何用？文事武备，暗暗地吃了他没影子亏；要将此事算接孔孟之脉，真恶心杀，真恶心杀！（集十八，《书成宏文后》）

因此，他把经、子同等研究，不分鸿沟，更无所谓异端了，他有一段杂记，辨经与子相同，关于训诂字义甚具胆量，他说：

经、子之争亦末矣。只因儒者知六经之名，遂以为子不如经之尊，习见之鄙可见。即以字求之，经本巠字，一即天，巛则川，说文，巠水脉也，而加工焉，又分为天地，——以贯之。子则一了而已，古子字作𢀖。巠子皆从巛者何也？巛即川，川者水也，巛则无不流之理，训诂者以𢀖上之巛为发形，亦浅矣；人，水也，子之从巛者，正谓得巛之一而为人也，与巠之从巛者同文，即不然，从孩稚之语故喃喃，孔子孟子不称为孔经孟经，而必曰孔子孟子者，可见有子而后有作经者也，岂不皆发一笑？

青主对于诸子百家的研究，在他的诗文集中占据了首要的篇幅，有发挥义理的如解释老庄管商诸书，有注解语义的如注释墨子与公孙龙诸篇，亦有以唯识宗解释庄学的（为后来章太炎齐物论研究的老师），亦有以诸子之间互为贯通的，而墨子《大取篇》的注释尤为清代对于墨经训诂的毕沅、汪中之前行者。这种研究在清初学者中只有青主一人，我们不能不佩服他的胆识高人一等，著者以为亭林在文里行间推赞墨子以及重视诸子之学，当受青主的影响无疑，如亭林说："子书自孟荀之外，如老庄管商申韩，皆自成一家言。"亭林数称墨子《尚贤篇》的话可以发聩，而青主云："墨子罢不肖执有命之说，甚足以鞭策惰窳。”惟亭林仍守辟异端之形式，而青主则放弃此形式了。这样看来，亭林谓青主“潇然物外，自得天机”之言，在学术上亦可理解为不受传统的束缚。

（一）青主注释公孙龙四篇代表作，《白马论》,《指物论》,《通变论》,《坚白论》，多有独到之处。原公孙龙《白马论》，是关于别名与共名的诡辩逻辑，特殊名与一般名二者在一命题中的关系问题，因为涉及对象认识的范围，故容易闪烁其辩词。青主评《白马论》甚客观，他说：

似无用之言，吾不欲徒以言之辩奇之，其中有寄旨焉。……若以此义作求才绎之，大有会通，白黑黄皆马，皆可乘，故识马者去其白而可已，其义病在一白字，必于不黄不黑，而马之道狭矣。（集廿四，《读子三》）

青主对于《白马论》的寄旨作如此解，已经批评了“白马非马”之逻辑，但他的确明了公孙龙的逻辑，仅云别名与共名之鸿沟，他说：

无去取是浑指马言，有去取是偏指白马言。（同上）

所谓“浑指”即共名，而“偏指”则别名。《白马论》

已涉及认识，如："白者不定所白，忘之而可也，白马者言白，定所白也。"青主注云：

若所谓白马，不死执其色之白者而忘之，尚有马在也，今所言白马皆执著于白，定为白马。"定所白"者定以白为所也，犹释氏"能""所"之所，外既定为白，而内又添一白之之人，其所白也，不但非黄非黑，亦未必是白也。（同上）

青主以相宗解释此理，实为创举，似为章太炎"齐物论释"之张本，章氏所言如下：

指马之义，乃破公孙龙。《指物篇》云："物莫非指，而指非指，指也者天下之所无也，物也者天下之所有也，以天下之所有，为天下之所无，未可。"彼所谓"指"，上指谓"所"指者即境，下指谓"能"指者即识。物皆有对，故莫非境，识则无对，故识非境，无对故谓之无，有对故谓之有，以物为境，即是以物为识中之境，故公孙龙以为未可。

公孙龙《指物论》之"指"，即抽象的大共名，后宋儒援儒入道，便吸引了"指"旨而得出抽象的"表德"所谓先天的"道"，在学派上而言公孙龙确有可和老庄哲学的接合密缝，近人冯友兰氏便在这里玩耍抽象名词。青主在三百余年前，已经看出宋儒把辨析的名学，用其言以装潢囫囵的理学，故他对于《指物论》说：

岂不回复幽杳，本是无用之辨，然不能释者，顾读之者之不无用其言也。旨趣空深，全似楞严。（同上）

他复对于《通变论》说：

始曰无一，终以两明而道丧，无有以正其义。则前之一，即后之两之对，然则此一即老氏得一之一，是所贵者在一。……又何不可以不偏之谓中之语绎此乎。但中字为囫囵理学家所霸，安肯少以其义分以之诸子乎。而其才高意幽，又不能使儒家者如读其所谓布帛菽粟之文，一眼而句读，而大义可了，鄙儒概以公孙龙辈之言置之詈之以自尊，其实不敢惹耳。（同上）

公孙龙的《坚白论》，亦云坚白相外相离说，辞虽雄辩，而义实简单。他是把感性孤立，而与理性的综合划一鸿沟，把物质的实有否定，而认各自独立的感觉为实在。故云“无坚得白，其举也二，无白得坚，其举也二”。举之义为感觉，青主谓举对废而言，举白以目见，谓视觉，举坚以手见，谓触觉，相离而“独”为正。

公孙龙的逻辑，便寄托在感觉的各自孤立之“独”字上面，没有感性认识到理性认识之统一，关于此点，青主说：

末句离焉，离也者天下故独而正，通篇大旨可见。（同上）

此篇文字，向来称为难读的古文，自清代学者校疏以来，至现在始大致读通，青主在清初最早注疏此文，实开创清代校勘子学的研究，他校文如“恶乎甚石也”之甚字校正为其字，释文如离字读附离之离等等，以及句读讨论皆有见识。公孙龙辩学虽流于诡辞，但他的分析名物的方法论，在二千年来囫囵儒者论理精神之传统下，则可作为一种“云雷鼓震”以醒学风的药剂，故青主之注释有其学术价值，他亦自夸说：

坚白篇之文，变化缥缈，恍惚若神，……千百年下公孙龙乃遇我浊翁，翁属水，盖不清之水也，老龙得此一泓浊水，而鲵桓之老龙乐矣。（同上）

凡实在论归结上言是观念论，坚白颇类实在论者的“事实”，青主释为“易脆”之事实，“易染”之事实，故独而正之说，即以感觉事实的离而独立为最实在者，青主说：

此之坚，非善闭无关键而不可开之坚，白，非知白守黑之白，所谓坚者易脆也，所谓白者易染也，由于其人之谌杵，如石者随所见知而不化，于以内身外世，皆不可费却多少攻守，而卒于石亦恶有，又进之于神之不见不知，离而非离者独而已矣，谓不离于坚，不离于白，不离于石也。（同上）

复次，青主读子四，有《墨子大取篇释》一文，亦是近世最早解读墨子的名贵文章。他说此篇“奥义奇文，后世以其不可解而置之”，他的疏释，自然亦未能一齐读通，且待继续研究，甚具学者态度，故说：“文本难通，逐字逐句为之，积累而疏之，以求其通，可谓用心于无用矣，然亦必不必之见，不尔则心留而不去尔，斯置之矣，非尔亦有留之，暂尔留之，非欲之留，与博弈然。”（集三十五）他疏释此文，高见层出，今择要举之于次：

按《大取篇》有“语经”之称，是墨子弟子对于《兼爱篇》之逻辑发展论，青主的疏释亦多逻辑上的意义，《大取篇》云：“诸圣人所先为人欲名实，名实不必苟是实也，白败，是石也。尽其白，同是石也，惟大不与大同，是有便谓焉也。以形貌命者，必智是之某也焉，智某也；不可以形貌命者，惟不智是之某也，智某可也。”这是举实予名的逻辑，与公孙龙独名绝实的逻辑相反，青主所释近似：

圣人所为人于名实之间，欲名之有实也，若但曰名实，徒有其名而不必诚是其实，则白败是石也。白败，不知何物，当时或有此名，可见当时诸子多持坚白石之论，故此及之，以辩名实。若但以白为石，如物之坏而败者，如白醭白霉之皆可谓之石矣。即以大言之，如大马非大牛也，若去实而不分辨之，但曰大如何是大也，是有大形者即谓之大焉也，不论其为大某大某也。焉在此处作了语，是尽其辞也，故物之以形貌命者，必知是物为某物，则尽其辞而名之曰焉，智某也。若其不可以形貌命者，知之不真，不能的确知是物为某物也，但智某之可也，不得尽其辞曰焉，智某也。

智某可也，智某与上是之某，义有深浅，上文多一之字，下文去之字，上文是实指之词，下文是想象之词。（同上）

青主此二段解释颇当，已开清代墨子训诂之先河，所谓“实指之词”指判断而得者，如What之答案，“想象之词”指表象而得者，如That之答案，分析亦精审。《大取篇》在此段之后，言名实同异的逻辑，文甚简约难识，青主疏释的方法，兼重训诂字义，且据因明论互证名学，为清学的最早文法，他说：

居运犹出移在此在彼也，凡以居运名者皆实，实有人于其中者如居齐曰齐人，而去之荆，则不得谓齐人矣之类也。即如山之非丘，室之非庙，实在斯名在，不得曰丘即山、庙即室也。的而知之智，仿佛度之意，不同也。同而不同之间，不胜言之，而重则有金之铁之重，重同而金铁异，器其有饮具食具之类，具或是贝字之讹，锦有异者亦通，连如连衡之连，外连而内各有心也，连又铅锡之名，然上有重矣，此不必复作锡解也，又四里为连，十里为乡，亦可解去（按上释原文“智与意异。重同、具同、连同”）。“同类之同”，如熊罴凤凰，类同而名不同；“名同”，如鼠璞名同而实异；“丘同”，而有昆、敦；“鲋同”而有鲫鲒。同是同，然是然，有异同，根同而枝叶异，非与是异，不然与然异，非非即是不然矣，而非与不然又微异；因有异也，而欲同之，其为同之也又不能浑同，而各有私同者又异，楞严“因彼所异，因异立同”之语可互明此旨（按上释原文“同是之同，然之同，同根之同，有非之异，有不然之异；有其异也，为其同也，为其同也异”）。其同异之中，略分四种辨之，其一曰，“乃是而然”，乃犹若也，又犹那个也，犹云是其是而然之；二曰“是（不然）而不然（之）”，然与不然，不欲苟异者也；三曰“迁”，则就人之意多，犹因其然然之，因其不然不然之，又既然之而时复不然之，既不然而又时复然之，无定见也；四曰“强”，则执已之意多，犹本然之而强不然之，本不然而强然之。四者之中，各有深浅尊益，尊者撙也（按俞樾后诂尊为剸），益者溢也。……详察之，第次之，山止而不移，比栉而不紊，因而至裕乎其“指”，历多而见定，于是又详察其声，端定其名，使声之间不相假借。……（同上）

《大取篇》的主旨在于说明“生以理，长以类行”，立辞要明于其类，这是“语经”的要件。末段十三个“类”的归纳，关于原文“一日而百万生，爱不加厚，其‘类’在恶害”，青主释曰：

一日而有百万生人，若不爱为万而推之，而单为一二人，是不加厚，其类在恶害，谓恶害之加于一人者，即当恶害之及于万人者矣。

关于原文“兼爱相若，一爱相若，其‘类’在死也”，青主释曰：

兼爱爱分，一爱爱专，我之于人无彼此，皆爱，与无二爱之专一爱同意也。人皆有生，而我以 爱爱之，除无生者我不爱之，其类如人莫不有死，而我莫不有爱，谓于人定爱之也。（同上）

墨子“兼相爱”与“交相利”，他的弟子在逻辑上有其发展，《大取篇》云：“昔者之爱人也，非今日之爱人也：爱获之爱人也，生于虑获之利，非虑臧之利也；而爱臧之爱人也，乃爱获之爱人也，去其爱，而天下利弗能去也。”青主对于此段之解释最为正确无讹，而臧主畊，获主织之训诂，殊为不易。他说：

古人之爱人也，非今人之爱也，何也？古公而今私也。如以臧获二种论之，臧主畊，获主织，获人也，臧人也，爱获爱臧，同一爱人之心也。爱获之爱，生于虑获之织之利，与爱臧之畊之利，有不同，谓爱获时且只利其织耳，而至于爱臧之畊时，仍是爱获之织之爱人者也，但其私心爱臧之畊时，即不顾爱获，爱获之织之时，又不顾爱臧，其爱之之私有在有不在，而畊之利于爱获时去之矣，织之利于爱臧时去之矣。去其私爱，而爱无不在，利亦无不在，故曰天下之利弗能去也。（同上）

墨子主志、功合一，徒有主观的心愿而无客观的结果，则为无价值的思虑，《大取篇》云："义利，不义、害，志、功为辨。有有于秦马，有有于马也，智来者之马也。"此文句读不易，原文理亦难识，而青主引刃而解，他说：

义者宜也，宜、利，不宜、害。兴利之事须实有功，不得徒以志为有利于人也。且如马、以秦马而良者，而人有之，是实有其有于马之才也，何也？马非自从秦来也，是其人之智力来之马也，功也，非徒有有马之志也。（同上）

按秦马而良，石鼓文，秦风，《史记》皆详言之，为古史的一个重要问题，请参看拙著《中国古代文明丛考·秦制考》，青主识此，故把原文二个"有"字释得清楚。

总之，青主的《大取篇释》不但重明理，而且重校勘训诂，上所举者只约言其一重要地方，研究墨学的读者可看原释。

（二）青主解释诸子，除公孙龙与墨子外，余如老、庄、荀、管、淮南、鬼谷皆有注疏，而尤重于老庄与淮南。他自谓“老夫学庄列”，并盛道南华高见，甚至云“吾庄子”，他说：

鄙儒……不知所绎，曰是文之无法度者也。夫深世故而浅天行者，吾庄子而已矣，吾之也者私也，能公诸人，故不得私也，私者天也。（集三十二）

青主解释《老子》，多与前人解释作难，而自为新义。例如释“道常无名章”云：

公之它（青主自号）破句读之曰，道之常无者名朴也。虽小天下不敢臣，谓看得天下虽小，亦不敢有臣之心臣之，则亢守朴以待万物之自宾而已。若自大自尊，则天与地不相合矣。……始制有名，制即制度之制，谓治天下者初立法制，则一切从之而起，正是与无名之朴相反。无者有之，朴者散之，而有天下者之名于是始尊。……后世之据崇高者，只知其名之既立，尊而可以当有。天下者，非一人之天下，天下之天下也。（集三十二，《读子一》）

此释“无”，以名朴言之，虽非《老子》原义，而合思维历史。又例如释“道生之”章，他说：

生者申于土，蓄者玄于田，形者开以彡，成者丁与戊。生之蓄之长之育之亭之毒之养之复之八字中，惟亭、毒两字最要紧，毒字有禁而不犯之义，又有苦而使坚之义。王辅嗣注，亭谓品其形，毒谓成其植，总是模糊拟度，吕注作成之熟之，非是。(同上)

按此训诂字义，所疑前人之注甚是。《苍颉篇》“亭，定也”，《广雅·释诂》“毒，安也”，即安定之义，青主训毒之义颇近似。青主训诂字义，多有独到处，此其一例。他的“读子”各篇训诂者过半，今再举一例如下：

庄子应帝王篇，因以为弟靡。注弟音颓。说文弟字在人部，曰从人从弓，多啸切，即如今吊问之吊，不知何所本作颓也，若因靡字，而曰颓耶？即解作吊，贴上文先生死矣，亦可说去。斋物论，其名为吊诡，则径作吊，不从丷，岂当时弟吊实有别耶？列子作茅靡，似矣。(集三十九)

由此看来，亭林谓青主识字，的是有所见而云然。他解释《庄子》，参证佛学，他的《庄子天地篇泰初有无段解》篇云：

阴阳交泰之初，何所有乎？有无而已，别无所有，然无而有也，无可得而名，确乎其有一，一之所起，有一而未形，不可闻不可见，然万物之生者皆由得此一以生，是之谓德。溯此德者则我之父母，父母又得之祖父母，进而求之，则不知何人之父母之父母，得之天地之始，为人之始，而延之于我之身，生生世世，业识识业，日远于德，故循性而修之，以反于得以生之德。德之至者，一切有为之法，皆消融于乌有，几几乎并未形之一亦不可得而名之。所谓德至，至则同于泰初之无有矣。……郭注，无不能生物，昧于始矣。

青主以佛家“业识”“有为之法”之义解释《庄子》，为后来章太炎氏所发展，太炎关于此段释文，证谓“遍计所执自性”，今录于次，以作对照。

无者云何？即遍计所执自性。此性本无，无则不生，而言生者于无者，欲以无之能生，证明有之为幻，所谓“正言若反”者矣。《天地篇》云：“泰初有无，无有无名，一之所起，有一而未形，物得以生谓之德，未形者有分，且然无间谓之命，留动而生物，物成生理谓之形，形体保神各有仪则谓之性。”……今按无者谓质，彼言一者谓心，是皆说物质本无，而不说心之本无，正契唯心胜义，宁同断灭之见乎？……若复问何由知庄生所谓无有者即指“遍计所执自性”？……《大宗师篇》云，“阴阳于人不翅于父母，彼近吾死，而我不听，我则悍矣”，此似计阴阳为有。庚桑楚简乃云，“寇莫大于阴阳，无所逃于天地之间，非阴阳贼之，心使之也”，此明谓阴阳非有，唯心所使。《天地篇》云，‘其心之出，有物采之’，此谓心既见起，即有种种似物似色，为其绮饰，愚夫分别，而作物想，则为妄计。如是依他遍计等义，本是庄生所有，但无其名，故知言无有者，亦指斥遍计所执自性也。(《齐物论释》)

复次，庄子“太公任之言曰，道流而不明居，得行而不名处，纯常，乃比于狂”，郭注，道流而不明为句，青主云：“句读皆拙，愚谓道流而不明居（句），得行而不名处（句），谓道本不息，如川之流，本非居于明，令人得指而为表的者，若圣人得而行之，即行不明之道，岂得标一名而处于其下，令众人耳而目之？”（集廿四）

庄子“故其与万物接也，至无而供其求，聘时而要其宿，大小、长短、修远”。青主释曰：“大者小之，老子合抱之木生于毫末是也，长者短之，老子千里之行始于足下是也，但修远二字又不与大小长短同，又少括翻上义，修以远之，为积功累行任重道远耶。”（同上）

以上所释，都具新的见解，他的解释多依佛氏方法。故谓“吾以庄子、列子，楞严惟识毗婆诸论，约略参同，益知儒家之不济事也”，后来章太炎则云：“义有相征，非附会而然也，往者僧肇道生，摭内以明外，法藏澄观，阴盗而阳憎。（宋世诸儒，或云佛典多窃老庄，此固未明华、梵殊言之理，至于法藏证观，窃取老庄以说华严，其迹自不可掩。）”（《齐物论释序》）乌目山僧宗仰后序说，“太炎之书现世，将为二千年来儒墨九流破封执之局，引未来之的新，震旦众生知见，必有一变，以至道者”，这一学术变化之迹，三百年前青主实启发其端倪的。自汉武帝罢黜百家，至清初（十七世纪）子学复兴，知见一变，是中国早期的启蒙运动，民主主义的先趋；乾嘉以后却被清廷封建的反动而先暂时退休，到了太平天国以后，这个启蒙思想复活，而由十九世纪的中国哲人所继承，太炎先生的上面文章即其一例。

青主子学与佛学的研究，并不是宋明以来的超世间观点，而主要在知识上广求博搜，究疑决元，因为他极不满意当时的所谓佛道，他说：

……近时士大夫皆是谈慈悲而行若蜂虿，……岂佛也哉，乃真奴婆妈之见。(集三十六)

贫道以为福利之说，可以动贪妄俗汉，不足以动风韵君子。(集廿二,《劣和尚募疏》)

青主的风韵，实涵怀疑精神，故对于子书的解释，不拘泥旧日注脚，多先难俗儒而后出其解答，这种研究方法在他的文集中不胜例举，我们仅看下面的话就可以知道的。

……乐正子五日不食而悔之之注，大非本义，盖悔不悔五日，不食是悔平生未尽情于其母之言，不知先儒何所见而的指为悔五日之不食也。想此情事，岂不可笑？明是乐正子饿得着急之言，岂有此理，岂有此理！(集廿三,《与居实》)

复次，青主的风韵，实涵朴学精神，故对于子书的研究，首重字义的训诂，因为识字是基本的学问，惟有这样的根底才不至流于宋明儒者的望文生义，他的《读子二·淮南存隽》，即主要是训诂工作，对于清代考证学殊有贡献。关于小学工夫，他引淮南《说山训》说：

不小学、不大迷；不小慧、不大愚。传山曰，精语。（集三十三）

且举他的《兵略训》的训诂一例如下：

剡掅荼奋儋。注，掅音𢫬，荼音屠，儋音詹，钁音矍，剡，锐也，攫，斫也。传山曰：筡，说文，折竹筤也，尔雅简筡中注云，言其中空，竹类。说文，筤，竹肤也，音武尽切。钁，说文，大鉏也，尔雅，斫谓之鐯，注云钁也。以鉏注钁义始明，而斫亦尔雅之文，不甚快者以斫，有用力斫伐一义，不专为器之名也。（同上）

青主训诂字义不但学及尔雅说文，而且学及钟鼎文字，文集中释鲁字，曾引齐侯钟“其万福纯鲁”之语，释冊与册二字，引钟鼎“作册”之字，惜他的研究专书没有遗留下来，使我们仅知道他优于钟鼎研究一个题目罢了。

（三）青主的民族思想及其诗文论

青主经太原狱禁以后，更不敢自由研究，他的著述成就实在大受影响，不得已以诗文字画寓志，现在传世者反以他的字最为人所称道。他的字确是中国古艺术的纯养深到者（参看他的《训子篇》中《字训》），犹忆著者幼年时代，家父课字，极道青主字法，惟家父说：“莫以其字为佳，青主之字，不如其画，画不如其学，学不如其人。”这几句话是晋人在青主身上的最好评语。

他的遭遇，实在是人不能自我发展，降而为学，学不能自由其说，降而咏诗，诗不能免于忌讳，降而在字画里做一个哑巴而寓志，亦可知遗民之苦心了。他说：

心活神死，天机无复鼓动，三年中集有小诗百首，急欲倾囊求教，拙口不能娴妙语，动触忌讳，不便邮寄。（集廿三，《寄示周程先生》）

他以他的《性史》一书遗失是天幸其生，但他的诗却亦“不能娴妙语”，因为他说“诗是性命之音”，作诗不能不把全人格呈露，故他不论自作和读别人的佳作，都是以眼泪呻吟。他说：

读诗何故尔，莫测泪从来，吟者见真性，会家能不哀！（集六）

杂诗、面时尽呈，共当痛哭耳。（集廿三，《寄上艾

人》)

汉人丁汉劫，何必不身遭，哭国书难著，依亲命苟逃。云台图未出，陵濑钓空高，华鬓才消尽，凭几赋楚骚！（集八，《西何王子坚贴诗用韵》)

他是“屈原泪”的继承者，故常以屈原自况。他虽然有“阁泪诵南华”的雅致，但他复兴汉族的志愿并不悲观，这在诗中亦可见出他的怀抱，例如：

天地有腹疾，奴物生其中，神医颁武圣，扫荡奏奇功，金虎亦垂象，宝鸡谁执雄，太和休妄颂，笔削笑王通。(集九，《读史》)

“奴物”一望而知是喻满人了。这样“动触忌讳”的诗，要比亭林自署《蒋山佣诗集》犹加露骨，更难流传了。他的《风闻叶润苍先生举义》一诗，则简直是一种宣言诗，如下：

铁脊铜肝杖不糜，山东留得好男儿，橐装倡散天祯俸，鼓角高鸣日月悲。咳唾千夫来虎豹，风云万里泣熊罴，山中不诵无衣赋，遥伏黄冠拜义旗！（集十）

这可见他带上黄冠入山，不过是一种对于满清的掩饰，到了有人起义，在山中就不诵无衣赋，连黄冠不脱下来抱头伏下遥拜义旗了。他不是书生，他是为经世而学问的，看他论宋史即知道他赞陈同甫的道理。他诗中更云：

书生故纸万里围，暗吃椰子自大亏，好水好山来不得，耽耽漠漠落中堕。(集十三，《书书生》)

复次，他论文，不喜欧阳，谓为“江南之文”，极崇《左传》，《汉书》，《训子侄篇》云“除经书外，《史记》、《汉书》、《战国策》、《左传》、《国语》、《管子》、《离骚》，皆须细读”，不举汉以下的文章。他所以如此严格者，是破除当时时文的拘束，而以内容为文章的灵魂，他说：“文者性之动也，情者文之机也，文乃性情之华，情动中而发于外，是故情深而文精，气盛而化神，才挚而气盈，气取盛而才见奇。”(同上)

他的文诗皆主自然，论诗极赞谢道韫之自然观，谓男子不能过之，论文更讲声音之自然，颇有语文一致的先见，他说：

读书之声死，说话之声活，歌曲之声牵就，凡字书曰音，曰反切，曰读若，皆死法，天然之口音不在其希微之间。(《音学训》)

要知道理学家把人性束得“板拗”如缠小脚，不但诗文尽是模范，而一切意识所至都为陈套，青主“天然”的招呼，确有近代意义，他说：

予极不喜赵子昂，薄其人遂恶其书，近细视之，亦未可厚非，熟媚绰约，自是贱态，润秀图转，尚属正脉，盖自兰亭内稍变而至此，与时高下，亦由气运，不独文章然也。(《字训》)

辨诬公揭（此为青主在晚明学生运动时的传单，兹附录于下，以供参考。）

山西通省市府州县生贡、传山、卢传第、周培说、薛宗周、李凯、刘美、胡来贡、樊嶷、荆光国、韩庄、崔嗣达、程康庄、张璞、董绪、杨永宁等，谨揭为学臣清介见纠，禁系已久，乞主持谳案，以存公道，以服士心事。窃维提学官，师严道尊，为朝廷兴贤能，饬风化，故命特予专敕，比行衡文而外，无复与有司事，非若他钱谷之催科，狱讼之出入，得上下其手，鱼肉民闲者也。其人公若私，诸生知之，明若昧，诸生知之，贪若廉，亦惟诸生知之，有其荐剡之而诸生不知其孅者，阿好也，有其败诬之而诸生不知其恶者，则其为讹言，勿问之矣。呜呼！败诬而至于敝乡之袁镇国，是之又一变矣！袁教敝乡几三年，下车，先以天下名教是非为诲导，岁科再试，尽瘁积劳，往来盗贼马间，苦心摩研。士往往售知，一时贵介子不得与寒素较赢绌。强御之不畏，或其罪耳；若夫自处则方面宪臣，萧然一苜蓿广文也。孤身莅任，四千里外苍头一人，胥徒阒寂，无所假威，行户工匠悉宴如，有臣若此，良可质之天地鬼神，见谅儿童走卒，信及豚鱼矣；乃独不容于一冠惠文者载鬼张弧，嗟嗟太甚已！先是，诸生具奏银台，三上三阻，公车士再恳情陈，得奉明旨，诸生但手额圣明静听廷尉之平，不敢再为渎陈；然以身亲见闻者，平心言之，当亦任是非名教者所乐闻也。其所参疏，一则曰，庇劣，敝乡人士推鲁朴拙，海内共谅，无大奸宄，有则觉察之，轻降重革，题参风纪霜肃，概见前之公揭中。再则曰，肆婪，嗟乎，曾谓袁也？而贪吏乎？诸细事可不言，即开书院作养一举，首以俸余葺先贤三立祠，而进诸生于其内，朝夕劝课，蔬食菜羹与诸生共之，不取给于官府，不扰及于百姓，有贪吏若此者乎？敝乡灾盗洊臻，诸生颠连实甚，赖袁先后振恤，不遗余力，学租常平而外，皆捐自本道，举寒生之涸辙待毙者，保全实多，良所谓师保而父母者也，有贪吏若此者乎？申戌乙亥，再见边警，袁分守南城，倾捐俸入，修城浚濠，教造火炮，公家府库，不动分毫，而折冲告备，有贪吏若此者乎？且此皆袁之忠贞自矢而清，畏人知者。方今圣祖痛责苞苴宵旰，思清节之臣，以励风教，清节如此，而复饕餮坐之，诸生诚不知其于黜陟之典何如也！萋菲多词，单款狼藉，冤引无辜，众实有口，一当庭质，黑白较然，固无待诸生扰扰长安；顾奉教君子钧衡千古于是非淑慝之闲，不能不重有辞耳。且株蔓寒生，穷民或鬻陇亩，或鬻妻子，颠连千里，幽蔽五城，其间羸者疾者冻者饿者呻吟吁痛，不忍见闻，此尤仁人君子所急图矜恤者也。伏乞大宗师主持国是，昭雪孤臣，上为朝廷劝清介之风，下为人士慰师表之望，一时罗织平民，亦得早图生还，三晋幸甚，天下万世幸甚！为此且揭上揭。崇祯十年三月日。

第二节　折中体用二元的李二曲

（一）二曲的生平

李二曲，名颙，字中孚，号二曲野夫，土室病夫，陕西盩厔人。生明天启六年，卒清康熙四十四年（一六二七——一七〇五年）。他是一个贫寒人家的子弟，没有家学与师承，全靠自己学习磨炼而成大儒。清初学者，孙奇逢黄梨洲和二曲皆当时负盛名者，他们的思想都从理学的修正而为后来学者建造了桥梁。全谢山《二曲先生窆石文》说：

当是时，北方则孙先生夏峰，南方则黄先生梨洲，西方则先生，时论以为三大儒。然夏峰自明时已与杨左诸公称石交，其后高阳相国折节致敬，易代而后，声名益大；梨洲为忠端公之子，证人书院之高弟；……先生起自孤根，上接关学六百年之统，寒饿清苦之中守道愈严，而耿光四出，无所凭借，拔地倚天，尤为莫及。

此所谓关学，即以张横渠先生为渊源，横渠为有宋一代理学家之最实在者，船山与习斋二家都赞许为宋学的特殊人物，故二曲实践躬行之学颇继张子遗绪。

二曲的“耿光”，洵为耀然四出。清廷是招不到他的，初被荐“山林隐逸”，力辞不就，后强拉为“博学鸿儒”，绝食拒之，康熙召见他，他敢于以死坚辞。这种精神，遗留给清末陕西的志士，最有价值，辛亥革命关中元老多能道之。

他曾南行于无锡、江阴、武进、宜兴讲学，在陕则设讲于富平华阴等地。晚年“荆扉反锁，不与人接，惟顾宁人至则款之”（谢山前揭文）。《二曲全集·家戒篇》末所言与谢山所述相合。亭林深佩二曲，说“坚苦力学，无师而成，吾不如李中孚”。惟亭林之学重博学多识，二曲之学犹在修正于体用二元之间，守理学余绪，谢山谓亭林“于当时诸公，虽以苦节推百泉二曲，以经世之学推梨洲，而论学则皆不合”（《顾先生神道碑》）。我们虽然知道李顾二位先儒所学不合，但他们中间的自由探寻真理之商榷，则为模范（参看他们商讨体用二字的书函）。

（二）二曲修正理学的二元论

我们研究二曲，在他的著作里没有看到像船山、亭林、习斋、青主的反理学风格，但却也看到他修正理学的态度，因为我们看二曲之在关中，犹蕺山之在浙东，夏峰之在河北，都是承继理学而逐渐否定理学者，他们是负有盛名的一代大儒，对于传统精神是易于走修正渐进之路，而难于走攻击否定之路。他对于朱陆异同，已经不像前人执守门户之见，而主取舍其间，他说：

陆之教人，一洗支离锢蔽之陋，在儒中最为儆切，……朱之教人，循循有序，……中正平实，极便初学。……若中先入之言，抑彼取此，亦未可谓善学也。(《二曲全集》卷四，《清江语要》)

他又从学术史的见地上说明宋明理学的兴替，这又不同于把理学作为绝对心传之学的看法，他说：

先觉倡导，皆随时补救，正如人之患病，受病不同，故投药亦异。孟氏而后，学术堕于训诂词章，故宋儒出而救之以主敬穷理，晦庵之后，又堕于支离葛藤，故阳明出而救之以致良知，及其久也，至于谈本体而略工夫，于是东林顾高诸公及关中冯少墟，出而救之以敬修止善。若夫今日吾人通病，在于昧义命，鲜羞恶，……苟有真正大君子，深心世道，志切拯救者，惟宜力扶义命，力振廉耻，……乃所以救世济时也。(《全集》，卷十，《南行述》)

二曲的话，显然认学术有时代性，不是如道学家争统绪了，他所提出的救世济时之学，又显然是对于民族节操而发的。

他已经不是如宋明学者把读史认为玩物丧志，而正以实学修正理学的空谈，他开了一个读书单子，分做二类，一为明体类，一为适用类，其书单如下：

明体类：《象山集》、《阳明集》、《龙溪集》、《近溪集》、《慈湖集》、《白沙集》、《二程全书》、《朱子语类大全》、《朱子文集大全》、《吴康斋集》、《薛敬轩读书录》、《胡敬斋集》、《罗整庵困知记》、《吕湿野语录》、《冯少墟集》，其他。

适用类：《大学衍义》、《衍义补》、《文献通考》、《吕氏实政录》、《经世挈要》、《资治通鉴纲目大全》、《历代名臣奏议》、《律令》、《农政全书》、《水利全书》、《泰西水法》《地理险要》。（《全集》卷七，《体用全学》）

二曲明体与适用二类并列，修正理学。他在明体类下言"由工夫以全本体，由现在以全源头，下学上达，内外本末，一以贯之，始成实际"，已经重视实际，而在适用类下各条所言，更可以看出他的时代急务，例如《文献通考》书下注：

折中于古今朝典，以成此书，上至天官舆地，以及礼乐兵农，漕屯选举，术数士卒典籍，无不条晰。

《吕氏实政录》书下注：

此老卓识谙练经济实学也，在世儒中最为适用，……学人有志于用世，则此书不可一日无。

《经世挈要》书下注，更为宋儒以来所鲜谈者：

经世之法，莫难于用兵。今学者，……往往于兵机多不致意，以为兵非儒者所事，然则武侯之伟略，阳明之武功非耶？学者于此，苟能深讨细究而有得焉，则异日当机应变，作用必有可观。

按讲求兵法为宋儒所讥，后来习斋评道：

朱子说看史只如看人相打，相打有甚好处？同父一生被史坏了！

习斋评：是朱子自坏不觉，同父方要看人相杀，岂止相打乎？（《语类评》）

夫子自言我战则克，是吾夫子不惟战，且善战明矣。至孟子传道，已似少差，流至汉宋儒，峨冠博带，神乎空谈，习成妇人女子态，尚是孔门之儒乎？（《正误》卷三）

《资治通鉴纲目》书下注：

格物之渊薮，兴亡治乱之成案也，宜恒玩之，论其世以熟吾之识。

习斋谓道学空谈，习成妇女态，二曲亦云：

学人贵识时务，奏议皆识一时之务者也。……道不虚谈，学贵实效，学而不足以开物成务，康济时艰，真拥衾之妇女耳，亦可羞已！

《律令》书下注：

律令最为知今之要，而今之学者，至有终其身未之闻者，读书万卷，不读律致君尧舜终无术，夫岂无谓而云然乎？

他更提出泰西水利之学,《农学》《地学》诸书，云：

以上数种，咸经济所关，宜一一潜心，然读书易，变通难，赵括能读父书，究竟何补实际？……识时务者在于俊杰，夫岂古板书生所能辨乎！（同上）

二曲“明体适用”的二元思想，在表面上讲来，是平行的论列，如他说：

儒者之学，明体适用之学也。……明体适用之正业，处也有守，出也有为，生民蒙其利济，而世运宁有不泰？（《全集》卷十四,《盩厔问答》）

明体而不适用，便是腐儒，适用而不明体，便是霸儒。（同上）

自拔习俗，务为体用之学，证心返观，深造默成以立体；通达治理，酌古准今以致用。体用兼赅，斯不愧须眉。（《四书反身录》）

然而，这种思想，在内容上讲来，明体是保留传统，适用则为宋学的反面修正，此点在他《答王天如书》中所言甚为明白：

来书疑体用有二致。……今时非同古时，今人不比古人，以孔子生知之圣，犹韦编三绝，问礼于老聃，访官于郯子，垂老不废研讨。……须明古今法度，通之于当今无不宜，然后为全儒，而后可以语治平事业，须运用酬酢，如探囊中而不匮，然后为资之深，取之左右逢其原，而真为己物；若惧蹈诵诗三百之失，而谓至诚自能动物，体立自然用行，则空疏杜撰，犹无星之戥，无寸之尺，临事应物，又安能中窍中会，动协机宜乎？此不学无术，寇忠愍之所以见惜于张忠定也。故体非书无以明，用非书无以适，欲为明体适用之学，须读明体适用之书，否则纵诚笃虚明，终不济事。……空躯壳，

饿肚肠，究无补于实用分毫也。(《全集》卷十六)

由此看来，二曲以适用修正明体，已经与习斋所论相接近，不过二曲主折中，习斋则单刀直入罢了。因为二曲一方面言“士于今日，不专在穷深极微，高谈性命”(卷五,《四书反身录》)，他方面言“借经书以行私，假圣言以文奸，政事明敏，辞令泉涌，适足以助恶而遂非，其为有甚于腐儒，乃经学之贼，世道之蠹也”(同上)。

二曲重视实学，议论至多，并不因其保留本体之学而暗其光彩，例如他说：

日用常行之谓道。……违天地常经，乖人生伦纪，虽自谓玄之又玄，却非可道之道。……修者修其所行也，检点治去之谓修，必有事焉之谓行。……使所行皆天理，此修行之见于外也，……使念念皆天理，而无一毫人欲之杂，是修行之密求内也……曰此中庸之道也。(卷十,《南行述》)

二曲虽未放弃内外中庸之旨，而所讲“修行”的新义正与习斋无异。二曲主内外二元之说，故于性论亦主性气二元，惟他讲气质之性则远离宋儒气恶之说，这亦是最好的修正。如他说：

问：近有讲学者，专主性善，言及于气质，便以为非，非乎？先生曰：言性而舍气质，则所谓性者何附？所谓性善者何从而见？如眼之视，此气也，而视必明，乃性之善。耳之听，此气也，而听必聪，乃性之善。手之执，此气也，而手必恭，乃性之善。……以至于百凡应感皆气也，应感而咸尽其道，非性之本善而能之乎？若无此气，性虽善，亦何从见其善也？（卷四，《清江语要》）

此论已经接近于习斋“非气无以见性”之说。按性气与体用的辩解，实在是当时的中心问题，二曲在这一学术争论的空气里，因体用二字曾与亭林往来函辩者三次，由他们二位的商榷书研究，二曲在体用二元之学上实具有调和的苦痛，似与梨洲晚年出“工夫所至即其本体”之义同其转变。今将他们所讨论者，择要于下：

第一，体用二字的出处问题。亭林以体用二字出儒书，引易礼为证，惟二字在经传中“未有对举”。惟道家魏伯阳参同契始对举而言内体外用；二曲以二字出于禅宗，“以为柔者性之体，刚者性之用”，始见于佛，为后人所沿用。

第二，体用二字的引用问题。亭林与二曲商讨结果，体用二字在儒家对举并提者，始于朱子，一见于中庸未发节，再见于费隐及一贯忠恕章，后来成了理学的术语。

第三，体用二字可否沿用问题。亭林主张体用二字见于经传，用之无害，惟如"活泼泼地"，"鞭辟近里"诸禅语，为朱子解章句的空话，后学必不可用。二曲则以为沿用亦是有道理的，他说：

天地间道理，有前圣之所未言，而后贤始言之者，吾儒之所未言，而异学偶言之者。……正如肃慎之矢，氏羌之鸾，卜人之丹砂，权扶之玉目，中国世宝之，亦何尝以其出于异域举而弃之，讳而辩之也。(《全集》卷十六，《答宁人第一书》)

但毕竟"全体大用"之在理学上成为玄学的道语，故二曲复解释说：

但论何体何用。如明道存心以为体，经世宰物以为用，则体为真体，用为实用，此二字出于儒书固可，即出于佛书亦无不可；苟内不足以明道存心，外不足以经世宰物，则体为虚体，用为无用。……(同上)

言体用必涉及所谓“合内外之道”，亭林不主内学外学之分，用之，必如汉人以七纬为内学，以六经为外学（兼参看《日知录》“内典”条）。二曲则辨佛道之内，有内而无外，儒学之内兼备外。如“活泼泼地”形容道体，朱子沿用禅语，亦观省之说。然而二曲又言：

顷偶语及体用二字，并以见异说入人之深，虽以吾儒贤者，亦习见习闻，间亦借以立论解书，如体用一源，费隐训注，一唱百和，该假成习，非援需而入墨也？（同上）

从上面体用二字的辩解看来，二曲乃折中了形式，而在内容上固已出于理学家数，一方面新释体用皆非空寂，他方面慨叹朱子援引异说以来成了后儒的习惯。我们可以由这里看出理学的前途，即理学大儒亦有修正理学的苦痛。他的别号所以名为“二曲”者，我们虽未可望文生义，但体用二曲的折中之道却是他的学旨，与习斋之取“习”义，青主之取“青”义，颇有相似之命义。

（三）二曲的近代精神

复次，二曲之学，标宗为“悔过自新”，骤然看来，好像常识，而实则在浅易平实的道理中含有深意，他说：

古今名儒，……或以主敬穷理标宗，或以先立乎大标宗，或以心之性神为圣标宗，或以自然标宗，或以复性标宗，或以致良知标宗，或以随处体认标宗，或以正修标宗，或以知止标宗，或以明德标宗，虽各家宗旨不同，要之总不出悔过自新四字。……愚谓四字……所谓心不妄用，功不杂施……。(《全集》卷一，《悔过自新说》)

有人说他如此标宗，“辞旨麤浅，去道迂远”，而不知道他的“心不妄用，功不杂施”，正是挽救当时动辄就谈性命的聪明人之高空病，他讲如此标宗是从他的经验而来：

天地间道理，有前圣偶见不及而后圣始提出者，有贤人或见不及而庸人偶拈出者……予同庸人，懵弗知学，且孤苦颠顿，备尝穷愁，于夙夜寐旦，苦梭精中，忽得此说。(同上)

实在讲来，他是主张学为大众，不是几位高明人所独占的，故他说此旨是“为中材言之，亦即为上根言之也”，且他自比他的讲话“犹贫女之布”、“庸人之言”，是更为下贱言之。他的例证颇为奇特，由尧舜周孔以及横渠程朱阳明，而结末直到些杀人犯（徐庶），凶暴徒（周处），他们一样可以有所成就，例如他说：

子张鲁之鄙家（鄙野之字，在古为奴）也，颜浊聚梁父之大盗也，学于孔子；段干木晋国之大骐也，学于子夏；高何县子石齐国之暴者也，指于乡曲，学于子墨子；索卢参东方之巨狡也，学于禽滑黎：此六人者，刑戮死辱之人也，今非徒免于刑戮死辱也，由此为天下名士显人，而吾曹乃多一眚自弃，惜哉！（同上）

他在《四书反身录》中解樊迟请学稼章，并不如一般理学家在那里痛斥“小人”，反而为小人之事作辩，他说：

伊尹耕于莘野，孔明躬耕南阳，此未仕而稼圃者也，海刚峰令淳安县，爱民如子，视钱如仇，携苍头二人，耕田艺蔬，毫无取于民，此仕而稼圃者也。……风高千古，稼圃何害？在迟（樊迟）固不可徒稼圃，在吾人则不可不稼不圃，……慎无借口夫子斥迟之言以自误生平。（《全集》卷五）

他的这一学旨，一方面在正矫宋明空学之高虚，拒绝众人于学问之外，他说：

请问自新之功……先生曰：最上道理，只在最下修能，不必骛高远，说精微，谈道学，论性命，只在日用常行，纲常伦理，极近处做起。(《全集》卷六,《传心集》)

他方面，在学术成就上观圣愚贤不肖皆可从自新而进修，暗含着天赋人权平等的思想新芽，他的《观感录》一书实在是人权宣言在性能上的还原。他在此书中所举晚明的学人，都是下贱起家的，兹把他观感的十个人写在下面（详看《全集》卷二十二）：

王心斋——出身盐丁，因谒孔子庙“此亦人耳”之疑问，而开始进修。

朱光信——出身樵夫，日樵采易麦糈养母，但并不空谈性命，而亦享配儒祠。

李珠——出身吏胥，终身服务下役，谓“在公门尤易施功”，倡实践之学，名闻天下，亭林亦赞服之。

韩乐吾——出身窑匠，陶甓为生，从樵夫朱子学。讲学兼劳动，工贾佣隶，感从之游。

林讷——出身商贾，淮南营商，遇乐吾拜为师。

他的家受过嘉靖甲寅倭寇之劫，家烬无归，而学业更进，后成大儒。

夏云峰——出身农夫，素事农耕，后学于心斋。某尚书问他的学问成就："子得此学，如何作用？"他说："某一农夫，有何作用？"他从农夫的反身经验曾证明一个道理，为后来清学所本，他说："天理人欲，不知谁氏作此分别？吾反身细求，理欲似难分别，分别止在迷悟间，悟则人欲即天理，迷则天理亦人欲也。"

陈剩夫——出身卖油佣，他的父亲是个打银匠，他随父做工，主人防之如防盗贼，他十一岁语父曰："何业而蒙盗贼之防乎？"劝父舍此业，遂做了卖油佣。后一边卖油，一边读书。学成以知行并进为学旨，为后儒知行合一之先导者。

王元章——出身牧羊人，"见摈于父，执策映佛灯读之，躬修允蹈，亦成名儒"。

周小泉——出身戍卒，崛起于行伍之间，有功于关学。

宋贫士——出身网巾匠，和妻子织网巾为生，后从学冯少墟，以操行不苟，见称于世。

二曲《观感录》所举十人，都是些贱业出身的人。这不是他偶感而发，实在是他的平等思想在学术上的透露，他说：

道无往而不在，学无人而不可，苟有肯心，何论俦类？（同上）

迹曷尝限人，人自为迹所限耳！（同上）

二曲打破“俦类”的界限，是平等思想的源泉，打破“迹先迹后”的分别，是对于空谈玄学的抗议，我们认为他的这种朴实学旨，是锤击开了近代门户的平地一声巨响，故他的折中温厚学风里大大含有新锐的锋刺。任公云“他的学风带有平民的色彩”，这话讲对了。

二曲倡“匡时要务”，少时著《帝学宏纲》,《经世蠡测》,《时务急着》诸书，“凡政体所关，靡不规画”，但可惜上书都因了清廷忌讳而自毁绝了。(《全集》卷十八,《存与布抚台书》，仅为陕西疾苦上陈急务八条，都是实际政策，但自言“触犯时忌”，只可于知己言而已。读此亦可想见时务诸书的内容了。）在他三百年后，始有人再谈“时务”，二曲可以不朽了。现在他的全集中所存“匡时要务”，仅就明学术救人心一点立论，深慕东林自由学风，而主旨则攻击当时八股词章之害人，比之洪水猛兽。虽然仅留下这一点匡时急务的著作，已经是解放思想的最早宝库。他说：

自教化陵夷，父兄之所督，师友之所导，当事之所鼓舞，子弟之所习尚，举不越乎词章名利，此外茫不知学校为何设，读书为何事。呜呼，学术之晦，至是而极矣！人心陷溺之深，至今日而不忍言矣！昔墨氏之学，志于仁者也，视天下为一家，万物为一体，慈悯利济，唯恐一夫失所；杨氏之学，志于义者也，一介不取，一介不与。……此其为学，视后世词章名利之习，相去何啻天渊，孟子犹……辞而辟之。……夫以履仁蹈义为事，其源少偏犹不能无弊，矧所习惟在于词章，所志惟在于名利，其源已非，流弊又何所底止，此其以学术杀天下后世，比之洪水猛兽，尤为何如也？（《全集》卷十二，《匡时要务》）

二曲以履仁蹈义，许赞墨杨二学，颇具新见解，实前儒不敢言之者。他深恶八股词章，更直言其为束缚人心的枷锁，“洪水猛兽，止于身害，学术不明，根于心身。……心害则醉生梦死，不自知觉，发政害事，为患无穷”。他主张救此时弊，在于自由讲学，他说：

立人达人，全在讲学，移风易俗，全在讲学，拨乱反正，全在讲学，旋转乾坤，全在讲学。……此生人之命脉，宇宙之元气，不可一日息焉者也。(同上)

他以思想道德的自由讲学，匡救八股时文的教条背诵，和亭林梨洲相同，故他亦如亭林，以为立会讲学之风要大大提倡，以建立士风士节，而反对禁止，他说：

宋之不竞，以禁讲之故，非讲之故也。

边臣不知忠义，而争先逃走，妖贼不知正道，而大肆猖獗，中外贪肆成风，缙绅奔亲成俗，正坐道学不讲之过，……立会讲学，……可以少挽狂澜于万一。(同上，《引冯少墟上疏语》)

知此，二曲之平等与自由的思想，是中国近代的最早启蒙种子，实无疑义了。王昆绳（著有平书，讲治道）为当时“讲究伯王大略”自负的人，在他未信颜习斋学旨之前，亦曾致书二曲，谓：“苟得大贤焉为之依归，复何恨乎！闻先生著述甚富，皆体用兼备之书，恨未之见。”书中多以讲求实学，征求二曲之意，例如他说：“今之谤之者，谓其事功，圣贤所不屑也，其学术为异端，不若程朱之正也，其心不过欲蔑其事功，以自解其庸阘无能之丑。……”(《与李中孚书》)可见二曲在当时适用之学已传闻天下，能令一个自云“为豪杰不亦可乎，何必道学”之昆绳仰慕了。

第六章　清初的西南学者与流亡学者

第一节　近世中国第一位流亡儒者朱舜水

朱舜水名之瑜，字鲁屿，舜水是他的号。浙江余姚人，生于明万历二十八年，卒于清康熙二十一年（一六〇〇——一六八二年），享年八十三岁，客死日本。他在满清入关和异族战争中，是中国最出色的士大夫，平生因反对八股，不求举业，因不满时政，厌于仕进。他亡命于南洋日本，矢志恢复种族独立，他和舟山守将王翊最为相知，图据舟山为抗清战争的根据地，惟事败而王翊死节，他以后即定居日本，每日"向南而泣血，背北而切齿"，他祭王翊的追悼文，洵为千古绝作，读之令人亦洒同情泪。当他到日本的时候，异常困难，据他说，"日本三四百年不留一唐人"（《与小宅安之书》），尽破例把他容留，但后来他却成了一位在日本的孔夫子，上自宰相源国光，下至平民，都景仰他的学识，拜师领教。他以中国亡命志士的资格跑到外国，居然成为宣传中国文化的大师，他比唐玄奘在印度讲学犹为伟大。他的人格气节与学问曾经告诉了日本人中国的伟大，他留下了模范的种子，正是后来同盟会志士为日本朝野所崇敬的一个原因。他遗著颇少，现存遗书即他在日本施教的书札问答，凡历史文物的流变，国家治安的大计，学术兴替的关键，道德文章的修养，以至地理、工程、工业设计，有问必教，都是他的经验心得的结晶，他除了拒绝答复烦琐理学外，甚至一个猩猩的动物问题（见《文集·答问》）亦不厌倦地谆谆诱人。任公断定他对于后来明治维新产生重要的影响，颇当。

（一）舜水的民族战争论

明末学者都充满洋溢着民族思想，因了清朝的文化政策，都不敢言所欲言，言所尽言，惟舜水在外国的言论则例外，没有丝毫隐情，无所顾虑地，直斥胡虏，故我们首先要叙述他的民族思想，这里且抄他的一首诗作为引子：

汉土西看白日昏，伤心胡虏据中原。衣冠谁有先朝制？时海翻然认故园！

廿年家园今何在？又报东胡设伪官。起看汉家天子气，横刀大海夜漫漫！

舜水先生的民族贞操，是中国历史的宏碑，他是最言行一致的，他在《祭王侍郎文二》（翊）里曾痛斥一般悲观主义者，说：

世乃有非笑之曰，明室无王，普天臣虏，事不可为，无不变貌革心，尔区区一二匹夫，违天衡命，妄言志节，一部二十一史何处纪载，而乃贸贸焉出此乎？

呜呼！此何异污泥之虾蟆鳖蠖为雄，粪壤之蚯蚓歌咏得志，又何足与之言黑白，较短长哉！……使忠臣者天下皆是，则忠臣安足贵哉？……然则忠臣者，生于斯世，际遇何时，竭节何时，幸则为郭李，不幸则为宗岳，宁可含恨而没，不可视息而生，岂庸人而识之，比肩而遇之，有意而为之，非时而不为之者哉？（《遗书》卷二十五）

他祭王翊时，是在最无可奈何之日，犹如此其自信自己的民族，以正义浩气为人心之精神号召，故又云：

天之所以生人，气为精而体为粗，臣之所以事君，忠为上而功为次。先生既已得其精者上者，而又何病哉！异日者傥可得也，必不因此而忽也；必不可得也，亦不必端以此为恨也！（同上，卷三）

这里，我们看到舜水先生的贞节，是怎样的崇高，但他不是轻视事功而重视操守，相反地，他的思想是最事功的。他研究了明朝灭亡的原因非常详尽，他亦制定了灭虏的方案，非常得体，这些都是他所指斥的当时“迂腐”的“道学先生”所梦想不得的。关于明亡之因，他在《致虏之繇》名文中，讲得极其淋漓尽致，首先，他说：

崇祯末年，缙绅罪恶贯盈，百姓痛入骨髓，莫不有时日曷丧，及汝偕亡之心，故流贼至而内外响应，逆虏入而迎刃破竹。(《遗书 · 阳九述略》)

他在这篇文章里，主要是以民治、民生为中心思想，他对于民众寄托了最大的同情，同时亦相信着民众的力量。他说：

明朝以制义举士，……不知读书，则奔竞门开，廉耻道丧，官以钱得，政以贿成。……坐沐猴于堂上，听赋租于吏胥，豪右之侵渔，不闻百姓之颠连无告。乡绅受赂，采有司狱讼之权，役隶为奸，广暮夜苞苴之路。……是以习为残忍，仿效模糊；水旱灾荒，天时任其丰歉，租庸丝布，令长按册征收；影占虚悬，巨猾食无粮之土，收除飞洒，善柔赔无土之粮，敲骨剥肤，谁怜易子，羡余加派，岂顾医疮！……此任官害民之病也。……其居乡也，一登科第，志切馈遗，欲广侵渔，多收投靠，妻宗姻娅，四出行凶，子弟豪奴，专攻罗致。……鱼肉小民，侵牟万姓，闾左含声而莫诉，上官心识矣谁何？铙财则白丁延誉，寒素则贾董沉沦，荐剡猥多，贤路自塞。此乡宦害民之病也。

这样的明末败政，是最深的病源，因而复造成了当时的恶习，舜水慨乎言之：

凡属一榜科甲，命曰同年，同门，繇其决择取中，是曰门生，座师，辗转，亲临辖属，是曰通家，故吏，又有文社甄拔之亲，东林西北之党。……愉壬机巧，竞赏圆通，持重端方，咸嗤古执，圆通者涂附，古执者群离，必使一气呵成，牢不可破，则小民安得不被其害，……安得而不穷？既被其害，无从表白申诉，而又愁苦无聊，安得不愤懑切齿，为盗为乱，思欲得当以为出反尔之计？由前所言，谓之巧宦，语之以趋炎附势。门户夤缘则独工，语之以兴利除害，御灾捍患则独拙，尝之以朱提白粲，朘削肥家则攘臂争首，告之以增陴浚隍，储糈筑土则结舌不谈，他如饰功掩败，鬻爵欺君，种种罪恶，罄竹难尽。是以逆虏乘流寇之讧而陷北京。

舜水研究明亡之原因，何等痛绝，他更看重在民生，或民心，“民心既背，坚甲利兵，适足为盗资耳”（《文集》卷八），而败政则为伤民的主要动力。他是信任民力的，所以又说：

百姓者，分而听之则愚，合而听之则神，其心既变，川决山崩。以百姓内溃之势，歆之以意外可欲之财（指清人入关宣布均田均役之欺骗），以到处无备之城，怖之以狡虏威约之渐，增虏之气，以相告语，诱我之众，以为先趋。所以逆虏因之，溥天沦丧，非逆虏之兵强将勇，真无敌也，皆士大夫为之驱除耳。

他指的士大夫为明末的官僚，这些官僚使民心“分而听之”，给逆虏做了清道夫。由此看来，我们实在敬佩舜水先生的研究分析，堪称一位了解政治的大思想家、改革家、民族英雄。他并不悲观，如一般失败论者顺应着人心，以中国之亡理应如斯，反之，他亦目击了所谓清人入关的高压政策，为了复我种族，他曾作《虏势》一篇名文可为代表，主张“以天时人事合之，虏之败亡必矣”。他所拟成条贯的“虏害十条”实在是揭发清人鱼肉人民的标语，今举录于下：

东人之害自江以北至南京。（按东人指奴属辽东诸人，颇类所谓浪人）

沿海有防边养兵藏匿接济之害。

近海有造船帮工值匠之害。

签发舵梢之害。

内地有签派船料搬运禾植之害。

省会近城各郡有放债举息买官附营之害。

仕官有配发上阳堡、宁古塔之害，并入旗披甲之害。

买官但计得钱，不问色目之害。

打老鼠之害。（按指满营之妇女卖淫）

析房屋之害。

舜水先生的抗清标语，虽没有直接的效力，但这个文献，据他的《虏势二条》文中所言看来，已经散布于南洋以及沿海各处无疑，其影响于民族意识的历史效力至大。

他真不愧是一个“经邦弘化，康济艰难”的巨儒鸿士，他的《灭虏之策》，开宗明义，一语便道破反清复明的关键，所谓“事事与之相反”。他说：

灭虏之策不在他奇，但在事事与之相反，彼以残我以仁，彼以贪我以义，解其倒悬，便已登之衽席，……天下英雄豪杰，皆我襁褓之子，同气之弟，安有不合群策、毕群力，以报十七年刺骨之深仇哉！

“事事与之相反”，实为一个民族革命的政略，敌虏要做的事，我们不做，敌虏不做的事，我们就做，敌人要分化，我们偏团结，敌人主高压，我们倡民主。舜水先生这一句话，重值千金。他看到了明亡十七年的清政，只要群策群力，还可以把虏逐灭，所以他号召：

民之憔悴于虐政，未有甚于此时者也，立功成名，声施万世，未有易于此时者也，时乎，时乎！遇此千万年难遇之期而弃之轻于鸿毛，吾谓智者之所不为也，仁者义者之所不为也，有志者之所不为也！（俱见《灭虏之策》）

这样看来，他在明亡十七年的时候，不但不因了环境困难而灰心，而且反认这时是万年难遇的时期，号召国人兴起抗清。他在安南流亡，出生入死，安南国王遣人写一“确”字，试探他的意思，他写了一篇《坚确赋》，由这里，我们可以看出他的民族思想是德智兼备的，不是仅仅以完节了事，他说：

确乎确乎，学力所成，微乎微乎，析理斯精。确则由坚而致，坚不能并确而陈。坚之蔽固，固之蔽陋，而确不与固陋兮为邻。历百年而非故，勿嬗代而非新，道同德媲，麾之不去，身处倾危，招之不亲；非晰精微于观火，曷能震撼而凝神？涅之缁之，莫污其白，磨焉磷焉，孰漓其淳。硁硁者其象乎，硁硁者，言必信，行必果；确然者言不期而自无游行，行不期而自无偏颇。硗硗者其质乎，硗硗者保护之而仅完，画剥之而旋缺；确然者，是非眩之而益明，东西冲之而不决。……吾以探确之源，……吾以定确之理。(《文集》卷二)

（二）舜水的学术要旨

他的学问渊博，善能溶铸经史，常反对“援儒入禅”

的道学先生，他的思想非常注重实践与事功，例如《答客问》说：

明朝中叶，以时文取士，时文者制义也，此物既为尘饭土羹，而讲道学者，又迂腐不近人情，如邹元标、高攀龙、刘念台等，讲正心诚意，大资非笑，于是分门标榜，遂成水火，而国家被其祸，未闻所谓巨儒鸿士也，巨儒鸿士者经邦弘化，康济艰难者也。（《遗书文集》卷十五）

"经邦弘化，康济艰难"八字，正舜水先生的学问定说，他是站在把学问与实行分离的"迂儒"对面，而反过来把学问当做真实的东西而指导行为来处理的。这是清初反理学运动的特色，具有早期民主思想的萌芽形态，而那种普遍概念的空虚理学，的确遭受了严重的批判。舜水先生亦言"理"，然不言"死理"，例如我们知道程明道是宋朝理学大师，舜水《题程明道像》并不以其理学作赞，而却重在有用与不阿之义：

学贵有用，先生之学则有用，学贵不阿，先生之学则不阿。……虽小官必尽其心、奏其效，是有用也；……于朝堂之上，理明辞达，温国不觉自屈，是不阿也。（同

上，卷二十五）

“有用不阿”正是舜水先生自况，他在安南王的死刑威胁与太公比美二者兼施之下，没有屈服，他在日本虽受当时人士的崇拜，但他敢批评日本人的性格“量窄意偏”，对于日本“灰冷”。如云：

不佞视贵国人，……尝怪周虓，量窄意偏，……所以灰冷。（同上，卷十五）

我们可以说舜水之在日本的复国运动，实在给后来兴中会同盟会在日本的结社，遗传下伟大的影响，他的人格曾使“量窄意偏”的日本人亦不能不尊敬，清末的日本志士参加国父的反清民族革命组织，颇与先导者舜水先生的宣传有关。他又说：

不佞虽亡国之遗民，来此求全。情文即不能备，然而不敢陨越者徒以礼为之防也。（《文集》卷六，《答明石源助》）

他批评程明道如此，批评朱、王亦如此，都是以事功与性理统一而言，他评朱子说：

若欲穷尽事事物物之理而后致知，以及治国平天下，则人寿几何？河清难俟。故不若随时格物致知犹为近之。……治民之官与经生大异，有一分好处，则民受一分之惠，而朝廷享其功，不专在理学研究也。晦庵先生以陈同甫为异端，恐不免过当。(卷十五)

舜水所以成为一个大儒，我以为亦是“不专在理学研究”。他更评阳明，只许他是一个英雄，而对于其道学则深加讽刺，他说：

问阳明之学近异端，近世多为宗主如何？答，王文成亦有病处，然好处极多。讲良知，创书院，天下翕然，有道学之名，高视阔步，优孟衣冠，是其病也，出抚江西，早知宁王必反，彼时宸濠势焰，熏天满朝，皆其党羽，文成独能与兵部尚书王琼先事绸缪，一发即擒之，其剿横水桶冈俐头之方略，与安岑之书，析冲樽俎，亦英雄也。其徒王龙溪有语录，与今和尚一般，其书时杂佛书语，所以当时斥为异端。(卷十四，《答问二》)

因此，他在日本讲学，最不喜欢人来问他“道学”，甚至他拒绝以朱陆之学来商讨者，例如：

昔有良工，能于棘端刻沐猴，耳目口鼻，宛然，毛发咸具，此天下古今之巧匠也，若使不佞……得此，则必抵之为砂砾，何也？工虽巧，无益于世也。彼之所为道，自非不佞之道也。不佞之道，不用则卷而自藏耳，万一能大用之，自能使时和年登，政治还醇，风俗归厚，绝不区区争斗于口角之间。宋儒辨折毫厘，不曾做得一事，况又于屋下架屋哉？如果闻其欲来，贤契幸急作书止之，……若果来，不佞当以中朝之处徐铉者处之，必不与之较长絜短也。(卷九,《答安东守约》)

朱陆之徒，互相抵牾，凡此皆实理实学，与浮夸虚伪，岂不风马牛不及乎，浮夸虚伪以文其奸，以售其术，此小人“无行”之尤者，而谓君子为之乎？……所谓浮夸虚伪者，明明白白自有立言之旨，足下既不知古今原委，又不知国朝典政，宜乎一闻此言不自禁也。

后生小子，不知洒扫进退之节，未达爱亲敬长之方，而遽于天理人欲义理公私之际，与之辨析毫芒。……其曰所谓益精，所就益寡者，为不用世及天地泰否等，其言果何谓也？不佞徒以避难苟全，本非倡明道学而来，亦不以良知赤白，自立门户，足下幸勿再生葛藤，以滋烦扰！（同上）

为什么他要这样的拒人呢？因为他以为那些宋明“捉风捕影”的“援佛入儒”的理学家，抹杀现实而清谈什么天地界，“迂腐不近人情”，他是一个真正知行合一的大儒，有丰富遗产的中国哲人，不愿意空费时间而谈天说地，故他说：

夫子至圣不言天道，子贡名贤，天道不可得闻。今贵国诸儒贤于古人，而宋儒涡于夫子子贡也。(《文集》卷十五)

他亦如习斋的学风，一反“从玄说妙，言高言远”，而返诸实事，他说：

世之学圣人者，视圣人太高，而求圣人太精，谓圣人之道，一皆出于自然，而毫无勉强，故议论臻于寥廓，析理入于牛毛，而究竟于圣人之道去之不知几千里已也。……颜渊问仁，夫子宜告之以精微之妙理，入于言思皆断之路，超越于惟精惟一之命，方为圣贤传心之秘；何独曰，非礼勿视，非礼勿听，非礼勿言，非礼勿动？夫视听言动者，耳目口体之常事，非礼者中智之衡量，而勿者下学之持守，岂夫子不能说玄说妙，言高言远哉？抑颜渊之才不能为玄为妙，骛高骛远哉？……其所以授受者止于日用之能事，下学之工夫，……故知道之至极者在此而不在彼也。……夫高远玄虚之故习，

茫如捕风，一旦幡然，……或亦知道之至极者，不在于生知安行，而偏在于学知利行及勉强而行之者乎？（卷十八，《勿斋记》）

足容必重，手容必恭，礼特言其大要尔，自朱子言之，俨然泥塑木雕，岂复可行于世？（卷九，《答安东守约》）

他的学问则云“明白平常”四字，大众都可以向学的，他说：

先儒将现前道理，每每说向极微极妙处，固是精细工夫，不佞举极难重事，一概都说到明明白白、平平常常。……末世已不知圣人之道，而偶有向学之机，又与之辨析精微，以逆析之，使智者诋为刍狗，而不肖者望若登天。（卷九，《答安东守约》）

学问者，……无往而非学，其不得意者，时取古人之书以印之、证之，扩之、充之，即此是学矣。茅容樵子耳，郭林宗劝令为学，卒为大儒，世何有不可学之人？（卷八，《答小宅重治》）

他反对教条的束缚，而主张实用检证才是真学问，他说：

以八股为文章，非文章也。志在利禄，不过借此干进，彼尚知仁义礼智为何物，不过钩深棘远，图中试官已耳，非真学问也。……故其四书五经之所讲说者，非新奇不足骇俗，非割裂不足投时，均非圣贤正义，彼原无意于修身齐家治国平天下也。至若注脚之解，……高者求胜于德性良知，下者徒袭夫峨冠广袖，优孟抵掌，世以为笑，是以中国学问真种子几乎绝息！（卷九，《答安东守约》）

他批评文文山，只是一个书生，不能过事崇赞：

文文山鞠躬尽瘁，死而后已，不肖亦亟称其忠。……乃称之为圣则过矣。身为总帅，未建尺寸之功，北归而误中虏计，几为李督府捕斩，岭表再俘，过庐陵而复食，致王炎午有生祭之文，……事已无可如何，乃思黄冠归故乡。……若道生，佛生以名其子，甚非大儒所宜。故略其小疵，取其大节可也，犹未若张世杰，一主死复立一主，匪躬不懈，抱鼓不衰。（卷九，《答安东守约》）

因为文人非无用，真文人则最能明白事功的，他说：

武夫悍将诋讥文人无用者，彼只见迂儒小生，三村学究，胶柱鼓瑟，引喻失义者耳，如王领若辈闭户诵经，赋诗退虏者耳；若陆宣公，李长源，王文成，高文襄辈，图度虏情，如指掌上，虽健将累百，有能出其范围者哉？（卷十二,《与奥村庸礼》）

大人君子，包天下以为量，在天下则忧天下，在一邦则忧一邦，惟恐民生之不遂。(卷八,《与冈崎昌经》)

舜水的思想颇解放，认为读书是供人印证之资，没有理性的自觉，是不会知道书上的道理，他说：

孟子云，尽信书，不如无书，非不要书也，但以理推能，不可刻舟求剑耳。书如人之杖，力不足者倚此而行，若两足不能步履，而竟以杖行，此必无之理也。(卷十三,《答野传问》)

故他反对“绝今而学古”，古学不过是勉人的耻、志而已，他说：

礼者，乃天理自然之节文，初非苛礼多仪之谓也；然讲求而作兴，非博览旁搜，寤寐孜孜焉不可得已，故学问之道为贵也。来谕欲绝今而学古，……《尚书》曰学古有获志，曰懵前经而不耻，语当世而解颐，是言不知古之可耻也，可耻则宜恐宜惧矣，气恒奋而不靡，志恒苦而不弛，何圣贤之不可几及哉？（《文集》卷六,《答

明石源助》)

他把古人的学行当做了学人的参考，要明其源而知其变。环境不同，历史有异，则学问事功亦有个别出入，不可拘束于末流：

来问朱王之异，不当决于后人之臆断，寒暖之向背，当以孔子断之。……愚谓此当争其本源，不当争其末流。孟子于伯夷，伊尹，下惠，尚曰不同道，周公召公分陕而治，德教相似，治效相仿，犹且不悦，……子夏之教行于西河，一再传而遂有吴起庄周，……若使从其善者改其不善者，阙其疑而鞭靰者，三人行尚有我师。……是故古今惟无私而后可以观天下之理，……今贵国纷纷于其末流而急于标榜，未见其是也。(卷六,《答佐野回翁》)

所以，他在日本讲学，对于日本当时的政教，亦以为有为，但须明古知今。文集详载他和德川光国的函件，居首一篇，即以礼运大同之说进言于日本的改革，在那里面却不可认为是一种社会主义，而实质上正是以平等为内容的民主社会之景慕。他答友人问亦希望于日本移风易俗，以建学立师，尊王爱国为要旨，对于德川光国后来的大日本史“尊王一统”之义颇有影响。他说：

若以贵国为褊小，为东夷，谦让不遑，则大不然。……今贵国幅员广大千倍于滕，而百倍于丰镐，而物产又甚饶富，失今不为，后必有任其咎矣。若以风物礼义为歉者，则建学立师，乃所以习长幼上下之礼，申孝悌之义，忠君爱国而移风易俗也，何歉焉，惟期锐志举行之！……岂以地哉？（《文集》卷六,《答加藤明友》）

他又重视史学，与亭林，梨洲之旨相合，他说：

一部通鉴明透立身制行当官处事，俗儒虚张架势，空驰高远，必谓舍本逐末，沿流失源。殊不知经简而史明，经深而史实，经远而史近。……得之史而求之经，亦下学而上达耳。晦庵先生力诋陈同甫议论，未必尽然，况彼拾人残唾亦步亦趋者，岂能有当乎？……知向学之方，推之政治而有准，使后人知为学之道在于近里著己，有益天下国家，不在乎纯弄虚脾，捕风捉影。（《文集》卷十五）

中年尚学，经义简奥难明，读之必生厌倦，不若读史之为愈也。《资治通鉴》，文义肤浅，读之易晓，而于事情又近，……于事理吻合，世情通透，必喜而好

之，……由此而《国语》《左传》皆史也，则义理渐通矣。（同上）

舜水"有益人神智"之读书法，乃含有近代个人自觉的要素，他以为史最益人神智，如果求学于"近里著己""事理吻合"，正是一种近代人文主义的条件，已不啻由性命天国中醒人各自招魂，降于"世情"，于社会国家。这与清初学者所主道在器中，理在欲中诸义，实相一贯，顾似从封建小天地的约束中解放出来，要求"个人"的生命。

第二节　十七世纪的政论家唐铸万

（一）铸万的天才政论

唐铸万，名大陶，更名甄，号圃亭，四川夔州人，生明崇祯三年，卒清康熙四十三年（一六三〇——一七〇四年）。他的著书，存《潜书》九十七篇，原名《衡书》。此书据他自己说，积三十年而成，分上下二篇，篇后不具年代，令人难以研究他的思想转折。细绎此书，下篇言治者成书年代为早，而上篇言学者反成书年代较后，似原名《衡书》，重在下篇，后改《潜书》复重在上篇。“衡者志在权衡天下也，后以连蹇不遇，更名《潜书》。”(《王远闻作铸万行略》)

铸万《潜书》，自负甚高，以周秦诸子自居，文体亦多仿墨子，孟子，庄子。易堂九子魏冰叔“见先生《潜书》曰，是周秦之书也，今犹有此人乎”？“宣城梅定九见先生著书，倩人尽录之，曰此必传之作也，当藏之名山，以待其人耳”（同上）！潘次耕为此书所撰序文，亦以“独行己见，无所蹈袭，……其文高处闳肆如庄周，峭劲如韩非，条达如贾谊……直名‘唐子’可矣”。我们读此书，觉得次耕所云颇近似，而“独抒己见，无所蹈袭”的文章，亦有当于十七世纪中国个人自觉的时代。《潜书》文格甚特别，鲜有引用六经之言，反而多见当时俗论常识的见解，他自己亦把“诗书之旨如听家人之言，闾巷之语”，主张自我的批判，他说：

今人于五经，穷搜推隐，自号为穷经，此尤不可，何也？当汉之初，学者行则带经，止则诵习，终其身治一经，而犹或未逮，若是其难何也？盖其时，经籍灭而复出，编简残缺，文辞古奥，训义难明，是以若是其难也。今也不然，训义既明，坐享其成，披而览之足矣，虽欲穷之，将何所穷！……甄也，于诗，患毛、郑之言大同而小异，……择其善者而从之，以便称引；……于春秋，患左氏之言太简，取触类而长之义，以通其所未及。……夫心之不明，性之不见，是吾忧也，五经之未通，非吾忧也。(《潜书·正经篇》)

这种读经法，亦可以教训三百年后的今人的。实在讲来，他是以一位政论家的态度出现，以“权衡天下”，原名取衡字，是他的书的本义。书末有《潜存》一篇，自白甚明，他说：

声弘尝问于我曰，先生可以为相乎？曰不能也，吾偏而不能忍，隘而不能容，明而迟于决，不足以任之矣。……吾不能身任，而能进言，使我……从容咨询，舍其短而用其长，以授之能者而善行之，可以任官，可以足民，可以弭乱，不出十年，天下大治矣。

这种好像先秦诸子“不治而议论”的布衣言政，颇似后来代议士的先趋者，故他的《潜书》精华亦在于他的平民干政精神。我们在下面首先研究他的政论。

铸万与梨洲有相同的地方，即对于封建君权的怀疑，他一则说“君臣，险交也”（《利才》），再则说：“天下之达道五，君臣也，父子也，夫妇也，昆弟也，朋友之交也，自古有五伦，我独阙其一焉，君臣之伦不达于我也，……不敢言君臣之义也。”（《守贱》）这显然是对于封建的伦理已经起了极大的动摇心，因为在那时神权支配的皇帝思想犹束缚人心，而他却云：“天子之尊，非天帝大神也，皆人也。”（《抑尊》）他并且在形式的道理上看出了君权时代的变易：

天地其一形而长久乎！无成乃无毁，有成必有毁，天地之既成也，吾知其必有毁也，知其必有毁也，亦知其必复有成也。……其君长上下必复如是。……世之逝也，自皇以至于帝王，自帝王以至于今兹，如披籍然。（《博观》）

治启于黄帝，二千余岁，至于秦而大乱，乱启于秦，至于今亦几去黄帝之年矣，或将复乎！（《尚治》）

他是基于一种循环论，推测世变到了将治的时候，他，无疑地在否定君主专制。他的理论没有说明治世是什么东西，但这种治世，他却认为和君主制度不相适合。他说：

自秦以来，屠杀二千余年，不可究止，嗟乎，何帝王盗贼之毒至于如此其极乎！（《全学》）

他把帝王与盗贼并提，实是大胆之至的政论，他更发挥此旨云：

自秦以来，凡为帝王者皆贼也。……今也有负数匹布或担数斗粟而行于途者，或杀之而有其布粟，为贼乎，非贼乎？曰是贼也。杀一人而取其匹布斗粟，犹谓之贼，杀天下之人而尽有其布粟之富，乃反不谓之贼乎！……过里而墟其里，过市而窜其市，入城而屠其城，……大将杀人，非大将杀之，天子实杀之，……官吏杀人，非官吏杀之，天子实杀之，杀人者众手，天子为之大手。天下既定，非攻非战，百姓死于兵与因兵而死者十五六，暴骨未收，哭声未绝，目眦未干，于是乃服衮冕，乘法驾，坐前殿，受朝贺，高宫室，广苑囿，以贵其妻妾，以肥其子孙，彼诚何心而忍享之，若上帝使我治杀人之狱，则有以处之矣。……有天下者无故杀人，虽百其身不足以抵其罪。（《室语》）

以上所言天子皆贼之论，语义颇仿《墨子·非攻篇》。他在《仁师》篇亦有相类的话，他把有天下之后，群臣谀之，吏官赞之的功德，反过来目成张献忠之功德，不过“大功既成，贵为天子，民无议之者，……忘其毒”罢了。这要比黄梨洲的《原君篇》更激昂些，甚至把有天下的君主，在他的审判之下，以为送上断头台，还不足以还血债的。他又从历代暴君辟君懦君之占大多数，而痛斥君主专制，他说：

治天下者惟君，私天下者惟君。……海内百亿万之生民，握于一人之手，抚之则安居，置之则死亡，天乎君哉！地乎君哉！……一代之中，治世十一二，乱世十八九，君之无道也多矣，民之不乐其生也久矣，其如彼为君者何哉！……帝室富贵，生习骄恣，岂能成贤，是故一代之中，世有二三贤君，其余非暴即暗，非暗即辟，非辟即懦。懦君蓄乱，辟君生乱，暗君召乱，暴君激乱。君罔救矣，其如斯民何哉！呜呼，君之多辟，非人之所能为也，天也，天无所为者也，非天之所为也，人也，人之无所不为，不可以有为也，此古今所同叹，则亦莫可如何也已矣！（《鲜君》）

铸万亦追求君主制度的道理，他把“专制”之名用“势尊”二字代替，来讲出一番惊人的议论：

天子之尊非天帝大神也，皆人也。是以尧舜之为君，茅茨不剪，饭以土簋，饮以土杯。……无不与民同情也。……人君高居，而不近人，既已瞽于官，聋于民矣，虽进之以尧舜之道，其如耳目之不辨何哉？……人君之尊，如在天上，与帝同体，公卿大臣，罕得进见，变色失容，不敢仰视，跪拜应对，不得比于严家之仆隶，……臣日益疏，智日益蔽。……岂人之能蔽其耳目哉，势尊自蔽也。……位在十人之上者必处十人之下，位在天下之上者必处天下之下，古之贤君，不必大臣，匹夫匹妇皆不敢陵，不必师傅，郎官博士皆可受教，不必圣贤，闾里父兄皆可访治。……人君唯能下，故天下之善归之，是乃所以为尊也。(《抑尊》)

由这里对于专制势尊的批评，自然就要导出平等观念，这虽然没有民主主义的纲目，但颇有人权平等的启蒙憧憬，他的大前提是人类的情欲一致，他说：

天道虽大，其道惟人。生人虽多，其本惟心，人心虽异，其用惟情，虽有顺逆刚柔之不同，其为情则一也，是故君子观于妻子而得治天下之道，观于仆妾而得治天下之道。(《尚治》)

因此，他论社会的平等理论，可与西欧十七八世纪学者比美，亦和他们的出发点相近似，他说：

天地之道故平，平则万物各得其所，及其不平也，此厚彼薄，此乐彼忧，为高台者必有洿池，为安乘者必有茧足，王公之家一宴之味，费上农一岁之获，犹食之而不甘，吴西之民，非凶岁为䴵粥，杂以荞秆之灰，无食者见之以为是天下之美味也。人之生也无不同也，今若此，不平甚矣！提衡者权重于物则坠，负担者前重于后则倾，不平故也，是以舜禹……恶衣菲食……惧其不平以倾天下也。(《大命》)

基于这一平等天赋之说，他提出了男女平等的主张，谓男子“妒傲”，不如女子，他说：

天之生物，厚者美之，薄者恶之，故不平也。君子于人，不因其故嘉美而矜恶，所以平之也。……恕者，君子善世之大枢也，五伦百姓，非恕不行，行之自妻始。(《夫妇》)

他提出了特权阶级与平民农夫的平等，他说：

语道莫若浅，语治莫若近。古之圣君，虽贵为天子，富有四海，处身如农夫，殿升如田舍，衣食如贫士，海

内如室家，微言妙道，不外此矣。(《尚治》)

天子之学与士同。……惧而笃学当百十倍于士。(《得师》)

接贱士如见公卿，临匹夫如对上帝，礼之实也。(《善施》)

这样看来，他把君主看作一个公仆，甚有代表近世市民发言的气概。他的政论关于批评者居多，而积极的主张则自认为不能解决，颇走向劝告方式，请愿君主想一下利害，以暴力得者，可以暴力失之，他说：

辗转思之，不释于心，不得大成，且求小补，不能普利，且图少济。设为说之之言曰，君之贵，非君赐乎？必曰然。君之用，非出于民力乎？必曰然。吾愿君之有以报君赐而勿忘民力也。(《柅政》)

他对于天子保留了请愿方式，而对于“太子”继承君位者，则规定得一点自由也没有，他在《太子》篇中，数了若干严加教育的方法，而归结于“教太子有过必挞”，把一个太子连接着这样也挞，那样也挞，挞成一个听命于民心的好人！

铸万所以有这一批判思想，因为他已经蕴育出近代的民主主义思想，他在《潜书》中政论的基础论点，即由此出发。他说：

为政者多，知政者寡（多寡谓繁简之义）。政在兵则见以为固边疆，政在食则见以为充府库，政在度则见以为尊朝廷，政在赏罚则见以为叙官职，四政之立，盖非所见，见止于斯，虽善为政，卒之不固不充不尊不叙，政日以坏，势日以削，国随以亡。国无民，岂有四政？封疆，民固之，府库，民充之，朝廷，民尊之，官职，民养之，奈何见政不见民也？……君之于民，他物不足以喻之，请以身喻民，以心喻君，身有疾则心岂得安，身无疾则心岂复不安，戕其身，而心在者乎？……茅舍无恙，然后室位可居，簑笠无失，然后衮冕可服，豆藿无缺，然后天禄可享。（《明鉴》）

民治与官治不相容，因此他批评封建官治，甚合现实：

天下难治，人皆以为民难治也，不知难治者非民也，官也。……论政者不察所由，以为法令之不利于行者，皆梘于民之不良，释官而罪民，此所以难与言治也。以诏令之尊威，上驰于下，下复于上，不待旬月而遍于海内矣，人见其遍于海内，吾见其未尝出于门庭也。盖遍于海内者其文也，未尝出于门庭者其实也，虽有仁政，百姓耳未闻之而景灭……。君臣上下，隔绝不通，其何借以达天下乎？（《握政》）

官治之反面，是民权的享受，故他主张把封建特权分散之于万众，他说：

乘权之利，如轴转轮，乘权之捷，如响应声。……尊卑次属，职之恒也。而奚有异，盖不善用之，则万职之利转而奉之于十，善用之则十职之修转而布之于万。（《权实》）

他更有《六善》篇，其中一项为“从人”，颇有民主政体言论自由的含义，他说：

天下有天下之智，一州有一州之智，一郡有一郡之智，所言皆可用也。我有好不即人之所好，我有恶不即人之所恶，众欲不可拂也。以天下之言谋事，何事不宜，以天下之欲行事，何事不达。

铸万虽然怀疑君主之权，但没有明白主张君主制度之应革除，似又有虚君立宪的萌芽思想，故他对于宰相六卿之职，反认为比君主更重要的，他说：

古之为国者，得一贤相，必隆师保之礼，重宰衡之权，……盖大权不在，不可以有为也。国有贤相，法度不患不修，赏罚不患不中，用舍不患不明，田赋不患不治，……

一曰专：六卿……各专其职，……官守既专，其虑益熟，其学益精，其事益成。二曰虚……人君毋作聪明以自用，毋作好恶以遵法，毋拒忠言以闻过……三曰亲……四曰敬……六卿待以师宾之礼，不敢烦责。(《善任》)

上面所述者，都是关于他的政治方面的政论。复次，我们再看他的经济方面的政论，简略讲来，他的经济思想，批判旧现实者是集中于封建的超经济剥削，而理想的新经济制度则有“国民之富”的要素。他说：

财者国之宝也，民之命也，宝不可窃，命不可攘。圣人以百姓为子孙，以四海为府库，无有窃其宝而攘其命者，……反其道者，输于幸臣之家，藏于巨室之窟，……此穷富之源，治乱之分也。……海内之财，无土不产，无人不生，岁月不计而自足，贫富不谋而相资。……因自然之利而无以扰之，而财不可胜用矣。……

不扰民者植枝者也，生不已也，虐取于民者，拔枝者也，绝其生也。虐取者天下之大害，莫如贪。……彼为吏者，星列于天下，日夜猎人之财，所获既多，则有陵己者负箧而去，转亡转取，如填壑谷，不可满也。民之毒于贪吏者，无所逃于天地之间，是数十年来，富室空虚，中产沦亡，穷民无所赖。……人君能俭，则百官化之，庶民化之，于是官不扰民，民不伤财，人君能俭，则因生以制取，因取以制用。(《富民》)

上面一段话中，痛斥超经济的“虐取”，而主张自由放任，“因自然之利而无以扰之”，在别的篇中，他更提出地尽其利，物尽其用，人尽其材，货畅其流的类似议论。他把“国民之富”，认为是立国的根本，没有富民的经济制度，一切人治的理想都是空话，故他又说：

立国之道无他，惟在富，夫富在编民，不在府库。(《存言》)

古之贤君，举贤以图治，论功以举贤，养民以论功，足食以养民，虽官有百职，职有百务，要归于养民。……后世则不然，举良吏而拔之高位，既显荣而去矣，观其境内，冻饿僵死犹昔也，豕食丐衣犹昔也，田野荒莽犹昔也，庐舍倾圮犹昔也，……为其廉乎，廉而不能养民，其去贪吏几何？为其才乎，才而不能养民，其去酷吏几何？……然未可以咎为吏者也，上不富民为功，而欲吏以富民为务，岂可得乎？诚如是，……为大学士者若皋陶，为尚书者若稷契，为都御史者若伊挚，为翰林者若史佚，为给事中御史者若龙比，为将军者若吕牙，为巡抚者若召奭，为布政者若管仲，为按察者若子产，为知府者若孙叔敖，为知县者若公绰冉求，其得人也如是，……然而观于民则所谓女子而无袴者也，是可以为治乎？……为治者不以富民为功，而欲幸致太平，是适燕而马首南指者也。(《考功》)

此外，他虽然有重农的思想，而亦农贾并提。关于货币论，主要集中于银币死藏，与梨洲之说极相似。他说：

农安于田，贾安于市，财用足，礼义兴。……千金之富可惠戚友，五倍之富可惠邻里，十倍之富可惠乡党，百倍之富可惠国邑，天下之富可惠天下。(《善施》)

财之害在聚，银者易聚之物也。……救今之民当废银而用钱，所以通其市易也。(《更币》)

铸万的政论，不但信仰人民，信仰将来，而且自信自己的理性，他是如何地不同于宋儒的对于自我否决呢：

吾之言如食必饱，如衣必暖，用吾之言，三年不效，五年不治，十年不富，风俗不厚，讼狱不空，灾祲不消，则日西出而月东生矣，请与子合契而博胜焉可也。（《考功》）

铸万的政论更有一个特别的学识，即深通兵学。在清初学者中专门研究兵法的还不多见，他和他的朋友王昆绳独能精于此道。王昆绳的《平书》和铸万的政治言论有相互发明者，其《兵法要略》又和铸万的军事理论有相互影响处，二人之间交谊颇笃，大概因了学术见解的同好使然，昆绳《兵法要略》序说：

用兵有自治之道，有制敌之道，自治之道不外节制，制敌之道不外奇正，必有节制而后可以立身于不败，必有奇正而后可以决胜。

昆绳兵法要旨，多和铸万研究相合。他们都是反对宋儒高谈性命并耻言武备的，谓“揖让而治豺虎，赤心以化蛇豕”（昆绳《立国论》），所以，他们不但在原则上重视兵学，而且研究兵学。这在当时是一种异端，试看铸万的解释：

方子曰，人皆疑先生之言兵。唐子曰，世之称良将者人乎神乎？曰，人也。所云大敌者，人乎鬼乎？曰人也。唐子曰，若良将克敌为神之斩鬼，则吾不敢言，若皆人也，何疑于吾言？（《知言》）

由此可见当时把言兵和谈神说鬼同样看待，铸万拿“人”的本分事反驳传统观念，亦是自我的觉醒（更有亡国之痛的教训）。故他以兵与仁义三者合一，才为全学，他说：

国多孝子而父死于敌，国多悌弟而兄死于敌，国多忠臣而君死于敌，身为仁人而为不仁者虏，身为义人而为不义者虏……学者善独身居平世，仁义足矣，而非全学也。全学犹鼎也，仁一也，义一也，兵一也。不知兵，则仁义无用而国亡。……高者讲道，卑者夸文，谓武非我事，蔽一；视良将如天神，非常人所可及，蔽二；畏死，蔽三。……习为懦儒，……无惑乎不知兵也！（《全学》）

他以兵事即人事，亦即是人的一种学问。这里面的道理变化运转至深，不是空谈所能知道的，没有兵学即不成为全学，所以儒生谈兵不但不足为怪，而且若不知兵正为儒者之耻。他说：

彼武夫之为人，或起于卒伍，或出于盗贼，乌知君臣之道，社稷之长计，一旦得志而为将，杀无辜，虏妇女，掠财宝，纵之则毒人，禁之则拥兵不臣。……乃世之论将者，谓戎事尚力，使儒生御敌，如以卵投石也，是未明乎用兵之道也。……所贵乎勇力者，不过登城、冲阵、先犯、间出，是大将之所使，而不可为大将也。……《孙子》十三篇，智通微妙，然知除疾，而未知养体也。夫为将者，智足于军，未善也，军不可遍也；智足于战，未善也，战不可渎也；智足于破敌，未善也，破一敌又有一敌也。善军者，使天下不烦军，善战者，使天下不欲战，善破敌者使天下不立敌。……兵以力胜，力以谋胜，谋以德胜，非学不可。(《全学》)

他又说：

壮者任兵事，巧者察兵势。……水火锋弦，谓之兵事，顺时观变，达情度务，谓之兵势。

他言兵的第一要义，是军队为人民的军队，他评

《孙子兵法》“知除疾而未知养体”，即根据人民性为军队的灵魂，他说：

古之用兵者皆以生民，非以杀民，后之用兵者皆以杀民，非以生民，兵以去残，而反自残，奈何袭行之而不察也？古之贤主，为民父母，不握而提，不怀而抱，痛民之陷于死，兵以生之，恐民之迫于危，兵以安之。德者乳也，兵者药也，所以除疾保生也。……后世惟利天下爵土，无救民爱人之意，……自二千年以来，时际易命，盗杀其半，帝王杀其半，百姓之死于兵者可胜道哉！……天道好还，不可不畏，杀人之子孙，亦或杀其子孙，戮人之宗族，亦或戮其宗族，不可以贵免也，不可以力除也。(《仁师》)

他这种兵学，颇有新的道理，这不是空谈以德服人，而是在“帝王皆贼”的命题之下，包含有军队与政治的关系。他又说：

凡用兵之地，拘牛豕，输粟麦，广樵牧，具楼橹，其费必空；凡用兵之地，耕废、机废、工废、贾废、市废，其养必竭；凡用兵之地，窜谷翳丛，暴日蒙霜，老羸僵途，婴孩委莽，其伤必多。奚必刃矢，是三者皆致

死之道也。（同上）

他亦照中国兵法传统，先言自治或节度，而后言制敌，他的自固兵法，有三项，前二项仍重人民性，后一项言军法。他说：

自固之计有三，地、食、法也。地者，……因势之便而处，因民之宜而处，因粮之利而处，因敌之形而处。……民藏不可取，野积不可掠，富室不可贷。……阴戒四境，粟米有入无出，如是则堡屯庐舍皆实，人人各自为守。……军中无法，虽勇不齐，其将可禽。……不偏于亲，尊卑有等，冠服有章，典兵不侵民，牧民者不搆兵，有罪必刑，……有功必尊……。(《审知》)

以上是他的兵学的自治论，我们再看他的制敌论。他的理论是一种攻势战略，非常精彩，他说：

善用兵者，有进无退，虽退所以成进；有先无后，虽后所以成先；有速无迟，虽迟所以成速；有战无守，虽守所以成战；有全无半，虽半所以成全。(《五形》)

因此，他讲攻势战略，既要乘敌人之不备去闪击，更要按照自己的时计表，把握主动而得机进攻，他说：

人之情，始则惊，久则定，惊者可挠，定者不可犯。

善用兵者，乘惊为先，敌之方惊，千里非远，重关非阻，百万非众，人怀乾糗，马囊蒸菽，倍道而进，兼夜而趋，如飘风疾雷，乘其一而九自溃，……兵刃未加已坏裂而不可收矣。(《五形》)

凡用兵之道，莫神于得机。离朱之未烛，孟贲之甘枕，此机之时也，倜射惊隼，伺射爰兔，先后不容瞬，远近不容分，此用机之形也。机者不再，……古之能者阴谋十年不十年也，转战千里不千里也，时当食时，投箸而起，食毕则失，时当卧时，披衣而起，结袜则失，……机者天人之会，成败之决也。(《五形》)

基于战略的理论，他的战术思想亦把善攻精神强调着高于一切，他说：

彼以十万之众来，我以十万之众往，众相如也；彼怯我勇，则勇者胜，彼实我诈，则诈者胜，彼诈而我知之，我诈而彼不知，则知者胜，彼知而发之疑，我知而发之决，则决者胜，彼决而攻不善，我决而攻善，则善者胜，若自料不如，未可可胜，则固守封疆，俟衅而动，此所谓自然之理，而非神也。(《全学》)

因此，他又强调奇袭与包抄的战术，他说这是奇智，三奇之最后一项更云游击战术在攻势中的辅助作用。他说：

正道之上，我之所往，敌之所来，我之所争，敌之所御，不可以就功；善用兵者，“不出所当出”，出所不当出，无屯之谷，无候之径，无城之地，可以利趋，能趋之者胜。必攻之地常固，必攻之城常坚，必攻之时常警，不可以就功；善用兵者，“不攻所当攻”，攻所不当攻，欲取其东，必击其西，……欲取其后，必击其前，……能误之者胜。……我有众，敌亦有众，不可以就功；善用兵者，不专主乎一军，正兵之外有兵，无兵之处皆兵，有游兵以扰之，有缀兵以牵之，有形兵以疑其目，有声兵以疑其耳，所以挠其势也，能挠之者胜。此三奇者必胜之兵也。(《五形》)

他又言军事学的谍报之重要，论说非常得体。他说：

谍者，军之耳也，有以谍胜，亦有以谍败。敌有愚将，可专任谍，敌有智将，不可专任谍。我有巧谍，彼乃故表其形，故声其令，故泄其隙，以诱我。吾闻之善用谍者，用敌人之谍，不可不察也。……知敌之情者，重险如门庭，不知敌之情者，目前如万里。(《五形》)

铸万的兵学理论，不是纸上谈兵，他更重在实际的军事生活，他认为做一个将官就不是书生高卧独处，自悟性命了事，而是要生活于兵士的集体关系之中，他说：

士卒未安不先寝，未食不先食，草食不甘食，疾病必视药，赏赐俘财，尽以分赐，日烹牛豕，飨众亲之，如此士卒爱之如父母矣。……士卒能死不可走，然后可使众，得以变化从心，合而不狃，散而不乱，进而不佻，退而不先，隐而不惑，危而不慑，我可以挠敌，敌不可挠我，我可以入敌，敌不可以入我。(《审知》)

他好像是一个参谋长似的，在那里制定战争法规，有人问他，请他说一番取胜的计划，他却说理论尽可讲求，但实际的作战计划则不是观念论者的先天形式所可拟定的，这必须实际亲历，才能够制定一个战役计划的，他说：

用兵之道，非身在军中，虽上智如隔障别色。……身在军中，百人为耳，千人为目，两敌之形，皆熟知之，要塞山厄，熟知地理，面背应逆，熟知人心，远近离附，熟知援势，巧谋捷候，熟知敌隐，别道间谷，熟知奇伏，智力等类，熟知将能，信疑爱怒，熟知卒用，骑步水火，熟知技便，危险尝之，岁月历之，是以谋可效功可成也。乃曰，倚锄而衍策，释锄而拜将，今日受命，明日克敌，此文辞之见，优偶之观也。(《审知》)

因此，他在客观的具体环境上研究兵学，益知军事的法则是复杂变化的，而非“一般”表德，他说：

善用兵者，即显、即隐，即常、即变，使敌莫知所从，莫知所避，斯为神矣。(《五形》)

立谋尚诡，临危尚决，取事尚短，制事尚长，出言戒易，谋功戒贪，图成戒幸。(《审知》)

（二）铸万的学术要旨

铸万的政论已如上述，今且研究他的学术主张。他的学旨表面上是阳明主义者，但他已经认识着没有才不可言性，没有功不可言性，才与功正是性的内容。他论“才”说：

世知性德，不知性才，……人人言性，不见性功，故即性之无不能者，则别谓才，……正以穷天下之理，尽天下之事。我尽仁，必能育天下，我尽义，必能裁天下，我尽礼，必能匡天下，我尽智，必能照天下，无功必其才不充，才不充必其性未尽。……程子朱子能见性未能尽性，外内一性，外隔于内，何云能尽？人有性，性有才，如火有明，明有光，著火于烛，置之堂中，四隅上下，无在不彻，皆明所及，非别有所假而为光；亦有无光之明，如烛灭而著在条香，……明不及众，众皆昏乱不能行作。……言性必言才性者，性居于虚，不见条理，而条理皆由以出，譬诸天道，生物无数，即一微草，取其一叶审视之，肤理筋络亦复无数，物有条理乃见天道。尧舜虽圣，岂能端居恭默无所张施，使天下之匹夫匹妇一衣一食皆得各遂。(《性才》)

这种性才合一的思想，正是批评了宋儒义理之性与气质之性分离的二元论。他更根据“心知未见，物受乃见”的认识论，把宋儒以来所高谈的“空性”，还原于唯智主义，而这种认识性能是和客观世界的事物联结起来的，他说：

心不明，则事不达，事不达，则所见多乖，所行多泥，徒抱空性，终于自废。……仁之为道，内存未见，外行乃见，心知未见，物受乃见。流动满盈，无关于宇内，是即其本体；非尽其发用，气机不至，萌蘖立见其绝，条干立见其槁，既绝既槁，仁将安在？是故虚受不可言仁，必道能广济而后仁全于心，达于天下。……凡德易识，惟义为难识，内主易识，外行难识，主以专直，行以变化。心如权，世如衡，权无定所，乃得其平，确守不移，谓之石义，扬号以服人，谓之声义，二者虽正，不可以驯暴安民，……于此识义，夫然后达于天下。……三德之修，皆从智入，三德之功，皆从智出。……未得智力，修德者，虽能致精得于沉潜，其中易胶。……智之真体，仁得之而贯通，义得之而变化，礼得之而和同。……故三德之修皆从智入。……德虽至纯，不及远大，皆智不能道之，无智以道之，虽法尧舜之仁，不可以广爱，虽行汤武之义，不可以服暴，虽学周公之礼不可以率世，……故三德之功皆从智出。(《性才》)

他论“功”为性的实在检证，反对宋儒离功而言性，此与习斋的思想更为接近，他说：

美带，割之遂不成带。修身治天下为一带，取修身，割治天下，不成治天下，亦不成修身；致中和育万物为一带，取致中和割育万物，不成育万物，亦不成致中和；克己天下归仁为一带，取克己，割天下归仁，不成天下归仁，亦不成克己；孝悌忠信制挺挞楚为一带，取孝悌忠信，割制挺挞楚，不成制挺挞楚，亦不成孝悌忠信。……父子相残，兄弟相仇，夫妇相反，性何以通？天灾伤稼，人祸伤财，冻馁离散，不相保守，性何以通？盗贼忽至，破城灭国，屠市毁聚，不得其生，不得其死，性何以通？但明己性，无救于世，可为学人，不可为大人。……今于其内致精，于其外若遗，忘天地山河，……泡影万物，百姓遗等刍狗，名为治世，实非治世，即非尽性。儒尝空释而私老，究其所为，吾见其空，未见其实，吾见其私，未见其公。……今之言性者，知其精不知其广，知其广不能致其广，守耳目，锢智虑，外勋利，怵变异，守已以没，不如成一才专一艺，犹有益于治。破其隘识，乃见性功。(《性功》)

以上所引是他的学旨，故他虽然倡尊阳明的唯心论，但修正得成为经验主义，而谓不重经验而空言心性，所得出的知识是一种“鬼胎”。他说：

彼我同乐，彼我同戚，此天地生人之道，君子尽性之实功也，是乃所谓“一”也。儒者不言事功，以为外务；海内之兄弟，死于饥馑，死于兵革，死于虐政，死于外暴，死于内残，祸及君父，破灭国家，当是之时，束身锢心，自谓圣贤，世既多难，已安能独贤，是乃所谓“半”也。彼自以为己之学，吾以彼为失己之学，盖一失即半失矣，焉得裂一而得半也？后儒岂不曰，天地吾心，万物吾体，皆空理无实事也。……万物之生，毕生皆利，没而后已，莫能穷之者，若或穷之，非生道矣。心形之主也，岂形无穷时，心反有穷时？非心理矣。……心体不充，自穷于内，非有能穷之者。圣人与龙蛇虎豹争而胜之，尧舜与洪水争而胜之，汤武与桀纣争而胜之，……自学无真得，反锢其心，措之于世阻塞不利，乃谓古者大略奇功，天有别降之才。……天下之材不齐，其成器也万变万巧而不一，岂有斧刀之所不能施者哉？……功之不成，学之不至也。庸见谓功不出于心性……岂有心性无功者哉？心性无功，是有天地而不生万物也。……目之为明，极天下之形色，大小邪正黑白，自无不辨。……是聪明者即耳目，而有耳目者即母胞，而有不能治天下者，必其无聪明，无聪明必其非耳目，非耳目是鬼胎也。腹大虚消，或产非人形，俗谓之鬼胎，世之笃学者其能不为鬼胎乎？……合天下以为纯则仁全，合天下以为义则义大，以天下为聪则听广，以天下为明则视远，举天下者非逐天下也，周天下所以完心体也，……若于是治功也何有？（《良功》）

“裂一而得半”，好像在常识上是可能的，然而在知识论上讲起来，既“裂一”即裂真理的实在性，不但遗其半，亦即遗其全体，这是不同于数学上的加减法。这一道理批评敬、静的理学在清初学者中还是特见。铸万举明庄烈帝不听心命之言的例子，实在是历史范例，他说：

修非内也，功非外也，自内外分，管仲萧何之流为宾，程子朱子之属为主，宾摈不入，主处不出，宾不见阃室之奥，主不习车马之利。自内外分，仲尼之道裂矣，民可以为生矣。……昔庄烈帝尝曰：“我岂不知刘宗周之为忠臣哉，必欲我为尧舜，当此之时，我何以为尧舜哉？”诚哉斯言！天下之主在君，君之主在心，然而无边不成省，无省不成京，无京不成君，无君不成心，以此观之，知专执身心，乃大失矣！仲尼曰，穷理尽性以至于命。理非独明也，天地万物无不通，是理也；性非独得也，天地万物大同焉，是性也。隔于天，隔于地，

隔于万物，是不能穷理也；天不安于上，地不安于下，万物不安于中，是不能尽性也。(《良功》)

他基于这种“新理学”(不是现在新的理学)，反对旧理学，谓旧理学之理，不如无理，他说：

顾景范语唐子曰，子非程子朱子，且得罪于圣人之门。唐子曰，是何言也？二子……学精于内而遗其外，……吾非非二子，吾助二子者也。顾子曰，内尽即外治。唐子曰，然则子何为作方舆书也？但正子之心，修子之身，险阻战备之形可以坐而得之，何必讨论数十年而后知居庸雁门之利，崤函洞庭之用哉？……霍韬之书曰，程朱所称周礼，皆未试之言也，程朱讲学而未及为政……唐子曰，霍子之言先得我心之所欲言也，古之圣人言即其行，行即其言，学即其政，政即其学。……徐中允著书，著有明之死忠者，唐子曰，公得死忠者几何人？曰，千有余人。唐子曰，吾闻之，军中有死士一人，敌人为之退舍，今国有死士千余人，而无救于亡，甚矣才之难也。……为仁不能胜暴非仁也，为义不能用众非义也，为智不能决诡非智也。……不能救民者，不如无贤。(《有为》)

他认为宋儒的理学，不是明理，而反是失去自我个性的反省，宋儒以一切都非三代圣人不法，而实则一切皆盲目无辨，故他说学道无用，如气尽而毙，他说：

天生物，道在物，而不在天，天生人，道在人而不在天，取诸一物，道在此物而不在彼物，取诸一人，道在我而不在他人。身有目，目有明，身有耳，耳有聪，道在明而不在目，道在聪而不在耳，道在明明而不在明，道在聪聪，而不在聪。……知我之言者，以为“止”所以为“通”也，“独”所以为“该”也。……古之人，学之九年而知事，学之二十年而知人，学之三十年而知天，知事则可以治粟，可以行军，知人则可以从政，可以安社稷，知天则德洽于中土，化行于四彝。殆其后也，非性命不言，非圣功不法，辨异端过于古，正行过于古……，问之安社稷之计，则蒙蒙然不能举其契，问之平天下之道，则泛掇前言以当之。……君子之学，为天下乳，不能育人，则生化无辅，帝治以绝，大道以熄，其害甚于异端之横行，盖异端惑世如身之有病耳，学道无用，如身之气尽而毙焉。不能究极之，勿言学也。（《自明》篇，并参看《有为》篇。按“止”与“通”即具体与抽象，“独”与“该”即特殊与一般，真理不是抽象一般的。）

他在《潜书》首篇，即提出了近代的方法，因变救失，酌今致真，若儒者只以法古为足，不知今是，他以为好像“止水”，“凝胶”，不过是无用拘儒的吹法螺。他说：

圣贤之言，因时而变，所以救其失也，不模古而行，所以致其真也。……自宋以来圣言大兴，乃从事端于昔，树功则无闻焉。……（以下反语讽刺）昔者宋国日蹙，窜于吴越，其后诸儒继起，以正心诚意之学，匡其君，变其俗，金人畏之，不敢南侵，于是往征之，不戮一士，不伤一卒，不废一矢，不刺一矛，宋人卷甲而趋，金人倒戈而走，遂北幽州，西定西夏，东西拓地数千里，加其先帝之境十二三焉。大瓠笑曰，甚矣子之为戏也，……吾闻儒者不计功。唐子曰，非也，儒之为贵者，能定乱除暴安百姓也，若儒者不言功，则舜不必服苗，仲尼不必兴周，子舆不必王齐，荀况不必言兵。……事不成，功不立，奚贵无用之心？……若今之为学，将使刚者韦弱，通者圜拘，信者胶固，笃厚者痹滞，简直者丝棼，天实生才，学则败之矣。……古之人正心诚意则为圣人，后之人正心诚意则为拘儒，治心之道，曰毋利而思义，毋诈而主诚，义则一义，诚则一诚，然有分焉，毋以义与利辨，以义与义辨，毋以诚与诈辨，以诚与诚辨。……有用之信必不愚，有用之仁必不懦，有用之义必不固。……心灵物也，不用则常存，小用之则小存，大用之则大成，变用之则至神，不可使如止水，水止则不清，不可使如凝胶，胶凝则不并。(《潜书·辨儒》)

他因而反过宋儒的命题，以为天地在此时亦如古代的天地，人心在此时亦如古代的人心，并不能说古代的天地人心是善的，近代的天地人心是恶的，要在自我觉醒罢了。他说：

唐子曰，谓古今之气有厚薄，其必古之人皆如长翟，今之人皆为侏儒，古之马其身倍象，今之马其身不加于犬，而不若是也，以是论人，不薄于形，而薄于所以为形，必不然矣。……今之人犹古之人也，今之学犹古之学也，好学者内省外察，唯恐分秒之不合于圣人，而卒至于相去之远，曷亦反求诸其心矣！（《居心》）

习斋痛斥理学，与时文并称，铸万亦然，他以道学，气节，文章之追求者为三败类（《尚治篇》），《志名篇》分析此三种求名者云：

名者虚而无实，美而可慕，能凿心而灭其德，犹钻核而绝其种，心之种绝则德绝，德绝则道绝，道绝则治绝。……世尚“道学”，则以道学为名，矫其行义，朴其衣冠，足以步目，鼻以承睫，周旋中规，折旋中矩，熟诵诸儒之言，略步百家之语。名成则升坐以讲，……弟子各传师说，天下皆望其出以兴太平，或征之京师，即以素所讲论者敷奏于上，未有所裨益，即固辞还山，天下益高其出处焉：此道学之名也。世尚“气节”，则以气节为名，自清而浊人，自矜而屈人，以触权臣为高，以激君怒为忠，行政非有大过则力争之，任人非有大失则力去之。……杖于阙下，磔于都市，天下之士闻之，益高其义：此气节之名也。世尚“文章”，则以文章为名，书纸如飞，文辞靡丽，……文士无其重于天下，不下道学气节二名也。……君子为政，……必破其术，塞其径，绝其根。（《志名》）

我们读《潜书》的《贞隐》，《思愤》，《悦入》，《修静》诸篇，觉得铸万所言，稍有和他的一贯精神相出入的地方，这是最令人不解的问题，例如他一方面说："宋儒大兴，而实大裂，文学为一途，事功为一途，有能诵法孔孟之言者，别为一途，号之曰道学。"他方面则谓："处世多忧患，……其身大劳，其心甚苦，学道则不然，无入而不自得，正己而不求于人，虽有忧患，不改其乐，……有一事可以无忧，学圣人之道是也。"(《劝学》)

一方面主张"裂一"，不能见半，他方面又说：

虚中者道所居也，空外者心所安也。(《思愤》)

定其器而盖之者，敬之谓也。(《修敬》)

静为心之体，敬为体之持。

这是什么道理呢？在著者看来，这几篇东西是他晚年失意，穷极走入所谓"悦入"的一种忏悔书，而壮年政论家的气概已经消磨殆尽，又值清朝安定，捆束住人类知识，没奈何在歧路上忧疑起来了。这在他的个性上讲来，亦是适合的，我们看他自己的自白：

唐子二十有一，欲得志于天下，尝读《汉书》至严光传，勃然大怒，推几而起，投书于地，骂之曰猾贼！……当时，气盖天下，上望伊吕，左顾萧张，岂不壮哉！……二十余年，卒无所得，……志气销亡。于

是论隐。(见《独乐》，并参看《贞隐》)

他在壮年忧时疾俗，故“衡”论天下，气概一世，而到年老，康熙皇帝的文化政策愈来愈凶，进步的思想渐暗流，他不得不由“衡”而“潜”，更大倡其悦入自得之道了，他说：

甄晚而志于道，而知即心是道。……“悦”为入道之门，无异方也。……自从悦入，不感戚而恒荡荡，未尝治忧也，而昔之所忧不知何以渐解；未尝治恚也，而昔之所恚，不知何以“潜”失。……十年以前，尝专力以治躁，……今则渐安。……余蜀人也，生质如其山川峻急，不能容而恒多忧恚，细察病根，皆不悦害之。(《悦入》)

任公误认他的这种悲剧歧路，把他的“悦入”之道，当做“一生得力的所在”，并赞为“极有理致”，所论毫无依据，实则他自己已经说得清楚，这不是青年少壮之候，而为“六十七十之候”了，他说：

生我者欲也，长我者欲也，……舍欲求道，势必不能，谓少壮之时不能学道者以是故也。……血气既衰，五欲与之俱衰，久于富贵则心厌足，劳于富贵则思休息，且以来日不长，心归于寂，不伤位失，以身先位亡也，不忧财匮，以身先财散也，……视若浮云，而非我有此，六十七十之候也。(《七十》)

铸万是清初的西南学者，同时早于铸万者，尚有费此度，亦四川人，他的学术最有价值的地方，是研究中国思想史的变迁发展，请参看胡适的《费密学术》一文。

三联经典文库
160

近代中国思想学说史

（三）

侯外庐　著

生活·讀書·新知 三联书店

图书在版编目(CIP)数据

近代中国思想学说史（1-4）/ 侯外庐著. -- 北京:
生活·读书·新知三联书店, 2014.1
（三联经典文库第二辑）
ISBN 978-7-108-04673-4

Ⅰ. ①近… Ⅱ. ①侯… Ⅲ. ①思想史－中国－近代
Ⅳ. ①B25

中国版本图书馆CIP数据核字(2013)第246479号

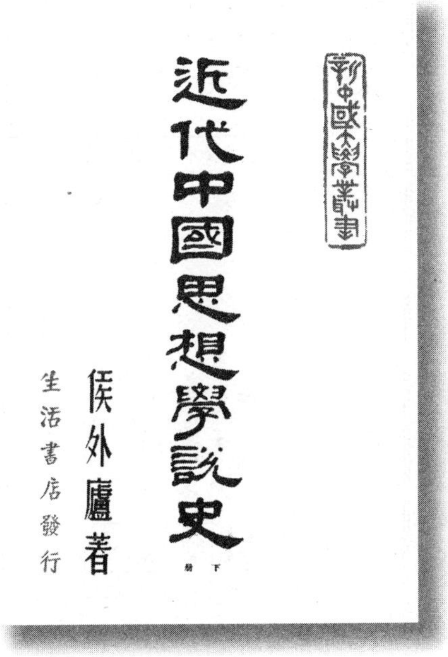

新中國大學叢書

近代中國思想學說史

下冊

侯外廬著

生活書店發行

生活书店 1947 年 5 月初版书影

新中國大學叢書

近代中國思想學說史

下冊

著者　侯外廬

發行人　徐伯昕

發行所　生活書店
上海重慶南路六號
重慶・新加坡

特約經售處　聯營書店
重慶・漢口・成都

上下兩冊國幣肆拾元
・外埠酌加郵運費・

中華民國三十六年五月勝利後第一版

[113] S. 0001—1500

原书版权页

目次

第三编　中国第十九世纪思想活动之巨变

第十二章　经今文学家的兴起与龚定庵思想　907

第一节　何谓今古文学与清代今古文学？　907

第二节　今文学家兴起的来历与魏源　920

第三节　揭露封建黑暗预言民族危机的议政家龚定庵　944

第十三章　百日维新派自由思想者康有为　998

第一节　绪说——维新派的基本思想　998

第二节　康有为与戊戌变法运动的历史　1019

第三节　康有为的学术　1062

第十四章　维新思想的健者谭嗣同　1153

第一节　绪说嗣同的思想与实践之关系　1153

第二节　嗣同的思想流派　　*1161*
第三节　嗣同的社会思想　　*1172*
第四节　嗣同的哲学思想　　*1200*

第三编　中国第十九世纪思想活动之巨变

第十二章　经今文学家的兴起与龚定庵思想

第一节　何谓今古文学与清代今古文学？

中国经学自汉代今古文分道扬镳以后，历二千年的学术史都囿于这一分派，或多或少地皈依自己的门户，展开思想的分争。虽然宋代理学专讲义理，与汉学有历史的分立，而其中义理之学正继承前汉董仲舒微言大义的传统，至附加二氏之学于儒，后人称为阳儒阴释者，则不必过甚地区别阴阳，基本上还是儒家经学的笺注。要知道，笺注周秦经书之为中古的思想，正与西欧笺注圣经的学院派烦琐哲学之为中古思想，具有共通的史义。清代的笺注训诂，自然还是烦琐的，并没有拿近代的新形式代替了中古的旧形式，但在旧形式的母胎内一开始便不同于汉唐宋明，而有了新的因素，即是如文艺复兴，宗教改革之在十四——十七世纪的欧洲，含着注解上要求新义的近代精神，唯那边的外衣是希腊罗马文明，这边的外衣是所谓三代文明，任公所谓“复古即解放”者，除了中国复古之中另有不能即解放而复束缚于经传的历史而外，其间要求近代的内容，大体上是和欧西的步趋相似。清儒在这里，没有急转直下，在复古中解放，而随着历史的迂曲运动，复在今古文学上重新反复了一次今古文的论争，这亦知道中国近代思想难产之处的消息。然而乾嘉的古文经说所以转为道咸以后的今文经说，这却不是如任公所云:“乾嘉以来，家家许郑，人人贾马，东汉学烂然如日中天，悬崖转石，非达于地不止；则汉今古文旧案，终必须翻腾一番，势则然矣。”（《清代学术概论》，一二一页）因为旧案不必一定须沿着两汉路线重复地翻腾一番，而所以形式地翻腾者，主要在于清初的暴风雨暂被满洲文化政策所安定，在消极方面，最初颇如太炎所云:“清世理学之言竭而无余华，多忌故，歌诗文史楛愚民，故经世先王之志衰。家有智慧，大凑于说经，亦以纾死，而其术近工眇踔善矣。”“当是时，知中夏黷黯不可为，为之无鱼子蜡虱之艺，足以借手。士皆思偷愒禄仕久矣，则惧夫谐媚为疏附窃仁义于侯之门者，故教之古学，绝其恢谲异谋。”（《检论》卷四）道咸之际所来临的更大的暴风雨，复惊醒了退避于训诂以求安身立命的人们，思想在这种史无前例的冲击之下，自然要迫使着人类做那种“非常异义可怪之论”（何休《公羊传注序》）的梦呓了，所谓三世，三统的微言大义，便可能成为外衣，输入新的引申附会，表面上则采取今古文学的论争方式的（后来才被中体西用文化的论争所代替）。

清代在进入近期近代的历史中，形式上的今古文学的论争，是占据了思想史的一个时期。为了容易明白思想史的变迁起见，这里首先说明一下什么叫做今古文学。

考“今文”与“古文”的分别，昔人曾据汉儒所传经传本文字之不同以为断者，此为旧说，如以今文为隶书，古文为籀书，以区分今古文，皮锡瑞氏说；

西汉经学有今古文之分，今古文所以分，其先由于文字之异。今文者，今所谓隶书，世所传熹平石经及孔庙等处汉碑是也；古文者，今所谓籀书，世所谓岐阳石鼓文，《说文》所载古文是也。隶书汉世通行，故当时谓之今文，犹今人之于楷书，人人尽识者也，籀书汉世已不通行，故当时谓之古文，犹今人之于篆隶，不能人人尽识者也。……汉初发藏以授生徒，必改为通行之今文，乃便学者补习，故汉立博士十四皆今文家，而当古文未兴之前，未尝别立今文之名。《史记·儒林传》云："孔氏有古文《尚书》，而安国以今文读之"，乃就《尚书》之古今文字而言，而鲁齐韩诗，公羊春秋，《史记》不云今文家也。至刘歆始增置古文尚书、毛诗、周官、左氏春秋。既立学官，必创说解，后汉卫宏、贾逵、马融又递为增补以行于世，遂与今文分道扬镳。许慎五经异义有古尚书说，今尚书夏侯欧阳说；古毛诗说，今诗韩鲁说；古周礼说，今礼戴说；古春秋左氏说，今春秋公羊说；古孝经说，今孝经说。皆分别之，非唯文字不同，而说解亦异矣。（《经学历史》，一七——一八页）

皮氏以今文隶书，古文籀书而分别今古文之说，任公亦从之（见《清代学术概论》，一一八——一一九页），这种分别是难以置信的。清儒段玉裁王念孙，早已怀疑这样论断，龚定庵引申他的外父王裁的意见如下：

请纵言今古文！答曰：伏生壁中书，实古文也，欧阳夏侯之徒以今文读之，传诸博士，后世因曰，伏生今文家之祖，此失其名也。孔壁，固今文也，孔安国以今文读，则与博士何以异？而曰孔安国古文家之祖，此又失其名也。今文古文同出孔子之手，一为伏生之徒读之，一为孔安国读之，未读之先，皆古文矣，既读之后，皆今文矣。唯读者人不同，故其说不同，源一流二，渐至源一流百。……经师之不得不读者，不能使汉博士及弟子悉周古文故，……读《尚书》者不曰以今文读后而毁弃古文也，故其字，仍散见于群书及许氏《说文解字》之中，可求索也。……读古文之人，必古今字尽识而后能之，此班固所谓晓古今语者必世大师。(《大誓答问第二十四：总论汉代今文古文名实》)

据此，今古文之分，不在文字之为古为今，而在于皆以古文本为据而所以读之的不同，如定庵所举翻译的比喻，底本文字皆一，由译者不同的译法而有异。但这里有一个问题，即什么是汉儒所依据的古文呢？是籀文么？是西周古文么（如吉金文字）？是石鼓文字抑是所谓科斗文字？前人对这一问题多含糊其词，唯王国维的解答颇能寻其源委。他据王念孙的解释，怀疑旧说古文今文之分，和定庵相似，其结论，他说：

太史公所谓古文，皆先秦写本旧书，其文字虽已废不用，然当时尚非难识，故太史公自序云，年十岁则论古文。……唯六艺之书，为秦所焚，故古写本较少，然汉中秘有易古文经，……固不独孔壁书为然。……孔壁书之可贵，以其为古文经故，非徒以其文字为古文故也。盖汉景武间，距用古文之战国，时代不及百年，其识古文当较今日之识篆隶为易。……《史记》但云，“孔氏有古文《尚书》，而安国以今文读之，因以起其家，逸书得十余篇”。此数语，自来读者多失其解，王氏念孙读书杂志用其子伯申氏之说曰，当读因以起家为句，逸书二字连下读。起兴起也，家，家法也。汉世《尚书》多用今文，自孔氏治古文经读之说，传以教人，其后遂有古文家。是古文家自孔兴起也，故曰因以起家。盖古文《尚书》初出，其本与伏生所传颇有异同，而尚无章句训诂，安国因以今文定其章句，通其假借，读而传之，是谓以今文读之，其所谓读与班孟坚所谓齐人能正苍颉读，马季长所谓杜子春始通周官读之读，无以异也。然则安国之于古文《尚书》，其业在读之，起之，至于文字盖非当世所不复知，如王仲任辈所云也。(《观堂集林·史记所谓古文说》)

因此他说："诸经之冠以古字者，所以别其家数，非徒以文字也。"古文的经传，都是一样的古文，古文家与今文家读之，不仅如定庵所谓翻译，而要在于读之如何解释训诂其义。那么汉人所读之以起家的"古文"，是何种文字？他的答复是，这种"古文"是指东土六国文字，而以前人指籀文或殷周古文者为误解"古文"。他说：

无论壁土中所出，与张苍所献，未必为孔子及邱明手书，即其文字，亦当为战国文字，而非孔子时之文字，……彼（许氏）见其与《史籀篇》文字不类，遂以为即殷周古文，不知壁中书与《史籀篇》文字之殊，乃战国时东西二土文字之殊。(同上，许氏《说文》序所谓古文说)

那么六国文字所写的经传之"古文"，既非殷周古文，更非籀文，亦非所谓"科斗文"（科斗文乃后人不知所云而起的名词，参看王氏《科斗文说》)，而籀文与“古文”是如何分别的呢？他说：

古文、籀文者，乃战国东西二土文字之异名，其源出于殷周古文，而秦居宗周故地，其文字犹有丰镐之遗，故籀文与籀文出之篆文，其文字反较东方文字（即汉世所谓古文）为近。自秦灭六国，……同一文字，凡六国文字之存于古籀者已焚烧刬灭，而民间日用文字，又非秦文不得行用。……故自秦灭六国以至楚汉之际十余年间，六国文字遂遏而不行。汉人以六艺之书皆用此种文字，又其文字为当日所已废，故谓之古文。此语承用既久，遂若六国之古文，即殷周古文，而籀篆皆在其后，如许叔重《说文》序所云者，盖循名而失其实矣。(《观堂集林》卷七，《战国秦用籀文六国用古文说》)

篆文固多出于籀文，则李斯以前秦之文字谓之篆文可也，谓之籀文亦可也，则《史籀篇》文字，秦之文字，即周秦西土之文字也。至许书所出古文，即孔子壁中书，其体与古文篆文颇不相近，六国遗器亦然，壁中古文者，周秦间东土之文字也。(《史籀篇·疏证序》)

今《说文解字》、“古文”、篆文、籀文三者，都有来源，王氏以古文、篆文，合以古籀说，甚赞段玉裁之千古卓识，他证六国古文、篆文、籀文三种字体之后，结论说：

《说文解字》，实合籀文、古文、篆文而为一书。凡正字中其引诗书礼春秋以说解者可知其为古文，其引史篇者可知其为籀文，引杜林司马相如扬雄说者，当出苍颉凡将训纂诸简可知其为篆文。……昔人或以《说文》正字皆篆文，而古文籀文唯见于重文中者，殆不然矣。

按王氏之说不易。战国时六国“古文”虽不必为诸子百家著述所皆应用，换言之，诸子尺书可能使用当时的简体字书，而诗书六艺之书则为“古文”，颇无问题。故秦汉人所记始皇焚烧诗书与划灭古文并提，是因诗书之文皆六国古文所记，而焚诗书与废古文并不及诸子百家之书。近人钱穆先生评王氏之说，并不能推翻王氏根本论断，仅作为修正罢了。

由此看来，所谓“古文”仅指战国时代的六国古文，两汉经学，前汉今文与后汉古文之分，并不在于文字之异同，而在读之的异同。然古文家出，自然与文字有相当关系的，据王氏考证，因为今文家的经读已易为今文，后来鲁壁河间所得虽亦以今文读之，则以其立异，便专有古文之名，他说：

上述汉时诸经传古文本矣。夫今文学家诸经，当秦汉之际，其在于竹帛者固无非古文，然至文景之世已全易为今文，于是鲁国与河间所得者，遂专有古文之名矣。……孔壁之书，遂专有古文之名矣。然汉时古文经传，盖已有传写本，……（《汉时古文本诸经传考》）

按经学之名，自汉笺注主义的中古哲学兴起，才成立的。当时儒者，只有在这样的小天地之内寻求所谓大义，和战国的诸子百家大有时代的分别，故即使没有秦始皇的焚书，这种笺注主义的方式或有不同，而经学亦要出现的，固不必如前人所谓六经散亡始有经学。王充言“博士之官，儒生所由兴也”（《论衡·别通论》），汉代的博士必然要代替私人的百家。今文家与古文家的论争，在争设置博士官职者，非常现实，而所据章篇之多寡，主义之歧异，颇难分辨其基本的分水岭。大体上看来，今文家主微言大义，而古文家主实事求是，前者与谶纬之说相接，后者与训诂之学相接，唯在当时这种壁垒，并不显著，到了后世尤其清代才从经本的真伪与方法的长短方面作为两派的旗帜树立起来。清代今文家皮锡瑞，古文家章太炎，都在各自立场上抱负清算有清一代经学的志愿，他们的话相为对立，可以代表今古文学两派的总括意见。

一、皮氏说：

郑学盛而汉学衰者，汉经学近古可信，十四博士今文家说远有师承；刘歆创通古文，卫宏、贾逵、马融、许慎等推衍其说，已与今学分门角立矣。然今学守今学门户，古学守古学门户，今学以古学为变乱师法，古学以今学为党同妒真，相攻若仇，不相混合。（《经学历史》，三二页）

他不但如此重今文而非古文，而且为今文家言天人五行与言灾异阴阳做辩护（同书，二十二——二十四），他更说：

治经必宗汉学，而汉学亦有辨，前汉今文说专明大义微言，后汉杂古文多详章句训诂。……唯前汉今文学能兼义理训诂之长，……故其学极精而有用，以禹贡治河，以洪范察变，以春秋决狱，以三百五篇当谏书，治一经得一经之益也。……尚书大传多存古礼，与王制相出入，解书义为最古；董子春秋繁露，发明公羊三科九旨，且深于天人性命之学；韩诗仅存外传，推演诗人之旨，足以证明古义。学者先读三书，深思其旨，乃知汉学所以有用者，在精而不在博，将欲通经致用，先求大义微言，以视章句训诂之学如刘歆所讥“分文析义，烦言碎辞，学者罢老且不能究其一艺”者，其难易得失何如也！（同上，一八页）

由此看来，清代今文家是通经之大义微言，求有用于世，而所托者则为禹贡、洪范、春秋、诗经，以施于经济、政治、法律。古文家正与此相反。

二、章氏说：

治经恒以诵法、讨论为剂。诵法者，以其义束身，而有隆杀；讨论者，以其事观世，有其隆之无或杀也。西京之儒，其诵法既狭隘，事不周浃而比次之，是故齵差失实，犹以师法效用于王官，制群众，以法决事，兹益害也！杜、贾、马、郑之伦作，即知抟国不在敦古，博其别记，稽其法度，核其名实，论其观世，而六艺复返于史，秘祝之病不渍于今。其源流清浊之所处，风化芳臭气泽之所及，则昭然若察矣。（《检论》卷四）

章氏之论汉代今古文，与皮氏对立，故他批评魏源“争治汉学锢天下智慧为无用”之说，深加讽刺，而以清代朴学（他不用汉学之名）不同于汉儒，“不以经术明治乱，故短于风议，不以阴阳断人事，故专于求是”，大旨以为朴学者为明辨历史之学，故他责斥近世今文家更多有锋芒的辞句，他说：

近世为朴学者，其善三，明征定保，远于欺诈，先难后得，远于徼幸，习劳思善，远于偷惰，故其学不应世，尚多悃愊寡尤之士也。昧者或不识人事臧否，苟务博奥，而足以害民俗，乱政理，自惠氏为《明堂大道录》，已近阴阳，而孙星衍熹探道臧房中之说，张琦说风后握奇经神仙兵符几于一矣。琦尝知馆县，其后山东有义和团。刘逢录以公羊传佞谀满州。大同之说兴，而汉虏无畔界。延及康有为以孔为巫师。此咎戾皆汉学尸之，要之造端吴学，而常州为加厉。魏源深诋汉学无用，其所谓汉学者，戴、程、段、王未尝尸其名，而魏源更与常州汉学同流，妖以诬民，夸以媚虏。……（同上）

章氏是一个为历史而学经的最后古文学家，对于微言大义的汉儒认为遗于后世者为浊为臭，对于托古说以微言近世大义的清代今文家，认为用于当代者为妖为媚。他所排诋近世今文家的言论，固然含着感情作用；然而像任公把他们的书当做“用科学的归纳法，有条贯，有断制，在著述中实最有价值之创作”者，亦自失实。近世今文家诸儒，在时代的狂飚中有他的自由主义的历史意义（和民主主义在科学术语上有分别），而在著述中则没有大言价值的必要。

第二节　今文学家兴起的来历与魏源

乾嘉汉学以东原为中心的古文学派，章实斋早已在其最盛时期，做过合理的批判，但他的批判并没有在当时发生了作用。到了焦里堂从学理上重新评价考据之学，阮芸台从史学上总结训诂之学，江藩复把他们的学术做了一个报告以后，古文家遂告一段落。章太炎论古文家的功绩，本一“朴”字，所言亦甚得要领，他说：

单篇通论，醇美确固者，不可胜数，一言一事必求其征，虽时有穿凿，弗能越其绳尺，宁若计薄善承誈视，而不唯其道，以俟后之咨于故实，而考迹上世汗隆者举而措之，则质文蕃变，较然如丹墨可别也。然故明故训，多说诸子，唯古史亦以度制事状征验其务，观世治化，不欲以经术致用，灼然矣。(《检论》卷四)

太炎以上所论历史意义的朴学，是与他所言方法论意义的朴学（见上引）结合起来，以说明“实事求是”的精神。而实事求其所以是，以及实事求其所以验于是，或实事求其所以行于是，据他说这不是朴学的任务了。这比胡适之，梁任公所科学地赞扬汉学者更为正确，例如适之说：

中国旧有学术，只清代的朴学（？）确有科学的精神。朴学一个名词，包括甚广，大要可分四部：1. 文字学，包括字音的变迭，文字的假借通转等等。2. 训诂学，训诂学是科学的方法，物观的证据，来解释古书文字的意义。3. 校勘学，校勘学是用科学的方法，来校正古书文字的错误。4. 考订学，考订学是考订古书的真伪，古书的著者及一切关于著的问题的学问。(《清代学者的治学方法》)

适之把“朴学”一名词归纳为关于研究文字与书本的科学方法，颇太过火地使用科学概念，而且这种朴学定义亦没有章氏之说为严明。适之非常痛惜这样的学术在清代中断；而感慨于中兴大臣不能再建设朴学，但此中有他的历史，在上面我们已经说明了的。这里亦把皮、章二氏之今古文学家代表的说法写在下面，以为参考。

皮锡瑞站在今文家的立场，以为今文学之代替古文学，是“义愈推而愈高”的时代发展，他说：

乾嘉以后许郑之学大明，……皆主实证，不空谈义理，是为专门汉学。嘉道以后又由许郑之学导源而上：易宗虞氏，以求孟义；书宗伏生、欧阳、夏侯；诗宗鲁齐韩三家；春秋宗公、谷二传。汉十四博士今文说，自魏晋沦亡千余年，至今日而复明，实能述伏、董之遗文，寻武、宣之绝轨，是为西汉之学。学愈进而愈古，义愈推而愈高，屡迁而返其初，一变而志于道，不特知汉宋之别，且知今文古文之分。门径大开，榛芜尽辟，论经学于今日，当觉其易而不患其难矣！（《经学历史》，六四页）

他这样地阐述古今文在清代的流变，笼统独断，一目了然。他并继而说明应重今文的主张，说：

今欲简明有用，当如汉志所云“存大体，玩经文”

而已。如易主张惠言虞氏义，参以焦循易章句、通解（按解字为释字）诸书，书主伏传、史记，辅以西汉今文家说，诗主鲁齐韩三家遗说，参以毛传郑笺，春秋治公羊者何注、徐疏，……考其源流而不迷于途径，本汉人治经之法，求汉人致用之方，如禹贡治河，洪范察变之类，两汉人才之盛，必有复见于今日者。（同上）

今文家的说明，大体如此。至古文家关于今文的兴起，则别有见地，太炎谓今文家都是些章藻文士，借经典以自重，故他以为今文家的来源出于桐城义法，他说：

太湖之滨，苏常松江大仓诸邑，其民佚丽。自晚明以来熹为文辞。……江永戴震起徽州，徽州于江南为高原，其民勤苦善治生，故求学深邃直窍，而无温藉，不便文士。……视天下文士渐轻，文士与经儒始交恶。而江淮间治文辞者，故有方苞，姚范，刘大櫆，皆产桐城。……桐城诸家本未得程朱要领，徒援引肤末，大言自壮。……姚鼐……数持论诋朴学残碎，其后方东树为汉学商兑，徽识益分。阳湖恽敬、陆继辂亦阴自桐城受义法。……夫经说尚朴实，而文辞贵优衍，其分途自然也。文士既以要荡自喜，又耻不习经典，于是常州今

文之学务为瑰意眇辞，以便文士。(《检论》卷四)

太炎首以地理环境说明由晚明理学以至朴学的原因，归结于太湖佚丽生活反映而为文辞尚好的风气，由于徽州民性质实反映而为江戴朴学，故朴学代替了文辞，为学术之一变。后来，桐城家出，复以文辞号召，诋毁朴学，流衍所至，于是有常州今文家出现，给文辞家做了理由，为学术之又一变。这样的说明是循环论(自然文辞家与今文学有契合之处)，亦有偏见，故他历述今文家的活动，多所讽刺，他说：

今文者，春秋、公羊，诗、齐，尚书、伏生，而排摈周官，左氏春秋，毛诗，马郑尚书，然皆以公羊为宗。始武进庄存与与戴震同时，独熹公羊氏，作春秋正辞，称说周官。其徒阳湖刘逢禄专主董生李育为公羊释例。……及长洲宋翔凤，最喜附会，牵引饰说，或采翼奉诸家而杂以谶纬神秘之辞，翔凤尝语人曰，“《说文》始一而终亥，即古之归臧也”，其义瑰玮，而文特华妙，与治朴学者异术，故文士尤利之。道光末，邵阳魏源，夸诞好言经世，尝以术奸说贵人，不遇，……乃思治古文为名高，然素不知师法略例，又不识字，作诗书古微，凡诗今文有齐鲁韩，书今文有欧阳，大小夏侯，故不一致，而齐鲁大小夏侯尤相攻击如仇雠，源一切掍合之，所不能通，即归之古文，尤乱越无条理。仁和龚自珍，……亦治公羊，与魏源相称誉。而仁和邵懿辰为尚书通义，礼经通论，指逸书十六篇，逸礼三十九篇为刘歆矫造，顾反信东晋古文，称颂不衰，斯所谓倒植者。要之，三子皆好姚易卓荦之辞，欲以前汉经术，助其文采，不素习绳墨，故所论支离自陷，乃往往如谶语。……闿运弟子有井研廖平，自名其学，时有新义，以庄周为儒术，左氏为六经总传，说虽不根，然犹愈魏源辈绝无伦类者。（同上）

按章氏所述晚清今文学家，其评今文学家的荒唐处，自有道理，而以为文采代替朴学，诡辩代替实学，是学术的毁灭，则不尽然合于历史了。我们知道，时代的粗疏放任，固然要求人类的光明理想，但理想的先声恒常来了一段荒唐的噩梦，且它虽然要求人类的民主生活，但民主的路线恒常伴着一些自由主义的设计，公羊学派的今文家有怒虓的精神，而在急进主义的色彩中，隐藏着改良妥协的本质。任公“热中”自许一辞，里面杂糅着的成分颇多，与今文家“致用”一辞相若，破坏方面是历史的，建设方面则为反历史的，太炎所责难“致用”者只看出了一面。更有进者，中国的近代历史落到日本维新以后，所走的阶段愈加多了。长发军的农民叛乱，在基督教的天王——上帝烟幕之中，不妨碍具有平等思想的反满纲领，而早冲进中国的鸦片战争，在军舰护送海洛英的旗帜之下，不妨碍夹带着科学人文的欧洲潮流，然而古老的基督教与杀人的海洛英，却成为好像醒酒吐剂的煤油，烈性地灌入醉者的腹内，居然在酒精与油质一齐滚出醉者的口里以后，他才需要真的东西了，如首先为空气与水分。公羊学派的憧憬，在这里，要微言大义了，然而正是在阴阳天人的谶纬方术之中，做了那种不能经常吃在肚里的煤油，到了后来，廖平的油飞散了，谭嗣同的油烧化了，梁任公的油，以“不惜以今日之我与昨日之我挑战”的理由弃置了，而康有为的油则硬要令人作为营养物去服用，极端地跑到复辟的阵营中！历史耐人探究者，是多么复杂的关系。

就治学的路径上而言，其一，古文家多朴实说理者，而今文家反之，如太炎所指出的，多为继承桐城文士的词章家，他们在文章上大都锋利动人，颇有重情的浪漫色彩，试读魏源龚自珍的文章便知，后来谭嗣同“冲决网罗”的文法，梁任公自言“笔锋常带感情”的话即此传统。

其二，古文家多以宋汉之学分家，依汉排宋，而今文家反之，企求泯灭汉宋之界，且多宋学是宗者（戴望除外），首以方东树的理学做反动，而宋翔凤，魏源等都有推崇宋学的主张，如皮锡瑞便最后说明清代汉学家惠、江、戴、段诸人“为汉学帜志，皆不敢将宋学抹杀”，他巧妙地曲解汉宋合一的证据，如云“惠氏红豆山斋楹帖云‘六经宗孔孟，百行法程朱’，是惠氏之学未尝薄宋儒也。戴震……其学本出江永，称永学自汉师康成后罕其俦匹。永尝注《朱子近思录》，所著礼经纲目亦本《朱子仪礼经传通解》。震作原善孟子字义疏证，虽与朱子说经抵牾，亦只是争辩一理字。……段玉裁受学于震，议以震配享朱子祠，又跋朱子小学，……段以极精小学之人，而不以汉人小学薄朱子小学，是江戴段之学未尝薄宋儒也。”（《儒学历史》，六一页）这些证明，都没有逻辑的价值，但今文家不薄宋儒的态度，却非常显明。

其三，古文家多如太炎所云“不欲以经术致用”，且求是者仅限于古书训诂校勘，如“言不关乎经义小学，意不纯乎汉儒古训者，固不着录”（江藩子江钧述父撰述之志），此最为今文家所有理由反对者，方东树即从此入手攻击，后来公羊学派在将来世界的憧憬上，都有话说，如挥敬说：“彼诸儒博士者，过于尊圣贤，而疏于察庶凡；敢于从古昔，而怯于赴时势；笃于信专门，而薄于考通方。”（《三代因革论》）皮锡瑞则公然在最后还说：“禹贡治河，洪范察变。”

其四，世之称清代汉学者，一、苏学惠氏，二、徽学戴氏，三、常州学庄氏。惠学唯“汉”，戴学唯“是”，戴学在思想继承上为惠学的发展，言乾嘉古文家应以戴学作中心，故太炎亦云：“戴学家数，分析条理，皆缜密严瑮，上溯古义，而断以己之律令，与苏州诸学殊矣。”苏州惠氏学派“学好博而尊闻”，其古训是则的研究态度，初亦倡汉人的阴阳之说，如惠栋因学易而悟明堂之法，撰《明堂大道录》八卷，微言大义，说：“说卦，帝出乎震。帝者五帝也。在太微之中，五德相次，以成四时，圣人法之，立明堂，为治天下之大法。……圣人居天子之位，行配天之祭，推人道以极天，而天神降，地示出，人鬼格，夫然而阴阳和，风雨时，五谷熟，草木茂，群生相遂，物无疵厉，所谓'既济'定也。……明堂之法本于易，中庸言至诚可以赞化育，与天地参，此明堂配天之义也。”这是西汉谶纬之学的古训是则者。他的学派中褚寅亮为公羊何休之学，撰《公羊释例》一书，谓“三传唯公羊为汉学，孔子作春秋，本为后王制作，訾议公羊者实违经旨”。其后洪亮吉著《公羊谷梁古义》，张惠言著《周易虞氏易》、《虞氏消息》，这都是太炎所谓“已近阴阳”，而反为今文家所赞许者，如刘逢禄谓“若元和惠栋氏之于易，……其善学者也”，如皮锡瑞主以惠言《虞氏易》为入门书之类。按易与春秋为今文家的基本哲学，进而据公羊哲学（或神学）以通释诸经，他们批评戴氏学派，自然要从“家法”上追寻于惠学，实则惠学之于公羊于易传却不是主要精神所在。这里，便产生第三学派所谓常州之学。原常州之学，起于庄存与（方耕），与戴东原同时，邵晋涵（二云），孔广森（幼植）皆其门人。他是一位当时的宋学者，在宋学被汉学所淹没的时候，他想从公羊义理中，使宋学与汉学结合，著《春秋正辞》、《春秋举例》、《春秋要旨》，然不显于世。他讲治天下的义理，“寻先圣微言大义于言表之外”，且不辨真伪，信周礼，信伪古文《尚书》，以为伪书存者皆圣人之言，他说：“辨古籍真伪，为术浅且近者也。且天下学僮尽明之矣，魁硕当弗复言。古籍坠湮什之八，颇借伪书存者什之二，帝胄天孙，不能旁览杂氏，唯赖幼习五经之简，长以通于治天下。昔者大禹谟废，人心道心之旨，杀不辜宁失不经之诫亡矣；太甲废，俭德永图之训坠矣；仲虺之诰废，谓人莫已若之诫亡矣；说命废，股肱良臣启沃之谊丧矣；旅獒废，不宝异物贱用物之诫亡矣；冏命废，左右前后皆正人之美失矣。今数言幸而存，皆圣人之真言，言尤痌瘁关后世；宜贬须臾之道，以授肄业者。”（《尚书既见》）这正是阎百诗考据以来的反驳，未其无历史说明，把代表当时的思想混同，更远逊于实斋的学术。

他的侄子庄述祖，继其所学，后来的刘逢禄，宋翔凤便是述祖的外甥兼弟子，至魏源，龚自珍推崇方耕为大师，常州之学才为世人所注意。魏源以庄氏“存大体，玩经文”，尊为“真汉学者”，定庵则表章云：

学足以闻天下，自韬污受不学之名，为有所权缓亟经重，以求其实之阴济于天下，其泽将不唯十世，以学术自任，开天下知古今之故，百年一人而已矣！……有史之大隐，于是奋起不为史而能立言者，考其灼然之意，钩日于虞渊而悬之九天之上，俾不得隐焉而已矣。(《定庵全集》卷七，《庄公神道碑》)

按今古文之争在汉代是以左氏，公羊为中心，皮锡瑞说：

汉今古文家相攻击，始于左氏，公羊，而今古文家相攻若仇亦唯左氏，公羊为甚。……刘歆请立左氏，则博士以左邱明不传春秋抵之。各经皆有今古文之分，未有相攻若春秋之甚者。(《春秋通论》)

在晚清今文家的兴起，其始亦以公羊为中心，他们都在微言大义的号召之下，尊治公羊的“传义”之法，甚至皮氏以今文家的立场，敢于因重视公羊，而轻视朱子，他说：

朱子云，春秋义例，不能自信于心，故未尝敢措一辞。此朱子矜慎之处，亦由未能专信公、谷，故义例无

所依据也。(《经学历史》)

公羊学，首先为刘逢禄（申受）明白树立，他以为《左氏春秋》，乃《晏子春秋》，《吕氏春秋》一类，而非传春秋者。史迁所谓《左氏春秋》，是其旧名，名为《春秋左氏传》，实出于刘歆伪改。而对于“非常异义可怪之论”的《公羊传》，说：

公羊所传最正。……大儒董仲舒，下帷三年讲贯，此学大兴。然及东汉之末，郑贾之徒，曲学阿世，煽刘歆之毒焰，鼓图谶之妖气，此学之命脉几绝。幸有任城何休，学识卓绝，寻董何之绪，补严歆之缺，此学复明。(《公羊何氏释例》)

诗毛氏，礼郑氏，易虞氏，有义例可说。而拨乱反正，莫近春秋，董、何之言，受命如响。然则求观圣人之志，七十子之所传，舍是奚适焉？（同上）

他依据着微言大义的牌子，兼说群经，他持诗书与春秋并言大义的见解（传会），如云：“诗书皆由正而至于变，诗之四始，言文武之盛，而终于商颂，是记先世之亡国，以为戒书也；书述二帝三王之业，而终于秦誓，记秦以狄道代周，以霸统继帝王，为变之极也；春秋拨乱反正，始元终麟，变极而归于正。其致太平之正经，垂法戒于万世，一也。”古文家不但考证书之真伪，而且考证诗之成简先后（如阮元的《诗大雅考》），而今文家则如此异义可怪之论，微言大义。他的书还有《论语述何》，例如他解释《论语》予欲无言章，以为子贡说“夫子之言性与天道，不可得而闻也”，就是指性与天道谓之微言，易春秋已备，不言而著。又如他以为“本立而道生”，就是春秋的“始元终麟”，即志在春秋，行在孝经。古文家如阮元关于性命，关于仁，都严守方法，究明其中的历史性，而今文家则又如此异义可怪之论，微言大义。

宋翔凤（于庭），著《论语发微》，与申受之《公羊解说》相似。著《大学古义说》，附会备至。例如解《大学》“知止而后有定”，以十二月令，“日长至”“日短至”，牵附阴阳，谓圣人立明堂之礼，在阴阳交争之时，必有所定；解“定而后能静”，即《系辞》所谓“龙蛇之蛰，以存身也”；解“静而后安”，象蛇龙之蛰故安；解“安而能虑”，谓定静指体象，虑指神明，既定静即可不齐戒其德，《系辞》所谓“能说诸心，能研诸侯之虑”，能虑，则万事万物处得其宜，通行于天下国家而止于至善。古文家因考据著作真伪，曾怀疑《大学》与《系辞》，而非常异义可怪之论者，则如此瑰玮附会。他著有《周易考异》，亦牵强比附，把乾坤分做禅让和放伐二卦，以言圣王大义，和近世算卦测字之术相近。

魏源（默深），生乾隆五九年，卒咸丰六年（一七九四——一八五六），与龚定庵齐名，世称为魏龚。今文家自他们才算成立。魏氏著诗古微，谓："诗有作诗者之心，而又有采诗编诗者之心。有说诗者之义，而又有赋诗引诗者之义。作诗自道其情，情达则止，不理会闻者之如何。就事而咏，不求其原因。若因讽上而作，但求悟上则足，不理会他人之劝惩。"著有《书古微》，疑马郑古文尚书亦伪，而阐述今文尚书的微言大义。他不但公开力攻戴学古今家，唯心地"直求经文"，而且以清初大儒分裂体用，而主张废外景向内专的逆流，他说：

昔越女之论剑曰，臣非有所受于人也，而忽然得之。夫忽然得之者，地不能囿，天不能嬗，父兄师友不能佑，其道常主于"逆"，小者逆谣俗，逆风土，大者逆运会，

所逆愈甚，则复愈大，大则复于古，古则复于本。(《定庵全集·魏序》)

“忽然得之”者，是由今逆于古，由古逆于本，“本”者唯心的代名词而已，他又说：

生百世之下，能为百世以上之语言，能骀宕百世以下之魂魄，春如古春，秋如古秋，与圣诏告，与王献酬。……火日外景则内暗，金火内景则外暗，外暗斯内照愈专，君愦于外事，而文字窔奥洞辟，自成宇宙，其金火内景者欤。……千百载后发硎出之，相对犹如坐三代上！（同上）

这是以公羊汉学追踪宋儒的宗教意识，任公谓之汉学的陆王，实则汉学其表，今文其外，而玄惚的宗教其中也哉！今文家后来以孔子作通天教主，都是有其渊源的。太炎讥刺魏源与常州汉学同流，“妖以诬民，夸以媚虏，大者为汉奸、剧盗，小者以食客容于私门，‘三善’（见前）悉亡，学隐之风绝矣！”按今文家的火油本来是毒素，灌入人腹，足以绝学隐之风，这是时代的要求，如果隐风收起即将毒素用之燃烧，自然没有问题，然而大义是崇。把三世三统永恒化于今世，则在后来政治的意义上必有一番现实的逆流。太炎所谓媚虏之说，有混同魏源与康有为二人时代的地方，颇有语病，但我们从历史的流变研究，便没有什么问题了。因为魏源之为近代今文家，在微言大义的治学精神上并概括不了他的时代价值，他的经世致用之具体政见，确有营养剂的意义，关于所谓“富国强兵”的当时商业资本主义思想，他是一位先锋。自然在他的思想中有太炎所谓依汉学媚清之嫌，如言：“天地以五行战阴阳，圣人饬五官，则战胜于庙堂，战胜庙堂者如之何？曰圣清尚矣。”（《圣武记序》）又言：“前事者后事之师，元起塞外，有中原，远非辽金之比，其始终得失，固百代之殷鉴也哉！”（《元史新编序》）但在太平天国以前的人，这话是可原谅的，更重要的是，他所提出的政治思想，有历史内容可言的。他说：

今夫时用不足，国非贫，人才不竞之谓贫。令不行于海外，国非羸，令不行于境内之谓羸。故先王不患财用而唯亟人才，不忧不逞志于四夷，而忧不逞志于四境。官无不材，则国桢富，境无废令，则国柄强。则以之诘奸奸不处，以之治财财不蠹，以之搜器器不窳，以之练士士无虚伍。如是何患于四夷，何忧乎御侮，斯之谓折冲于尊俎。尝观周汉唐宋金元明之中叶矣：瞻其阙夫，岂无悬令？询其廷夫，岂无充位？人见其令雷行于九服，而不知其令未出阶闼也；人见其材云布乎九列十二牧，而不知其槁伏于灌莽也，无一政能申军法，则佚民玩，无一材堪充军吏，则敖民狂，无一事非耗军实，则四民皆荒。佚民玩则画箠不能令一羊；敖民狂则蛰雷不能破一墙；四民皆荒，然且今日揖于堂，明日觞于隍，后日胠于藏，以节制轻桓文，以富强归管商，以火烈钱肃议成汤，奚必更问其胜负于疆埸矣！记曰，物耻足以振之，国耻足以兴之。故昔帝王处蒙业久安之世，当换汗大号之日，必虩然以军令饬天下之人心，皇然以军食延天下之人才，人才进则军政修，人心肃则国威遒。一喜四海春，一怒四海秋。五官强，五兵昌，禁止令行，四夷来王。是之谓战胜于庙堂。(《圣武记序》)

魏源以上的政论，据他说是“溯洄于民力物力之繁衰，人才风俗进退消息之本末”，而发为议论的。华丽的排比辞句，嘉懿的圣王古训，婉转暴露了晚清的腐败政治，而积极提出了富国强民的政纲。外患是近代的列强，故问题不是明末清初的种族夷夏之分，而是近代殖民地的新历史了，古文家“学隐”之风，有三善也好，没有三善也好，决不能再和现实离开，不求以学经世了。按魏氏《圣武记》，据云“告成于海夷就款江宁之月”，时为道光二十二年（一八四二年），前一年龚定庵已死。鸦片战争结果，订立《南京条约》，五口通商，大清封建的官僚政治不但被刻上崩坏的烙印，而且中国的民族危机方兴未艾，忧国之士，孰能再事所谓“学隐”？正魏氏所谓“凡有血气者所宜愤悱，凡有耳目者心知者所宜讲画也”。魏氏此记，谓之第一次的万言书亦可，实不能以“媚虏”二字诬之。同年他还著成《海国图志》，是一部次于林则徐所译《四洲记》的地理与时务先驱书（自云，钩稽贯串，创榛辟莽，前驱先路），今文家在这样政治的议论中才具有历史价值。他在这本书中同样是以一位微言大义的先觉者自居，诗易是他的根据似的，牵附着一套公羊家法，所谓“天不变道亦不变”，公羊学者做地理书，据他讲是这样的天人之学：

君子读云汉、车攻，先于常武、江汉，而知二雅诗人之所发愤；玩卦爻内外消息，而知大易作者之所忧患。

愤与忧，天道所以倾否而之泰也，人心所以违寐而知觉也，人才所以革虚而之实也。(《海国图志叙》)

这是他写《海国图志》的公羊的义法，居然以“愤与忧”的情绪做知觉运动的前提。他从外患讲到内政，是最早的“变法”“维新”思想，他说：

是书何以作？曰，为以夷攻夷而作，为师夷长技以制夷而作。易曰“爱恶相攻，而吉凶生，远近相取，而悔吝生，情伪相感，而利害生”。故同一御敌（即指攻守国防）而知其形与不知其形，利害相百焉；同一款敌（按即指通商外交），而知其情与不知其情，利害相百焉。古之驭外夷者，诹以敌形，形同几勤，诹以敌情，情同浸馈。然则执此书即可驭外夷乎？曰唯唯否否。此兵机也，非兵本也，有形之兵也，非无形之兵也。明臣有言，“欲平海上之倭患，先平人心之积患”。人心之积患如之何？非水非火非刃非金，非沿海之奸民，非吸烟贩烟之莠民。……去伪去饰，去畏难，去养痈，去营窟，则人心之寐患去其一；以实事程实功，以实功程实事，艾三年而蓄之，网临渊而结之，毋冯河，毋画饼，则人才之虚袪其二。“寐患”去而天日昌，“虚患”去而风雷

行。传曰："孰荒于门，孰治于田？四海既均，越裳是臣。"（《海国图志叙》）

他的意思是国防要有国防的知识，外交要有外交的知识，然国防与外交并非国家的根本之图，而主要在于去"积患"，积患有二，一为"寐患"，一为"虚患"，所谓寐患之积，由他所言的五个去字看来，似指黑暗专制的影子，"去"了这积患，便人心知觉起来，而"天日昌"了，这是模糊的一种开明思想；所谓虚患之积，由他所讲的以实事实功治虚患看来，似指封建无法的影子，"去"了这种积患，便人才实用，而"风雷行"了，这又是模糊的人本思想。他偶使用革字（如革虚），或使用去字祛字，实充分包含了变法的萌芽内容。这是"大义"，而天日、风雷的义法在这里便是所谓"微言"了。公羊学家，是三句话不离本行的。他以"忧与愤"的家法，应用在醒觉寐醉的人心上，就知道我们上面煤油剂的比喻不是随便的比喻。他的维新思想，又在《拟进呈〈元史新编〉》序中暗射着，他说：

如外强中干之人，躯干庞然，一朝瘘木，于是河溃于北，漕梗于南，兵起于东。大盗则一招再招，官至极品，空名宣敕，逢人即授。屯膏吝赏于未炽之前，而曲奉骄子于燎原之后。人心愈涣，天命靡常。二三豪杰魁垒忠义之士，亦冥冥中辄自相蚌鹬，谮被颠倒，而莫为之所。若天意，若人事焉。呜呼，孰使然哉？……其始终得失，固万代之殷鉴也哉！

“外强中干”，在一八四二年的《南京条约》毕现于世界之时，一语道破，他的《海国图志》实在是一个变法宣言，该书目录甚别致，如下：

以守为攻，以守为款；用夷制夷，畴司厥楗：述筹海篇第一。

纵三千年，圜九万里；经之纬之，左图右史：述各国沿革图第二。

夷教夷烟，毋能入界；嗟我属藩，尚堪敌忾：志东南洋海岸各国第三。

吕宋爪哇，屿埒日本；或噬或駾，前车不远：志东南洋各岛第四。

教阅三更，地割五竺；鹊巢鸠居，为震旦毒：述西南洋五印度第五。

维晳与黔，地辽疆阂；役使前驱，畴诹海客：述小西洋利未恶第六。

大秦海西，诸戎所巢；维利维威，实怀泮鸮：述大西洋欧罗巴各国第七。

尾东首西，北画冰溟；近交远攻，陆战之邻：述北洋俄罗斯国第八。

劲悍英寇，恪拱中原；远交近攻，水战之援：述外大洋弥利坚第九。

人各本天，教纲于圣；离合纷纭，有条不紊：述西洋各国教门第十。

万里一朔，莫如中华；不联之联，大食欧巴：述中国西洋纪年表第十一。

中历资西，西历异中；民时所授，我握其宗：述中国西历异同表第十二。

兵先地利，岂间遐荒；聚米画沙，战胜庙堂：述国地总论第十三。

虽有地利，不如人和；奇正正奇，力少谋多：述筹夷章条第十四。

知己知彼，可款可战；匪证奚方，孰医瞑眩：述夷情备采第十五。

水国恃舟，犹陆恃堞；长技不师，风涛谁砻：述战舰条议第十六。

五行相克，金火斯烈；雷奋地中，攻守一辙：述火器火攻条议第十七。

轨文匪同，货币斯同；神奇利用，盍殚明聪：述器艺货币第十八。

看了这个目录，就知道“洋务”的内容。在当时仅为军备，外交（款夷的内容亦多为商业贸易），以及商业（货币）罢了，还没有民主立宪等东西的。公羊学派的基本思想，不论在最初以及最后，一贯地有商业资本的背景，从魏源神奇的货币崇拜论，到康有为的商业救国论，其间传统至明。

魏源的维新思想，主要在战、款二字，战言军备攻守，款言通商外交，这完全是初期商业资本主义时代的中国版，所以认识公羊学派的大义微言，应该不为其义法所迷，而在这些地方探求才是。他说：

自夷变以来，帷幄所擘画，疆场所经营，非战即款，非款即战。……何以款？以守为战，而后外夷服我调度，是谓以夷攻夷。以守为款，而后外夷范我驰驱，是谓以夷款夷。自守之策二，一曰守外洋不如守海口，守海口不如守内河；二曰调客兵不如练士兵，调水师不如练水勇。攻夷之策二，一曰调夷之仇国以攻夷，师夷之长技以制夷。款夷之策二，一曰听互市各国以款夷，持鸦片初约以通市。(《海国图志·筹海篇》)

师夷，款夷，所师者为他的坚甲利兵与神奇货币，所款者为通商互市与以夷款夷，这在当时仍持闭关自守禁用洋货（管同作《禁用洋货议》）的空气中，颇为大胆的言论，在他的货币理论中可以看出想把“外强中干”的老人，施疗以货币流通的新血液，有以商业对商业的思想。由这里说，他评汉学无用，亦就具有时代意义了。

第三节　揭露封建黑暗预言民族危机的议政家龚定庵

（一）一个时代的号筒

龚自珍亦名巩祚，号定庵。浙江仁和人。生于清乾隆五十七年，卒于道光二十一年（一七九二——一八四一），享年仅五十岁，年长于魏源，而早死于魏氏之前十五年。他死前一年鸦片战争爆发，死后一年即订立破天荒的不平等条约，所谓《南京条约》，再后九年洪秀全即起义。魏源在太平军入江宁以后还写出他的《书古微》，然而定庵虽亦探讨经史（史重于经，详后），主以经还经，以子还子之六经正名，多论春秋决疑的大义，但他早已不能写《定群经》了，例如他在《古史钩沉论三》（志写《定群经》）里说："友朋……皆语自珍曰，曷不写定易书诗春秋？方读百家，好杂家之言，未暇也。内阁先正姚先生语自珍曰，曷不写定易书诗春秋？又有事天地东西南北之学，未暇也。……吾之始猖狂也，撼姬周之末多歧，撼汉博士师弟子之多歧。今也不然，撼……无以俟予，予所撼日益下，恶如何，恶如何？……卒不能写定易书诗春秋。"他所撼日下，不但降于六经之外（如他尊告子的性说，尊列子的学说——谓有真理什之七八，熏佛典的思想，以至搜讨当代掌故之学），而且益日降于东西南北之学，故他成为当时真正的一位议政专家。他的思想的结晶，最富人民性，可以说真正在他的"东西南北之学"方面客观地批判了古文家的"学隐"。

他的思想中心是他的社会批判论，而他的经史之学则为附属的东西。他是名古文家、小学家段玉裁的外孙，自然家学渊源，使他少年即有所成就，但这却不是基本原因，主要使他大发议论者是那个时代，如他所云“士大夫奄然而无有生气……不可不为变通者”，故他少年的作品，如《明良论》(四篇)，如乙丙之际的诸论文，都没有家学的传统，而是自树一帜，成了时代的号筒。正亦由于他是“少年”，自云“猖狂”的少年，才能在旧的老朽社会，无所顾虑地做其批判，而他所谓“老成之典型，……因阅历而审虑，因审虑而退葸，因退葸而尸玩，仕久而恋其籍，年高而顾其子孙”，何能思自表见?

首先我们研究他的少年作品，《明良论》与《乙丙之际箸议》诸篇。《明良论》，据段玉裁评记，末写甲戌秋日，是年为嘉庆十九年，他自己自注“四论为弱岁后所作”，以是推之，作文年代当在他二十岁以后至二十三岁之间。《乙丙之际箸议》，既云乙丙之际，便在嘉庆廿年至廿一年，是时他为二十四五岁。在这五年之间，这位少年的思想，真可谓“东西南北之学”，惊世骇俗，无怪乎后一辈梁任公说:

晚清思想之解放，自珍确与有功焉，光绪间所谓新学者，大率人人皆经过崇拜龚氏之一时期，初读《定庵文集》，若受电然，……（《清代学术概论》，一二二——一二三页）

他的外祖父王裁“加墨矜宠”，一方面感于时代警其才，他方面更以“古”字掩其锋，云：

四论，皆古医方也，而中今病；岂必别制一新方哉？且耄，犹见此才而死，吾不恨矣！

乙丙之际的论文为“东西南北之学”，《壬癸之际胎观》九篇，则为“天地……之学”（他在卅一二岁时期颇有一番自敛，似乎退而追求一个世界观，这些关于自然的哲学，却尽是瑰玮的辞句，看不出其价值的）。

他暴露了当时的封建制度，譬之为满身疥癣的病体，没有法子治疗，只有把四肢缚在独木之上束缚着，停着不动。封建制度的束缚之病，亦只“一束于不可破之例”中，任满身腐败疥癣自然蔓延，美其名曰“奉公守法”。他的议论曰：

人有疥癣之疾，则终日抑搔之，其疮痏，则日夜抚摩之，犹惧未艾，手欲勿动不可得，而乃卧之以独木，缚之以长绳，俾四肢不可以屈伸，则虽甚痛，而亦冥心息虑以置之耳，何也？无所措术故也。

律令者，吏胥之所守也，政道者，天子与百官之所图也。……为天子者，刑迪其百官，使之共治天下，但责之以治天下之效，不必问其若之何而以为治。……约束之，羁縻之，朝廷一二品之大臣，朝见而免冠，夕见而免冠，议处察议之谕不绝于邸抄，部臣工于综核，吏部之议群臣，都察院之议吏部也，靡月不有。府州县官，……大抵逆忆于所未然，而又绝不斠画其所已然。……官司之命，且倒悬于吏胥之手，彼上下其手以处夫群臣之不合乎吏胥者，以为例如是。……夫聚大臣群臣而为吏，又使吏得以操切大臣群臣，……恐不能以一日善其所为。……使奉公守法畏罪而遽可为治，何以今之天下尚有几微之未及于古也？天下无巨细，一束之于不可破之例，则虽以总督之尊，而实不能以行一谋专一事！……权不重则气不振，气不振则偷，偷则敝，权不重则民不畏，不畏则狎，狎则变，待其权且变，而急思所以救之，恐异日之破坏条例，将有甚焉者矣！（《明良论四》）

定庵此论，痛斥清政陵夷衰微的病态，病已深沉，犹不思救治，只怕人不服从，束缚羁縻，一之以不破之“例”，使权无所行，一切束手待毙。他已经预言着，不要怕破你们皇帝的成例，异日破例者不可设想是什么力量！故他又用春秋公羊家的义法，说明在这种专制罗网之下，束缚得社会没有黑白是非，戕杀得人心且死，最后有才者求其“一便”，“乱亦不远矣”，果然，来了太平天国。他的议论甚为精到，这在现代人看来，还觉是言之有物的，如次：

世有三等。三等之世皆观其才。才之差者，治世为一等，乱世为一等，衰世别为一等。衰世者，文类治世，名类治世，声音笑貌类治世。黑白杂而五色可废也，似治世之太素。宫羽淆而五声可铄也，似治世之希声。道路荒而畔岸隳也，似治世之荡荡便便（一本作平平）。人心混混而无口过也，似治世之不议。左无才相，右无才吏，阃无才将，庠序无才士，陇无才民，廛无才工，衢无才商，抑巷无才偷，市无才驵，薮泽无才盗，则非但鲜君子也，抑小人甚鲜。当彼其世也，而才士与才民出，则百不才督之缚之，以至于僇之，僇之非刀、非锯、非水火，文以僇之，名亦僇之，声音笑貌以僇之。僇之权不告于君，不告于大夫，不宣于司市，君大夫亦不任受，其法亦不及要领，徒僇其心，僇其能忧心，能愤心，能思虑心，能作为心，能有廉耻心，能无渣滓心。又非一日而僇之，乃以渐。……才者自度将见僇，则蚤夜号以求治；求治而不得，悖悍者则蚤夜号以求乱。夫悖且乱，且睊然眮然以思世之一便已，才不可问矣！鄉之伦，聴有辞矣，然而起视其世，乱亦竟不远矣！是故智者受三千年史氏之书，则能良史之忧忧天下。忧不才而庸，如其忧才而悖，忧不才而众怜，如其忧才而众畏。……探世变也，圣之至也！（《乙丙之际箸议第二》）

他所描绘的当时贪污、剥削、因袭的现象，可谓尊史者的大胆狂言，他说：

客问龚自珍曰，子之南行也，奚所睹？曰异哉！……（上略所睹者四）……佐杂书小吏者，必交于州县，佐杂畏此人矣；州县之书狱者，必交提府，州县畏此人矣；府之书狱者，必交于司道，府畏此人矣；司道之书狱者，必交于督抚，司道畏此人矣；督抚之上客，必纳交于部之吏，督抚畏此人矣：吾睹五。其乡之籍同，亦有师，其教同，亦有弟子，其尊师同，其约齐号令同，十八行省皆有之；豺踞而鸮视，蔓引而蝇孳，亦有爱憎恩仇，其相朋相攻，声音笑貌同，官去弗与迁也，吏满弗与徙也，各行省又大抵同：吾睹六。狎富久亦自富也，狎贵久亦自贵也；农夫织女之出，于是共之，宫室车马衣服仆妾备：吾睹七。七者之睹，非忧非剧，非醒非疟，非鞭非箠，非符非契约，析四民而五，附九流而十，挟百执事而颠倒下上，哀哉，谁为之而壹至此极哉？（《乙丙之际箸议第三》）

这显然已经探讨到封建政治的最深刻的地方，四民而外的第五种人，自然是超经济剥削的官僚群了，农夫织女之出仅备他们荒淫无耻，故他又有《明良论二》以阐明之：

士皆知有耻，则国家永无（按即云无国耻）耻徒，士不知耻，为国之大耻……官益久则气愈偷，望愈崇则谄愈固，地益近则媚亦益工。……臣节之盛，扫地尽矣！……郭隗说燕王曰，帝者与师处，王者与友处，伯者与臣处，亡者与役处，凭几其杖，顾眄指使，则徒隶之人至，恣睢奋击，呴借叱咄，则厮役之人至。……坐而论道谓之三公，唐宋盛时，大臣讲官不辍赐坐赐茶之举，从容乎便殿之下，因得讲论古道，儒硕兴起；及据季也，朝见长跪，夕见长跪之余，无此事矣，……殿陛之仪，渐相悬以相绝也！……窃窥今政要之官，知车马服饰言词捷给而已，外此非所知也；清暇之官，知作书法赓诗而已，外此非所问也。堂阶之言，探喜怒以为之节，蒙色笑获燕间之赏，则扬扬然以喜，出夸其门生妻子，小不霁，则头抢地而出，别求夫可以受眷之法。……务车马捷给者，……曰我早晚直公所，已贤矣，已劳矣；作书赋诗者，……以为安其位一日，则一日荣。……且愿其子孙世世为老成，国事我家何知焉，嗟乎哉！如是而封疆万万之一有缓急，则纷纷鸠燕逝而已，伏栋下求俱压焉者鲜矣！……有缓急之举，主人忧之，至戚忧之，……至其家求寄食焉之寓公，旅进而旅豢焉之仆从，伺主人喜怒之狎客，试召而诘之，则岂有为主人分一夕之愁苦者哉？

他把封建政治之第五种人，形容得如此其无耻，一旦国家有事，这些人便因了廉耻丧亡，群作鸟兽散。他推源为什么造成了这样现象，结论非常胆大，专制政治贵贱之仪相悬相绝使然。他敢于把国家事在君臣之间作为“坐而论道”的平等看待，这含着近代的开明思想，反乎此，则专制君主必须造成一人之荣，万人之辱，故他在《古史钩沉论一》(觇耻篇)，明白指出：

昔者霸天下之氏，称祖之庙，其力强，其志武，其聪明上，其财多，夫尝不仇天下之士，去人之廉，以快号令，去人之耻，以嵩高其身。一人为刚，万夫为柔，以大便其力强武，而允孙乃不可长，乃诽、乃怨、乃责问其臣、乃辱。荣之亢，辱之始也；辨之亢，诽之始也；使之便、任法之便，责问之始也。……积百年之力，以震荡摧锄天下之廉耻，既殄、既狝、既夷，顾乃席虎视之余荫，一旦责有气之臣，不亦莫乎！

这样看来，“摧锄天下之廉耻”者，不自衰世起，似归源于清代的多尔衮这样人物。专制政治为了养成无耻的仆从与狎客，必须使臣下都无生气，故制定一套“资格”，在几十年的无耻基尔特之中，世故阅历得奄然一息，他的《明良论三》概乎具体言之：

凡满洲汉人之仕宦者，大抵由其始宦之日凡三十五年而至一品，极速亦三十年。贤智者终不得越而遇，不肖者亦得以驯而到，此今日用人论“资格”之大略也。夫自三十进身以至于为宰辅为三品大臣，其齿发固已老矣，精神固已惫矣。虽有耇寿之德，老成之典型，亦足以示“新进”，然而因阅历而审虑，因审虑而退葸，因退葸而尸玩，仕久而恋其籍，年高而顾其子孙，傫然终日不肯自请去。……其“资格”浅者曰，我积俸以俟时，安静以守格，……冀得尚书侍郎，奈何“资格”未至，哓哓然以自丧其资格？其“资格”深者曰，我既积俸以俟之，安静以守之，久久而危致乎是，奈忘其积累之苦，而哓然以自负其岁月为？……此士大夫所以尽奄然而无生气者也。当今之弊，亦或出于此，此亦不可不为变通者也。

定庵暴露得太深刻了。他的议论多从心理学上研究起，还没有到人类学的研究，更没有进至历史学的研究，但近代的理论过程是有步骤的，初期要求人文主义或个人主义的思想，大都爱从心理学的分析入手，卢梭的天赋人权说即其一例。定庵的明耻论，在上面所引述中看来，不是一般的知耻论，而是近代意义的批判，他的最后目的是在于不可不变革。由奄然无生气的无耻社会，改革为跃然欲生的有耻社会，人民有耻，于是便无国耻了。他的“更法”论，实在是维新的先驱者，他说：

仿古法以行之，正以救今日束缚之病，……奈之何不思“更法”？琐琐焉屑屑焉唯此之是行而不虞其陊也？……删其文法，指除科议，裁损吏议，……以进退一世。又命大臣以所当为，端群臣以所当从，……而勿苛细以绳其身，将见堂廉之地，所图者大，所议者远，所望者深。……盛世君臣之所有为，……必非吏胥之私智所得而仰窥。(《明良论四》)

他的“更法”论，不但是基于理之当然，而且基于势之必然，他直言如不更法，“乱将不远”，甚至于预言兴亡在于“改图”，天并不长乐一姓统治天下的，这话正议到爱新觉罗氏的没落，而被后一代所“革”了，他说：

……拘一祖之法，惮千夫之议，听其自陊，以俟踵兴者之改图尔！一祖之法无不敝，千夫之议无不靡，与其赠来者以勍改革，孰若自改革？抑思我祖所以兴，岂非“革”前代之败耶？前代所以兴，又非“革”前代之败耶？何牌然其不一姓也！天何必不乐一姓耶？鬼何

不享一姓耶？奋之奋之，将败则豫师来姓，又将败则豫师来姓！易曰，穷则变，变则通，通则久。(《乙丙之际箸议第七》)

定庵在当时饱尝着黑暗面，故语多愤恨，而又憧憬着未来历史的曙光，故语亦近于梦想，然而悲剧的时代在当时并没有使他可以信仰不移的光明前景，在这样矛盾之下，他的话“凉燠”不一，“或问子之言何数凉而数燠也？告之曰吾未始欲言也，吾言如治疾，燠疾至凉之，凉疾至燠之，亦有不言，则其无病者也。(按此语为讽刺）无疾者贤乎？曰否，有疾贤。疾浅贤乎？疾深贤乎？曰疾深贤。……至人之言，人情不得已……”(凉燠）故他所议所论，皆出其不得已，然不得已之言则又为世人惊之疑之（参看上引全文），于是他不言，不言之隐，所谓“无疾”，然无疾正所以不可救药了！他时而“尊史”之言责，时而“尊命”之超脱，时而“尊任”之改革，时而“尊隐”之野托，文颇不羁，这正是他的悲剧心理。

他在《尊隐》一篇中，流露了他悲观于更法论，而隐隐约约借托于山中之民，道出将来的光明不在朝而在野了，因他不敢明言，文甚瑰丽难于捉摸，但绸绎之，“尊隐”实不是做隐士去，而是说把希望寄托于“野”去了，读古人的文章要小心他的烟幕。他的这篇文章，从开首一句“将与汝枕高林”，至山中之悴民，纯为烟幕，继则把历史变迁分了三期，托之于“古史氏”之言，这位史氏谁氏，不得而知，大约他的文章类庄子，亦所谓寓言什九吧？第一期第二期早时午时，君子生此时际，乐看“京师”之繁荣，人民狎野；然而到了夕时则不然，试看它的图景：

日之将夕，悲风骤至，人思灯烛，惨惨目光，吸饮莫气，与梦为邻，未即于床。丁此也以有国，而君子适生之，不生王家，不生其元妃嫔嫱之家，不生所世世豢养之家。从山川来，止于郊而问之曰，何哉？古先册书，圣智心肝，人功精英，百工魁桀所成。如“京师”，京师弗受也，非但弗受，又裂而磔之。丑类皆窳，诈伪不材，是辈是任，是以为生资，则百宝咸怨，怨则反其“野”矣！贵人故家蒸尝之宗，不乐守先人之所予重器；则窭人之子篡之，则“京师”之气泄，“京师”之气泄，则府予“野”矣！如是则“京师”贫，“京师”贫则四山实矣！古先册书，圣智心肝，不留“京师”，蒸尝之宗之孙，见闻媕婀，则“京师”贱，贱则“山中”之民，有自公侯者矣！如是则豪杰轻量“京师”，则“山中”之势重矣！如是则“京师”如鼠壤（按鼠壤二字甚露骨），如鼠壤则“山中”之壁垒坚矣！“京师”之日短，“山中”之日长矣！风恶、水泉恶、尘霾恶，“山中”泊然而和，洌然而清矣！人攘臂失度，啾啾如蝇虻，则“山中”戒而相与修娴靡矣！朝士寡助失亲（按寡助二字露骨），则“山中”之民，一啸百吟（按四字影射农民结社），一呻百问疾矣！朝士僝焉偷息，简焉偷活，侧焉徨徨商去留，则“山中”之岁月定矣！……过暴侯“山中”者，生钟簴之思矣！童孙眲呼，过“山中”者，祝寿耇之母遽死矣！其祖宗曰，我无余荣焉，我以汝为殿！其山林之神曰，我无余怒焉，我以汝为殿矣！俄焉寂然，灯烛无光，不闻余言，但闻鼾声，夜之漫漫，鹖旦不鸣，则“山中”之民，有大声音起（按此四字影射民变），天地为之钟鼓，神人为之波涛矣！（注意，以上有十六个矣字）

这是定庵的一篇妙文，意思非常明白，他比晚清王朝为日之将夕的黑暗社会，在这时最可怕的景象发生了，京师一切失道，反之，山中或野鄙活动起来了（看十六个矣字），虽祖宗神灵亦悲观于京师的大清王朝，而瞩望于山中之民了，然而犹在这时还要鼾声其睡意，粉饰其太平，一直临近天明，“山中之民”（按定庵此四字为代数学上的X，后来真正的实在人名，那就是洪秀全其人！）忽然大声响作，起来革命，所谓“天地为之钟鼓”即指另为一朝天地，所谓“神人为之波涛”，即指当朝贵人的没落。这篇文章，按他的诗句有“少年尊隐有高文”讲，是他的得意杰作，文中虽然托于“古氏史”之言，寄于“山中之民”之行，但内容则现实之至，故他的诗又云：“少年哀乐过于人，歌泣无端字字真，既壮周旋杂痴黠，童心来复梦中身！”这样看来，像这篇文章当是他的真话，没有杂着壮年以后的痴黠心理。此文末云：

民之丑生，一纵一横，旦暮为纵，居处为横，百世为纵，一世为横，横收其实，纵收其名。之民也，壑者欤？邱者欤？垤者欤？避其实者欤？能大其生以察三时，以宠灵史氏，将不谓横天地之隐欤？闻之史氏矣，曰百媚夫不如一猖夫也，百酣民不如一瘁民也，百瘁民不如“一之民”也。则又问之曰，之民也，有待耶，无待耶？应之曰，有待。孰待？待后史氏。孰为无待？应之曰，其声无声，其行无名，大忧无蹊辙，大患无畔涯，……后史氏欲求之，七反而无所睹也。悲夫，悲夫！夫是以又谓之纵之隐。(《尊隐》)

这些话又看出他对于那位作大声音的山之民有所期待，一方面相信着总有“山之民”把历史的“纵”，变为现实的“横”，他方面则在后史氏的目前要硬找寻，还是马上求不到所谓“一之民”，因为他是很神秘的，不让人发觉，“唯纵而隐”不过是时间罢了。文章极其瑰玮，而意思不能豁达，然这亦可谓大胆的言论。作者以为这篇文章埋没了一百余年，现在才让我们读懂。他类似这样寓言体裁的文字颇多，例如他说：

主上优闲，海宇平康，……士大夫以暇日养子弟之性情，既养之于家，国人又养之于国，天胎地息，以深以安。……乃缚草为形，实之腐肉，教之拜起，以充满于朝市；风且起，一旦荒忽飞扬，化而为沙泥！子列子有言：“君予化猿化鹤，小人化虫化沙，等化矣。”然

而猿鹤似贤矣，噫嚱噫嚱！（《与人笺五》）

这亦是暴风雨的预测之言，所谓“探世之变，圣之至也”。在暴风雨到来，士大夫都要在时代的风浪中“化而为沙泥”，让残酷的历史去裁判。他亦有时实在地讲出来，不尽然全为寓言，例如他说：

师儒，重于其君，君所以使民者则不知也，重于其民，民所以事君者则不知也。生不荷耰锄，长不习吏事，故九州谣俗，户阒未窥，昭代功德，瞠目未睹。上不与君处，下不与民处，……昧王霸之殊统，文质之异尚，其惑也，则且缗古以驾今，嚣然异寡过者矣。……是故王治不下究，民隐不上达，国有养士之赀，士无报国之日，殆夫殆夫，终必有受其患者。……（《乙丙之际箸议第六·治学》）

他虽然说壮年杂痴黠，但他死之前一载，犹给人书中愤慨言之，他说：

开辟以来，民之骄悍不畏君上，未有甚于今日中国者也！今之中国，以九重天子之尊三令五申，公卿以下舌敝唇焦，于今数年，欲使民不吸鸦片烟，而民弗许，此奴仆踞家长，子孙箠祖父之世宙也。即使英吉利不侵

不叛，望风纳款，中国尚且可耻可忧，愿执事且无图英吉利！（《与人笺八》）

定庵在当时微言大义，要比魏源实在而深刻，魏源多倡什么“以夷攻夷，以夷款夷”之不着根本之论，而定庵则主要重视国本，尤其集中笔锋对于封建的弊端大施攻击，上面的话即非常显明，没有奴仆踞家的内政可以御外患的，故他不似魏源的策士态度，而是具有政治家的风度的。他已经憧憬到“山中之民”的大声疾呼，天地风云的扬沙走石，亦可以说是公羊学派新的天人之学，因而他在少年时代就对于执政的满清贵族士大夫痛下贬责，甚至说你们滚下来罢！闭了你们的宫廷罢！他说：

居廊庙而不讲揖让，不如卧穹庐，衣文绣而不闻德音，不如服櫜鞬，居民上正颜色而患不尊严，不如闭宫廷，有清庐闲馆而不进元儒，不如辟牧薮，荣人之生而不录人之死，不如会客兵，劳人祖父而不问其子孙，不如募客作。（《乙丙之际箸议第九》）

这些话何等尖刻，他巧于文辞，他说上面的话，是“闻之聪古子，聪古子闻之思古子，思古子闻之谛古子”

讲的，谁知道这位少年的勃勃新生气，而没有古风。然为什么他总是寓言古史氏、思古子人物呢？他知道封建危机的关头，当道的贵族官僚最没有人性，而他又要批评暴露甚至想杀死他们，这就难了。他的文“捕”法产生了，试看三篇“捕”文：

今者有蜮，蜮，一名射工，是性善忌人，衣裳略有文采者辄忌，不忌缞绖（按指亡国奴），能含沙射人影，人不能见，必反书之名字后噬之。捕之如何？法用蔽景草七茎，自障蔽，则蜮不见人景；又用方取诸月中水洗眼，著纯黑衣，则人反见蜮，可趋入蜮群，则蜮眩瞀。……如是四遍，蜮死，烹其肝，大吉！（《捕蜮第一》）

今者有熊罴鸱鸮豺狼，是性善愎，必噬有恩者及仁柔者。捕之如何？法用败絮牛皮，伪为人形，手执饲具以示人恩，中实以炽铁，咆哮来吞，絮韦吞已，炽铁火起，麋灼其心肝。……如是四遍，则其种类皆殄绝，吉。（《捕熊罴鸱鸮豺狼第二》）

今有狗蝇蚂蚁蚤蝨蚊虻，是皆无性，聚散皆适然也，而朋嚼人，使人愦耗。治之如何？法不得殄灭，但用冰一柈，置高屋上，则蝇去；又炼猛火自烧田，则乱草不

生，乱草不生则无所依，则一切虫去。……（《捕狗蝇蚂蚁蚤蜰蚊虻第三》）

他说这些法子都是“法则上古”，这且不论。他写三篇捕文时，说“居于郊野，魂飞飞以朝征，魄凄凄而夕处”，可见他在黑暗中要求朝气。他列“蜮”为第一，“熊罴”等为第二，“狗蝇”等为第三，他以为这些无人性的东西，要以各种方法去“捕”，第一种为神秘法，这类似他的文章作风的“天人之学”，第二种为“色柔内刚”法，这类似他的文章作风的“尊史之学”（下详），第三种为悲悯法，这类似他的文章作风的“观变之学”。好个文章圣手！然而他的“箸议”亦苦矣！苦在他要在文章内容中有人民性。

他在死前三年（戊戌）送林则徐到广东赴任，上书言三种决定义，三种旁义，三种答难义，一种归墟义。三决定义，言平银价（因从乾嘉之际，中国满银运动流于外国，银价高涨，物价不平，致生经济危机，文中此点未说明）；严禁鸦片；重兵防御。三旁义，言杜绝外货，从奢侈品着手；限止外人，仅居澳门；整修军器。一种归墟义，期林公由一省之治使“中国十八行省银价平，物力实，人心定”，实在是商业资本时代的中国所必走的途径，可谓“尊史”家之言。至于关于答难义，他详细解释怀疑者的问题以后，便和上面的憎恨相似，献策于林公“杀一儆百”，他说：

逆难者皆天下黠猾游说，而貌为老成迂拙者也。粤省僚吏中有之，幕客中有之，游客中有之，商估中有之，恐绅士中未必无之，宜杀一儆百！公此行，此心为若辈所动，游移万一，此千载之一时，事机一跌，不敢言之矣，不敢言之矣！（《送钦差大臣侯官林公序》）

黠猾者正是他看出的封建制度束缚机械中所产生的奴性人物，这些人布于海宇，“忌文采不忌缞绖”，为谋改革者的大患，定庵所劝林公则徐和他们的斗争决心，当是在当时最严重的难题，所谓“积重难返”，即有一二偶出豪士欲返弊政，那些群“蜮”亦要把他陷害的，定庵见于此，林公更见于此，故在答定庵的函中说：“谓彼中游说多，恐为多口所动，弟则虑多口之不在彼也，如履如临，曷能已已！”林公所指“不在彼”者更有甚于在彼者，显然是指在朝的一般家奴了，他后来就是被那般定庵所谓“貌为老成迂拙者”弹劾得负罪远戍新疆，而此时定庵已死不及见，那么他“不敢言者，不敢言者”的前途，便是大暴于世界的民族危机！他除了“不敢言者”，难道因忧愤之至，下文应含有“不敢见者，不敢见者”的话么？

（二）定庵的尊史清议

原清自开国以来，大兴文字之狱，钳人民之口，束士大夫之行，养成了晚清的恶习自封而不敢危言，定庵所谓“拘一祖之法，惮千夫之议，听其自陊，以俟踵兴者之改图”。定庵既狂为议政，则清议之倡是他的任务。他服官京师虽属小官（礼部主事），但多越分的议论，例如他在《上大学士书》中说：

自珍少读历代史书及国朝掌故。自古及今，法无不改，势无不积，事例无不变迁，风气无不移易，所恃者人才必不绝于世而已。夫有人必有胸肝，有胸肝则必有耳目，有耳目则必有上下百年之见闻，有见闻则必有考订同异之事，有考订同异之事，则或胸以为是，胸以为非，有是非则必有感慨激奋。感慨激奋而居上位，有其力，则所是者依，所非者去，感慨激奋而居下位，无其力，则探吾之是非而昌昌言之。如此，法改胡所弊，势积胡所重，风气移易胡所惩，事例变迁胡所惧？中书内阁，糜七品之俸，于今五年，所见所闻，胸弗谓是；同列八九十辈安之，而中书一人胸弗谓是；大廷广众，苟且安之，梦觉独居，胸弗谓是；入东华门，坐直房，昏然安之，步出东华门，神明湛然，胸弗谓是；同列八九十辈，疑中书有痼疾，弗辨也，然胸弗谓是；如衔鱼乙以为茹，如借猬栗以为坐。（下言兴革诸端，皆中当时苟安之局面，法典陵夷之积病。）

定庵在内阁里发现许多“胸弗谓是”的现象，禁不住要讲盛世危言，但他所讲的一套发言权的道理，则和当时的官僚政治实不相容，他的话不招祸便算幸事，所以他减低折扣了他的议论，有时只为平易之言，他说：

䏋䏋夜思，其为今日易施行之言，又为虽不施行而言不骇众之言，又为阁下用文学起家分所得言之言，又为自珍所得言于阁下而绝非自珍平日之狂言。（《拟厘正五事书》）

但就是不骇众的条陈，其中第五事，即废科举的重要建议，他说：

今世科场之文，万喙相因，词可猎而取，貌可拟而肖。坊间刻本，如山如海。四书文录士五百年矣，士录于四书文数万辈矣，既穷既极，阁下何不……上书乞改功令，以收真才？（同上）

他另一篇《述思古子议》更说明科举模仿之失去人性：

言也者，不得已而有者也。如其胸臆本无所欲言，其才识又未能达于言，强之使言，茫茫然不知将为何等言。不得已姑效他人之言……实不知其所以言，于是剽掠脱误，摹拟偵到，如醉如寝以言。……宜变功令。

这些更改法制的言论犹是所谓壮年之作，若按他的少年时代的“尊史”论讲来，他的思想实在是以春秋公羊家的大义，要求近代的言论自由这一课题，他“尊史”，乃把史职作为人民的喉舌去看待，颇有后来报章的含义。这里，要知道，他的史论和实斋六经皆史论异趣，实斋主明辨源流，他主“天地东南西北之学”，主大经大法的阐发，好像春秋的笔政，诛伐与建设同时藏于褒贬微言之中。他的《明良论二》已经说明圣哲之危言，大臣巍然岸然师儒自处之风，扫地尽矣，没有匡时议论以作朝廷之气，故谄媚代替了讲论（参看上引文），其后他在《乙丙之际箸议第六》，便有“尊史”的妙论了，他以公羊三世的笔法，讲了一套大义微言。实斋只谓六经皆史，在学术下私人以后，诸子百家并鸣，各以其学易天下，其中或有史意而已非史。定庵则自己造成一个师儒之学的流变，第一，治世，道学治三者合一，这似真实历史（如西周），然他毕竟是一位今文家，不实事求是，而把春秋以后的师儒亦说到里面，他说：

若宰若大夫若民相与以有成者，谓之治，谓之道，若士若师儒，法则先王先家之书，以相讲究者，谓之学，师儒所谓学，有载之文者，亦谓之书。是道也，是学也，是治也，则一而已矣。乃若师儒有能兼通前代之法意，亦相诫语焉，则兼综之能也，博闻之资也。……（《乙丙之际箸议第六》）

第二，乱世，诸子百家自鸣其学，但据他说亦能尽其史职。他同样地不实事求是而把诸子之学亦以史同看，他说：

师儒之替也，源一而流百焉，其书又百其流焉，其言又百其书焉。各守所闻，各欲措之当世之君民，则政教之末失矣。虽然，亦皆出于本朝之先王（下言诸子出于王官）……世之盛也，登于其朝，而习其揖让，闻其钟鼓，行于其野，经于其庠序，而肄其豆笾，契其文字。……及其衰也，在朝者自昧其祖宗之遗法，而在庠序者犹得据所肄习以为言，抱残守阙，纂一家之言，犹足以保一邦，善一国。（同上）

第三，衰世，他批评师儒不学无术，不尽言责，为国之蠹，而叹曰“殆夫殆夫”（见上引文）。按他的这个史家三世论，并非史家的历史学，而是公羊家的“大义”，大义很显明，他是婉言：到了衰世，亦应当“尊史”，让“后史氏”据所肄习以为言，而医治在朝的愚昧。在上面的箸议中，他仅为发凡的思想，后来他明白大倡他的“尊史”理论了，其要旨见于《古史钩沉论》，钩沉之义即希将古史氏之职恢复而尊重近世的后史氏之职。他不但以为六经皆史，而且以为六经为周史之大宗，诸子为周史之小宗，他说：

周之世官，大者史，史之外无有语言焉，史之外无有文章焉，史之外无人伦品目焉。史存而周存，史亡而周亡。（《古史钩沉论》，亦名《尊史》）

这是他的尊史的大前提，他首言六经皆史，似近实斋：

易也者，卜筮之史也，书也者，记言之史也，春秋也者，记动之史也（按此为新名词），风也者，史所采于民，而编之竹帛付之司乐者也，雅颂也者，史所采于士大夫也，礼也者，一代之律令，史职藏之故府，而时以诏王者也。……故曰六经者，周史之大宗也。（同上）

他次言诸子皆史，则远于实斋，而近于危言高论的“大义”了，他说：

老于祸福，熟于成败，絜万事之盈虚，窥至人之无竞，名曰任照之史，宜为道家祖。

综于天时，明于大政，考夏时之等，以定民天，名曰任天之史，宜为农家祖。

左执绳墨，右执规矩，笃信谦守，以待弹射，不使王枋弛，不使诸侯骄上，名曰任约剂之史，宜为法家祖。

博观群言，既迹其所终始，又迹其所出入，不学一物之讥，不受诸侯蹈瓿，使王政不清，庶物奸至，名曰任名之史，宜为名家祖。

胪引群术，爱古聚道，谦让不敢删定，整齐以待能者，名曰任文之史，宜为杂家祖。

窥于道之大原，识于吉凶之端，明王事之贵因，一呼一吸，因事纳谏，比物假事，不辞矫诬之刑，史之任讳恶者，于材最为下也，宜为阴阳家祖。

近文章，眇语言，割荣以任简，养怒以积辨，名曰任喻之史，宜为纵横家祖。

抱大禹之训，矫周文之偏，守而不战，俭而不夺人，名曰任本之史，宜为墨家祖。

五庙以观怪，地天以观通，六合之际，无所不储，谓之任教之史，宜为小说家祖。——故曰诸子者，周史之小宗也。（同上）

上面九“任”字，颇有深意，他另有《尊任》一篇，以天下已任为注脚，在清议方面则云“言之感慨尽如是，是亦足矣”。他曾自言他研究百家之学与东西南北之学，无暇治经传，由上面的话看来，确也。他在《古史钩沉论一》中已经指明当时王孙公子“仇天下之士，去人之廉以快号令，去人之耻以高其身，……积百年之力，以震荡摧锄天下之廉耻”，故这里所提出的诸子任史的“大义”，颇有据为“微言”的意向，这是何等的“捕”法，所谓“自障蔽而蜮不见人景”者。魏源说：

自珍，……于经通公羊春秋，于史长西北舆地，以六书小学为入门，以周秦诸子吉金乐石为崖郭，以朝章国故世情民隐为质干，晚尤好西方之书，自云造深微云。(《定庵文录序》)

这样看来，他的学问质干是当世政治，而崖郭是先秦诸子，故他的“小宗之史”论，有质干与崖郭，可惜他研究“西方之书”太晚，虽有深造，不见言论，只有用公羊春秋之家法了。他的“质干”亦至明白，尊重舆论四个字罢了，这是近代的灵魂，故他又说：

灭人之国，必先去其“史”，隳人之枋，败人之纲纪，必先去其“史”，绝人之材，湮塞人之教，必先去其“史”，夷人之祖宗，必先去其“史”。

他这样地尊“史”，以为“号为治经则道尊，号为学史则道诎，此失其名也”，正其名则“史”之道兴。他是取法于孔子，“史统替夷，孔统修也”，志在春秋义法，但他亦说：

孔虽没，七十子虽不见用，王者之迹虽息……沉敏辨异之士不为不生，绪言绪行之迹不为不俟，庄周隐于楚，墨翟傲于宋，孟轲端于齐梁，公孙龙哗于齐赵之间，荀况废于道路，屈原淫于波涛，可谓有人矣！（下更进一层言理想，从略）……（同上）

他要做一个衰世的史家，把古史钩沉，他说："自珍于大道不敢承，抑万一幸而生其世，则愿为其人欤，愿为其人欤！"（同上）因此，他崇章史职，另有《尊史》三篇（全集存二篇，似《古史钩沉论二》亦当其中之一篇），在这里便没有像上面的文章理想之高，降而以太史公自况，"书副在京师"，"后之人必有如京师以观吾书者焉，则太史公之志也"（《尊史三》）。但史职之重要，则如他说：

史之尊，非其职语言司谤誉之谓，尊其心也。心何如而尊？善入。何者善入？天下山川形势，人心风气，土所宜，姓所系，皆知之，国之祖宗之令，下逮吏胥之所守，皆知之，其于言礼，言兵，言政，言狱，言掌故，言文体，言人贤否，如其言家事，可谓入矣。又如何而尊？善出。何者善出？……如优人在堂下，号跳舞歌，哀乐万千，堂上观者，肃然踞坐，眄睐而指点焉，可谓出矣。……出乎史，入乎道。欲知大道，必先为史。（《尊

史一》）

定庵“愿为其人”，然而他不能为其人，他只能“观世之变”，而不能导演世变；他只能做一个悲剧时代的证件，而不能对于悲剧的主角有所作为；他只能预期一个“一之民”大声音以起，“世乱不远”，而不能转移世风，和平更法。故他的“宾宾”之说，引经据典地道出了：不受耻辱的汉人议论，不必为清室所取，而必有后来者“入京师观其志”者，这是何等的悲剧思想，他的文章如下：

宾也者，异姓之圣智魁桀寿耇者也。其言曰，臣之籍，燕私之游不从，宫库之藏不问，世及之恩不预，同姓之狱不鞫，北面事人主而不任叱咄奔走，捍难御侮而不死私仇。是故进中礼，退中道，……王者于是芳香其情以下之，珑玲其诰令以求之，虚位以位之。……古者开国之年，异姓未附，据乱而作，故外臣之未可以共天位也。在人主则不暇，在宾则当避疑忌。……祖宗之兵谋，有不尽欲宾知者矣，燕私之禄，有不尽烦与宾共者矣，宿卫之武勇，有不尽欲受宾之节制者矣，一姓之家法，有不欲受宾之论议者矣，四者三代之异姓所深自审也。……异姓之卿，固宾籍也，故谏而不行则去。史之材（异姓之人）识其大，掌故主其记载，不吝其情，上不欺其所委贽，下不鄙夷其贵游，不自卑所闻，不自易所守，不自反所学，以荣其国家，以华其祖宗，以教训其王公大人（按此四字沿用墨子术语，非好名词），下亦以崇高其身，真宾之所处也。……古之世有抱器而降者矣，……独不敢灭其礼乐与道艺也。道诚异，不可降，礼乐诚神灵，不可灭也。……易曰，穷则变，变则通，通则久，恃前古之礼乐道艺在也。故夫宾也者，生乎本朝，仕乎本朝，上天有不专为其本朝而生是人者在也。……三代之季，或能宾宾而尊显之，或不能宾宾而穷，而晦，而行遁。……孔子述六经，则本之史。史也，献也，逸民也，皆于周为宾也。……若夫其姓宾也，其籍外臣也，其进非及世也，其地非闺闼燕私也。而仆妾颜色以求容，而俳优狗马以求禄，小者丧其仪，次者丧其学，大者丧其祖。徒乐厕于仆妾俳优狗马之徒，孤根之君子必无取焉！（《古史钩沉论四》，亦名《宾宾》）

这段文章是定庵思想的发展，绝不是他的思想的退步。明显地，他在这里已经露出种族革命的萌芽形态，他号召有气节的史材之士和满清不合作，不做他的“仆妾俳优狗马之徒”，不自卑其所闻之经义，不自易其所守之节操，不自反其所学之经纶，以苟安其生为满人作应声虫，更进而言之，遇外患时，乃为民族作保卫战，而非为满人一姓之私业尽愚忠。这时已经和清初学者的血脉联结，宾也者，并不是为清室而生是人，他有他自己的世界观！虽然清朝有四种不欲为宾所参加，褫夺了他的民族、民主权利，而异姓之宾应知所以自处！自处之道，他的意思是“变则通”。他的危言正指出孤根君子的注意，小心清人到有一天国难当头“宁予异族，不予家奴”！这段名文所引经史之文从略，他是如何地用所谓“蔽景草”,“月中水”捕满清王公大人之“蜮”呢！定庵自居为“后史氏”，所谓“后史氏”即当代的预言者，若误解他为隐者或狂士，便弄错了题目。他是悲剧时代的可歌可泣人物，指斥了黑暗，探视出光明，他骂透士大夫的廉耻道丧，然而，他信仰着山中之民的汉族大有人在，出而作大声音，以震撼天地，使满族神人做了波臣。他的诗句有证：

九州生气恃风雷，万马齐喑究可哀；
我劝天公重抖擞，不拘一格降人才！

懂得了以上的“宾宾”之说，才可以明白这首诗的情意所在，他是期待着风雷将起，快降人才为新历史创作。所谓：“良史之忧忧天下，忧不才而庸，如其忧才而悖，忧不才而众怜，如其忧才而众畏。”他的责任，仅做启蒙时代忧天下的神秘宣传者，所谓后史氏。（定庵之死，至今未证其所以然。他之暴卒于出都行程之中，即没有世传因鸦片战争主战，得罪于穆彰阿致死；但看了他的当时言论，在时局危亡当儿，亦可能遭其所捕者而反捕之。）

（三）远见的经济思想与边强论

定庵“东西南北之学”已经代替了实事求是的汉学，他的议政危言，必然要和经济思想为配合。故他在《明良论》四篇，在乙丙之际之诸箸议，第一篇都是探讨经济的文章。《明良论》的对象为士大夫官吏，他说明官吏应具养廉的俸禄，不当空责急公爱上，如果大官小官都是些逃债者，亦何能望举政事，他说：“贾谊所言国忘家公忘私者，则非特立独行之忠诚之士不能，能以概责之六曹三院有司否也？内外大小之臣，具思全躯保室家，不复有所作为，……或者贫累之也。”故他的结论为“朝廷愈高厚，宇宙愈清明”。他已经涉及近代言“富”的道理：

三代以上，大臣有司无富之事，无耻言富之事。

他因而论到近代学者的“富”之人类性假定，所谓“自私心”，他居然以“私”为人类的天性，他说：

天有私也，……地有私也，……日月有私也，圣帝哲后，……不爱他人之国家而爱其国家，……忠臣、孝子……乃私自贞私自葆也。……狸交禽媾，不避人于白昼，无私也，若人则有闺闼之蔽，……赪頩之拒矣；禽之相交，径直何私，……若人则必有厚薄之气谊。……今日大公无私，则人耶，则禽耶？（《论私》）

按他在人性论的主张上谓：“龚子之言性也，则宗无善无不善，善恶皆后起者。……性不可以名，可以勉强名，不可似，可以形容似也。”（《阐告子》）他以告子知性，故有《阐告子》一文。因此，他言人性之公私，不能以善恶论，而大公无私反非人性，私之能善于满足就是公。这种立论点，一反封建意识的遏欲思想，而接近于现代古典经济学的出发点。

他在《乙丙之际箸议第一》篇，即论到“大吏告民穷，至尊忧帑匮”的民穷财尽现象，而以货币不当仅作为政治权力，而应剂调有无，他说：

吏食于市官者曰……天下之生齿庶，原之出也不饶，故金之权日尊，权日尊，气益威神，胡为衰？客为士者谢吏曰：子之义高也，虽然，食诚绌，而货之不独盈也又久，不观乎伐金者乎？伐者化，不观乎挟金市海者乎？市海者溃，有所溃，有所化，有所不反，夫又有所郁也。今金行，名尊而实耗，用博而气郁，耗者莫禁于下，郁者莫言于上，……失金之情者也，欲弗衰得乎？于是龚自珍闻之曰……其溃者，其化者，当世事实也，其郁者，非当世事实也。……官库弗分，受其福不受其权，然后察十等之有无而剂之气。(《乙丙之际箸议第一》，文一本作：“龚子曰：其溃者，其纵之者咎也，其郁者，其钥之者咎也。是以古之大人，谨持其原而善导之气。”)

金之溃，是因鸦片外货之输入而产生当时的白银漏出，金之郁，是因贵族官吏之厚敛而产生当时的金融枯竭，故他主张有无调剂。关于后者，他又发为近代式的法权论，即经济上的形式平等思想，可谓进步的言论。他说：

浮不足之数相去愈远，则亡愈速，去稍近，治亦稍速，千万载治乱兴亡之数直以是券矣。……王者欲自为计，盍为人心世俗计矣。有如贫相轧，富相耀，贫者阽，富者安，贫者日愈倾，富者日愈壅，或以羡慕，或以愤怒，或以骄汰，或以啬吝，浇漓诡异之俗，百出不可止，至极不祥之气，郁于天地之间，郁之久，乃必发为兵燧，为疫疠，生民噍类，靡有孑遗，人畜悲痛，鬼神思变置（按变置二字出于孟子之“变置社稷”，文颇露骨）。其始不过贫富不相齐之为之尔，小不相齐，渐至大不相齐，即至丧天下！（《平均篇》）

他说明贫富不均的结果至危，其极可以变王朝丧天下。于是他根据着经传“王心则平”的有本之论，坚持社会经济的“平均主义”（这种平均思想在西欧亦产生过的，为消灭封建独占的一种较进步思想），他说“贵乎操其本原，与随时而调剂之”，“可以虑矣，可以虑，可以更，不可以骤”，“水土平矣，男女生矣”。为什么说这种平均主义是对于封建的独占而言呢，试看他的“经济外强制”的话：

五家之堡必有肆，十家之村必有贾，三十家之城必有商。若服妖之肆，若玩好妖之肆，若男子咿唔求爵禄之肆，若盗圣贤市仁谊之肆，若女子鬻容之肆，肆有魁，贾有枭，商有贤桀，其心皆欲“并”十家五家之财而有之。（同上）

然而封建超过经济的垄断，则产生了以下的现象：

积财粟之气滞，滞多雾，民声苦，苦伤惠；积民之气淫，淫多雨，民声嚣，嚣伤礼义；积土之气地耗毛，毛多日，民声浊，浊伤智。（同上）

他因此主张更法了，更不平而为平均，云“有天下者莫高于平之之象也”。“有天下者必更之，则非号令也，有挹四注：挹之天、挹之地、注之民，挹之民、注之天，注之地，挹之天、注之地，挹之地、注之天。其诗曰，挹彼注兹，可以饱馕馇。……试之以至难之法，齐之以至信之刑，……有天下者不十年几于‘平’矣。”（同上）

他的经济思想既以“上古不讳私”为前提，则法权形式亦不是“耕者有其田”的意思，而是智能者有其田，其源最初好像是自由竞争的鲁滨孙的孤岛被亚旦斯密斯所假定者，他说：

天谷没，地谷茁，始贵智贵力，有能以尺土出谷者，以为尺土主，有能以倍尺若什尺伯尺出谷者，以为倍尺什尺伯尺主。号次主曰伯，帝若皇，其初尽农也。……儒者失其情，不究其本，乃曰天下之大分，自上而下，吾则曰先有下而渐有上。(《农宗》)

他的重农主义思想中颇有近代精神，例如他赞成陆彦若的话“天下之大富在土，……富殖德寿”，他又转述六经皆史而为五经皆富学，“五经，财之源也，德与寿之溟渤也”(参看《陆彦若所著书序》)。然他的“农宗”论又如顾亭林的氏族制度幻想，主张计农宗而受田，分天下为四等之农，合辙于氏族宗法的制度中。他说：

家受田归田于天子，皆关大吏，稽其世数，关群吏。本百亩者进而仕，谓之贵政之农，本仕者退而守百亩，谓之释政之农，本不百亩进而仕，谓之亢宗之农，本仕者退而不百亩，谓之复宗之农。……本大宗者复为大宗，本小宗者复为小宗，本群宗者复为群宗，本闲民者复为闲民。贵不夺宗祭，不以朝政乱田政，自大宗以至闲民，

四等也。（同上）

在这样等级的土地所有支配上，他说贫富之不齐自古已然，不能限田，“大抵视其人之德，有德此有人，有人此有土矣”（参看《农宗答问》）。所以他的平均主义仅仅反对封建的贫富不齐，而基于才智、能力、德行而所有的财富土地，则是合理的。他作什么梦想呢？不难得知他是梦想着近代所有关系，而在宗法的废墟之上，探视前途。他作夜思梦想，自己亦说：

龚子渊渊夜思，思所以掸简经术，通古今，定民生，而未达目的也。（《农宗》篇首句）

前途是梦想的，而对于封建的赋税剥夺则婉转地痛加指责。他说：

国朝有实尧舜而名则汉武帝者一焉，地丁是也。……仁皇帝永免滋生人口之赋，并入地赋。……其名未改，……仍称地丁，……或问之曰，我朝取于民者，綳前古远甚，乡愚无见闻，又不读史，则不知朝家百典千式万官亿条所出，视前古丰杀污隆何如也？告之曰，国家万年，毋敢议所以赢入者，然而不禁议所以啬于出者，仆尝私忧焉，又私议焉，兹不宣也！（《地

丁正名》。按此文非仅正名，正指地丁之实）

定庵的经济制度更法狂议，是对于社会的百年大计根本的探讨，他复有关于边疆的议论，则是感于外患已至，企图于中国西北高原计划立国的所托命处。他已经感觉到列强的军舰要有一天长驱直入中国的沿海诸省，即他对林则徐所谓“不敢言者”，亦林则徐答他的所谓“实难言者”，而中国的海防却难以阻挡着番舶，他有《东南罢番舶议》一文，佚而不传，亦可想见他对于东南的危局寄着何等关心。他的边疆论文，大都不言东南而强调西北，所谓“东西南北之学”，好像研究出东南为危而西北可安的道理。他最有名的著作为《西域置行省议》，此外尚有关于蒙古，青海诸文。按西域置新省之议，寓有深意，李鸿章以后来仅置一行省之名，即谓实现了定庵的主张，殊不知道定庵的忧患，应当说李氏知道的是魏源的外交论。定庵诗句“五十年中言定谶”，则不是谶之于李鸿章，而是谶之于中山先生的《建国方略》。他的《西域置行省议》首云：

西北不临海，……今西极徼至爱乌罕而止，北极徼至乌梁海总管治而止，若干路，若水路，若大小山川，若平地，皆非盛京，山东，闽，粤，版图尽处即是海比。

这话的深意颇显著，西北以无海为特长，非比东南，可见临“海”是有地域上的险患之意，故他又暗示说：

有天下之道，则贵因之而已矣。……因功而加续之，所凭者益厚，所借者益大，所加者益密。人则损中益西，财则损西益中，……所收之效在二十年以后，利且万倍。夫二十年非朝廷必不肯待之事，……一损一益之道，一出一入之政，国运盛益盛，国基固益固，民生风俗厚益厚。

凭借西北以固国基，这在鸦片战争前夜与日俄之战未兴之时期，为深谋远虑。他的议论内容着重在移民以开发西北的地利，他又说：

今中国生齿日益繁，气象日益隘（此句即指国防），黄河日益为患，……而不外乎开捐例，加赋，加盐价之议，譬如割臀以肥脑，自啖自肉，无受代者。自乾隆末年以来，官吏士民，狼艰狈蹶，不士不农不工不商之人不将五六，……终不肯治一寸之丝一粒之饭以益人。……人心惯于泰侈，风俗习于游荡，京师其尤甚者。应请大募京师游食非土著之民，及直隶山东河南之民，……令西徙，除大江而南，筋力柔弱，……易以生怨，无庸议，……

其余凤颍淮徐之民，及山西大同朔平之民，亦皆性情强武，……未骄惯于食稻衣蚕，……募之必愿往。江西福建两省种烟草之奸民最多，大为害于中国，宜尽行之无遗类，与其为内地无产之民，孰若为西边有产之民，以耕以牧，得长其子孙哉？……又各省驻防旗人，……苟有利于天朝者，必无异心，无异议也。

这是他的移民政策的内容，注意强武之民，游间非土著之民，种烟害国之民，旗人子弟，对于江南“食稻衣蚕”，“筋力柔弱”之民，颇不满意。至于经济，政制，风俗，教化，以及民族诸问题，亦详为建议，其实施之策，不是书生之空谈。

按定庵寄很大的希望于西北，在他的文章中亦时见之，例如：

昌平州，……其谷宜麦亦宜稻，其土产硝矿，其木多文杏……其俗敬宾客，富人畜车马，不敢骋于里门。(《说昌平州》)

吾相北方，独宣化府承德府之间可以居，可以富，可以长子孙。今夫东南草木，术术然易荣也，易高大也，易槁也，蠹空其中，雨渍其外，有园圃者不规久远，不能储以为美材。宣化承德间，木四月荣，其华肥，其叶长，其材坚，……三十年而材之，栋宇棺椁之利可以专数县。恒寒故凑理实，恒劳故筋骨固，食妖，服妖，玩妖不至，故见闻定。……他日魂魄其歆北乎！（《论京北可居状》）

这些话有主观的成分，但他的边疆论重视于西北的蒙古新疆，移民政策重视于大江以北的强武之民，在这里可以参证。

（四）定庵的经学

定庵治经学不是他的主要写作范围，他说他所以不能写《定群经》，因为他在治杂家百家之学，东南西北之学。他袭实斋六经皆史之说，复倡经子皆史之论，他袭陆彦若经济论，更倡五经皆言财富之论，因此，他的治学态度可以说是借经传子史作为他议政的材料，愿为一后史氏，不屑为一经学家。他说：

搜三十王之右史，舍不传之名氏，补诗书之隙罅，逸于后之剔钟彝以求之者；以超辰之法，标丕显之年日，定岁名之所在，逸于后之布七历以求之者；为礼家之儒，为小节之师，为考订之大宗，逸于后之弥缝同异以求之者；明象形，说指事，不比形声，不谭孳生，推本音，明本义，逸于后之据引申假借以求之者；本立政，作周官，述周法，正封建之里数，逸于后之杂真伪以求之者；诵诗三百，篇纲于义，义纲于人，人纲于纪年，明著竹帛，逸于后之据断章以求之者……阶孔之道求周道，得其宪章文武者何事，吾从周者何学，逸于后之谭性命以求之者。……自珍于大道不敢承，……愿为其人欤！（《古史钩沉论二》）

由这话看来，他以为世传经典不能死抱住去背诵，“孔子之所雅言，又不知果在否焉”，以逸补失，如以吉金补诗书等等，才能求经之真实（他曾向日本征求逸书），但他在《古史钩沉论三》中，所憾更多，对于经学便宣言不能写定了。

他的基本修养是公羊学派，但他和同时的今文家稍有不同，他不琐琐于争取前汉的正统，亦不对于乾嘉古文家攻击讽刺，颇有折中的态度。例如他举出“生同世同志写定者王引之、顾广圻、李锐、江藩、陈奂、刘逢禄、庄绶甲”诸人，即今古文家并称推荐。他的经学意见，有《五经大义终始论》，亦主本末一贯，说："仲尼有言，吾道一以贯之……有始有卒者，其唯圣人乎。诚知圣人之文，贵乎知始与卒也。……始乎饮食，中乎制作，终乎闻性与天道。民事终，天事始。……"又有《六经正名》，并不争持前汉后汉，而主"以经还经，以记还记，以传还传，以群书还群书，以子还子"。而论汉代今文古文名实，以分别不在文字古今之区别，而在读法之不同（见前引文），对于两汉经学家则谓"憾汉博士弟子之多歧，……憾汉守官之不广"，"将欲更汉氏也，群师互有短长，非深于义训，勇于割闻者不能也；无已，则我所欲纠虔，姑在夫引书变为徒书之际乎，以与汉写官争"（参看《古史钩沉论三》）。

他虽然是公羊学派的健者，但他和魏源等有异，不像他们六经混同，以公羊春秋而附会一切，他说："易自易，范自范，春秋自春秋，易言阴阳，洪范言五行。春秋言灾异。以易还易，范还范，春秋还春秋，姑正其名，而易书春秋可徐徐理矣。"（《非五行传》）他更痛斥谶纬家，谓"易纬最无用"，讽刺当时士大夫不以治道进言，而以阴阳灾异言吉凶者为腐儒，他说："近世推

日月食精矣。……自珍最恶京房之易，刘向之洪范，以为班氏五行志不作可也。”(《与陈博士笺》)

他根据六经终始论，对于古文家江藩，在推崇其著作当中，谓其离开现实之世而作超现实的学问，不完全合乎圣道，他说：

传不云乎，三王之道若循环，圣者因其所生据之世而有作。……儒者之宗孔氏，治六经术，其术亦如循环。……孔门之道，尊德性，道问学，二大端而已矣，二端之初，不相非而相用，蕲同所归。识其初，又总其归，代不数人，或数代一人，其余则规世运为法。入我朝，儒术博矣，然其运，实为道问学。……敢问问学优于尊德性乎？曰否否，是有文无质也，是因迭起而欲偏绝也。圣人之道，有制度名物以为之表，有穷理尽性以为之里，有训诂实事以为之迹，有知来藏往以为之神；谓学尽于是，是圣人有博无约，有文章而无性与天道也。……然则胡为其特张问学？……始卒具举，圣者之事也，余则问学以为之阶。夫性道可以骤闻欤？抑可以空梏悬揣而谓之有闻欤？欲闻天道，自文章始。……不以文家废质家，不以质家废文家。……(《江子屏所著书序》)

这段话可以代表他对于经学的认识，和其他今文家之攻击抹杀古文家不十分一致，他以“识其初，总其归”为主旨，融合文质二家于一炉，而态度亦比较严肃，尊重自己的真理，亦尊重别人的真理，故他以商榷的语气又疑病于江藩，说：

大著读竟，其曰《国朝汉学师承记》，名目有十不安焉。改为《国朝经学师承记》，敢贡其说：夫读书者实事求是，千古同之，此虽汉人语，非汉人所能专，一不安也。本朝自有学，非汉学，有汉人稍开门径，而近加邃密者，有汉人未开之门径，谓之汉学，不甚甘心，不安二也。琐碎饾饤，不可谓非学，不得为汉，三也。汉人与汉人不同，家各一经，经各一师，孰为汉学乎？四也。若以汉与宋为对峙，尤非大方之言，汉人何尝不谈性道？五也。宋人何尝不谈名物训诂，不足以概服宋儒之心，六也。近有一类人以名物训诂为尽圣人之道，经师收之，人师摈之，不忍深论。以诬汉人，汉人不受，七也。汉人有一种风气，与经无与而附于经，谬以裨灶梓慎之言为经，因以汩陈五行矫诬上帝为说经，大易洪范，身无完肤，……本朝何尝有此恶习？本朝人又不受矣，八也。本朝别有绝特之士，涵咏白文，创获于经，非汉非宋，亦唯其是而已矣，方且为门户之见者所摈，九也。国初之学与乾隆初年之学不同，国初人即不专立汉学门户，大旨欠区别，十也。(《与江子屏笺》)

按以上定庵评江之文，在逻辑上立于不破之点，实为对于乾嘉专门汉学的公平批判。定庵虽为今文家，然并不妨碍他主张“抱小”（见下文）以见大者远者，若古文家力守门户的宗派主义，“抱小”而求“因其所生据之世而有作”，不求为当世之人师，服古衣，训古言，而未知今世今人，便成“抱小”而遗大了。此旨，定庵所持至坚，“小”者“细”者固然为理学家玄幽之言所抹杀，而“大”者“巨”者则反又为汉学家门户之见所蔽塞，二者都不是大道，故他又说：

后世……童子入塾所受，即治天下之道，不则穷理尽性幽远之言，六书九数，白首未之闻。其言曰，学者当务精者巨者，凡小学家言不足治，治之为细儒。于是君子有忧之，忧上达之无本，忧逃其难者之非正，不由其始者终不得究物之命；于是黜空谈之聪明，守钝朴之迂回，物物而名之，不使有盾。……有高语大言者，措手避谢，极言非所当，于是二千载将坠之法，虽不尽复，什存三四，愚瘁之士，寻之有门径，绎之有端绪，盖整齐而比之之力，至劳苦矣。陈硕甫曰，是苦且劳者，有所甚企待于后，后孰当之，则乃所称闻性道与治天下者也！（《陈硕甫所著书序》）

因此，他认为训诂小学是大道的工力，尤其是尊史治国的必要修养，他有“抱小”以俟来者的话如下：

学文之事，求之也必劬，获之也必创，证之也必广，说之也必涩，不敢病迂也，不敢病琐也。求之不劬则粗，获之不创则剿，证之不广则不信，说之不涩则不中，病其迂与琐也则不成。其为人也，古之至，故朴拙之至，朴拙之至，故退让之至，退让之至，故思虑之至，思虑之至，故完密之至，完密之至，故无所苟之至，无所苟之至，故精微之至。小学之事，与仁爱孝悌之行，一以贯之已矣。若夫天命之奥，大道之任，穷理尽性之谋，高明广大之用，不曰不可得而闻，则曰俟异日，否则曰我姑整齐是，姑抱是以俟来者。（《抱小》）

定庵把小学当做思维方法去看待，当做治道的手段去看待，可谓乾嘉汉学的自觉批判。因为他是具有他外祖父段玉裁的传统知识，不是凭空臆造，故他关于江藩《汉学师承记》的了解，关于阮元著书的了解，都是受其书读之，经过一番研究而云然，此外他关于王引之的《经义述闻》，亦谓“受而读之，每一事就本事说之，栗然止，不溢一言”，颇是了解汉学的内行话，非今文家的门户之见。

然而，定庵已经不能再从事于“小”了，他要求有个性的人文，要求光明的世界，向大者巨者摸索了。他虽然不同于刘逢禄、宋翔凤、魏源等的大义微言，而主要从现实社会的核心去挖掘真实，揭露真实，指示真实，改变真实，但毕竟没有抱紧“小”字，朴拙、完密、精微之至，转向大而化之方面研究经义，故他以公羊学派之立场作出《春秋决事比》，说明三世三统的大义，决狱观变的微言，据之以为他的变法论的张本。他说：

在汉司马氏曰，春秋者礼义之大宗也。又曰，春秋明是非，长于治人，晋臣荀崧踵而论之曰，公羊精慈，长于断狱。……民生地上，情伪相万万，世变徒相万万，世变名实徒相万万。春秋文成才数万，指才数千，以秦汉后事，切劘春秋，有专条者什一二，无专条者什八九，又皆微文比较，出没隐显，互相损益之辞，公羊氏所谓主人习其读，问其传，未知己之有罪者也。斯时通古今者起，以世运如是其殊科，王与霸如是其殊统，考之孤文只义之仅存，而得之乎出没隐显之间，由是又欲竟其用，径援其文以大救裨当世，悉中窾理，竹帛烂，师友断，疑信半，为立德适道达权之君子，若此其难也！（《春秋决事比序》）

按定庵此论，颇道出历史的具体真理，不能在出没隐显的文义中，摸索其天经地义以套架于当世活的现实。然而，他的时代还不是严复的时代，介绍近代的古典学术以资观变与应变，他仍然不得不求之于公羊氏，以春秋之律说明“人伦之变”。他又说：

自珍既治春秋，……独好刺取其微者，稍稍迂回赘词说者，大迂回者，凡建五世，张三世，存三统，异内外，当兴王，……后世决狱大师，有能神而明之，闻一知十也者，吾不得而尽知之也，就吾所能“比”，则真如是。……七十子大义，何邵公所谓非常异义可怪，恻恻乎权之肺肝而皆平也。向所谓出没隐显于若存若亡者，胐胐乎日月之运大圜也。……世有疑而不肯察，闻道而不肯信，与土苴

残阙而不肯守，吾末如之何也已矣！（同上）

定庵之“比”法，即类比逻辑，而类比法则有一定的限制，超过类型的“比”便是附会，如他所谓“世运如是其殊科，王与霸如是其殊统，考之孤文只义之仅存，而得之乎出没隐显之间，由是又欲竟其用，径援其文以大救裨当世，悉中窾理”，这种“比”，则是真的“非常异义可怪”，它不是“小”的精密方法，而是离开朴实的地基，凌空去玄牵冥索去了。虽然他在诡辩“……昔曰先民，吾所以作；今律与春秋小龃龉，则思救正之矣，又吾所以作”，而他的方法根据，不能不是公羊家的“煤油剂”，其诗所谓“但闻风气不为师”。

然而，定庵的具体政论，与其说是依据于春秋经义的“比”法，毋宁说是客观的无所顾虑的评判方法，反而自己否定了自己的经义前提。越是悲剧性的作品，越显露出体系上的裂痕，这在上面所引《春秋决事比序》文的前后两段难以缝补的文章看来，没有什么可疑。定庵的时代，正是他所云：

冷然瑟然而不遽使人有苍莽寥泬之悲者，初秋也。（《重过扬州记》）

第十三章　百日维新派自由思想者康有为

第一节　绪说——维新派的基本思想

鸦片战争使中国士大夫自觉于商业资本的“洋务”，太平天国的叛乱使中国善于哭诉的农民自觉地独立活动于近代历史舞台，不论由上而下的洋务运动，或由下而上的农民战争，十九世纪中叶的中国，是真正把近代的课题从内患外忧中历史地提出来了。所谓课题，是近代的民主潮流在中国的现实解决。

然而问题最辣手的，是一方面中国半殖民化已经和世界资本主义的体系结成纽带，他方面十九世纪以来的世界自由主义运动，从东欧经过俄国以至日本，复把资本主义的向上期结束而转入向下危机的发展之中，中国再没有可仿效的路径。甲午战争，便明白说明了中国落到日本维新之后，不可能跟着前进资本主义国家的改良路线去追踪，而问题是反过来讲的，或者是前进的欧洲与落后的中国，或者是落后的欧洲与前进的中国。这是多么深刻的历史，唯其如此，在十九世纪中叶以后的中国政治社会运动，在短期的数十年间，阶段甚多，随着新的现实发展而有新的深刻课题，更有新的人类创作活动，民主主义者不断地适应新环境而贯彻民主方针，而改良自由主义者亦不断地在新环境急速的进展中而改变自己的主张，前者是正途，后者是歧路。

本节我们研究的维新巨子，康有为、谭嗣同、梁任公正是甲午战争以后的思想的一方面，他们代表了中国的自由主义思潮，他们迎接着从俾斯麦——彼得大帝——明治天皇的改良运动，企图中国的日本维新版出现。例如康有为说“臣请皇上以俄彼得大帝之心为心法，以日本明治之政为政法”。他们有昙花一现的鼓动中国复生的功绩，他们有前后矛盾而以矛盾自执的逆转，他们有“以今日之我不惜与昨日之我挑战”的善变。他们所以如此，因为他们在剧巨的历史变革中，常把自己应合潮流的暂时政策，绝对化而为先天的范畴。他们的政策和主义是同一的，如果按公羊家三世之说讲来，维新变法不过是一种手段，但他们把变法强调而为改制主义，例如廖季平就说“为学须善变，十年一大变，三年一小变”。康有为更大张变制与改制的绝对道理：

圣人譬之医也。医之为方，因病而发药，若病变则方亦变矣。圣人之为治法也，随时而立义，时移而法亦移矣。孔子作六经而归于易、春秋，易者随时变易，穷则变，变则通。孔子虑人之守旧方而医变症也，其害将至于死亡也。春秋发三世之义，有拨乱之世，有升平之世，有太平之世，道各不同。一世之中，又有天地文质三统焉，条理循详，以待后世之穷而采用之。……积池水而不易则臭腐兴，身面不沐浴则垢秽盈，大地无风之扫荡改易则万物不生。物新则壮，旧则老，新则鲜，旧则黯，新则洁，旧则败，天之理也。(《日本书目志序》)

观大地诸国，皆以变法而强，守旧而亡。……以皇上之明，观万国之变，能变则存，不变则亡，全变则强，小变仍亡。……夫物新则壮，旧则老，新则鲜，旧则腐，新则活，旧则板，新则通，旧则滞，物之理也。

(《应诏统筹全局疏》)

董仲舒曰，为政不调甚者，更张乃可谓理。……计万世之安，非变通旧法，无以为治。(《上皇帝万言书二》)

天理、物理、政理、圣人之医理，皆曰“变”，绝对的“变”，甚至圣人之所以为圣人即在“托古改制”，他的《改制考》一书，据他说是“不敢隐匿大道”而作，故大道之行，唯在一变。

谭嗣同说：

孔曰革去故，鼎取新。又曰，新之谓德。……天不新何以生，地不新何以运行，日月不新何以光明，四时不新何以寒暑发敛之迭更，草木不新，丰缛者歇矣，血气不新，经络者绝矣，“以太”不新，三界万法皆灭矣。……孔曰不已，佛曰精进，耶曰上帝国近尔矣，新而又新之谓也，则新也者，夫亦群教之公理也。德之宜新也，世容知之，独可以居今之世，犹有守旧之鄙生，龂龂然曰不当变法，何哉？……夫孔子……晚而道不行，掩涕于获麟，默知非变法不可，于是发愤作《春秋》，悉废古学，而改今制，复何尝有好古之云云也？

×××（按即指康有为）曰，“《论语》第七篇，当是默而第七，刘歆私改默为述，窜入述而不作，信而好古……十四字，以申古学篇名，遂号述而矣。我非生而知之者，敏以求之者也，生知与敏求相反相对，文义自足，无俟旁助。而忽梗‘好古’二字，语义都不连贯，是亦歆窜矣”。……×××曰，“于文从古，皆非佳义：从草则苦，从木则枯，从草木则楛，……从文则故，从口则固，……从牛则牯，从疒口则痼，从水口则涸，且从人则估，估客非上流也，从水为沽，孔子所不食也，从女为姑，姑息之谓细人”，吾不知好古者何去何从也。欧美二洲以好新而兴，日本效之，至变其衣食嗜好，亚澳二洲以好古而亡，中国辄动援古制，死亡之在眉睫。……曰新乌乎本？曰“以太”之动机而已矣。……以太之动机，以成乎日新之变化，夫固未有能遏之者也。（《仁学》）

谭氏从圣教之旨（或公理），自然万法之义，孔子改制之道（所引《论语》改误之说则为武断），文字学上的变化（所引从古诸字之曲解，更为背乎音韵学之常识），世界形势的存亡，证明一条原则，“变”“新”为常而已。（后来谭氏死于六君子之国难，表面上和他冲决君臣网罗之伦理观念似有矛盾，而实不然。按他对任公言："各国变法，无不从流血而成，今中国未闻有因变法流血者，有之请自嗣同始。"此话可信，他之死实殉他的"变新为常"的主义，变则存，不变则亡，变而不遂则应顺变之义以殉其生，而促其变，他的心迹二者没有裂痕。因为维新派都是把主义与政策混同为一，自其甘死于政策上而言可云徒死，而自其殉难于他的改制主义而言，则是戊戌变政的人物中最忠实的行道者，不可不辨。)

梁任公在《饮冰室集》首篇《变法通议》(丙申)，开宗明义曰：

法何以变？凡在天地之间，莫不变。昼夜变而成日，寒暑变而成岁。大地肇起，流质炎炎，热镕冰迁，累变而成地球。海草螺蛤，大木大鸟，飞鱼飞鼍，袋兽脊兽，彼生此灭，更代迭变，而成世界。紫血红血，流注体内，呼碳吸氧，刻刻相续，一日千变，而成生人。借曰不变，则天地人类，并时而息矣。故夫变者，古今之公理也。……上下千岁，无时不变，无事不变，公理固然，夫非人之为也。……今专标斯义，大声疾呼。(自序)

要而论之，法者天下之公器也，变者天下之公理也。……变亦变，不变亦变，变而变者，变之权操诸己，可以保国，可以保种，可以保教。（第一节）

梁氏又有《说动》,《释革》二篇，申论前说,《说动》一篇言自然之公理唯动而已，圣贤之教旨，唯动而已。以至云有动力而日新其法制则生存，否则灭亡，法制改革要如俾斯麦之艰难措置，而后国权可固。《释革》一篇言“革也者，天演中不可逃避之公理”,“国民如欲自存，必自力倡大变革实行大变革始，君主官吏而欲附于国民以自存，必自勿畏大变革且赞大变革始”。所以他讴歌新法说：

今日之世界，新世界也，思想新，学问新，政体新，法律新，工艺新，军备新，社会新，人物新，凡全世界有形无形之事物，一一皆辟前古所未有，而别立一新天地。美哉新法，盛哉新法！（《灭国新法论》）

第一，按维新派的变之公理赞辞，表面上和他的保皇尊皇诸论不合，因在变之潮流中君主亦应在被革之列，但事实上维新派则把升平之世归诸君主立宪。这是什么理由呢？他们以为凡变凡新都是至善的，君主立宪是新的，故君主立宪可以救中国，这是形式逻辑的简单论断。以任公《过渡时代论》一篇之旨而言，所谓过渡并非目的地，然他把过渡时代形容为“变”之义最阐扬的时代，他说：

其在过渡时代以后，达于彼岸，踌躇满志，其有余力可贾与否，亦难逆料也。唯当过渡时代，九万里而一息，江汉赴海，百千折以朝宗。大风泱泱，前途堂堂，生气郁苍，雄心矞皇。其现在之势力圈，矢贯七札，气吞万牛，谁能御之？其将来之目的地，黄金世界，谁能限之？故过渡时代者，实千古英雄豪杰之大舞台也，多少民族由死而生，由剥而复，由奴而主，由瘠而肥，所必由之路也。美哉！过渡时代乎！（《过渡时代论》）

所以，由“变”之主义，产生了唯变之时代为美，悲剧的过渡时代才是真正的人类舞台，而彼岸则怀疑了。这和三世之说颇不相容，故公羊学派在客观上不能不为急性的变法论，以为百日可以推翻旧局（谭嗣同与袁世凯的谈话史料，如果实在，其中便在谭氏的意识中含着军事阴谋的急性改制观），三年可以定天下。

第二，维新派迎接的潮流是国权主义，在他们的文献中都盛道俾斯麦，彼得大帝，日本天皇，康有为变法运动，上皇帝的参考资料便是《日本变政考》，《俄大彼得变政考》，谭嗣同有咏赞俾斯麦之诗句，梁任公则将德俄日三国变法之史迹反复称颂于其文中。故十九世纪行将结束的国权主义，为维新派所继承，康有为自述其生于英帝印度之岁，而年十余知俾斯麦之火烧法师丹也，怵然动矣（见《大同书序》），梁任公自述生于意大利建国之岁，都在生平上刻印上国权主义的纪年日月。凡国权主义的建国运动都含有与封建的妥协性，而急躁地谋一朝的翻云覆雨，任公论康有为云："其精神专注于前途，以故其举动或失于急激，其方略或不适于用，常有不能为讳者。"（《南海先生传》）实则这是维新派的共通精神，亦无可讳者。

维新运动者大声疾呼变革以求活路的宣传，在当时是一把号筒，启发思想之功甚大，他们的自由平等思想虽然在保皇立宪的歧途中散布着，但进步的成分在朝气中，在浪漫主义的气氛中，是具有所谓"过渡时代"的价值，这个时代极其短促，所以他们之受批判而为时代所吞灭亦极其迅速，他们"变"之信条，就在现实的百日维新变法中，已经因为没有“质变”观念，而自己动摇，不能贯彻。任公说自己是思想界的陈涉，嗣同亦希望做陈涉扬玄感，皆自知之明。

像康有为本来是一位“措天下如反掌”的现实论者，他的医术在过渡的时代中亦必绝对化为圣术，他把“改制”说成一般的天经地义。到了改制在民国初年逢到具体的问题棘手解决时，他又回到国粹论，而反对效法欧风美雨。自由主义的“特许证只许他们在这一政派与另一政派之间自由地飞来飞去”，尤其在甲午之战以后的中国历史，维新派更显得飞来飞去，不暇席暖的。有为以教主自居，故矛盾必须在他自己的思想体系中暴露，任公谓“有为太有成见，……其学三十岁已成，不复有进”，只言其矛盾的思想体系，而其现实主张则不但太无成见，而且变来变去。至于任公，他自己说得颇为忠实，“磬超……保守性与进取性常交战于胸中，随感情而发，所执往往前后矛盾，尝自言曰：不惜以今日之我难昔日之我”(《清代学术概论》)。

变法论当做绝对的改制主义去看待，必然要演出机会主义的政治色彩，公羊学派把孔子学说所以归纳而为托古改制的相对主义，把孔子所以尊崇为教主，都有其政治学上的目的。至于他们的孔教泛神论的假设，又有另外一种因素作为背景，那便是商业资本主义的世界观。下面我们就要研究这一点。

按康梁变法以前的思想，在士大夫上层为“洋务”运动，在下流社会则为农民战争。后者的传统是被革命民主主义者所继承，即中山先生所领导的辛亥革命；前者的传统是被戊戌政变所继承。何谓“洋务”，即仿效西欧的交通邮电坚甲利兵等改革政策，在学术意义可谓之中国的重商主义。到了甲午之战以后，士大夫又惊赏日本明治维新的道路，在于立宪的政治制度改革，于是复倡变法运动。过去学者以为洋务与变法是两种不同的运动，洋务为仿效西法之富强，变法为仿效西法之制度，这是皮相的分析。著者认为变法与洋务是一贯的重商主义之内容，二者不可分离，唯变法则企图以制度的动力而推行洋务罢了。（至历史运动上的意义，另见下节。）研究思想史，不能不寻研本质上的分水岭，中国当时的民主派所以有其民主派的精神者，一在于民众性，二在于土地政纲，没有土地政纲的消灭封建独占之进步性，便要和自由主义者合流的。反之，维新派在言论上并没有一字提高土地政策，改良主义所以区别于革命，就在这里，而当时维新派所争的变法名词而反对革命的理由，都是策略的性质。

明白了这一点，我们再看文献中所表露的思想。康有为在民国二年创刊《不忍》杂志，这时他的言论已失去戊戌时代的朝气，自己推翻了过去的变法思想实在惊人，而有一点则说出他的变法内容，他在《共和平议一篇》中说：

昔吾著三书，曰《官制考》，曰《物质救国论》，曰《理财救国论》，以为能举三者，中国既富既强矣，然后开国会焉，故一切自由平等之说，未敢发焉。

按康氏在晚清时代，对于自由平等之说，虽未敢发挥民众性的言论，但并非没有鼓吹，例如他注《论语》，关于“民可使由之，不可使知之”，读为“民可，使由之；不可，使知之”。他关于“天下有道则政不在大夫，天下有道则庶人不议”，把两个不字都认为今本衍字，为后人所妄改增者，旧本没有不字，姑不论“旧本”难据其为何本，但他所言则有自由平等的主观思想，他说：

“政在大夫（不字衍），盖君主立宪有道谓升平也，君主不负责任，故大夫任其政。……大同天下为公，则政由国民公议，盖太平制有道之至也，若如今本庶人不议，则专制防民口之厉土为有道耶？”在他的言论中，把升平之世规定为君主立宪，自由平等是有条件的，但“民贵君轻”亦认为孟子传孔子的升平之说（还不是太平之道），何尝他未敢发自由平等的言论？然而，我们要知道，他虽然发此言论，而他的中心思想则别有所在，而他所云的三本著作，《官制考》，《物质救国论》，《理财救国论》，则完全是一种重商主义的内容，所谓升平之世，物质与理财加上官制改革而已。

西洋重商主义是和宗教改革以后基督教的泛神论相适应，因为世界市场使上帝亦下凡周游于新大陆与东印度，殖民地与基督教便相为结合表示出一种至尊的权力。康氏的孔教论，和他的理财救国论相为表里，任公云“有为误认欧洲之尊景教为治强之本，故恒欲侪孔子于基督，乃杂引谶纬之言以实之”，此话最确。任公又约康氏的孔教观为六大纲，“进步主义，非保守主义，兼爱主义，非独善主义，世界主义，非国别主义，平等主义，非督制主义，强立主义，非巽懦主义，重魂主义，非爱身主义”，这话则带有教条的宣传性，主观上企图输入西洋的宗教改革于中国，如任公所谓“论近世政治学术之进步，孰不以宗教改革之大业，为一切之原动力乎？后有识者必能定论此案也”。他便以康氏为“孔教之马丁路德”（参看《康南海传》）。康氏的宗教思想之定论，即在他以为景教为治强之本，任公已经破案一半，而其他一半则所谓“治强”不是别的，亦即重商主义时代的理财立国，而康氏所谓升平之世者。因为康氏不是一个理性主义者，他把事物和事物的影子常颠倒重视，重商理财是事物，而景教的权力是影子，他崇拜影子要比崇拜事物还厉害，故又如任公所云“欲从而统一之，非择一举国人所同戴而诚服者，则不足以结合其感情，于是乎以孔教复原为第一着手”。这又夸大了重商主义时代统一运动的外貌。

西洋重商主义时代的“价格革命”，是近代文明的一有力要素，而购买力的奢风，则为重商主义的现象形态，康氏对于这一文明亦心向往之，他解释《论语》“礼与其奢也宁俭”云：

……世愈文明，则尚奢愈甚。孔为文明之王，非尚质退化者也。宋儒不通此义，令人道退化，今中国之文明不进，大损所关，岂细故哉！

康氏重商主义的思想，更有他的主要言论，例如：

新政何以举行？闻日本之变法也，先行纸币，立银行，财泉通流，遂以足维新之用。今宜大筹数万万之款，立局以造纸币，……用印度田税之法，仿各国印花之税，我地大物博，可增十倍。……大购铁舰数十艘，急练民兵百万，则气象丕变，维新有图。(《应诏统筹全局疏》)

甚至他在上疏中，把新政与商务混同一致，如云："新政多下总署，总署但任外交，岂能兼营商务？"他在万言书中又举富国之法有六，"曰钞法，曰铁路，曰机器轮舟，曰开矿，曰铸银，曰邮政"，内容则详论商业者占全书之半，并主张：

特设通商院，派廉洁大臣长于理财者，经营其事。令各省设立商会，商学比较厂，而以商务大臣统之，上下通气，通同商办，庶几振兴。(下言商学商会之重要，文繁不引。)

康氏在戊戌政变失败以后，更大倡商业救国之论，运动华侨，创设香港振华实业公司，墨西哥华益银行，纽约琼彩楼餐馆，上海广益书局，广西太平山金矿公司等等。在美洲致公堂《新章要义》中（此文据冯自由云为中山先生手订），曾揭发了康氏的运动：

官爵也，矿务也，银行也，商务也，学堂也，皆所以弭人之具，自欺欺人者也。

任公在《康南海传》中“第八章康南海之中国政策”中，列有十二项，第六项以前为立宪政策，自第七项以后则全述其商业救国之论，例如：

第六，先生谓中国当以工商为国事，以天产之富，工价之廉，而其人精于商务，若天授焉；苟以政府之力奖励扶助之，上下一心，同此目的，不十年而中国之雄甲天下。

第十一，先生以为今日中国无取多兵，何也？若能立宪法改官制真维新，则内乱不生。……泰西各国，专务商业，咸愿平和，苟外交无失，内治日兴，谁则开衅？

所以，维新运动，是以官制的改革为手段，而达成“专务商业”的目的，此目的在第六项中说明得最扼要。这比洋务运动之“中学为体，西学为用”，仅增加了立宪法改官制的推动力，丝毫没有民主派的土地政纲内容。

梁任公的言论比较广泛，他以改革政体与办学校为变法的原动力，批判洋务运动之不知所本，表面上好像是洋务运动的扬弃，但骨子里则为洋务运动的延长。他说变法的潮流，变亦变，不变亦变，自变者为日本，可效法的，他变者为印度，波兰，突厥，不可想象的（参看氏著《变法通议》）。效法日本，唯在立宪与学校，故他特注意于“政学”与“艺学”，以二者推行富国强民之道，所谓国权主义的商业立国精神，例如他说：

今英旗所翻，遍大地之海岸，威权炎炎，炙手可热，游于海外者莫不艳之。岂知其所以致今日者，商会之功，十居八九。夫扬名于后世以显父母，此人之职也，尽瘁于海外，以张国权，此国民之职也。我数万万同胞，何多让焉？（《商会议》）

任公商业救国与国权主义之论颇多，今举其所赞述的德国俾斯麦宰相为例如下：

德人之帝国主义，由俾斯麦商业政策一转而成，其目的在以国民主义为基础，而建一工商业帝国于其上，

使充盈横溢之民力，得尾闾以蓄泄之也。(《论民族竞赛之大势》)

任公后来虽然放弃保皇保教的思想，但他又向“国民力”的国权主义方面寻求出路，其思想脉络，仍在重商主义的范围内。他虽然介绍许多民权的学说，而他自己则把民权划在国权之下，继承洋务衣钵。戊戌政变后之四年他写的《新民说》已经不强调君主立宪，而走入国家主义一途径，唯所论“新民”的道德基础，如国家思想，自尊心，进取冒险，权利思想，尚武，私德等，以“国民之竞争”为内容，犹是国权中心的思想，犹是主张由制宪以兴商务的思想，他说：

征诸商务，生计界之竞争，是今日地球上一最大问题也。各国所以亡我者在此，我国之所以争自存者亦当在此。商务之整顿，夫人而知之矣，虽然，振兴商务，不可不保护本国工商业之权利，欲保护权利，不可不颁定商法；仅一商法不足以独立也，则不可不颁定各种法律以相辅；有法而不行，与无法等，则不可不定司法官之权限；立法而不善，弊更甚于无法，则不可不定立法权之所属，坏法者而无所惩，法旋立而旋废，则不可不定行法官之责任；推其极也，非制宪法开议会，立责任政府，而商务终不可得兴。今之言商务者，漫曰，吾兴之吾兴之而已，吾不知其所以兴之者持何术也！（《新民说》）

由此看来，所谓立宪，乃振兴商业的手段。它不是和反封建的民主纲领相配合，而是和商业第一相配合，所以“新民”云者，即新其商务之民而已。任公在基本理论上和康有为是一致的，他在《清代学术概论》里说，以后来不谈伪经，不谈孔教，与康氏分家，这当是一部分事实，然而他所谓“渐倡排满共和之论”的基本立场，犹是戊戌的传统（任公在民国五四以后的思想，非这里范围，当别论之）。

谭嗣同的《仁学》，完全基于商业交易，他说：

仁者，通人我之谓也，通商仅通之一端，……故莫仁于通，莫不仁于不通。（《仁学》，六一页）

自由贸易的世界，在嗣同理想中是仁爱的合理关系，所谓“彼以通商仁我，我无以仁彼，是以不仁绝人之仁”（同上）。这种理论，比亚旦斯密斯还要绝对。所谓仁者，如商业上等价交换的关系，一方面是出卖者，另一方面是购买者，此方的相对的价值形态与彼方等价形态，互为作一物对他物之换位，在最单纯的关系（如物物交换）表现着互利的样子，嗣同以为这便是通乎人我之仁，故谓：“彼仁我，我亦仁彼，能仁人，斯财均，而己无困矣。”（同上）然彼我之间，最初与最后并非一致的，如果彼我皆以商品所有者出现，那么人的关系之外，便产生了物的关系，即商品的拜物教关系，货币关系以至资本关系。这在嗣同哲学中都以为是“上天报施之理”，所有者拿出商品来出售的“仁”之施，非所有者拿不出等价物来购买便失去“仁”之报，而所有者应当生存，而非所有者之“应当翦屠割，亦上天报之理宜然焉耳”。这已经是奇妙的理论，他把这一理论又用之于国际贸易，以为通商是彼此惠仁，资本商品的输出国与殖民的输入国，好像只有等价交换关系，没有交换以外的不平等关系。

他在《仁学》中规定企业家的出现是仁者的博施济众，则“为仁即富”便成了维新派的市民思想，而无所谓“为富不仁”的道理，偶有之，亦如他所说由于“坐拥厚赀者时有偏心”之偶然现象罢了，好像是说不肯再投资以扩大生产而已。因之，推而至于国际通商关系，商品输出者“不啻出货佣彼而为我服役”，愈来货愈现出其仁心，而我若拒其输入，他说“不自振奋，而偏巧于推咎，惰者固莫不然也，是以仁绝人之仁”，这是多么深厚商业心理的公羊学！

嗣同崇拜商业国际为“仁”的人我通，这是商业理想美化的讴歌，然而又不妨碍他另从一方面相反的角度来雄化商业，歌颂商业，例如他说：

西人虽以商战立国，然所以为战者即所以为商。商之一道，足以灭人之国于无形，其计至巧而至毒，人心风俗皆败坏于此。今欲闭关绝市，既终天地无此一日，则不能不奋兴商务，即以其人之道还治其人之身（原注，西人……商务一端，已远胜于作中国之皇帝……）。（《嗣同书简》）

这已经批评了他自己的仁学，仁学主人我通，以通商为仁，此处则主人我战，以商抗商，以不仁对不仁。唯他有一个基本出发点，即商业资本主义是王霸皆宜。而矛盾的地方，他很轻易地拿两个天理来解决的。

严复亦与维新派思想相通，他在《上皇帝万言书》

中，说：

古今谋国救时之道，其所轻重缓急者，综而论之，不外标本两言而已。标者在乎理财经武择交善邻，本者存乎立政养才风俗人心之际。势急则不能不先事其标，势缓则可以深维其本。

这所谓“标”者即重商主义，且标本二者有急缓之区别，故“标”即变法时代的“本”了。

第二节　康有为与戊戌变法运动的历史

晚清的富国强兵之商业资本运动，从中兴大臣的新政洋务开始，自十九世纪六十年代至九十年代，中国渐次走上交通工业与军用工业的道路，曾国藩于同治元年（一八六二年）即在安庆设立军械所，李鸿章在上海设立制炮局，其后同治二年（一八六三年）在上海设立外国语言文字学馆，同治三年（一八六四年），在南京设立了金陵兵工厂，同治四年（一八六五年），在上海设立了江南机器局，同治五年（一八六六），在福州设立船政局，同治九年（一八七〇）在天津设立械器局，同治十年（一八七一）倡议在大沽筑新式炮台，同治十一年（一八七二）五月倡议开采煤铁矿，同治十一年十一月招商局成立，光绪元年（一八七五）举办铁甲兵船，同年申请在各省分设西学局，派通晓测算，舆图，火轮，机器，兵法，炮法，化学，电学各科，通晓时务大员主办，光绪二年（一八七六）在四川设立四川机器局，光绪六年（一八八〇）购买铁甲兵船，同年在南北洋设立电报局，又奏请建筑铁路，七年（一八八一）设立开平矿务局，同年国营商船初航英国通商，同年招商局接办各省电报，八年（一八八二）在旅顺建筑码头，同年成立金陵火药局，十年（一八八四）在天津设立武备学堂，十三年（一八八七）开办漠河金矿，十四年（一八八八）北洋海军成立，十九年（一八九三）汉阳兵工厂成立。

复次与军事工业交通工业相伴而产生了中国的民族工业，光绪八年（一八八二）李鸿章在上海设立织布局，九年（一八八三）商人祝大椿在上海设源昌机器五金工厂，十二年（一八八六）张之洞在广东设立缫丝局，十五年（一八八九）张之洞在广东设立织布局炼铁厂，十六年（一八九〇）上海纺织局成立，官商合办。十七年

（一八九一）上海道唐淞岩设上海机器纺织局，官商合办，十九年（一八九三）张之洞设立武昌织布局，二十年（一八九四）盛宣怀招集商股八十万重兴洋布局，因资本不足，改设华盛纱厂，同年上海成立裕源纺纱厂。故在中日甲午（一八九四）战争以前二十年之间，中国的官商合办轻重工业开始生长起来，同时在上海，武昌，无锡，宁波，南通等处更渐产生了商营的轻工业。这样的工业，又召致华侨投资的内向心。

以上两项工业是戊戌政变以前中国的产业向近代历程走的痕迹。我们先讲后一项所谓当时的民族工业。它的最大特点为官商合办，而真正商营的企业尚看不出它的力量。这里所谓“官”者正是满清的封建因素，故新兴的民族工业不可能让它比封建政府的自觉更跑得快点，这里一方面是封建贵族的所谓让步，另一方面则是工业家反而跟着官僚势力的尾巴去进行，因此在中国十九世纪末叶的国营、商营问题成了严重的矛盾（辛亥起义导火于川汉铁路之国营、商营争执）。这反映维新派康有为的改良思想，即他正是企图在宫廷维新的基地上做近代的历史变革。因为甲午战争以后，虽这样的萌芽工业也被外国的资本所摧灭了，这不能不使有近代意识的康有为发生保国会的运动，其所谓“保国民”“保人民之自立”者亦就有了说明。

第二，我们再讲第一项工业。在这三十年之间，中国古老的封建地基上居然产生了军事交通工业，这样的工业，总算使不动的社会往前进了一步。然而这更与第二项工业有别，更难代表中国近代工业的划时代的兴起。要答复这个问题，应看甲午的中日一战就知道的。

一、这些中兴名将所进行的官僚机构之下的洋务，在建立过程中是由办差的形式出现，工厂组织的体系变成了衙门。

二、资本的来源是为所谓官僚式的军备工业所支配，没有人民性的基础，这种由封建朝廷所凑集的资本，并不能保证其使用的正确性，西太后的颐和园便是动用了北洋海军的专款来建造的。

三、洋政是用国库来支持的，在开销国库支出的用途上，逢到了当时满族的政治积病，一方面想从事于新政，他方面又不敢从事于新政的彻底，只是在外力影响下，不得不畏首畏尾地作为新的点缀来进行。

四、洋政之下的工业，在支配当时的满清贵族心理上，主观上是不愿意的，在一般顽固的道学或守旧大臣的意识中，是把它当做了一种荒唐的怪物去看待的，例如理学家的一位大臣就说：

同治六年正月，同文馆招考天文算学，由满汉之正途出身五品以下京外各官考试录取，延聘西人在馆教习。公奏言：立国之道，尚礼义不尚权谋，根本之图，在人心不在技艺，今求诸一艺之末，又奉夷人为师，无论所学未必果精，即使……有所成就，不过术数之士。……所恃读书明理之儒，或可维持人心，今后举聪明隽秀……使之奉夷人为师……而读书人已为所惑。……天文算学，为益甚微，西人教习正途，所损甚大。伏望立罢前议，以维大局而弥阴患！（匡辅之:《倭文端公别传》）

所以李鸿章在当时不能不讲出一个政治上的原因，他说：

疆臣竭心力以为其难，文吏持刀笔而议其后，任事不易，思之慨然！（《与刘铭传书》）

今之论者，皆知变法，但有治法，尤须有治人。……

详察当路诸公仍是从前拱让委蛇之习，若不亟改，恐一蹶不能复振也！（《与陶模书》）

新政是在腐旧的清廷专制政治之下，委曳而进，实行的结果，只是暴露了封建政治的矛盾与无力，只显出“中学为体”者之空虚而“西学为用”者之怀疑，没有解决问题，仅把问题的严重性扩大了。

但新政又在另一方面表示了封建官僚对于近代资本主义的畏惧，以及对于封建的流连，因为新政的提出，固然是代表了二元的体用观念，即恋心于旧的而震骇于新的，但旧的却拉住新的，尽管如此，问题则不能不当做一个严重的历史课题提出来，只要能够提出时代的问题，即令在解决问题上是如何的不彻底而有阻扰，但至少表示封建内部自己对于自己的失却信心。故新政是成了近代社会的催生剂。

新政的军事交通工业，试于甲午战争而由残酷的历史所批判，朝野都在《马关条约》的签字上束手无策。在中国民主运动尚未成长的当时，问题便由中兴大臣的新政转向而为举子士人的变法，在内容上仍然是商业资本或国权主义的性质（参看后面保国会的第一条），但戊戌政变的不同处，在于已经稍具有了政党的形式了。在当时最起了推动作用的是强学会。

原中国近代学会的成立，首为广学会。这会是在光绪十四年（一八八八年）由英国教士联合中国人士组织的。后来英教士李提摩太主持以后，会务更加发展。这会所介绍的西方科学知识，所报道的西方列强国势，启发了中国改革的动机至大，康有为的新知识可以说就从这里来的。任公记他在上海读了当时的初级的西洋宗教及科学知识之书，而另辟一新境界者，即指此会的宣传。中国在明末有利玛窦的西学介绍，在晚清又有李提摩太的西学介绍，颇有巧合（李提摩太之参与戊戌，见后）。那时有一位做盛世危言的郑观应氏，便是抄袭李提摩太的著述而渲染者，今举几例如下：

一、郑氏以西学是由中国古代艺学所传去的，西人学中国而富强，中国亦应把自己的古学向西人再行学会，这启示了康有为的三世之说，郑氏说：

今之自命正人者，动以不谈洋务为高，见有讲求西学者，则斥之曰名教罪人，士林败类。……为忠臣孝子，将百计求医而医乎？抑痛诋医之不可恃，不求不学，誓以身殉而坐视其死亡乎？然则西学之当讲不当讲，亦可不烦言而解矣！古曰，通天地人之谓儒。……今彼之所谓天学者，以天文为纲，而一切算法历法电学光学诸艺，皆由天学以推至其极者也；所谓地学者，以地舆为纲，而一切测量经纬种植舟车兵阵诸艺，皆由地学以推至其极者；所谓人学者，以方言文字为纲，而一切政教刑法食货制造商贾工技诸艺，皆由人学以推至其极者也。皆有益于国计民生，非奇技淫巧之所谓也。……今人……以为西法创自西人，或诧为巧不可阶，或斥为卑无足道，噫异矣！……格物有自来矣：一则化学，古所载烁金腐水离木，同重体，合类异，二体不合不类，此化学之出于我也；一则重学，古所谓均发均悬，轻重而发绝，其不均也均，其绝也莫绝，此重学之出于我也；古云，临鉴立影，二光夹一光，足被下光，故成影于上，首被上光，故成影于下，近中所鉴大，影亦大，远中所鉴小，影亦小，此光学之出于我也；一则气学，亢仓子蜕地之谓水，蜕水之谓气，此气学之出于我也；一则电学，关尹子石击石生光，雷电缘气以生，此电学之出于我也。……中学日见其荒，西学遂莫窥其蕴矣，不知我

所固有者，西人特踵而行之！……以中国本有之学，还之中国，是犹取之外厩，纳之内厩。(《西学》)

二、郑氏已早介绍西洋议会政治，讴歌“议院兴而民志合，民气强”之理，这亦为康有为之所本。郑氏说：

议院者，公议政事之院也。集众思，广众益，用人行政，一秉至公，法诚良，意诚美矣！无议院，则君民之间势多隔阂，志必乖违，力以权分，权分而力弱。……故欲借公法以维大局，必先设议院以固民心。泰西各国咸设议院，每有举措，询谋佥同，民以为不便者不必行，民以为不可者不得强，朝野上下，同德同心。……人见其士马之强壮，船炮之坚利，器用之新奇，用以雄视宇内，不知其折冲御侮，合众志以成城，制治固有本也。……议院者，大用之则大效，小用之则小效者也。夫国之盛衰，系乎人才，人才之贤否，视乎选举。议院为国人所设，议员即为国人所举，……举自众人，贤否难逃公论。……考泰西定例，议员之论，刊布无隐，朝议一事，夕登日报，俾众咸知，论是则交誉之，论非则群毁之，本斯民直道之公，为一国取贤之准，人才辈出，国之兴也勃焉。诚能本中国乡举里选之制，参泰西投匦公举之法，以遴议员之才望，复于各省多设报馆，以昭议员之是非，……则君不至独任其劳，民不至偏居其逸，君民相洽，性谊交孚，天下有公是非，亦即有公赏罚，……上下一心，君民一体，尚何敌国外患之敢相陵侮哉？……持公法以保太平之局，其必自设立议院始矣。(《议院》)

由这些言论看来，广学会的时代影响，就可以知道的。这会的影响，虽张之洞氏亦加承认，张氏在其所著《劝学篇》中虽主中学为体西学为用之说，如言"中国学术精微，纲常名教，以及经世大法，无不毕具，但取西人制造之长，补我不逮足矣"，但他毕竟亦倾向于变法，他说：

不可变者，伦纪也，非法制也；圣道也，心术也，非工艺也。请征之于经：穷则变，变通尽利，变通趣时，损益之道与偕行，《易》教也；器非求旧，唯新，《尚书》教也；学在四夷，《春秋》传义也；五帝不沿乐，三王不袭礼，《礼》时为大，礼义也；温故知新，三人必有我师，择善而从，《论语》义也；时措之宜，《中庸》义也；不耻不若人，何若人有，《孟子》义也。请征之于史：封建变郡县，辟举变科目，府兵变召募，车战变步骑，租庸变两税，归余变活闰，篆籀变隶楷，竹帛变雕版，笾豆变陶器，粟布变银钱，何一是三代之旧乎。

通过广学会的教士言语，而中国上流士大夫学会了一些近代的西洋语言，但这里，一、在学言语择善而从的时候，不但融合不成国民的新语言，而且仍然把新语言装在旧形式之中，隆重的旧形式压住了新内容，故有所谓中西本末体用之说；二、当学习新语言的时候，不但世界已临到大难灾变的再分割的前夜，瓜分中国之议倡和不绝，所谓"落后的欧洲，进步的亚洲"将要重新思考一番，而且中国落在日本维新之后，欧洲改良思想学生已经不容再事出现，由甲午一战清算了这一纠葛。

在这当儿，中国所最难于提出的问题，便是政治的觉醒。显然的，有两条路径，一是民众的，一是宫廷的，民主派走前者，改良派走后者。

围绕在改良政变的气氛中，首先"强学会"成立了。这会是翰林院学士文廷式首倡，工部尚书孙家鼐，湖广总督张之洞皆赞襄其成，袁世凯与翁同龢亦表同情，而康有为的维新派便参与其中活动起来。当时因"会"字为清廷所忌，而竟称以强学书局。这个会的性质已经不同于广学会，后者主持者为教士，属于介绍西学的成分颇著，而前者则深富于宣传与觉醒的运动。据任公所云，该会拟办的大事有五，一译东西文书籍，二刊布新报，三开图书馆，四设博物仪器院，五建立政治学校。证之于张之洞所拟上海强学会之章程，大体如此。张之洞的《上海强学会序》中说：

天下之变岌岌哉！夫挽世变在人才，成人才在学术，讲学术在合群，累合什百之群，不如累合千万之群，其成就尤速，转移尤巨也。……顷士大夫创立强学会于京师，以讲中国自强之学，风雨杂沓，朝士鳞萃，尚虑未能布衍于海内，于是江海散佚，山林耆旧，盍簪聚讲求。……今设上海，乃群天下之图书器物，群天下之通人学士，相与讲焉。……传称以文会友，以友辅仁，记称敬业乐群，其以开风气而成人才，以应圣天子侧席之意，而济中国之变，殆由此耶？

疆吏如张之洞居然大倡“群”字，所谓“聚天下之图书器物，集天下之耳目心思”（章程），显然这是对于洋务官办的怀疑与批判了。我们在前面已经说过，变法是洋务在商业资本主义方面的继续，这仅就其理想上而言，如果从历史的运动方面去看，则变法比洋务显然深刻了一层，因为改良派的“群”的观念虽然狭隘，但毕竟向群体的政治觉醒方面推进，渐行走向政党的路径。康有为在其《上海强学会后序》中亦说：

物单则弱，兼则强，至累重百千万亿兆京陔之，则益强。……故一人独学，不如群人共学，群人共学，不如合什百亿兆人共学。学则强，群则强，累万亿兆人皆智人，则强莫与京！……今者思自保之，在学群之。昔在京师，……朝士集者百数，然犹未足合天下之才。海内耆贤，捧手推襟，欲推广京师之会，择合群之地而益宏厥规则。沪上总南北之汇，为士夫所走集，乃集中外之图书器艺，集南北之通人志士，讲习其间，而因推行于直省焉。

在专制的满清王朝公然倡合群集会，开放言路，无异于宣告旧社会的死刑，尽管传记所传的乐群是言之有据，不算异端，而那是为八股文士的一唱三叹而已。所以，强学会的命运仅四个月而止，御史杨崇伊奏言私立会党，将开处士横议之风，请旨查封，光绪胁于旧力，便下诏查禁。

然而强学会是时代必然而产生的号筒，该会虽封，而各省市的学会组织则闻风而起，据任公《戊戌政变记》，列举三年内之学会学堂报馆成立者，凡五十所，学会二十四，学堂十九，报馆八，遍于全国，如桂林的圣学会，长沙的湘学会，苏州的苏学会，北京的集会学会，格致学会，陕西的陕学会，武昌的质学会，以及如算学会，农学会，不缠足会，群学会，蒙学会，知耻会，测量会，名目五花八门。与康有为有直接关系者，为桂学会，此会后来便发展而为戊戌政变的保国会。其时民主运动亦从民间出生，这便是与保国相对立的兴中会了。

因强学会的号召，报馆成为当时的一种主要拟议，这亦是很自然的，集会与言论常是姊妹为家的。康有为弟子梁启超主持《时务报》于上海，另外的弟子如吴恒炜等主持《知新报》于澳门。他们的言论粗枝大叶，铺张扬厉，在现在看来颇不入眼，但鼓动的精神则充满朝气的。只举《知新报》的一段话如下：

……上之阴阳之奥，造化之微，人物之理，古今之迹，下之学术之原，政治之要，中外之性，存亡之运，……皆冥然若囚，懵然若雠，俯焉若伛，莽莽无所闻所见所言也！而彼（指列强）所困我者，为合群立约，集款开会馆，图演说，……萃天下眼目之众，竭万民耳目之能，无不剖之劓之，啖之犁之，毅然务三病之尽去（指盲、聋、哑）。出而窥我，此彼之所以强，而我之所以弱也。……不盲，不聋，不哑之众，驰驱我不慧（于目）不聪（于耳）不敏（于口）之国，蹂躏我不见不闻不言之民。……我之坐是不免于盲聋哑者何也？……无知也，无知则愚，愚则盲、则聋、则哑，则虽有剥削之惨，无从而诉，虽遭宰割之痛，无从而听，虽受酤俎之辱，无从而觉。……不慧不聪不敏若是，其去草木禽兽鱼介者无几耳！此有志之儒，抗愤之士，所以撼膺呕心，太息而长涕也！然又坐是不闻不见不言者则又何也？不通故也。

报者，天下之枢铃，万民之喉舌也。得之则通，通之则明，明之则勇，勇之则强，强则政举，而国立敬修，而民智。故国愈强，其设报之数必愈博，译报之事必愈详，传报之地必愈远，闻报之人必愈众，治报之学必愈精，保报之力必愈大，掌报之权必愈尊，获报之益必愈溥，胥天下之心思知虑，眼目口耳，相依与报馆为命，如室家焉，是以英之霸也！……甲午之变，公车上书万八千言，千三百人，……虽计绌于半途，事遂于不谏，而通塞之运已渐启矣。京师士夫于是有强学会之设，……沪上继焉。今时务报起重而振之……因文见道，喜吾党之有邻，此澳门知新之报所以继上海而应之也。(《〈知新报〉缘起》，吴恒炜作，文中尊言“先生”，即指受康有为的领导)

由以上的话看来，维新运动者是着重于启蒙的唤醒愚昧工作，在逻辑上的道理且不管它，而他们的振聋发聩言论，实在是有时代意义的。

梁启超在长沙时务学堂（一八九七年）任主讲，更大倡变法、自由、民权之论，其朝气颇为生发。他的批文，自云传之社会，一时大哗。兹将叶德辉驳梁批选抄于下：

梁批：“今日欲求变法，必自天子降尊始，不先变去拜跪之礼，上下仍习虚文，所以动为外国所讪笑也。”

叶驳：“案此言竟欲易中国拜跪之礼，为西人鞠躬，居然请天子降尊，悖妄已极！”

梁批:“兴民权者断无可亡之理。”

叶驳:“民有权，上无权矣！”

梁批:“二十四朝其足当孔子至号者无人焉，间有数霸生于其间，其余皆民贼！”

叶驳:“案二十四朝之君主谓之民贼，而独推崇一孔子，是孔子之受历代褒崇为从贼矣，狂吠可恨！”

从叶德辉的驳语中，我们知道青年的维新运动者康梁在当时实是旧社会的叛逆，虽然民权之论后来取消，但政变前夜觉醒之功则不可否认。维新的历史至短促，故暴露自由派的弱点亦极显然可见。与梁氏同样持急进之主张者康有为亦曾请易服，为刚毅反对而罢。这都表示了维新派的朝气，但朝气是短短的可数日子的，故康有为不旋踵在后来自谓易服的建议，幸未实行，如果真照他的办法改制，那便要“摧残丝业”了，这亦同样可以讲，好在民权在当时没有开展，如其放任民权，那便要摧残现状了（后来《不忍》杂志明言之，见后）。

戊戌政变的直接组织者康有为主持的“保国会”，曾成立于此年三月，实政变的中心领导机关，其组织的形式亦颇具近代式的政党，唯分子则仅限于官僚士大夫。康有为起草的保国会的章程有三十条，今将其主要的十几条录按于下：

一、本会以国地日割，国权日削，思维持振救之，故开斯会以冀保全，名为保国会。

（按此条为该会宗旨，是第一条政纲，其中模糊观念如“维持”,“保全”之辞，与其“维新”之说相矛盾，即既非难现状，而复留恋现状。“国权”一语是有来历的，这是改良主义者的至上口号，与“民权”之为民主派的口号相反。）

二、本会遵奉光绪二十一年闰五月二十七日上谕，卧薪尝胆惩前毖后，以图保全国地、国民、国教。

三、为保国家之政权土地。

四、为保人民种类之自立。

五、为保圣教之不失。

（按以上四条，除了因胶州事件，强调国家独立，包含民族宗旨外，其余所言之“保”，非常抽象，如云保“国家之政权”，是封建的专制政权呢，还是民主的共和政权呢？如云“保国民”，“保人民自立”，是有民权的国民或民权的自立呢，还是仅幻想一种特别种类的人民自立如欧西的商业家呢？至其云保教之意义，详言于后节。）

六、为讲内治变法之宜。

七、为讲外交之故。

八、为仰体朝旨，讲求经济之学，以助有司之治。

（按以上三条是维新的主要问题，即指彼得大帝与明治的路径。）

十一、自京师上海设保国总会，各省各府各县皆设分会，以地名冠之。

十二、会中公选总理若干人，值理若干人，常议员若干人，备议员若干人，董事若干人，以同会中人多推荐者为之。

（接章程中所指董事，十五条规定为管会务日常事务者，类似现在之秘书干事。）

二十八、商董兼司账，须习知贸易……充其选。……

（按十二条以后言组织法，颇有近代政党团体之形式。而特别提出商董之名，可知商业资本在保国会的注意。据票号人言，康有为与票号多有往来，据其文集言，曾请将山西票号改为大清银行之议。票号中稍开明者为百川通与协通庆，当时有一位票号老板名徐向禹者，即参加戊戌政变，此人曾暗示于九尾龟小说之中。)

保国会成立之初，康有为有一篇演说，内容十分之七言外患，关于变法者有云：

自强学会首倡之，遂有官书局《时务报》之继起，于是海内缤纷，争言新学，自此举始也。然甲午之后，仍不变法，间有一二，徒为具文，……然变其甲不变其乙，变其一不变其二，牵连相累，必至无成。……泰西立国之有本末，重学校讲保民养民教民之道，议院以通下情，君不甚贵，民不甚贱，制器利用以便民，皆与吾经义相合，故其致强也有由。吾兵农学校皆不修，民生无保养教之道，上下不通，贵贱隔绝，此皆与吾经义相反，故宜其弱也。……鄙人不责在上，而责在下，而责吾辈士大夫，责我辈士大夫义愤不振之心，故今日实人人有亡天下之责（？），人人有救天下之权者。考日本昔为英美所凌，其弱与我同，今何以能取我台湾，灭琉球而制朝鲜，得我偿款二万万？……其相伊藤，其将大山为之耶？非也。尝考如此大事……乃一布衣高山正芝之所为，高山正芝哀国之衰，不能变法，愤大将之擅政，终日在东京痛哭于通衢，见人辄哭，终以哭死，于是西乡、吉田、藤田、蒲生、秀实之流出而言尊攘，大久保利通，岩仓具视，木户孝允，板桓退助，三条实美，大隈重信出而谈变法，日本乃盛强。（下言热力，心力以救患。）

上演说词讲变法之必要，希望中国政治改革为“君不甚贵，民不甚贱”的局面，这里自然没有尺寸来量甚贵甚贱的程度，但君仍为贵者，民仍为贱者，只求其“不甚”罢了，这是改良派卑躬屈节的最好纲领。至若他把一个社会运动分析做一个布衣的哭叫，呼唤而出，在激励鼓动的宣传上颇有力量，而在理论上则幼稚得可笑。这里，也埋伏了失败主义，即“哭死”的热力，不但唤不醒反动势力，而且他所谓“如一大火团，至百二十度之沸度，则无不灼矣”之热血，在社会运动深刻化的时候，是难以持久的，更可能忽然变成冷血者。

然而我们知道，维新志士常凭着这样浪漫的热力来进行，热血之在谭嗣同则云，各国变法莫不从流血成，中国变法尚无流血者，有之请自嗣同始。他们把宣传当做了运动全部，故康有为称变法之效“新政诏书虽未推行，德人闻之便当退舍”，又奏言“雷厉风行，力推新政，三月而政体略举，期年而规模有成，海内回首，外国耸听”，凡此都说明了呐喊就是社会运动，只要有言论的表示，中外都吓倒了。

在保国会成立以后，康有为成了光绪的近臣。按光绪和康有为的关系，史家并无详细记载，但康氏从七次上书后由翁同龢的引见，得到光绪的宠幸，乃是事实。据翁同龢日记，戊戌（一八九八年）一月二十九日康有为呈《应诏统筹全局疏》，这时康氏已经把《明治变政考》，《俄大彼得变政记》，及李提摩太编译的《泰西新史揽要》，《时事新论》，《列国变通兴盛记》诸书呈上，光绪帝的变法决意从此更切。三月二十七日成立保国会。四月初间，据翁氏日记云：

戊戌四月初七日，上命臣索康有为所进书，令再写一份递进。臣对：与康某不往来（？）。上问：何也？对：以此人居心叵测。曰：前此何以不说？对：臣近见其所著《孔子改制考》知之。

四月初八日，上又问康书，臣对如昨，上发怒诘责，臣对：传总署令进。上不允，必欲臣诣张荫桓传知。

翁氏规避戊戌政变之责，在此日记内委婉弥縫，据

德菱公主所著的 *Son of Heaven*（中译本名《光绪秘史》），则云：

“请皇上单独接见康有为，”翁同龢说，“听他所要说的话。”

“我将传见他，降旨单独接见他。”皇帝说。

光绪没有把这个预定的觐见报告老佛爷，这是可以注意的。康有为来了，这个小官与皇帝立刻相互地感觉到倾慕，而且康有为立刻走上中国历史的重要篇幅。

按德菱公主此书，虽没有《西太后》一书描写的质朴，但不失为她闻见的史料编制。故翁同龢已亥十一月二十一日的日记，对于新闻报的辟谣，否认与康氏有关系者，实属违心。

德菱公主此书第二五、二六两节即讲变法时期，光绪与康有为的关系，文字间颇以小说的体裁出现，而细按历史，所言尚皆有本。兹将该书中重要的叙述，参以文献，略论如次：

一、关于当时革命派的苦恼，已经惊动了朝野，在甲午战争以后兴中会已经与三合会联合，在广东直接行动起来。据中山先生所述，乙未（一八九五）的行动，谓之"第一次革命"，其后即走欧美，当戊戌政变之年，即中山先生在英国蒙难之时，并云对于民权运动"殊多心得"，当时清廷之注意革命者亦就特别厉害了。中山先生说：

由乙未初败以至庚子，此五年之间（按乙未为一八九五年，庚子为一九〇〇年），实为革命进行最艰难之时代也。……适于其时有保皇党发生，为虎作伥，其反对革命，反对共和，比之清廷尤甚。(《有志竟成》)

按保皇党成于戊戌失败之后，其前身即一八九八年的保国会，此处所言之保皇党当包括着保国会。保国会所以能够成立，即在社会的运动中采取着中间形式，据《光绪秘史》著者说：

许多激烈的领袖，起始散发煽动的小册子，在小册子里，他们向人民呼吁，一致起来推翻满清政府，将皇位归还中国人。

这当指其时的革命派的行动，据德菱讲，朝廷当时所采的办法，是弹压杀戮政策，证之陆皓东殉难的乙未事件，亦颇适合。康有为贡献方策，便是从这里入手，据德菱说，康氏对于光绪有一段进言，如下：

皇上应当立即着手建设中国，以便反证革命党人所说的话不真确。假如你复兴中国到了以前没有过的繁荣，假如你给百姓一种新的快乐，假如你证明你是一心一意为人民谋幸福，那么革命党人不是都能空口毁谤的。

二、关于康有为取得光绪的信任，历史颇可证明。例如孙家鼐谏曰："若开国会，则民有权而君无权矣。"帝曰："朕但欲救中国耳，若能有益于国民，则无权何害？"(《戊戌奏稿》)《光绪秘史》中亦详叙光绪如何每日努力，如何同康有为秘密工作到深夜，有一天竟留着康氏住在禁宫中，奏劾以此违反祖制，光绪则批下"应毋庸议"的话来，类似的奏劾虽多，但都说不醒光绪的心思。在短短的三个月内，颁下了许多涉及政府的大经大法的上谕，这些都是和他的"顾问"（此字为德菱公主给康有为的官名）密商的，《光绪秘史》中认为最激烈的是以下的几道诏书：

停止科举取士制度，

尽量废除古旧的典礼，

聘请外国专门人才为顾问，

扩大灌输外国的知识，并停止反基督教活动，

采取西洋宪政制度，

改庙宇为学校。

按此都为事实，从六月十一日下诏定国是上谕至政变的九月二十日，共一百零三天之中，光绪所下的诏书，重要者有几十条，兹将其诏定国是上谕及重要诏书录之于次。“诏定国是”云：

数年以来，中外臣工讲求时务，多主变法自强。迩者诏书数下，如开特科，汰冗兵，改武科制度，立大小学堂，皆经一再审定之，筹之至熟，妥议施行。唯风气尚未大开，论说莫衷一是，或狃于老成忧国，以为旧章必应墨守，新法必当摈除，众喙哓哓，空言无补。试问时局如此，国势如此，若仍以不练之兵，有限之饷，士无实学，工无良师，强弱相形，贫富悬绝，岂真能制挺以挞坚甲利兵乎？朕维国是不定，则号令不行，极其流弊，必至门户纷争，互相水火，徒蹈宋明积习，于国政毫无补益。即以中国大经大法而论，五帝三王不相沿袭，譬之冬裘夏葛，势不两存。用特宣示中外大小诸臣，自王公以及士庶，各宜努力向上，发愤为雄，以圣贤义理之学植其根本，又须博采西学之切于时务者，实力讲求，以救空疏廷谬之弊，专心致志，精益求精，毋徒袭其皮毛，毋竞腾其口说，务求化无用为有用，以成通经济变之才。京师大学堂为各行省倡，尤应首先举办，着军机大臣总理各国事务王公大臣会同妥速议奏，所有翰林院编检，各部院司员，各门侍卫，候补候选道府州县以下各官，大员子弟，八旗世职，各武职后裔，其愿入学堂者，均准入学肄习，以期人才辈出，共济时艰，不得敷衍因循，徇私援引，致负朝廷谆谆诰诫之至意，将此通谕知之！

诏定国是之文，好像康有为万年书的大意，从此康氏被召，谭嗣同梁启超等皆被推荐。以后的诏书日日不断地颁布出来：

六月十一日，诏军机大臣总署大臣会同妥速议奏筹办京师大学堂。

六月十二日，诏选宗室王公游历各国。

六月二十日，总署奉旨妥议提倡学艺农业事宜。

同日，饬盛宣怀赶办芦汉铁路，并开办粤杭沪宁各路。

六月二十三日，诏自下科为始，乡会试及生童岁课各试，一律改试策论。

六月二十六日，谕各部院于奉旨交议事件，克期议复，逾期即严惩治。

七月四日，诏地方官振兴农业，着刘坤一咨送上海农学会章程于总署，并令各省学堂广译外洋农务诸书。

同日，创设京师大学堂，派孙家鼐管理，官书局及译书局并入大学堂。

七月五日，奖赏士民著作新书及创行新法，制成新器，准其专利售卖。

七月十五日，谕改各地书院为兼习中学西学之学校。……民间祠庙之不在祠典者，即由地方官晓谕人民，一律改为学堂。

同日，严饬地方官保护教士教民。

七月十一日，诏举经济特科，命长官各举所知，于三日内送京，然后定期举行。

七月十四日，谕官奖进商业。

七月十六日，严谕各省将军督抚均实裁兵练军，力行保甲，整顿厘金。

七月二十六日，改《时务报》为官办，派康有为督办其事，并着督抚咨送各地报纸于都察院及大学堂，许其实言，不必忌讳。

七月二十九日，命各部院衙门删去旧例，另定简明则例。

同日，下诏改良司法。

八月六日，谕华侨创立学堂，着出使大臣劝办。

八月十日，南北洋大臣及沿海各将军督抚奉旨妥议海军事宜。

同日，王文诏张荫桓奉旨筹议铁路，开矿，增设学堂，并切实举办事宜。

同日，宣示决心变法，有意阻挠，不顾大局者，必当严惩。大臣当认真考察真才，参劾不职，上下力除壅蔽。

八月十六日，诏于京师设立农工商总局。奖进富绅之有田业者，广开农会，购买农器。

八月二十六日，准梁启超设立编译学堂于上海。

同日，严旨切责西江总督刘坤一，两广总督谭钟麟，因循玩懈，不肯力行新政。

八月二十八日，谕告诸臣除去蒙蔽锢习，不得无故请假，议奏事件不准延搁。

八月三十日，诏裁詹事府，通政司，光禄寺，鸿胪寺，太常寺，大理寺等衙门，外省裁撤湖北，广东，云南三省巡抚，东河总督。其不办运务之粮道，疏销之盐道，及佐贰之无地方责者，均责裁汰。

九月五日，诏用西法练军，逐渐实行征兵，裁减绿营。

同日赏谭嗣同等四人四品卿衔，在军机大臣章京上行走。

九月七日，诏各省督抚访查通达时务勤政爱民之能员，随时保送引见，以便录用。

九月十一日，筹设茶丝学堂。

同日，诏准学士瑞洵于京师筹设报馆。

九月十三日，官民一律得应诏言事。

九月十四日，诏许满人经商营业。

九月十六日，诏编预算。

由上面所引举之诏书看来，百日之间已够所谓“耸听”了。政变就在这样的文章中，自己暴露出来。

三、关于康氏所进行的变法，所招来的反对，是值得记述的。反对者是最顽固的贵族与理学先生们，例如御史文悌奏劾康有为云：

听其谈治术，则专主西学，欲将中国数千年相承之大经大法一扫刮绝，事事以师日本为良策。……中国讲求西法，非欲将中国一切典章文物制度废弃摧烧，全变西法，使中国之人默化潜移尽为西洋之人，然后为强也。故其事必须修明孔孟程朱四书五经小学性理诸书，植为根柢，……然后再习外国……以致用。

这是否认变法的话头，他更以康有为保国不保大清之论奏劾说：

近来《时务》《知新》等报，所论尊侠力，伸民权，兴党会，改制度，甚则欲去跪拜之礼，平君臣之尊卑，改男女之外内……其势小则群起斗争，召乱无已，大则各便私利，卖国何难！……康有为更私聚数百人在辇毂之下，立为保国一会。……名为保国，势必乱国而后已焉，……幸勿徒欲保中国四万万人，而置我大清于度外！

礼部尚书许应骙奏劾说：

康有为逞厥横议，广通声气，袭西报之陈说，轻中朝之典章。其建言既不可行，其心尤不可测，若非罢斥驱逐回籍，将久居总署，必刺探机密，漏言生事，长住京邸必勾结朋党，快意排挤，摇惑人心，混淆国事。

这更把康氏认做外国的探子了。（按康氏变法运动中，与英日二国颇有往来，英教士李提摩太在京多所协助，日本名变法首相伊藤博文亦于其时在京参与其事，他后来出险亦依英人保护始行。但这里，说明英日对于中国维新派的政治运动是全力注意其发展，而当时守旧派则认为康氏是洋探子了。）康氏当时的活动，除了宫廷外，便是达官贵人之间。这些人起先亦多表同情于维新的，而后来反对他的则更以这些人最有力量。例如御史李盛铎，亦是保国会的发起人，但后来李氏则上疏劾会。张之洞是强学会的赞助者，他却亦说："民权之说一倡，愚民必喜，乱民必作，纲纪不行，大乱四起。倡此议者岂得独安独活？"即与康氏最密切的翁同龢，亦藏头藏尾，在后来称康氏为"大逆"。按康梁在当时并不敢提出民权政纲，而道学家则总以此说为反对之口实，如王先谦云："康梁所用以惑世者，民权耳，平等耳，是率天下而为乱也。"最后，康氏领导的变法，又是一位表同情其举的袁世凯密告，而引起西太后的“苦的挞”。

四、关于变法中的军事阴谋。按康有为之罪状，初指其进红丸，鸩弑皇上，继称其结党营私，终称其围颐和园暗弑太后。最后即关于袁世凯的军事阴谋。据梁任公戊戌日记言，光绪召见了袁世凯以后，谭嗣同夜谒袁氏，说以皇上危险，荣禄谋废立，于九月五日帝与太后幸津阅兵，请其清除君侧。袁氏答云阅兵时，帝入其营，降旨即传令诛贼。据《申报》发表之袁世凯日记，则称谭嗣同往谒之情，除请其诛荣禄外，立时运兵入京，包围颐和园，除去老朽。二说颇有出入。又据《光绪秘史》中言，光绪因了剪发命令，恐西太后不赞成，听康有为的建议，在诏书未下之先，应将颐和园与外间隔绝，不使有任何行动，光绪赞成，并云他单独召见袁世凯言之，因为袁氏是一向同情于变法的。在召见袁世凯的时候，光绪把包围颐和园以防止太后阻止新政的命令，口头告了袁世凯，袁氏完全赞成了这一办法。然而，后来他反秘密报告了荣禄与太后，于是发生政变的“苦的挞”。

从这些文献看来，杀西太后的事或许没有，但包围颐和园的阴谋是事实。这亦是军事阴谋，不过在袁世凯报告秘密，出卖维新派的时候，亦许增加了不利太后的言语，反阴谋便由荣禄执行了。只将德菱公主的小说体裁的西太后与光绪的最后谈话写在下面：

“你知道祖制对一个儿子想要谋害父母的生命是怎样处罚的么？”西太后苦笑地对光绪问。

她说这句话的时候，光绪莫名其妙，问她到底是什么意思，她回答：

“你自己最明白的。”

“假如我有这种念头，我就应当受凌迟的处分，但我并没有犯了蓄藏这种念头的罪。”光绪说。

“自从学到了外国的野蛮方法，你甚至于连你的孝顺的责任都忘了！……”

“我是尊重祖制而且懂得孝道的，但我不能让这种捏造的罪状攻击我。我只有一种志愿，为人民的福利做一点事，而维新是十分需要的——”但她打断了他的话。

“我们的祖宗订下了法律，我们应当服从的。新的思想，像你的心里所有的那样，将要使国家毁灭。你不配做皇帝，你是应该知道了的。”

于是光绪叩头请太后听政。

先是，当九月十四日政变之前四日，光绪手谕一密诏交杨锐，诏文如下：

近来朕窥皇太后圣意，不愿将法尽变，并不欲将此辈老谬昏庸之大臣罢黜，而登用英勇通达之人，令其议政，以为恐失人心，虽经朕屡次降旨整饬，而并且有随时几谏之事，但圣意坚定，终恐无济于事。即如十九日之朱议，皇太后以为过重，故不得不徐图之，此近来实在为难之情形也。朕亦岂不知中国积弱不振，至于阽危，皆由此辈所误，但必欲朕一早痛切降旨，将旧法尽变而尽黜此辈昏庸之人，朕之权力实有未足。果使如此，则朕位且不能保，何况其他？今朕问汝，可有何良策，俾旧法可以渐变，将老谬昏庸之大臣尽罢黜，而登进英勇通达之人，使中国转危为安，化弱为强，而又不致有违圣意，尔等与林旭，谭嗣同，刘光第及诸同志等妥速筹商，密缮封奏，由军机大臣代递，候朕熟思审处，再行办理，朕实不胜焦急翘盼之至，特谕。

同日赐康有为诏云：

朕唯时局艰难，非变法不足以救中国，非去旧衰谬之大臣，而用通达英勇之士，不能变法，而皇太后不以为然。朕屡次几谏，太后更怒。今朕几不保，汝康有为、杨锐、林旭、谭嗣同、刘光第等可妥速密筹，设法相救！朕十分焦灼，不胜企望之至，特谕。

这便是康有为所称之衣带诏。他逃到海外，即以这神秘的诏书号召成立保皇党。政变事发以后，那两位英日的李提摩太与伊藤博文，再加上已入美籍的容闳氏，奔走于各国使馆谋救皇帝与诸臣之策，因事已爆发，外人亦难于公然干涉中国内政的。二十九日，光绪在胁迫之下宣布了康有为等的罪状，其谕云：

近因时事多艰，朝廷孜孜图治，方求变法自强，凡所设施，无非为宗社生民之计，朕忧勤宵旰，每切竞竞，乃不意主事康有为首倡邪说，惑世诬民，而宵小之徒，群相附和，乘变法之际隐行其乱法之谋；包藏祸心，潜图不轨，前日竟有纠约乱党谋围颐和园，劫制皇太后，陷害朕躬之事，幸觉察，立破奸谋。又闻该乱党私立保国会，言保中国不保大清，其悖逆情形，实堪发指！朕恭奉慈闱，力助孝治，此中外臣民之所共知。康有为学术乖僻，其所著述，无非离经叛道，非圣变法之言。前因讲求时务，令在总理各国事务衙门章京上行走，旋令赴上海办理官报局，乃竟逗遛辇下，构煽阴谋，若非仰赖祖宗默佑，洞烛几先，其事何堪设想？康有为实为叛逆之首，现已在逃，着各省督抚一体严密查拿，极刑惩治，举人梁启超与康有为狼狈为奸，所著文字，语多狂谬，着一并严拿惩办。康广仁及御史杨深秀，军机章京谭嗣同、林旭、杨锐、刘光第等实系与康有为结党，阴图煽惑，……昨日谕令将该犯等即行正法。此事为非常之变，附从奸党，均已明正典刑。康有为首创逆谋，罪恶贯盈，谅亦难逃显戮。现在罪案已定，允宜宣示天下，俾众咸知。……

这是最好看的朱谕，狂热的书生们在猾吏的笔下就这样地宣示了悖逆罪案。那位青年的光绪皇帝在囚徒的地位也就这样被作弄的中外耸听了。康、梁逃到日本以后的第一宣传便是救皇帝圣驾的迫害，果然经元善等联合上海的绅商侨民公电京师保护圣驾。而西太后第三次听政的第一炮则是和绅商侨民的利益相反，把光绪在百日维新内的一切改革诏书一笔勾销，其诏复旧制之谕告云：

朝廷振兴商务（！），筹备一切新政，原为当此时局，冀为国家图富强，为吾民筹生计。……乃体察近日民情，颇觉惶惑。……即如裁并官缺一事，……外间不察，遂有以大更制度为请者，举此类推，将以讹传讹，伊于胡底！……詹事府、通政司、大理寺、光禄寺、太仆寺、鸿胪寺等衙门照常设立，毋庸裁并。……不应奏事人员，概不准擅递封章，以符定制。时务官报，无裨治体，徒惑人心，并着即行裁撤。……各州府县议设之学堂，……听民自便。其各省祠庙不在祀典者，苟非淫祀，着一仍其旧。……

事实上，凡光绪新政命令，都在"以讹传讹"之列，一切都"一仍其旧"了。这指出满清贵族，与反动势力对于改良分子的一道判决书。"一仍其旧"在这里说明了是维新变法的反命题，然而又在历史意义上讲来，中国要就是旧的，要就是新的，而维新运动的"半新不旧"，如所谓"君不甚贵，民不甚贱"的折中主义，显然告了一段落。宫廷维新退下去，所来的是民主派的革命运动了。

据任公《戊戌维新得罪者之略历》一文，在百日维新告结之时，罪案中可记者有以下的诸人：

李端棻　戊戌七月擢升礼部尚书，政变后革职遣戍新疆。

徐致靖　戊戌七月特擢署礼部右侍郎，政变后革职下狱永禁。

徐仁铸　湖南学政，革职永不叙用。

陈宝箴　湖南巡抚，革职永不叙用。

陈三立　吏部主事，革职永不叙用，圈禁于家。

张荫桓　户部左侍郎，总理各国事务大臣，戊戌六月，特受铁路矿务大臣，革职，查抄家产，遣戍新疆。

张百熙　广东学政，革职留任。

王锡蕃　戊戌七月超擢署礼部左侍郎，革职永不叙用。

黄遵宪　旧任湖南按察使，出使日本大臣，免官逮捕。

文廷式　翰林院侍读学士，拿办，逮捕家属。

王照　戊戌七月超擢赏三品衔，革职拿办，逮捕家属，查抄家产。

江标　湖南学政，戊戌七月超擢以四品京卿，总理衙门章京上行走，革职永不叙用，圈禁于家。

端方（满洲人） 戊戌六月，新授三品卿衔，督办农工商局新政，销衔撤差。

徐达寅 戊戌六月，授三品卿衔，督办农工商局新政，销衔撤差。

吴懋鼎 同上。

宋伯鲁 山东道御史，革职永不叙用，并拿问。

李岳瑞 总理衙门章京，兼办铁路矿务事，革职永不叙用。

张元济 刑部主事，大学堂总办，革职永不叙用。

熊希龄 翰林院庶吉士，革职永不叙用，圈禁于家。

康有为 工部主事，戊戌擢总理衙门章京，督办官报局，革职拿办，逮捕族属，查抄家产。

梁启超 授六品衔，办理译书局，革职拿办，逮捕族属，查抄家产。

康广仁 后补主事，康有为胞弟。

杨深秀 山东道御史，条陈新政最多。

杨锐 戊戌七月特擢四品卿衔，军机章京，参与新政。

林旭　同上。

刘光第　同上。

谭嗣同　同上。

（最后六人政变后被戮，即世谓之六君子者）

由任公这张名单看来，维新的中心人物，包括了觉悟的满洲贵族，官吏，候补官吏，以及举子士大夫。围绕着他们，更有一些望风变节的官僚，如张之洞，翁同龢以及出卖他们的那位袁世凯。此外经元善当时为上海电报局长，似为一有实业或商业家之资格者，维新运动时筹款助康梁，政变后以联合商绅保护光绪，遭受搜捕之命令，经英教士李提摩太之助，逃往澳门。在野的亦有名士参加，如洪康年，屠守仁等。外人做顾问的，似为英之李提摩太，日之伊藤博文，政变后亦离京而去。宝塔的最高尖端，则为手无权力的光绪皇帝，政变后囚于瀛台，其后因了外国的注意，始没有被废。

以上我们详述了以康有为做中心的戊戌政变之始末，读了这一近代史上的大事件我们觉得：

一、康有为的运动，是一个以“耸听”为主的启蒙号召，在戊戌百日的宫廷维新中，确实有着历史的朝气。

二、这一个介于革命与守旧的改良运动，在维新的内容上颇无历史价值（任公崇章光绪三月之间所行新政，虽古之号称哲王英君在位数十年者，其可记政绩，尚不能及其一二。此为重形式的论断），而在历史的批判发展上，富有暴露旧现实并开启新途径的意义。所谓"半新不旧"者正是要求新的中国的过渡。

三、百日的乍热乍冷，并非事件的偶然风云，能在事件的背后，有一套中国近代的历史，尤其在中国瓜分之说盛起而民族资本与军事工业遭遇危机的时候，在民主派革命运动正萌芽发展的时候，必然于洪流中掀起这一政治觉醒的大漩涡。

四、政变是失败了的，这说明在当时的官商合办的工商业成分中，工商业是随着官僚的尾巴而无独立性。在保国会的含糊政纲上，在运动中的游离分子上，都反映了这种性质。政纲的"保"，固然把保旧的居于先列，而在最后军事活动上亦将旧的人物如袁世凯做了千钧一发的中心人物。

五、康有为的商业资本思想，是和宗教改革与浪漫文艺相为配合的，这倒不能完全责备维新之士的秀才举人无经验的狂热行为，问题是这一时代的狂热（康氏在保国会演词的结论即热力热心救国说）尚不够普及，尚不能涌现于比较低级的士大夫群中，故狂热仅表现在诏书的具文，而没有更广泛的吼声吓退当时的反动势力。狂热总是不规则的，而戊戌维新并不成为一种狂飚运动。

六、代表自由改良的康有为，没有在运动中和民主派敢于结成联盟（在各国近代运动中，自由派与民主派恒常有暂时的同盟），只一只眼睛穿入宫廷，客观上反和民主派对立起来。这种一开始即走入孤立的政党，种下了以后保皇党与同盟会的政治斗争，亦种下了康有为朝气的暂而不久，维新运动一失败，他便掉头来拥护古旧，而与新的革命者做敌对了。他在那拉氏宣布叛逆捕拿的文告时，同时刻上了革命者对于他攻击的“满虏”的烙印。他的“革命可以召致瓜分”之说，被一位中国大经学家章太炎责斥得体无完肤。今文家的传统随此政变而告结束，野狐狸式的说经风气亦就退下舞台去了。

第三节　康有为的学术

（一）南海的体系与方法及其第一种代表作

康有为，名祖诒，号长素。生于清咸丰八年，卒于民国十六年（一八五八——一九二七年）。他是戊戌百日维新的领导者，清代公羊学派的主要人物。他自己说“康有为生于大地之上，为英帝印度之岁”（《大同书》自序），这句话是他的思想一切所出发的时代。他自己又说他的生地“当大地之交通，万国之并会，荟东西诸哲之心肝精英而酣饫之，神游于诸天之外，想入于血轮之中，于时登白云山摩星岭之巅，荡荡乎其鹜于八极也”（同上）。他的出生地在商业交通的中国海岸，不是像在大陆，他容易“鹜于八极”的商业世界，他的思想最妙，可以神游天外，然而又可以想入什么“血轮”之中！梁任公说：

> 先生不肯迁就主义以循事实，而每镕取事物以佐其主义（按这就是神秘的主观唯心论），常有六经皆我注脚，群山皆我仆从之概，故短先生者，谓其武断，谓其执拗，谓其专制，或非无因耶。（《康南海先生传》）

这是南海的基本教义，“变”之哲学，在结局上唯我是变，客观的事物变动如何，在所不徇。他的方法论，是一套附会的奇怪逻辑，把公羊学派的胆识发展至“天外”或“血轮”之中，他能够“荟东西诸哲之心肝而酣饫之”，这话在东西圣哲听了亦要恐惧罢。所谓思维是与“心肝”不同，心肝仅指意图，他吃的菜既是“荟哲人心肝”一大碗，岂不是在那里摩摸诸哲的意图而做美梦么？任公说康氏思想的来历如下：

西学输入中国，先生……道香港上海，见西人殖民政治之完整，属地如此，本国之更进可知。因思其所以致此者，必有道德学问以为之本原，乃悉购江南制造局及西教会所译出各书尽读之。彼时所译者皆初级普通学及工艺兵法医学之书，否则耶苏经典论疏耳，于政治哲学，毫无所及。而先生以其天禀学识，别有会悟，能举一以反三，因小以知大，自是于其学力中，别开一境界。（同上）

这段话颇忠实，南海正是从这种西洋皮相之学方面，糅合了中国的公羊学，荟出一大碗“心肝”，而其方法则所谓“举一以反三，因小以知大”的偶然的比例学。（小大之说，定庵已论之，南海并非抱小之士。）主观的“会悟”，代替着形式逻辑（这种学问并不可非历史地否定），而形成一个“境界”。

南海的思想源头是宋明理学，承继朱九江之学而变者。他的学术活动始于长兴学舍讲学，任公在《三十自述》一文中有一段初见南海的传奇记载，谓：“自辰入见及戌始退，冷水浇背，当头一棒，一日尽失其故垒（指训诂词章学），惘惘然不知所从事，且惊且喜，且怨且艾，且疑且惧，与通甫联床竟夕不能寐。明日再谒，请为学方针，先生乃教以陆王心学而并及史学西学之梗概。……生平知有学自兹始。”由此看来，南海的思想以陆王心学为本，以史学西学为用。任公又言长兴学舍的学旨“以孔学佛学宋明学为体，以史学西学为用”（见《南海传》），又记长兴学舍之纲领旨趣如次：

学纲：志于道——格物、克己、励节、慎独；

据于德——主静出倪，养心不动，变化气质，检摄威仪；

依于仁——敦行孝悌，崇尚任恤，广宣教惠，同体饥溺；

游于艺——礼、乐、书、数、图、枪。

学科：义理之学——孔学、佛学、周秦诸子学、宋明学、泰西哲学；

考据之学——中国经学、史学、万国史学、地理学、数学、格物学；

经世之学——政治原理学、中国政治沿革得失、万国政治沿革得失、政治应用学、群学；

文字之学——中国词章学、外国语言文字学。

日记：养心、修身、接人（内学）、执事、读书、时务（外学）。

由此得知南海的思想有两个来历，一在源头方面为宋明理学，一在影响方面为万国新学，这两个东西本来是难以结合的，而且在本质上是矛盾的，然而南海则“荟东西诸哲之心肝精英而酣饫之”。

据陈千秋著《长兴学记》，康氏以“孔子之学有义理有经世，宋学本于《论语》，而小戴之《大学》《中庸》及《孟子》佐之，朱子为嫡嗣；汉学本于《春秋》之公羊谷梁，而小戴之《王制》及《荀子》佐之，而以董仲舒为公羊嫡嗣”。在这里他先把朱子与董仲舒荟合，故

《长兴学记》关于义理与经世二者记云：

> 本原（指春秋）既举，则历朝经世之学，自廿四史外，《通鉴》著治乱之统，通考详沿考之故，及夫国朝掌故，外夷政俗，皆宜考焉；宋明义理之学，自朱子书外，陆王心学为别派，四朝学案为荟萃，至于诸子学术，异教学派，亦当审焉。

按以上经世与义理之结合，颇不明白。具体讲来，南海的义理之学实在是理学义理与公羊义理两种玄学的合一，将冥悟与附会二者统一于孔子；而其经世之学则为历代治乱沿革与万国政俗。任公说：

> 先生讲中国数千年来学术源流，历史政治沿革得失，取万国以比例推断之，余与诸同学日札记其讲义，一生学问之得力皆在此年；先生又尝为语佛学，精奥博大，不能多所受。……日课则宋明学案，二十四史，文献通考等。……(《三十自述》)

任公此处所记比千秋记者更明白，一方面是佛学宋明理学，他方面是制度沿革之比例推断学，为南海荟萃而酣饫之者。按长兴学舍讲学时代，虽任公所云德育（即理学）居十之七，智育（即制度）居十之三，其支配的精神在于义理之学，然毕竟这是南海的朝气焕发时期，他在结合的矛盾系统中，意外地得到了部分的时代价值，即任公所谓“一生学问之得力”处，后来任公在《新民丛报》上所写的学术思想史，以及其后的治学转变（自然尚有他所谓保守与进取交战于胸中的矛盾，如他在东西文化论战中的态度，如旅欧回想录中的态度），当由此处发源，而另一方面理学佛学他所不能受者，果为其后所厌弃。南海不然，他是有一个矛盾的系统，在朝气时期进步的与保守的相安共处而不自觉，到了暮气时期，矛盾被现实所教训，便只有割弃进步的内容，而保留一个玄学的形式，竟至反对过去的进步成分（见下节）。

其次和康有为同时代的一位经学家，公羊学派王闿运的弟子廖平（季平），是康氏思想的直接影响者。按廖氏的经学论著，早在康氏之先已有《新学伪经考》与《孔子改制考》诸书的雏形，而康氏袭取季平的意见亦为世所公认，虽然康氏有所巧辩，但近人已经证明季平的理论在先，有为的论著实袭季平者不少，即任公亦云：

今文学运动之中心，曰南海康有为，然有为盖斯学之集成者，非其创作者也。有为早年酷好周礼，尝贯穴之著政学通议，后见廖平所著书，乃尽弃其旧说。……廖平以治公羊闻于时，……著四益馆经学丛书十余种，颇知守今文家法。晚年受张之洞贿逼，复著书自驳，其人固不足道，然有为之思想受其影响，不可诬也。（《清代学术概论》，二十三页）

“自名其学，时有新义”（太炎语）的廖季平，实在是以时有变化的新义著名。他有六个变化时代，大要如下：

第一个时期，是分辨今学古学二大壁垒的成立，他以周公为古学的祖宗，孔子壮年祖述古学，而晚年自创今学。孔子壮年的门人守古学，晚年的门人守今学，齐鲁儒者是今学，燕赵儒者是古学。这一分垒，传到汉代，始显然成派，互相攻击，以图独占。这是他今古并重而无尊抑的思想。

第二个时期，是尊今学以抑古学，他又以孔子并非有壮年晚年之变化，一开始便是今文学家，所谓古文学乃刘歆以周公篡孔子的策略。孔子既为今学祖宗，不但是先师，而且是素王，六经皆微言，孔子所以托古以宣布自己的理想罢了，因此，他有辟刘辟古，尊今尊孔之论。

第三个时期，是分辨六经有大者小者之分，他这时又以为《周礼》、《王制》不是刘歆所伪造，而是孔子自作。《周礼》讲大者，讲说世界主义，《王制》讲小者，讲说一国主义，《周礼》配皇与帝，《王制》配王与伯，而《易》《诗》《书》《春秋》亦各有配，即《易》配皇，《诗》配帝，《书》配王，《春秋》配伯。皇帝为世界主义，故学为大学，王伯为国家主义，故学为小学，而世界的进化是由小而大的。

第四个时期，是分辨天人之学，他又以为学有人学与天学，王伯的《春秋》或《王制》，只讲人学，而《周礼》与《尚书》配皇帝，把皇帝所立的神人，以诗乐配之，才是讲天学，天学又和道家的思想相通，如今是伯的世界，由伯而王而皇帝还得万年，至于天学的世界则更遥远了。

此后他又有二变，则只有名目上有异，没有更大关系，且从略。观了以上季平的思想，确给有为很大的影响，尤其是一二期的思想，和有为的考据书大致相似，故有为袭季平，无可怀疑，这亦不仅因季平斤斤计较而始然。但季平的思想没有发生时代的巨大意义，而有为所成立改造的体系与方法，则发生了极大影响，不仅反映了商业世界的中国重商思想的矛盾，而且由于他的体系与其背面学术的相反相融，而影响了中国近代的思想界。

康氏托古改制之说，与季平比附六经相似者很多，例如季平说：

方今中外交通，群雄角立，天下无道，政在诸侯，然小大不同，迥异前轨，所谓拨乱世俟后之尧舜者，固为今日言之也。……先通王制，考悉国家巨细之政故，推衍经传，以观其变化，与等差经常应变方略，所有京师国都邑野山川，即今之万国地法也。王侯卿大夫，如地球名人传，征伐胜败，灭国取邑，世界大事表，三百年中战夺攻取也。朝聘会盟，各国条约会盟国际公法也。所褒之忠臣孝子名士烈女，立纲常为万国法，孝教也。诛绝之乱臣贼子，拨乱世以为当世法，乐教也。世卿同姓不婚，三年丧不迎，郊祀宗庙不以礼，立新制革旧弊以改良，礼教也。彰王法，严讨贼，明嫡庶，辨等威，强干弱枝，谨小慎微，以绝乱原，书教也。内本国，外诸夏，内诸夏，外夷狄，用夏变夷，民胞物与，天下一家之量，诗教也。张三世，别九旨，通三统，明六历，随世运升降以立法，循环无端，百变不穷，易教也。(《公羊春秋补证后序》)

又，康氏早年受业于朱次琦（九江先生），次琦虽是主融汉宋之学的人，而在实际上崇宋学，不过以汉学纳于宋学之中罢了。他称朱子："会同六经，权衡四书，使孔子之道大著于天下。……彼考据者，不朱学而汉学矣，而猎琐文，蠹大谊，丛脞无用，汉学之长有是哉？"（简期亮，《朱九江先生年谱》）

朱氏宗宋儒，实为康氏所师承，而朱氏以经术经世，则更为康氏闻大道之传之始，简期亮说：

先生……自谓于儒宗性学，发之而为政术，尚之而为风俗。得失虽微，即于中国人伦之大，天下强弱安危所存者。……其暮年讲学，上辨古人，下穷今日，其所以劝告者，必其所以欲为书之精意，岂犹有隐而不宣者乎？（《朱九江先生集序》）

康氏自云"未冠，……才质无似，粗闻大道之传，决以圣人为可学，而尽弃俗学，自此始也”，是康氏受业于朱氏之门，去俗学者当指汉学，闻大道者，即宋儒性学与经世之学。按《朱氏年谱》所记九江讲学大旨为：

修身之实四，曰惇行孝悌，崇尚名节，变化气质，检摄威仪。读书之实五，曰经学、史学、掌故之学，性理之学，辞意之学。

此与梁任公陈千秋所记有为长兴讲学之旨，大同小异（见前引），不过有为润色为据于德，依于仁，游于艺之纲目罢了。任公关于有为与廖朱二氏的学术渊源有云：

康先生少从学于同县朱子襄（次琦）先生，朱先生讲陆王心学于举世不讲之日，而尤好言法制得失，其治经则综糅汉宋今古，不言家法。康先生之治公羊治今文也，其渊源出自井研（廖平），不可诬也。然……畴昔治公羊皆言例，南海则言义。……以改制言春秋，以三世言春秋者，自南海始也。改制之义立，则以为春秋者，绌君权而申人权，夷贵族而尚平等，去内竞而归统一，革习惯而尊法治，此南海之言也。（《论中国最近世学术思想变迁之大势》）

梁说颇有主观的论断，但亦揭露了康氏的学术渊源。

现在我们要研究南海怎样把这汉宋二者矛盾的东西荟萃而统一了呢？这便是他的著作《新学伪经考》，《孔子改制考》二书的意图了。如任公所记，二书皆在长兴讲学时代写成，“先生著《新学伪经考》，从事校勘，著《孔子改制考》，从事分纂”（《三十自述》，此二句在上引文经世义理之后）。他的第一条路径，是由宋儒道统心传之学发展的，把心传之学改变为“义”传之学，由此，他把玄学的孔子从宋儒手里转化而为宗教的孔子。凡解决不了的世界难题，一到宗教观念之下便没有什么不统一的了。他的第二条路径，是由历史沿革以至变革的制度方面推想的，把一切制度的变迁还元于泛神论的“不忍之心”。他以为各个时代的客观存在是有假的与真的分别，孔子以后的二千年历史因为没有真传使人过渡于乱世，今后真传发现，神即寄托于世界，便成了治世，这个治世（升平、太平）早已有一定的先验范畴，当今之世即可把这个范畴降至于现实世界（或已经降至现实世界如西洋各国）。他在这里改变了宋儒所谓三代以下是牵度过日的说法，认为三代是没有的“茫昧”，一切都是孔子的理想，二千年真传失掉，到今日由他发现了。

按南海的以上两部著作，《新学伪经考》，谓西汉经学，皆孔子所传真经，东汉古文经学皆刘歆所伪造；他著《孔子改制考》，谓六经皆孔子所作，托古以改制的。这样看来，东汉经学是刘歆作伪，而六经则是孔子作伪，把一切古文献都推之于自由伪托之中，刘歆以后为托周公以代孔子者，孔子则托尧舜以自见者，其所托有是非之别，而伪托则一，这已经够“非常异义可怪”之说，然则南海的个人主张呢，亦为伪托以传导他的理想了。这个前提不可忽视，这正是南海的基本治学方法，即任公所谓“自由进退古今”者，“万事纯任主观”者。

一、《新学伪经考》，此书十四篇，其意图在另寻一种道统，他说：

后世汉学互争，门户水火，自此视之，凡后世所指为汉学者，皆贾马许郑之学，乃新学（即云刘歆饰经佐王莽篡汉，身为新莽之臣，经亦新学）非汉学也，即宋人所尊述之经，亦多伪经，非孔子之经也。新学之名立，学者可进而求之孔子，汉宋二家，退而自讼，当自咎其

夙昔之迷妄，无为谬讼者矣。(《伪经考序》)

因此，他以为二千年来的学者，都在新学伪经中过渡，他说：

始作伪，乱圣制者，自刘歆，布行伪经，篡孔统者，成于郑玄。阅二千年岁月日时之寒暖，聚百千万亿衿缨之学问，统二十朝王者礼乐制度之崇严，咸奉伪经为圣法，诵读尊信，奉持施行。……窃怪二千年来通人大儒，肩背相望，而咸为瞀惑，无一人焉发奸露覆，雪先圣之耻，出诸儒于云雾者。(同上)

此书诡辩多端，任公亦谓“好博好异，往往不惜抹杀证据或曲解证据，以犯科学家之大忌”，在考据学上而言，可谓之狐狸精。其实他并非尊孔，而是在尊公羊学。他意图证明东汉以后儒者所传的经典，有的是完全歆学，有的是部分的歆学，前者为汉学，后者为宋学。不但此也，即宋儒以《论语》为张本而论的尊德性之学，他亦以《论语》非孔子所作之经，乃门人所述者，不能尽孔子的大义微言，即以前汉儒者所笺注之经，亦多为荀卿所传之小康之学，不能代表孔子的大义微言，而以为《白虎通》，《春秋繁露》为孔门真传，故他说：

天未丧斯文，牖予小明，得悟笔削微言大义于二千载之下，既著《伪经考》别其真赝，又著《改制考》发明圣作，因推公谷董仲之口说，知微言大义之所在。(《春秋笔削大义微言考序》)

他在《伪经考》中亦说：

吾采西汉之说，以定孔子之本经，拊新学之说，以证刘歆之伪经。

故他的《伪经考》，并非以六经还之孔子，而欲以还之公羊家的“口说”。如像《论语》的实据不足为证，而反以非常异义的“口说”才是有凭，这不是进退古经，而是今古奇观。他因了证明刘歆的伪学，必须走入音韵文字学一关，唯这一关更为专门，不能随便自由进退其说，虽今文家定庵亦不得不惊叹于王引之治此学的方法，得出严密精审的结论，而谓王氏的朴实处，题外不涉一言。南海来到此关，则更没有本证，只有推想的武断了。他说：

客问主人曰，主人于文字既攻许学矣，然三古之真字不传，后世之野文日增，传流有绪，无如说文，……若舍汷长，将何依因？主人曰，文字之别，有户有门，寻端绎绪，承变相因，若欲复篆，中隔汉隶，难逾此关，魏晋争乱，书体杂越，更难求真，唯开元之今隶，为后世之矩绳，于今用之，正极为衡。(《伪经考序》)

这是什么答案，遁辞知其所穷，于此可见。据南海在此关难越之时，便索性以古文，不问其为殷周否，或六国否，皆以奇字作伪者出于刘歆。他亦有比例引申的逻辑，如云：

凡文字之先必繁，其变也必简，故篆繁而隶简，楷正繁而行草简，人事趋于巧变，此天理之自然也。以造字之始，必多为笔墨形象，而后其意始显，及其通用，但使为记诵，而已可共晓。(《伪经考》卷三下)

这是南海“文字由繁而简”的一般文字变化说，他正拿了这个从外面而来的原则，套入中国文字的变化史，而不知道中国文字自有其特殊发展的路径，中国古代文字之流变亦有繁而简的，更有简而繁的，这要看六书本身性质始能规定。他不问这些道理，首先拿先验前提做出发点。他的大前提既定（主观的，不是从中国文字本身归纳而来的），那么小前提便是“古文”繁于小篆。他举了若干例子，如云字“古文”，小篆加雨为云，臣字“古文”，篆文从页，籀文从𦣻等等。结论则为“古文”为刘歆伪造。他说：“周既有籀书（？），何以复作古文？必不然矣，即有一二奇字，亦是列国妄改，不合于《史籀》之正者也。”（同上）南海这个三段论法中，假定太多，读者可以参看本书前一章今古文的述评，便知道他“举一反三，因小知大”的方面，不是从事物内部研究，而是举外面的一或小，而反知其他事物的“全”或“大”，即由“偏”以知“全”的错误比例逻辑。

他又从另一方面考证了，其三段论法亦至显明，大前提为凡文字流变自地域的殊音而变化为同文，小前提为春秋战国已经书同文（这里他引用的《中庸》“今天下书同文”句，正是秦汉人的手笔，学者疑《中庸》者此为一则，而南海则据为春秋文献），结论为孔壁古文非同文，必系刘歆伪造。这种逻辑和上面所指者相同，他说：

按文字流变，皆因自然，非有人造之也，南北地隔则音殊，古今时隔则音亦殊，盖无时不变，无地不变，此天理也。然当其时地相接，则转变之渐可考焉。志称《史籀篇》者，周时史官教学童书也（？此大成问题，参看王国维《史籀疏证》)，与孔氏壁中古文异体，则非歆之伪体，为周时真字断断也（?)，子思作《中庸》，犹曰今天下书同文，则是自春秋至战国，绝无异体异制。凡史载笔士载言，藏天子之府，载诸侯之策，皆籀书也（?)，其体则今之石鼓（?）及《说文》所存籀文（?）是也。(同上)

因此武断，他把许氏《说文》中所谓“古文”(许氏谓殷周古文，王国维考为六国古文，见上章引)，以为“皆刘歆伪撰古文，欲黜今学，故以徒隶之书比之，以重辱之”。由此他甚至把出土金文的真正西周文字，便亦认为是刘歆作伪，有意假造古物钟鼎，以为征应，这更说得不成话了。他的文章如下：

古文奇字，本于钟鼎，今《说文》所载古文千余，无奇字盖即八体六技之书，许慎说经，皆从古学，则是尽见古文，刘歆以古文之体，写其伪经，然字数不过千余，其中又多刘歆所伪造，则三代金石异文亦仅矣。

上文亦有他的三段论法，大前提为《说文》所云三代古文盖八体六技之书，小前提为许慎仅见千字多刘歆伪造，结论为三代金石异文必不存在。

凡中世承平，文渐盛，则金石渐兴，……明及国朝，此风弥扇，而伪钟鼎，伪碑版，遂蜂涌其间。京师市买，皆擅此技，山东贾人，且开炉专铸古铜。……吉日癸巳之刻，比干铜盘之铭亦然。且即有三代文字，历世既邈，又字多异体，势难尽识（？），不出于勉强附会，则必将杜撰伪作，故谈金石学者，未有不自欺而附会者也。……今所见鼎铭，皆出于王命，而书体绝异，此鼎铭不知何体，歆古文二字大体从此撰出。……歆既好博多通，多搜钟鼎奇文以自异，稍加窜伪增饰，号称古文，日作伪钟鼎，以其古文刻之，宣于天下，以为征应。……许慎谓鼎彝即前代古文，古文既伪，则鼎彝之伪，虽有苏张之舌，不能为辨也。（同上）

同书卷九更谓：

歆为伪经，更为伪字。……周汉所传真字，在《苍颉篇》五十五章，三千三百字，其余六千字皆歆伪字也。歆伪经之光大则赖郑玄之功，伪字之光大则赖许慎之力，故许慎郑玄实歆之萧何韩信也。

又谓：

古文为歆伪撰，古文与鼎彝相似，……鼎彝为歆所伪明矣，以歆奥博，作伪彝鼎，必有可观。……近世金学大兴，如楚公钟，曶鼎铭，形体奇异，盖蔚成大国矣。

这是南海以为存世钟鼎古器皆刘歆伪造之逻辑推论。我们不要以为这是不相干的枝节问题（任公以《伪经考》大体皆精当，可议处在小节目而已，此论失实），因为周代吉金是与诗书相证为最可靠的文物，南海若不推断古器皆刘歆所伪造，则他的《孔子改制考》不能写作的。

他的《伪经考》一书，主要在于说明刘歆古文伪经的制造，是有一种“心肝”，谓“虚宕其辞，歆之心肝如见矣”（卷六），这心肝是意图湮没孔子的大义微言，而托三代伪物以篡圣制，“夺孔子之经以与周公，而抑孔子为传，于是扫孔子改制之圣法，……天地反常，日月变色。……刘歆之伪不绌，孔子之道不著。吾虽孤微，乌可以已！”（《伪经考序》）

他的书中有两方面的考证，一方面证伪古文之字为刘歆所造，他方面更证伪古文经典为刘歆所作。在第一方面，南海的学问虽然亦有刘歆的“博奥”，而证伪字的一切理论逻辑，则不“必有可观”者。在第二方面，南海颇有部分的成就（自然有取于廖平者），如证《左传》为《国语》之一部分材料（卷七），如发挥《周礼》的难信，谓“凡莽措施，皆出于歆之伪《周礼》”（卷六）等等，但这不是他的考证目的，他的主要目的，是依照他的由偏得全的方法，通过部分的伪经而得出全般的训诂之学之全伪，在于把东汉训诂经义的笺注主义回到西汉微言大义的笺注主义（这种分别并不能区别两汉），他说：

一经之说，至于百余万言，五字之文至于二三万字，繁冗至此，其去丁将军（宽）之易说，仅举大义，申公之诗训，犹有阙疑，滋蔓支离，抑已甚矣。……歆造作古文，而扫除今学，杜贾扇其风，马郑扬其波，迄汉晋之间，今学尽灭，下迨唐宋，扫地无余。……西汉学者诿诿自尊之时，岂知百余年间之亡灭哉！今之学者，尊圣人之经，而不求之经纬天人，体察伦物之际，而但讲六书，动习成气，偶涉名物，自负苍雅，叩以经典大义，茫乎未之闻也。徐干中论曰：“凡学者大义为先，名物为后，大义举而名物从之。然鄙儒之博学也，务于名物，详于器械，摘其章句，考于训诂，而不能统其大义之所极，以获先王之心。……劳思虑而不知道，费日月而无功。”迂滞若是，欲不亡灭，其可得乎，此亦识者所为远念也！（卷五）

这是他的主要心肝，其旨以宋儒之理为形式，以公羊之义为内容。唯欲申倡“今文”，理义未足以动人，于是他的方法论便成“非常异义”，不从理性主义深入作历史的分析（如王莽在汉代的意义），而从“心肝”的推测上树起反刘歆的义旗，他说：

王莽以伪篡汉国，刘歆以伪行经篡孔学。二者同伪，二者同篡，伪君伪师，篡君篡师，当其时一大伪之天下，何君臣……相似也。然歆之伪孔氏，在成哀之世，伪逸礼，伪古文书，伪毛诗，次第为之，时莽未有篡之隙也，则刘歆之畜志篡孔学久矣！遭逢莽篡，因点窜其伪经以迎媚之。歆既奖莽之篡汉矣，莽推行歆学，又征召为歆学者千余人诣公车，立诸伪经于学官，莽又奖成歆之篡孔矣！篡汉则莽为君，歆为臣，篡孔则歆为师，莽为弟。……至于后世，则亡新之亡久矣，而歆经大行，其祚二千年，则歆之篡过于莽矣！（卷六）

南海以“篡”字之冠加于刘歆，比理学家以“异端”二字加于陈同甫，没有原则上的分别，这种非学者的态度，南海习染已深，而不自觉，故他的最得意的结论，是最没有学术的价值。因为“篡”字的封建意识保留于南海的思想中，尚有其根源，而以“篡”字随便压人，以自尊主张，则近代学者颇认为不够尊严。（按《伪经考》遭清室查禁，禁文内则多骂其“拾人唾余”而自张其说，以破其尊严，逻辑上亦封建的可怪禁文。）

章太炎对于有为尽其批评之能事，关于孔子与刘歆说：

公以经典非记事，又不记事以起义也，欲张其义故假设事类应之，即如公言，周官经左氏春秋悉刘歆作伪者，乃不足以诮刘也。等之造事焉，知刘歆不假以张义，以孔子圣人故可，刘歆非圣人故不可，圣与非圣，我与公又不能质也。(《信史上》)

他又以孔子与刘歆皆为良史，自孔子然后竹帛下庶人，九流自此作，自刘歆始古书复传于民间，他说：

仲尼良史也，辅以邱明而次春秋，比百家，若旋机玉斗矣，谈迁嗣之，后有《七略》，孔子没名实足以抗者，汉之刘歆。书布天下，功由仲尼，其后独有刘歆而已。微孔子，则学皆在官，民不知古，乃无定臬。然自秦皇焚书以后，书复不布，汉兴，虽除挟书之禁，建元以还，百家尽黜，民间唯有五经《论语》，犹非师授不能得，自余竟无传者。东平王求《史记》于汉廷桓谭，假庄子于班嗣，明其得书之难也。向歆理校雠之事，书既杀青，复可移写，而书贾亦赁鬻焉，故后汉之初，王充游洛阳书肆，已见有卖书者。(《订孔上》)

近人钱穆氏有《刘向、歆父子年谱》一书，乃专对康氏《伪经考》而反驳之作，序言刘歆遍伪诸经有不可通者二十八点，书中引汉文献证康氏之武断者颇可参考。

复次，《伪经考》一书的内容，颇为复杂，他是如任公所云“不肯迁就主义以徇事物，而每镕取事物以佐其主义”，他在这书中的先验主义，假定东汉以后的学术皆从刘歆伪造六经而将圣制湮没，他所镕取的材料以佐证这一主义者，确把两汉文献拆散开来做了他的注脚。在客观上讲来，他似乎做了一番秦汉学术史的检讨，这一点与《改制考》相似，做了一番诸子学术的检讨，其进退古经之处为另一问题（正面的），而他勇敢地镕取材料的规模（背面的），有清代学者细小点滴之流而汇合一条大河的趋势，由阮元学海堂，经过朱次琦礼山讲舍，而至康有为长兴学舍，便是这一趋势的流变所在。在阮元的《揅经室集》中已经具有这种趋向，书中有丰富的文化史，学术史的内容（著者以文史学家一名冠阮氏者以此），阮氏因果论的朴实史学，从朱次琦融合汉宋的转折，而达于南海导源于目的论的唯心史观。这在初期的文化学术史趋势，颇有必然，而其路径则又可能产生以六经作为注脚的宗教思想。南海既在乾嘉学者之后，他便不能完全走向朱子的方向，去豁然贯通，不能不从镕取事物入手，所以《伪经考》解释秦汉学术的规模是有不规则飓风的意义。今将《伪经考》目录写在后面，可以知道他裁缝秦汉学术的大略：

秦汉六经未尝亡缺考第一

《史记》经说足证伪经考第二

《汉书·艺文志》辨伪第三上

《汉书·艺文志》辨伪第三下

《汉书·河间献王鲁王共王传》辨伪第四

《汉书·儒林传》辨伪第五

《汉书·刘歆王莽传》辨伪第六

汉儒愤攻伪经考第七

伪经传于通学成于郑玄考第八

《后汉书·儒林传》纠谬第九（《说文》序纠谬附）

《经典释文》纠谬第十

《隋书·经籍》纠谬第十一

伪经传授表第十二上、下

书序辨伪第十三（《尚书》辨目异同真伪表附）

刘向经说足证伪经考第十四

二、《孔子改制考》，这本书是和《伪经考》为姊妹篇，《伪经考》在于揭破二千年来伪学支配的云雾，好像援引中古宗教改革的例子而申之于中国，模仿西洋反对支配中古的烦琐教条，说明中古所崇拜者为假上帝，同样地，他亦找出了刘歆伪学的证据，说明二千年儒者奉行者为假孔子；《孔子改制考》，在于“起亡经，翼圣制”，好像援引宗教改革的例子，而复兴新的上帝，同样地，他亦发现了新教主的真孔子，他说：

天哀生民，默牖其明，白日流光，焕炳莹晶，予小子梦执礼器而西行，乃睹此广乐钧天，复见宗庙百官之美富。门户既得，乃扫荆榛，而开途经，拨云雾而览日月，别有天地，非复人间世矣。……不敢隐匿大道，……就成简要，为《改制考》三十卷。(《孔子改制考》序)

这是一个总的比附援引的逻辑。他的变法思想之一切制度上的效法欧西方案，总结于重商主义，而他的变法思想的灵魂，则总结于宗教改革，他的方法即“推甲以知乙，举一以反三”，所推的历史是“无巧不成书”，把西洋宗教改革与重商主义的皮相联结，作为事物的真正实在性，而制作出一个中国版的“别有天地”，在康氏主观上则谓之“别开一境界”(任公语)。我们研究南海学术，这里是一个机枢，读者应再三注意。

任公以《伪经考》比之飓风，以《孔子改制考》比之火山大喷火，这话看来很为动人，然而究竟是风火比喻。如果我们依照东原崇赞百诗善读书的话每字每句应了解字句的背面而言，我们不妨先在南海的字句背面说明他无意之间给予中国思想的影响。任公亦曾在南海字句的背面有所评价，他论《伪经考》的价值云：

第一，清学正统派之立脚点，根本动摇(按指汉学，

此非南海的背面精义）；第二，一切古书，皆须从新检查估价，此实思想界之一大飓风也。（《清代学术概论》，一二八页）

他论《改制考》的价值云：

一、教人读古书，不当求诸章句训诂名物制度之末，当求其义理；所谓义理者，又非言心言性，乃在古人创法立制之精意。于是汉学宋学，皆所吐弃，为学界别辟一新殖民地。（作者按此条仍是南海的文字正面，尚不得谓之背面，这种义理影响于学界是恶性的。）

二、语孔子之所以为大，在于建设新学派（创教），鼓舞人创作精神。（按此条亦非背面之义。）

三、《伪经考》既以诸经之一大部分为刘歆所伪造，《改制考》复以真经之全部分为孔子托古之作，则数千年来共认为神圣不可侵犯之经典，根本发生疑问，引起学者怀疑批评的态度。

四、虽极力推挹孔子，然既谓孔子之创学派与诸子之创学派，同一动机，同一目的，同一手段，则已夷孔子于诸子之列。所谓黑白定一尊之观念，全然解放，导人以比较的研究。（同上，一三一——一三二页）

任公所云之价值，有一部分就不是南海的正面思想，而且不是南海主观上的学旨，不，正是他的学旨的反对物。所谓背面的东西，是透过他的正面主观的观点，而为客观的分析。在南海的学术中，由客观的分析而言不一定全为有价值的部分，而有价值的部分，则亦在其中。著者认为在他的学术中是有两部分，一部分所谓经世之学，西洋制度与中国历代沿革与学术变迁属之，其他一部分所谓义理之学，则为由宋明理学与公羊学所结合的义理。他是以后者为其学术的中心，或是说体用之学的“体”，以前者为其“用”，这样地荟合了东西哲人的心肝精英，统一了东西文化于宗教的中国化之中。如果他所说，东汉以后的伪学皆为刘歆所造，则东汉以后二千年的中国学术便是伪中之伪，如果依他所说，孔子以前的经典都是没有的东西，六经为孔子所假托尧舜文武所作，则刘歆以前的文化学术虽为孔子所制作，亦是伪托的，这样一来中国古代学术便成为两个假托，一个是孔子的托古改制，一个是刘歆的托古改制，其间固然有道理上的区别，而假托伪托之不为真正事实则一。南海的理想中心便基于这种虚假的基础之上，他破坏了刘歆的虚假，建立了孔子的虚假，把历史便还元于人类虚假斗争的观念演变之上，第一个虚假的观念，被第二个虚假的观念所代替，如今由他自己复把第二个虚假的观念所代替，又复元为第一个虚假的观念。于是历史，没有他的客观存在，仅是虚假观念的沿革，到了他自己，更是集了虚假观念的大成，这样一来，“别有天地”者亦不过虚假观念的人类造设而已，空虚到世界没有真理，因而他的宗教观亦建立在假设之上，学术价值不是发生了一种危机么？然而，南海在朝气焕发时期，确实把西洋制度与中国历史附属在他的虚假观念之中大倡特倡，在他以为这不过是虚假本体的外在物，但他既然把大体认为虚假观念而非实在，则剩下的外在物反而成为实在物而非虚假的。由这里，我们就透过了他的正面思想的顽固主张，达到他的反作用的背面影响了，这影响即后来任公认为平生学问所得力者，上至学术思想史的背面检讨（如任公言孔子与诸子平列研究），下至制度沿革的背面寻求，在当时确实无意之中成了一种飓风与火山，在中国学说史的研究上影响了近代的学人，首先是梁任公（如梁先生《新民丛报》写的“论中国学术思想变迁之大势”，“中国史叙论”等作），间接是胡适之（例如胡先生《哲学史大纲》把西周以前的东西一笔勾去，与《孔子改制考》第一卷相似），在中国古史的研究上，影响了近代学人，首先是钱玄同（等之试据原），间接是顾颉刚（例如顾先生《古史辨》论西周以前的历史为累层地造成的古史）。因此《孔子改制考》一书，在背面上的价值，成为最早的有系统的先秦诸子思想研究。今将此书目录写在后面，读者没有看过原书，亦可以知道他有些什么大致的内容：

上古茫昧无稽考第一

周末诸子并起创教考第二

诸子创教改制考第三

诸子改制托古考第四

诸子争教互攻考第五

墨老弟子后学考第六

儒教为孔子所创考第七

孔子为制法之王考第八

孔子创儒教改制考第九

六经皆孔子改制所作考第十

孔子改制托古考第十一

孔子改制法尧舜文王考第十二

孔子改制弟子时人据旧制问难考第十三

诸子攻儒考第十四

墨老攻儒尤盛考第十五、十六

儒墨交攻考第十七

儒墨最盛并称考第十八

鲁国全从儒教考第十九

儒教遍传天下，战国秦汉间尤盛考第二十

武帝后儒教一统考第二十一

任公所举的二书价值，正面与背面颇有混同，这由于任公毕竟有掩饰师承的关系，而我们的分析便丝毫没有这种弱点了。公平地讲来，南海的矛盾的学术体系，是由虚假观念的宗教和真实历史的商业世界要求一个美满的统一，这个统一是表面的，而骨子里则由于时代的发展，把这一矛盾裂痕扩大，南海在矛盾扩大的时候，把守住虚假的观念，遗弃了真实的历史，而他的朝气时代的业迹，则客观上已经包含了构成分子的对抗，真的（然而在其主观上为附带的）东西攻破了假的（然而在其主观上为先天的）东西，到了他的暮气时代，客观上真的东西否定了假的东西。他只要有些进步的成分，在他的学术体系中必有他的地位，可是价值却有复杂的内容，“死的拖住活的”。南海之为历史的自由主义人物就在这里，当辛亥革命，中国的变法具有了人民性之时，自由思想家南海便被历史吓退，赶快自己宣布国魂，削取活的，依附于死的。我们不赞成研究南海者，因了他的学术思想的矛盾以及其后复辟的历史便一笔抹杀，这不是好的治学态度。（任公的历史在这里不同了，他不像南海在活的历史面前死依靠保皇古朽，宗教灵魂，而是如他自己说仍在保守与进取的交战中。）

《孔子改制考》一书的理想，可以说是南海的主要学术，他说：

西汉君臣儒生，尊从春秋，拨乱之制，而杂以霸术，犹未尽行也。圣制萌芽，新歆递出，伪左盛行，古文篡乱，于是削移孔子之经而为周公，降孔子之圣王而为先师。公羊之学废，改制之义湮，三世之说微，太平之治，大同之乐，暗而不明，……求汉人拨乱之义，亦乖剌而不可得；而中国之民，遂二千年被暴王夷狄之酷政。朱子生于大统绝学之后，揭鼓扬旗，而发明之多言义，而寡言行，知省身寡过，而少救民患，蔽于据乱之说，而不知太平大同之义，杂以佛老，其道觳苦。……悲夫！(《改制考序》)

这是南海宣言尊公羊之学，复改制之义的理由。他认为春秋是一种符号，托之记事，非口授不能明白，其中微言大义则在公羊氏之口说以及董仲舒《春秋繁露》的推演。这种言论是今文家的共通主旨，南海不过阐扬而已。南海更进一层，凡六经皆为孔子所作，非孔子之删述，孔子进退古今，托古改制，其言六经所托之尧舜诸人物，非真有其人，他们不过是孔子理想的自己化身。这样一来，三代文物尤其是颇能证实的周书诗经以及周代吉金，他必须证其为无稽，故在书中第一卷，断章取义，多方说明孔子以前的文物为“莫须有”。他说：

太古开辟为萌为芽，漫漫长夜，舟车不通，书契难削，畴能稽哉？大地人道，皆莜萼于洪水后，然印度婆罗门前，欧西希腊前，亦已茫然，岂特秘鲁之旧劫，墨洲之古事，黯芴茫昧，不可识耶？吾中国号称古名国，文明最先，然六经以前，无复书记，夏殷无征，周籍以去，共和以前，不可半识，秦汉以后，乃得详记。而谯周苏辙胡宏罗泌之流，乃敢于考古，实其荒诞，崔东壁乃为考信录，以传信之，岂不谬哉！夫三代文教之盛，实由孔子推托之故。……夷考旧文，实犹茫昧，虽有美盛，不尽可考焉。(《改制考》卷一)

南海把孔子以前的真实文物皆予否定，文明仅自孔子说起。他援引东西古代文明无可稽考之说都是题外之冗文，唯他确从一个中国古史的弱处单刀直入，他在书中所举的一例，并不可过于抹杀，他说：

尧舜为民主，为太平世，为人道之至，儒者举以为极者也。然吾读书，自《虞书》外，未尝有言尧舜者，(下引周书中无尧舜之证句)……皆夏殷并举，无及唐虞者，盖古者大朝，唯有夏殷而已。……尧舜在洪水未治之前，中国未辟，故周书不称之。唯周官有唐虞稽古，建官唯百之言，然是伪书，不足称也。(《改制考》卷十二)

按尧舜的名字出现，确在可靠古文献中始于《论语》，周书不及唐虞，西周吉金只及于文王。在春秋战国之交，诸子始称道先王由尧舜，经过黄帝而至于伏羲神农，而大批三代古经才累层地造成，荀子法后王之旨实为造书风气的一个反动，故南海云：

秦前尚略，其详靡记（《史记》语），与《孟子》其详不可得闻，诸侯去籍同然，则周制亦茫昧矣。此条最为确据，唯其不详，故诸子得以纷纷假托，或为神农之言，或多称黄帝，或法夏，或法周，或称三代，皆由于书籍去，混混茫茫，然后诸子可以随意假托，唯秦之后，乃得其详。（同上，卷一）

在中国古史上，诸子称先王以至荀子的法后王与韩非法家的反先王，是有一种特别的历史性，即氏族制度存在于古代社会之中，当其转移向地域为单位的时代（战国），便产生诸子托古先王的一套改制理论（参看拙著《古代先王观的发现考》一文）。南海的书中诸子改制托古考一卷以及卷十四至十八诸卷诸子交攻考等篇，是全书中最有意义的议论，虽然他没有科学的说明，而却隐约间含有不少的内容。但他的思想中心并不在这里，他是从这个颇有可据的材料，进而要求诸子创教改制（卷三）的结论，更进而要求另外一个结论：孔子托古改制创教为制法之王（卷八——十二）。这又是他所最爱好的由偏以推全的方法论，因为在春秋战国之交有一部分文献是“按往旧造说”（荀子语）者，荀子法周的理论颇有历史价值，谓挟先王以欺愚众，不如法后王以道真实，然而南海则“以甲推乙，因小知大”（任公语），由偏得全，因一知十，把春秋以前的文献不问内容如何，曲解了百诗《古文尚书疏证》的意图（不依其方法），都说成伪品，这些伪品（如他所云六经），只有一点是真的“心肝精英”，即孔子托古的宗教观念。

按《改制考》关于诸子百家几卷，取材大都尚在诸子学术中（并未考证时代），然而在他以为中心问题的几卷中，取材主要依据讳书及公羊口说，以谶纬迷信之学倒证孔子托古改制的心肝，在方法上已经是严重的致命伤。戴大义而不“抱小”，南海有之。关于“孔子改制托古考”（卷十一），他首先举出《孝经纬》的话：“子曰，吾作孝经，以素王无爵禄之赏，斧钺之诛，故称明王之道。孔子避席复坐，子曰，居吾语女，顺孙以避灾祸，与先王以托权。”南海于此，不考书之真伪年代，加以按语云：

孔子改制托古，大义全见于此。一曰素王之诛赏，一曰与先王以托权，守经之徒，可与立者也。圣人但求有济于天下，则言不必信，唯义所在；无征不信，不信民不从，故一切制度，托之先王以行之。若谓圣人行事，不可依托，则是以硁硁之小人律神化之孔子矣。布衣改制，事大骇人，故不如与之先王，既不惊人，自可避祸。（卷十一）

此种议论不成其为实事求是的考证，而至多不过推情测理而已。在他的意思，援引孔子的话，“大人者言不必信，唯义所在”之义，即指孔子改制六经而言，然而又援引子思之言，“无征不信，不信民弗从”，圣人当要虚托些神圣人物的先王，以愚万众，这已经是“非常异义可怪”之论，他又不以为周到，便推察人类之常情，布衣改制一方面要说真理，一方面又不敢为真理而奋斗，为避祸计则自有取巧之法，假托先王。故他在后面解释公羊何注说：“一切制度，必托之文王者，董子《繁露》所谓时诡其实，以其有所讳也。必如是而后可以避祸，而后可以托王。”这不是诬蔑孔子为一个权度的机会主义谎言大家了么？

他与其说是尊重孔子，不如说是尊崇董仲舒的迷信，所以他引《春秋繁露》符瑞言“西狩获麟，受命之符是也，然后托乎春秋，正不正之间，而明改制之义，一统乎天子，……欲上通五帝，下极三王，以通百王之道”，加以按语说：

孔子受天命，改乱制，通三统，法后王，托古改制之义，此条最为显确，可无疑矣。（卷十一）

他又论孔子所托先王，始于尧舜，终于文王，托尧舜言民主太平，托文王则言君主升平，他说：

……尧舜自让位盛德，然太平之盛，盖孔子之七佛也，《孝经纬》所谓托先王以明权。孔子拨乱升平，托文王以行君主之政；尤注意太平，托尧舜以前民主之太平。……施行有序，始于粗粝，而后致精华。诗托始文王，书托始尧舜，春秋始文王，终尧舜。易曰，言不尽意，圣人之意，其犹可推见乎？（卷十二）

他推见圣人之意，亦不是求之于孔子的本文，而是根据公羊氏，他引公羊哀十四年传云“君子曷为春秋？拨乱世反诸正，莫近诸春秋，则未知其为是与，其诸乐道尧舜之道与，末不亦乐乎，尧舜之知君子也”，按云：

春秋始于文王，终于尧舜，盖拨乱之治为文王，太平之治为尧舜，孔子之圣意，改制之大义，公羊所传微

言之第一义也。(卷十二)

托先王则必假造先王法制义理，故南海以为孔子不但作春秋，而且作六经，他所引据的材料，除孟子墨子外，多汉儒谶纬之说，例如：

“孔子作法五经，运之天地，稽之图象，质于三王，施于四海。”(《春秋纬演孔图》)他根据此文说：“此义直指五经为孔子作，自刘歆篡乱诸经归之周公，而孔子制作之义晦矣。幸赖孔门口说遗文，犹有存者，足以证知，吉光片羽，可谓鸿宝！”(卷十)

“丘生苍际，触期稽度为赤制，故作春秋以明文命，缀纪撰书定礼乐。”(《尚书纬考灵曜》)他根据此文说：“撰书定礼，则书礼为孔子所作明矣。”(同上)

他用墨者攻儒的话，反面推度诗书礼乐为孔子所作，例如：

六经同条，诗春秋表里，一字一义，皆大道所托，观墨氏所攻及儒者所循，可知为孔子之辞矣。(同上)

古之若保赤子，在今书《康诰》中。考墨子动称三代圣王文武，动引书，则康诰亦墨者公有之物，断不肯割归之于儒(按后面尚言，书各不同，墨子有墨子所托书经，孔子有孔子所托书经）。夷子欲援儒入墨，以其道治其身，以彼教之书说人，必不见听，引“儒书”以折儒，乃能相服。然则二十八篇之中《康诰》，夷子称为儒者之道（按摘《孟子·滕文公上》章句），与彼墨教无关，虽为文武之道，实是儒者之道。以此推之(！），二十八篇皆儒书，皆孔子所作至明。（同上）

今之《仪礼》，……墨之攻儒者，谓为其礼，是于墨氏无预者，詈为大逆、大伪、赣愚、诬言、大奸，则礼为孔子之制，而非禹汤文武之制。《仪礼》一书为孔子所作，而非周公所作，可为明据。（同上）

这种所谓推证，所谓明据，至多是逻辑学上的“概然”之言。推断若外于理由而入于意想，东原所谓宋儒以意见为理，因在逻辑上而言，南海有得于宋儒者至深。按南海以为《易》乃魂灵界之书，《春秋》乃人世间之书，他的微言大义的寄旨处更重《易》和《春秋》，故他关于“易”学更加强辩，他说：

卦象爻象之辞，皆散附本卦，伪古文本分之，抑为十翼，乱孔子篇数之次第者也。《系辞》，太史公自序称为大传，则传非经，说卦，出宣帝河内老屋，与序卦杂

卦伪书，非孔子作。……易之卦爻始于牺文（这里反以牺文为实有人物），易之辞全出于孔子。（同上）

他又根据《春秋纬》云“伏牺作八卦，丘合而演其文，读而出其神，作春秋以改乱制”，谓“此条以演六十四卦，亦归孔子矣，然谓演其文，或指八卦之辞言之，而六十四卦仍文王所演欤（文王又为实在人物）？但文辞则一字皆孔子所作”。（同上）

他的结论是：“孔子之为教主，为神明圣王何在？曰在六经。六经皆孔子作也。……学者知六经为孔子所作，然后孔子之为大圣，为教主，范围万世而独尊者乃可明也，……然后知孔子拨乱世致太平之功，……不可忘也。”（同上）

孔子教主的资格又如何证明呢？他依据一个假言推断的逻辑与依据汉儒谶纬学的证据。他的推断大意是说，凡教主皆为世所推尊，今假定孔子不是教主，何后世如此推崇，故孔子为教主。他说：

……乃生神明圣王，不为人主，而为制法主，天下从之，民萌归之。自战国至后汉八百年间，天下学者无不以孔子为王者。……夫王者之正名，出于孔子。何谓之王，一画贯三才谓之王（按甲骨文字所出现之王字不是这样会意，而是象形字），天下归往谓之王，天下不归往，民皆散而去之，谓之匹夫。后世有天下者，称帝以王。……今中国圆顶方趾者四万万，其执民权者二十余朝，问人归往孔子乎？抑归往嬴政杨广乎？既天下义理制度皆从孔子，……不归往嬴政杨广，而归往大成之殿，阙里之堂，共尊孔子，孔子有归往之实，即有王之实，有王之实，而有固然，然大圣犹……托之先王，托之鲁君，为素王。故孔子以元统天，天犹在孔子所统之内，于无量数天之中而有一地，于地上无量国中而为一王，其于孔子曾何足数！（卷八）

凡大地教主，无不制改立法也。……中国义理制度皆立于孔子，弟子受其道而传其教，以行之天下。（卷九）

孔子为教主，为神明圣王，……无人无事无义，不范围于孔子大道中。……若诗书礼乐易皆伏羲夏商文王周公之旧典，于孔子无与，……岂足为后世生民未有范围万世之至圣哉？（卷十）

这便是他的逻辑，不但根据于错误的推理方式，而且是循环论证，用孔子制作六经证明孔子为圣王，又用圣王宗教主证明孔子改制立法，再用改制立法复证明为万世所尊崇，更用万世尊崇的理由证明孔子制作六经。其二，他的材料来源如下：

丘为制法之主，黑绿不代苍黄。(《春秋纬·援神契》)

圣人不空生，必有所制，以显天心，丘为木铎，制天下法。(《春秋纬 · 演孔图》)

孔胸文曰，制作定世符运。(《春秋纬 · 演孔图》)

据此纬书，南海更辩得合乎迷信，他说：

孔子为制法之主，所谓素王也。《论语》曰，天生德于予，天之天丧斯文也，匡人其如予何？所谓不空生，必有所制也。《左传》仲子有文在手，曰，为鲁夫人；十六国春秋刘渊左手有文，曰渊：彭神符有文在手，曰神符……僭伪之人，尚应瑞符，况制作之圣治万世者乎？

纬书之荒唐不经，已经不足为据，而他的推演更类于推背图了。僭伪之人之符，只可以证明和圣智者不同。而他却推论圣王更应有瑞符，这亦是“以甲推乙”的妙论。他更引用纬书与公羊董子的“口说”来各方面证明

“王”名之出现。今择引各条如下：

一、孔子为制法之王证：

“西狩获麟，受命之符也。然后托乎春秋，正不正之间，而明改制之义。……”（《春秋繁露·符瑞》）南海按云：“董子醇儒，发改周受命之说，昭晰如是，孔子相传之‘非常异议’也。”

二、孔子为新王证：

“春秋作新王之事，变周之制，当正黑统，而殷周为王者之后，绌夏改号，禹谓之帝，录其以小国，故曰绌夏存周，以春秋当新王。”（《繁露·三代改制》）南海按云：“董生更以孔子作新王，变周制，……直著宗旨，孔门微言口说，于是大著，孔子为改制教主，赖董生大明。”

三、孔子为素王证：

“子夏曰，仲尼为素王，颜为司徒。”（《古微书·论语纬》）南海按云：“孔子为素王，乃出于子夏等尊师之名。素王，空王也，佛亦号空王，又号法王，凡教主尊称，皆取譬于人主，何异焉？”

“子夏六十四人，共撰仲尼微言，以事素王。”（《古微书·论语纬》）南海按云：“《论语》为微言，纬则其说也（按他信纬比《论语》本身为重）。素王之称，非徒公羊家，乃论语家之说。但古文家乃铲去之，宋儒误拾其绪耳。”

四、孔子为文王证：

“王者孰谓？谓文王也。何注，文王，周始受命之王，天之所命。……法其生不法其死，与后王共之，人道之始也。”（《公羊隐元年》）南海按云：“孔子质统为素王，文统则为文王。孔子道致太平，实为文王，法生不法死，则此文王是孔子，非周文王，易见也。”

“子畏于匡，曰文王既没，文不在前乎！……”（《论语》）南海按云：“文王既没，而文王在兹，孔子之为文王盖可据，此出《论语》，非僻书也。”

五、孔子为先王证：

“春秋经世，先王之志。”（《庄子》）南海把文义曲解，云：“若以此先王非孔子，则春秋为何人所作耶？”

“先王有不忍人之心，斯有不忍人之政。”（《孟子》）南海又大荟心肝，云：“孟子所称仁政，尽与公羊合，皆孔子之仁政也，所称先王即孔子，孟子全书皆然。”

此外尚有“孔子为后王”，“孔子为王者”，“孔子托王于鲁”诸证，文繁不录。总之，他不是引用伪据，便是附会文义，不出此二途。

按南海以《春秋》为孔子所立之宪法，然只有大义微言，托事以显其义，而最能理会孔子的大义者为董仲舒。因此，他以为《春秋繁露》的“三代改制”一篇是千古独传之旨。孔子的《论语》，南海可以随便否认其价值，以至修改文义，而唯以董子此文则毫无疑问说是孔门的真“口说”，他说：

孔子作春秋改制之说，虽杂见他书，而最精详可信据者莫如此篇。称春秋当新王者凡五，称变周之制，以周为王者之后，……以春秋继周为一代，至于亲周故宋王鲁三统之说，亦著焉，皆为公羊大义。其他绌虞绌夏……皆听孔子所推，姓姚姓姒姓姬，皆听孔子所象，白黑方圆，异同世及，皆为孔子所制，虽名三代，实出一家，特广为条理，以待后人之行。……乃知宗庙之美，百官之富，别有世界，推之不穷。……董子为第一醇儒，安能妄述无稽之谬说？此盖孔门口说，相传“非常异义”，不敢笔之于书，故虽公羊……未敢骤著其说，至

董生时，时世殊易（？），乃敢著于竹帛。……幸董生此传犹传，足以证孔子改制大义。（卷九）

南海以为宗教的观念世界，是非一凭教主所左右，黑白方圆任其乐道，故三代云者不过孔子一家之信念而已。孔子把尧舜作为太平之世的宪政微言，把文王作为升平之世的宪法微言，三世之义的宗教乐土（或天国）于是制定。这种大义，孔子在当时不敢明讲，只有符号让人推度，但符号可以口传，故孔子教主传诸门人（他以为子游子夏诸人），门人以“口说”再传诸下辈门人，如公羊氏，他们都还是不敢明讲，只有到了接受“口说”的醇儒董仲舒才因为“时世殊易”，笔之于书，大义始明。这里，为什么汉代“时世殊易”就敢于著述呢？汉代岂比战国更言论自由么？南海以“时世殊易”四字解释是否成为理由，这且不问，唯有一问题，即“口说”之相传，比宋儒“心传”之说犹为无凭，然而这不在南海逻辑之中“别有世界”，因为那个“世界”是观念的，而观念的世界只有“荟圣哲之心肝精英”而会悟，不能以文字训诂，实事考证为根据的，即有所“考”，亦要用别种方法去“考”，一方面是纬书口说，一方面是心肝推度。

你说这种托古改制，进退三代，归于一心的自由法制是假的么？在南海则以为唯此乃“真”之至，因为宗教圣人是在现存世界中理想一个“别有天地”，从此以后都是信仰了。他的意思，好像说二千年来要不是刘歆企图以周公篡孔子，那么由升平而太平，已经从君主立宪渡到民主立宪了。现今世界，立宪民主正是反证孔子之大义是普及的，这不是真之至么？所以他在《改制考》自序开首就说：

孔子卒后二千三百七十六年，康有为读其遗言，渊渊然思，凄凄然悲曰，……使我中国二千年，方万里之地，四万万神明之裔，不得见太平之治，被大同之乐者，何哉？……天既哀大地生人之多艰，黑帝乃降精而救民患，为神明，为圣王，为万世作师，为万民作保，为大地教主，生于乱世，乃据乱而立三世之法，而垂精太平，乃因其所生之国，而立三界之义，而注意于大地远近大小若一之大一统，乃立元以统天，以天为仁，以神气流形而教庶物，以不忍心而为仁政，……改除乱世勇乱争战角力之法，而立春秋新王行仁之制。其道本神明，配天地，育万物，泽万世，……六通四辟，无乎不在此制乎！不过于一元中，立诸天于一天中，立地于一地中，立世于一世中，随时立法，……以除民患而已。……世运既变，治道所移，则始于粗粝，终于精微。……

据他说，孔子之心意，在中国历史上没有完全接受，仅荀子一派传其升平小康之制，故汉代尚有小康之统绪见于汉儒如董生之学中，宋代亦有小康之统绪见于朱子性理之学中，而真正统绪则已中绝，尤其在刘歆以周公之统篡孔统以后，到了如今，始由他"渊渊然思，凄凄然悲"而发现。然统绪虽然失传，孔子之为教主的形式却还存在，万民不尊帝王而尊素王，即是"确证"。这种逻辑的非常异义，暂且勿论，他的主要意见，则是要说明如今已经有三个条件，一、医理已明（他比圣人为医），二、医术已知，三、时代熟，似乎第一是他的孔子真传之发现，第二是日俄（他最注意此二国，谓"变法而骤强者，唯俄与日也"）变法之条理，第三是孔子的真正时代之来临。所以他说：

诸先群哲，惄然焦然，思有以极救之，普渡之，各竭其心思出其方术施济之，而横览胥溺之滔滔，终无能起，终无能起沉痼也；略能小瘳，虽有全愈者，或扶东而倒西，扶头而病足，岂医理之未精欤？抑医术之未至耶？常有憾焉，或者时有未至耶？（《大同书》自序）

他的研究毕竟在义理高于经世，即照他的上面一种主义而以他所“镕取的事物”以佐之，因此，他只把洋务运动时代的“中学为体，西学为用”更神秘化了，张之洞等的这一课题，是以宋儒之“体”，和西欧兵甲器械之“用”实行中国的重商政策，而南海不过是以汉儒之“体”和俄日制度变革之“用”实行中国的重商政策，所谓其体为医理，所谓其用为医术，这样地把“学”与“术”在大道之行也的近代由他来完成（严格地讲来，是由他的观念世界观去梦想）。他说：

圣人譬之医也。医之为方，因病而发药，若病变则方亦变矣。圣人之为治法也，随时而立义，时移而法亦移矣。孔子作六经而归于《易》,《春秋》:《易》者，随时变易，穷则变，变则通，孔子虑人之守旧方而医变症也，其实将至于死亡也;《春秋》，发三世之义，有拨乱之世，有升平之世，有太平之世，道各不同，一世之中又有天地文质三统焉，条理循详，以待后世之穷而采之。

呜呼，孔子之虑深以固哉！吾中国，大地之各国也，今则耗矣，哀哉！以大地万国皆更新，而中国尚守旧也。(《日本书目志》序)

这便是他的“医理”，所谓中学为体者，至他所谓之“医术”，下文接着便讲泰西各国“生物心伦质化光电农工商矿之专学新书”，这些学术是好像西人懂了《易》与《春秋》之学才发明的，“天道”（也许是上帝）来“用夏变夷”，才有今日，故他主张“中国今日，不变日新不可，稍变而不尽变不可，尽变而不兴农工商之学不可”（同上），这似乎又是“用夷变夏”了。但他认为新学并不在讲求这些枝节，主要是在于变法，仿照俄日二国的医术以施行速度之手术，他说：

康有为昧昧思之曰，天道，前起者胜于先起也，人道，后人逸于前人也。泰西之变法至迟焉，……五百年而治艺成，日本之步武泰西至速也，故自维新至今，三十年而治艺成。大地之中，变法而骤强者，唯俄与日也。……吾今取之至近之日本，察其变法之条理先后，则吾之治效，可三年而成，尤为捷疾也。……吾因其成功而“用”之，是吾以泰西为“牛”，日本为“农夫”，

而吾坐而食之！（同上）

不管泰西是否为“用夏变夷”，而中国这样的采用西法的“牛”，日本的“农夫”，毕竟是“用夷变夏”，如果按照公羊家的主义，张三世，通三统之外，尚有第三个项目，即异外内，所谓“内其国而外诸夏，内诸夏而外夷狄”，则南海又在这里只割取公羊三科之二科，而不是遗忘了后一科么？他便有儒，释，耶三教圣人一体，诸教平等之论。然而理论是理论，现实上则基督教随着殖民制度而盛行于中国，他就一反身把基督教又认为邪教。他好像看到商业世界是和宗教改革有因果关系，原因是宗教改革结果是世界商业的活动，即宗教改革创生出新的世界，而不是近代生产方法的变革促进了宗教意识的泛神主义。故他在学理上必须建立托古改制的孔教观，由中国的宗教改革，而创生中国的变法历史，这叫做“别有天地”的垂法。不徇事物的主义既立，则“镕取事物”的政策亦就有了来历，他在《上皇帝万言书》中，首先讲了一套泰西变法的“医术”，中国应如何仿效，这有背于公羊家法，而生“用夷变夏”之嫌疑，接着则说明应该大倡中国的“医理”而“用夏变夏”了，

他说：

六经为有用之书，孔子为经世之学，鲜有负荷宣扬，于是外夷邪教，得起煽惑吾民。直省之间，拜堂棋布，而吾每县仅有孔子一庙，岂不痛哉！今宜亟立道学一科，其有讲学大儒，发明孔子之道者，不论资格，并加征礼，量授国子之官，或举学政之选。……令乡落淫祠，悉改为孔子庙，其各善堂会馆，俱令独祀孔子，庶扶圣教而塞异端。其道学科有高材硕学，欲传孔子之道于外国者，明诏奖励，赏给国子监翰林院官衔，助以经费，令所在使臣钦事保护，予以凭照，令资游历。若在外国设有学堂，聚徒千人，确有明效，给以世爵。……若南洋一带，吾民数百万人，隔圣教，徒为异教诱惑，将沦左衽，皆宜每岛派设教官，立孔子庙，多领讲学生分为教化。将来圣教施于蛮貊，“用夏变夷”，在此一举，且借传教为游历，可诇夷性，可扬国威，莫不尊亲，尤为大义矣。(《上皇帝万年书》第二)

按南海的传教政策，实仿效殖民制度的宗教文化政策，其云“借传教为游历，可诇夷性”者远非孔子“为政以德”的大道，而反为一种可鄙的鼠技，这且勿论。

在南海之意，“用夏变夷，在此一举”，亦可谓合乎公羊学的三科教义了。（至于变夷之道，据他说西洋已经到了升平之世，所变何在，则另一问题，反正是循环论证，“用夷变夏”即“用夏变夷”之体，而“用夏变夷”又为“用夷变夏”之用，问题自由其说，当不失“非常异义可怪之论”的公羊教旨。）

我们已经在第一节讲过了，南海到了现实历史的深刻关头，这个夷夏师法的矛盾亦就破裂了，他可以“不忍”“用夷变夏”，而只主张“用夏变夷”了。在他的很短的青春期间，公羊三科的前二科，“张三世”，“通三统”是他最强调的，后一科则显然客观上被二科所吞噬，然而到了他很快就转变为暮气期间，公羊三科的前二科则不敢再讲，而且否认，只剩下后一科“异外内”的宗教灵素了。（民二《不忍》杂志可作代表，他说：“……化成其神思谓之国魂，苟舍此乎，国不能立。……人有病足者，削足而代以木，虽巧工必不策于行，况剖心腹肾，而欲代以丹青药布，其有不死？……观欧美之富强，而不知其所由，袭其毛皮，……岂知本原不类，精神皆非，凡欧美之长，皆我不得焉，而于……吾圣哲无量之心肝精英而皆丧弃之。……抄写各国宪法法令，……蔽于异族之虚文，而束制全国之心思，曰是欧美良法也，……而中国可亡矣！”）

康有为《改制考》所成立的体系与方法，发生了极大影响，不仅反映了商业世界的中国重商思想的矛盾，而且更于他的体系与背面学术之相反相离，而影响了中国思想之发展。康有为的思想裂痕所以是时代裂痕的反映者，亦因为他的思想不仅是闭门造车，而且当其在要求出户合辙的时候，逢到了辙轨运行的历史教训而批判了一个自由主义的幻想，并将此幻想的原形暴露，使其跪到宣统皇帝的殿下而自供罪案。这亦说明中国在日本维新以后的前途，要有不断的革命民主的奋斗始可解除封建的痛苦，而公羊学派的“非常异义”所幻想“三年”完成变法的大义，以及其神秘唯心的方法论所设置的一个取巧机会办法，是不成近代的东西。

按《改制考》的历史方法论完全是观念的，这在当时，古文家章太炎就有批判，例如太炎说：

诸学莫不始于期验，转求其原，视听所不能至，以名理刻之。独治史志者为异，始卒不逾期验之域，而名理却焉。今之散儒曾不谕是也，故微言以致诬，玄议以成惑。……学者知其略，不敢妄意其事，妄意之即与巫言等。……往者中土唯有猥语短书，今殆举于士大夫之口，兔丝缘木，虎蝓缘墙，苟可以傅丽者，无所不蓏。……史官陈列往迹详矣，事有巨而因于细，……细亦因巨，……愚者傲以为智，随成心以求其情，比于谣诼，是以君子多见阙殆。……抽史者若以法吏听两曹，辨其成狱，不敢质其疑事。……因以求果，果以求因，辨异而不过，类推而不悖，是故邪说不能乱，百家无所窜，则终身免于疑殆，是抽文之枢要也。夫礼俗政教之变，可以母子更求者也，虽然，三统迭起，不能如循环，三世渐进，不能如推毂……且夫因果者，两端之论耳，无缘则因不能独生，因虽一，其缘众多，故有同因而异果者，有异因而同果者，愚者执其两端，忘其旁起，以断成事，因以起其类例，成事或与类例异，则颠倒而组裂，是乃殆以终身，憿之至也。凡物不欲维，丝维于金维则不解，马维于曼荆则不驰，夫言亦有维，维于成型，以物曲视人事，其志经世之风远矣！（《征信论下》）

太炎善于说名理，此段文章可谓康氏的诤言。又按

《改制考》主以孔子为教主，企图中国的宗教改革，太炎驳之说：

智者以达理而洒落，愚者以怀疑而依违。……今人猥见邪苏路德之法渐入域中，乃欲树孔教以相抗衡，是犹素无创痍，无故灼以成瘢，乃徒师其鄙劣，而未有以相君也！……仲舒之托于孔子，犹宫崇张道陵之托于老聃，今之倡孔教者，又规摹仲舒而为之矣。……但知孔子当尊，顾不悟其所尊之故。……盖孔子所以为中国斗杓者，在制历史、布文籍、振学术、平阶级而已。……总是四者，孔子于中国为保民开化之宗，不为教主。世无孔子，宪章不传，学术不振，则国沦戎狄而不复。民陷卑贱而不升，欲以名号加于宇内通达之国难矣！……孔氏书亦时称祭典，以篡前志，虽审天鬼之诬，以不欲高世骇俗，则不暇一切粪除，亦犹近世欧洲诸哲于神教尚有依违，故以德化则非孔子所专，以宗教则为孔子所弃（参看太炎在下篇曾论孔子为泛神论者，至公孟始进为无神之论）。今忘其所以当尊，而以不当尊者奉之，适足以玷阙里之堂，污泰山之迹耳！（《驳建立孔教议》）

太炎根据理性评论康氏理论多有名言，他又说：

近代学术渐趣实事求是之途，自汉学诸公分条析理，远非明儒所能企及，逮科学萌芽，而用心益复缜密矣。……孔氏旧章，其当考者，唯在历史。……孔子之教，本以历史为宗，宗孔氏者当沙汰其干禄致用之术，唯取前王成迹可以感怀者，流连弗替。《春秋》而上则有六经，固孔氏历史之学也，《春秋》而下则有《史记》《汉书》以至历代书志纪传，亦孔氏历史之学也。若局于公羊取义之说，徒以三世三统，大言相扇，而视一切历史为刍狗，则违孔氏远矣。……或谓孔子亦有天祝、天丧、天厌、获罪于天等语，似非拨无天神者。按孔子词气每多优缓，而少急切之言，故于天神未尝明破，然其言曰，鬼神之为德，体物而不可遗，此明谓万物本体即是鬼，无有一物而非鬼神者，是即斯比诺沙泛神之说。泛神者，即无神之逊词耳。(《答铁铮书》)

太炎自云他的议论是以“理内之言相稽”，反对者则以“理外之言相应”，所以他论到宗教有此辉煌的话，甚至他分析到景教之传入中国仍为侵略者之工具，决不能以神圣的眼光去观察，可谓当时的智慧精华。总之，太炎文集中，针对康氏驳斥者几乎篇篇皆有暗示之处，在方法论上如云："格物者，格距于其轨度，若射者然。思虑辨难，不越堤封，毋繁绕以自遁也，毋汗漫以自恍也，是以能致知，不然，非解垢为觤辨，则逐于无端崖之辞。"（《释物》）在政治意义上如云："彼（指载望）以处士而谴刘歆可也，为胡之国师者，可以讥莽之国师乎？"（《说林》上）章氏亦康氏之一论敌。康氏以三世之说，急主效日本立宪，以建立升平之世，然而章氏则云：

> 自（日本）立宪以来，岁才二十，而议员贪叨，丑声外播，腐败已萌于内，徒以文明之号泽其皮肤，从今以去，不五十年必与西班牙辈同其堕落，此无待龟筮而知者。……而中国浮竞之士依以为命者也！（《记政闻社员大会破坏状》）

（二）南海的第二种代表作及其新评价

《大同书》和前二书绝异，前二书成书甚早，尚为南海青春时期著作，故若探求其背面影响剥去其主观的幻想，在客观上颇具一种风雨气候，任公所谓风火之比者是。此书不然，据他说"吾年二十七，当光绪甲申……感国难，哀民生，著《大同书》"，而成书甚迟，民二之

《不忍》杂志始印第一二两卷。先前在他的维新运动时代，他以“尚有待”而不允问世，然到了他的思想硬化时代，则尽然允印两卷，这里就含着此书的意义。按此书是他公羊三世之义与礼运凑合的一种乌托邦，表面上化装了甚有进步的样式，而内容则是否定了反清民族战争的政纲，任公推崇为“地震”的著作，不但过火，而且被此书的化装所蒙蔽，在这里太炎之讥刺虽太感情用事，但值得注意，他说：

大同之说兴，而汉虏无畔界，延及康有为，以孔子为巫师，……妖以诬民，夸以媚虏。(《检论》卷五)

南海前二书和《大同书》的比较，应进一步探求。实在说来，我们对前二书应作以下了解：所谓诸子托古改制之事，乃以远古史迹如荀子所谓“文久而息，节族久而绝”，太史公言“荐绅先生难言之”，“自殷以前，诸侯不可得而谱，周以来乃颇可著”，故语人以千古之上的传说，尚可动听，而“各得一说以自好”，然而晚周荀子已经谓之“闻见杂博，案往旧造说……甚僻远而无类，幽隐而无说，闭约而无解，案饰其辞而只敬之曰，此真先君子之言也”，韩非子更进一步批评说“无参验而必之者愚也，弗能必而据之者诬也，故明据先王必定尧舜者，非愚则诬也”。后来法家，则据历史学的知识研究历史的必然发展路线，如《商君书》开塞篇所言上世、中世、下世之分类，颇有价值。南海只捉住战国诸子某一阶段的一种现象，据公羊家法硬把重订文献的孔子，而全称为托古改制的孔子，削去“其文则史”的部分，而附会“其义窃取”的部分，这已足够武断了。复以“托古改制”的孔子与“托古篡制”的刘歆相对比，使历史都还元于伪托的心造，更为有意地编制理论了。但，毕竟南海在客观上是以未可证验的远古理想，企图作为变法的大前提或根据，而影古射今，使闻者足畏，此尚为宗教改革时代的遗绪。

唯我们亦要分辨南海与清初巨子之价值，因为他盛称梨洲颇懂得孔子真传，一看好像南海与清初学者之间皆有托古倾向，没有分别，实则不然。在清初，是十七世纪的时代，他们托古代的言语，传道近代的精神，是因为他们只有做古人的学生这唯一的方法，而南海在十九世纪末叶，做学生的路径太多了，他所称赞的俄日，或所称赞而不敢仿效的美瑞，都是有现代的丰富言语，不必一定做古人的学生。而且，十九世纪以前的社会改革，是言语形式重于精神内容，十九世纪以来的社会改革，是内容重于形式，这是一个辉煌的论断，在西洋各国，最初是披着希腊罗马的衣裳，说着近代人要说的意思，第二阶段，到了德国，俄国，便是学习着英法的语言，而说着其社会要走的方向，故俄国的彼得大帝，一只手高高举示到西欧，在文学上亦有所谓“西欧派”，然而只有第三阶段到了最后各国能够会说自己的语言以后，其社会才真正地走向近代世界。据此，清初学者，大部分仅于最初或一小部分（天文、算学）居于第二阶段，他们的语言学应该是在古代的，因而他们的学术价值是甚高的；而南海不然，在当时，他已经到了第二阶段的末期而进于第三阶段的初期，应该可能学习了西欧的语言学而具体地试验中国人自己的融贯的语言学，但他把第二阶段的东西，作为“用”，把第一阶段东西仍作为“体”，其学术价值显然甚微，如上面我们所讲的背面影响，比之于清初学者难以相称。历史地了解时代人物，此处是一个范例，读者应加注意。

至于他的第二种代表作《大同书》呢，据任公云这是他的“创作”。其中主要内容，是讲说近代将来（他说百年间的事，甚至说已经实行）国际间应走的路径，设国际间共同生活的方案，这是何等现实的内容，而不能幻想以求解答。要知道近代史的一天比之古人的一百年或者变得要速，不能以几句抽象原则上的古话，套在此大时代的至丰富至复杂的内容之中。然而他居然要以三世之说，应用于当今国际（或他说大地），不但应用原则，而且更居然详为设计其步骤与实施方案。所以，前二书是道远古，此一书是道将来。道远古，虽已有历史学可为根据，而千古奇谈之说还能骇众听闻，可是道最近的将来则不能为“非常异义”的公羊说。前者可以“托古”，还因为中国史的古代世界没有科学的完整概念，易于自由其说；后者，则不能“托今”，令人类不信自己的生活，而信谶纬家算命。南海在《大同书》中大谈“运会”，所以，亦应用公羊家灾异之变而巧妙地寄托于科学，例如在古代日蚀，便有一谶纬之学说明世变，但现在难以取信了，南海便见报纸上出现“飞船”于天空，异想着这就要破国界，使三百年可见的“大同”，因飞机之运，不过百年即来到，这岂不是无意之间把“运”的公羊家法适用了么？

任公在主观上甚重视此书，他以为颇有“大地震”的影响，故他说：

此等理论，在今日之欧美，或不足为奇，而吾独怪乎先生未读一西书，而冥心孤注，独辟新境，其规模如此宏远，其理论如此精密也，不得不叉手赞叹曰，伟大哉，伟大哉！（《康有为传》）

这是任公在戊戌政变以后三年（辛丑）所写的赞辞，但就在同一段文中，任公所最敬服的康氏理论，居然说他已经遗忘了。他说：

先生现未成书，而吾自十年前受其口说。近者又专驰心于国家主义，久不复记忆，故遗忘十之八九。（同上）

这似乎任公在辛丑以前的十年时代，初闻学术所感到的一种“奇”“怪”观念，如读传奇小说然，故留下此书的刺激观念的影子，而内容则连记忆中亦模糊了。任公又在民国十年出版的《清代学术概论》里用别一种语调重复了以上的评论，他说：

有为著此书时，固一无依傍，一无剿袭，在三十年前而其理想与今世所谓世界主义社会主义者多合符契，而陈义之高且过之，呜呼，真可谓豪杰之士也已！

此段话没有一句确语，亦只是任公的当日感想上的刻印罢了，故他接着说：

有为始终谓当以小康救今世，对于政治问题，对于社会道德问题，皆以维持旧状为职志。自发明一种新理想，自认为至善至美，然不愿实现，且竭力以抗之遏之；人类秉性之奇诡，度无以过是者！……有为既欲实行其小康主义的政治，不能无所求于人，终莫之能用，……后辈相与诋诃之。有为亦轻视后辈，益为顽旧之态以相角。

后面的批评比他过去"遗忘"的话更为明显，从此可以知道有为的"奇诡"，乃是一种魔术，《大同书》的好像进步的理想，不过做了"维持旧状"，"益为顽旧"的一种挡箭牌罢了。所谓同时有矛有盾，矛为不可一世之矛，盾亦不可一世之盾，但反问"然则以子之矛攻子之盾如何"？于是任公之所谓"奇诡"的逻辑出现了。

我们应更进一步研究此书的内容。按基督教的社会主义，早已随着圣经和宗教改革的历史输入中国，这由南海时常崇拜那位宗教改革时代的自由改良者马丁·路德，便可以知道他不是没有因袭，唯他所因袭者，正是路德，而不是与路德同时的一位民主派孟彩尔。在当时农民运动中，孟彩尔和农民在一气，树起宗教改革的民主政纲，同时倡导一种万年乐土的社会主义，孟氏唯有民众性与民主政纲两个基本因素，于是他的社会主义被评为“原始形态”，客观上是一种历史的“预觉”。唯这里才值得“奇怪”。到了中国，太平天国颇略具宗教改革时代农民运动的历史，洪杨的落后东西，且别管它，然而在“天朝田亩制度”中，把田分做九等，计口授田，云:“凡天下田，天下人同耕，此处不足，则迁彼处，……务使共享天父上主皇上帝大福，有田同耕，有饭同食，有衣同穿，有钱同使，无处不均匀，无人不饱暖也。”（程演生辑《太平天国史料》第一集）这已经含着了基督教的社会主义，唯不可忽视土地政纲，客观上是一种土地政纲方面比较彻底的近代民主思想，尚不能认为是社会主义，这里亦值得“奇怪”。

到了康有为的时代，他写《大同书》在名词上出现什么社会主义，毫无“奇怪”，据任公云“彼时尚未成书也，至辛丑壬寅之间，先生避地印度时，始著成之”。

辛丑在戊戌的后三年，而中山先生早亦说在一八九八年（即戊戌）他游历欧洲时就知道民主潮流与工党运动须结合而论，这就是《民报》时代所云“政治革命与社会革命毕其功于一役”（发刊词）之萌芽，朱执信先生遂著“政治革命与社会革命并行论”以驳保皇党之三世说。如果我们以当时同盟会具有的人民性与土地政纲之进步思想论究，则社会主义思想乃民主主义思想的高涨与补充，实为有价值的理论，正和康氏之说相对。

康氏的好像社会主义的理论，既没有土地政纲，又怕有人民性，在《大同书》中没有一丝一毫此两方面的说明，则此书是反动的空思，其中最有害的思想，是用观念的游戏以损伤现实的民主运动，例如他在《大同书》中说：

夫方今各国，平等对立，而欲骤期至美国瑞士之界，固万无可得之势，不待言也。夫瑞士仅二十二乡，其联合至易至平，非天下所可学，即如美者削去邦国，而尽为自主之州郡，为联合已成之太平世也（？），不可以一蹴几也。盖必先为德国联邦之势，而后可望如美之渐削邦国也。（《大同书》乙部，一〇九页，中华书局本）

这里所论虽讲世界联邦，但其内容则含有民主历史的步骤，企图说明民主制度是不可学的，首先要君主制度的升平世。这种社会主义是什么？连民主都否认，那里有社会主义的味道？中山先生在《民报》发刊词中开首几句，虽非专对康氏的《大同书》而言，但三世之论即在此数语批评之中：

近时杂志之作者，亦夥矣。婞词以为美，嚣听而无所终，摘填索涂不获，则反复其词而自惑。求其斟时弊以立言，如古人所谓对症下药者，已不可见，而况乎孤怀宏识，远瞩将来者乎？

没有土地政纲与人民性，而高谈“大同”，其结果仍是回到中古意识之旧途径，客观上如《民报》“革命之原因”一文作者（阙名）所云：

中国士人有所谓一种岸然道貌，根器特异，别树一帜，以号于众曰汉学、曰宋学、曰词章、曰名士。汉学者流，寻章摘句、笺注训诂、为六经之奴婢，而不敢出其范围；宋学者流，日守其《五子近思录》等书，高谈太极无极性根之理，以求身死名立，一啖其东西两庑之特豚；词章者流，立其桐城阳湖之门户流派，大唱其嫣红姹紫之排腔滥调，以粉饰其太平；名士者流，……。此四种人，日演其种种之活剧，奔走不遑，而满洲人又恐其顿起异心也，乃特设博学鸿词一科，以一网打尽焉。至近世又有所谓通达时务者，拾腐败报章之一二语，袭皮毛西政之二三事，……以进为满洲人之奴隶。欲求不得，又有所谓激昂慷慨之士，日日言民为主义。言破坏目的，其言非不痛哭流涕也，然奈痛哭流涕何？悲夫！

复次，我们从《大同书》的文字内容看来，颇有极大的矛盾。南海《改制考》亦有“大同”之字样出现，唯“大同”二字的解释，相当太平之世，而他所谓太平之世，所指的是资本主义的民主制度，因为他说尧舜是民主太平之世的理想，文王是君主升平之世的理想（引文见前），可见适用在世界历史，君主立宪为升平之世，民主立宪（如他所云之瑞士与美国）是太平之世，或一国内的大同之世。到了《大同书》中，此种观念仍然存在，例如说：据乱世——有世爵贵族平民奴隶之别，升平世——无奴隶而世爵贵族渐除而未尽，太平世——无世爵贵族尽为平等（参看该书一六三页）。据历史学看来，他所谓的据乱世是封建社会，所谓升平世是如俄日两国的君主立宪资本主义社会，而太平世则仅是如瑞士美国的民主共和资本主义社会，一点社会主义的影子也没有。

按《大同书》最初的思想，便是这样。后来在他于辛丑以后写作这书的时候，世界社会主义的思潮更输入中国，所以在该书庚部加了“去产界公生产”，始采取了傅立叶的一些均产主张（他在书中谓英人傅氏，即傅立叶，唯误傅氏为英人），在全书中显然前后不相贯通，其弥缝补苴之迹甚明，然亦仅此一部分，其余更连乌托邦的社会主义迹象也看不出来的。

著者最初研究此书，因受了任公推荐的影响，颇欲寻出点有价值的东西，然而不可能，后来重新仔细阅读，发现他在乙未序文中结尾有这样一句话：“著《大同书》以为待之百年，不意卅五载而国际联盟成功，亲见大同之行也。”遂大悟其旨。按他的意思，现代世界已实行他的大同主义了，说来好像奇特，但稽考《大同书》的内容实在如此。

原来，他之所谓“大同”，是好像一种如战后欧洲联邦（例如法、比二国的计划）的建议，不是近世所云之社会运动，《大同书》中他的弟子钱安定序引用现世资本主义到社会主义之说以为附会，曲解得未可原谅，还是任公说“其最要关键，在毁灭家族”，比较不失其原旨。

他的三世之说，已如上述，即君主升平，民主太平。像瑞士、美国的民主制度，当是太平之世了。然这种一国一国的太平社会还不是大同世界，在他的意思，像瑞士、美国这样的民主社会，作为单位，成立一个世界总的联邦，则一国一国的太平之世，便成为总的大同之世了。但这里亦有分别，即分世界范围内的升平世联合制与太平世联合制，故世界亦有总的升平与太平之别，他说：

大政统一于大政府之体，若三代之夏商周，春秋之齐桓晋文，今之德国是也（按指世界范围的德国制）。……皆以强力为之，……大政府极有权力，但不及内治耳。联合之后，公议会积有权力，则设公政府立于各国之上，虽不干预各国内治，而有公兵公律，以弹压各国，则亦类于德国联邦之制矣。……此联合之升平世之制也。（乙部，《去国界合大地》，一〇七页）

君主立宪国家的联邦，谓之“联合之升平世之制”，这是必须走的世界范围内之升平阶段，亦如在一国内，是三世之一，不能一蹴而几至世界范围国内之美国联邦制（见前引），故他又讲民主立宪国家的联邦，谓之“联合之太平世制”，如下：

削除邦国号域，各建自主州郡，而统一于公政府者，若美国，瑞士之制也（按指世界范围的美瑞制）。公政府既立，国界日除，君名日去，渐而大地合一。诸国改为州郡，而州郡统于全地公政府，由公民公举议员以统之，……略如美瑞。无帝王，无邦国，人人相亲，人人平等，天下为公，是谓大同，此联合之太平世之制也。（同上）

这样讲来，把像美国瑞士的国家联合起来，成为个个国家的太平之世的大盟邦，便是“大同”，所以他认为有了国际联盟便是他的大同理想的实行，这岂不是以为资本主义和平共处就是大同世界了么？他说：

今者大势，必自联合弭兵，立公议会，而后可积渐至焉。大势所趋已见，合同之运已至，其始似难，其终必渐至于大同焉。（同上，一〇九页）

因此他认为弭兵会（或近所谓之军缩会议），甚至交通的进步如飞机制造，货币之国际通用，都是大同之运的始基，最妙的是他以列强的武装和平以及不平衡性的暂时均势，为大同之必然趋势。他说：

俄罗斯帝之为万国平和会也，为大地万国联合之始也。……近数十年来，弭兵之说日倡，……为大同之先驱耳，将来仅余数大之鼎峙。然交通日繁，故邮政电线商标书板，各国久已联通，特许专卖及博士学位之类，皆各国合一，欧美先倡，日本从之，近于金钱货币，各国亦日谋通用之法，即闭关之中国，亦事事从同。小弱之国波斯突厥暹罗，亦日拟变而入万国交通之会，礼律几于渐一。弱小既尽矣，数大鼎峙，则兵力愈坚厚以相持，力愈相持莫敢先发，盖一旦败失，则国势大危，故近数十年欧洲诸大国未尝相见以兵（？），为此也，其出于平和之公议，以图各自相保，势之必然也。夫平和之议既熟，交通既多，交涉尤繁，则薄物细故（？在列强的资本输出中，何来薄物细故！）易于失和，或有枭桀无礼者，亦足以启衅，然近者民权既盛，咸畏兵戎，非如君主专制，好大喜功，能假事以逞其雄心也（？）。故凡两国失和，多请邻国公判。至于是时，立国日少，邻邦各有交谊，未必尽公，然而（？）大地合一，万国公院之学说，日盛于时矣。在各大国利害相等，难占独一之利权（？），在各政府君主无权，难发混一之异想（？）。人无他望，唯思大同，公议会会议既多，人心大变（？），日思统一，于是时必议设一大地公议政府矣。……则大地"大同"之时期至矣（？），大地太平之运会开矣。……始基既立，条理渐密，……则二三百年中必见大同之实效矣。近者飞船日出，国界日破，大同之运不过百年。

这是一段千古奇文，没有一个命题不与现实背离的，没有一个推论不与历史相违的，没有一个理由不与逻辑相反的，没有一个断案不是臆度的。正是中山先生《民报》发刊词的话："夸词以为美，嚣听而无所终，摘埴索涂不获，则反复其词而自惑！"南海先生的大同，不但把列强的战争危机反认为太平之世的运会所至，不但把帝国主义的侵略认为太平之世的必然趋势，不但把杀人的最厉害武器如飞机认为缩短大同世界实现的条件，不但把战争的先声阴谋外交认为世界公议制度的"人心大变"，而且在这样复杂错综的世界，只寻出"薄物细故”，而这“薄物细故”早已使得“弱小既尽，数大鼎峙”，世界上大多数民族灭亡，只剩下了几个帝国主义相持。这种帝国主义内容的运会，主要是使弱小民族尽灭亡，然而形式上南海冠以美词曰“大同”。难道“天运人心之所趋”是这样的大同世界么？中国放到什么地方呢？孔子的理想是这样么？

从此，我们知道，《大同书》里的“大同”二字别有新义，在这里，他指的“大同”，仅仅是各个国家间协议的联合，类似一种同盟（他举齐桓晋文之例）至统一的世界联合。这好像把若干国家如瑞士、美国加在一块，便是大同了。他有大同合国三世表，便说去国界的步骤与方案，该表至繁，今择其中几例如下：

大同始基之据乱世联合旧国	各国有帝王统领，各有自立权
	各国联盟条约
	国有不入公议会者，摈之不与公法之权利
	保护本国之贸易与运输
	银行不尽通行
	各国君主有统其国军兵之权
	限禁人民权利
	各国有奴而渐放之
	各国有帝王君主位号权力
	有世爵贵族平民奴隶之别

续表

大同渐行之升平世	造新公国
	各国多为统领，亦略有帝王而统于公政府
	各国半条约半宪法
	国有称兵犯公政府者视为叛国
	公政府保护各国之贸易
	银行可尽通行
	公政府渐去君主统兵之权
	不限人民权利
	各国禁奴而不禁人服役
	渐削帝王君位号改为总统议长
	无奴隶而世爵贵族渐除而未尽
大同成就之太平世	无国而为世界
	无各国，各地只有统领而统于公政府
	无国但有宪法
	凡人背公政府，有谋据地作乱，称帝王君长之尊号，及欲复世爵者，皆为叛逆最大罪
	无国界不须保护
	银行归于公
	无国无君主亦无兵无兵权
	权利皆一切自由
	各国人民平等无人服役
	无帝王总统人民平等只有议长
	无世爵贵族尽为平等

从上面的表里，我们可以看出来，据乱世的大同，只是封建的联合，在历史如果寻例子，好像是神圣同盟；升平世的大同，只是半封建的联合，在历史上寻例子，

好像是德意日轴心；太平世的大同，只是民主国的联合，在历史上尚没有普遍的例子，以一国的瑞士制与美国制可作代表。他所谓“大同”者如此。

仔细看他的意思，只是世界上没有贵族奴隶平民之分便为“大同”了。这反而是卢梭《民约论》的议题，黄梨洲《明夷待访录》的议题，没有社会主义的内容，显而易见。故他在此书丙部详言奴隶解放（即去级界）即大同制的范围，这又只是美国独立战争时代的议题，在丁部又论“去种界”详言民族平等与改良人种之旨，这又只是近代的国民运动的议题，其列“人类进化表”所叙之内容，总括丙丁二部，亦言最后的大同目的只是平民的理想，如下所选录之二条：

据乱世	有买卖奴婢	种族有别
升平世	放免奴婢，只有仆	种族渐化而无悬殊
太平世	人民平等	种族平等并无智愚

此书戊部又言去形界，讲说男女平等，己部去家界，讲说家族单位之弊害，即在客观上欲去宗法而谋个性之发展。凡此所论，所谓大同者，实际上又至多是法国革命的要求，唯仅在此书之庚部凑杂了些近代劳资的贫富

问题，显然这部分是后来加进去的东西，前后殊不贯联。他在这部分，主张“均产”“公产”。从第一章至第九章，大概抄了些傅立叶、圣西门的东西，然而他并不在问题内部研究，他的结论在第十章，“总论欲行农工商之大同则在明男女人权始”，归纳点复不出前几部的立论，仍回到“天赋人权”之说，他说：

男女平等，各自独立始矣，此天予人之权也。全世界人欲去种界，在明男女各自独立始矣；全世界人，欲致大同之世，在明男女平等权始矣，各自独立始矣；全世界人欲致极乐之世，……在明男女平等，各自独立始矣；全世界人……欲度我全世界之同胞而永救其疾苦焉，其唯天予人权，平等独立哉，其唯天予人权，平等独立哉！（三八一——三八二页）

这是他的庚部结论最后的几句中心思想，我们看了他的话，就知道他的“大同”说是在那里宣传卢梭主义而已。然而这里亦有问题，为什么男女平等就可以由破家界而至极乐世界呢？这是他受了佛教的出世影响，以为佛家出家便是寻求极乐世界，比例引申之，云男女平权以至（？）破除家族制度，亦就可至“大同”之世了。

因此，他以为男女人权平等，就使近代的资本主义世界改观，他的妙论如下：

凡诸农田商货之业，全地至大，从何而归之公？……自去民私业，欲去人之家始，欲急去国界，亦自去家始。欲去家乎，但使大明天赋人权之义。男女皆平等独立，……行之六十年（按此谓之遁词，忽然来了一个时间问题），则全世界之人类皆无家矣（按从上句无家，忽推论至下句无私，妙论）；无有夫妇父子之私矣；其有遗产，无人可传（？），其金银什器，皆听赠人，一若其农田工厂商货，皆归之公：即可至大同之世矣。（三八〇页）

这又是奇绝千古的妙文，从男女平等，忽然就推论至破除家族制度，从破除家族制度忽然又推论至废除私有财产，在逻辑上与在事实上都是没有的东西，这叫做“意想情愿”，和真的历史毫无关系。托古改制，尽有可托之迹象，而托古改制的春秋公羊大义申引至近代历史，则只能见出极端观念论之自由其说，而丝毫不因其根据了任意改制的立法，把真实历史由其改造。

上面所述乙至庚六部是《大同书》的主要内容，这内容在最好的方面推测，他不过是宣传近代法权的民主主义，如果是这样，表面上的社会主义且暂不问其文字的花样，还不失为一种客观上进步的思想。然而由南海的整套学术看来，不但没有这客观上的意义，而且相反地正是取消民主主义。为什么呢？因为他早立所谓三世之义，说现在只能实行据乱世以至升平世的任务，即是说只许在封建的死壳内逐渐“加”上点君主立宪制度，而人民的平等则绝对不能在此处求之；至于太平之世才有平等权利，即是说近代的民主平等如美国瑞士制度万万不可效法，那里只有三五百年的影子，而可望不可及的，如要实行民主革命，以中国而言，他便唬人说，其结果必然要招来亡国瓜分之祸（参看《民报》批评此说的诸论文）。这样看来，他的大同说，即以客观上宣传卢梭主义而论，而据他的意见，这是做梦想而已，“人权平等”的主张宜暂收起来，不能宣传，故《大同书》一书他的弟子屡请付印，他无不拒绝，谓尚有待。他这样在结果上用“大同”二字的美词，取消了近代民主革命的政纲——中国唯一的近代化的政纲，为他的改良妥协与投降封建的挡箭牌，所以，我们研究《大同书》

是反动的理论，据以反对当时革命者的“平均地权”主张。在民二中山先生提出土地国有主张时，他的有所待的《大同书》亦就发表于《不忍》杂志上（二部分），故始终和中山先生的主义相对立。（与《大同书》一道发表在《不忍》杂志上的文章，是与《大同书》有同一意义，见下页。）

末了此书尚有头（甲部）尾（壬癸二部）两段。头部讲说《大同书》的出发点，略云人生之苦、天灾之苦、人道之苦、人治之苦、人情之苦、人所尊羡之苦，这是采取佛家宗教的动机，故他在绪言上标题，取阴释阳儒的办法，名之曰“不忍之心”，这一套在中国古代讲得烂了，这里无介绍之必要。尾部讲说“去类界、爱众生”，完全糅合释道耶回的宗教天堂之旨，而与孔子的“仁”附会起来，更主要讲到老庄的小国寡民与人禽同乐世界。他在这里，以为就是“人人皆为自然之出家，自然之学道者也”，这已经不是人境，而是仙境、佛境了。他说：

于时人皆为长生之论，神仙之学大盛，于是中国抱扑、贞白、丹丸之事炼煞制气，养精出神，尸解胎变之旧学，乃大光于天下。……隐形辟谷，飞升游戏，亦必有人焉，若是者可当大同之全运，……盖神仙者大同之归宿也。……专养神魂，以去轮回，而游无极，至于不生不灭，不增不减焉。神仙之后，佛学又兴，其极也，则有乘光骑电，御气而出吾地，而入他星者。……孔子三世之说已尽行，唯易言阴阳消息，可传而丕显矣。……大同之后，始为仙学，后为佛学，仙佛之后则为游天之学矣。(《大同书》末段)

最荒唐的迷信，最是人类历史的最高境界，最落后的幻想，最是人类历史的最善乐土，《大同书》的最后结语如此。故头部以宗教家的观点出发，尾部以宗教家的迷信结末，这两部分毫不新奇，乃西方、印度、中国的古宗教早已发明在先了。

《大同书》就在这样的头尾宗教的意识中，当中夹带了一大部分国际制度的方案，把“大同”讲成民主制度的理想总和，而又把此理想否定，不应在中国实行，取消了民主，而宣传他的保皇立宪，社会主义云乎哉！

康有为《大同书》之为否定民主革命的反动理论，已如上述，我们只要研究他在民国元二年之间所发的谬论，便知道他的终结面貌是有来源的。因此，末了我们择要列举他的一些“不忍之心”的话来说明一下。

本来辛亥革命是农民独立走上历史舞台的时代，拆散有余，而安排不足，在民主革命的中山先生看来是共和之名虽成，而旧污未除，民主并没有进行到彻底，而半途妥协；然而康有为则以为共和之名取得，就说是“自花而果，今熟而摘矣”（见《忧问》一），他在拆散时代便大忧特忧古老朽旧之动摇，如丧考妣，他说：

茫茫惨黯，天欲冥，地欲裂，日若晦，月若灭，仰俯环顾，大昏迷雾，百忧沉沉阴阴，而来袭人，矍然惊，瞿然喟曰，令何时哉？……中国自羲轩尧舜文王孔子以来五千年，大变多矣，未有危厉颠荡，若是其甚也！吾屋高明，鬼神瞰焉，……其中国之象，竟至于斯也！（《南海文集·忧问一》）

这是何等的一幅图景，而被康氏的“预忧过危之言”形容得亡日将至。这样的景象，据他说是因为自由平等之祸致之。他说：

鄙人愚妄，实变法之前驱，实为罪魁宜讨者也。唯鄙人虑其终而知其敝，……不敢发共和革命平等自由之妄言，不敢为尽弃旧章废黜圣教之谬论也。……今欲救四万万之民，大拯中国，唯有举辛亥以来之新法令，尽火之而还其旧。……大泻已甚，……可施补药者哉！（《中国还魂论》）

他不但非难平等，谓“平等者，纪纲扫尽，礼法荡弃而已”，而且崇赞古老的阶级制度，以为“官尊一级，尊严无限”，“直腰唯诺”，正是良俗；他不但非难自由，谓“自由者纵欲背道，荡廉扫耻，灭尽天理以穷人欲而已”，而且妄说，自由为破坏父子夫妇之关系，甚至说“二十而立，父不能约束，于是执刀胁父，而取金钱，……妇女以自由为说，而背其夫”。因此，他主张用野蛮的严刑峻法，对付他所谓倡平等自由的“暴民”，所以他说：

乱国而用轻典，民无所畏忌，是使小人易作奸盗，而良善不获保存也，昔墨西哥慕美之文明，而从其律，杀人者长监狱中而不缢，民多犯杀，乃复之。（同上）

所以，凡言民主者不是盗贼，便是暴民，他说：

共和贵在道德，岂知共和之为盗贼也，然则俗化之凌夷也！不法吾汉宋明，而误法欧美也！

今若日事自由平等，日言民意民权，则吾国散乱将亡。

民主既然就是亡国的路径，那么就要服补药了：

昔晚清之季，举国积愤于压制，则大倡民权平等自由之说，发而布之，弥于妇人孺子，于是帝制遂倒；共和告成（？），盖民权平等自由之方大验矣（？），然而药力膨胀，触处破裂，……炮羌附子乎！（同上）

补药是什么呢？还是东欧自由主义以后的国权主义。那里没有人民性，而仅是国权形式，他说：

夫政治之体，有重于民者，有重于国者，……法共和之时，盛行天赋人权之说。……及德国兴创霸国之义，以为不保其国，民无依托，……以国为重，而民从轻。……日本采德制以国为重，故秩序纪纲严整，税租甚重。……今以美之共和，亦复大倡霸国之义，……若倡法个人平等于今德霸大效之时，则自由过甚，纪纲不能严整，国势因之堕弱。……故宁牺牲人民，而偏重国。(《中华救国论》)

又说：

号为共和，而实共争共乱，虽为自由，而实自死自亡，……盖共和为平民之政治，所最可虑者，暴民为政，贻国势险危。……图所以先靖暴民之祸，而后安定有基，统一有效。……乃先求文明平等自由自立，则航断流绝港而无由至，何其颠倒哉？（同上）

这种政权形式，还是他的君主立宪制度，其神妙如下：

立宪君主者，如神乎！故宪法曰，君主神圣不可侵犯，尊之为神至矣！夫神者在若有若无之间，而不可无者也。不明鬼神，则陋民不悟，故先圣以神道设教，……率万民拳跪以事之。……夫神者既以无用为大用，而天下未能废神，且必立而尊之，……然则不能废君主犹是也。孔子作《春秋》，推王于天。……明于是义，可以通欧人立宪君主之制矣。(《救亡论第八》)

在维新运动时代，他主张大变速变，而现在则自反其说，给古老封建美容，反对师法欧美了，他说：

凡人之习惯也，安之若天性，其俗习之久者，安之若固然。古之为政者，务养之导成其善俗，故《礼》曰君子行礼，不求变俗，谨修其故。……凡此皆我先民阅历极深，经验极审，而后为此言也，……今万国比称英国之治，而师法之，英之为治也，以数百年蝉蜕递变而来，非以一日数议员所变法而成也，……行共和言自由平等，则唯有破纪纲，坏伦纪，至上无道揆，下无法守而已。质而言之，多行欧美一新法，则增中国一大害！……两年来举国蹙额而不安，人民惊魂而不定，皆唯兹妄师欧美之故！（《中国还魂论》）

甚至他诡辩什么民主自由，中国也古已有之，把变法亦反认为多事了：

吾中国自汉世已去封建，人人平等，皆可布衣而卿相，虽有封爵，只同虚设，虽有服章，只等徽章，刑讯到案，则亲王宰相与民同罪，租税至薄，……贵贱同之。……凡人身自由，营业自由，所有权自由，集会自由，出版信教自由，吾皆行之久矣！……法大革命后所得自由平等之权利凡二千余条，何一非吾国人民所固有，且最先乎？……今吾国欲再求平等，则将放肆乱行，断无阶级，……纪纲皆破，礼教尽微，何以为治？徒为暴民增乱具而已耳！（《中华救国论》。在《中国还魂论》中更说："中国数千年之制度，乃积数千年之圣哲为之，皆行之久远，宜民宜人者也，国之所以立者在此也。”）

利不百不变法，害不十不易章。……夫中国之旧法，经累圣贤之测验，阅百十千年之变迁，去其弊而存其利者；然今犹深恶痛绝，弃如弁髦，而敢谓以今之人才，采于美法之政俗一变而得其宜乎？吾有以知其必不能也。……欧美各国，笃信基督之教，迂腐保守，尺寸不移如故也。故上者保守矜严，下者亦能敬天畏神，不敢狂荡，故其政教并行，……得其调和也。（同上）

复次，他进而一切唯国粹是尊，易服是他在光绪新政的诏文中的得意杰作，现在他说：

吾国人既得共和，而深疾专制也，于是凡旧制之典章服朔，而皆除之。……今一易服，全国衣履冠带之肆，皆尽失业，丝织者彷徨而不知所措矣。……他日丝业之败，不待言也。夫生计为养民立国最大事也，……先绝人民之生计，试问立国何关耶？……则好变者之贻害也。（《中华救国论》）

不但此也，法律是中国最优，改旧律便是自毁国粹；跪拜是中国最好的礼节，若改为鞠躬握手，不但不卫生，而且说若无跪拜叩头，“天生膝何用”？其他如衣服文字，一切中国皆优于欧西，改变习俗，即丧失国魂。如价值、社会、绝对、经济、人格、运动诸字亦非古已有之，不能使用（详看他的《中国颠危误在全法欧美而尽弃国粹说》）。

然而他的“国粹”究竟指什么呢？如果我们从他所具体举的例子看来，反而是拥护迷信，奴隶制度，教条，鸦片，以及其他封建社会的恶俗。他在《议院政府无干预民俗说》一文列举了六条事体，都不该废除，一不应破神权，如七月锁城隍庙等迷信，一经实行，他以为便使善男信女的幸福失掉了；二不应禁旧历，如果禁止，则“仆人当来使者失利”了；三不应禁卖补肾丸等国药，致那些卖艺的人失业；四不应禁赌博娼妓，致那些酒家妓馆的收入每年亏空一万万元；五不应禁蓄奴仆与纳妾；六不应拆毁牌坊及一切功名的匾额或祠堂。好一个国粹主义！（详见《文集》卷三）

和这些腐朽败物的封建遗毒相并而同为国粹的，他在该文中又举出了天坛孔庙，他说：

今天坛不祀，殆将经年，其他百神，殆将废祀，甚至孔子文庙，亦废丁祭，遂至举国礼坏乐崩，人心变乱。

康氏在一篇文中，尊孔与保障奴婢娼妓同等视之，实在够怪文了。他在民国元二年之交，不论《还魂》，不论《救亡》，从最后的理论上讲来，至多不过是坚持孔教为国教的宗教论罢了，所谓“不拜孔子，留此膝何为”（见致北京电）？而“富民强国之政”的他所谓之“大事”，就在这里了。

第十四章　维新思想的健者谭嗣同

第一节　绪说嗣同的思想与实践之关系

谭嗣同（复生），湖南浏阳人，生于同治五年，卒于光绪二十四年（一八六六——一八九八年）。他是戊戌政变的六君子之一，在维新运动中，杀身成仁，虽太炎之痛诋保皇党恶入骨髓，而对于嗣同，则曰："戊戌变法，唯谭嗣同杨深秀为卓厉敢死。"（《革命道德说》）按维新运动，在思想上颇拟宗教改革，嗣同更忠实于这个理想，故他说："耶教之亡，教皇亡之也，其复之也，路德之力也，孔教之亡，君主及言君统之伪学亡之也，复之者无其人也，吾甚祝孔教之有路德也。"（《仁学》卷一，结语）嗣同颇不敢自居路德，在国事麻乱的当时，他降志于陈涉杨玄感，他说："华人慎毋言华盛顿，拿破仓矣，志士仁人，求为陈涉杨玄感，以供圣人之驱除，死无憾焉；若其机无可乘，则莫若为任侠，亦足以伸民气，倡勇敢之风，是亦拨乱之具也！”(《仁学》，八三页）从此可见他是一个忠实于理想的人，与其殉难的精神合符。

有人以嗣同思想，不但明言冲决君臣名分，非议死节，而且在《仁学》中大骂君主为独夫民贼，公然指斥“爱新觉罗诸贱类异种”，痛诋《大义觉迷录》的荒唐，而竟死于知主光绪，甚为矛盾，谓无意义。按此论太偏，因为嗣同之死，似以任公所记，“各国变法无不从流血而成，吾中国数千年来，未闻有因变法流血者，有之，请自嗣同始”等语，最得真相。故他是一个宗教的殉道者，与撑着十字架要求改革的神父一样，唯死于宫廷上书，而没有死于街头运动罢了。他给欧阳中鹄的信有云：

……不若明白慷慨，直陈无隐，天下因晓然于是非之所在，庶几大小臣工一意奉戴，得以改图易虑于人心向背之处，此鱼头参政之对，所以尤捷于鹦母折翼之梦也。其济则天，不济亦何以一身为三监借口之资。(欧阳予倩编:《谭嗣同书简》)

这里就可以知道他的做人的态度，他的死亦明白慷慨，以显示人心之向背，即《仁学》所言以己度人，“有死事的道理，而决无死君的道理”，其意义至巨，何得曰“无谓”？（他在死事时有诗一首，“望门投止思张俭，忍死须臾待杜根，我自横刀向天笑，去来肝胆两昆仑”。相传因感大刀王五救其出京而作，亦谓有恐祸及其父继洵——湖北巡抚，不肯逃难，殉身自任，都不甚确。按大刀王五为清末之名镖客，春冰室野乘云，“五故与谭复生善，戊戌之变，五诣谭君所，劝之出奔，愿以身护其行，谭君固不可，乃已，谭君既死，五潜结壮士数百人，欲有所建立，所志未遂，而拳乱作，五遂罹其祸”。嗣同崇尚任侠，见于《仁学》，和王五的友谊，事或有之。）他的书简中还有“平日所互相劝勉者为杀身灭族四字”，或“中国要弄到新旧两党流血遍地有救”等语，更明显地看出了他的殉道精神，与《仁学》中崇章勇敢德行的话相合。

反之，予倩先生云：“在他的著作中，他对清政府不满的议论，颇不显明（？），他给我祖父的信里却公然说满人视中国为傥来之物，无所爱惜，可见他骨子里

的主张跟保皇党的主张不同。”（上揭《书简》序）

按此话不确。嗣同在思想上和康有为具有相合者亦多，如公羊学旨，如宗教思想，如重商思想，如浪漫气氛，皆与保皇一脉相承，至于不满清政府的言论，在《仁学》中不但显明，而且有一套反君主制度的理论，比在他的书简中所发挥者尤多，在下面即可以知道的。因此，如果因嗣同的理论突出处，即断定与保皇党主张不同者，其失与评论他的死节无谓者，一样犯了偏向其辞的错误。表面上看起来，死事固与其反死节有矛盾，反满更与其保皇有矛盾，实在讲来，这个矛盾被他已经自己说明了，他说：

嗣同之纷扰，殆坐欲新而卒不能新。其故由性急而不乐小成！不乐小成，是其所长，性急是其所短；性急则欲速，欲速躐等，则终无所得。不得已而又顾之他，又无所得，则又顾他，且失且徙，益徙益失，此其弊在不循其序，所以自纷自扰而无底止也！（《晚清文选·报贝元徵书》）

嗣同在不乐小成与性急躐等的矛盾中产生了理想与实践间的所谓“纷扰”，保皇与变法即所谓“性急”，而反满与殉道即所谓“不乐小成”，他在该书中言“不已者日新之本体，循序者日新之实行，颇思以循序自救，……”然而他终于没有达到这一自戒，至于“去来肝胆两昆仑”以自解。在袁世凯《戊戌日记》云，嗣同的“性急”，活跃毕现，而这样一个青年逢到老奸巨猾的袁世凯，亦可谓冤家狭路（据日记袁自云密告荣禄），今将此日记中有关他的“性急”处，择录于下（据左舜生编《近百年史料初编》，中华书局版，该日记原藏于张仲仁先生，初发表于民十五年二月上海《申报》，唯尚难证其为真）：

……（袁自谓）忽闻外室有人声，阍人持名片来，……不俟传请，已下车至客堂，急索片视，乃谭嗣同也。……（按在光绪二十四年八月初三日晚）

谭云：“外侮不足忧，大可忧者，内患耳。”急询其故。

乃云：“……上方有大难，非公莫敢救。”……出一草稿，……内开：

荣某谋废立弑君，大逆不道，若不速除，上位不能保，即性命亦不能保，袁世凯初五请训，请面付朱谕一道，令其带本部兵赴津，见荣某，出朱谕宣读，立即正法，……迅速载袁兵入京，派一半围颐和园，一半守宫，大事可定，如不听臣策，即死在上前……各等语。予（袁）闻之魂飞天外，因语以围颐和园何为？

谭云："不除此老朽，国不能保，此事在我，公不必问。……我雇有好汉数十人，并电湖南集好将多人，不日可到，去此老朽，在我而已，无须用公。但要公以二事，诛荣某，围颐和园耳。如不许我，即死在公前，公之性命在我手，我之性命亦在公手，必须今晚定议，我即诣宫请旨办理。"

予（袁）谓："此事关系太重，断非草率所能，今晚即杀我，亦决不能决定，且你今夜请旨，上亦未必允准也。"

谭云："我有挟制之法，必不能不准，初五日定有朱谕一道面交公。"

予见其气焰凶狠，类似疯狂，然伊为天子近臣，……如显拒变脸，恐激生他变，……只好设词推宕……

谭云："可请上先将朱谕交给存收，俟布置妥当，一面密告日期，一面动手。"

予谓：“……一经纸笔，便不缜密，切不可先交朱谕，你先回，容我熟思，布置半月二十日方可复告你如何办法。”（按初六日即事发，袁即告密者）

谭云：“上意甚急，我有朱谕在手，必须即刻准一个办法，方可复命。”……谭再三催促，立即会议，以待入奏，几至声色俱厉，腰间衣襟高起，似有凶器。予知其必不空回，因告以九月即将巡幸天津，待至伊时军队咸集，皇上下一寸纸条，谁敢不遵，又何事不成？

谭云：“等不到九月即将废弑，势甚迫急。”……（以下言九月行事，以骗谭去）……谭似信，起为揖，称予为奇男子。

予又说：“……因你为近臣，我有兵权，最易招疑，你可从此称病多日，不可入内，亦不可再来！”谭甚以为然……

予谓：“……变法宜顺舆情，未可操切，缓办亦可，停办亦可，亦何必如此亟亟，至激生他变？”

谭云：“自古非流血不能变法，必须将一群老朽全行杀去，始可办事！”予因其志在杀人作乱，无可再说，……请其去。

这是一段袁谭二人的谈话，嗣同的流血论不是做作的，唯他是走了吴起商鞅的路线，而不自觉。

然则康有为和谭嗣同完全一致么？这又不然。他们都是做着荒唐的噩梦，而噩梦里的成分大有区别，有为荟圣哲心肝精英，主要大做设计的梦想，如《孔子改制考》，《大同书》，《万言书》，画龙画虎，连类蛇类猫亦顾不到的；而嗣同不然，他淘炼宗教与哲学的“动”的要素，大做冲决网罗的梦想，故有为的变法论，以维持现状的神圣性为前提，而嗣同的变法论，以使现状的矛盾暴露为条件。例如《仁学》中说：

世乱不极，亦未由拨乱之正。故审其国之终不治也，则莫若速使其乱，犹冀万一有能治之者也。且其中有劫运焉，……吾观中国，知大劫行至矣！……（九九页）

按公羊家法而言，这是什么阶段？那么据乱世之前，他岂不是更来一个大乱之先导么？他所谓“各国变法自民变起”，不是已经又“不乐小成”了么？所以，《仁学》和《大同书》不可并论，《大同书》为反动的思想，而《仁学》往往发抒着进步的要素。

第二节　嗣同的思想流派

嗣同的思想，极其博杂，在宗教思想上主张泛神论，糅合了佛教耶教，在人生哲学上推崇墨子，以任侠为仁，在政治思想上接收黄梨洲的论断而参以西洋近代的民权论，在方法论上接收王船山与焦里堂的思想而参以西洋近代的科学观念，在历史观上则服膺着公羊学派的大义而极不忠实，如斯一团，成为《仁学》一书，可谓五花八门。任公云：

少年曾为考据笺注金石刻镂诗古文辞之学，亦好谈中国古兵法。三十岁以后，悉弃去，究心泰西天算格致政治历史之学，皆有心得，又究心教宗，初极推崇耶氏兼爱之教，而不尊佛，不尊孔子，既而深窥《易》《春秋》之奥义（按任公为谭作传，此处云，既而闻南海先生《易》《春秋》之义则大服），穷大同之条理，体乾元统天之精意。继又探华严性海之理，……探相宗识浪之理，……自是益豁然贯通，能汇万法为一，能衍一法为万，无所挂碍。(《仁学》序)

按嗣同思想受墨子的影响最深，《仁学》自序开端即言：

能调变联融孔与耶之间，则曰墨。周秦学者必曰孔墨，孔墨诚仁之一宗也。……墨有两派，一曰任侠，吾所谓仁也，……一曰格致，吾所谓学也。……仁而学，学而仁，今之士其勿为高远哉，盖即墨之两派以近合孔，耶？……吾自少至壮，偏遭纲伦之厄，涵泳其苦，殆非生人所能任受，濒死累矣，而卒不死，由是益轻其生命，以为块然躯壳，除利人之外，复何足惜，深念高望，私怀墨子摩顶放踵之志矣。

这是他的自述，当甚可凭。以任侠为“仁”，以墨辨为学，依此而统一孔子与耶苏的宗教。又按他的变动思想，是读了船山《张子正蒙注》与《周易外传》的日新之学，演化而为“不生不灭，仁之体”（《略说》十三），书中称引船山之说多见，可以参证。他的相对主义显然接收了焦里堂的易学思想，所谓“参伍错综其对待，然后平等”（《界说》二十），所谓“平等生万化，代数之方程式是也，……不二则无对待，不测则参伍错综其对待”（《界说》二十三），以及其他诸条《界说》，反复言“通”为仁之第一义，都连术语亦用了里堂的名词（旁通，相错），他在二十三界说之下，更列一代数公式以说明生灭平等的相对观念，显然为《里堂学算记》与《易通释》的演绎。

嗣同的基本思想，由此得来，后来参以物理学“以太”之说，引申而为物活论，与佛典的观念论相接合，倡为泛神说。在《仁学》卷一前几部分所建立的他的系统，不但没有孔家思想，而且反为墨家辩护，不但没有孔孟的影子，而且对于继承道统心传的宋明理学，痛加责难（尤其在理欲人性论上为然），例如他说：

墨子何尝乱亲疏哉？亲疏者体魄乃有之，从而有，则从而乱之，若夫不生不灭之以太，通天地万物人我为一身，复何亲疏之有？……不达乎此，反诋墨学，彼焉知唯兼爱一语，为能超出体魄之上，而独任灵魂，墨学中之最合以太者也？不能超体魄而生亲疏，亲疏生分别，分别亲疏，则有礼之名，自礼名亲疏，而亲疏于是乎大乱！（三九页）

这不但违背了孟子，而且更反叛了孔子“孝悌也者，其为仁之本与”善推爱的思想。要知道反对礼文，即反对孔子。所以，他引用康有为（书中以□□□代之）曲改孔子的话，以成己说。他对于宋儒竟谓读宋儒的书，便是人间地狱（八二页），谓“程朱则荀学之云礽也，岂足骂哉”（七七页），评宋儒人性说，云：

性一以太之用，以太有相成相爱之能力，故曰性善。……情可言恶，性亦何不可言恶？言性善，斯情亦善。……世俗小儒，以天理为善，以人欲为恶，不知无人欲尚安得有天理？吾故悲夫世之妄生分别也。……王船山有言曰：天理即在人欲之中，无人欲则天理亦无从发见。适合佛说，佛即众生，无明即真如矣。（二四页）

这些处所，是嗣同自己的思想，和有为之学相异，然在《仁学》卷一末忽然大谈公羊之义，与全书没有什么关联，大约这就是任公所谓受了有为易、春秋之义的影响，但亦有和有为之学的显著异点。第一，有为将历史都认为假造的，没有史学，只有唯心所欲的心肝学，而嗣同不然，他说：

夫易言变者也，礼不变者也。变者周流六虚，不可为典要，所谓新意归趣非例也。故笔削微显，不唯其文，唯其道，圣人之春秋以之。不变者质文损益，所谓发凡正例也。故科律严谨，皆足以远示来裔，史臣之例以之。

欲发其例，必先稽以小学，著其指事类情之所在，然后䌷绎史籍，征信于三代两汉之书。于礼得其体，于易得其通，史学固然，凡学莫不然也。(《史例》自序)

是知嗣同言大义，并不否认历史，只当做一种变而通之的理想看待罢了。故有为好言谶纬，而嗣同反对阴阳五行图谶诬妄之说，《仁学》里没有一句提到董仲舒。第二，有为言托古改制，只讲公式，一到了具体的问题，即不让人怀疑内容，而且把“据乱世”之义抱得甚严，于君统之制客观上做了说客，而嗣同不然，不但“据乱世”主张先大乱，而且直接以批判君统做了大义的“显”言（不是微言），试看他的一段中国史的孔学观：

孔虽当据乱之世，而黜古学，考今制，托词寄义于升平，太平，未尝不三致意焉。……孔学术为两大支，一为曾子传子思而至孟子，孟故畅宣民主之理以竟孔之志，一由子夏传田子方而至庄子，庄故痛诋君主，自尧舜以上，莫或免焉，不幸此两支皆绝不传，荀乃乘间冒孔之名，以败孔之道（按此说与有为亦异，有为言倾孔者刘歆，嗣同溯流于荀子），曰法后王，尊君统，以倾孔学也，曰有治人，无治法，阴防后人之变其法也，又喜言礼乐政刑之属，唯恐钳制束缚之具之不繁也。一传而为李斯，而其为暴著于世矣（按秦制有为不言）。然而其为学也，在下者术之，又疾遂其苟富贵取容悦之心，公然为卑谄侧媚奴颜婢膝，而无伤于臣节，反以助纣为虐者，名之曰忠义，在上者术之，尤利取以尊君卑臣愚黔首，自放纵横暴而涂锢天下之人心。故秦亡而汉高帝术之于上，从吾游者吾能尊显之，君主之潜施其饵也；叔孙通术之于下，今而后知皇帝之贵，绵蕝之导君于恶也。汉衰而王莽术之于上，竟以经学行篡弑矣，刘歆术之于下，又窜易古经以煽之矣。新蹶而汉光武术之于上，吾以柔道治天下，盖渐令其驯优，为己得长踞之焉；桓荣术之于下，车服借古之力也。……唐太宗术之于上，天下英雄皆入吾彀中矣；……韩愈术之于下，“君者出令者也，臣者行君之令而致之民者也，民者出粟米麻丝作器皿通货财以事其上者也”，竟不达何所为而立君，显背民贵君轻之理，而谄一人以犬马土芥乎天下，至于臣罪当深，天王圣明，乃敢倡邪说以诬往圣，逞一时谀说，而坏万世之心术，罪尤不可逭矣。至宋太宗术之于上，修《太平御览》之书，以消磨当世之豪杰；孙复术之于下，造春秋尊王发微，以割绝上下之分，……尽窒生民之灵思，使不可复动，遂开两宋南北诸大儒之学派，而诸大儒亦卒莫能脱此牢笼，且弥酷而加厉焉。……至明而益不堪问，等诸自郐以下可也，类皆转相受，无能稍出宋儒之胯下；其在上者亦莫不极崇宋儒号为洙泗之正传，意岂不曰宋儒有私德大利于己乎！民生之厄，宁有已时耶？故常以为二千年来之政，秦政也，皆大盗也；二千年来之学，荀学也，皆乡愿也。……（《仁学》，七四页）

这是一篇反对封建君主的宣言，把中国二千年的政治，定为大盗秦政，把二千年来之学术，定为封建的媚辞，可谓大胆狂言！他在这里异于康有为三世三统之说，大意只是民主之统与君主之统二者，孔子是主张民主的，复古是要复这样的古，故他在结尾云："孔教之亡，君主及言君统之伪学亡之也，复之者尚无其人也。"他的历史观，更敢于讲到清代，紧接着上文，他说：

窃钩者诛，窃国者侯，田子成窃齐国，举仁义圣智之法而并窃之也，窃之同为中国人，同为孔教之人，不可言而犹可言也；奈何使素非中国素不识孔教之奇渥温爱新觉罗诸贱类异种，亦得凭陵乎野凶蛮杀之性气，以窃中国！及既窃之，即以所从窃之法，还制其人：亦得从容腼颜挟持所素不识之孔教，以压制所素不知之中国矣！而中国犹奉之如天，而不知其罪，焚诗书以愚黔首，不如即以诗书愚黔首，嬴政犹钝汉矣乎！（七五页）

他直接痛骂到满清专制的文化政策了，而且当时很少这样淋漓尽致的笔墨，其“不乐于小成”的气概，实在骨子里批判了康有为，而为公羊学的叛徒。因为他的孔教观，是平等主义，而非一个三世的形式，故他说：

方孔之初立教也，黜古学，改今制，倡民主，变不平等为平等（按此四句是他的理想，与有为在名词上亦不同了），亦汲汲然勤矣！岂谓为荀学者，……反授君主以莫大无限之权，使得挟持一孔教以制天下，彼荀学者，必以伦常二字，诬为孔教之精诣，……即以据乱之世而论，言伦常而不临之以天，已为偏而不全，其积重之弊，将不可计矣！况又妄益之以三纲，明创不平等之法，轩轾凿枘，以苦父天母地之人，无惑乎西人辄诋中国君权太重，父权太重，而亟劝其称天以挽救之，至目孔教为偏畸不行之教也。由是二千年来君臣一伦，尤为黑暗否塞，无复人理，沿及今兹，方愈剧矣。夫彼君主犹是耳目手足，非有两鼻四目，而智力出于人也，亦果何所恃以虐四万万之众哉？则赖乎早有三纲五常字样，能制人之身者，兼制人之心！（七五页）

他的理想是否为古代历史，而荀子是否为封建制度的导师，这里且不论究，而他以平等与不平等，人理与非人理，在制度与意识上所做的批判，则把握到近代平民精神的主要课题，他根据这个认识，就不是如康有为的易、春秋之义，唯心所欲，编制历史，而他在历史上亦兼顾到“著其指事类情之所在，然后细绎史籍，征信于书”，因此，他敢于接触真理的内容，不以形式上的变革之学为满足。如果把嗣同认为是有为的忠实信徒，而忽视其独立自得之思想，那便是一种诬蔑，他虽然死于维新运动，不发展其“不乐于小成”的理想，一任其“性急躐等”的偏性，但他的解放思想，已经闪耀出民主主义的光辉，而且已经有人民事业的预感。例如他评论洪杨之乱与曾国藩媚清之害说：

洪杨之徒，苦于君官，铤而走险，其情足悯焉。（下引西律国事犯的例子）……民而谋反，其政治之不善可知，为之君者，犹当自反，借曰重刑之，则请自君始。……奈何湘军乃戮民为义耶？虽洪杨所至，颇纵杀，然于既据之城邑，亦未尝尽戮之也。乃一经湘军之所谓克复，借搜缉捕匪为名，无良莠皆膏之于锋刃，乘势淫掳禁掠，无所不至。……中兴诸公，正孟子所谓服上刑者，乃不以为罪，反以为功。……湘人守旧不化，中外仇视，……法令不变，至今为梗，亦湘军之由也。善夫东方商埠述要之言曰“英人助中国荡平洪杨，而有识之士，愈谓当日不若其大乱，或有人出而整顿政纪，中国犹可焕然一新，不至如今日之因循不振，盖我西国维新之政，无不从民变而起”云云，是则湘军助纣为虐之罪，英人且分任之矣！（八六页）

嗣同此论，虽不是他的中心思想，然不能不说是他的客观认识，因为他虽然没有完全信赖民众的言论，但他却有一个最大“疑问”，即维新的前途亦是难以信赖，故由“据乱”预感而为“大乱”，由希望立宪转变而为同情人民，如他说：

儒者轻诋游侠，使比之匪人，乌知困于君权之世，非此益无以自振拔，民乃益愚弱而窳败，言治者不可不

察也。（八四页）

杀游勇之不足，又济之以杀会匪，原会匪之兴，亦兵勇互相联结，互相扶助，以同患难耳。此上所当嘉予赞叹者。且会也者，在生人之公理不可无也，今则不许其会，则必出于私，亦公理也。遂乃横被以匪之名，株连搜杀，死者岁以万计，……徒自虐民，不平孰甚？……生人之气索然俱尽，然后彼君主者，始坦然高枕，曰莫予毒也已。此其阱天下之故，……君主之祸，所以烈矣！（八八页）

他的社会思想是《仁学》的主要内容，一望而知为《明夷待访录》的继承者，故他亦说："君统盛而唐虞后无可观之政，孔教亡而三代下无可读之书。乃若区玉检于尘编，拾火齐于瓦砾，以冀万一有当于孔教者，则黄梨洲《明夷待访录》，其庶几乎！其次为王船山之遗书，皆于君民之际，有隐洞焉。"（七七页）梨洲的民权论多脱胎于墨子，故嗣同《仁学》，以任侠为仁，以兼爱平等之说为学。

第三节　嗣同的社会思想

嗣同的平等说是墨子兼爱篇的演绎，他的国家论又是尚同篇的演绎，后者连文字亦大体相似。试看他说：

生民之初，本无所谓君臣，则皆民也。民不能相治，亦不暇治，于是共举一民为君。夫曰共举之，则非君择民，而民择君也。夫曰共举之，则其分际又非甚远于民，而不下侪于民也。夫曰共举之，则因有其民而后有其君，君末也，民本也，天下无有因末而累及本者，亦岂可因君而累及民哉？夫曰共举之，则且必可共废之，君也者，为民办事者也，臣也者，助民办事者也，赋税之取于民，所以为办民事之资也，如此而事犹不办而易其人，亦天下之通义也。观夫乡社赛会，必择举一长，使治会事，用人理财之权咸隶焉，长不足以长则易之。……何独于君而不然；岂谓举之戴之，乃以竭天下之身命膏血，供其盘乐怠傲，骄奢而淫杀乎？供一身之不足，……又欲传之世世万代子孙，一切酷毒不可思议之法，由此其繁兴矣。……大可怪矣！（七八页）

这是墨子举贤为“兼君”之说与梨洲天子为拉车者

之说的复制，作为他的近代国家的理想来处理的。（在《仁学》一〇四页明言：“为之民主，如墨子所谓选天下之贤者，立为天子，俾人人自主。”）他既以平等为出发点，则对于公羊三世之说，颇有修改，抹杀了据乱世，而直接说明民主平等的社会（升平、太平在《仁学》中亦不严分）。什么时候把生民之初的古制破坏了呢？在康有为说，这些都是随便讲的，一归于假托，三代云者是孔子的自道，而嗣同则颇异，认为历史还不能否认，他说：

中国自绝地天通，唯天子始得祭天，天子既挟一天以压制天下，天下遂望天子俨然一天，虽胥天下而残贼之，犹以为天之所命，不敢不受。民至此乃愚入膏肓，至不平等矣。孔出而变之，删诗书，订礼乐，考文字，改制度，而一寓其权于春秋。春秋恶君之专也，称天以治之，故天子诸侯，皆得施其褒贬，而自立为素王。又恶天之专也，称元以治之，故易春秋皆以元统天。春秋授之公羊，故公羊传多微旨，然旨微犹或弗彰也，至于佛肸公山之召而欲往，孔子之心见矣。……君者公位也，……彼君之不善，人人得而戮之，初无所谓叛逆也，叛逆者，君主创之以恫吓天下之名。……不为君主，即詈以叛逆，偶为君主，又谄以帝天，中国人犹自以忠义相夸示，真不知世间有羞耻事矣。夫佛肸公山之召而欲往，犹民主之义之仅存者也，此孔之变教也。（七〇页）

嗣同认为历史是由古之民主，到后世之专制，从什么时代起有了这样变化呢？文中不详，好像所谓三代已然了。孔子出而变革古制，就是要把君主改为民主，然而孔子为什么不公然举起叛逆之旗帜呢？他以为孔子应公山佛肸（叛于费邑）之召而欲往，即是想做一番革命，乃“仅存的民主之义”，并非一定要束缚于据乱之世，唯孔子的时代太不幸了，所以才隐于微言大义，他说：

孔最为不幸，孔之时，君主之法度，既已甚密而孔繁，所谓伦常礼义，一切束缚强制之名，既已浸渍于人人之心，而猝不可与革，既为据乱之世，孔无如之何也，其于微言大义，仅得托诸隐晦之辞，而宛曲虚渺，以著其旨，其见于雅言，仍不能不牵率于君主之旧制，亦止据乱之世之法已耳，据乱之世君统也。后之学者，不善求其指归，则辨上下，陈高卑，懔天泽，定名位，只见其为独夫民贼之资焉矣！（七一页）

这里便包含了机会主义的因素，以幸运与不幸运的理由说明“雅言”的出现。他在别处亦云：“孔子曰，天下有道，丘不与易也。孟子曰，予岂好辩哉，予不得已也。夫教主之出现，诚不幸而遇于不得已焉耳。”（二九页）要知道所谓自由主义者的政治言论，即以政纲的隐晦与民主派作为分水岭，因为言论越隐晦虚渺，则越使其可以自由地飞来飞去，时而以改良者出现，时而又以革命者出现。太炎评谓：“君子时中，时伸时缩，故道德不必求其是，理想亦不必求其是，唯期便于行事则可矣。……用儒家之理想，故宗旨多在可否之间，议论止于函胡之地。”（《诸子学略说》）按嗣同承袭公羊之义解释孔子，与太炎针对公羊学派之义而非议孔子，在客观上或都不合于孔子学说，但如果以公羊家之义如此曲折其词，抒发孔教，则颇把孔子形容得不是一位政治家，而太炎所批评者即据此形容揭露而已。嗣同的解释，主要是自己的主观见解，那么他闪出了自由机会主义的保皇“不得已”的晦气，并非偶然的。这里所言，当然是嗣同的一面，另外有一面，即他并不像有为甘于据乱之世，而是以反君统做了《仁学》的中心，以为中国二千年的儒者错解了孔子，拥护君统，罪大恶极，欲复古崇孔，则以平等之义为第一要件，“三教不同，同于变，变不同，同于平等”。于是他又跳出了孔教，寄托于他所谓“最合于以太”的不别贵贱亲疏的墨学了，从反君主君统，而发展为反满，他说：

天下为君主囊橐中之私产，不始今日，固数千年以来矣。然而有知辽金元之罪，浮于前此之君主者乎？其土则秽坏也，其人则膻族也，其心则禽心也，其俗则毳俗也。一旦逞其凶残淫杀之威，以攫取中原之子女玉帛……马足蹴中原，中原墟矣，锋刃拟华人，华人靡矣，……锢其耳目，桎其手足，压制其心思，绝其利源，窘其生计，塞蔽其智术，繁拜跪拜之仪，以挫其气节，而士大夫之才窘矣，立著书之禁，以缄其口说，而文字之祸烈矣，且即挟此土所崇之孔教，为缘饰史传，以愚其人，而为藏身之固。……虽然，成吉思之乱也，西国犹能言之，忽必烈之虐也，郑所南《心史》纪之，有茹痛数百年不敢言不敢纪者，不愈益悲乎！明季稗史中之《扬州十日记》，《嘉定屠城纪略》，……既纵焚掠之军，又严剃发之令，所至屠杀虏掠，莫不如是，……

无复乾隆以前之旧籍，其残暴为何如矣！亦有号为令主者焉，及观南巡录所载淫虏无赖，与隋炀明武不少异，不徒鸟兽行者之显著《大义觉迷录》也！台湾者，……郑氏据之，亦足存前明之空号，乃无故贪其土，据为己有，据为己有犹之可也，乃既竭其二百年之民力，……举而赠之于人，其视华人之身家，曾弄具之不若！……尚有十八省之华人，宛转于刀砧之下，瑟缩于贩卖者之手，方命之曰，此食毛践土之分然也！夫果谁食谁之毛，谁践谁之土，久假不归，乌知非有，……吾愿华人勿复梦梦，谬以为同类也！（八一——八二页）

这是嗣同明白反满的言论，如果由此推论下去，可能得出种族革命的结论，然而嗣同在这里表现了极显著的矛盾，一方面以理由信仰民主，他方面又以时急信仰变法，一方面痛恨专制，他方面又希望速变，一方面怀疑满清，他方面又未能发现民力，因此他的前途观点是灰色的，而谓大乱将至，劫运到来，在他自己则只以一个炸弹自居，举出杨玄感自解他的矛盾（他谓之“纷扰”），把难以解决的社会矛盾，观念地统一于他自己毁灭之中，所谓“冲决网罗”者巧妙地返原于自我牺牲，以宗教家心力的超度，代替了政治家现实的变革。他十足地代表了当时小市民的悲剧历史。他接着说：

法人之改民主也，其言曰：“誓杀尽天下君主，使流血满地球，以泄万民之恨。”朝鲜人亦有言曰，“地球上不论何国，但读宋明腐儒之书，而自命礼义之邦者，即是人间地狱”。夫法人之学问，冠绝地球，故能倡民主之义，未为奇也，朝鲜乃……亦为是言，岂非君主之祸，无可复加，非生人所能任受耶？（按此为一面思想，在下面忽然提出变法，而追问之。）夫其祸为前朝所有之祸，则前代之人既已顺受，今之或可不较（？），无如外患深矣，海军熸矣，要害扼矣，堂奥失矣，利权夺矣，财源竭矣，分割兆矣，民倒悬矣，国与教与种将偕亡矣（按如此数条件，好像比孔子时代尤不幸）。唯变法可以救之，而卒坚持不变。岂不以方将愚民，变法则民智，方将贫民，变法则民富，方将弱民，变法则民强，方将死民，变法则民生，方将私其智其富其强其生于一己，而以愚贫弱死归诸民，变法则与己争智争富争强争生，故坚持不变也。究之智与富与强与生，决非独夫之所任为，彼岂不知之，则又以华人比牧场之水草，宁与之同为畜粉，而贻其利于人，终不令我所咀嚼者，还抗乎我！此非深刻之言也，试证数百年之行事，与近今政治及交涉，若禁强学会，若订俄国密约，皆毅然行之而不疑。……在事亟时，决不肯假民以自为战守之权，且曰宁为怀愍徽钦，而决不令汉人得志，固明宣之语言；华人宁不闻而知之耶？乃犹道路以目，相顾而冥敢先发，曰畏祸也，彼其文字之狱，凡数十起，死数千百人，违碍干禁书目，凡数千百种，并前数代若宋明之书亦禁列，文网可谓至密矣，而今则莫谁何！（按此追询于变法之难，反复质问其故）……以时考之，华人固可以奋矣，且举一事，而必其事之有大利，非利其事者也，故华人慎毋言华盛顿拿破仑矣，志士仁人求为陈涉杨玄感，……死无憾焉，若其机无可乘，则莫若任侠，亦足以伸民气。……（八二——八三页）

嗣同在政治意识的模糊如此，而他远窥出伸民气的所在，则是极有价值的瞻望。因此嗣同在政治上没有民主答案，而在社会观点上则具有直接性的答案，在有为认破家族伦常为大同之治的根本要件（参看上章，实际上是指民主的要件），而在嗣同则以之为反君主的先决要件，在有为是一种秘密不肯轻示于人，而在嗣同则是迫切的人权宣言。他仿效了梨洲反死节的理论，首先倡忠君为辅桀助纣之说，他说：

死节之说，未有如是之大悖者矣。君一民也，且较之寻常之民而更为末也。民之于民，无相为死之理，本之与末，更无相为死之理。然则古之死节者，乃皆不然乎？请为一大言断之曰：止有死事的道理，决无死君的道理。（按下所言皆仿梨洲）……况又有满汉种族之见，奴役天下者乎？夫彼奴役天下者，固甚乐民之为其死节矣。一姓之兴亡，渺渺乎小哉，民何与焉？……（下比喻奸人子女）……奈何四万万智勇材力之人，彼乃娼妓畜之，不第不敢激不平于心，益且诩诩然曰忠臣忠臣？……古之所谓忠，以实之谓忠，下之事上当以实，上之待下乃不当以实乎？……古之所谓忠，中心之谓忠也，抚我则后，虐我则仇，应物平施，心无偏袒，可谓中矣，君为独夫，而独以忠事之，是辅桀也，是助纣也，其心中乎不中乎？（七九页）

这是他反死节的伦理革命思想（按嗣同死于戊戌，以他的话言之，死于事，非死于君明矣），由此而倡为反纲常之说：

君臣之祸亟，而父子夫妇之伦遂，各以名势相制为当然矣，此三纲之名之为害也。名之所在，不唯关其口使不敢昌言，乃并锢其心使不敢涉想，故愚黔首之术，莫不以繁其名为尚焉。君臣之名，或尚以人合而破之，至于父子之名，则真以为天之所命，卷舌而不敢议，不知天命者，泥于体魄之言也，不见灵魂也。……父非人所得而袭取也，平等也，且天又以元统之，人亦非天所得而陵压也，平等也。……若夫夫姑之于妇，……今则虏役之而已矣，鞭笞之而已矣。……三纲之慑人，足以破其胆，而杀其灵魂，有如此矣。……夫妇之道苦，本非两情相愿，而强合渺不相闻之人，絷之终身，以为夫妇，夫果何恃以伸其偏权而相苦哉？……自秦垂暴法，于会稽刻石，宋儒炀之，妄为饿死事小失节事大之瞽说，直于至家施申韩，闺闼为岸狱，是何不幸而为妇人，乃为人申韩之，岸狱之！……中国动以伦常自矜异，而疾视外人，而为之君者，乃真无复伦常，天下转相习不知怪，……已则渎乱夫妇之伦，妃御多至不可计，而偏喜绝人之夫妇，如所谓割势之阉寺与幽闭之宫人，

其残无人理，虽禽兽不逮焉。……独夫民贼，固甚乐三纲之名，一切刑律制度，皆依此为率，取便己故也。（八九——九一页）

嗣同这种人权思想，在当时是颇左的烈性言论，他唱的是小鸟儿出笼子的乐歌，本义上是用极端人权理由，破坏封建的小天地而已。他反对了名常，而要求所谓“人理”，要求“灵魂”，颂扬近代个人主义的绝对理性世界，有人权宣言的意向。故他在《仁学》自序上说：

初常冲决利禄之网罗，次冲决俗学若考据若词章之网罗，次冲决君主之网罗，次冲决伦常之网罗，次冲决天之网罗，次冲决群教之网罗，……

他的个人主义思想，具有浪漫因素，他的理想在客观上不过是近代契约式的等价交换关系，他说：

五伦之中于人生最无弊而有益，……其唯朋友乎！所以者何？一曰平等，二曰自由，三曰节宣唯意，总括其义曰，不失自主之权而已矣。……上观天文，下察地理，远观诸物，近取之身，能自主者兴，不能者败，公理昭然，罔不率此。伦有五，而全具自主之权者一，夫安得不矜重之乎？（九一页）

嗣同的公理，即自由竞争的原则，把他绝对化而为铁则。原近代的法权，所谓自由，平等仅是人权意志的，而非所有关系的，嗣同强调者，正是以历史的而还元于一般的，近代学者的思维颇相近似。他所谓“节宣唯意”在经济关系上即等价交换，自由劳动的抽象语言而已。冲决网罗以后来到的黄金世界，人类能够自己主张他的权利与义务，变超经济的人类关系而为经济自由的关系，他说这里的朋友关系“无纤毫之苦，有淡水之乐”，乃理想的君子之交，而资本主义的网罗却又为嗣同不知道了。

嗣同对于这种公理世界，又在个人与社会两方面赞美，从个人而言，合于公理的世界中，个性最能发展，他名之曰“心力”，试看他如何讲此心力：

心力最大者，无不可为，唯其大也，又在以召阻险。格致盛而愈多难穷之理，化电盛而愈多难分之质，医学盛而愈多难治之证（症），算学盛而愈多难取之题，治理盛而愈多难防之弊。道高一尺，魔高一丈，愈进愈阻，永无止息。然反而观之，向使不进，乃并此阻而不可得，是阻者进之验，弊者治之效也。同消同长，道通为一，唯在不以此自阻焉耳。苟畏难而偷安，防害而不敢兴利，动援泰西民党之不靖，而谓不当学西法，不知正其治化日进之凭据也。……盖心力之实体，莫大于慈悲，慈悲则我视人平等，而我以无畏，人视我平等，而人亦无畏，无畏则无所用机心。……以此心为始，可言仁，言恕，言诚，言絜矩，言参天地，赞化育，以感三人而一二化，则以感天下，而劫运可挽也。（一〇一——一〇二页）

他的心力说，在客观上讲的是个性，他虽然有时用愿力，慈悲诸名词糅杂其说，但并不妨碍他的推理，故他以发挥心力是救中国人“机心”的良药，他说以心救心，自可把萎靡、猥鄙、粗俗、荒弛等病挽转过来。他又形容此种心力，说：

心力可见否？曰人之所赖以办事者是也。吾无以状之，以力学家凹凸力之状状之。愈能办事者，其凹凸力愈大，无是力即不能办事。凹凸力一奋动，有挽强持满不得不发之势，虽千万人未或能遏之，而改其方向者也。今略举十有八：曰永力，性久不变，如张弓然；曰反力，忽然全变，如弛弓然；曰摄力，挽之使近，如右手控弦然；曰拒力，推之使远，如手持弓然；曰总力，能任群重，如杠杆之倚点然；曰折力，能分条段，如尖劈之斜面然；曰转力，互易不穷，如滑车然；曰锐力，曲而能入，如螺丝然；曰速力，往来飞疾，如鼓琴而弦颤然；曰动力，阻制驰散，如游丝之节动然；曰拧力，两矫相达，如绞网而成绳然；曰超力，一瞬即过，如屈纲条而使跃然；曰钩力，逆探至隐，如弭钓鱼，时擒时纵然；曰激力，虽异争起，如风鼓浪，乍生乍灭然；曰弹力，骤起击压，无坚不摧，如弩括突突矢贯札然；曰决力，临机立断，自残不恤，如剑锋直陷，剑身亦折然；曰偏力，不低即昂，不令相平，所以居已于重也，如碓杵然；曰平力，不低不昂，适剂其平，所以息物之争也，如悬衡然。（一〇九——一〇〇页）

他所形容的凹凸力，比之人的心力，谓“天下皆善，心力也”。他是崇拜机械运动呢，还是赞美个性解放呢，这里且不管它，唯这种心力之动，则是近代个人主义思想的题目，嗣同把它美化了。他形容的一种“决力”，“临机立断，自残不恤，如锋剑直陷，剑身亦折”，便是他自己在戊戌政变中心力的表演，毫无疑问。然而嗣同并没有往下发展了心力，他又逢上了自己的矛盾，欲化此凹凸力，谋所以协调，“上下通”，这便使他走了维新保皇党的悲剧路径，他说：

此之所谓力者，……此佛所谓生灭心也，不定聚也，自撄撄人，奇幻万变。……世之所以有机械也，无一不缘此诸力而起。天赋人以美质，人假之以相斗，故才智愈大者，争亦愈大，此凹凸力之为害也。然苟无是力，即又不能办事。宜如之何，曰何莫并凹凸力而用之于仁，仁之为道也，凡四，曰上下通，天交地，泰不交否，损上益下，并反之损。……（一〇〇页）

他不能解消机械自然力的矛盾，而欲对消心力的矛盾，因此他不能做一个彻底民主主义者，一方面高扬凹凸力的美质，他方面又畏忌于此力的社会意义，他于是在观念上调和，“损上益下”，想求非自然的方便法门，而“通”乎上下了，维新的理论基础在此建立（哲学思想见后）。

他的这种思想，又表现于他的政教学合一之说，他言宗教走到调和的路上，言政术则摇摆于变法的信疑参半中，而言学术则沿着正规的个性崇拜观，他说：

学、政、教。学不一，精格致乃为实际，政不一，兴民权乃为实际，至于教则最难言。……言进学之次第，则以格致为下学之始基，次及政务，次始可窥见教务之精微。……故言政言学，苟不言教，则等于无用（？），……然而求保国之急效，又莫捷于学矣。……朝廷即不兴学，民间亦当自为之，且朝廷如何横暴，终不能禁民使不学（？），中国之民，唯此权尚能自主（？），则由此充之，凡已失之权，无不可因此而胥复也。锢水于锅炉，勿谓水弱也，烈火燔其下，虽针铁百重，而锅炉必为汽裂，涨力之谓也，豫章之木，勾萌于石罅，勿虑无所容也，将渐据石所据之地，石且为之崩离，挤力之谓也，唯学亦具此二力。……涨力以除旧，挤力以布新，猗欤休哉，而有学也。（九七——九九页）

这又是凹凸力的崇拜，唯仅限于学，至政治宗教则又欲把它当做所谓改组派的天足罢了。然而他信仰此凹凸力，毕竟怀疑于变法，接着他便说："世乱不极，亦未由拨乱反之正，故莫若速使其乱，犹冀万一有能治之者也。且其间亦有劫运焉，虽独夫民贼之罪，要由众生无量生中之业力所感召而纠结。"（九九页）

复次，从社会方面而言，合于他的公理世界中，个性最能日新创造，而反乎俭陋的自给自足。这里是《仁学》的得意之笔，皆由船山学术演绎而成。他说：

孔曰革去故，鼎取新，又曰，日新之谓盛德。夫善至于日新而止矣，夫恶亦至于不日新而止矣。天不新何以生，地不新何以运行，日月不新何以光明……孔曰改过，佛曰忏悔，耶曰认罪，新之谓也。……新也者，夫亦群教之公理也。……独何以居今之世，犹有守旧之鄙生，龂龂然曰不当变法何哉？……乃彼方诩于人曰好古，是又大惑也已，古而可好，又何必为今之人哉？所贵乎读书者，在得其精意，以充其所未逮焉耳，苟以其迹而已，则不问理之是非，而但援事之有无，枭獍四凶，何代蔑有，殆将一一则之效之乎？（下引有为改《论语》好古之说）……中国动辄援古制，死亡之在眉睫，犹栖心于榛狉未化之世，若于今熟视无睹也者（此语正反对《孔子改制考》一书）！（四九页以下）

日新为公理之说，是维新派的前提，嗣同更发抒以反古。由日新复派生了变动，他仍先讲一套自然机械运动的凹凸力，以比喻人性的喜动精神，他说：

日新乌乎本，曰以太之动机而已矣。……雷合两电，两则有正有负，正负则有异有同，异则相改，同则相取（按此二语有语病），而奔崩轰訇发焉，宇宙为之掀鼓，山川为之战撼，……夫亦可谓暴矣，然而继之以甘雨，扇之以和风，雾豁天醒，霾散气苏，霄宇轩昭，大地澄涤，三辰晶英于上，百汇孚甲振奋于下，蜎飞蠕动雍容而自得。……天行健，自动也，天鼓万物，鼓其动也，辅相裁成，奉天动也，君子之学，恒其动也。……善治天下者，亦岂不由斯道矣，夫鼎之革之，先之劳之，作之兴之，废者举之，敝者易之。……乌知乎李耳者出，言静而戒动，柔而毁刚。……乌知乎学子术焉，士大夫诸侯王术焉，……而天子亦术焉，卒使数千年成乎似忠信，似廉洁，一无刺无非之乡愿天下：言学术则曰宁静，言治术则曰安静；处事不计是非，而首禁更张，躁妄喜事之名立，百端由是废弛矣；用人不问贤不肖，而多方遏抑，少年意气之论起，柄权则颓暮矣；陈言者则命之曰希望恩泽；程功者则命之曰露才扬己；既为糊名以取之，而复隘其途，既为年资以用之，而复严其等；财则惮辟利源，兵则不贵朝气。统政府台谏六部九卿督抚司道之所朝夕孜孜不已者，不过力制四万万人之动，挚其手足，涂塞其耳目，尽驱以入契乎一定不移之乡愿格式，夫群四万万之乡愿以为国，教安得不亡，种类安得而可保也！……西人之喜动，其坚忍不挠，以救世为心之耶教使然也，又岂能耶教，孔教固然矣，佛教尤甚。曰威力，曰奋迅，曰勇猛，曰大无畏，曰大雄，括此诸义……善学佛者未有不震动奋厉而雄强刚猛者也。（五〇页以下）

嗣同此论，一方面批评封建社会束缚于自然经济的静止生活，他方面崇拜个人主义的进取生活，这在他的社会思想中是最富于朝气的言论，尤其他的无所顾虑的批判态度，是可珍贵的。因此，他反对俭德，而赞善个人主义经济的发展，当亦受了"国民之富"学说的影响。（按《原富》一书译出于光绪二十八年，嗣同未见，而此项思想则与变法派通气相求的严复早已介绍。）他说：

所谓崇俭，矛盾之说也。衣布追足矣，而遣使劝蚕桑胡为者，岂非导之者乎？则蚕桑宜禁矣；通有无足矣，而开矿取金银胡为者，岂非示之汰乎？则金银宜禁矣。……凡开物成务，利用前民，励材奖能，通商惠工，一切制度文为，经营区画，皆当废绝。……家累巨万，无异穷人，坐视羸瘠盈沟壑，饿殍蔽道路，一无所动于中，而独室家子孙之为计，天下且翕然归之曰，俭者美德也。是以奸猾桀黠之资，凭借高位，尊齿重望，阴行豪强兼并之术，以之欺世盗名焉，此乡愿之所以贼德，而允为佥人之尤矣！……抑尝观于乡下矣，千家之聚，必有所谓富室焉，左右邻比以及附近之困顿不自聊者，所仰而以为生也，乃其刻溪琐赍，弥甚于人，自苦其身，以剥削贫民为务，放债则子巨于母而先取质，粜籴则阴伺其急而厚取利，扼之持之使不得出，及其钳络久之，胥一乡皆为所并吞，遂不得不供其奴役。……愈俭则愈陋，民智不兴，物产凋窳，所与皆窭人也，已亦不能更所取。……人人俭而人人贫，天下大势，遂乃不可以支。……言静者……鬼道也，言俭者……禽道也。（五三页以下）

他的理想社会与俭德对立，是什么呢？一言以蔽之曰资本主义。他说：

令富者……大聚之在流注灌输之间焉耳。有矿焉，建学兴机器以开之，辟山通道浚川凿险咸视此。有田焉，建学兴机器以耕之，凡材木水利畜物蚕织咸视此。有工焉，建学兴机器以代之，凡攻金攻木造纸造糠咸视此。大富则设大厂，中富附焉或别为分厂，富而能设机器厂，穷民赖以养，物产赖以盈，钱币赖以流通，己之富亦赖以扩充而愈厚。不唯无所用俭也，亦无所用其施济，第就天地自有之利，假吾力焉以发其复，遂至充溢溥遍而收博施济众之功。故理财者，慎毋言节流也，开源而已，源日开而日亨，流日节而日困，始之以困人，终必困乎已。（五六页）

因此，嗣同赞美的公理世界，是资本主义。他以为大富之财扩充而愈厚，则可以收博施济众之功，所谓“博施济众，尧舜犹病”者，在资本主义生产（扩大再生产）的社会便实现，这是何等无保留的近代赞辞呢！请再看他的机器颂：

用机器则一人为之有余，是货百饶于人也，一人百日为之不足，用机器一日为之有余，是货百饶于日也。日愈日省，货愈日饶，民（在这里当市民）愈日富。……人特患不能多造货物，以广“民利”，……今用机器，则举无虑焉，其为功于民何如哉？称天之德，不过曰造物而已，而日夺“民利”何耶？且所省之人工日工，又将有所兴造，利源必日广，岂有失业坐废之虞。……机器兴而物价贵，又以见机器固非夺“民利”矣。……唯静故惰，惰则愚，唯俭故陋，陋又愚，兼此两愚，固将杀尽含生之类而无不足，故静与俭，皆愚黔首之惨术，而挤之于死也。……人巧奋，地力尽，程度谨于国，苦窳绝于市，游惰知所警，精良偏于用。……然则机器兴，斯乃治平之一效矣！……自俭之名立，然后君权日以尊，而货弃于地，……一旦衔勒去，民权兴，得以从容谋议，各遂其生，各均其利，抒轴繁而悬鹑之衣绝，工作盛而抑郁之叹消。……夫治平至于人人皆可奢，则人之性尽，物物皆可奢，则物之性亦尽。……故私天下者尚俭，其财偏以壅，壅故乱，公天下者尚奢，其财均以流，流故平。

按后世社会主义的课题是“各尽所能，各取所值”，而嗣同公平天下的课题是“各遂其生，各均其利”，大富设大厂，兴大机器，贫民工作盛而无惰懒，如此各尽人之性，又尽物之性，各以竞争的原则，自由以遂生，自由以取利，治平的公天下于是乎出现。这是十九世纪末叶敢说十七世纪言语的最希罕之乐观歌唱。“机器”

的怪物在欧美已经被人诅咒的时候，而在中国居然有一位天真的凹凸力论者，赞美得“博施济众”“尽性尽物”。

按他的均平之说，所谓“财均以流，流故平”，是为公天下，在经济学上讲，尚是商业资本的讴歌，维新派的基本思想在此。因为他们都着重了商品流通的广大世界，便把民主的议题不作中心去处理。“民利”代替了“民权”。嗣同在这里没有超出了这个范围，主观上对于反封建君主的态度虽激进，而客观上则更富于自由主义。他以为中国商业资本的建立便可成为公理社会，而世界商业自由的流通，则可成为公理天下，他说：

夫财均矣，有外国焉，不互相均，不足言均也，通商之义，缘斯起焉。西人初亦未达此故，以谓通商足以墟人之国，恐刮取其脂膏以去，则柴立而毙也，于是有所谓保护税者，重税外人之货，以阴拒其来，邻国不睦，或故苛其税，借以相苦，因谓务税务亦足以亡人国也，而其实皆非也。……通商者，相仁之道也，向利之道也，客固利，主尤利也。西人商于中国，以其货物仁我，亦欲购我之货物以仁彼也，则所易之金银，将不复持去。然辄持去者，谁令我之工艺不兴，商贾不恤，而货物不与匹敌乎！即令中国长此黮黯，无工艺，无商贾，无货物，又未尝不益蒙通商之厚利也。己既不善制造，愈不能不仰给于人，此其一利矣；彼所得者金银而已，我所得者千百种之货物，货物必皆周于用，金银则饥不可食，而寒不可衣，以无用之金银，易有用之货物，不啻出货佣彼，而为我服役也，此又一利也。……此之不明，而曰以通商致贫，……惰者固莫不然也。夫彼以通商仁我，我无以仁彼，既足愧焉，曾不之愧，而转欲绝之，是以不仁绝人之仁。且绝人之仁于我，先即自不仁于我矣。……且夫绝其通商，匪唯理不可也，势亦不行。……为今之上策，上焉在奖工艺，惠商贾，速制造，次蓄货物，而尤扼重于开矿，庶彼仁我，而我亦仁彼。能仁人，斯财均，而己不困矣。次之，力即不足仁彼，而先求自仁，亦省彼之仁我，不甘受人仁者，始能仁人，既省彼之仁我，即已舒彼仁我之力，而以舒之者仁之矣。不然，日受人之仁，安坐不一报，游惰困穷，至于为人剪灭屠割，揆之上天报施之理，亦有宜然焉耳。夫仁者通人我之谓也，通商仅通之一端，其得失已较然明白若此。故莫仁于通，莫不仁于不通。（六〇页以下）

自由贸易的世界在嗣同理想中是相互仁爱的合理关系，比亚旦斯密斯更认为绝对。所谓仁者，如商业上等价交换的关系，一方面是出卖者，彼方面是购买者，此方的相对的价值形态，与彼方的等价形态，互为作一物对一物的换位，在最单纯的关系（如物物交换）表现着互利的样子，嗣同以为这便是通乎人我之仁，故谓“彼仁我，我亦仁彼，能仁人，斯财均”。然彼我之间的关系，最初与最后并非一致的，如果彼我皆以商品所有者出现，那么人的关系而外便发生了物的关系，即商品的拜物关系，货币关系，以至资本关系，这在嗣同的哲学中都以为是“上天报施之理”，所有者拿出商品来出售是“仁”之施，而非所有者拿不出等价物来购买，便失去“仁”之报，而所有者之应当生存，非所有者之应当剪灭屠割，亦上天报施之理宜然焉耳。彼能以所有物做通惠之仁，而己不能应通惠之仁，换言之，资本家以商品的代表者出现于市场，而劳动者不能出卖自己的劳动力以购买商品，“揆之天理”便是弱肉强食，优胜劣败，优强者仁至义尽，而弱劣者不仁不义。他的意思所谓“唯静故惰，惰则愚，唯俭故陋，陋又愚”，乃指封建的自然经济，在这样“静与俭”的关系中，“将杀尽含生之类”，反之，劳动者不惰而勤，资本所有者不俭而兴事业，则至“欧美治化之隆”。他以为在国际关系上亦然，通商是彼此互惠，资本商品的输出国与殖民地的输入国，只有等价交换关系，没有交换以外的不平等关系。然他亦知道欧美的一些消息，而他则说：

以欧美治化之隆，犹有均贫富之党，轻身命以与富室为难，毋亦坐拥厚赀者时有偏之心以召之欤？则俭之为祸，视静弥酷矣。（五八页）

他既规定企业家的出现是仁者的博施济众，则“为富即仁”便成公理，而无所谓“为富不仁”的道理，偶有之，则仍由于拥厚赀者时有偏心的偶然现象，好像说不肯再投资扩大再生产而已。因之，推而至于国际通商关系，商品输出者“不啻出货佣彼而为我服役”，愈来货多愈现出其仁心，而我若拒其输入，他说“不自振奋，而偏巧于推咎，惰者固莫不然也，是以不仁绝人之仁”。这是多么好看的公羊学。

嗣同在个性上崇拜凹凸力，然而又可能解消此凹凸力而通于“仁”，所谓上下通，损上益下的改良主义，结果取消了凹凸力的人民性；在社会上崇拜日新运动，然而又可能解消此新生命力而通于“仁”，所谓等价的人我相通，推至于国际关系，则美化了通商，而尽流于不抵抗主义。由此，我们可以知道《仁学》一书的内容，他的抽象观念尽管运用的活泼好看，名词尽管堆集得学贯中西，而只要他说具体的东西，本质便要呈露出马脚来。任公所云“豁然贯通，能汇万法为一。能衍一法为万，无所挂碍”者，在这里我们明白他的汇衍贯道之理，是前半截的急进和后半截的温柔，实行一个九十度的折角。

嗣同的商业“仁学”，是一个极矛盾的体系，所以辨析到最后，总是以抬出宗教的信仰为主观的解决。他崇章国际商业为“仁”的人我通之一端，这是商业理想美化的讴歌，然而又不妨碍他另从一个相反的角度来雄化商业，讴歌商业，例如他说：

且知天下之大患有不在战者乎！西人虽以商战为国，然所以为战者，即所以为商，商之一道，足以灭人之国于无形，其计至巧而至毒，人心风俗皆败坏于此。今欲闭关绝市，既终天地无此一日，则不能不奋兴商务，即以其人之道还治其人之身。(原注……西人……岁取中国八千万，视国家所入犹赢一千万，是商务一端已远胜于作中国之皇帝，况和约遍地可通商免厘，可造机器，可制土货，各国必援利益均沾之说，一体照办耶？)(《嗣同书简二》)

这已经批评了他自己的《仁学》,《仁学》主人我通，以通商为仁，此处则主人我战，以商抗商，以不仁对乎仁。唯他有一个基本出发点，即商业资本主义是王霸皆宜的。如果你以为他太矛盾了吧，他很轻易地便为你解决，宗教高于一切。

按维新派的商业论，是他们中间的灵魂沟通之点，嗣同在上《书简》中更言：

大抵行法之要尤有二端，……一周知四国之为，……一觇人国之盛衰得失，而二者于商务尤必不可少。……今之矿务商务，已成中西不两立不并存之势(按此处与人我通相反)，……以矿务商务力与争盛即为下手处。……为士者犹不知商务力量之大，谈及商务即有鄙屑之意，中国之士尚得谓之晓世事乎？

维新派的激进变法思想基于此，而其改良主义忘记了人民的集体力量，亦在此。嗣同所以有异者，在于他并不对于变法具有坚实的自信，例如他一再以变法不过唤起人心而已，他说：

变法固可以复兴乎？曰难能也，大势已散也，然苟变法，犹可以开风气，育人才，备他日偏安割据之用，留黄种之民于一线耳。（同上）

因此他恍惚之间寄望于另一个农民革命方式，但这不是他的主张，他说：

不变法即偏安割据亦万万无望，……衡阳王子愤明季之乱，谓求一操莽不可得，今即求如李自成张献忠尚能跳梁中原数十年者，何可得哉？（同上）

第四节　嗣同的哲学思想

嗣同的哲学思想是一种虚忽的观念论，所谓“仁为天地万物之源，故唯心，故唯识”，“不生不灭仁之体”。他的宗教观念颇深，含有泛神论的普遍灵魂思想，与其商业崇拜的社会思想，在源头上是分不开的。他在《仁学》自序开首即云：

仁从二从人，相偶之义也；元从二从儿，儿古人字，是亦仁也。无，许说通元为无，是无亦从二从人，亦仁也，故言仁者不可不知元，而其功用可极于元，能为仁之元而神于无者有三，曰佛、曰孔、曰耶，能调变联融于孔与耶之间，则曰墨。

这里不问他的解释学，而仅研究他的自己思想。“仁之元而神于无者”究竟是什么本体呢？他在《仁学》开宗明义云：

遍法界、虚空界、众生界，有至大至精微，无所不胶粘，不贯洽，不管络，而充满一物焉，目不得而色，耳不得而声，口鼻不得而尝味，无以名之，名之曰“以太”，其显于用也，孔谓之“仁”，谓之“元”，谓之“性”，墨谓之“兼爱”，佛谓之“性海”，谓之“慈悲”，耶谓之“灵魂”，……格物家谓之“爱力”“吸力”，咸是物也，法界由是生，虚空界由是立，众生由是出。

超感觉超存在的“物自身”，在嗣同亦极其方便之假定。“理外之言”的玄学，假定为XY都可以的，反正是没有经验的一种“元”罢了。所谓“玄之又玄，众妙之门”。然嗣同的“元”异于一神论，他说：

事鬼神者必事之也，即自事其心也，即自事其灵魂也。而偏妄拟鬼神之体魄，至以土木肖之，土木盛而灵魂愚矣。……风水也，星命也，五行也，壬遁也，杂占杂忌也，凡为祸福富贵利益者而为之者，皆见及于体魄而止。(《仁学》，三九页)

中国特好虚妄，谈算即推河图洛书为加减乘除之平。夫河洛不知为何物也，要与先天图与爻辰爻卦气纳甲纳与风角壬遁堪舆星命卜相之属，同为虚妄而已矣，必如西人将此虚妄一扫而空之，方能臻于平实。(《书简》)

嗣同的泛神论是“独任灵魂”，灵魂无所不在，无所不通，故云“仁以通为第一义，以太也，电也，心力也，皆指出所以通之具”。他以为物质世界是不存在的，而所存在唯一种“元”，好像物理学的“以太”，他说：

凡得恒河沙数成天河之星团，互相吸引不散去，是为大千世界，此一大千世界之昴星，统日与行星与月以至天河之星团，又别有所绕而疾旋。凡得恒河沙数各星团星林星云星气，互相吸引不散去，是为一世界海。恒河沙数世界海为世界性，恒河沙数世界性为一世界种，

恒河沙数世界种为一华藏世界，华藏世界以上始足为一元，而元之数，……曰唯以太。(《仁学》，一六页）

他还原物质世界而为一“以太”元的组合，而所谓“以太”又非科学的理由，而仅“借其名以质心力”。在物质世界，没有性质的存在，只是机械力的数量分合而已。执司其分合之元，名之曰以太也好，神也好。他说：

动植物之异性，为自性尔乎，抑质点之位置与分剂有不同耳。质点不出乎七十三种之原质，某原质与某原质化合则成一某物之性，……纷纭蕃变，不可纪极，……原质则初无增损如故也。香之与臭似判然各有性矣，及考其成此香臭之所以然，亦质点布列，微有差池，致触动人鼻中之脑气筋，有顺遂迎拒之异，……乌睹所谓一成不改之性耶？……原质之原，则一以太而已矣，一故不生不灭，不能言有，不得言无。(三〇——三一页）

嗣同在《仁学》前数十页反复说明物质世界的分合、存亡、成毁、生灭皆无自性，无常性，而唯“以太”之元为常。原质之间的分合生灭，不过“号之曰某物某物而已”，故存在也者在他看来，次于变化，变化又次于“以太”。存在是人类观念的“号之曰”，其实不过物之聚散反复，往来分合，在万物的变化中，都有性情，而性情并非证之于存在的质，如我们吃买自市场的平价米，不是吃米，而是吃原质的一时组合，他说："何以验其有性情，曰有好恶，有好恶于是有攻取，有攻取于是有异同，有异同于是有分合，有生克。"故购米不是一种市场关系，而是"人我通"的仁，米不是劳动力的再生产，而是"物我通"的仁，一切抽象于生灭不息，他说：

日日代变，晨起而观，人无一日同，骨肉之亲，聚处数十年，不觉其异，然回忆数十年前之情景，宛若两人也，则日日生者，日日死也。（四四页）

然而这种变化生灭，由念念相续而造之使成，若推究其元，则出于"微生灭"，他说：

不生不灭乌乎出，曰出于微生灭，……以太中自有之微生灭焉。不生不灭至于佛入涅槃，蔑以加矣，然佛固曰不离师子座，现身一切处，一切入一，一入一切……时时转法轮，时时涅槃，……是故轮回者，不于生死而始有也。非断非常，旋生旋灭，即生即灭，生与灭相授之深，微之可微，至于无可微，密之又密，至

于无可密，夫是以融化为一，而成乎不生不灭，而所以成之微生灭，固不容掩焉矣。（四〇一——四〇二页）

按他引用了佛典的术语，说明泛神论的意思，一切皆有微粒的神普及，生灭即微粒的神自己演化，永远自存自在。这个观念论的道理，极其平常，用不着解释，就是说破除了迷信的上帝一神，如孙悟空的猴毛，化而为现身一切处都有以太微粒之无常出没，更应当说，从自然经济的狭小天地的意识，转化而为商业资本世界的货币物神之流通变态（Metamorphose）的意识，故他在“现身一切处”的世法中还有一半的肯定，而所肯定者则不是对象界，仅重视着对象界的运转变化。于此，产生了维新派的最高哲学。

上面我们已经知道，维新派的最高原则是一般的日新变化之说，嗣同亦然。他虽然不肯定物质，而确强调了变化，演绎着船山学说。如他说：

天地固有之质点粘合而成人，及其既敝，仍各还其质点之故，复他有所粘合而成新人新物，生固非生，灭亦非灭。（三四页）

他在当时，引用着变化的最高原理，是含有武器的性质，与反对日新的旧人旧物作难，故云：“以太不新，三界万法皆灭，独何以居今之世，犹有守旧之鄙生，断断然曰不当变法何哉！”同理，他强调运动，如他说：

品汇亨通，以生以成，夫孰非以太之一动，而由之以无极也，斯可谓仁之端也已。……善治天下者，亦岂不由斯道矣？夫鼎之革之，克之劳之，作之兴之，废者举之，敝者易之。……（五〇页）

这里包含着进化观念，但为一般性的，所谓“以太之动机，以成乎日新之变化，夫固未有能过之者也”，任公则云“变亦变，不变亦变，动亦动，不动亦动”。因为他倡变动的原理，故无意之中不惜放弃了他的“界说”，如“通之义，以道通为一，为最浑括”，而接收船山的“道不离器”说，闪出一线辉光，他说：

窃疑今人所谓道，不依于器，特遁于空虚而已矣（按《仁学》中便有遁于空虚之论）。故衡阳王子有道不离器之说，曰：“无其器则无其道，无弓矢则无射之道，无车马则无御之道，洪荒无揖让之道，唐虞无吊伐之道，汉唐无今日之道，则今日无他年之道多矣。”又曰，“道之可有而且无者多矣，故无其器则无其道”。诚然之言也。信如此言，则道必依于器而后有实用，果非空漠无物之中有所谓道矣。今天下一器也，所以驭是器之道安在耶？今日所行之法，三代之法耶？周孔之法耶？抑亦暴秦所变之弊法又经二千之丧乱为夷狄盗贼所羼杂者耳？于此犹自命为夏，诋人为夷，亦真不能自反者矣！故变法者器既变矣，道之且无者终不能无，道之可有者自须亟有也。至于可知于百世之后者，虽西人亦不能变也。昧者辄诋西人无伦常，无伦常则不相爱不相育，彼吞此噬，人类灭久矣，安能至今日转富强乎？夫伦常不自天降，不自地出，……而彼此有见为异者，特风俗所囿节文之有详略耳。又《万国公法》为西人仁至义尽之书，惜中国自己求亡于外洋所不齿。……瑞士……享太平之福百年矣，三代之盛，何以加此？……何得谓彼无伦常乎？……或曰，不先正人心，即变法犹无益也。曰亦第正在上位之人之心可矣，何得归罪于天下人之心乎？必谓中国之人心皆不正，又何其过尊西人而自诬之甚也？西人之富强，岂皆人心之正于中国乎？然则彼性善而我性恶乎？亦彼之法良意美而我无法而已？……且即欲正人心又岂空谈能正之乎？则亦寓于变法之中已

耳。…… 无其器则无其道，…… 而岂能遍执四百兆之人而空责以正心乎？亦第划除内外衮衮诸公而法可变矣！（《嗣同书简》）

公羊学者的观念论在这里是最高峰的发展，得出“空漠无物之中无所谓道”，物变而道亦变的结论。这亦只有嗣同的怀疑哲学才有可能，而未能产生于有为的思想之中，这亦犹之乎由变法的无信心，可能推想到农民起义，而在客观上预言罢了。因此，嗣同的公羊学又可以把用夏变夷，反说成用夷变夏，大背家法而不自顾，他说：

中国今日之人心风俗，政治制度，无一可比数于夷狄，何尝有一毫所谓夏者？即求列于夷狄，犹不可得，乃云变夷乎？…… 而犹妄援攘夷之说，妄援距杨墨之说，妄援用夏变夷之说，妄援不贵异物贱用异物之说，妄援舞干羽于两阶七旬必有苗来格之说，为死已至眉睫，犹曰我初无病，凡谓我病而进药者，皆异端也，大愚不灵，岂复有加于此者耶？且凡所谓西法，要皆我之固有（？），我不能有而西人有之，我是以弱焉，则变法者亦复古焉耳，何异之有？（同上）

按此说，西人是夏，我反为夷，变法所以仿效西人者即用“西人之夏”变“中人之夷”，以复古为名，而公然在内容上倡用夷变夏之说。若用无其器则无其道之言论之，器为仿西人之器而变革，因为像瑞士“三代之盛亦无以加”，则道亦因器之变而变，其道便成夷道了。

复次，嗣同的知识论，因他强调了世法的变化运动，亦就重视于相对主义。一方面变化既为否定物质内容（器道之说稍异）的生灭分合，则名相的实在亦就没有客观价值，然而他方面又以变化作为世法的公理去处理，则名相的日新变革亦就成为他所谓“鼎之革之”的圣人之道。体系上的矛盾，是悲剧的。仁之体是一方面，而仁之象另是一方面。他的《界说》如下：

破对待，当参伍错综其对待。（十八）

其为物不二，故生物不测，不二则无对待，不测则参伍错综其对待，代数如权衡然，参伍之不已，必平等，则无无。（二十三）

这种相对思想，源于焦循的数理论，嗣同更推演而为无名论，又违背了船山哲学。他说：

仁之乱也，则于其名。名忽彼而忽此，视权势之所积，名时重而时轻，视习俗之所尚。甲亦一名也，乙亦一名也，则相持；名名也，不名亦名也，则相诡。名本无实体，故易乱。名乱也，而仁从之。（二一页）

他否认感觉的实在，故把臆断与判断等一而视，他说：

彼大笑而不信，抑又何据而然乎？岂不以眼耳鼻舌身所不及接也。……眼耳鼻舌身所及接者，曰色声香味触五而已，以法界虚空界众生界之无量无边，其间所有必不止五也明矣，仅凭我所有之五，以妄度无量无边，而臆断其有无，奚可哉？……鼻依香之逝，舌依味之逝，身依触之逝，其不足恃均也，恃五以接五，犹不足以尽五，况无量无边之不止五？……苟不以眼见，不以耳闻，不以鼻嗅，不以舌尝，不以身触，乃至不以心思，转业识而成智慧，然后一多相容，三世一时之真理，乃日见乎前。……真理出，斯对待不破而自破。（四五页以下）

对象界既为没有真实内容的量变，在认识上亦就没有媒介真实的反映。一切相对不真，必须破除，所谓知识的实在证验，只说明了客观世界的幻灭，他说：

一多相容也，三世一时也，此下士所大笑不信也，乌知为天地万物自然而固然之真理乎。真理之不知，反缘历劫之业力，障翳深厚，执妄为真，认贼为子，自扰自乱，自愚自惑，遂为对待所瞒耳。对待生于彼此，彼此生于有我。我为一，对我者为人，则生二，人我之交，则生三，参之伍之，错之综之，朝三而暮四，朝四而暮三，名实未亏，而爱恶因之。由是大小多寡，长短久暂，一切对待之名，一切对待之分别，淆然共然，其瞒也，其自瞒也，不可解矣。……虚空有无量之星日，星日有无量之虚空，可谓大矣，非彼大也，以我小也，有人不能见之微生物，有微生物不能见之微生物，可谓小矣，非彼小也，以我大也。何以有大，比例于我小而得之，何以有小，比例以我大而得之。然则但有我见，世间果无大小矣，多寡长短久暂，亦复如是。疑以为幻，虽我亦幻也，何幻非真，何真非幻？……何奇非庸，何庸非奇乎？庸奇又对待之词，不足惊对待也。凡此皆瞒之不尽者。而尤以西人格致之学为能毕发其覆，涨也缩之，微也显之，亡也存之，尽也衍之，声光虚也，可贮而实之，形质阻也，可鉴而洞之，声光化电气重之说盛，对待或几几乎破矣。欲破对待，必先明格致，欲明格致，又必先辨对待。有此则有彼，无独有偶焉，不待问而知之，辨对待之说也；无彼复无此，此即彼，彼即此焉，不必知，亦无可知，破对待之说也。辨对待者，西人所谓辨学也，公孙龙惠施之徒时术之，坚白异同之辨，曲达之学者之始基也。由辨学而算学，算学实辨学之衍于形者也，由算学而格致，格致实辨学算学同致于用者也，学者之中成也：格致明而对待破，学者之极诣也。……故尝谓西学皆源于佛学，亦唯西学，而佛学可复明于世。（同上）

嗣同所谓“破对待”，即否认合法则的思维，而认一切世法的认识皆为参伍错综的相对名词，没有真实性，这是和他的泛神论相为关联。然而，他又与强调变化的公理相应，执此种相对的观念，破除封建的名教，以适合于他的思想维新之说。例如他说：

华夏夷狄者，内外之词也。居乎内，即不得不谓外此者之为夷，苟平心论之，实我夷而彼犹不失为夏。（《书简》）

这是他变法思想的相对观点，因为什么名词互变呢？他说：

彼（西人）既有其器矣，故道乃得附之。观其设施，至于家给人足，道不拾遗之盛，视唐虞三代固品节不及其详，而其效率与唐虞三代无异。……然中国言治于今日，又实易于前人，则以格致诸理，西人均已发明，吾第取而用之，其大经大法，吾又得亲炙目验于西人而效法之也。（同上）

中西世界相对的道理如此，中国历史制度相对的道理亦然。他以通为仁之第一义，通之象为平等，故据而反对名教，他说：

名者，由人创造，上以制其下，而不能不奉之，则数千年来三纲五伦之惨祸烈毒，由是酷矣。君以名桎臣，官以名轭民，父以名压子，夫以名困妻，兄弟朋友各挟一名以相抗拒。……忠孝为臣子之专名，则终必不能以此反之，虽或他有所据，而终不能敌忠孝之名，为名教之所上。反更益其罪曰怨望，曰觖望，曰怏怏，曰腹诽，曰讪谤，曰亡等，曰大逆不道，是则当放逐诛戮而已矣。……而人不之责也，施者固泰然居之而不疑，天下亦从而和之曰，得罪名教，法宜至此。（《仁学》，二二页）

他又以相对的名理，反对礼教，他说：

世俗小儒，以天理为善，以人欲为恶，不知无人欲，尚安得有天理？吾固悲夫世之妄生分别也。……王船山曰，天理即在人欲之中，无人欲则天理亦无从发见。适乎佛说。……名，名也，非实也，用亦名也，非实也。名于何起，用于何时，人名名，而人名用，则皆人之为也。……男女构精，名之淫，此淫名也，淫名亦生民以来沿习既久，名之不改，故皆习谓淫为恶耳。向使生民之初，即相习以淫为朝聘宴飨之巨典，行之于朝庙，行之于都市，如中国之长揖拜跪，沿习至今，亦孰知其恶名？……礼与淫，但有幽显之辨，果无善恶之辨矣。是使生民之初，天不生其具于幽隐，而生于面额之上，举目即见，将以淫为相见礼矣，又何由知为恶哉？……生民之初，不闻何一人出而执一义，习之数千年，遂确然定为善恶之名，甚矣众生之颠倒也！（二五——二六页）

据此，他反对君主的偶像，以及一切礼教纲常的偶像，以为它们不过是由人号之，二千年来君主制度正利用此种名词以钳制人性，形成重重网罗，他主张把此项网罗一一冲决，以还元于如同朋友的“自由，平等，节宣唯意，而不失自主之权”。他在客观的意义上讽刺了封建意识，为个人主义做了辩护师。所谓名无对待，然后平等，使封建的超经济的上下相绝，变为“通则必尊灵魂，平等则体魄为灵魂”，通乎上下大小，而仁之端即出现了。

嗣同哲学思想大要如此，他的思想中有进步的成分，然而在体系上讲来，则极为矛盾，他的世界观的观念部分，可以毁灭他的有程度进步的变化说与相对说。他的方法论基于最不协调的形式观点，虽然有时在具体的实在方面闪出一些辉光，但是这辉光毕竟如朝露然，一闪即谢，因为下而否定物质世界，上而追求灵魂天国，在这二者中间来讲一般的日新变化的世界，来说抽象的平等相通的社会，没有矛盾而设置斗争，只有一个前途，以自毁代替了他毁，亦如他说“此是衔石填海，他日未必不收人才蔚起之效”。

太炎批评《仁学》说“拉杂失论，有同梦寐”。这颇有抹杀嗣同学术之嫌，其实太炎的哲学虽比嗣同条理严明，而在佛学观点上亦间有相同的处所。任公的评论虽失之笼统，但颇可参考，他说：

甲午丧师，举国震动，年少气盛之士，疾首扼腕言维新变法，而疆吏若李鸿章张之洞辈亦称和之，而其流行语，则有所谓“中学为体，西学为用”者，张之洞最乐道之，而举国以为至言。盖当时之人，绝不承认欧美人除能制造能测量能驾驶能操练之外，更有其他学问，而在译出西书中求之，亦确无他种学问可见。康、梁、谭嗣同辈，即生育于此种学问饥荒之环境中，冥思枯索，欲以构成一种不中不西，即中即西之新学派，而已为时代所不容。盖固有之旧思想既深根固蒂，而外来之新思想又来源浅觳，汲而易竭，其支绌灭裂，固宜然矣。（《清代学术概论》，一六一页）

三联经典文库

160

近代中国思想学说史

（四）

侯外庐　著

生活·讀書·新知 三联书店

图书在版编目(CIP)数据

近代中国思想学说史（1-4）/ 侯外庐著. -- 北京:
生活·读书·新知三联书店, 2014.1
（三联经典文库第二辑）
ISBN 978-7-108-04673-4

Ⅰ. ①近… Ⅱ. ①侯… Ⅲ. ①思想史－中国－近代
Ⅳ. ①B25

中国版本图书馆CIP数据核字(2013)第246479号

160 近代中国思想学说史（1-4）

责任编辑 卢 莹
封扉设计 蔡立国
责任印制 卢 岳
出版发行 生活·讀書·新知 三联书店
(北京市东城区美术馆东街22号)
邮 编 100010
经 销 新华书店
印 刷 北京鹏润伟业印刷有限公司
版 次 2014年1月北京第1版 2014年1月北京第1次印刷
开 本 787毫米×1092毫米 1/32 印张 49.5
字 数 709千字
定 价 168.00元

目次

第十五章　章太炎的科学成就及其对于公羊学派的批判　1217

第一节　前言——太炎与公羊学派　1217

第二节　太炎思想的变迁　1219

第三节　太炎的经史论　1224

第四节　太炎的史学范例　1243

第五节　太炎的法学思想　1253

第六节　太炎的语文逻辑学　1260

第七节　理性主义的宗教思想　1271

第八节　中国学术史的第一次尝试者　1278

第九节　太炎的政论　1322

第十六章　反映十九世纪末叶社会全貌的太炎哲学思想　1330

第一节　绪说　1330

第二节　哲学家章太炎的剪影及其时代特性　1333

第三节　哲学定义中的两个反对契机　1338
第四节　宇宙根源论　1350
第五节　唯物论“平议”　1356
第六节　感觉与思维问题　1373
第七节　理论与实践，现象与本质及真理问题　1389
第八节　时空论 · 因果论 · 法则论　1400
第九节　关于质量、同异及有无诸问题　1415
第十节　无神论与宗教论　1429
第十一节　关于哲学史诸问题上几点天才的发现　1448
第十二节　结论　1471

第十七章　古史学家王国维　1476
第一节　观堂的治学精神　1476
第二节　观堂古史学的科学成果　1479
第三节　观堂古史疑决之诸范例　1526

第十五章　章太炎的科学成就及其对于公羊学派的批判

第一节　前言——太炎与公羊学派

章太炎，名绛，亦名炳麟，生于清同治七年，卒于民国二十五年（一八六八——一九三六）。

从公羊学派兴起以后，康氏之学，复以公羊学建立政派，经过百日维新运动，至于民国初年，确实对于中国的士大夫发生了很大的影响。清末《民报》发行，但被清廷严禁，难以广泛地起着作用。在这时，古文家的一位最后重镇章太炎氏挺身而出，上下古今和康氏学派短兵相接，文锋对立，可谓古文家的光辉。他虽然有门户之见甚深，而他与公羊学派论难的方针，大体上是沿着理性主义，在时代意义上更为进步的思想。因此，我们应单独研究章氏的这部分成绩。

在下一章我们有专章介绍章氏的哲学，名他的哲学为“附保留的观念论”，凡所保留下的非观念论部分，都可适用于批判公羊学派以及百日维新派的理论。在太炎的遗书中，我们可以看出，他不但在经学上，文学上，以至政论上都树起反对公羊学派的旗帜，而且在人物评价等方面都显示异趣（详见《说林》），例如公羊学派骨子里宗宋儒，而他则有《思乡愿》上下篇言朱子为乡愿的优者，公羊学派没有不攻击戴（东原）学的，而他则有《释戴》一文，甚为推崇，康有为抑顾（亭林）而他则申顾（政论中多引顾文以刺维新派），康有为宗黄（梨洲），而他则“非黄”（此为文题），凡此种种充满于他的思想中，甚至在某一个专题研究中，亦或多或少，要申引批评几句公羊家法，例如《释物》一篇，本是文字考证的名文，从“物”字原始意义（异毛牛，后来王国维据甲骨考为杂色牛）一直说到“格物”之物，在文末转头讲起义理来，用以讽刺着公羊学，他说：

格物者，格距于其轨度，若射者然，思虑辨难，不越堤封，毋繁绕以自遁也，毋汗漫以自忼也，是以能致

知，不然，非解垢为鮠辨，则逐于无端崖之辞。(《文录》一)

这几句话，在方法论上，正是最中肯地批判了公羊学的反理性主义。按太炎的经史学与政论，颇为一贯，他治经史甚不满如今文家魏源的致用之说（见上引，详看氏作《清儒》篇），他自己谓“其趣在实事求是，非致用之术”(《官制索隐》)，但这里要明白，他反对今文家的“致用”，而他在《官制索隐》以及其他“官统”诸论中是有他的致用精神（见后）。

第二节　太炎思想的变迁

太炎思想颇复杂，他个人的“思想变迁之迹”，详见于吾最崇敬的亡友经学家吴承仕先生所记录的《菿汉微言》卷末，他说：

余自志学讫今，更事既多，观其会通，时有新义。思想变迁之迹，约略可言。少时治经，谨守朴学，所疏通证明者，在文字器数之间。……遭世衰微，不忘经国，寻求政术，历览前史，独于荀卿韩非所说谓不可易。……继阅佛藏，……以分析名相始，以排遣相终，从入之途，与平生朴学相似。……出狱东走日本，尽瘁光复之业，鞅掌余间，旁览彼土所译希腊德意志哲人之书，时有概述。……从印度学士咨问，……其所称述，多在常闻之外，以是数者，格以大乘，霍然察其利病，识其流变。……诸生适请讲述许书，余于段桂严王，未能满意，因翻阅大徐本十数过，一旦解寤，的然见语言本原，于是初为《文始》。而经典专崇古文记传，删定大义，往往可知，由是所见，与笺疏琐碎者殊矣。……释齐物，乃与瑜伽华严相会，……始采其妙，千载之秘，睹于一曙。次及荀卿，墨翟，莫不抽其微言，以为仲尼之功贤于尧舜，其玄远终不敢望老庄矣。癸申之际，……始玩爻象，重籀《论语》，……《论语》所说，理关盛衰，……又以庄证孔，而耳顺绝四之指，居然可明，知其阶位卓绝，诚非功济生民而已。至于程朱陆王，终未足以厌望。……凡古今政俗之消息，社会都野之情状，华梵圣哲之义谛，东西学人之所说，拘者执着而鲜通，短者执中而居间。卒之鲁莽灭裂，而调和之效终未可睹，譬彼侏儒，鲜遘于两大之间，无术甚矣；余则操齐物以解纷，明天倪以为量，割制大理，莫不孙顺。……自揣平生学术，始则转俗成真，终乃回真向俗，……秦汉以来，依违于彼是之间，局促于一曲之内，盖未尝睹是也。乃若昔人所诮：专志精微，反致陆沈；穷研训诂，遂成无用者，余虽无腆，固足以雪斯耻！

按太炎此段自述其思想学术变迁之迹，除了因其“身在幽囚，不可直遂以为”（太炎自记），到了末端所述，有调和汉宋之言，而与其丛书中所论宋儒者有所出入，此外大体上是真实的。他的经、史、百家、文字诸学、政术（此政术二字，多见于其所著制度研究及法家阐扬的诸文），可谓“以分析名相始”。他的《齐物论释》与佛经研究，以及晚年颇露显对于宋明理学之妥协，而谓“世故有疏通知远、好为玄谈者，亦有文理密察、实事求是者，……亦各从其志尔”（同上），实和他在治学上一再言文理密察实事求是为他的学旨有违，故他所云“多言玄理”，可谓“以排遣名相终”。太炎先生在“真”“俗”之间的二元论，在晚年始完全显现出来。为什么一位在学术上的斗士，发展了汉学而为史学之后，这样的走入“真”界呢？在著者看来，他对于“俗”界在民国初元前后，没有信赖，冥察民主的前途实有暗礁横生。而且在中国新人类的发生过程中他迷惘起来。在世界近代民主政体的矛盾中，他既失去其自信，而尚不可能知道有前进的亚洲，落后的欧洲，所以他在农民独立地跳上历史舞台之时，表现出真俗二者之不协调，而后以极端唯心之观念，以调和真俗（甚至弃俗向真）。这种思想要看他的政论（详后），现在仅举几句如下，他说：

光复者，义所任、情所迫也；光复以后复设共和政府，则不得已而为之也，非义所任，情所迫也。(《官制索隐》，引文详见后）

因此，他在光复的事业中是一位悲壮的学者，表里如一，所谓“义所任、情所迫”，而在光复以后则显示力竭气衰，认为民主共和的事业，“非义所任，非情所迫”，他退下了历史舞台，便“多言玄理”(《菿汉微言》自记语）了，甚至就在自述其思想变迁一段文章之前，他看了民国初年“守法”之难能，更有悲观的言论，他说：

故为政于今日，两言以蔽之，以资劳用人，以刀笔吏守法；虽然，中国民志之弱，民德之衰久矣，欲令富强如汉唐如欧美者，此正夸父逐日之见，吾辈处之，正能上如北宋、次如东晋耳！（《蓟汉微言》，四九页）

这种悲观思想，和其少年时代“不忘经国，寻求政术”者相反，正是他所谓“排遣名相终”的历史注解。[按太炎弟子鲁迅，是和太炎有脉络可寻之处，鲁迅在民初，据其《彷徨》自述，深感到锁在一个铁屋里面，漆黑不见光明，他说自信看不见光明，仅挣扎着姑且假定有光明，亦在历史的安排上彷徨起来，故阿Q的Q（Question）是以一个解决不了的问题提出来的，一直到北伐前后，他才对于世界有了答案——参看拙作《鲁迅阿Q的年代问题》一文。太炎和鲁迅的同点，在于对于拆散时代的怀疑，而异点是太炎走入悲观以至于离开问题，鲁迅由彷徨以至于提出问题。我们在鲁迅言论里只见有崇敬太炎的话，而没有批评的话，知道颇有时代痛苦的一致感慨，不仅师弟关系罢了。此处尚有一言，即真能继承太炎传统者，就是那位记述《蓟汉微言》一书的玄言者，与鲁迅殊途同归。]

第三节　太炎的经史论

太炎的经史论，名义上虽不赞成实斋“六经皆史”之说，而却称道此说，他以“言六经皆史者，贤于春秋制作之论”(《原经》)，故他论实斋之学曰：

章学诚为文史校雠诸通义，以复歆固之学，其卓约近史通。(《清儒》)

六经皆史之方，治之则明事行事，识其时制，通其故言。(《明解故下》)

所以太炎并不反对六经皆史之命题，而主张六经与史不能分别之说。因为经与史既未可分离，则公羊家所言六经为孔子所托古以自作者，当是妄言。他说：

问者曰，经不悉官书，今世说今文者以六经为孔子作，岂不然哉？应之曰，经不悉官书，官书亦不悉称经。易诗书礼乐春秋者，本官书，又皆经名。孔子述而不作，信而好古，明其亡变，其次春秋以鲁史记为本，犹冯依左邱明，左邱明者鲁大史（见《艺文志》)，然则圣不空作，因当官之文。……国史之有编年，宜自此（春秋）始。……晋之乘、楚之梼杌、鲁之春秋，一也，惑者不睹，论撰之科不铨主客，文辞义理，此也，典章制度，彼也，一得造，一不得造。今以仲尼受天命为素王，变易旧常，虚设事状，以为后世制法，且言左氏与迁固，皆史传，而春秋为经，经与史异（刘逢禄、王闿运、皮锡瑞皆同此说）。盖素王者，其名见于庄子，责实有三。伊尹陈九主素王之法守府者为素，庄子道玄圣素王无其位而德可比于王者，太史公为素王眇论，多道货殖，其货殖列传已著素封，无其位有其富厚崇高，小者比封君，大者拟天子：此三素王之辨也。仲尼称素王者，自后生号之。……春秋二百四十二年之事，不足尽人事蕃变，典章亦非具举之，……今以不尽之事，寄不明之典，言事则害典，言典则害事，令人若射覆探钩，卒不得其翔实，故有公羊谷梁驺夹之传，为说各异，是则为汉制法，非制惑也。言春秋者，载其行事，宪章文武，下遵时王，惩恶而劝善有之矣，法制何与焉？（《国故论衡·原经》）

因此他申论《春秋》之上有《尚书》，《春秋》之下有迁固，孔子是继承前之史学而开启后之史学，经史不能分家。他说：

今文家所贵者家法也，博士固不知有经史之分，则经史之分者与家法不相应。夫《春秋》之为志也，董仲舒说之，以为上明三王之道，下辨人事之纪，万物之散聚，皆在《春秋》。然太史公自叙其书亦曰，厥协六经异传，整齐百家异语，俟后世圣人君子。班固亦云，凡《汉书》穷人理、该万方、纬六经、缀道纲、总百氏、赞篇章。其自美何以异《春秋》？《春秋》有义例，其文微婉，迁、固亦非无义例也。……然《春秋》所以独贵者，自仲尼以上，《尚书》则阔略无年次，百国春秋之志，复散乱不循凡例，又亦藏之故府，不下庶人，国亡则人与事偕绝。……纪岁时日月以更《尚书》，传之其人，……然后东周之事粲然著明。令仲尼不次《春秋》，今虽欲观定哀之世，求五伯之迹，尚荒忽如草昧。……今异《春秋》于史，是犹异苍颉于史籀李斯，只见惑也。（《国故论衡·原经》）

他更以孔子之学为史学，而驳托古改制之说，其言精当，如下：

汉世五经家，既不逆睹，欲以经术干禄，故言为汉制法，卒其官号郡县刑辟之制，本之秦氏。为汉制法者，李斯也，非孔子甚明；近世缀学之士，又推孔子制法，迄于百世法度者，与民变革，古今异宜，虽圣人安得预制之？（易称开物成务，彰往察来，孔子亦言百世可知，皆明其大体耳。盖险阻日通，阶级日夷，工巧日繁，礼节日杀，鬼神日远，刑法日宽，法契日明，此在周代可以预知后世者也；若夫官号爵位军制之繁，地域广输郡县增减之数，孔子安得预知之？譬如观众日月星辰之行，虽在数百岁，可以预知，风灾旱潦之变，非临时测候，不能知也。盖变迁有常者可知，变迁无常者不可知。是故纬候之言不能附会孔氏也。）春秋言治乱虽繁，识治之原，上不如老聃、韩非，下犹不如仲长统，故曰"《春秋》经世，先王之志，圣人议而不辩"（庄子《齐物论》语。经犹纪也，三十年为一世，经世犹纪年耳；志，即史志之志，世多误解），明其藏往，不亟为后王仪法。左氏有议，至于公羊而辩（范武子云、公羊辩而裁）。持繁露之法以谒韩非仲长统，必为二子笑矣！夫制法以为汉世则隘，以为百世则夸，世欲奇伟尊严孔子，顾不知所以奇伟尊严之者！……孔子不布春秋，前人往不能语后人，后人亦无以识前，乍被侵略则相安于舆台之分。……何取神怪之说，不征之辞，云为百世制法乎？又有诬者，或言孔子以上世澒澒无文教，故六经皆孔子臆作，不竟有其事也（按即指《改制考》卷一）。……三代以往，人事未极，民不知变诈之端，故帝王或以权数罔下；若其节族著于官府，礼俗通于蒸民者，则吏职固有常矣，书契固有行矣，四民固有列矣，宫室固有等矣，械器固有度矣，历数固有法矣，刑罚固有服矣，约剂固有文矣，学校固有师矣，歌舞固有节矣。彼以远西质文之世相拟，远西自希腊始有文教，其萌芽在幽平间，因推成周以上中国亦朴陋如麋鹿。（《原经》）

太炎有《征信》，《信史》四篇文字，可谓他的经史之学的重要文录，在此四篇文字中，表现太炎史学与科学的统一认识，以之批评公羊学派，乃秋风扫叶之笔。他首先说：

古人运而往，其籍尚在，籍所著，推校其疑，事足以中微，而世遂质言之，虽适谓之诬。……凡事无期验，推校而得之者，习俗与事状异其职矣。彼习俗者察之无色，把握之不得其体，推校而得则无害于质言之，若淮南王之所订习俗也。……事状者，上有册府，下有私录，殚求而不获，虽善推校，惩其质言矣。二者立言之大齐，不以假借者也。世儒以后之所订，而责前之故然，虽皮傅妄言，逾世则浸以为典要。……释迦言空不因于老庄，景教事天不本于墨子，远西之言历算者不资于厉王丧乱畴人在夷，世人取其近似言之，遂若典常。……（《文录一·征信论上》）

他把科学的研究和常识的推校分别开来，进而言抽史有史学的范围，史在据期验以明因果，而不能以一般名理以此推彼，所谓平议亦以寻史之始卒源流为职志，而不是公羊家的平议大义微言的方法。下面是他最重要的言论：

传曰，圣有谟勋，明征定保。故非独度事为然也，凡学皆然，其于抽史□[1]重。何者？诸学莫不始于期验，转求其原，视听所不能至，以名理刻之，独治史志者为异，始卒不逾期验之域，而名理却焉。今之散儒，曾不谕是也，故微言以致诬，玄议以成惑。昔者荀卿有言曰："……禹汤有传政而不若周之察，久故也。传者久则论略，近则论详，略则举大，详则举小，愚者闻其略而不知其详，闻其详而不知其大，是以文久而灭，节族久而

[1] 原书此处空白。——编者注

绝。”(《非相篇》) 夫《尚书》者，不具之史，略引大体，文若铭诔，非留言以纪事，故流别异《春秋》。……《春秋》已作，而纪传胪言其道，行事始悉，然犹多所残遗。……学者宜……知其有略不敢妄意其事，妄意之即与巫言等，比邻神仙之国。旧史盖岁有度更，国有贤豪则为之生事，延缘巷市之语，以造奇辞。往者中士，唯有猥语短书，今殆举于士大夫之口，兔丝缘木，虒蝓缘墙，苟可以传丽者，无所不蓏，则是使张鲁撰记而寇谦之为图也。……史官陈列往迹详矣，事有巨而因于细，……细亦因巨。……愚者徼以为智，随成心以求其情，比于谣谚；是以君子多见阙殆。……（下引韩非的参伍方法论）……治史尽于有征，两征有异，犹两曹各举其契，此必一情一伪矣。往世诸子竞于扬己，著书陈辩，败人则录之，己屈则不述也，转以九流相校，而更为雌雄者众，其有从横之士，短长之书，必不自言画策无效，或饕天功以为己力。（下引史证）……从是雠质自离者，诚有可知，亦或忽怳如不可知。抽史者，若以法吏听两曹辩其成狱，不敢质其疑事，愚者以事有两异，虽本无异辞者犹疑，此何但史传邪？曩夕之言，今日亦疑也，鸡鸣之事，日中可谰也（按似指任公）。……母子者，犹今所谓因果，因以求果，果以求因，辨异而不过，推类而不悖，是故邪说不能乱，百家无所窜，则终身于疑，殆是抽文之枢要也。夫礼俗之变，可以母子更求者也（按此指变法说），虽然，三统迭起，不能如循环，三世渐进，不能如推毂，……（按此类船山史论）世人欲以成型定之，此则古今之事得以布算而知，虽燔炊史志犹可。因果者，两端之论耳，无缘（按指条件）则因（按指理由）不能独生，因虽一，其缘众多，故有同因而异果者，有异因而同果者。愚者执其两端，忘其旁起（按指具体），以断成事，因以起其类例，成事或与类例异，则颠倒而绽裂之，是乃殆以终身，婴之至也。（按此一段暗评维新派之方法论。）凡物不欲绁，丝绁于金柅则不解，马绁于曼荆则不驰，夫言则亦有绁，绁于成型，以物曲视人事，其去经世之风亦远矣！（按此即任公所言有为以事物徇其主义者）昔者荀卿有言曰："礼乐法而不说，诗书故而不切，春秋约而不速，方其人之习君子之说，则尊以遍矣，周于世矣。"（《劝学》篇，按遍周二字，即公羊学以一知十之方法。）夫古今虽异，能相类似者不绝，故引史传以为端绪，其周用犹什三四，当其欲用，必骛其辩说者，犹赋诗有断章。愚者……以史尚平议，不尚记事。……吹毛索疵，事议而物辩之，固无当夫举措之异，利病之分。……史之所记，尽于一区，其旁子不具见。时既久远，而更欲求举措之意，利害之势，犹断棋一区，以定棋法，吟口弊舌将无益也。（近世鄙倍之说，谓史有平议者，合于科学，无平议者不合科学。案史本错杂之书，事之因果，亦非尽随定，则纵多平议，亦乌能合科学耶？若夫制度变迁，推其沿革，学术异化，求其本师，风俗殊尚，寻其作始，如班固沈约李淳风所志，亦可谓善于平议矣；而今世之平议者，其情异是，……犹近苏轼志林，吕祖谦传议之流，但词句有异尔。……借科学之号以自尊，所谓大愚不灵者矣。又欲以是施之史官著作，不悟史官著书，师儒口说，本非同剂，唯有书志，当尽考索之功，其论一代政化，当引大体而已，若毛举行事，订其利病，是乃科举登策之流，违于作述之志远矣。彼所持论，非独暗于人事，亦不达文章之体。）章炳麟曰，是五志者，皆明德之远言，耆艾之高致也，智者用之以尽伦，愚者用之以绝理。……“信者不美，美者不信”，吾以告今文五经之家，“知者不博，博者不知”，吾以告晚书疑前史者，“善者不辩，辩者不善”，吾以告出入风议，尚论古人之士！（《文录一·征信论下》）

科学的经史之学，用之可以尽伦，而玄学的经史之学，用之可以绝理，文中所谓絓于成型之论针对了有为，疑似因果之论针对了任公，可以作他和公羊学派讨论逻辑的代表作。太炎“分析名相”所本的形式逻辑，因有史识为内容，比一般空谈表德者，卓然异趣。他又辩解“微言”不合于史实，他说：

儒有好今文者，谓章炳麟曰：“玄圣没矣，其意托之经，经不尽故著微言于纬，不知纬，乃以经为记事，诚记事，迁固优为之，安用玄圣！且夫识五帝之蛊事者谁乎？骨骼腐于三泉，方策蚀于蟫蠹，就有遗绪，遭秦火又毁坏，存者缦不可理，别欲实事求是者，当桴视地臧，得其遗迹，谓之石史，又无以六籍为也。”章炳麟曰，诸微言者眇万物而为论，立意造端异于恒众，非捶其文使不可句度，隐其词使不可解诂，若方士之为神符也！老庄之书，此微言矣，悉明白可籀读；今秘书完具者，莫如易纬，文不可理，自余类此者众，郑玄宋均犹不能离其文曲也。有可解者，而皆附会天官，旁摭形法，灵保之词，委巷之辩，又不足当微言。(《文录一·信史上》)

所谓“文不可理”即不合逻辑之谓，故他复广证博引，以说明谶纬口说之为汉儒伪造，斥当时今文家之诬史为愚昧。他说：

经籍毁于秦，何故纬书不见燔爇？其传在汉，又近起哀平间，无有授受。公执今文以其有师法，今纬书者，诚田何伏胜申公辕固高堂生胡母子都所传耶？诚传其书，而迁固皆不为录，蘖然独起于哀平之间。公以孔子所著，授之大师，其以为左验者云何？或曰，自周末已有秦谶，秦谶者梦书之伦，本不传六经，今之谶纬，即与秦谶异实，不可引援。假令纬书授之口耳，不在竹帛觚椠之间，故秦火弗能烧；夫可以诵习者，非固韵语，则必语近易者矣。诗有韵，《礼记》《春秋》传，语近易知，故假唇舌以为书府，则积薪不能燎，《尚书》多三古旧言，而礼经节族繁碎不为韵，则诘屈而难诵，故残余者无几何。今图纬之难知，非直《尚书》也，其涉及星历者节族繁碎，非直礼经也，安得在口耳间乎？（下言方士之书所由来）……公以经典非记事，……欲张其义，故假设事类应之，即如是，公言周官经左氏春秋悉刘歆作伪者，乃不足以诮歆也。等之造事，焉知刘歆不假以张义，以孔子圣人故可，歆非圣人故不可，圣与非圣，我与公又不能质也，以知来物定圣公，颜回掇黺，宰予昼寝，犹能传知之，况百岁以下乎？自春秋记获麟，而言经者多惑，挽世宋翔凤辈称述《论语》，各往往传以奇邪，名字相似，不复理辞气，吾非不能，固知其违也。（下故作附会之说，自比翔凤破析文义犹佳）……以圣人固不能测未来，《论语》口说，犹不可曲，况于六籍邦典可得而迂诬哉！……以公言类例，经国致用，萧何诸葛亮所能焉；知天善验，管骆郭璞所能也；修母致子，异物来崪，黄龙见凤，皇降麒麟，虽河出图洛出书，汉之宣章魏之明帝所能也，顾安用玄圣耶？……今既无术足以遍知，欲知之乃穿凿无验。然则主以六籍，参以诸子，得其辜较，而条品犹不章者，是固不可知也，非学者之耻也。及夫成周以降，事有左验，……摭纬谶以改成事，下及魏晋纬谶又不足用，乃弃置不一道，且曰史官皆曲笔道谀。夫曲笔道谀则然矣，政有经制，国有大故，固弗能以意损益，今一切以为诬罔，其非诬罔者当云何？曲者又好举异域成事，转以比拟（按有为所讲文字流变者即其例），情异即以为诬，情同即以为是。……地不一时，事不一法，犹稻熟有早晚，果实有甘酸也，以为一致，何其迂阔而远于物情耶？不稽他书，不详同异，猲猲以诬旧史，人之利暗昧而憎明察也固如是哉！信神教之款言，疑五史之实录，贵不定之琦辞，贱可征之文献，闻一远人之言，则顿颡敛衽，以受大命，后生不悟，从以驰骤。……悲夫，昔者吾友尝从事于斯矣！（《文录一·信史上》）

此段科学的名论多暗射有为的《孔子改制考》与《新学伪经考》二书，以下则以进化论攻击其大同之说：

或言往古小康，则有变复，近世远西之政，一往而不可乱。此宁有图书保任之耶？十世之事，谁可以胸臆度者？观其征兆，不列颠世已衰，法兰西则殆乎灭亡之域矣。……其大齐可知者，唯独后生智巧贤于前民，然非可征之数百年内也。（《信史下》）

以下则总括暗射有为变法的理论根据，谓其所臆度的经典无历史知识：

宋世儒者，不明古制，一切以时事相稽，胸臆相譣，始疑周秦故言，……六艺明文、旧史世传之说不信，乃信末师拟议之言乎！仆闻之《尚书》《春秋》左右史所记录，学者治之，宜与《史记》《汉书》等视，稽其典礼，明其行事，令后生得以讨类知原，……斯其要也。古今异变，宜弗可以通概，通经致用之说，则汉儒顾以求利禄者，以之哗世取宠，非也，以为经典所言，古今恒式，将因其是以检括今世之非，不得则变其文迹，削其成事，虽谀直不同，其于违失经意均也。……不察古今，宪度不同，利害相反，欲以一濵相齐，盖多类此（泥古）。（《文录二·与简竹居书》）

按上文前段乃考证周公践祚称王之史实，这种史迹是公羊家不欲知道的，故他末论经典所言，非古今恒式。总之他的经史论是以逻辑为指路碑，而内容则为史。因此，他发展了古文家而攻击了今文家，例如：

百年以前学者唯琐碎，今则不然，正患曼衍，不患微言大义之不明也。（《别录·与人论国学书》）

当研精覃思，钩发沉伏，字字征实，不蹈空言，语语心得，不因成说，斯乃形名相称，若徒摭旧话，或张

大其说以自文，盈辞满幅，又何贵哉！（《再与人论国学书》）

这亦有如他和宗教家辩论然，他“以理内之言相稽，彼以理外之言相应”，实道不同不相为谋之关系，他以史学与逻辑说经典，实在是他的特异经学。故康有为把孔子尊为宗教主，他则尊孔子为良史或历史学家，康氏崇孔子为素王，他则崇孔子为学者。关于第一点，他说：

仆以为民族主义，如稼穑然，要以史籍所载人物、制度、地理、风俗之类，为之灌溉，则蔚然以兴矣。不然，徒知主义之可贵，而不知民族之可爱，吾恐其渐就萎黄也。孔氏之教，本以历史为宗。孔氏者，当沙汰其干禄致用之术，唯取前王成迹可以感怀者流连弗替。《春秋》而上，则有六经，固孔氏历史之学也，《春秋》而下，则有《史记》《汉书》，以至历代书志纪传，亦孔氏历史之学也。若局于公羊取义之说，徒以三世三统，大言相扇，而视一切历史为刍狗，则违孔氏远矣！（《别录二·答铁铮》）

这里所言与实斋之说更相近似，为什么说孔氏为历史学家呢？他说：

仲尼闻望之隆，则在六籍。六籍者道墨所周闻，……

而彰布六籍，令人人知前世废兴，中夏所以创业垂统者，孔氏也。……古者世禄，子就父学，为畴官（参看《原儒》等篇）。……自孔氏然后竹帛下庶人，六籍既定，诸书后稍出金匮石室间，民以昭苏，不为徒役，九流自此作，世卿自此堕，朝命不擅威于肉食，国史不聚歼于故府，故直诸夏覆亡，虽无与立，而必有与毙也。……五帝不同礼，三王不沿乐，布六籍者，要以识前事，非谓旧章可永循也。……旧章诚不可与永守，政不骤革，斟酌向今，未有不借资于史。(《检论》卷三,《订孔上》)

这是太炎以孔子为史学家的理由。因此，他又以为孔子是第一任良史，刘歆是第二任良史，而与有为之说正相反（有为以孔子为第一任真的作伪者，刘歆为第二任假的作伪者，太炎所谓“等之造事也”），他说：

仲尼，良史也。辅以邱明，而次《春秋》，比百家若旋机玉斗矣。谈、迁嗣之，后有《七略》。孔子殁，名实足以抗者，汉之刘歆。（书布天下，功由仲尼，其后独有刘歆而已。微孔子则学皆在官，民不知古，乃无定臬；然自秦皇以后，书复不布，汉典虽除挟书之禁，建元以还，百家尽黜，民间唯有五经《论语》，犹非师授不能得，自余竟无传者。……向歆理校雠之事，书既杀青，复可移写，而书买亦赁鬻焉。故后汉之初，王充游洛阳书肆已见有卖书者。……）（同上）

按太炎尊孔乃以良史为理由，且与刘歆对举，是知孔子之史学，除学术下庶人而外，亦一校雠之史家。至关于第二点（学者），太炎既以“仲尼之功，贤于尧舜，其玄远终不敢望老庄”，是就哲理讲来，他并不推赞孔子，而于名法，他既“历览前史，独于荀韩所说谓不可易”，是就名理讲来，他亦不推赞孔子，然则他以什么理由崇拜孔子呢？这里颇与焦循不执一端之谓圣人之说相似，他说：

圣人之道，罩笼群有，……列于《论语》者，时地异制，人物异训，不以一型锢铸所谓大道。……道在一贯，持其枢者忠恕也。躬行莫先，而方移以为学，则守文者所不省已。心能推度曰恕，周以察物曰忠。故闻一知十举一隅而以三隅反者，恕之事也。夫彼是之辨，正处正色正味之位，其候度诚不可壹也，守恕者善比类，诚令比类可以遍知者，是絜矩可以审方圆物性之纷，非若方圆可以度量也。故用圆者困，而务比类者疑。周以察物，举其征符，而辨其骨理者，忠之事也。故疏通知远者恕，文理密察者忠。“自观焉”忠也，“方不障”恕也。上者，寂然不动，感而遂通天下之故，无有远近幽深，遂知来物，中之方人，用法察迩言也，下者，至于原本山川，极命草木，合契比律，审曲面势莫不依。……荀卿盖云，万物莫形而不见，莫见而不论，莫论而失位：此谓用忠者矣；坐于室而见四海，处于今而论久远，疏万物而知其情，参稽治乱而通其度，经纬天地而材官万物，制割大理而宇宙里：此谓用恕者矣。（《订孔下》）

按太炎训诂忠恕之道，归结在逻辑学，忠者，归纳之谓，恕者，演译之谓。他以墨子荀子之说，解释孔子，而又以“儒道不相舛牾”使孔庄结合，这固然有其主观的认识，是不待言，但他把孔子之学在这里却反乎公羊学的迷信宗教观，还元于理性论，认为孔子是与他所服膺的老庄荀韩之理论，相为会通，且以“不以一型铸錮大道”，可能包容四子（参看下文所谓孔子为泛神论者）。因此，他最不称道子思孟轲，以子思之学是一个非理性论的作始者，他说：

董生以五行比臣子事君父，古者洪范九畴，举五行传人事，义未彰著（按洪范九畴，即子思学派的产物），子思始善附会，旁有燕齐怪迂之士，侈搪其说，以为神奇，耀世诬人，自子思始，宜哉荀卿以为讥也。（即《非十二子》云，案往旧造说，谓之五行。）（《文录一·子思孟轲五行说》）

由上讲来，太炎是以历史学与逻辑学而治经学，颇无问题。基于这两条治学方针，他以历史是人类知识的宝库，治经在“存古”，而存古则非谓旧章可永远遵循，乃谓据此文明制度流变之学问而“灌溉”吾民；治经不能以历史为刍狗，而归结于某一人的唯心所造，乃谓六籍与历代史书同时并重，所谓“斟酌古今，未有不资于史”；治经不是一种君学，而是一种匠学，故他以孔子与刘歆皆因雠校之学，使学术下私人，不为帝王所独专，他们做良史之功都甚伟。然而，治经尤在于逻辑，即所谓“理内之言”，“推既见以至微隐”，其方法则为忠恕之学，归纳与演绎并重，而更应重视归纳，故他说：

名有新故，推迹古今官制，尚不可以同名相拟，而况其异名乎？是故广略庶官，唐之吏部非周之大宰也，户部非周之司徒也，明之都御史非汉之御史大夫也，宋之知州明之知府非汉之太守也，清之布政非元之行省平章政事也。荀卿有言："状同而为异所者，虽可合，谓之二实，状变而实无别，而为异者，谓之化，有化而无别谓之一实。"自非名家不足与议古今官制。(《检论》卷七,《官制上》)

第四节　太炎的史学范例

太炎的经学所以接近于理论的史学者以此。他自己的史学成就，便是他的关于中国官制诸考证，我们且举他的古代官制起源考证来看看他的科学精神。按他的史学，不信史前之说，举凡人类以前的地球生成论，人类以后的工具标志（石器，铜器，铁器）论，以及未有文字以前的蒙昧野蛮说，都以为是推察，不足为信征，故他仅从有文字文明以后的历史作为信史去研究的。这种怀疑态度，在太炎时代不完全是错误的，因为他是一位忠实于其方法论的学者，他的形式逻辑所能理会的东西，才能使他坚信不移，而反之他的逻辑所占据不到的材料（当时文化水平所供给者），只能使他多闻阙疑，学者态度的本色应如此。然而他在官制起源论方面，则已经发展了乾嘉朴学的内容，他把经学“存古”之说，更向真实上推进一步，“稽古之道，略如寄真，修短黑白，期于肖形”，这便不是普通经学家的古代观了。他首先说明他的研究的方法，因为他的官制考源，在当时颇有异端之嫌。他说：

九服崩离，天地皆闭，吾乃感前王之成迹，而为《官制索隐》四篇，盖古今言是者多矣，高者比次典章，然弗能推既见以至微隐；其次期于致用，一切点污之迹，故非所晓，虽晓亦不欲说。吾今为此，独奇觚与众异，其趣在实事求是，非致用之术，乃亦不待排比，推迹经脉，尽于孙络，相其阴阳，尝其臭味，其作始至微眇，而终甚巨，为佣众所弗能理者。……其微旨在使人周知古始，以兴感慕，耿然识旃裘引弓之非。吾族思古人也，而非期于取法，故不欲掩其点污。……或曰，凡事之使人兴慕者，在其可崇可贵，今子为天子居山，宰相用奴诸说，适足醜嘲，而起鄙夷宗国之念，毋乃其自刺谬耶？曰，吾曩者尝言之，以为祖宗手泽，虽至儜拙，其后昆犹宝贵之，若曰尽善，则非也。昔顾宁人，丁明绝胙，发愤考帝王陵寝，彼蒿里中陈死人，岂有豪末足用于当世？然识其兆域，则使人感怀不忘。若徒就官制言，吾中国专制之世，宰相则用近臣，其乐为近臣者诚丑，然欧美君主共和之政，……凡为代议士者，营求入选，所费金无虑巨万，斯与行贿得官何异！民主立宪，世人矜美法二国以为美谈（按有为大同之旨即在此），今法之政治，以贿赂成，而美人亦多以苞苴致贵显。……然则承天下之下流者，莫政府与官吏议士者。行谊不修，贿赂公行，斯为官吏议士，而总其维纲者为政府，政府之可鄙厌，宁独专制，虽民主立宪犹将拨而去之，借令死者有知，当操金椎以趣冢墓下，见拿破仑华盛顿，则敲其头矣。凡政体稍优者，特能拥护吏民，为之兴利，愈于专制所为耳，然其官僚犹顽顿无廉耻，非是则弗能被任用。……吾侪所志，在光复中国而已，光复者义所任，情所迫也；光复以后，复设共和政府，则不得已而为之也，非义所任，情所迫也。以是反观，则无欣厌于甘辛黑白矣！（《文录一·官制索隐序旨》）

治经史不掩其污点，“无欣厌于甘辛黑白”，不但痛斥了今文家，而且批判了古文家，唯此段文字颇在研究方法以外，具有他的“致用”之学，那便是反专制主义的主观理想。他在此篇文章中，包含着三个题目，第一个是古代天子居山说，第二个是古代官宰为奴说，第三个是法吏起源说。他虽然没有把古代世界与中古世界的历史分别开来，然大体上在字里行间颇其此项分别。第一他论古代天子制最初颇近于氏族同盟的社会（王国维据甲文研究，以殷时尚无坛埠之制），其后文明社会的制度文物，尚“放物其意”，他说：

惠定宇作《明堂大道录》，考明堂者，经师所有事，其言大道则夸也。明堂清庙辟雍之制，古今兴废虽不同，然丽王公奠天位者；其实其名，大氐不出山麓。古之王者，以神道设教，草昧之世，神人未分，而天子为代天之官，因高就邱，为其近于穹苍，是故封泰山禅梁父，后代以为旷典，然上古视之至恒也。……诗公刘，乃陟高冈，乃觏于京，京师之野，于时处处，于时庐旅。此盖在夏衰，戎狄杂居之世。其后则春秋以天子所居为京师，亦放物其意名之尔。尔雅释诂曰，林烝君也。林为山林，烝即薪蒸，是天子在山林中明甚。后代此制既绝，而甘语流传，其迹尚在，故秦汉谓天子所居为禁中，禁从林声，禁者林也。……在上古则圜邱正为土宫之地，故附于郊邱者有王宫祭日之典，祭日之坛，而命之曰王宫，明王宫与日坛同处，朝觐于是，祭享于是，治事于是，……后世不能继故犹放物其意。……天子居山，三公居麓，麓在山外，所以卫山也。……《左传》曰，山林之木，衡鹿守之。鹿即麓也，……如伊尹官阿衡，亦名曰保衡，犹是衡麓之故名也。至汉时有光禄勋为天子门卫，勋者，阍也。独光禄之义，至今未有塙解，其实官禄即是衡麓，……衡横光三字为一也（按此引戴说光横之训）。……然则古天子居其山林，而卫门者名为衡鹿，亦即宰相。至汉时，天子虽居宫室，然为之守卫者犹曰衡鹿，此亦因于古名，后人不解，随文作训，应劭乃曰光者明也，禄者爵也。……综考古之帝都，则颛顼所居曰帝邱，虞舜所居曰蒲阪，夏禹所居曰嵩山（古无嵩字，以崇字为之……）。商之先相土居商邱，其后又有适山之文（盘庚），周之先公刘居京，其后又处旱麓之地，夫曰山，曰邱，曰阪，曰京，皆实地而非虚号。……然则天子居山，其意在尊严神秘，而设险守固之义，特其后起者也。(《文录一·官制索隐》，按太炎尚以尹字父字从又持杖，明上世家族政体，父即家君，君即国父，见《与刘光汉书》。并参看本书末章王国维说。）

按城市文明的起源，在中国的古经中有迹象存在，那便是邦国的记载文献，太炎没有说明。唯他考天子居山之史迹，则颇名贵，相当于家父长制的上世。他在文字学上研究了在演化中上世遗迹的保存，证明着历史是古野而今文，不是经学家的三代八字心传了。此外，他尚有一个主观的不“可崇可贵”者，天子是也。他根据了历史是自然的过程这一命题，对于封建君主下了鄙薄的裁判词（因为他说经学家应本法吏断狱的铁笔而治经）。第二，他说：

《尚书》载唐虞之世，与天子议大事者为四岳贵族世侯，去共主不过咫尺，议有怫忤，亦无以面折廷争为也。……专制之君厌之，则为己心腹者唯奴仆与近侍。……昔之人主，其心岂异是耶？盖伊尹尝为阿衡（商颂），亦为保衡（君奭），所谓衡鹿即光禄也，而阿保为女师之称。阿之为名见于《礼记》，称为可者，《说文》阿字作娿，然则《吕览》称有姚氏以伊尹媵女斯不诬矣，孰谓其躬耕乐道耶？……其后相袭，遂以阿保为三公，周有大保，……皆自此出；而说者以为阿倚衡平，则不寻其本柢矣。又《吕览·本味》篇云，伊尹说汤以至味，然则割烹要汤之说亦不诬也。（下言周礼大宰之职，原自膳人以及其后崇职之流变）……见于《春秋》传者，则列国之宰夫犹是庖人，……其后分之，或从本职，则为庖人，或从差遣，则为执政，相沿有宰相之名，其源至暧昧也。“相”之为名，本瞽师之扶掖者耳，而赞揖让槃辟之礼者，亦名为相，其本皆至贱矣（谨按阮元有《释相》一文，相字后起，比本篇下文相字早见之据更确，亦可参考）。……《史记》言由大司寇行摄相事，则以执政归之，盖昵近之臣，易得君旨，故二者往往相兼，此又相国丞相之名所由起矣。“御”之为名，诗言执御是也，周之御史本居柱下，乃亦出巡邦国，至秦世遂以御史监郡，盖其始本以天子近臣刺探邦国密事，犹后世以中贵人衔命也。……“仆射”者亦贱官之名也。《礼记·檀弓》言，君疾，仆人师扶右，射人师扶左，此近臣最微末者。自春秋时以仆通书札。……秦时，……皆天子近臣，而皆有仆射以领之。由是，仆人射人之名始为一，其被名非无故也。汉时有尚书令一人，承秦所置，……后汉有尚书令，尚书仆射中书令，皆为真宰相奄竖之称，施于执政，而世不以为耻者，由其习惯然矣。“侍中”者，又贱官之名也，汉初侍中非奉唾壶，即执虎子，至东汉则侍中比二千石。……综此数者，则知古之宰相皆以仆从小臣得人主之信任，其始权借虽崇，阶位犹下，最后乃直取其名以号公辅。（下言汉唐明清之转变）……其他古之言“寺”者，本为寺人，至汉而百官治皆称为寺。古之言“官”者，本即馆字，周礼遗人言侯馆有积，诗言适子之馆，授子之粲，……此馆字所以从食，……汉时有大官令，丞主治膳食，足明官馆同字。官本食舍，引申之则以官为版图文书之处，……最后引申乃为吏事君者。古之言“臣”者，书言臣妾逋逃，《说文》谓臣象屈服之形（卧字从臣正象其伏），臧获之臧亦从臣（谨按臣字在金文象俘人屈服之目形，即男为人臣，女为人妾之命运），最后引申乃训为事君者。观于寺字，官字，臣字之得名，而知古代所贵，唯天子与封君，其非有土，子民之臣僚，则皆等于奴隶陪属；观于大阿，大保，冢宰，丞相，御史，仆射，侍中之得名，

而知侍帷幄参密议者，名为帝师或曰王佐，其实乃佞幸之尤。世之乘时窃权而以致君尧舜自伐者，可无愧耶？（《官制索隐》）

这些考证更语无隐词的，所谓宰相臣官一切后世认为尊者，在古代皆起源于奴仆。历史如此，何尝又不是大义微言？所谓大义者，在太炎古文家的“经世致用”之学上而言，岂不使人觉悟到应从封建社会的君臣之义，解放而为平民的民主制度么？这样历史学的“灌溉”，是进步的，革命的，而比之于康有为的托古改制经学，适成反比例。因此，他最后考证法制：

非以阉奴备位，其始作者为谁邪？曰，本于法吏。……余寻古之言士者，《说文》云，士，事也，是士事本为一字，事字从史之声，本亦同，是其声义相禅，原一而流殊。（按王国维《释史》，证史事二字更详实，可参考。）史官之文，或借里字为之，则《左传》“史克”鲁语作“里克”是也；或借李字为之，则老聃为征臧史称为李耳是也。而刑官名士师亦或名理。……晋语……子舆为理，韦昭曰，子舆士荐字，理士官也，士荐既以官为氏，则知士、理不殊。……理官受罪人之语，则谓之辞，书称狱之两辞是也，籀文辞字从司，说文司臣司事于外者。又吏亦从史声，为百官之通号，吏事或有相通。……大凡士，事，史，李，吏，使，理，辞，司九字，古本一言，声义无二。是故观其会通，则有密移之迹。……“士”任其职，斯之谓“事”，士听其讼，斯之谓“辞”；颂辞繁而不杀，不得徒以结绳为断，于是初造书契，百官以治，万民以察，而记录讼辞者谓之“史”；邦国有狱，师遣其属官就地听之，亦时有密行以诇察者，谓之“行理”，“行李”，而变其文，谓之“使”。……由是而泛记国事者皆以史名，由是而泛通聘问皆以使及行李名，由士师而分其权，凡长民者皆谓之吏，凡治事者皆谓之司，……史，吏，使，而原出于士师。（下言古代战争中史吏分裂）……（《官制索隐》）

按这里所谓法吏的起源，是说明古代社会，国民单位之成立，因而非氏族的平民可以问政。这在希腊有梭伦变法，在中国有战国的法家运动。太炎据此，便主张法制了，他说：

夫法字，从廌，谓讼有不直则神羊触之，斯固古之神话，然以斯知法字本义，独限于刑律而已。乃其后一切制度皆得称法，此非官制起于士师之明证乎？铺观载籍，以法律为诗书者其治必盛，而反是者其治必衰。且民所望于国家者，不在经国远，犹为民兴利，特欲综核名实，略得其平耳。是宋韩范三阳为世名臣，民无德而称焉，而宋之包拯，明之况钟，近代之施闰章，稍能慎守法律，为民理冤，则传之歌谣，著之戏剧，名声吟口，逾于日月，虽妇孺皆知敬礼者，岂非人心所尚历五千岁而不变耶？（同上）

太炎考据法制，虽有离开历史的嫌疑，但他的主观思想则甚值得注意，即他是以一位法制民主思想家出现于当世。

第五节　太炎的法学思想

太炎的经学，与史学相契，而又与法学相合，所谓“以法律为诗书者，其治必盛”。统观他的著作中以经通史的部分至多，而以经史通法的部分更多。以经通史，灌溉近代的理性自觉，以经史通法，更指出近代的社会制度。因此，他又展开了和公羊学派的另一种斗争，公羊家建立迷信宗教，他则反对此一种有神论的宗教，公羊家幻想没有人民性的宫廷变法，而他则高倡社会的法制。我们亦分别次序详述如下。

太炎研究官制与法律的著作，应另论发挥，此处我们仅把他论法的思想，加以检讨。按他尊崇荀韩并不是偶然的，乃有其学术上的前提。他说：

管子曰，法者所以兴功惧暴，律者所以定分止争，令者所以令人知事，论功计劳未尝失法律。此则法以明刑，今之律矣，律以定分，今之名例矣，而通可以论功计劳。……(《原法》)

法者，制度之大名，周之六官，官别其守，而陈其典，以扰乂天下，是之谓法。故法家者流，则犹通俗所谓政治家也，非胶于刑律而已。(《商鞅》，皆见《检论》)

这是太炎的法理观，他并不把法律视为万应之神药，然法律是与国政民生有必然关系，故他又说：

法家焉，虽小器也；综核名实，而使上下交蒙其利，不犹愈于荡乎？苟曰，吾宁国政之不理，民生之不遂，而必不欲使法家者整齐而撙绌之，是则救饥之必得于侁饭，而诫食壶飧者以宁为道殣也，悲夫！以法家之鸷，终使民生，以法家之觳，终使民膏泽，而世之仁人流涕洟以忧天下者，猥以法家与弘汤，仲舒佞人之徒同类，而愧娸之，使九流之善遂丧其一！（《商鞅》）

太炎的民主思想，见于其著作者，并不高谈什么大同世界，民主乐土，而仅在切于人事的法制上反复究明民主生活的起码条件，他上面所言者可为代表言论。至于没有法制的害处，他说：

著书定律为法家，听事任职为法吏，法吏多文，俗世因以非申韩，则过差次法吏，则桓范世要论最详，其言曰："……听声用名者众，察实审能者寡，故使能否之分不定也。夫定令长之能者守相也，定守相之能者，州牧刺史也，然刺史之徒未必能考论能否也，未必能端平也，或委任下吏，听浮游之誉，浮受其戚党贵势之托，其整顿传舍，待望迎宾，听其请谒，供其私求，则行道之人言其能也。治政以威严为先，行事务徼时取辨，希望上官之指，敬顺监司之教，则××（原文缺）言其能也。降身以接士，违法以供求，人间之事无不循，言说之谈无不用，则寄寓游行幅巾之士言其能也。有此三者，谈听声誉者之所以可惑，能否之所以不定也。"今

世所谓当官持法者，未有商韩宁郅之徒也，适如桓子所书而已矣！（《原法》）

这实在是指斥着封建制度的无法。故他主以经史通法，而反对“引经附法”，后者最有便于君主专制，他说：

董仲舒为春秋折狱，“引经附法”，异夫道家儒人所为，则佞之徒也，何者？法律繁苛，未足以娆民，娆民者在亿察无征之事！……法之棼者，好舍事状，而占察人之心术，反唇之诛，腹诽之刑，为人主一己便，而教天下谄谀，固蚩尤苗民之所以为化。……上者得以重秘其术，使民难窥，下者得以因缘为市，然后弃表埻之明，而从缪游之荡，悲夫，经之虮虫法之秕稗也。（同上）

我们所以说今文家的附会经文为一种有毒素的思想，即为太炎所规定的封建意识。太炎在《清儒》中“释戴”，在诸子中申韩，实有一贯之旨，因此他为商鞅做了一篇经学家法吏断狱之判决文（今文家以经文折狱，他则自称以法史断经），他说：

商鞅之中于谗诽也二千年，而今世为尤甚。其说以为自汉以降，抑夺民权，使人君纵恣者，皆商鞅法家之说为之倡，呜呼是惑于演说也。……刑之乱，君之擅，本于决事比，……董仲舒公孙弘之徒，踵武公羊氏而文饰之，以媚人主，以震百辟，以束下民，……于商鞅乎何与？鞅之作法也，尽九度以笼五官，核其宪度，而为治本。……故太史公称之曰，行法十年，秦民大悦，……家给人足。……其始也觳，其终也交，足异乎厉民以鞭棰，而务充君之左臧者也。及夫弘汤仲舒，则专以见知腹诽之法，震怖臣下，诛锄炼士，艾杀豪杰，以称天子专制之意，此其鹄唯在于刑，其刑唯在于任威斩断，而五官之大法勿与焉，任天子之重征敛姿调发而已矣。……法家与通经致用之士，其优绌诚不可较哉！……汉氏以降，以儒生为吏者多附会《春秋》，其义恣君抑臣，流貤及于民，仲舒之用决事比，其最俶矣。……今缀学者不能持其故，而以抑民恣君，蔽罪于商鞅，其远于事情哉！……鞅固救时之相而已，其法取足以济一时，其书取足以明其所行之法，非若儒墨之著书，欲行其说于后世者也。后世不察鞅之用意，而疆以物色效之，……其咎皆基于自取，而鞅奚罪焉？（《商鞅》）

这是何等理性主义者的文法，他更在《通法》一篇中详述历代之法制，言可取法之善政，都是以人民性的条件为标准，例如他比较周秦之制，说：

昔者周公封建亲戚，以藩屏周，杀王之亲者辜之，民是以有等威，是以有阶次，虽圣制不能离于酋长，自营为私亦甚矣！秦始皇用李斯，大涤旧污，身为天子，而子弟为匹夫。……夫尊戴天子，加之以恭不尊其身，以国所出，故郡县之官，承流以赋事，失其威则政棼，故尊令亦与天子等。……

按此仿亭林之说，他同理颇重视清议，例如《通法》篇又说：

迄汉，……其邑县犹有议舍槁者，蔡湛碑阴曰，贱民议民与三老故吏处士义民异列。议民者域外以为议员，良奥通达之士以公民参知县政者也，贱民者西方以为私，厮役扈养不及以政，不得选人，亦不得被选者也。……国命不出于议郎，而县顾独与议民图事，与今露西亚相类。

凡近代法制，推论到最后，必须研究土地问题。太炎已经怀疑于欧美以财产为选举的标准（见后），故他在《通法》篇历述历代土地制度，对于中国新（莽）晋魏隋唐之均田，颇有怀慕。这表现了他在土地平均主义方面提倡民主平等，含有更进步的民主思想，因为土地平均主义的主张，在近世民主运动史中为反对封建垄断的一重要步骤。他说：

汉承秦敝，尊奖兼并，上家……多拟人主，故下户踦足无所踦跂，乃父子氐首奴事富人，躬率妻帑为之服役，故富者席余而日炽，贫者蹑短而岁踧，历代为虏，独不赡于衣食，岁小不登，流离沟壑，嫁妻卖子，伤心腐臧，不可胜陈。新帝（王莽）复千载绝迹，更制王田，男不盈八，田不得过一井，此于古制少奢，荀悦以为废之于寡，立之于众，土田布列在豪强，卒而革之，并有怨心，则生纷乱也。然分田劫假之害自是少息，讫建武以后，乡曲之豪无有兼田数郡为盗跖于民间如隆汉者矣：大功之成亏亦不于一世也。（下言晋以后授田均田之制）……夫农耕者因壤而获，巧拙同利，一国之坏，其谷果桑榆有数，虽开草辟土，势不百增，而商工百技，各自以材能致利多寡，其业不形，是故有均田无均富，有均地著无均智慧。今夏民并兼，视他国为最杀，又以工商百技方兴。因势调度，其均则易，后之林烝以是调均事产者也。

这是一般太炎以经史通法的主要文章，他所谓的平均主义，在土地问题上为反封建独占地租的初步思想，在产业问题上所谓“无均富，无均智慧”之说，正表现出近代平民的法权思想，大体上是清末民主主义者的本色。他的法律论有四纲，谓：“一曰重生命，二曰恤无告，三曰平吏民，四曰抑富人。”（参看《五朝法律索隐》）

反观公羊家的托古改制论，则分界至明，任公谓“对于思想解放的勇决，炳麟或不逮今文家”，此言不确。

第六节　太炎的语文逻辑学

复次，太炎的文字学，亦与其经史研究相通相关。他把文字学一方面建立在名学上，又一方面建立在史学上，这和他的经史之学相似其研究之法。上章我们已经知道在《新学伪经考》一书中，康氏到文字关头，大倡他的既无逻辑学又无历史学的怪论。太炎适与有为是非分明，所论“文始”“语言缘起”诸问题，合逻辑名理与文字孳乳而两明，和有为之两惑者相为对照。然有一点须要说明，有为否认吉金，太炎亦怀疑于吉金甲文，相似而贯不同。有为对于吉金之否定，是以事物徇其主义，不如此则孔子托古改制之说难以成立，这叫做武断；太炎颇异，他对于古史，凡文明以前的史前史学考古学，深具怀疑，不置轻信，同样地对于地下材料的文字，亦深加怀疑，他在《国故论衡》“理惑论”一篇提出关于周金不能轻信的五点怀疑，但仅“疑”，并未武断必是山东贾人的伪造。（太炎亦引金文作旁证，如云，发声之维，古彝器皆作佳。可知并不完全否认金文。）关于甲文更加怀疑，他辨说最主要的一点仅为数千年难有不壤之龟甲，他说：“鼎彝铜器，传者非一，犹疑其伪，况于迅圬之质，易蘿之器，作伪有须臾之便，得者非贞信之人。”这在词气间疑之更重，然亦仅于怀疑，所以，有为是坚持其主义，信其不存，太炎则是实求其历史，疑其难证，二者大有区别。

太炎的文字学，和他的经学研究一样，不但批判了今文家说，而且发展了古文家言。古文家仅言“由辞以通道”，而太炎则建立由文字孳乳以明历史发展的根据（参看上面《官制索隐》一文的实例），又建立由文字起源以明思维发展的理论（参看文字缘起说，言“未有苍颉以前，民亦画地成形，自有徽契，非独八卦始作文字造端而已”），故他的文字学已经跳出了古文家的范围，在清末民初期间，据此方法研究古代文明者更有王国维氏。（太炎在小学本身的发现，如古音娘日二纽归泥说，转注假借，修正乾嘉小学诸点，另文详述。）

他以文字先有声而后有形，字的发生源于音衍，发展了阮元等人的创说，他说：

字者，孳乳而寖多，字之未造，语言先之矣。以文字代语言，各循其声，方语有殊，名义一也。（《国故论衡·转注假借说》。按此文释转注与假借，多发新义）

语言先于文字，是历史的研究，清代乾嘉学者已经打破了圣人造字之古说。太炎复进一步研究言语文字与人类思维过程的发展关系，而与逻辑学结合。他说：

语言之初，当先缘天官，……上世先有表“实”之名，以次扩充，而表“德”，表“业”之名因之。……（《语言缘起说》）

太古草昧之世，其言语唯以表“实”，而“德”“业”之名为后起。（同上）

实德业三字，源出佛典，除开其唯识的主观前提不论，以今语释之，“实”指具体的对象物，德，业指抽象的事物意义，物德指对象的性质，事业指对象的关系。大抵人类语言之起，先从感觉而来（所谓天官），故他又说：

物之得名，大都由于触受。

触受之受即五蕴的第二位，尚无想思之境界。其次在思维过程中始言“表象”，表象者是经过若干次的履历而得出对象上面的关系名字，再其次为“表德”，或云对象的性质，此谓之判断。形式逻辑，不言判断以前的过程，故非历史的名理。明白了这些，就知道太炎的文字学，是以自然史的过程研究人类语言文字的发展，超出了“文以载道”的藩篱。他说：

语言者，不冯虚起，呼马而马，呼牛而牛，此必非恣意妄称也。诸言语皆有根，先征之有形之物则可睹矣。何以言雀？谓其音即足也，何以言鹊？谓其音错错也；何以言雅（鸦）？谓其音亚亚也；何以言雁？谓其音岸岸也；……此皆以音为表者也。何以言马？马者武也（古音马武同在鱼部）；何以言牛？牛者事也（古音牛事同在之部）；……何以言人？人者仁也；何以言鬼？鬼者归也；何以言神？神者引出万物也：此昔以德为表者也。……乃至……水之言准，火之言毁，土之言吐，金之言禁，风之言汜。……实德业三，各不相离，人云马云，是其实也，仁云武云是其德也，金云火云，是其实也，禁云毁云，是其业也。一实之名，必与其德若，与其业相丽，故物名必有由起。……故牛马名最先，事武之语乃由牛马孳乳以生，世稍文则德业之语早成，而后施名于实，故先有引语，始称引出万物者曰神，先有提语，始称提出万物者曰祇，此则假借之例也。（同上）

上文卓见超乎前哲。按禁、毁、引、提之语义，属于表象，先有表业之义，后引申于表德，即先表象而后判断。太炎以上所论，对于表象与判断的过程颇为混同。而且语言起源不完全非先有表实之名不可，而有些东西只有从表象所实践经历而至，如尺，亩的概念便是经过若干次的经验而得，禁毁引提亦然，不可能从表实方面引申，太炎毕竟是一位学者，知之为知之，不知为不知，他在原则上说明表实在先，表业表德在后，便起了疑问，文下注曰：

青黄赤白坚耎香臭甘苦之名，则当在实先，但其字皆非独体，此不可解。（同上）

按这些名词，起始即皆由表象中经历而来，它们并不由表实之名引出，这是对的。没有如表实之名字体单纯者，因为凡表象已经复合了若干经验因子，不可能在字体成立上成为独体之字，而融合了过去的观念上之比较了。所谓比较，在最初亦如太炎所云“语言之分，由触受顺违而起也”，不属于表实之名者，必取之于表象的触受顺违。太炎又说：

物之得名，大都由于触受，触受之噩异者，动荡视听，眩惑荧魄，则必与之特异之名；其无噩异者不与特名，以发声之语命之。夫牛马犬羊皆与人异，故其命名也亦各有所取义；及至寓独形体，知识多与人同，是故以侯称猴，侯者发声词也，……以且（祖）称狙，且者发声词也。……形性绝异，则与之特异之名，形性相似，则与之发声之名。（同上）

此皆由自然史过程所研究的文字学，合于科学。但文字成立以后孳乳甚繁，古今不同，太炎又举递衍变化之名，举例以说明之，他说：

上世先有表实之名，以次扩充，而表德表业之名因之；后世先有表德表业之名，以次扩充，而表实之名因之。是故同一声类，声义往往相似。……如立“为”字以为根，“为”者，母猴也，猴喜模仿，效人举止，故引申为作为，其字则变作伪，凡作伪者异自然，故引申为诈伪，凡诈伪者异真实，故引申为错误，其字则变作讹，为之对转为暖，伪之对转复为谖矣。……如立“乍”字为根，乍者止亡词也，仓卒遇之则谓之乍，故引申为最始之义，字变为作，毛诗鲁颂传曰作始也，书言万邦作乂，夷作牧作，皆始也，凡最始必有创造，故引申为造作之义，凡造作者异于自然，故引申为伪义，其字则变为诈，又自最始之义，引申为今日之称往日，其字则变作昨。……（同上。著者按，作字在甲文金文中已出现，与封字相似，乃用于作邦之处，便有始义，故我释武王时代的大丰敦，“王作唐”一语，以继承与光大文王始邦之义为诂，因文王作邦，见于大盂鼎，文王肇国在西土见于《周书·酒诰》故也。）

总之，太炎文字学，光大了乾嘉学者。前人多滞于文字起源的形体，（如康有为以西洋文字进化的由简而繁，以比类中国文字流变的由简而繁，曲解了历史。）而未知音韵学与文字起源的关系。乾嘉诸儒始建立音韵学，王国维称段玉裁之功甚巨，自云治学即受其所赐，今太炎之说，亦乾嘉研究而进于法则说明者。他说：

凡治小学，非专辨形体，要于推寻故言，得其经脉。不明音韵，不知一字数义所由生，此段（玉裁）氏所以为桀……。滞形体者，以声音可遗，则形为糟粕，而书契与口语益离矣！（《小学略说》）

至于他关于文字研究的价值，亦不局限于东原的范围，乃与历史名学接合，他说：

刘歆言小学独举书数；若夫理财正辞，百官以治，万民以察，莫大乎文字。（同上）

他言“推寻故言，得其经脉”，指文字历史。上面所讲的文字学，则又与名学（逻辑）合一。他更有《原名》一篇，正是《语言缘起》一篇的姊妹篇，他说：

墨有经上下，儒有孙卿正名，皆不为造次辩论，务穷其柢，鲁胜有言，取辨乎一物，而原极天下之污隆，名之至也。墨翟孙卿近之矣。凡领录散名者，论名之所以成，与其所以存长者，与所以为辩者也。（《原名》）

按名之所以成，为判断以前的研究，非形式名学上的范围内事，上面文字起源的研究，即其一面（为认识论，心理学所研究者）。太炎关于此点，继续其文字的理论，他说：

名之成，始于“受”、中于“想”、终于“思”（按想思为唯识论五蕴之后二名）。领纳之谓“受”，受非爱憎不著，取像之谓“想”，想非呼召不征，造作之谓“思”，思非动变不形。名言者，自取像生，故孙卿曰，缘天官，凡同类同情者，其天官之意物也同，故比方之疑似而通，是所以共其约名以相期也。（正名篇文）此谓想随于受，名役于想矣。又曰，心有征知，征知则缘耳而知声可也，缘目而知形可也，然而征知必将待天官之当簿其类，然后可也（同上）。接于五官曰受，受者谓之当簿，传于心曰想，想者谓之征知，一接焉一传焉曰缘。………此名之所以成也。(《原名》)

“受”似相当于感觉，颇无问题。“想”则难解，我以为应作“表象”看，即具体的观念东西，日日经历所“当簿其类”者，因其经历于生活，故曰征知，征知如作“想”解，只能如此说，否则多余。“思”在这里，当指判断了。（按胡适之解释“证知”太常识化了，不合名理。）复次，言名之所以存，他说：

名虽成臧于胸中，久而不渝，浮屠谓之“法”。墨经曰，知而不以五路，说在久，说曰，智者若疟病之（者）之于疟也，智以目见，而目以火见，而火不见，唯以五路知；久，不当以目见；若以火。（《经下》，及《经说下》）此谓疟不自知，病疟者知之，火不自见，用火者见之，是受、想之始也。受、想不能无五路，及其形谢，识笼其象，而思能造作，见无待于天官，天官之用，亦若火矣。……向令所受者逝，其想亦逝，即无所仰于名矣：此名之所以存也。（同上）

按墨经所论，不一定为“名之所以存”，唯太炎如此解释，并无语病。其次，他言名之所以长，他说：

泰始之名有私名足也，思以综之，名益多。故墨经曰，名、达类私。孙卿曰，万物虽众，有时而欲遍举之，故谓之物，物也者，大共名也，有时而欲遍举之，故谓之鸟兽，鸟兽者大别名也。然则骐、䯄、骝、骊为“私”，马为“类”，畜为“达”，兽为“别”，物为“共”也。……孙卿曰，单足以喻则单，单不足以喻则兼。人马木绳，单矣，师驷林网，兼矣。有时而欲辨异举之，以药为丸，其名异自和合起；以瓶为败瓦，其名异自碎坏起；以谷为便利，其名异自转变起，以金带钩为指环，俄以指环为金带钩，其名异自加功起。……此名之所以长也。（同上）

最后，他言“所以为辩”，所引墨经与因明之说，大都仍在判断之过程，唯引墨经“所以谓，名也，所谓，实也，名实偶合也，志，行为也”一段话，则言命题，例如说这（所谓）是一条狗（所以谓），即名实合之命题，一切推理都是从这样单纯的命题开始。次于命题者，言推理，太炎说：

辩说之道，先见其指，次明其柢，取譬相成，物故可形，因明所谓宗、因、喻也。印度之辩，初宗，次因，次喻；大秦之辩，初喻体（近人译为大前提），次因（近人译为小前提），次宗（按即结论），其为三支比量一也。墨经以因为故，其立量次第，初因、次喻体，次宗，悉异印度大秦。……（下释墨经从略）……（同上）

由此可知，太炎综合东西名学而作《原名》，和文字学的研究融合而成为一种“以分析名相始”的朴学，亦他所谓近代的科学所趣。在这里，关于他的“以排遣名相终”的哲学，留待下章详论，仅就理性论者的太炎而言，在思想上是合于民主主义的精神，所谓“贵其一家而忘其比类，则偏畸也”，他说：

见无符验，知一而不通，谓之蔽；诚有所见，无所凝滞谓之智。自纵横阴阳以外，始征臧史，至齐稷下，晚及韩子，莫不思凑单微，斟酌饱满，天道恢恢，所见固殊焉，旨远而辞文，言有伦而思循纪，皆本其因，不以武断。(《明见》)

第七节　理性主义的宗教思想

上节已经讲到太炎的理性主义，他关于宗教方面所表现的思想，更明显地立于非理性主义者公羊家的对面。维新派强调了重商政策时代的宗教改革，以为中国立宪运动亦应首先作一番宗教改革的运动，此《孔子改制考》所由著作。太炎首先说明欧西宗教活动的意义，他说：

景教者，远西成学之士之所轻，其政府亦未重也，纵之以入中夏，使趣于相杀毁伤而已，得挟其名以割吾地。……此族也，吾林麓无鉴之氓，……地为西守，而念不西问，审是，则景教者，乃只以梗远西东略之道者也。(《检论 · 争教》)

其次，他论宗教起源，是依据所谓“理内之言”，他说：

生民之初，必方士为政，……此五洲上世之所同也。自夏殷以往，其民则椎鲁无䚡理，……眇论之旨，非更千百年弗能闿怿，时为之也。……当是时见……眩不可解者，以为必有鬼神尸之，故天事不谕，而巫咸祒之术兴，观生不周，而圣人以神道设教。冯蠵者，大黾也，以为河伯；海若者，右倪之龟也，以为瀛之神龙；獒者，淦岁也，奉于夏郊，而三代传祀之，此犹生物也。……上帝无形，絫而益愚，增而益诬，故圜邱大旅者，淫祀之首，狂惑之宗也。……周道衰，名法起，徇通之民，归于老聃仲尼，明明在上，监照下方，不自辩护，……犹裴回而不遽黜，……虽精意，其愚诬均也。诸奉天神地祇物魅者，皆上世之左道，愚陋下材之所推树。(……下言心神之说，有类神在人性中的泛神论，详见下章所

论。）……（《检论》卷六，《原教》）

他论中国迷信之说与儒教相结合者，归于汉代的谶纬之学，而其内容则追论到逻辑学的幼稚，所谓“分析比类”。他说：

往者，……比析文字，幸而得中，秦谶则其流也，其次生于亡国逸民，将冒白刃湛九族以赴难，而不可集，内怨孔悲，以期来者，……吐言昌狂，流为讴歈，后虽应事，顾不识其所从来。……然弗能有常仪。其次宴闲好事之夫，假设事形，而后卒有应者。（如王莽时，道士西门君惠，言刘秀当为天子，非定知为刘秀也，而光武因谶命名则应之，刘歆因谶更名则不应，良由谶记既布，人所指目，故易以集事，然必非君惠所实知也。）……易言伏戎于莽，升其高陵，故非谓王莽翟义刘伯升也，然附会之足以效。……州国名氏之号，不能离文字，文字恒用不过五六千，而经典旧史具有之，其文字足以樊笼众名，谲者又分析其文，比其事类（分析其文者如卯金刀为刘也，比其事类者，如赵为秦，当涂高为魏也），尚安得无妄！中令诚有前识者，谶书亦众矣，是何效者之少，不效者之多也？故庄子曰，射者非

前期而中之，天下皆羿也，可乎？（《原教》）

太炎研究宗教，与谶纬迷信相反，他说：

往者作无神论，大为基督教人所反对，广州教会有《真光报》，以仆为狂悖至极！吾以理内之言相稽，而彼以理外之言相应，此固无庸置辩。（《答铁铮》）

然而他为什么要研究法相宗呢？他仍以“分析名相”为主，他认为法相家的逻辑与汉学相近，亦与近代科学所趣相合，他说：

明代气节之士，非能研精佛典，其所得者无过语录简单之说。……仆所以独尊法相者，则自有说。盖近代学术渐趣实事求是之途，自汉学诸公分条析理，远非明儒所能企及，逮科学萌芽，而用心益复缜密矣。是故法相之学于明代则不宜，于近代则甚适，由学术所趣然也。（同上）

因此，他反对公羊学家如康有为的孔教说，所反对的立场，是基于理性与历史二者。基于理性者，所谓“偭其候度而奉其仪容，则诳耀也；贵其一家而忘其比类，则偏畸也”，所谓“智者以达理而洒落，愚者以怀疑而依违”。他说：

近世有倡孔教会者，余窃訾其怪妄！宗教至鄙，有太古愚民行之，而后终已不废者，徒以拂俗难行，非故葆爱严重之也。……禘之说，孔子不知，号曰设教，其实不教也。……孔老命世，老子称以道莅天下，其鬼不神（按老子在后，太炎文中皆言其在孔子之前）；孔子亦不语神怪，未能事鬼；次有庄周、孟轲、孙卿、公孙龙、申不害、韩非之伦，浡尔俱作，皆辩析名理，察于人文。由是妖言止息，民以昭苏。（按此针对《孔子改制考》中的诸子改制说。）……若黄巾道士者，符箓诡诞，左道惑人，明达之士，固不欲少游其席。……（中国）国民常性，所察在政事日用，所务在工商耕稼，志尽于有生，语绝于无验，人事自尊，而不欲守死事鬼以为真宰，……视彼佞谀上帝，拜谒法皇，举全国而宗事一尊，且著之典常者，其智愚相去远矣！……是故智者以达理而洒落，愚者以怀疑而依违。……今人猥见邪苏路德之法渐入域中，乃欲建树孔教以相抗衡，是犹素无创痍，无故灼以成瘢，乃往师其鄙劣，而未有以相君也！……今世人拜谒孔子，谓孔子谓教主，……偭其傧度而奉其仪容，则诳耀也，贵其一家而忘其比类，则偏畸也，进退失据，挟左道比神事，其不可以垂训则甚明。……仲舒之托于孔子，犹宫崇张道陵之托于老聃，今之倡孔教者，又规摹仲舒而为之矣！（《文录二·驳建立孔教议》）

这是以理性论出发，反对孔教之建立，其次他以历史观出发，言孔子之所以当尊者在历史学，而其泛神论的思想反为进步的产物。他说：

孔氏旧章，其当考者唯在历史。……不言孔学则已，若言孔学，愿亟以提倡历史为职矣。……孔氏而后，儒道名法，变易万端，唯依自不依他一语。……孔子亦有天祝、天丧、天厌、获罪于天等语，……按孔子词气，每多优缓而少急切之言，故于天神未尝明破，其鬼神……是即斯比诺沙泛神之说，泛神者即无神之逊词耳。……儒老皆主泛神之说，及其言天，则本往古沿袭之语，而非切指天神。……《大雅》言帝谓文王，则明视上帝为有人格矣；中国得孔子泛神之说，至公孟而拨除之。（《答铁铮》）

因此，他分析孔子之功有四，与宗教无关，如果说有关，则是以逊词反宗教而已。他说：

孔子所以为中国斗杓者，在制历史，布文籍，振学术，平阶级而已。……自孔子作《春秋》，然后纪年有次，事尽首尾，丘明衍传，迁固承流，史书始粲然大备，……令晚世得以识古，后人因以知前，……功为第一。……周官礼不下庶人，政典掌在天府，其事迹略具于诗书，师氏以教国子，而齐民不与焉；……自孔子观书柱下，述而不作，删定六书，布之民间，然后人知典常，家识图史，其功二也。……王官守其一术，而不遍览文籍，则学术无以大就；自孔子布文籍，又吐《论语》以寄深湛之思，于是大师接踵，宏儒郁兴，虽所见殊途，而提振之功在一，其功三也。春秋以往，官多世卿；……自孔子布文籍，又养徒三千，与之驰骋七十二国，辨其人民，知其土宜，识其政宜，门人余裔起而干摩，与执政争明，……而世卿废，民苟怀术，皆有卿相之资，由是阶级荡平，寒素上遂，其功四也。……今忘其所以当尊，而以不当尊者奉之，适足以玷阙里之堂，污泰山之迹耳！（《驳建立孔教议》）

按太炎所言孔子之功四点，在文化上谓之人文主义，在政治上谓之平民主义，其非孔子全貌者另当别论；而如此认识孔子，则实为打破传统信仰，反求之于理性认识的最有价值之论断。二千年来的偶像观念进至于“理内之言”，太炎之功颇巨，非仅限于反公羊学派的宗教观而已。（孔子之四点功勋，都是历史的真实，至于其历史说明，请参看拙作《中国古代思想史》。）太炎的以上言论，正他所自述的二点，受了德意志哲学的深厚影响与经历志在经国的历史觉醒，时代之于学人，关联至密，从船山到太炎虽有一条红线，而成果则有赖于时代的洪炉才能考炼出来。

第八节　中国学术史的第一次尝试者

复次，我们再看他的中国学术史研究。这在太炎遗书中是最有价值的部分。按他关于周秦诸子，两汉经师，五朝学，隋唐佛学，宋明理学，清代学术，都有详论，即从他的著作中整理一部《太炎的中国学术史论》，亦颇有意义。实在讲来，他是中国近代第一位有系统地尝试研究学术史的学者，皮锡瑞的《经学历史》，虽以近代早期的学术史概论出现，而内容上则远不及太炎的见识，可惜他没有自己把这一问题的材料编著起来，使后来治学术史的人剽窃其余义，多难发觉。下面我们仅就他的主要论点，介绍一下。

（一）关于中国学术史研究的诸新义

太炎继承了清代学者的诸子研究（严格说来，起于傅青主），融会贯通，卓然成一家之言。最有价值的部分，在于他能考竟源流，而反乎理学家的心传，公羊家的口授与托古：

世之言学，有仪刑他国者，有因仍旧贯得之者，细征乎一人，其巨征乎邦域。荷兰人善行水，日本人善候地震，因也。山东多平原大坛，故驺鲁善礼，关中西塞便骑射，故秦陇多兵家。海上蜃气，象城阙楼橹，恍苯变眩，故九州五胜怪迂之变，在齐稷下，因也，地齐使然。周室坏，郑国乱，死人多而生人少，故列子一推分命归于厌世，御风而行，以近神仙。族姓定，阶位成，贵人之子，以武健陵其下，故释迦令桑门去氏，比于四水入海，而咸淡无别。希腊之末，甘食好乐而俗淫湎，故史多揭家，务为艰苦，作自裁论，冀脱离尘垢，死而宴乐其魂魄。此其政俗致之也。……然其材性发抒，亦往往有长短，短者执旧不能发牙角，长者以向之一得今之十，是故九流皆出王官，及其发抒，王官所不能与，官人守要，而九流究宣其义。是以滋长短者，即循循无所进取，通达之国中国印度希腊皆能自恢犷也。(《国故论衡·原学》)

以上说明学术的成立，从地理、政俗，以及思想滋长各方面论究，虽不完全为历史的方法，但已经诉诸理性，作了科学的试验。因此，他论中国学术史重视自得独立的思想，鄙视因袭调和的传授，据此原则，才可以把思想史从中古的宗教意识中解放出来，打破了一尊偏畸的束缚，而使各家学术还诸各家的历史本身。他说：

为学者，非徒博识成法，挟前人所故有也。……亡自得者，足以为师保，不与之显学之名。(同上)

这是研究学术史的理性批判之标准，在中国哲人之中，合于独立自得的标准者，其学为显学，不合于此标准者不能加与显学之名。他综论汉代以后思想亡去自得独立之学，说：

春秋以上，学说未兴。汉武以后，定一尊于孔子，虽欲放言高论，犹必以无碍孔氏为宗，强相援引，妄为皮傅，愈调和者愈失其本真，愈附会者愈违其解故。故中国之学，其失不在支离，而在汗漫。自宋以后，理学肇兴，明世推崇朱子，过于素王，阳明起而相抗，其言良知也，犹云朱子晚年定论。孙奇逢辈，遂以调和朱陆为能，此皆汗漫之失也。(《诸子学略说》)

他以中国学说，实导源自周秦诸子，为后来胡适之所本。他所以赞扬诸子，即因了他们自得独立，如他说“言心莫眇于孙卿，言因莫远于庄周，言物莫微于惠施”，而以言玄理，则孔子不如老庄，言名学则墨子荀卿优于前儒，故他在名法上推重荀卿韩非，而谓其说不易，在哲理上独尊庄周，成《齐物论释》一名著。他说：

周秦诸子，推迹古初，承受师法，各为独立，无援引攀附之事，虽同在一家者，犹且矜己自贵，不相通融。故荀子《非十二子》，子思孟轲亦在其列，或云子张氏之贱儒，子夏氏之贱儒，子游氏之贱儒，诟骂嘲弄，无所假借。(下引韩非《显学》篇所论儒八墨三分派。)……此可见当时学者，唯以师说为宗，小有异同，便不相附，非如后人之忌狭隘，喜宽容，恶门户，矜旷观也。盖调和独立之殊，而知古今学者，远不相及。……此可见古学之独立者，由其持论强盛，义证严密，故不受外熏也。(同上)

（二）关于古代学术之源流

太炎关于古代学术，以为春秋以前“无所谓学问”，或云“学说未兴”，他以学术下庶人以后才有所谓学问。这一点，在历史上讲来颇为复杂，诸子以前不是没有学问，而是学问乃贵族的，束缚在一个小天地之中（详见拙作《古代思想学说史》一书），唯太炎言世卿专政时代，古代自由民的活动没有学术自由，则实合于周代历史，他说：

世卿用事之时，百姓当家，则务农商畜牧，无所谓学问也。其欲学者，……为之胥徒，或乃供洒扫，为仆役焉。故《曲礼》云，“宦学事师”，学字本或作御，所谓宦者，谓其宦寺也，所谓御者，谓其仆御也，故事师者以洒扫进退为职，而后车从者，才比于执鞭拊马之徒。观春秋时，世卿皆称夫子，夫子者，犹今言老爷耳。孔子为鲁大夫，故其徒尊曰夫子，犹是主仆相对之称也。《说文》云，仕，学也。仕何以得训为学？所谓宦于大夫，犹今之学习行走尔。”（同上）

按太炎此说，实不可易。胡适之不重视此点去发抒光大，而斤斤于辩解诸子不出王官之说，推翻太炎立论，所依之论据，又不贴历史，凭空推论，想像是非，不可为训。

《汉书·艺文志》九流出于王官之说，太炎本之，言古代畴官世业，其后诸子九流所以究宣其义。这里，如果说诸子皆出于王官，无王官则无诸子，颇失史实。但周代学术下私人，和畴官世业则有渊源，因为东周以后，文物丧失，所保存者仅邹鲁文化所在之区独得优越（参看所锡鲁伯禽的文物，见《左传》），其间有所谓“缙绅先生”者，便是王官与诸子的过渡，在《庄子·天下》篇亦划分得最为严明，诗书礼乐在缙绅先生的手中成了专门的事业，历春秋时代此业不衰，不论儒墨皆从他们手中批判发展而自成体系（儒墨皆称先王，引诗书）。其后诸子，始由孔墨显学，再行发展，于是古代的平民学术，横议泛滥于当世。太炎诸子出于王官之说云：

史记称老聃为柱下史，庄子称老聃为征藏史，道家固出于史官矣。孔子问礼于老聃，卒以删定六艺，而儒家亦自萌芽。墨家先有史佚为成王师，其后有墨翟，亦受学于史角。阴阳者，其所掌为文史星历之事，则左氏所载瞽史之徒，能知天道者是也。其他，虽无征验，而

大抵出于王官。(同上)

按太炎此说，乃针对康有为的诸子托古改制之说而立论，有为在《孔子改制考》中以诸子都是凭空起家，前无古人，亦无古史，虚造自己的宗教(即他所作《诸子皆创教考》)，太炎力矫此种误断，故过甚其词，而云诸子不但非妄自立说，且皆有其渊源，皆出于王官。这种矫正的理论，观于他力辨儒道甚至墨家，皆不是宗教家，可知，所以，他虽主诸子出于王官，而亦赞扬诸子主观之学，他说：

诸子……所学者，主观之学，要在寻求义理，不在考迹异同。既立一家，则必自坚其说，一切载籍，可以供我之用，非束书不观也。难异己者，亦必睹其籍，知其义趣，唯往复辩论，不稍假借而已。(同上)

王官之学到诸子之学，是从公族之学下于私人之学，在古代，学术既有此转变，则不能完全否定王官，而以诸子之学全然没有思维过程的历史继承，就在战国时代出现。然如果说某家必出于某官，把世卿之学一派一派地下降传授给九流之学，则亦不合逻辑。其实太炎有《原儒》一篇文字，大体上把公族之学下降于私人之学的变迁暗示出来。按“儒”之名先于孔子，《论语》有云，“汝为君子儒，毋为小人儒”，可知儒者之称已在春秋之世流行。太炎分儒有达名之儒，类名之儒，私名之儒。达名之儒指古代术士，谓：“一谓之儒明其皆公族。儒之名盖出于需，需者云上于天，而儒亦知天文识旱潦，……古之儒知天文占候，谓其多技，故无偏施于九能，诸有术者悉赅之矣。”（《原儒》）这一论断，在历史上并无直接验证，但以古代社会类推，颇类印度古代的宗教师，或太炎所谓世卿之下的专门技术之仆寺。故儒之达名为术士，虽无以证明儒之名即起于术士，但推断上并不背于古代历史，这样看来，所谓达名之儒犹是世卿专政下的附庸而已。（胡适之言儒训柔，起于殷人，不确。）其次，类名之儒，太炎规定为知礼乐射御书数者，所引文献，颇难明其时代职务，如果我们以太炎之规定名词（类名）而言，此儒者之名，实相当于《庄子·天下》篇所讲的古代第二个学术阶段，第一个阶段即“以天为宗以德为本”的世卿公族学术，第三个阶段即“百家之学。各得一察焉自好”，而第二阶段则所谓“其在于诗书礼乐者，邹鲁之士，缙绅先生多能明之，诗以道志，书以道事，礼以道行，乐以道和……”，缙绅先生做了一个保存古代文明的桥梁，其所完全形式化（仪式）的诗书礼乐，至使西周文明僵死化，则又为诸子批判发展，附加了人类性内容，而形成战国文明。故《天下》篇说：“其数散于天下而设于中国者，百家之学，时或称而道之。”孔墨称缙绅先生所明者即皆由此散出，称道尧舜先王，诵习诗书礼乐，孔子成儒者之宗，墨子亦先学于儒而后自立一宗（据淮南子），于是学下私人，诸子推衍而进。太炎所谓之“私名之儒”只有这样解释才能了解。由此观之，诸子出于王官之说，并非完全无稽，然问题却不可直观为师弟之传授，而是批判发展的，缙绅先生形式化了诗书礼乐谓之西周贵族之学的否定，诸子复将诗书礼乐附加以理性与情操的新内容，谓之否定的否定。旧的虽然束缚着新的，而没有旧的，则新的胎生处安在？中国不同于希腊文明，这种学术转变的曲折路径，即其一例，而且颇关重要。

（三）关于诸子之学

太炎对于诸子学术研究，堪称近代科学整理的导师，其文如《原儒》、《原道》、《原名》、《原墨》、《明见》、《订孔》、《原法》，都是参伍以法相宗，而义征严密地分析诸子思想的，他的解析思维力，独立而无援附，故能把一个中国古代的学库，第一步打开了被中古传袭所封闭着的神秘壁垒，第二步拆散了被中古偶象所崇拜着的奥堂，第三步根据他的自己判断能力，重建了一个近代人眼光之下所看见的古代思维世界。这不是说太炎所论断者都是正确的，正如他说："为学者，非徒博识成法，挟前人所故有也，（贵）有所自得……"他有所自得，是最名贵的，而思想史却亦在于继承前人之自得，而发抒自己时代的自得，此一点一点的自得之有价传统便形成人类意识的洪流，汇合于伟大的科学，哲学上"物自身"的占有，就是顺着这样历史，从必然王国进于自由王国（唯不是思维的自己解决，思维之被役使转化为思维之自主，在思维方面主要为占有法则）。因此，太炎在第一二步打破传统，拆散偶象上，功绩至大，而在第三步建立系统上，只有偶得的天才洞见或断片的理性闪光，而到了他自己安排他的世界观时，便坠入无底深谷，和他在高崖上锐敏地分析现实的世界相比较，则"终"

与“始”二截分裂（即《齐物论释》的哲学）。

值得我们介绍的，即他的儒家学术研究。上面已经说明，他认为孔子有四大功绩，主要是以历史家归功于孔子，称孔子为“良史也”。此外他又以教育家归功于孔子，他说：

有商订历史之孔子，则删定六经是也；有从事教育之孔子，则《论语》《孝经》是也。由前之道，其流为经师，由后之道，其流为儒家。（《诸子学略说》）

按太炎亦六经皆史之论者，故他一再说“孔子删定六经，与太史公班孟坚辈都无高下，其书既为记事之书，其学唯为客观之学”（同上），又以孔子之订六经与刘歆之倡经艺，同为大史家（见前）。他论教育家的孔子，如前所述，在于孔子首开私人教育之风，三千门人议论时政，对于废除世卿贵族的专政，唤起平民的自觉（即前引所谓第四功绩），实大有影响。唯他没有说明孔子附保留的周制正义心，亦未分析孔子的全部哲学，忽然批判儒家哲学说：

孔子当春秋之季，世卿秉政，贤路壅塞（著者按历史不是西周贤路公开，而春秋贤路壅塞，乃是当春秋之季，贤路可能开辟，而犹在世卿政治束缚之下），故其作《春秋》也，以非世卿见志。其教弟子也，唯欲成就吏材，可使从政。而世卿既难猝去，故但欲假借事权，便其行事。……故曰：沽之哉，沽之哉。不沽则吾道贫矣。《艺文志》说儒家云：“辟者随时抑扬，远离道本，苟以哗众取宠。”不知哗众取宠，非始辟儒，即孔子固已如是。……征生亩与孔子同时，已讥其佞，则儒者之真可见矣。……其自为说曰，“无可无不可”，又曰，“可与立未可与权”，又曰“君子之中庸也，君子而时中”。孟子曰，“孔子圣之时者也”。荀子曰，“君子时绌则绌，时伸则伸也”。然则孔子之教，唯在趋时，其行义从时而变，故曰，“言不必信，行不必果”，如墨子《非儒下》篇议孔子曰“……饥约则不辞，妄取以活身，赢饱伪行以自饰，汙邪诈伪，孰大于此？”……所谓中庸者，是国愿也，有甚于乡愿者也。孔子讥乡愿，而不讥国愿，其湛心利禄，又可知也。君子时中，时伸时绌，故道德不必求其是，理想亦不必求其是，唯期便于行事则可矣。用儒之道德，故艰苦卓厉者绝无，而冒没奔竞者皆是。……用儒家之理想，故宗旨多在可否之间，论议止于函胡之地。彼耶苏教天方教，崇拜一尊，其害在堵塞人之思想；而儒术之害，则淆乱人之思想。此程朱陆王诸家所以有权而无实也。虽然，孔氏之功则有矣，变禨祥神怪之说，而务人事，变畴人世官之学，而及平民，此其功亦夐绝千古。二千年来，此事已属过去，独其热中竞进者在耳。(《诸子学略说》)

按太炎《诸子学略说》一篇，并不收于今刊《太炎所著书》中，然这亦不是太炎的思想产生了大的变化，把此篇删去（但未刊入遗书，颇不忠实），实在是因了刊行其《所著书》之时，已经在中国酿起一种潮流，即打孔家店是也。太炎此论，无疑地是这一潮流的先导者，或者不愿接受此种师承关系，而把它删去了么？为什么说此篇内容与太炎全部思想没有矛盾呢，这只看他《思乡愿》上下二篇反对宋儒的言论，就可以明白的，而《菿汉微言》自云所为折中之论，则因他所谓因讲玄理，“身在幽囚，不可直遂以为”者。然而他在写《诸子学略说》之时，亦并非系统的研究孔子，细绎文词，实在含着些借题发挥，反对康有为的宗教孔子观，机会孔子观，而文末几句更显明地针对了变法维新派。（暗示不承继孔子的理性思想，平民精神，而借宗教迷信，热中奔竞于满族的宫廷。）

又按太炎思想，哲学上为佛学与齐物论的结合，在治学方治上则为名法与形式逻辑的结合，明言孔子的玄理不及老佛二氏，儒家的综核名实，不及名法相宗（其尊荀子多引名学之说，谓荀墨并为逻辑家），故他说“有权无实”的儒家哲学，“宗旨多在可否之间，议论止于函胡之地”的儒家方法论，来历至明，又并非完全和康有为立异。他不但在破除一尊方面做了极大胆的批评，而且尊孔皆基于理性，在学术评价上，具有卓见，比后来吴虞的专打偶象，《新青年》的反孔思想，多富学术价值（浪漫主义的时代意义，别一问题）。

其次，太炎论道家，名家，法家诸学，散见各篇。他言老子先于孔子之论，多有误解，甚至说，“老子以权术授孔子，而征藏故书，亦悉为孔子诈取，孔子之权术，乃有过于老子者”，语多不经，有损其朴学价值。而他将老子与道士分别，则对于汉宋以来的因袭，无异当头一杠，他说：

道士依傍其说，推为教祖，实于老子无与。（同上）

他又尊视老庄的自然天道观，实为胡适之所本，胡氏演其庄子进化论的意义，而弃其《齐物论释》的研究，都不够实事求是的态度。太炎说：

老子云道法自然，太史公论老庄诸子，以为归于自然。自然者，道家之第一义谛。由其博览史事，而知生存竞争，自然进化，故一切以放任为主，虽然，亦知放任之不可久也。(同上)

求“因”是老庄哲学的优点，故庄子可以和上帝同游，对于周代贵族的世界观，讽刺得朔风凛凛，反映了氏族贵族的没落势头。然而老庄的悲观论，却没有对于平民显族的信仰心，毫无进化论的含义。太炎研究老子，推重韩非的解喻，故他论老子颇重老学的因变观念，云，“老聃据人事嬗变，议不逾方，庄周者旁罗死生之变，神明之运，是以巨细有校，儒法者流削小老氏……”(《原道上》)他崇章老氏如此。按太炎的二元论，以道与理二字说明老学的发展，在《原道下》篇引韩非之说，释曰：

有差别此谓理，无差别此谓道。死生成败皆道也，虽得之犹无所得，齐物之论由此作矣；韩非虽解老，然他篇促促以临政为齐，反于政必黜。

因此他以韩非子“有见于国，无见于人；有见于群，无见于孑”，不能如庄周之通“道”，然而从“理”上而言，则他纯用韩非解喻之旨，(上中下《原道》三篇)，甚至说：

凡周秦解故之书，今多亡佚，诸子尤寡。老子独有《解老》《喻老》二篇，后有说老子者宜据韩非为大传，而疏通证明之，其贤于王辅嗣远矣。韩非《解老》《喻老》，未尝杂以异说，盖其所得深矣。(《原道上》)

是知认识论以后，本韩非，而认识论以前本庄周；而老子本身学术则成为一个X字了。因为太炎“分析名相”在“排遣名相”之前，故他对于老子还保留了方法论的价值（是否老子真义，则另一问题），他在这点与其谓释老子，毋宁说释韩非（他以韩非之说不可易），他说：

（韩）非之言曰：“先物行先理动之谓前识，前识者无缘而妄意度也，……故曰，前识者道之华也，而愚之首也。”(《解老》) 夫不事前识，则卜筮废，图谶断，建除堪舆相人之道黜矣，巫守既绝，智术穿凿亦因以废，其事尽于征表，此为道术之根，政令之本，是故私智不效则问人，问人不效则求图书，图书不效则以身按验。故曰“绝圣弃智”者，事有未来，物有先睹，不以小慧隐度也；“绝学无忧”者方策足以识梗概，古今异，方国异，则方策不独任也；“不上贤使民不争者”，以事观功，……不贵豪杰，不以流誉用人也。(《原道上》)

可见太炎之释老子，首明其“据人事嬗变，议不逾方”的认识论，他说明了韩非《解老》的理、功之说，结论云：

其要在废私智，绝县娱，不身质疑事，而因众以参伍，非出史官，周于国闻者，谁与领此？……老聃之言，则可以保傅人天矣。……故《春秋》宝书之文任之孔左，断神事而公孟言无鬼，尚裁制而公孙龙论坚白，贵期验而王充作《论衡》，明齐物而儒名法不道天志。(同上)

再其次，太炎讲墨子学术，申论其名学，反复解释墨经（后期墨者）之旨，谓名理唯荀卿墨翟二人有之，此已在上面讲过，不再赘述，此外他有两个评论值得注意。

其一，即辨兼爱之说，以孟子以后所诋，大失其实，

他说：

欲明《孝经》首禹之义，必观墨子，墨子《兼爱》，孟轲以为无父，然非其本。《艺文志》序，墨家者流，以孝视天下，是以尚同。《孝经》三才章曰，先之以博爱，而民莫遗其亲。博爱即兼爱……（《孝经本法夏说》）

诋其《兼爱》，而谓之无父，则末流之噧言，有以取讥于君子，盖非其本也。张载之言曰，凡天下疲癃残疾鳏寡茕独，皆吾兄弟之颠连而无告者。或曰，其理一，其分殊。庸渠知《兼爱》之旨，将不一理而殊分乎？夫墨家宗祀严父，以孝视天下，孰曰无父？（《原墨》）

其二，太炎重视墨家非命之说，他说：

兼爱尚同之说，为孟子所非，非乐节葬之义，为荀卿所驳。其实墨之异儒者，并不在此。盖非命之说，为墨家所独胜。儒家道家，皆言有命，其善持论者神怪妖诬之事，一切可以摧陷廓清，唯命则不能破。如《论衡》有命禄，气寿，幸遇，命义等是也……命者，孰为之乎？命字之本，固谓天命，儒者既斥鬼神，则，天命亦无可立，若谓自然之数，数由谁设？更不得其征矣。然墨子之非命，亦仅持之有故，未能言之成理也，……非

命者，不必求其原理，特谓于事有害而已。(《诸子学略说》)

太炎于诸子学术可述评者尚多，以上所言仅明其要略。最后，他在诸子中，最不称道孟子，显与宋儒异趣。甚至他以汉儒附会之说即源于子思孟轲，他说：

荀子《非十二子》，讥子思孟轲曰，案往旧造说，谓之五行。…… 子思作《中庸》，其发端曰，天命之谓性。注曰，木神则仁，金神则义，火神则礼，水神则智，土神则信。《孝经》说略同此（王制正义引）。是子思之遗说也（下言表记以水火土比母与子）…… 犹董生以五行比臣子事君父。古者鸿范九畴，举五行傅人事，义未彰著，子思始善附会，旁有燕齐怪迂之士侈搪其说，以为神奇，耀世诬人，自子思始，宜哉荀卿以为讥也。(《子思孟轲五行说》)

孟子性论，是中国二千年来儒学之所本，太炎在《辨性》一篇中评曰：

（孟荀）二家，皆以意根为性，意根一实也，爱慢悉备，然其用之异形，一以为善，一以为恶，皆是也。…… 孟子以不善非才之罪，孙卿以性无善距孟子，又以治恶化于蒸矫砻厉，悉蔽于一隅矣。告子言生之谓性，……是阿罗耶识也，阿罗耶识者，未始执我，未始执生，不执我则我爱我慢无所起。故曰，无善无不善也。……孟子不悟己之言性与告子之言性者异实，以盛气与之讼，告子亦无以自明，知其实不能举其名，故辞为之诎矣。(《国故论衡·辨性》)

（四）关于秦汉以后的学术史

古代思想之兴起，以及由古代思想复转变为中古宗教，太炎有和西洋哲学史对比的一段话，甚关重要，他说：

……道德普及之世，即宗教消镕之世也。于此有学者出，存其德音，去其神话，而以高尚之理想经纬之，以成学说，若中国之孔老，希腊之苏格拉底，柏拉图辈，皆以哲学而为宗教之代起者。苏氏柏氏之学，缘生基督，孔子老子之学，迁为汉儒，则哲学复成宗教。……（下所言者，多不能比较，不录）……中国儒术经董仲舒而成教，至今阳尊阴卑等说，犹为中国通行之俗。(《别录》卷三，《无神论》)

此论非常清醒。按汉代经师，不出二途，一以笺注训诂，一以谶纬迷信，后者即具有宗教性质。故太炎说：

董仲舒以阴阳定法令，垂则博士，神人大巫也，使学者人人碎义逃难，苟得利禄，不识远略。(《检论》卷三,《学变》)

太炎关于以上二种学术，复评云：

六经者，记载之文，非为立德也。汉世学者徒传训诂，训诂既就，则诵文旁及《论语》,《孝经》, 孙卿之书，七十子后学者之记，又不闳深，或复明习图纬，以滑其智。(《思乡愿下》)

他复论汉代神仙方道之兴起，说：

《墨子枕中五行记》，乃汉末刘根所作。……神仙家本出阴阳，所谓邹子之徒，燕齐怪迂之士，与老子悬远矣。若夫专为祈祷气禁幻化诸术者，又与神仙异流。张陵张鲁之徒，托于老子则非，刘根托于墨子颇近之矣。……墨子之传绝于汉，其兼爱尚同天志之说，守城之技，经说之辩皆亡矣，而明鬼独率循勿替，汉晋后道士，皆其流也。(《黄市道士缘起说》)

太炎以汉代神仙方士源自墨子，此或有其所托，如

《五行记》是，然既曰托，则神仙之说托于老子者，虽与老旨背驰，亦有缘起。至论神仙家出于阴阳家邹衍之徒，燕齐怪迂之士（亦儒者），颇为的论，故他又说：

方士之道藏，旧无其书，而今著录，则曰自天府飞越以至。是故老墨之书，尽于诸子略中，而汉晋方士复传老子《玉策》、《左契》诸篇及《墨子枕中五行记》。……诚《玉策》《左契》《枕中五行记》为真，则纬书必自天府飞越以至矣。(《信史上》)

复次，汉代学术有两个优秀传统，一为司马迁，班孟坚的史学，一为王充的哲学，这两支思潮，太炎皆崇章甚高。关于前者，太炎或云“孔子删定六经，与太史公、班孟坚辈，初无高下”，或云孔子首创家史，厥功第一，其后宏儒接踵，由左邱明而汉代迁固，而刘歆，继承了中国最优秀的史学传统（引文见前），他以这是晚世识古，后人知前的宝筏。关于后者，他以理性主义是周秦诸子的有价遗产，由孔子的泛神论至公孟的无神论，源远流长，然而到了汉代则把此学术传统斩绝，可称者仅一王充而已。他说：

昔者六国并立，游说者务为辩丽，穷阎著书之士，则有儒墨道名四家，义至闳远；汉兴而反，萧曹皆文法吏，一于敕谨无害，其他卿相，起自介胄，本强人也，卒汉之世，士大夫喜阴阳谶记，以传经法，其情屈钝，求如六国诸子者几亡，一二相如子云之赋，丽矣不辩也，王充之论，辩矣不能自名其家也。(《信史下》)

因此，他在《征信论下》申论科学方法，以明抽文之枢要，言汉代三统三世之说，是绖于成型，而布算古今之变，无异邪说，使六经之义在理外附会，百家之学以亡（详见前引）。他以这样的谶纬之学，谓之“愚者用之以绝理”，所绝者当是周秦诸子之理性主义了。太炎虽说王充在汉代不能自名其家，然崇章为“汉代一人”，后世学人亦难逮者，他说：

华言积而不足以昭事理，故王充始变其术，曰“夫笔著者欲其易晓而难为，不贵难知而易造，口论务解分而可听，不务深迂而难睹也”，作为《论衡》，趣以正虚妄，审乡背，怀疑之论，分析百端，有所发擿，不避上圣（按指问孔、刺孟等），汉得一人焉，足以振耻，至于今亦少有能逮者也。然善为锋芒，摧陷而无枢要，足以持守，……故言辩而无继。(《学变》)

在汉代出一王充，其历史意义，如戏剧中的反派角色，因为历史舞台已经被悲剧主人翁所吞没，而异端只有于夹缝中呈露。通过中古史异端是不绝如缕的，然而不能支配《学变》，《论衡》一书的被禁命运，就说明了这一点，到了清初，才被王船山的卓识所表章出来。太炎所论，大体上是正确的。（此外在《原教》一文中，言“儒家公孟言无鬼，王充阮瞻传其说，以为典刑，独未知变化相嬗之道也”。）

世论太炎颇重魏晋之学，其实不然。按他所论魏晋之学，是比较而言，即他在《诸子学略说》中所讲的，汉代以来，学术失在汗漫，而无自得，不能如诸子百家“各为独立，无援引攀附之事”，故“愈调和者愈失其本真，愈附会者愈违其解故”，其意仅辩说魏晋之学还有些独立自得的味道，故与其尊崇无人性内容的格式，毋宁推重一点自得解放的思想。故他说：

汉之世……喜阴阳谶记，以传经法，其情屈钝；……魏晋以降，稍旁理诸子，玄言之士，次六国而起。讫隋唐又反钝转，两宋经术衰，儒释分渐，分捭凑理，虽不逮魏晋，亦足珍怪。……及明世学术坏烂，求

欲如汉博士，且不可得。(《信史下》)

由此可知，他以魏晋玄学，“稍旁理诸子”，由汉至明，犹可赞许者，不能如“世人见五朝在帝日浅，国又削弱，因遗其学术行义弗道”。又按太炎称许魏晋玄学，一由学术的演变上讲，以魏晋的怀疑论，含有批判精神，颇重个性而厌束缚；一由学术的内容上讲，以魏晋的自由风格，富于理性自得，又颇重名理而张技艺，凡此所论，都与太炎的学术民主思想相联。关于前者，他说：

民不堪隘，宕以之奢，奢实生贪，则逾泆而无度制，然后何曾淫于嗜味，石崇果于劫略，夏侯湛俊于起居，悠悠风尘，皆冒货之士，曾湛以孝友礼称也，故曰窃钩者诛，窃国者为诸侯，侯之门仁义存。絜士知不可矫以廉贞，由是屏弃功利，殚残圣法，以镌饕夫，会在易代兴废之间，高郎而不降志者，皆阳狂远人，礼法浸微，则持论又变，其始嵇康阮籍之伦，极于非尧舜薄汤武，载其厌也，至导引求神仙，而复崇老庄，玄言自此作矣。诸言形名者，亦一二附丽道家。裴頠崇有似名法，管辂论五行鬼神之情，多发自然，似阴阳家。鲍生好老庄，以为:“儒称天生烝民而树之君，岂其皇天谆谆然命之？隶属役御，由乎争强弱而校智愚，彼苍天果无事也。古此无君，胜于今世，君臣既立，变化遂滋，养游手之人，长侵割之患，虽有茅茨士阶，……以为美谈，所谓盗跖分财，取少为让也。或难以贼杀并兼，起于自然，无主将乱。曰，夫民无在公之役，家无输调之费，内足衣食之用，外无势利之争，操杖攻劫，非人情也。……王赫斯怒，陈师鞠旅，推无仇之民，攻无罪之国，僵尸万计，流血丹野，……忠良见害于内，黎民暴骨于外，岂徒小小争夺之患邪？借使桀纣并为匹夫，性虽凶奢，安得穷其骄淫，屠割天下也？”此其说虽抗如嵇康，固不敢道，近知圣人之所忧患矣。当是时，辩智闳达，浸淫返于九流，用学不师授。(《学变》)

魏晋玄学的怀疑论所含有对于现实的讽刺批判者，如太炎以上所引之论，他以其“辩智闳达，浸淫返于九流”一点，始加推许而已。关于后者，他说：

驰说者，不务综终始，苟以玄学为诟，其唯大雅推见至隐，知风之自。玄学者，固不与艺术文行牾，且翼扶之。昔者阮咸任达不拘，荀勖与论音律，自以弗逮，宗少文达死生分，然能为金石弄；戴颙述庄周大旨，而制新弄十五部，合何尝白鹄二声，以为一调；殷仲堪能清言，善属文，医术亦究眇微；雷次宗周续之皆事沙门慧远，尤明三礼；关康之散发被黄巾，申王弼易，而就沙门支僧纳，学算眇尽其能，又造礼论十卷；下逮文儒祖冲之，始定圜率，至今为绳墨，其缀术文最深，而史在文学传；谢庄善辞赋，顾尝制木方文图，山川地理，各有分理；……夫经莫穹乎礼乐，政莫要乎律令，技莫微乎算术，形莫急乎药石，五朝诸名士，皆综之，其言循虚，其艺控实，故可贵也。凡为玄学，必要之以名，格之以分，而六艺亦要之以名，格之以分，治算、审形，度声则然矣。……自唐以降，玄学绝，六艺方技亦衰。(《五朝学》)

按太炎所云之“玄学”，并非严格意义的Metaphysics，其内容即一般的哲学，而自由研究，不拘一宗，则是他所推崇的精神，故这一种研究与文艺科学相互为功，所谓循虚控实，以名与分为要领。五朝学术的解放部分，归结于封建危机一点，所以在清谈之中容有一部分向现实抗议的东西，太炎即夸大了这部分。唯五朝学术的厌弃现实的世界观和讽刺现实的方法论之间却有裂痕，太炎因贵其名理，颇有估价过高之处，例如他说：

栖山泽、厌韭葱葵蓼者，非有玄学，不足以自尉荐将，歆荣华于酒肉之味，其操不终。五朝有玄学，知与恬交相养而和，理出其性，故骄淫息乎上，躁竞弭乎下，及唐名理荡荡……（同上）

太炎以“凡论学术，当辨其诚伪”之旨，曾比较魏晋与盛唐之学，谓“魏晋启明，而唐斩其绪”，对于唐儒痛加评斥，他说：

终唐之世文士，如韩愈，吕温，柳宗元，刘禹锡，李翱，皇甫湜之伦，皆王勃之徒也，其辞章觭耦不与焉；犹言魏晋浮华，古道湮替，唐世振而复之。不悟魏晋老庄形名之学，覃思自得，亦多矣，……固不以玄言废也，加其说经守师，不敢专恣，下逮梁陈，义疏烦猥，而皆笃守旧常，无叛法故，何者？知名理可以意得，世法人事不可以苟诬也。……唐……其后说经，务为穿凿，啖助赵匡于《春秋》，施士丐于《诗》，仲子陵、袁彝、韦彤、韦茝于《礼》，蔡广于《易》，强蒙于《论语》，

皆自名其学，苟异先儒，而于诸子名理甚疏。韩李之徒，徒能窥见文章华采，未有深达理要得与微言者。(《检论》卷四,《案唐》)

太炎对于宋明理学家，犹有乾嘉学者反理学的传统，但他已经超出汉宋门户之见，因为他把“理”分做二种，一为心性玄理；一为埭政物理，前者按他说是排遣名相，后者按他说是分析名相。二者是两个世界，故理为二元。他一方面以宋儒之理论不可绳以名实，而他方面又病清儒的批评亦属支离，他说：

宋世高材，心有自得，而言议或函胡，不可绳以名实，兼其采摭六籍，以成己义，徒循旧贯，其意固不悉与六籍同指。(改头换面之说，周茂叔所受于寿涯者，二程固不能外也，其举戴记《大学》,《中庸》二篇者,《大学》宋世尝以赐进士,《中庸》则沙门契嵩已尚之，而范希文以授子厚，盖习俗所尚久矣。)……夫辨析名相，字有封界，虑非二程之所能也；重以性命仁义之训，自古已樊然淆乱矣，不能疏观人物品性，明验迹状，而徒诊察儒书之故训，同异之间，其范围终不远轶。(如王伯安复旧本《大学》，干经是也，诚欲究明真理，是书竟何用耶？阮伯元为《性命古训》，于经是也，《诗》《书》《春秋》传记，言性多端矣，而尚不能尽宣其说，是樊然者其要领果安在耶？故以是尊经则善矣，以是尽理则非其所任也。）病人支离而已支离随之，恶人玄虚而已之玄虚如故也。（《检论》卷四，《通程》）

太炎以为宋儒不懂名学，而且多为《大学》《中庸》之书所束缚，所以不足以言真理，因真理不必在学庸中。他的立场，是基于老庄释氏，以评宋儒，云："言道之情，非邹鲁所能尽也，顾未能方物释老耳，虽杂释老何害？"（同上）他解释程子所述天理谓物则自然，其言人欲则任私之异名，以"定性"为二程学术之主脑，旁证老释，间亦有所自得，然而二程毕竟杂无系统，以己意专断，他说：

程氏……之书，分条甚众，集札比册，未有友纪，应物雠答，莫能定一是。……综观二程之所经纬，时或淆杂，亦往往以己意专断，然大端当以定性书为主，明其为主，其他得失可县衡而定也。（同上）

太炎对于二程之更《大学》，以为有以己意变乱经义的嫌疑，但承认二程"聪睿不可及"，推许他们"不以图书变怪之言纷拿，同时不取永叔尧夫，而下与元晦绝远”，以为“程叔子经说，盖本安定，安定笃诚，故叔子亦无专己可怪之论”（同上）。

太炎又有《思乡愿》上下二篇，义趣颇深，全文大体上是一方面批评宋儒，一方面批评清代的公羊学者，以为饰乡愿者，当时被人所轻，而饰狂狷者，其弊犹不如规矩寡过之士，他实在是以七十分讥宋儒，而以一百分讥维新派，例如他说：

乡愿者，多持常训之士，高者即师洛闽，洛闽之学，明以来稍敝蠹，及清佞为人假借，世益视之轻；然……虽有矫情，未如饰狂狷者甚也。（此谓师法洛闽者，若夫歆羡岛国，唯强是从，而托王氏之业，则不足数也。）（《思乡愿上》）

此其讥讽至明，“所以惩昌狂，检色貌”，并非真思乡愿了。所以他又说：

洛闽所以拙作者，以其生于长吏闻人之间，不更稼穑，不知人情隐曲，故节行不及中庸，徒谨敕募过，事君以诚。……程、杨、李、朱者，可谓乡原之秀，中行则未也。（同上）

上篇他讥讽了昌狂者，下篇则讽刺着道学家，故他详辨宋代的气节，和宋儒程朱之道没有关系（引文见第七章，适之犹反此论，以气节一名归功宋儒）。他说：

方东树之伦不悟，谓近世程朱道废，故处官者多顽钝。由智士观之，……其本不在废程朱，顾政化致之耳。曩令清世诸酋，任武断如明帝者，虽废程朱，其臣何遽不抗厉？若清主素不抑志于外国，虽废程朱，其臣将宁为灭国之计，终不言和？……是故辅存程朱者，将以孳乳乡原，上晞庸德，令邑有敦诲之贤，野有不二之老，……非欲苟得狂狷，为史书增华也。(《思乡愿下》)

按太炎这两篇文甚辩，他把道德与知识分别而言，论知识应别求于史，论道德则程朱之学可使人寡过，这样看来，太炎之论程朱不过是作为一个宣教士唱一唱道德之歌，醒一醒人之疲倦而已。学程朱者，则比于下棋，收敛一下情志而已。他的话如下：

立德自情，不自慧，不自慧故虽智如挈瓶，辩如炙毂，无补益，自情故忻望怨慕之用多，好德之厚乃比于士女，衽席之私，箧而不见，犹乡往之。且夫琴瑟，专一不可以听，日以道德之辩厉人，亦犹调一弦也，方恐倦卧，何力行之望。六籍之文，皆尔雅翁博，高者可以弦歌，其次亦有宫征曲折，文皆记载；而述道德适历分布其间，诵之使人爱慕，又转变而不厌，其渐渍人情深。……若徒诵程朱者，辩智有余，固不足动五情，使人乐进。虽然，精其业者，反复而不斁，比于围棋筹算，亦可以使人寡过，要之，能在杜门耳。（同上）

然而如果一事不作，日日下棋，则连乡愿亦不知其本分在那里了，他又说：

欲令人诵经，……然徒欲令敷释《论语》，依附《集注》，郑重不息，使学子厌闻，斯则琴瑟专一，不可以听之效也。夫六籍本以记事，数典不为立德。……今弗能广及史传，而又专于《论语》《集注》，其不足化固明矣。（同上）

这样地思乡愿，颇为妙想天开！程朱有知，何以为情？太炎客观上把宋儒推出了学问知识之圈外，又不以之高比他所崇章的老庄哲理家，于是和艺人的慰人感情者同视，艺人是悦人情绪，而程朱则安人情操而已，其专执程朱行道者，本身至多亦不过是一个神其业的棋士，寡过有余，“要之能杜门耳”。这种职业，据他在上篇所讲，“其玄德高行，闲世拔生，常人莫能从其步骤，相与骇骇”，则理学便非人民之学问，与奢侈品同。按他有《正颜》,《释戴》二篇，虽说明颜元戴震的实学，可以救宋儒的空虚之病，然犹力言理学可以超出物理而单独存在，今由他这里所论讲来，所存在的意义，原来是可以使人杜门下棋，寡过谢世罢了。然则《正颜》一篇的开宗明义语，成了主文,“正颜”在客观上乃“是颜”了，他说：

明之衰，为程朱者，痿弛而不用，为陆王者奇觚而不恒，诵数冥坐与致良知者既不可任，故颜元返道于地官，以乡三物者，德行艺也，斯之谓格物。(《正颜》)

《释戴》所云“言欲不可绝，欲当为理者，斯固埭政之言，非饬身之典”，以震所谓宋儒者，应分别而言，但经过他分别的结果，又如上言，是《通程》篇的话无异“拥戴”了，他说：

晚世戴震宣究其义（指荀子正名），明理欲不相外，所以悬众理民物者，程氏之徒，莫能逮也。(《通程》)

而下辩“定性”之本，又成为泛文了。这是太炎“分析名相”的路线，在形式逻辑上虽巧辩，但毕竟忠实于名相，故绕了一个大圈子，仍不肯曲解名相。除了他到了哲学上“排遣名相”，另外辟开一个观念世界，其“朴”固至可贵。

太炎对于程伯子评“定性书罘顺众而无诚”，对于朱子评谓“格物论者博观而无统”，已近于荀子非思、孟之口吻，至对于明儒却直截了当，谓“亭林病之，致无余地”，乃自道其意。他说：

古者王官散而为九流，晚世诸子本材性以效王官。前民用程伯子，南面之任也，朱元晦侍从乡僎之器也，王文成四士游侠之材也。(《议王》)

按太炎论宋儒多旁证道家，论王阳明则举佛典，亦前人所谓“朱子道、陆子禅”的研究。他说：

姚江非特近于禅宗，亦窃取密严之意，特其敷衍门面，犹不得不扬儒抑释。……自姚江而后，其弟子已昌狂自肆……(《答铁铮》)

他在《议王》篇，开首一段，不但非王之事功，而且讥王之学术，可以代表他对于明儒的意见，其文如下：

所贵于截削有要者，非谓其能从政也，谓敢直其身敢行其意也；所恶于狂者，非谓其异圣王，多琦行也，谓外蹶弛而内回衺。近观王文成之化人，盖近黄石公矣。夫情性之极，计会之微，虽空虚若不可以卷握，其思理纷纭，人鬟鱼网，犹不足以方物。故墨子之《经说》，荀卿之《正名》《解蔽》，其介画察察也。夫易言性道者，言无分域，抱蜀一趣，而自以为径省，则非学也，故心术之精者耳。(《议王》)

最后，我们看他评论清儒的思想。关于清代学术的概观，他有《清儒》一篇，扼要序论，多见于本书所引，这里且另从一个角度来说明。按太炎是一个极端的民族主义者，最反对满清统治的人，他最怕言致用有利于满清，所以他对于清代的人物评价第一义，首先是基于反满一点，以至于他说“学术文史在草野则理，在官府则衰”(《说林下》)，“中国学术自下倡而日益善，自上建之日益衰”(《与王鹤鸣书》)。我们首先看他对于清代学者的评论，关于王、顾、黄三子，他说：

季明之遗老，唯王而农(船山)为最清。宁人(亭林)居华阴，以关中为天府，其险可守，虽著书不忘兵革之事，其志不就，则推迹百王之制以待后圣，其材高矣；征辟虽不行，群盗为之动容，使虏得假借其名以诳耀天下，欲为至高，孰与船山榛莽之地与群胡隔绝者！要有规画则不得不在都市，王之与顾，未有以相轩輖也。黄太冲（梨洲）以《明夷待访》为名，陈义虽高，将俟虏之下问，……以《黄书》（船山著）种族之义正之，则嗒焉自丧矣！（《说林上》，参看其《非黄》一文）

据此，他的评论虽止于一偏，而在当时反满运动中，颇具胆识，虽不主致用，而致用之学即在于他所谓“草野”中了。所以他常赞草野出身的学者，颇有学术上的平民主义，例如：“凌曙卖香，汪绂陶瓦，戴震裨贩，汪中佣书，张惠言饿不能具饼饵，及其学术有造，往往陵厉前哲，修名烂然。”（《与王鹤鸣书》）关于颜元戴震，他别有《正颜》《释戴》二文，赞成二子反宋儒的精神（见前引文），他说：

叔世有大儒二人，一曰颜元，再曰戴震。颜氏明三物出于司徒之官，举必循礼，与荀卿相似（按太炎尊荀），戴君道性善，为孟轲之徒，持术虽异，悉推本于晚周大师（按太炎《释戴》文中言戴学采荀子之义），近校宋儒为得真。戴君生雍正乱世，亲见贼渠之遇士民，不循法律，而以洛闽之言相稽（按此指《大义觉迷录》

等事），……其言绝痛！桑荫未移，而为纪昀所假，以其惩艾宋儒者，旋转以泯华戎之界！（同上）

按太炎所论颜戴，多崇章他们反满致用的微旨。他对于吴派后学，因其显贵，始息江南“嘉遁之风”，深致讥刺，仅于布衣江藩，虽言其《汉学师承记》，擅吴门而褊心訾异已，而言其反理学的《宋学渊源记》，则有大功，“《宋学记》甚确略，所录止于穷阎苦行，排摈南方诸浮华士，而任满洲一命以上，财有政治声闻，即弃不载，诡弹黄顾，令人人知其非清民；诸言性与天道，诵法尧舜禹，捐诸夏仕貉戎者，始不敢攀扪宋学，以矜愚子，故其书见嫉于佞人，适可以嗣《春秋》，方大史也！”（《说林下》）

关于戴望，尊其述颜元之学，集晚明故事，而诋其今文学之影响，他说：

戴望治公羊春秋，视先戴则不相逮，中更丧乱，寄食于大盗曾氏之门。然其缀述颜氏学记，又喜集晚明故事，言中伦，行中虑，柳下少连之侪也。望不求任，而其学流传于湖南岭广间，致浮竞之士，延缘绪言，以成《新学伪经》之说，彼以处士而谴刘歆可也，为胡之国

师可以议莽之国师乎？（《说林上》，在《小过》一篇中复称赞戴望与孙诒让二人有种族思想）

这是太炎讥讽康氏最显明的地方，此外在学术意义上，他很少直接提到有为之名，而批评所指则多暗示着有为。在清代经学上，他首先对于乾嘉古今文学分别批评，其次把他当时所见之诸家分列五等，而不列于等者，则暗示康氏。他说：

近世经师，……审名实一也，重左证二也，戒妄牵三也，守凡例四也，断情感五也，汰华辞六也。六者不具，而能成经师者，天下无有。学者往往崇尊其师，而戴江之徒，义有未安，弹射纠发，虽师亦无所避。苏州惠学，此风少衰。常州庄、刘之遗诸，不嵇伪，唯朋党比周是务。以戴学为权度而辨其等差，吾生所见，凡有五第：研精故训而不支，博考事实而不乱，文理密察，发前修所未见，每下一义，泰山不移，若德清俞先生，定海黄以周，瑞安孙诒让，此其上也；守一家之学，为之疏通，证明文句，隐没钩深，而致之显，……若善化皮锡瑞，此其次也（按太炎有《评皮氏三书》）；己无心得，亦无以发前人隐义，而通知法式，能辨真妄，比辑章句，秩如有条，不滥以俗儒狂夫之说，若长沙王先谦，此其次也；高论西汉，而谬于实证，侈谈大义，而杂以夸言，务为华妙，以悦文人，相其文质，不出辞人说经之域，若丹徒庄忠棫，湘谭王闿运，又其次也；归命素王，以其言为无不包络，未来之事如占蓍龟，瀛海之大，如观掌上，其说经也，略法今文而不通其条贯，一字之近于译文者以为重宝，使经典为图书符命，若井研廖平，又其次也。虽然，说经者，明其是非，无所于党，最上者固容小小隙漏，而下者亦非无微末蚁子之得也，故曰，与其过而废之也，宁过而存之。使左道乱政之说为虏廷所假借，至于锢其人，烧其书，则肉食者之罪，上通于斗极！（《说林下》）

太炎此文，因酷爱荀子，无意中成了荀子《非十二子》之现代化作品，而太炎之非今文诸子，亦于此可见一般。他批评今文家所依据的理论，即古文家的六条法度或戴学的标准。按太炎对于最荒唐的廖平，犹云："余见廖平说经，善分别古今，盖惠戴凌刘所不能上，然其余诬谬猥众。"（《文录·程师篇》，按所云分别古今，即廖氏之第一期思想。）然而对于有为，则常不提其名，同篇即云："向者有自拟仲尼以惑稠人者，其绪则不可长。夫不奸权势，何部党之造，说有符验，何异端之诡，行中礼乐，何圣人之拟？向之人独以名世自位，固不为学，故愚者波荡从之。夫趣于致用，不趣于求是，可以浮说致人；趣于求是，不趣于致用，左证有事，攻守有法，非诚说释则不为服也。若夫九流之部，各有艺极，犹水火相灭，亦以相生，不专以儒言为式，非所以为患也。"（同上）

由此看来太炎所非"致用"者，多指学以干禄。因此主张与其附会经文，号为致用，不如研究历史与名法以谋实在的利弊兴革，亦无赖于专定一宗，他有一处直提到康氏而评论说：

康有为善附会，媚以拨乱之说。……海内始彬彬然向风，其实自欺，诚欲致用，不如掾史识形名者多矣。学者在辨名实情伪，虽致用不足尚，虽无用不足卑。古之学者学为君也，今之学者学为匠也，为君者南面之术，观世质文而已矣，为匠者必有规矩绳墨，模形唯肖，审谛如帝，用弥天地，而不求是则绝之。（《文录二·与王鹤鸣书》）

按太炎此论，已经不同于乾嘉学者所谓之“实事求是”，仅限于文字训诂间的是非，实在进一步提倡理性主义，继承船山所谓大匠圣人的作器述器成器之说，“求是”为学者之起码条件，而对于改良主义者卑躬屈节，急功近利，而谋“百日”之短见为用，痛加诋斥。故太炎之为最后的朴学大师，有其时代的新意义，他于求是与致用二者，就不是清初的经世致用，亦不是乾嘉的实事求是，更不是今文家的一尊致用，而是抽史以明因果，覃思以尊理性，举古今中外之学术，或论验实或论理要，参伍时代，抑扬短长，扫除穿凿附会，打破墨守古法，在清末学者中卓然凌厉前哲，独高人一等（其主观上谓“上天以国粹付余”，“国故民纪，绝于余手”之名士气概，自不可免，而谓“官其财物，恢明而光大之怀”，实未可忽视）。他和一般学者的朴学理解不同，他说：

遵守师法，研精覃思，信非季平、长素之侪矣；然与鄙见复有大相径庭者。其治小学，重形体而轻声类，徒以江戴段王陈义已具，不欲承其末流，故转以本义本形为枳，……若守此不进，而欲发明旧籍，则沾滞而鲜通。（按以上言文字学）……周孔以逮今兹，载祀数千，政俗迭变，凡诸法式，岂可施于挽近，故说经者，所以存古，非以是适今也。先人手泽，贻之子孙，虽污垢佇者，犹见宝贵，若曰尽善则非也。《礼经》一十七篇，守之贵族，不下庶人，皇汉迄今，政在专制，当代不行之礼，于今无用之仪，而欲肄之郡国，渐及乡遂，何异宁人欲变今时之语返诸三代古音乎？毛《诗》、《春秋》、《论语》，荀卿之录（按《论语》之下不提《孟子》），经纪人伦，平章百姓，训辞深远，宜为典常；然人事百端，变易未艾，或非或是，积久渐明，岂可定一尊于先圣？（按以上言经学）春秋三统三世之说，无虑陈其概略，天倪定分，固不周知，岂有百世之前，发凡起例，以待后人遵其格令者？故知通经致用，特汉儒所以干禄，过崇前圣，推为万能，则适为桎梏矣！仆以素王修史，实与迁固不殊，唯体例为善耳。百工制器，因者易而创者难。世无孔公，史法不着（按太炎赞孔子为良史）。尚书五家，年月阔绝，周鲁旧记，棼杂失伦，宣尼一出，而百国宝书，和会于左氏，邦国殊政，世系异宗，民于何居，工自谁作，复著之《国语》世本，纷者就理，暗者得昭，迁固虽材，舍是则无所法，此作者所以称圣也，何取三科九旨之纷纷者乎！……不见古人，我心蕴结，则故书雅记之所以当治，非谓是非尽于斯也。（按以上言史学）……说异前师，必以经记旧文为证，非杂取时俗事状，以更师说者，汉世尚然，况在今日，中国尚然，况在异域。中西学术，本无通途，适有会合，亦庄周所谓射者非前期而中也。今徒引泰西以征经说，有异宋儒以禅学说经邪？夫验实则西长而中短，冥极理要，释迦是孔父非矣；九流诸子，自名其家；无妨随义抑扬，以意取舍。（按以上言中西百家之学）乃者以苫籥笺注六艺，局在规蒦，而强相皮傅，以为调人，则只形其穿凿耳。稽古之道，略为写真，修短黑白，期于肖形而止，使妍者媸则失矣，使媸者妍亦未得也。及夫先天八卦，河洛伪图，方士妄言，情伪较著，而复援引其说，则违于师法甚矣！（按以上言方法论，颇带客观主义的认识论）(《文录二 · 论朴学书》)

按此书可谓太炎对于文字学、经学、史学、中西百家之学、逻辑学之总的自述，言文字学主发明而不拘守十四博士之陋，言经学主存古而非以之适今，尤反对定于一尊，言史学主明流变而反对大义微言之说，言中西百家之学主长短取舍，反对似是而非的附会，言方法论主名理，反对主观妄说，凡此皆理性论的本质，在当时是光辉的言论。

第九节　太炎的政论

太炎的政论，充满了和当时改良立宪派的斗争，通过了经、史、名、法、宗教、学术史等没有一处不包含着针对变法派的理论而立说，这是他的最光辉的民主精神。我们只分两点，说明他的民主主义者的本质，第一为排满革命，第二在直接民权。

第一，他这一部分言论，如所著《中华民国解》,《讨满州檄》,《排满平议》,《驳康有为论革命书》等都属之。在《排满平议》中，他说：

或曰，若政府已返汉族，而癸辛桓灵之君，林甫俊臣之吏，其遂置诸？应之曰，是亦革命而已！然其事既非今时所有，安用喋喋多言为！凡主义者，非自天降，非自地出，非摭于学说所成，非冥心独念所成，正以见有其事，则以此主义对治之耳。其事非有，而空设一主义，则等于浮沤其事。……故汉族之有暴君酷吏，非今日所论也。就此见事之中，而复有巨细缓急者，是故政治得失，外交善败，亦姑弃捐弗道，举一纲而众目张，唯排满为其先务：此贞实切事之主义，所以异于夸大殉名主义矣。

太炎关于种族革命的言论，多理直气壮之词，且在逻辑上讲来，除把理想与事实分别而言外，颇高扬具体的真理，例如他又说：

人之思想无方，而行事则取其切近。如余所念，虽无政府主义，犹非为高尚也。高尚者在并人类众生而尽绝之，则思想之轮廓在是矣。然举其切近可行者犹不得不退就民族主义。民族主义，非遍为人群说法，顾专为汉人说法耳。夫排满洲即排强种矣，排清主即排王权矣。譬如言捕狮子，则不别以捕猛兽为名，何以故？闻狮子之名，而猛兽在是故。然必举具体之满洲清主，而不举抽象之强种王权者，强种王权其名无限，满洲清主其名有限。……苟取无限之名以为旗帜，则中国之事犹在后，而所欲先攻者乃在他矣！……理想虽无涯岸，人类本为时间空间所限，势不得以自在游行。余向者所称说，固非以民族主义自划而已，人我法我，犹谓当一切除之，虽独唱寡和，然犹不惮烦辞，冀导人心于光大高明之路，乃至切指事情，则仍以排满为先务，然则理可顿悟，事不顿除，其途径曷能强一耶？（《别录一·复仇是非论》）

此等具体的理论在今日犹可回味。他在当时最痛快淋漓的言论，是和维新派的辩论，举一例如下：

满洲之亡，不亡于汉人，或亡于他族，则汉亦与之同尽。非变形新党之咎，而谁咎哉？若吾党之狂狷者不疾趣以期光复，日月逝矣，高材捷足者将先之！（《箴新党论》）

复次，太炎并非一个狭义的国家主义者，他的种族革命论实在是当时民主主义者的行动纲领。至于他的民主制度认识，更含有直接民权的意义，不以推倒满清，建立最形式而无人民性的政府为已足，且关于取法欧美，亦首先主张批判的接收，更不能附会曲解历史，他说：

异域有民选之主，中土号其政曰共和，其实与周召殊流，而妄者复又文致禅让。案民选者，上世中夏未有其事。……观孟荀所论，段灼所讥，事之荒唐淫伪者莫

过于禅让，曷为以民主选举下比耶？……（以下引史说明从略）(《检论》卷六,《正议》)

当时康有为把美国瑞士的民主制度，认为大同在一国内已经实现，只差一步联合了。太炎不然，他有一篇《代议然否论》，可称名文，他首先说：

议者欲……合泰西立宪之制，庸下者且沾沾规日本。……与其效立宪而使民有贵族黎庶之分，不如王者一人秉权于上，……民犹得以纾其死。……西方诸国，上者蕃侯，下者地主平民，皆不得与抗礼，其废君主立总统者，以贫富为名分，若天泽冠履然，彼其与印度兴亡虽异，以阶级限民则同。

因此，他批评代议制度，痛斥以财产纳税为标准之选举法至详，他的结论云：

选举法行，则上品无寒门，而下品无膏粱，名曰国会，实为奸府，徒为有力者傅其羽翼，使得膢腊齐民，甚无谓也。……酋豪贵族之风至于今未沫也！

他所主张的民主制度，今人谓之“直接民权”，他所谓：“就赋税计，函胡以询议员，不如分画以询齐民也。……此政体者，谓之共和，斯谛实之共和矣。……

大抵建国设官，唯卫民之故，期于使民平夷安稳，不期于代议。”他的直接民权主张，必然要论到土地制度，以补充民主内容，这在上面他论法制一节，已见其梗概，他在此文中又说：

远西诸国，……其议院始牙蘖，本为征税，而税实出于地主，既有地主，一人足以摄千万人，是故就此访之，不必与无税之佃客议也。中国土田农国……逮地权平均以后，全国无地主矣，岂有一人足以表六十万，七百人表四万万人者？

根本的问题，民主制度必须废除土地独占，他说：

限袭之数，不使富者子孙蹑前功以坐大也。田不自耕植者不得有，牧不自驱策者不得有，山林场圃不自树艺者不得有，盐田池井不自煮暴者不得有，旷土不建筑穿治者不得有，不使枭雄拥地以自殖也，官设工场，……使役佣于商人者穷则有所归也，在官者身及父子，皆不得兼营工商，……凡是皆所以抑富强振贫弱也：夫如是则君权可制矣，民困可息矣，又奚数数然摹效代议，唯恐或失为？

他是一个了解中山先生的平均地权主张的，他以平均地权与民主制度结合而论，卓见可惊！这样的民权制度，他才说：

凡制法律，不自政府定之，不自豪右定之，令明习法律者与通达历史周知民间利病之士，参伍定之。

此文关于制定法律的种种要则，言之綦详，尤注意于廉洁政府与人民自由二点，读了这篇文章，使人觉得他不是一个书生，而是清末民初的一位农民民主主义思想家。

太炎着重于民主的内容，常对于仿效西法之形式者痛加斥责，故他说：

世人往见欧洲日本皆以立宪稍致清平，以为四海同流，中国必不能例外，是但知空间之相同，而不悟时间之相异，其亦疏缪甚矣。……以中国之地广人稠，而选举议员，五万而一，则当得八千人，十万而一，则当得四千人。……若以一千四百州县各选一人，则是二十八万五千人，而得其一也，议员之数与民数相去既甚阔疏，则必不足以知民隐，且得选既少，则被选者必在显贵宦官之流，是无异一县有土客二令，而以其土著之令留之京师，此庸有异于专制者哉？……于国之富强无益也，于民之利病无与也。徒令豪民得志，苞苴横流，朝有党援，吏依门户，士习嚣竞，民苦骚烦，宁足以为知微审势者耶？若以日本立宪为有效者，彼其施行宪政之岁与战胜中国之岁，相去才五稔耳，纵能收效，必不迅速至是！……况自立宪以来，岁才二十，而议员贪叨，丑声外播，腐败已萌于内，徒以文明之号泽其皮肤。从今以去，不五十年，必与西班牙辈同其堕落，此无待龟筮而知者。犬养毅不悟其非，又欲以是遗祸中国，斯犹竖阳献酒，盖适以毙之也！（《别录二·记政闻社员大会破坏状》）

按太炎此文写于丁未，即光绪三十三年（一九〇七年），距日本侵华不到三十年，距珍珠港事变不及四十年，其自毙而走向西班牙的没落者，太炎言之正中，一个半封建的基地上而建立的近代国家，不过改良的途径，离民主内容甚远，故太炎批评维新派之谬于时间，不能知微审势，寻求富有民主内容的直接民权制，而只迷于形式立宪，论断至确。在科学上讲来，中国落在日未维新之后，没有改良的路径了，“时间”在中国历史上，不但要驾乎日本维新，而且要如中山先生所示“驾乎欧美的民权而上”。太炎所论，“洵美且仁”，原其所至，归因于他的理性主义，今录其“创造”之说如下：

温故而知新，可以为师矣。师者未足为述者也，制法谓之作，因其法能充实之谓之述，守其成，闻见过弟子，有比次之功，谓之师。以师为作述者，则作述陋，以作述者责师，则师困。……世变亟，一国之学或不足备教授，又旁采他方之学，易国视之若奇伟然，传授亦钞次故言，未有增上，黠者或颠倒比辑之，幸弟子莫理其本，则窃他人以成己，东方之博士皆是也！……世无作述者，则师说千年无所进，虽有变复，非矫乱则奇衺也。取于他国，则终身为写官，知作述者与师不可相无而不可同职也，则功分定矣。……向日有自拟仲尼（按指康氏），以惑稠人者，其绪不可长。……九流之部各有艺极，犹水火相灭，亦以相生，不专以儒言为式，非所以为患也！（《程师》）

总之，凡太炎的社会科学方面的论著，都依据于严密的方法，而“辨析名理，察于人文”，他所谓“智者以达理而洒落，愚者以怀疑而依违”，这是贯通于他的人文思想的全系统的。虽于今文有偏爱的梁任公亦不能不惊服他是“一条理缜密之人”。

第十六章　反映十九世纪末叶社会全貌的太炎哲学思想

第一节　绪说

太炎在近代中国学术史上，是自成宗派的巨人，其影响之大，尽人而知。但是，无论生前或死后，人们（甚至其直接间接的弟子们）所注意于章氏的，是他的经学，小学和文章，以及他的革命逸事等等，至于他的哲学思想，则几乎无人过问。

这种情况，不能不说是一件值得遗憾的事。因为在我们看来，经学上的家法，小学上的论断，文章上的作风与气派，政论及革命上的主张与斗争，分析到最后，都有哲学观点作最高的原理，作立论的根据和判断的基准。在一般原则上看来是如此，不应章氏独为例外。关于这一点，不妨先举例以作证明。

章氏是经古文学派的近代大师。在《说林下》里，他曾提出经师必具的六个基本条件，并举例说明此派的学风如下：

近世经师，皆取是为法：审名实，一也；重左证，二也；戒妄牵，三也；守凡例，四也；断情感，五也；汰华辞，六也。六者不具而能成经师者，天下无有。学者往往崇尊其师，而江戴之徒，义有未安，弹射纠发，虽师亦无所避。（《太炎文录初编》卷一，一一七至一一一八页）

凡稍知哲学者，都可以从章氏的经学家法中，看出他是导源于实证主义的客观方法论，在这里，并且也显示着“对象决定方法”以及素朴的“求是”精神。

章氏的经学与哲学之关系如此。其小学，文章，及政论与革命等方面的主张，也可由此类推而知。

然而，我们评价章氏的哲学思想，却用不着从他各种具体研究的字缝里来推论，抽绎，在一部《章氏丛书》中（本文所引页数均据浙江图书馆校刊本），其直接论证哲学问题的整册，整篇，及章节，实已多不胜举。

具体言之，在一般哲学上，章氏所谈到的，计有哲学定义问题，宇宙根源问题，名实（思维与存在）问题，时空问题，有无问题，质量问题，高级形态与低级形态问题，本质与现象问题，是非（真理与谬误）问题，感觉与思维问题，因果问题，差别与同一问题，有神与无神问题等。在中国哲学史上，章氏则上自老庄孔墨荀韩诸子，中经汉魏六朝唐宋明清各家，下抵公羊学派的康有为与谭嗣同，以及严几道等，均有评判。关于西洋哲学，在古代则谈及希腊的埃里亚学派，斯噶多学派，以及苏格拉底，柏拉图，亚里士多德，伊壁鸠鲁等；在近代则举凡康德，费希特，黑格尔，叔本华，尼采，培根，休谟，巴克莱，莱布尼兹，穆勒，达尔文，赫胥黎，斯宾塞尔，笛加尔，以及斯宾诺沙等人的著作，几于无不称引。关于印度哲学，则吠檀多，波罗门，胜论，数论各宗，华法，华严，涅槃，瑜珈诸经，均随文引入；对世亲，无着之书，尤为赞佩。这种运用古今中外的学术，揉合而成一家言的哲学体系，在近世他是第一个博学深思的人。所有这些资料，才是我们评价章氏哲学思想的依据。

第二节　哲学家章太炎的剪影及其时代特性

我们既然要评价章太炎的哲学思想，则当作哲学家的他，似乎应先描绘出一个轮廓，作为进一步详细认识的准备。

首先，我们要谈起的，就是章氏的经生气氛的高自期许。其自己期许之高，与其狂士风的傲慢夸大，是相互渗透着的。他在癸卯狱中日记里，曾经说过这样的话：

上天以国粹付余。自炳麟之初生，迄于今兹，三十有六岁。凤鸟不至，河不出图。……怀未得遂，累于国仇。……支那闳硕壮美之学，而遂斩其统绪。国故民纪，绝于余手，是则余之罪也。(《太炎文录初编》卷一，一四五——一四六页)

章氏是这样的自命不凡，自居为天纵之圣，自己的存亡关联着圣人道统和国故民纪的绝续，像这样高自位置，恐怕也只有孟轲，韩愈，康有为等，差堪比拟。

其次，我们要对于章氏这样自负，略加分辨。章氏的自负心，和他在哲学上的自觉到的空前的历史使命，极有关系。在《菿汉微言》里（七二——七四页），章氏曾自述其哲学思想的发展历程如下：

少时治经，仅守朴学，…… 尝博观诸子，…… 独于荀卿韩非所说，谓不可易，…… 继阅佛藏，涉猎华严华法涅槃诸经，…… 及囚系上海，三岁不觌，专修慈氏世亲书，此一术也，以分析名相始，以排遣名相终，从入之途，与平生朴学相似，…… 解此以还，乃达大乘深趣。…… 既出狱，东走日本，尽瘁光复之业，…… 旁览彼土所译希腊德意志哲人之书。时有概述邬波尼沙陀及吠檀多哲学者，言不能详，从印度学者资问。…… 却后为诸生说《庄子》，间以郭义敷释，多不惬心，旦夕比度，遂有所得；端居深观，而释《齐物》，乃与瑜珈华严相会。…… 癸甲之际，厄于龙泉，始玩爻象，重籀《论语》，…… 至于程朱陆王诸儒，终未足以厌望。顷来重译庄书，眇览《齐物》，芒刃不顿，而节族有间。

由此可知，章氏在哲学研究上，是通过了非常迂回而多角的道程，最后又重返于庄子的。但是，在我们看来，尤其重要的是，章氏依据自己研究而发现的自信与自负。接着，他以结论的形式说道：

凡古今政俗之消息，社会都野之情况，华梵圣哲之义谛，东西学人之所说，拘者执着而鲜通，短者执中而居间，卒之鲁莽灭裂，而调和之效终未可睹；譬彼侏儒，鲜遘于两大之间，无术甚矣。余则采齐物以解纷，明天倪以为量，割制大理，莫不孙顺。……汉宋争执，焉用调人？……执着之见，不离天倪，和以天倪，则妄自破而纷亦解。所谓无物不然，无物不可，岂专为圆滑无所裁量者乎？自揣平生学术，始则转俗成真，终乃回真向俗。……汉秦以来，依违于彼是之间，局促于一曲之内，盖未尝睹是也。若乃昔人所诮：专志精微，反致陆沈，穷研训诂，遂成无用者，余虽无腆，固足以雪斯耻。

这样看来，章氏所自觉到的哲学的历史使命，简直是要“为天地立心，为生民立命，为往圣继绝学，为万世开太平”（张横渠语）。既然在哲学上具有了这等抱负，则他之自命为天纵之圣，又何足怪？

最后，我们要知道，前引的《葑汉微言》一书，成于民国六年，乃吴承仕先生笔录章氏“上义”一百六十七首而成。所以从章氏的自述中，我们不但看见了他的哲学思想的发展过程，不但看见了他的自命不凡的最后根据，并且也看见了他的在哲学上的最高结论。在这里，为要加深读者章氏对哲学思想的印象，且由下列三点，以构成当作哲学家看的章太炎氏的一幅剪影：

（A）研究方法：“始则转俗成真，终乃回真向俗”，或者说是“以分析名相始，以排遣名相终”的方法。

（B）体系精髓：“采齐物以解纷，明天倪以为量，割制大理，莫不孙顺”。

（C）自负使命：终结“汉宋争执”，打破“秦汉以来，依违于彼是之间，局促于一曲之内”的僵化局面，更进而统一“华梵圣哲之义谛，东西学人之所说”。

这就是太炎哲学思想的轮廓。

这就是哲学家太炎的剪影。

然而，“轮廓”或“剪影”，究竟是过分简略，所以我们便不得不以此为出发点，进而展开更具体的分析与全面性的把握。

他的哲学剪影，是有晚清时代的“拆散社会”来说明的，当时中华老太婆一方面贫弱的摇摇欲坠，另一面又新生着伟大农民力量跃跃欲试。而农民独立地走上了历史舞台，英勇地群起拆散封建的神秘存在。这和十七世纪不同的地方，是在于十七世纪在梦中设计安排自己的未来社会的图案；而十九世纪末叶则是以群体的力量走上现实变革的舞台。中国农民在这时是真正担负起了近代民主的任务，但他们走进历史的舞台却是一个“拆散时代”，他们不知道亦不可能自己安排自己的社会，因而他们提出的问题并不是在他们身上能够解答的问题。

太炎就在这里开始他的学术活动，他对于极大极微的宇宙，人生，社会问题，表现出自我横冲的独行孤见，在中国思想史上这样有人格性的创造，实在数不上几人。他的笔锋扫荡古今的气魄正套于他的古色古香的文字形式中，好像一个拿锄头的农民朴素地反抗满清封建的淫威，不分彼此，不讲策略，硬转历史的车轮一般。农民在反满清战争中，直感着反抗暴政，同时亦幻想着自己古来祖宗宝贵的自给自足的乐园，他们如果逢见铁路和电杆则一样地群起抗争，企图破坏。太炎一方面“累于国仇”，他方面“天以国粹付余”的精神，正是在思想上的农民气派。

太炎的哲学方法最为敏利，批判的方法尤其刻辣，这正是一种“拆散”的固有精神，他在“以分析名相始”

的时候，放出了光芒确可迫人，然而他同时“以排遣名相终”的时候，则皈依我佛，放弃新的一切“安排”之远计，而似于托尔斯泰式的慰藉，把历史的前景放任，这岂不是太炎成为十九世纪末叶中国社会的一面镜子了么？

太炎在打破传统的依违局促研究的时候，非常英勇，然而他在建立他的哲学体系时候，则又皈依庄生，看来是矛盾的，然这矛盾正是当时农民独立活动于不可解决的矛盾中之思想缩影！至于他的哲学，可以说是一种附保留的唯心论，因为他把宇宙分成真俗二界，在俗界是从物质经验出发，到了真界则要从心识出发了。然而俗界讽刺了真界。

第三节　哲学定义中的两个反对契机

我们研究章氏的哲学思想，应从他的哲学定义开始，在某种意义上，是有些方便的。因为所谓定义，在哲学本身上虽然无关重要，而一个哲学家的哲学思想如何，却往往从他对于哲学所下的定义上，简单明白的透露出来。

章氏在《明见》的开端上，关于“哲学是什么”这一个非常平凡的入门问题，曾经提出独创的解答。他说：

九流皆言“道”。……白罗门书谓之“陀尔奢那”，此则言“见”。自宋始言“道学”（“理学”“心学”皆分别之名），今又通言“哲学”矣。“道学”者，局于一家；“哲学”者，名不雅；故缙绅先生难言之。……故予名之曰“见”者，是葱岭以南之典言也，见无符验，知一而不通类，谓之“蔽”（释氏所谓“倒见”见取）；诚有所见，无所凝滞，谓之“智”（释氏所谓“正见”见谛）。（《国故论衡》下卷，一三八页）

在上述的章氏的哲学定义中，实已包含着章氏全部哲学思想的基本性格。这就是，通过了“格义”的方法，一方面在“哲学”这一概念的理解中，表现了天才的洞察；而同时却也在另一方面显示着他的哲学思想的唯心论的本质。

正因为这一定义如此重要，所以我们便想在这里稍微逗留一下，就章氏哲学思想基本性格的萌芽形态，予以人工的放大，并略事分析与批判，预先替我们此后的研讨奠定根基。

在这里，我们想提下列三点说明：

第一，理解“格义”，是理解章氏哲学思想的前提，所以我们应首先说明此点。所谓“格义”，据近人陈寅恪先生的研究，系开始于魏晋，当时支遁道安等讲说佛经，曾引外典（如《庄子》等书）为连类，比附解明以通其义，这就是所谓格义方法的原义（见中央研究院历史语言研究所集刊《庆祝蔡元培先生六十五岁纪念论文集》），这种方法，到清末又复盛行。不过清末的这种“格义”，已不限于佛典，举凡欧洲的哲学和科学，都与中国的经书子书引为连类，相互对诂，如像康有为梁启超谭嗣同以及严几道等，均喜用此法，故一时至有“梁热力”“谭以太”的诨语。由知可知，“格义”在清末，已经形成了学术论著的一种非常摩登的作风与气派。章氏在这种风气影响之下，遂亦用“格义”方法以表现哲学思想。于此，我们可用下列几项资料以为实证：

自纵横阴阳家以外，始征臧史，至齐稷下，晚及韩子，…… 以浮屠为天下枢，往往可比合。然 …… 文儒皆巧诋之曰，是固不可以合。夫 …… 马鸣无箸皆人也，

而九流亦人也，以人言道，何故不可合？（《国故论衡》卷下，《明见》，一三八页）

（唐世沙门多谓）庄生不达唯心之理。详此所谓成心，即是识中种子。德充府所言“灵府”，即是陀那识。阿罗耶译言“臧”，阿陀那译言“持”，义密合。且其言“持”，言“业”，言“不舍”，非独与大乘义趣相符，名相亦适相应。虽以玄奘窥基之辩，何能强立异同哉？（《齐物论释》，六〇页）

名言之中，理相为世宇所同，故老庄孔佛之言，转译无异；事相为国土所别，自无相同之势矣。（《菿汉微言》，二八页）

正因章氏使用了“格义”方法，故其所表现的哲学思想，遂赋有一种浓厚的佛经气氛；其哲学著作的难读，当亦为未能被人们普遍注意的原因之一。并且，章氏的“格义”，亦实寓有提倡佛教哲学的用意。这一点，他自己也直认不讳。在《人无我论》里曾说：

余前作建立宗教论，内地同志或谓佛书梵语，暗昧难解，不甚适于众生。……窃以……震旦虽衰，硕学肤敏之士犹不遽绝，一二名词，岂遂为其障碍？若欲取谐时俗，则非独内典为然，它书亦多难解者。苟取便宜，失其本义，所不为也。至所以提倡佛学者，则自有说：民德衰颓，于今为甚，姬孔遗言，无复挽回之力，即理学亦不足以持世。且世说日新，智慧增长，而主张竞争者流入为正法论，主张功利者流入顺世外道。恶慧既深，道德日败，矫弊者乃憬然于宗教之不可泯绝。……自非法相之理，华严之行，不能制恶见而清污俗。若夫春秋遗训，颜戴绪言，于社会制裁则有力，以言道德，则才足以相辅，使无大乘以为维纲，则春秋亦摩拿法典，颜戴亦顺世外道也。拳拳之心，独在此耳，至如谭氏仁学之说，拉杂失论，有同梦寝，则非所敢闻矣。(《太炎文录初编别录》卷三，四一——四二页)

以上就是章氏哲学中“格义”方法的全部。我们理解了“格义”在章氏哲学中的重要地位，那就不但握住了他以白罗门书的陀尔奢那（见）训释哲学定义的根源，即其全部哲学思想的根本内容与表现形式上的佛学性格，也可以由此而得到解明。

第二，章氏在哲学上，尤其在中国哲学史上，颇多独创的天才见解（此点另有专节详论），此在前述的哲学定义中，即已透露其光芒。因为直到最近，还有人以为“中国一向只有理学而无哲学”（商务印书馆中国文化史丛书，贾丰臻著《中国理学史》)，而章氏则坚决肯定九流所谓道，宋儒所谓“道学”，“理学”，“心学”以及今日所谓哲学等名，在本质上为同义语。在中国哲学史的研究中，率先提出这一见解的，实以章氏为第一人；在这一判断中也确乎显示着章氏的天才的洞察。至我们所以高调章氏这一判断，则是因为中国历代哲学家所说的“道器”问题，或“理气”问题，本质上和近代哲学上的最高问题，即所谓“思维与存在”关系问题为同一范畴，亦即是说，除了字面而外，实无区别。这一个根本大问题，在中国哲学史上之被提起，被讨论，一般是采取着下列的形式：

（A）道决定器呢，还是器决定道？

（B）理先气后呢，还是先气而后有理？

（C）理在吾心呢，还是理在事中？

（D）心即理呢，还是理为客观事物所固有或所涵蕴的客观独立存在的法则？

（E）穷理的方法在于致吾心之良知呢，还是在于即凡天下之物而益穷之，或所谓格物以致知？

在中国哲学史上，如此提起并争辩这一问题，宋以前尚处于隐蔽状态，而自宋至清，则以追胁的姿势出现，形成了一条红线，而使得每个哲学家都没有方法从此腾空跳过。由于对这个问题的解答不同，中国的哲学家也和世界的哲学家一样，被划分为两大阵营。这就是说：

（A）唯心论者肯定了前半段，而唯物论者则肯定着后半段；

（B）动摇于二者之间的，是二元论者归根又是唯心论者；

（C）表面上故意回避这一问题，而暗中仍偷偷摸摸有其主张的，则是“怕羞”的唯心论者，或“怕羞”的唯物论者。

诚然清初的哲学家，如像颜习斋傅青生，清中叶学者如戴东原等，都曾明白攻击过所谓“理学”；但是，客观上他们所反对的，并不是理学一般，而乃是旧有的唯心论的理学。正因如此，所以他们便一方面反对着宋儒的理学，而在另一方面却又对角线的建立起自己的新的哲学。他们这种新的理学，和儒学的旧理学比较起来，确乎具有着唯物论的倾向，或者说大体上是属于唯物论阵营的。关于这一点，近人冯友兰先生曾说：

明清诸反程朱者，如王船山颜习斋等，虽反程朱之理学，而仍亦讲理；其所讲之理，亦即程朱所讲者。他们所以反对程朱者，即以为程朱所讲之理，“如有物焉”，在于“事上”，而他们则以为理即事物之理，不在“事上”而在“事中”。……今须指出者，即此等反理学之人，亦并非不讲理。(《新理学》，七七页)

按冯氏为客观唯心论者，而此处所说，则甚为正确。这就是说，我们由此可以知道，事实上虽有反对理学的哲学家存在，但这一事实并不能作为理学非哲学的证据，它只是证明着在理学或道学内部，也和在所谓哲学内部同样，包含着唯心论与唯物论两大相反的阵营。这种情形，和康德站在自己的形而上学上以反对从来的形而上学（即黑格尔所谓“本格的哲学”），实极其相似。我们根据章氏这一见解来剖析中国学史，大有庖丁解牛，游刃有余之便，所以认之为天才的洞察，而加以高调。

第三，章氏哲学思想中的所谓天才的洞察，只是随出随没的呈现，如果加以普遍的通体的观察，则知它是实证论的方法与唯心论的体系，而二者间成为一个不可解决的矛盾，故这些洞察，虽是以忽隐忽现的闪烁的姿态表示其存在，而都始终是在更大的黑暗的包围里存在着。章氏哲学的这一特色，在上述的哲学之中，即已有其萌芽。这就是说，他以为所谓“哲学”一词，名不雅，故缙绅先生难言之，因而特别改用“葱岭以南之典言”，而“名之曰‘见’”，在这里，实显示着章氏哲学的唯心论的本质。我们知道“见”字的本义，即“以目睹物”。《礼·檀弓》云：

藏也者，欲人弗得见也。

由此引申，而有“见地”，“见解”二义。前者指识解所到的境界，后者指辨别事理的能力。《荀子·天论》篇云：

慎子有见于后无见于先，老子有见于诎无见于信，墨子有见于齐无见于畸，宋子有见于少无见于多。

即兼此二义而言。又在荀子书中，与“见”相反者则有“蔽”字，义谓超乎“见地”，“见解”的限度而外。《解蔽》篇云：

墨子蔽于用而不知文，宋子蔽于欲而不知得，慎子蔽于法而不知贤，申子蔽于法而不知知，惠子蔽于辞而不知实，庄子蔽于天而不知人。

细考荀子所谓“见”，与戴东原所谓“照”或“察”为同义语。戴氏云：

凡血气之属，皆有精爽；其心之精爽，巨细不同。如火光之照物，光小者，其照也近。所照者，不谬也，所不照，斯疑谬承之。不谬之谓得理。其光大者，其照也远，得理多而失理少。且不特远近也，光之及又有明暗，故于物有察有不察。察者，尽其实；不察，斯疑谬承之。疑谬之谓失理。……故理义非他，所照所察者之不谬也。(《孟子字义疏证》卷上)

就人心言，……心之神明，于事物咸足以知其不易之则，譬有光皆能照。而中理者，乃其光盛，其照不谬也。(同上)

荀氏或戴氏，其所谓“见”或“照”及“察”，和他们在哲学上的观照主义，本不可分。然而，如上文所引，这一概念，在他们只是把握对象（如义理等）的方法，认识真理的手段，而并非即为哲学的本身。章氏虽曾称引荀子，而却完全不理解这一区别，他以为“见”字即为哲学。这显然是一种误解。并且这一误解，又明白与佛教哲学有密切关系。因为“见”字固是自罗门书“陀尔奢那”的义释，而在更深的根底上，也未尝不与法相宗所谓“万法唯识所造”的“识”字有血族的纽带。如果我们将“哲学”是“见”这一定义译为现代语，那就说：

“哲学是人类对于事物的一种看法。”

这一定义，便意味着将世界观化为纯主观性的产物，而外在世界遂亦成为主观自己外化所现，不复有其客观独立存在的本体。在这里，便“与瑜伽华严相会”；关于此点，章氏亦曾明言。在《辨性下》里说：

人之见，自我见始。以见我故，谓生物皆有我，亦谓无生者有我。(《国故论衡》卷下，一六〇页)

像这样，据主观以虚拟出客观世界，正是章氏的唯心论的本质。这样的唯心论，也不算罕觏，如像孔伋，孟轲，庄周的“天人合一论”，费希特的“自我哲学”，叔本华的“自己意志说”（切请注意《齐物论释》中“近世达者莫若索宾华尔”一语），波格达诺夫的“社会的因果性原则”，狄尔泰的“世界观学”等等，如果剥去了字面的差异，都是和章太炎的“见的哲学”路线相同的。

综合上述三点，我们已经看见了章氏哲学的基本性格。这就是由格义方法所铸成的唯心论体系；但其中却也随处闪烁着天才的洞见，放射出唯物论的光芒。而这两个相反的契机，在它们的逻辑本性上，是不能永远和平共处的。这就预示着章氏体系自己爆炸的内在动力，同时也就在原则上说明了“五四”以来，新人与旧人的若干尖端的代表者，同时出现在章氏门下的逻辑方面的理由。

然而，我们很知道，并且我们也曾预先声明过，上面的说明，只是就哲学定义，加以人工的放大而来。像这样仅仅从一个哲学定义上来认识一个哲学家，仅仅由于分析其哲学定义而评价一个哲学家的思想体系，根据是十分不够的。所以本节的论述，仍然是，而且只能是我们正式评价章氏哲学思想的准备工作；我们在本节开首，所谓稍微逗留一下，所谓预先替此后的研究奠定根基云云，均指此的。

这样，问题便迫使我们更一步前进。

第四节　宇宙根源论

在前节中，我们曾经肯定章氏哲学的唯心论的本质。如果读者要怀疑我们的肯定的正确性，即请和我们用同一步调，检查一下章氏关于宇宙根源问题的见解。因为，所谓宇宙的根源是什么呢？是物质呢，还是精神呢？从其对于这个问题的解答上，来识别一个哲学家是否唯心论者，是唯一的尺度，并且事实上，每一个哲学家，或每一派的哲学学说，都必须首先解答了这个问题，然后才能开始他们的体系建造，才能使他们对于其他具体问题的判断，命题，或逻辑的推理系统，得到前提。其真正从这一根本问题轻轻跳过而能成一哲学家或一哲学流派者，古今中外，决无先例。正因如此，故此问题在哲学史上亦最先出现。章氏也非常明白这一事实。所以在《明见》里曾说：

夫其浅者，印度诸文学，始有地水火风诸师；希腊故焉。希腊自闼利史明万物皆成于水。中夏初著书者即管子。管子亦云："水者万物之本原，诸生之宗室。集于天地，藏于万物，产于金石，集于诸生，故曰水神。"(《国故论衡》卷下，一三八——一三九页)

但是，章氏虽然承认最古的哲学家都以某种的物质为宇宙根源这一件事之为事实，而他并不以此种肯定为正确；如前所引，他以为这是浅者之见。为什么以物质为宇宙根源就是"浅者"的见解呢？这是因为：

末俗横计处识（即点、线、面、体、中、边、方位等空间范畴）世识（即现在，过去，未来等时间范畴）为实，谓天长地久者先我而生，形隔器殊者与我异分。……若计真心，即无天地，亦无人我；是天地与我，俱不生耳。(《齐物论释》，三四页)

庄生意言：假令诚有物质者，物质不能自认物质为物质，谁认之者？唯是心量。然以见量比量观察物质，此中见量触受，比量不能推度，唯是依于法执认有物质。而彼法质，即是遍计，遍计所执，自性本空。故知万物出于无质。质即是无，即此万物见象有色有声有香有味有触者，唯是依它起性，属于幻有。(同上，六三页)

宇宙本非实有，要待意想安立为有。若众生意想，尽归灭绝，谁知有宇宙者？于不知中，证其为有，则证据必不极成。譬如无树之地，证有树影，非大愚不灵之甚邪？虽然，……有无皆不敢定，则堕入怀疑之说，是故为说梦喻；如人梦时，见有种种山川城廓水火云物；既觉寤已，决定知为非有。由此可知，觉时所见种种见象，亦如梦象，决定非有。(《太炎文录初编别录》卷三，《建立宗教论》，二二页)

这样看来，章氏以为，宇宙万物都是人类的幻觉所生，“本非实有”，而以所谓梦喻做类比，当然以物质为宇宙根源的判断，就成了所谓“浅者”之见或“末俗横计”的“大愚不灵之甚”者的“倒见”。并且，章氏又从这里更进一步，断定科学上所谓原子电子等，皆人类的“原型观念”所造，而非客观存在的实质。请看他说：

诸寻实质，若立四大种子，阿耨，钵罗摩怒，电子，原子是也。此有二说，一据有方分，言分析缕尽，非种非原故。一家复说为无方分，佛家假立四大种子，即是坚湿暖轻，由此假立造色种子；然立五识所感以外而求坚湿暖轻之相，依何成立？近世亦有二说：若有方分，剖解不穷，本无至小之倪，何者为原？谁为最初之质？

若无方分，此不可见闻臭当触受，则非见量；此最遍性，则无比量。……今计无方分之实质，非接非谟，本在知识以外，实不可得。原其言此，必先念万物皆有实质，而彼念亦非随于见量比量，唯是随于原型观念，唯是随于法执，因是立钵罗摩怹诸名。(《齐物论释》，二三——二四页）

万物既皆待人类的“原型观念”或“法执”而有，此主观意识又是不断变换移转的，因而在章氏的理解中，这也就成了说明万物所以不得不变的唯一理由。并且他又根据着佛家涅槃寂定的观点，进而断定凡有转变的，即无实体（无自性，无根源）可以探究。所以他说：

一切形相，皆无实体；以有转变，非不可破，故说无实。虽至金铁朴铤，唯是一注。固者可化为液，液者可化为固，未有恒无转变者；岂况杂集流形之品，而可说为不变？（《齐物论释》，六二页）

但是，我们要知道，章氏并不是根本否定了宇宙有其根源，他只是否定了以物质为宇宙根源的见解。他既然以为宇宙万物“唯是随于原型观念，唯是随于法执”，那他当然就是肯定了人类的精神（心）即为宇宙的根源，因而根源问题的探究，也就成了人类心灵内部的自己问答，而且这样的解答，也就是最正确的解答。所以他又说：

此心为必有，而宇宙为非有。所谓宇宙，而是心之碍相，即以此心还见此心，夫何不可推测之有？（《太炎文录初编别录》卷三，《建立宗教论》，二四页）

从这些引征里，我们已可看出，章氏在宇宙根源问题上的解答，就是这样一句简单的话语；宇宙的根源在于吾心。据此而言，我们在上面曾说他的哲学思想的基本性格，是唯心论，难道这一判断，还有怀疑的余地吗？至于章氏坚持唯心论的宇宙根源说的几个根本命题，在我们看起来，也实在很难找出它们可能成立的理由。

第一，章氏斥以物质为宇宙根源的见解为“浅者”之见，或“末俗横计”所生，并无充分的理由可资证明。

第二，章氏以“唯是心量”始能认识“物质为物质”为理由，而断言“万物见象”“唯是依它起性”，即万物均非独立存在，均待心量而有。这更是一种独断。难道在没有人类以前（这时并无人类的“心量”呀！）也就没有地球吗？地质学家的答案是否定的。

第三，章氏以“若众生意想，尽归灭绝，谁知有宇宙者？”为理由，而断言“宇宙……要待意想安立为有”。这使我们记起了下述的呓语：“请看死去的人，他的天地万物更在何处？”（王阳明语）这里陷入谬误的总原因，就在于误把表象认为对象。表象是主观的，内在的，随人类意想的存亡而生灭的；而对象则是客观的，外在的，离人类意识而独立存在，不随人类意识的变化而变化的。例如，太阳在哥白尼以前或以后，都不曾绕地球而动；因而人类对于太阳认识（表象）的错误，也不就是太阳本身（对象）的错误。

第四，章氏以梦见为喻，证明人们“觉时所见种种见象”“决定非有”，这是庄周梦化蝴蝶一流的怀疑主义。但梦与觉实不能相比！我们梦中从重庆到了桂林，醒来还睡在重庆的床上，难道觉时实到了桂林也同样是还在重庆的吗？

第五，他以为电子等物质的“实质”皆是由于“原型观念”“先念万物皆有实质”的产物，而非实有。然而，误触了电网的人，虽未先念“电为实质”，而却也要中电。

第六，章氏以万有“转变”，而证明“一切形象皆无实体”。然而，无水可以有流吗？在我们看来，没有不转变的实体，也没有无实体的转变。万物流转，不但不能证明“无实体”，相反的，我们正是要在事物这一形态到另一形态的不断转化的长流中，来肯定实体的存在，把握支配事物流转的实体的运动发展法则。

太炎在宇宙论上，也和其他哲学部分一样，问题是被他以近代的方法“拆散”了，而解答则是对于前景的放任，企图寻求不动的根本理由。这是他的时代特质。

第五节　唯物论“平议”

我们在上面已经说过，章氏的宇宙根源论，是否定以物质为根源，而主张宇宙万有皆为“原型观念”所造，皆由“法执”而生的。在这些见解里，同时也包含着他对于心物（名实）关系问题的主张或态度。这就是说，他是主张心为根源，物为派生，或者说物因心而有，物自心而生的。并且在这里，也预示他必然要对于唯物论提出批判；而且事实上他也的确在许多地方批评到了“唯物论者的迷妄”。晚清的悲剧社会没有喜剧的人类操纵之前途，太炎的批判充分反映了对于前途的无信仰心与动摇心。我们要系统的考究一下他关于这方面的见解，来看看他是怎样的批判唯物论，或者说，唯物论者所以成为浅者，其系统的原因究竟是在何处？

想要评价章氏关于唯物论的批判，先来看看他对于哲学上所谓“两大阵营”问题的意见，似乎是相当必要的。因为从这里可以清楚的测验出他对于唯物论的理解，或者说，由此可以看出他所谓唯物论的涵义究竟如何。在《无神论》里他说：

世之立宗教谈哲学者，其始不出三端，曰唯物，唯神，唯我而已。吠檀多之说，建立大梵，此所谓唯神论也。鞞世师（译曰胜论）之说，建立实体，名为地、水、火、风、空、时、方、我、意，九者皆极微，我，意虽虚，亦在极微之列，此所谓唯物论也。僧佉（译曰数论）之说，建立神我，以神我为自性三德所缠，而生二十三谛，此所谓唯我论也。渐转渐明，主唯神者，以为有高等梵天；主唯物者，以为地水火皆有极微，而时空方我意，一切非有；主唯我者，以为知识意欲，互相依住。不立神我之名，似吠檀多而退者，则基督天方诸教是也；似鞞世师派而进者，则克德歌生诸哲是也；似僧佉派而或进或退者，则前有费希特，后有索宾华尔是也。（近人又谓笛加尔说近于数论，其实不然。笛氏所说，唯我思我在一语与数论相同耳；心物二物，实不相似。）唯我之说与佛家唯识相近，唯神唯物则远之。佛家既言唯识，而又力言无我，是故唯物之说，有时亦为佛家所采。小乘对立心物，……大乘专立一心，有时亦假极微以为方便。……其以物为方便而不以神为方便者何也？唯物之说，犹近平等；推神之说，崇奉一尊，则与平等绝远也。（《太炎文录初编别录》卷三，一——二页）

关于同一问题，在《辨性下》里又说：

太上有唯识论，其次有唯物论。识者，以自证而知，物者，以触受而知；皆有见量，故可成就也。（凡非自证及直觉感觉所得者，皆是意识妄识而成；故不能真知唯识者，宁持唯物，唯物亦有高下二种，高者如休谟，但许感觉所得，不许论其因果，此即唯识家之见量也。其次虽许因果，尚少妄识。而世人不了唯物，有谓任意妄称，虽无亦可谓之有者。近日本有筧克彦，以此成其法理之学，重纰貤缪，不知其将何底也。）计唯物者，虽不知圆成实性，犹据依它起性。最下有唯理论师，以无体之名为实，独据遍计所执性，以为固然。无体之名，浮屠谓之不相应行。（非心非物，故曰不相应行。成唯识论有不相应行二十四种，康德所谓十二范畴，亦皆不相应行也。）意识用之以贯万物，犹依空以置器，而空不实有。海羯尔以“有”，“无”，“成”为万物本，笛加尔以数名为实体，此皆无体之名。……（浮屠言真如者，成唯识论云：真如即是唯识实性，以识之实性不可言状，故强名之曰如。若执识外别有真如者，即与计有无为实物者同过。又此土学者，或立道，或立太极，或立天理；要之，非指物，即指心，或为综计心物之代语，故亦无害，若谓心物外别有道，及太极，天理者，即是妄说。）（《国故论衡》卷下，一五七——一五八页）

在上引两段文字中，我们可以看出，章氏并没有所谓“两大阵营”的观念，或者说他并不承认这样的“两分法”，而始终坚持着他的独创的“三分法”。如像一则说“其始不出三端，曰唯物，唯神，唯我而已”，再则说“太上有唯识论，其次有唯物论，……最下有唯理论师”等等，即是例证。在这里，实包含着重重的误解，而章氏的唯物论批判，也正巧是建筑在这些误解上面。

让我们作几点“批判的批判”吧。

第一，哲学史上所谓唯物与唯心之分，并不在于是否承认有所谓心或精神等等范畴的存在，而在于争论所谓心或精神等等范畴究竟是否根源的范畴？唯心论者说，心或精神等等是存在的，并且就从心或精神里面产生了物质。另一方面唯物论者却说，心或精神等等确是存在的，而它们则是从物质里面派生出来的范畴。这就是唯心论与唯物论对立的主要意义。因此，章氏所举出的唯神论，唯我论，唯物论，唯理论等等，名目虽殊，而在根底上则同样坚持着心或精神等为物质的根源一命题，因此，也就都属于唯心论阵营的内部，至于它们彼此间的差别或争辩，实在不过是些鼠牙雀角无关宏旨的自己摩擦。所以，在我们看来，“两大阵营”的划分法是不可动摇的真理；而章氏的“三分法”，在事实上也决无成立的可能。如像章氏所指为“唯物论师”的黑格尔，笛加尔，所指为“唯我论者”的费希特，叔本华等，在目前都是公认的唯心论者，而关于唯物论，章氏自己即说“唯我之说与佛家唯物相近……大乘专立一心”；又说非“识外别有真如”，非“心物外别有道太极天理，非指物，即指心，或为综计心物之代语”，舍此而外，“即是妄说”。从这里就可以看出章氏的“三分法”的概念难以成说。

第二，章氏由于将唯物论误解成为只承认感觉为实体而抹杀客观世界的实在性及法则性的理论，所以他便把休谟认成了最彻底的唯物论者。关于这一点，除了前引“高者如休谟，但许感觉所得，不许论其因果，此即唯识家之见量也”云云而外，在《四惑论》中又说：

言科学者，不能舍因果律。因果非物，乃原型观念之一端：既许因果，即于物外许有它矣。真持唯物论者，在印度有所婆迦师，在欧洲有休谟耳。乃若胜论之言阿耨，伊壁鸠鲁之言阿屯，黎布尼之言毛奈陀，汉语译之皆云原子。然彼实轶出经验以外，以求根本于无方分者。况其所谓原子，非独物有，亦许心有，则仍是心物二元也。(《太炎文录初编别录》卷三，七〇页)

在这里，我们要问：

（A）肯定感觉为唯一的实体，而否定客观世界及其法则性的理论，果然是唯物论的理论吗？

（B）休谟的感觉主义的怀疑论，果然是“真持唯物论者”的见解吗？果然是“唯物论”中的“高者”吗？

（C）并且，果然承认了“因果律”，或别的精神范畴的存在，就不能算是唯物论的理论了吗？

我们知道，一切对于哲学稍有常识的人们，对于这些问题，一定只能作出否定的答案！而章氏的解答则是肯定的。

第三，章氏所以要误解唯物论，所以要认虎作豹的把休谟当成了最彻底的唯物论者，其更深刻的原因，是由于他自己就近似一个休谟类型的唯心论者。唯物论者只说过“感觉为唯一的认识源泉”，而他则把这一命题歪曲成“感觉即是实体”。由于这一歪曲，遂使他不理解唯物论者关于物质概念的定义。所以，在《无神论》中他说：

物者，五官所感觉；……人之感物者，以为得其相矣；而此相者，非自然安立为相，要待其名，然后安立为相。吾心所想之相，唯是其名，于相犹不相涉；故一

切各种分别，类属非真。(《太炎文录初编别录》卷三，九页)

这不是十足的休谟主义的口吻吗？并且，如果我们知道了巴克莱的“感觉即物质”这一有名的命题，如果我们读过了马赫的《感觉之分析》，那就无论如何，也就不能够寻出他们被此间的差别。然而，章氏这一关于物质的定义，很明白的是依据于唯识论固有的精神，将感觉内的表象，误认为所感觉的对象本身，因而陷于休谟主义的泥坑。

关于感觉与当作感觉对象的物质的分别一问题，近人冯友兰先生曾有说明。他曾经这样说：

(阳明)所谓“不能拟议增损”，是说我们对于所谓至当或“天然之中”，不能拟议增损？抑是说我们对于所谓至当或“天然之中”之知识，不能拟议增损？若是前说，我们亦如此主张。所谓至当，若是至当，即永是至当；所谓“天然之中”，若是天然之中，即永是天然之中，决不能有拟议增损于其间。若是后说，则我们不能赞同，因为我们对于所谓至当或“天然之中”之知识，不但可有增损，而且事实上常有错误，所以我们对之，不能不有拟议增损也。此拟议增损，无论有多少，并不是对于所谓至当或“天然之中”有拟议增损，而只是对于所谓至当或“天然之中”之知识有拟议增损。对于所谓至当或“天然之中”是不能有拟议增损的，正因有不能拟议增损之至当或“天然之中”以为标准，所以我们对之之知识，可有拟议增损。(《新理学》，一八八页)

本来，冯氏在其《新理学》中所建立之唯心论系统，凡其所说，我们多不能同意，然而，在冯氏的客观唯心论中，感觉与其所感觉的对象是分开了的，而在章氏的主观唯心论中，二者则浑然一体，无所差违，正因如此，遂告成了章氏关于所谓物质这一范畴的休谟主义的误解。

由于这些误解互相纠结，遂使章氏在许多哲学问题上，都导出了令人莫名其妙的怪论（主要的如感觉问题，因果律问题等等，以下皆有详论），而其中的怪论之一，就是我们现在要评价的他关于唯物论的批判。

我们还许记得，章氏曾自述其“平生学术，始则转俗成真，终乃回真向俗”，且最推崇“以分析名相始，以排遣名相终”的方法。他这种方法，反映到认识论上，就是：虽然“感觉所见种种见象，决定非有”，而分析名相，却又不得不以感觉的认识为起点，所以他曾肯定“凡非自证及真感觉所得者，皆是意识妄织而成”。而同时，他又认为所谓从感觉出发，一方面是“转俗成真”的手段，或“随顺众生”的“方便”，另一方面则又是其整个理论体系的一个侧面，或一个步骤。在这里便规定了唯物论必然要被章氏所放弃，而又同时被保留下来，这样一种动摇。这就是说，“唯物之说”虽与“佛家唯识”相距甚“远”，而为了“方便”众生，却也“有时为佛家所采”。而且如“不能真知唯识，宁持唯物”，因为“计唯物者，虽不知圆成实性，犹据依它起性”的缘故；这也就是卑之毋甚高论，或不得已而求其次的意思。而把这一用意详细的实证出来的，即是下列几段章氏的原文：

第一段原文，是《辨性下》里所说：

自心以外，万物固无真；骛以求真，必与其痴相应，故求真亦弥以获妄。虽然，唯物之论，于世俗最无妄矣。（《国故论衡》卷下，一六二页）

第二段原文，是《建立宗教论》里所说：

说神我者……是第一倒见也。说物质者，……未见……此心是真，此质是幻。执此幻者，以为本体，是第二倒见也。说神教者，……不能退而自观其心，以知三界唯心所见，……是第三倒见也。(《太炎文录初编别录》卷三，一四——一五页)

第三段原文，是《人无我论》里所说：

近世唯物论者，亦能别第二我执（即俱生我执，属于依他起性者）为谬；而或以多种原质互相集合为言，或以生理单位异于物质为言，此虽能破人我，乃举其所谓自性者以归诸他种根力，又堕法我之谬论。(同上，三〇页)

第四段原文，是《菿汉微言》里所说：

上圣深达唯心，尚不执同业所感器界为真，岂执别业所感器界为真？今之物理学者，但明同业所感器界而已。其说电子原子，明言假定，非如胜论执着极微为实，亦何碍于真谛邪？一类居士，深疾此学；不知唯物论宗，说至极端，尚即唯心见量，况物理学者并无唯物论宗之执着邪。(一五——一六页)

第五段原文，也是《菿汉微言》里所说：

且天下迷妄倒见，有过于唯物论者乎？然就彼所言，推至究竟，所谓五识所触，唯有最初见象，不许杂有意志，此即见见别转，不带名言种子矣。是故唯物之极，还入唯心；倒见之极，几入正见。譬如周行地球者，自东发足，向西直行，一往不回，仍还发足之地，诸有违异，皆宜以此会之。”（四九页）

据此可知，在章氏看来，唯物论哲学，只对于世俗众生，才是无妄的理论；如果从“上圣深达”的“唯心”高岗转俗成真的来看，则它就成了“第二倒见”，而且是无过其右的“天下迷妄倒见”。其所以是“倒见”则是因为它“未知此心是真，此质是幻”，因为它“堕法我之谬论”。然而，如果再说“齐物”“天倪”的更高的处所“回真向俗”的来看，则唯物论，要“还入唯心”而成为唯心论的一部分，亦即相当于所“唯心见量”。这在拆散时代，太炎的这种动摇性是最为历史的。在“向俗”的时候，求助于唯物论，到了“成真”的时候，又不要唯物论了，好一个农民色彩的哲学家！

关于唯物论何以为唯心论的一部分这一问题，在

《四惑论》里，章氏曾展开其系统的说明。他以为所谓公理，进化，自然与唯物等，虽“今人以为神圣不可干者”，而此四者，实“皆眩惑失情，不由诚谛”，故名“四惑”。

在这里，他首先以休谟为唯物论者，把他的见解当作了“四惑”之一，而加以驳斥。章氏说：

正感觉时，唯有光相热相，非有日相火相；日与火者，待意识取境分齐而为之名。故光与热为见象。光上之圆形锐形亦为见象；而日与火为非见象。若专信感觉者，曰火尚不可得，况可言其舒光发热之功能哉？夫既遮拨因果，则科学所证明者，一切不得许为极成。非独遮拨因果而已，科学之说，既得见象，亦必求其本质；而休谟之说，唯许见象，不许本质，则原子之义自摧。由是观之，唯物论成，则科学不得不破；世人之矜言物质文明者，皆以科学揭橥，而妄证其名于唯物，何其远哉！斯宾塞尔著综合哲学，分可知不可知为二篇，曰，时间空间不可知，力不可知，物质不可知，流转不可知，而又崇科学以为最上。然力与物质且不可知，则科学之根已绝，虽有所建之发明，如海市寻香城耳。物质既不可知，则唯求见象；而见象与见象之因果，于此心界虽可知，于彼物界诚有此因果否亦不可知，则名言堑绝，无可为趣入之途矣。即实而言，唯物之与唯心，其名义虽绝相反，而真唯物论乃即唯心论之一部。所以者何？不许因果，不许本质，唯以见所感触为征，此则所谓见见别转，远离一切种类名言，假立无异诸门分别者，是正唯心论之见象。休谟有言，触寒而生寒觉，触热而生热觉，当是时无寒热之名言也。名为寒热，必在感觉已灭之时。若充其例，常有寒觉与热觉时，唯于自体觉有寒热，未有寒热外来之想。更充其例，掷贝珠顷，以青色对向眼识。掷贝珠顷，眼识与青色俱生，是时分别未形，但觉眼之与青，泯合非二，未有青在眼外之想。故专以感觉为征者，见象有对且不可得，况物之本质哉？故曰，唯物论者，唯心论之一部也。或则变转其言曰，感觉本神经，而神经亦为物质，以物质知物质，何系于心？是亦可曰，唯心论者，唯物论之一部也。应之曰，心量非一端而罄，今之言感觉者，以为内印神经；言臆念者，以为神经有遗印也，不悟显色形色，虽可以印象为缘，而数量即无印象。如人见三饭颗，若只缘印象者，感觉以后，当唯生饭颗，饭颗，饭颗之想，必不得生三饭颗之想。今有三饭颗之想，非于尔所饭颗各各取其印象，亦非以尔所饭颗合和为一以成一种印象，必有原型观念在其事先，必有综合作用在其事后。安得云只以物质对取物质邪？虽然，此犹感觉以后事也，而当其初感觉时，亦有悟性为其助伴。如庵卢知之言曰，物映眼帘，其形皆倒，而视觉所取则非倒；明感觉亦以悟性为依。若专就神经对印为依，即无解于倒见之疑矣。又若为印象者，一日接十印象，印已模胡，何以得了了而臆？故之见量感觉，一切唯心。而甄明科学者，必不许见量为究竟，此特相似之唯物论，其于真唯物论，翩其反矣。以物质文明求幸福者，不自量度，而妄尸唯物之名，斯亦厚颜之甚也。夫真唯物论者，唯举本质而空之，唯以本质为心所妄念之名，是骎骎与唯心相接。然休谟复不许心有本质者，以心亦念生灭，初无自性；初无自性，故一切苦乐，心得感之。若心有自性者，即不为苦乐之境所变。然则求乐者，但求诸心，毋求诸物亦可矣。（《太炎文录初编别录》卷三，七〇——七二页）

从上面冗长的引征，我们可以知道，章氏关于唯物论的批判，完全是由于他的误解而来。在这里，他向我们提出了下列四个命题：

（A）唯物论中有“真唯物论”与“相似之唯物论”二种。后者“不许见象为究竟”，既得见象，亦必“求其本质”，且复许有因果；故虽妄尸唯物之名，而实非唯物。

（B）真唯物论，唯以感觉为真。而感觉则必有原型观念在事先，必有悟性为其伴助，或必以悟性为依，总而言之，见量感觉，一切唯心。

（C）真唯物论，遮拨因果，亦不许本质，而科学则反是。故科学与唯物论不能并立；或者说唯物论成，则科学不得不破。

（D）真唯物论以因果及本质等范畴，皆为“心所妄念之名”，所以唯物论乃即唯心论之一部，而不能变转其言，以唯心论乃即唯物论之一部。所谓“真唯物论是唯心论的一部分”这一命题，与其说是太炎的哲学调和，毋宁说是他的农民素质，因为俗人农民是不能离开物质的，但俗人则又和宗教相依托的。

下面我们对他的四个命题，研究一下，看一看事实是怎样的呢？

事实是：章氏所指为“真唯物论”的，乃是休谟的怀疑主义的唯心论，而并不属于唯物论。因而以休谟主义为“唯心论之一部”则可，以唯物论乃即“唯心论之一部”则与事实不合。

事实是：唯物论不曾否认因果，不曾否认本质，尤其不曾以因果及本质“皆为心所妄念之名”！所有这些，都是唯心论的主张，而与唯物论则不相涉。

事实是：唯物论以为，因果非生于主观的心的联结，而乃是客观诸事物间相互的固有连系在人类主观中的反映。

事实是：唯物论以为本质，乃是隐藏在现象背后的内在的，相对持续安定的，相对静止的侧面，乃是现象的内在源泉。事物的内在本质在现象中表现自己。

正因为事实如此，所以唯物论在本性上不但不与科学相反，反而是与科学相互为用，不可分离的同盟；是合则并茂、分则双枯的根与枝的关系。

并且，如前所述，唯物论事实上并不曾否认心，精神等的存在，而只是更进一步以它们是物质的所产，是

"存在的反映"。没有精神可以有物质，但没有物质决不能有精神。是知所谓精神，乃即物质发展到一定高度阶段上的一种形态。所以我们很有理由把章氏的命题倒转过来，而断然的判定：

唯心论乃即唯物论的一部。

的确的，如果将已经"肿胀"，"膨胀"了的唯心论的"体系"，还元成"认识的一契机、一侧面、一特征、一部分"，则无疑的可以使"倒见还入正见"！

在这里，我们如果采取"以其人之道，还制其人之身"的方法，即是说要拿章氏批判唯物论的话，来终结我们的"批判的批判"：

"依真有妄，转妄即真。"然而这又不是章氏的时代所能够产生的，只有到了中国另有新人类出生，能够解答历史答案时，才可以把章氏的农民素质的积极的要素继承，而清算了他的时代观念。

第六节　感觉与思维问题

认识论中的感觉与思维问题，是最重要，最根本的问题之一，这一问题之如何解决，和哲学上的最高问题，即心物关系问题，是紧相联结的。当作哲学家的章太炎，在前述的宇宙根源论及对于唯物论的批判中，都曾流露出他对感觉与思维问题的理解；当时我们为了行文方便起见，故意略而未论。现在，我们就要系统的来评价他关于这一问题上的见解，态度和主张。

首先，我们知道，章氏并不否认感觉为认识的起点，也不否认思维以感觉为其源泉。关于这一点，在《齐物论释》里他曾说：

凡成比量（即推理）者，必不能纯无见量（即感觉）。若得一分见量，犹可据以例他；合此无方分之物质，虽求一分见量亦不可得，则无成比量法。（二四页）

在《语言缘起说》里又说：

太古草昧之世，其言语唯以表实，而德业之名为后起。……物之得名，大都由于触受。（《国故论衡》卷上，三七页）

在同篇里又说：

语言之初，当先缘天官。……文字上可见者，上世先有表实之名，以次桄（横）充，而表德表业之名因

之。（同上，三九页）

在《原名》里又说：

名之成，始于受，中于想，终于思。领纳之谓受，受非爱憎不著；取像之谓想，想非呼召不征；造作之谓思，思非动变不形。（同书，卷下，一三二页）

在《征信论下》里又说：

诸学莫不始于期验。转求其原，视听所不能至，以名理刻之。（《太炎文录初编》卷一，四七页）

由此可知，章氏已明确的断定了感觉或经验是认识的出发点，是人类认识过程中最初出现的一环；其他较一般，较普通，或较高级的认识，均以此为其基础。他的这一判断，我们以为是正确的。这是章氏的积极的一方面，而且，章氏的见解的正确性，并非至此而止。这就是说，他虽然这样的重视着感觉或经验，而同时他在另一方面，却也没有忘记它们的界限性，相反的，他对于哲学上所谓感觉论或经验的方法，都已经提出了锐利的批判。在《齐物论释》里他说：

或云："众所共见为真，己所别见为妄。"然则，漂播南州，乃至冰海，倏见异兽，而他人不窥者众矣；何

见彼之必真，此之必妄？（六五页）

毫无疑问的，章氏的这一反诘，对于一切的感觉论或经验论的唯心论者，如像对于以“社会的组织化的经验”即为真理的经验一元论的著者波格达诺夫等辈，实为有力的抗辩。

章氏在《原名》里关于此种偏见所提出的批判，则更加详尽而有系统。他说：

形色……声……香……味……触……遇而可知，历而可识，虽圣狂弗能易也，以为名种，以身观为极。阻于方域，蔽于昏冥，县于今昔，非可究省也；而以其所省者，善隐度其未所省者，是故身有五官，官簿之而不谛审，则检之以率，从高山下望冢上木，䄆䄆著著，日中视日，财比三寸盂，旦莫乃如径尺铜盘，校以勾股重差，近得其真也。官簿之而不遍，则齐之以例，故审堂下之荫，而知日月之行，阴阳之变；见瓶水之冰，而知天下之寒，鱼龟之藏也；尝一味肉而知一镬之味，一鼎之调。官簿之而不具，则仪之以物，故见角帷墙之端，察其有生；飘风堕曲尘庭中，知其里有酿酒者。其形虽隔，其性行不可隔，以方不障为极。有言苍颉隶首者，我以此其有也，彼以其无也，苍颉隶首之形不可见，又无端兆足以拟有无，虽发匒得其髓骨，人尽有骨，何遽为苍颉隶首？亲与说皆穷，征之史官故记，以传受之为极。(《国故论衡》卷下，一三四——一三五页)

凡以说者，不若以亲（近世主经验之论理学家多主此说）。自智者视之，亲亦有诎。……远视黄山气皆青；俯察海波，其白皆为苍；易位视之而变。今之亲者，非昔之亲者，亲有同异，将以说观其宜；是使亲诎于说也。原物之质，闻不若说，说不若亲。今有闻火浣布者，目所未睹，体所未御，以说又无类，因谓无火浣布，则人莫不然，谓之蔽锢。……此乃使亲说交诎于闻也。凡原物者，以说闻亲相参伍；参伍不失，故辩说之术奏，未其参伍，固无所用辩说。……夫主期验者任亲，亟亲之而言成典，持以为矩。……而世未有尽验其然者，则必之说废。今言火尽热，非能遍附天下之火也。……尽然不可知，比量成而试之，信多合者，则比量不惑也，……言必有明日者，以昨往有今，以累昨往尽有今拟仪之也。物固有断，则昨或不断而今或断；言必有明日者，是犹言人必有子性，以说不比，以亲即无征。是故主期验者，

越其期验。(同上，一三六——一三八页)

前述章氏关于感觉与思维问题的见解，实已相当卓越。因为像他这样，一方面肯定了感觉或经验在认识过程上的基础地位，而同时又见到了它们的限界性，对于由此所发生的各种偏见，又均能提出相当正确的批判，这在中国旧式的哲学中，殊不多见。(按“亲”、“说”、“闻”三名，引用《墨经》名词。)

正因为在章氏的哲学思想中，具有着使感觉与思维“参伍不失”以成其“辩说之术”的积极契机，所以其哲学体系的内部，才能够包含若干光辉独到的天才的发现。但是，关于这些，我们以后另有专节详论，在这里，我们仅仅提出他的一段言论，以作此后详论的发端。这就是他在《五朝学》里所说：

凡为玄学，必要之以名，格之以分；而六艺方技者，亦要之以名，格之以分。……故玄学常与礼律相扶。自唐以降，玄学绝，六艺方技亦衰。唐初犹守六代风，颜孔陆贾之说经，李淳风祖孙之明算，孙思邈张文仲之习医，皆本六代。贾公彦子大隐本以传经得名，而作《老子述义》十卷，注《公孙龙子》一卷，则经师犹审形名也。

中唐以降，斯风绝矣，宋元喜言性，堆算术亦巧。(《太炎文录初编》卷一，六八——六九页)

此种哲学史上哲学与科学发展为平行线的发现，与前述为重视感觉或经验的态度，其间实有因果关系。

但是，他还有另一方面，即在拆散时代企图建立的不动体系，他关于感觉与思维问题上，亦要由俗向真，故最后他关于这一问题的解决，依然是归结于佛家唯心论观点的。他在《葑汉微言》里曾说：

程伯淳谓王介甫云，公言道如在十三级下谈塔上相轮；如某，必亲到相轮，方说相轮。斯言甚是，……佛法以证为究竟，本贵其实验耳。真不可以意想验，若夫八识四相三细六粗五心五遍引境，内自观察，外参之众同分，未有不可验者。(一一页)

从这里起，章氏由佛家观点以解决感觉问题起，他的议论就和其宇宙根源论完全接合了起来。在《齐物论释》里，他说：

以现量取相时，不执相在意根以外；后以意识分别，乃谓在外。于诸量中，现量最胜。现量既不执相在外，故知所感定非外界，即是自心现影。既无外界，则万窍

怒号，别无本体。（六——七页）

在这里，我们要问感觉不以对象在外，对象就果然不在意根以外了吗？章氏在这里的见解，和他以表象作为对象的唯心论固然相互呼应，然而，在另方面，和他批评“以众所共见为真”的精神，不是又恰巧相互抵触了吗？

尤其应当特别注意的，就是章氏在衡量感觉的时候，作了许多异想天开的论证。关于此点，前述其批评唯物论时所引庵卢知的话，即是一例。庵卢知的话，是说：物体在眼球底里的映像，依光学证明是倒立的，而人类自内外视，则又依光学之理而视为正像。这本来是很简单的，连续颠倒两次，自然还原为一个正像，这里所讲的，只是如此。而章氏当作明证“感觉亦以悟性为依”，并断“若专就神经对印为言，即无解于倒见之疑”。因而更主张感觉“必有原型观念在其事先”。而最为骇人听闻的，则是《齐物论释》里下列一段：

此土言赤，远西英羯兰言累特，德意志言萝帖……类耶？不类耶？原夫初通殊域……语者或指丹沙，红蓝染帛相示，是故得知此语为赤，展转相授，以为不二。

然此土人眼黑如纯漆，彼土人眼眸如渍蓝，视色宁无差异？如人以眼从涅颇黎中窥物，赤色即有增上黑相；从蓝颇黎中窥物，赤色即有增上蓝相。增黑即紫，增蓝即绀。如是，有一眼如清冷水玉者，眼色唯是，空一显色，然后视赤无差。而此黑眼人所得赤色，如实是紫，蓝眼人所得赤色，如实是绀，虽犹别有紫绀之相，以彼赤上所增黑蓝，转蓝加深，是故等差增益，无有爽异。然今吾所得赤，固非真赤，而彼远西人眼所取之相，名为累特，萝帖者，又不当于此土人所取赤相，正相当于此土人所取浅绀之相。虽指物实同，而现相各异。指物同则类，现相异则不类。类与不类等。……类与不类，相与为类。（三一——三二页）

在哲史学上，怀疑感觉的真实性的理论，不胜枚举；然而，像章氏这样，从人种学上和物理学上的原理，从中西人种眼球颜色的差异上，更通过光学或配色学的原理，以证明感觉与对象间的宿命的“不相应”，依据着这样的论据以否定感觉的真实性，则确乎尚属罕见。

章氏在这里的企图，和他关于唯物论的误解是紧相关联的。他由于认唯物论和科学不并立，所以便企图用科学——物理学和人种学的知识来推翻唯物论者以感觉为存在的反映的见解。但是，章氏的不幸，也恰巧从这里开始。这就是说，从这里，不但证明了章氏的错误，而且也使章氏自身陷于不可救药的矛盾。更具体的说来，这就是下列的几点。

在物理学上，自从劳兰德氏发明了回折格子以后，学界便公认各种色的区别，系由于光的波长不同。据日人弓场重泰的《物理学史》（第八篇，第二章，第七节）所载，各种色的光的波长，其比较有如下表：

暗赤（法兰荷福 A 线）	〇点七六〇四米哥伦
赤（氢发出的赤即 C 线）	〇点六五六三米哥伦
黄（钠发出的黄即 D 线）	〇点五八九三米哥伦
绿（E 线）	〇点五二六九米哥伦
青（氢发出的青即 F 线）	〇点四八六一米哥伦
蓝（G 线）	〇点四三〇七米哥伦
紫（H 线）	〇点三九六八米哥伦

（米哥伦系 Micron 的音译，公尺的百万分之一。）

又据近人的研究，我们知道，色的感觉是以太振动的反映。即赤色反映着每秒钟四五〇〇〇〇〇〇〇〇

○○○○○○○○○○周波的以太振动，青色则反映着每秒钟六二○○○○○○○○○○○○○○○○○○○周波的以太振动。而以太的振动，则离开我们的视觉而独立的存在。

果如章氏所云，中国人黑眼里所见到的“赤”，和西洋人蓝眼里所见到的“累特”或“萝帖”，所指并非一物，而且不能是一物，则何以在科学的实践上，即在测量赤色的光的波长，或其以太振动的周波时，从未发现此种差异？

果如章氏所云，在感觉与对象中间，必然不能相适应，是明明承认了在内心以外尚有独立存在的对象。然而，章氏不是曾经说过“三界唯心所造”，“宇宙本非实有”吗？由“意想安立而有”的对象，为什么又必然和自己的感觉不相应呢？

所以章氏的论据，如果不能成立，则不但不能推翻唯物论者所肯定的感觉的真实性，反而又证明了这论据本身的非真实性，如果章氏的论据可以成立，则又由于承认了离主观而独立的对象的存在，而恰巧推翻了自己的唯心论。

然而，章氏却不管这些，竟悍然由此出发，更进而断言一切认识皆与对象不相应。这就是他所提出的“能诠所诠互不相称”的原理。在《齐物论释》里，他曾将人类的概念，分为“本名”，“引申名”，“究竟名”三种，而肯定其皆不能与对象相契合。他说：

云何本名？如水说为水，火说为火，寻其立名，本无所依。若夫由水言准，由火言毁，皆由本名孳乳。此似有所依者；然本名既无所依，所孳乳者，竟何所持。其犹画空作丝，织所为罗谷已。此名与义果不相称也。且又州国殊言，一所诠上，有多能诠；若诚相称，能诠既多，所诠亦应非一，然无是事。以此知其必不相称。（二九页）

我们以为，（一）“州国殊言”，（二）言随时易，（三）实质无穷，此三者即是一物多诠的秘密，而均非能诠所诠必不相联的证据。故章氏所断，为无理由，且章氏在《语言缘起说》里曾云：

语言者，不冯虚起。呼马而马，呼牛而牛，此必非恣意妄称也。诸言语皆有根，先征之有形之物，则可睹矣。……以印度之胜论说议之，实德业三，各不相离。

人云马云，是其实也；仁云武云，是其德也。金云火云，是其实也，禁云毁云，是其业也。一实之名，必与其德若，与其业相丽。故物之名，必有由起。（《国故论衡》卷上，三六页）

这里的“有根”“有由”的概念起源论，是明言概念的构成决定于对象的实质，而“必非恣意妄称”；然此与其所谓“寻其立名，本无所依”的见解，不是恰相矛盾，绝不并立的吗？

其次，关于“引申名”，他说：

云何引申名？《荀子·正名》云，名闻而实喻名之用也，絫而成文，名丽也。……若本名与本义相称，引申名与现义即当相远；若引申名与现义相称，本名与本义便亦相违。然用丽俱得，互不相碍，以此知其必不相称。世人或谓，学术典言，有异恒语，此土名义不能剀切，远西即无是过。此亦不然。彼土学者，新立一义，无文可诠，即取希腊罗甸旧语，转变成名，聊以别此俗，犹是引申名也。希腊旧语或有诠表学术，义亦不全；形学本立，实为测地，据其义界，通局有殊；乃至近世，电学得名，语因虎珀；化学得名，语因黑土；物理学得名，语因药品。或因转语，或仍故名，何以言剀切乎？夫能取意念所取事相，广博无边，而名言自有分齐，未足相称，自其势也。（二九——三〇页）

最后，关于“究竟名”他说：

云何究竟名？寻求一实词不能副，如言道，言太极，言实在，言实际，言本体等。道本是路，今究竟名中道字，于所诠中遍一切地，云何可说为道？太极本是大栋，栋有中义，今究竟名中太极字，于所诠中非支茣器，无内无外，云何可说为太极？实在，实际者，本以据方分，故言在；有边界，故言际；今究竟名中实在实际字，于所诠中不住不著，无有处所封畛，云何可说为实在实际？本体者，本以有形质，故言体，今究竟名中本体字，于所诠中非有质碍，不可博制，云何可说为本体？唯真如名，最为精审。……然言说之极，唯是为表。以此知能诠之究竟名，与所诠之究竟义，不能相称。（三〇——三一页）

凡此所论，均与其语言论上的主张反。在前引的《语言缘起说》里，他曾明白的断言：

太古草昧之世，其言语唯以表实，而德业之名为后

起。……世稍文，则德业之语早成，而后施名于实。(《国故论衡》卷上，三七页)

这些肯定概念之历史的发展，及其由具体到抽象，再由抽象到具体的转化的正确发现，一到了哲学上，便又被章氏整个推翻。

章氏在“因此三端，证其不类”以后，便以结论的形式告诉了我们：

名实本不相依。(《齐物论释》，三页)

在这里，我们便在章氏的身上，看见了两个相反的学术面貌：

伟大的语言学者！

矛盾的哲学者！

一个人而兼具伟大与矛盾的两幅学术面貌，虽然有些欠调和，而出现在章氏的身上，却是时代的一面镜子，也并不奇怪。首先，概念(名相)是存在(实质)的反映；因此，其次，在章氏“以分析名相始”的时候是可能伟大的，而在其“以排遣名相终”的时候，则必然成为矛盾。一切的秘密，均在于章氏的“始则转俗成真，终乃回真向俗”的“平生学术”里面。

总之，矛盾是必然的。首先，感觉是认识的始基；其次，感觉既无真实性，则建筑于其上较高级的认识如“本名”“引申名”“究竟名”等，自然皆成迷妄；最后，只有一切的认识皆为迷妄，然后才符合于唯识论的要求。然而，迷妄的形成，既是由于“名实本不相依”，则概念（名）之外，显然尚有存在（实）与之相对立；至此，则章氏遂不得不自相抵触。为使问题更加明白起见，请看《建立宗教论》里下列一段议论：

大圜星界地水火风无生之物，则又依众生心而生幻象，众生度尽，则无生之物自空。（《太炎文录初编别录》卷三，二四——二五页）

这是露骨的破绽，而且是章氏的唯识义谛中所不能免除的致命的破绽！

这一破绽之所以成为“致命”，是因为：

（A）如果感觉有其真实性，则以感觉为基础的思维的认识，便非迷妄；认识如非迷妄，则唯识论即不能成立。

（B）如果感觉无其真实性，则必于能诠（名或概念）以外肯定所诠（实或对象）的存在；名外有实，则不能说“一切唯心所造”，如此，则唯识论亦不能成立。

（C）如果坚持唯识论，则感觉有无真实性一问题，便根本不能提起；因为真实与否，是名与实，或概念与对象之是否照应问题，而不是名与名，或概念与概念之间的问题。

（D）如果根本不提出感觉与思维是否真实一问题，则在以“识”的衡量为中心的唯识论，便无以证成其说，更无以遂行其“转俗成真”及“排遣名相”的任务，如此，则唯识论又不能成立。

据此四端，可知章氏只要不放弃唯识论，则不管他是否提起感觉与思维问题，或他如何提起并如何解决，要在免除其思想体系上的破绽，都不可能。所以这一破绽，就或了解章氏唯识论哲学上致命的破绽，代表了拆散时代的现生社会的影子。

第七节　理论与实践，现象与本质及真理问题

前面由于评价章氏关于感觉与思维问题的见解，曾顺其逻辑的自然的趋势，连带的论及了他对于名实问题

的理解，即所谓名实本不相依的理论。其次，在逻辑上，与名实问题及感觉与思维问题直接相关的，就是理论与实践，本质与现象，以及真理（即所谓“是非”）问题。章氏对这些问题，均曾本其一贯的唯识论的立场，逐一论及。兹分别详述如下。

首先，从理论上来说，如何解决名实问题，便已决定了一个哲学家解决理论与实践问题的方法：如像王阳明根据着“心即理说”以主张“知行合一”之论，即是例证。

其次，由于感觉或经验俱与实践不可分说，所以理论与实践问题，又和感觉与思维问题直接相关。大体言之，凡是唯理论者，均不主张由实践以产生理论，或证明理论；而感觉论者或经验论者的主张，则适相反对。

我们前面已经说过，章氏在名实问题上主张着“实待名而有”，在感觉与思维问题上则又力言“感觉以悟性为依”，“必有原型观念在其（感觉）事先”，则他关于理论与实践问题，究能作何主张并如何解决，是不难想像的。

第一，章氏主张理论可能离开实践而产生。所以他说：

且圣人者，智周万方，形充八极，故能不行而知，不见而名，岂遽不知六合以外哉？（《齐物论释》，四三页）

第二，章氏以为，只有实践以外的寂静，才是产生理论的唯一源泉。所以他说：

颜李之流，以晏坐寂静为忌，云古圣不为是。宁知无意无我，动止皆定，固与修习者殊。……颜李皮相之士。……真见量，真比量，皆从寂定得之。（《葑汉微言》，四八——四九页）

第三，章氏以为，从事于实践活动乃是理论发展的障碍，所以二者必然要相互分离，绝对不能统一。他说：

涂说之士，羡王守仁。夫学术与事功不两立。……人之材力有量，思深则厌于业也。守仁之学至浅薄，故得分志于戎事，无足羡者。（《太炎文录初编》卷一，《说林上》，一一五——一一六页）

上述三点，章氏关于理论与实践问题的见解彻始彻终是饱和着佛教精神的。所以，他虽因强调知与行的“不两立”，而斥“守仁之学”为“至浅薄”，而由于主张“从寂定”中以求得“真见量，真比量”，则又与王阳明的“致良知”之说相合致。这其间精神上的一致性的共同根源，就是佛教大乘寂静主义的认识论。

由于以寂静主义作纽带，章氏在王阳明哲学里，终于发现了“实获我心”的共鸣。所以在《答铁铮》一书里，对于王阳明学派，和他在别处反王的议论相反，曾给予了这样高贵的评价：

主张孔学，则禅宗与姚江一派，亦非不可融会。求其学术所自来者，姚江非特近于禅宗，亦窃密严之意。（《密严经》云：“若法有自性，药无除病能。云何世人见眼药病除愈？但是阿赖邪识变异而流转。”此谓药石于人同是一体。姚江亦有是说。）特其敷衍门面，犹不得不扬儒抑释。今人学姚江，但去其孔佛门户之见，而以其直指一心者为法，虽未尽理，亦可以悍然独往矣。（《太炎文录初编》卷一，六〇页）

佛学王学，虽有殊形，若以楞伽五乘分教之说约之，自可铸镕为一。王学深者，往往涉及大乘，岂特天人诸教而已？及其失也，或不免于我见；然所谓我见者，是自信而非利己（宋儒皆同，不独王学），犹有厚自尊贵之风。尼采所谓超人，庶几相近。（但不可取尼采贵族之说。）排除生死，旁若无人；布衣麻鞋，径行独往；上无政党猥贱之操，下作懦夫奋矜之气。以此揭橥，庶于中国前途有益。”（同上，六五页）

在这里，第一，突现着章氏对于阳明学派的深刻的共鸣；第二，暴露了章氏的狂士风的人生态度的哲学根据；第三，说明了章氏关于理论与实践问题理解中的佛教大乘的本质。

并且，章氏的由寂定以求得真见量真比量的说法，在最后的根据上，尚具有着与之相适应的宇宙观。所以，在《四惑论》里他说：

进化者，……必有所处而后能进。……进者必动，而动与处相反。是故伊黎耶派哲学之言曰：……飞箭虽行，其实不行。（案此与《庄子·天下》篇所引名家说同。）然则，所谓进者，本由根识迷妄所成，而非实有此进。（《太炎文录初编别录》卷三，六六页）

于此可见，寂定主义的知行论与静止的宇宙观，是相互规定着的。这和托尔斯泰的不动性历史见解，实相一致。

章氏关于理论与实践问题的主张已如上述。继此我们所要考察的，就是他对于现象与本质一问题的意见。

现象与本质问题，和哲学上的若干重要问题，如像名实问题，或感觉与思维问题等，均有直接关系。在西洋哲学史上，由于主张感觉不能给予真实的认识，而断定一切外在的多样性的世界均为欺瞒或假相，并据此结论而将真实的世界本体转移成某称抽象的统一的存在（如像埃里亚学派），或转移到理念里面（如像柏拉图）。此外，如像巴克莱，康德，休谟，及马赫主义者等，其哲学上的若干根本的主张，亦均和其关于此问题的理解有关。

章氏关于现象与本质问题的意见怎样呢?

章氏依据于唯识论的立场，曾认宇宙的实体唯是一心，而各种的现象则皆为迷妄。所以他所谓“转俗成真”，即是排弃现象而直探本质；而所谓“回真向俗”则是意味着对于由本质到现象这一转化过程的把握。在这里，我们可由下列两项资料，以窥其见要点：

第一是，《建立宗教论》里所说：

人之所以有此原型观念者，未始非迷。迷不自迷，则必托其本质；若无本质，迷无自起。马鸣所谓无东西者，依方故迷；若离于方，则无有迷。众生亦尔！依觉故迷，若离觉性，则无不觉。以有不觉妄想心故，能知名义为说真觉；若离不觉之心，则无真觉自相可说，是故概念虽迷，迷之所依则离言而实有。一切生物，遍在迷中，非因迷而求真，则真无可求之路。(《太炎文录初编别录》卷三，九页)

第二是，《人无我论》里所说：

所谓依他起之我者，虽是幻有，要必依于真相。譬如长虹，虽非实物，亦必依于日光水气而后见形。此日光水气是真，此虹是幻。所谓我者，亦复如是。故自阿赖邪识建立以后，乃知我相所依，即此根本臧识。此识含藏万有，一切见象，皆属此识枝条。(同上，三六页)

据此可知，章氏关于本质与现象一问题的理解，其中颇多动的逻辑成分。如像以假相虽幻，而乃实有的本质的表现形态；且明证了本质决定现象。同时既强调二者在本性上的对立，又力言二者之舍此亦即无彼，等等，皆是例证。

章氏的这些理解，使我们想起了下列一段名言：

"河流的运动，在水面为泡沫，在水底为深流。"泡沫为现象，水底引起泡沫的深流则为本质。……"虽为泡沫，然亦为本质的表现。"（罗逊达尔）

但是，虽然相似，我们却不否认在此说与章氏之间，依然存在着原则上的对立。即前者所论为客观事物自身的本质与其现象或假相的关系，而后者所指则为阿赖邪识（本质）及其枝条（现象）的关系。所以，章氏在这里所表现的动的逻辑思想，是其唯识论的说法。

正由于章氏以本质与现象问题为阿赖邪识与其枝条问题，故其所论，常与真理论相交错。另一方面，章氏关于真理论的见解，亦同样由唯识论发出，并与其关于本质与现象及感觉与思维二问题的见解相联结，而显示出一些动的逻辑的理解。

在《齐物论释》里曾说：

于觉时异处见人，异处见角，梦中惛乱，见在一处。（八页）

其（大乘入《楞伽经》）以干城幻梦喻有而无因，语亦有过。干城具言干闼婆城，即此海市，亦以反影回射而成，其所依质，犹是对岸山峦城郭，非为无因。梦

亦有因，乐彦辅说梦是想云：未店闻捣齑啖铁扦，乘车入鼠穴，以素无其想尔。（六〇页）

这里所说的，是由正确到错误的转化。而最值得我们注意的则是前引《微言》里下列一段：

心本真如，何缘突起无明？……解斯难者，应举例云：如小儿蒙昧，不解文义；渐次修习，一旦解寤。当其既通，与昔未通之心，非是二物。然未通之时，通性自存，喻如真如；当其未通，喻如无明；由塞而通，喻如始觉。同本苟无通性，则终不可通；若无不通之性，何必待学习方知文义邪？（一页）

这里的意思是说，在真理（真如）中含有谬误（无明）性，而谬误中亦含有真理性。前述章氏批评唯物论时所说“倒见之极，还入正见”，其根据亦在于此。关于此点，在《齐物论释》里又说：

诸凡儒林白衣大匠祆师所论，纵无全是，必不全非。边见但得中见一部，不能悉与中见反也。倒见但误以倒为正，不能竟与正见离也。（五五页）

据此，章氏更进一步，将此原则运用到实际的哲学评论上。在前引《微言》里说：

程朱陆王之传，……今若窥其内心，通其名相，虽不见全象，而谓其所见之非象则过矣。……下至天教执耶和华为造物主，可谓迷妄；然格以天倪，所误特在体相，其由因寻果之念，固未误也。（七四页）

上述章氏关于真理与谬误的关系的见解，第一指出了谬误是真理的一部分，由于颠倒或肿胀而成；第二指出了真理本身即含有成为谬误的可能性；第三指出了二者的对立统一关系，乃其相互转化的契机。所有这些，都显示着动的逻辑的成分。

但是，章氏在真理论上的思想，依然是唯心论的。这就是说，他以为，所谓真理（是）与谬误（非），并不是概念与对象间的合致与否的，而唯是“意根我识种子所支分”。所以上引《微言》里说：

前世希腊史多迦派立学，有知此者。其说曰：观念真妄以何质定？答曰，合于对境事物是为真。然其合于对境事物与否，以何方而能自知？观念真者，当其起时，必有别一观念伴侣而起，为直接之证明。是故观念真妄，不待外物证明。详此所称对境，即是相分；所称观念，即是见分；所称别一观念伴侣而起为直接之证明者，即自证分，即此直接证明之果，即是证自证分。其说优于康德洛者围等远矣。然此所论，犹未穷了；以成就俗谛者，以分别忍识，成就真谛者，依无分别智忍识故。（九页）

他既“依无分别智”而认为“观念真妄，不待外物证明”，则区分真理与谬误的标准又是什么呢？关于这一问题，他在《齐物论释》里即有鲜明的解答。他说：

是非所印，宇合不同，悉由人心顺违以成串习。虽一人亦犹尔也。然则，系乎他者，曲直与庸众共之；存乎己者，正谬以当情为主。近人谓之主观客观矣。……又说道本无常，与世变易，执守一时之见，以今非古，以古非今（或以异域非宗国，以宗国非异域，其例视此），此正颠倒之说。……是云非云，不由天降，非由地作，此皆生于人心。心未生时，而云是非素定，岂非以无有为有耶！……然则，史书往事，昔所印是非，亦与今人殊致。而多辩论枉直，校计功罪，犹以汉律论殷民，唐格选秦吏，何其不知类哉！（一六——一七页）

道何所依据而有真伪？言何所依据而有是非？向无定轨，唯心所取。比其衰也，帝王之治，依以为公义，

是道依于小成；京洛之语，依以为雅言，是言依于荣华。（一八页）

闾娵子都，不与众人共见，必不自谓美好。由斯以言，彼出于是，是亦因彼；曾无先后，而因果相生。则知彼是观待而起，其性本空。彼是尚空，云何复容是非之论？（一八——一九页）

在这些话里，虽然同样闪烁着相对思想的光芒，但是，章氏却公然宣称“是非皆生于人心”，或者说是，真理与谬误，“向无定轨，唯心所取”。像这样，人各一心，真理必为多元；而多元化的真理，结果必致无所谓真理，所以“彼是尚空，云何复容是非之论”？“是云非云”既“皆生于人心”，即亦无所差违，于是，则“是非泯绝”，“真妄一原”（五五页），遂完成“齐物”的义谛，而休乎天均。

第八节　时空论·因果论·法则论

前述章氏的真理论，既以是非真妄皆生于人心，而与客观的对象无关，事实上即已接触到因果问题，或一般法则性问题。现在我们就要考察他关于这些问题的见解。但是，由于自因至果，或由果探因，都不得不通过时间与空间，所以，我们的考察，就应该从章氏的时空论说起。

所谓时间与空间，和物质的存在及其运动形式，是没有方法分开论证的，关于此点，章氏也很明白的予以承认，所以，在《建立宗教论》里曾说：

色尘妄法，对空故有，若无空者，则无色尘之相。假令空是绝无，则物质于何安置？假令时是绝无，则事业于何推行？故若言无空间者，亦必无物而后可。……然则破空而存物，破时而存事者，终不能使边尽诸见，一时钳口结舌明矣。果欲其钳口结舌耶，则唯取物质事业二者，与时间空间同日而拨遮之可也。(《太炎文录初编别录》卷三，一三——一四页)

章氏并据此时空与物质不可分的观点，批判了康德的不彻底。他接着又说：

文如康德，既拨时间空间为绝无，其于神之有无，亦不欲遽定为有，存其说于“纯粹理性批判矣”；逮作“实践理性批判”，则谓自然界与天然界范围各异，以修德之期成圣，而要求来生之存在，则时间不可直拨为无；以善业之期福果，而要求主宰之存在，则神明亦可信其为有。夫使此天然界者，固一成而不易，则要求亦何所用？知其无得而求幸于可得，非愚即诬也。康德固不若是之愚，亦不若是之诬，而又未能自完其说，意者于两界之相挤，亦将心懵意乱，如含蒜□[1]耶？欲解此结者，则当曰：此天然界本非自有，待见识要求而有，……生于独头无明，……依于末那意根而起。（同上，一五——一六页）

非否定物质不能否定时空，章氏的这一见解，我们也甚主张。然而，章氏是公然的物质否定论者，此在前述各节中，尤其在宇宙根源论中，已有评论；兹再引其《齐物论释》里的一段议论如下：

要依藏识说，此微分唯是幻有……复有意根令其坚执，有秉刚之志，故触碍幻生，怀竞爽之心，故光采假现；而实唯是诸心相构，非有外尘。……且依幻有说，万物与我为一，若依圆成实性，唯是一如来藏，一向无有，人与万物，何形隔器殊之有乎？所谓一者何邪？《般

[1] 原书此处模糊不清。——编者注

若经》说：诸法一性，即是无性，诸法无性，即无一性。是故一切无见无相，何得有言？（四一页）

这样，章氏由于否定了物质，便是对于他更进而否定时空的企图预先肃清了道路。所以，在《齐物论释》里他说：

时若实有，即非唯识。……即自位心证自位心，觉有现在；以自位心望前位心，觉有过去；以自位心望后位心，比知未来。是故心起即有时分，心寂即无时分。若睡眠无梦位，虽更五夜，不异刹那。然则，时非实有，宛尔可知。（九页）

时由心变，……彼我各异。童龄以往，觉时去迟；中年以来，觉时去速；淫乐戏忘者，少选而岁逝；舂挽勤苦者，待限而不盈。复有种种别相，各各不同。（九——十页）

时由心造，其舒促亦由变。（同上）

章氏由此更进一步，来阐明时间空间皆由心造而非实有的理由。在前引《微言》里他说：

破我执易，破法执难。如时间有无终始，空间有无方所，皆法执所见。此土陆子静辈，思之终不了然，实未达唯识之旨。时间者，起于心法生灭，相续无已；心不生灭，则时间无自建立矣。空间者，起于我慢，例如同时同地，不能并容二物，何以不容？则因我慢而有界阂，因界阂而有方所；涤除我慢，则空间亦无自建立矣。（二页）

上述章氏以时空为非实有的见解，其最后的根据，依然是唯识论。在这里，也同样由于以印象为对象，而导出了所谓时空皆自心生的结论。但是，不觉时空，果然就无时空了吗？我心不生灭相续，果然时针就不运动了吗？我心涤除我慢，果然同时同地即可并容二物了吗？

章氏在既已肯定时为非实有而后，遂更进而论及所谓因果，乃至一般法则性问题。在《齐物论释》里曾说：

详彼意根，有人我法我二执，是即原型观念。以要言之，即执一切皆有自性，名必求实，……责其因缘。以其如此，谓其先必当如彼，由如彼故得以如此。必不许无根极，去根极者，亦依我执法执而起。……诸责因缘，推理之语是也。然真因实不可得。……身中细胞皆动。……动之依据，还即在动，非有因也。……知母

苦参，能退热病。……能退热病之依据，即在能退热病，非有因也。……本无真因可求也。（二一——二三页）

由时空问题上的主观论，到因果问题上的主观论，本来是很自然的。并且章氏将“责因缘”与“寻实质”又同样当作我执法执而加以驳斥，由此我们即可看出因果问题与心物问题的关系，是如何密切。

章氏关于因果问题，且曾对于叔本华和穆勒都给予批评。他说：

一果本非一因所成……本无疑义。徒以世人误执一因一果，遂堕疑处。箫宾闻尔，弭尔，皆不精解因果别相，何论苟谈名理者乎？（《齐物论释》，六一——六二页）

近世达者，莫若箫宾闻耳。彼说物质常在之律，非实验所能知，唯依先在观念知之。然不悟此先在观念，即是法执。其去庄生之见，倜乎不及远矣。（同上，六四页）

所谓因果关系或一般法则，既然只是“唯依先在观念”，皆是生于“法执”而非实有；然则，心识生灭，本是无常，所以外在世界的发展前途，也就陷于不可知之数。关于此点，章氏在《四惑论》里曾说：

明日有无，必非今日所能逆计。所以者何？未至明日而言明日之有，即无证验。虽昨日之视今日亦为明日，所更明日已多，而今日非昨，则无比例，故明日尚不能知其必有，离于明日，何进化之可言？（《太炎文录初编别录》卷三，六九页）

由否定因果关系的客观性，而怀疑明日之必有，更进而否定进化之可能，像章氏这样大胆而武断的怀疑论，不是比休谟更要厉害十百倍吗？然而，他不但以为排除“我慢”则同时同地可容二物，并且以为排除“心法”，则可以离开时间而有因果，他说：

今物在衡一端，一端重故俯，俯故彼一端仰。以此俯故彼仰，俯者为因，仰者为果。然俯仰非异时，故虽无时而有因果。(《国故论衡》卷下，一四三页）

在这里，存在着误解和曲解。因为从我们看来，俯仰同时，并不能证明“无时而有因果”；实际上，俯者非因，仰者非果，俯与仰都是果，只有衡的两端物体重量的变化，才是俯与仰的因。由地心吸力而生俯仰，由原因到结果的运动，也和一般的运动一样，都是通过了时间而实现的。而章氏所以主张“虽无时而有因果”，则显然是以其肯定时间非实有，即所谓“时由心造”的命题为前提的，在拆散时代，托尔斯泰式的不动概念，确是时空问题的农民意识。所以他接着又说：

由于第一义计之，无古无今，无始无终，三世者，非实有也。（同上，一四四页）

这样看来，章氏既以物质非实有，时空非实有，“因果非物，乃原型观念之一端”，则一般所谓法则或自然规则等，由章氏言之，自然也就不能是外在事物所固有，即不在于外界事物之中，而只有其主观的内在意义。所以，他在《四惑论》里曾说：

言法尔者，本谓离心不得一法，即此法者，亦心之焰尔迷惑所成。言自然规则者，则胶于自然，不知万物展转缘生，即此展转缘生之法，亦由心量展转缘生。虽然，言此者，固自托于唯物。若果唯物，此自然规则者为在物中？为在物外？既许物外更有他事，即不容妄托唯物之名，若在物有素定者，固得以自然规则名，无素定者，亦得以自然规则名。虽然，火之求那，自然而热，火之羯磨，自然而烧，而死灰沙砾有不得烧者，则火之羯磨破。人之按火，未有不觉其热，而死灰沙砾，则无热觉，纵令火著死灰沙砾以后，人按之犹生热觉，特未知火在死灰沙砾果然否也？则火之求那亦破。若曰于此而热，于此而烧，于彼则无热无烧，亦得名为自然规则，然则，火但是火，而热与烧者，唯一部物质对火之名，即不得言火本有热，火本能烧矣。循是以推，所谓自然规则者，非彼自然，由五官感触而觉其然，由意识取像而命为然。是始终不离知识，即不得言本在物中也。（《太炎文录初编别录》卷三，七三页）

这是很坦白的主观主义的法则论：自然规则本不在物中，由五识感触而觉其然，由意识取像而命为然，始终不离知识而有。

章氏此种主观主义的法则论，再与他对于前途无信心的人生观相结合，则对于当作社会轨范的公理论，自然要感到不可忍耐的束缚。所以在同文里又说：

……公理者……非有自性，非宇宙间独存之物，待人之原型观念，应于事物而成。洛闽诸儒，喜言天理，……而其语有疵瑕，疑于本体自在，是故天理之名，不如公理可以见其制之自人也。……宋世言天理，其极至锢情灭性，蒸民常业，几一切废弃之。而今之言公理者，……以世界为根本，以陵借个人之自主，其束缚人亦与言天理者相若。彼其言曰：不与社会相扶者是违公理，隐遁者是违公理，自裁者是违公理。……然则，天理之束缚人甚于法律，而公理之束缚人，又几甚于天理矣。盖人者，委脱遗形，儵然裸胸而出，要为生气所流，机械所制，非为世界而生，非为社会而生，非为国家而生，非互为他人而生；故人之对世界，社会，国家，与其对于他人，本无责任。……有害于己无害于人者，不得诃问之，有益于己无益于人者不得诃问之；有害于人者然后得诃问之。此谓齐物与公理之见有殊。……凡有害于人者谓之恶人；凡有益于人者，谓之善人，人类不为相害而生，故恶非人所当为，则可以遮之使止；人类不为互助而生，故善亦非人之责任，则不得迫之使行。（同上，五九——六二页）

世之残贼，有数类焉。比较其力，则有微甚之分。宁得十百言专制者，不愿有言天理者。所以者何？专制者，其力有限，而天理之力，比于专制为多。言天理者，独于臣之事君，子之事父，操之过蹙，父之期尽，率先于子；而出身事君，亦得恣意去留。是故天理束缚人，非终身不能解放。言公理者，以社会常存之力抑制个人，则束缚无时而断。言天理者，谓臣子当受君父抑制，而不谓君父当抑制，君父不以道遇其臣子者，非独天理家非之，一切社会亦非之；是故屈于一人，而常受怜于万类是尚有讼冤之地。言公理者，以社会抑制个人，则无所逃于宇合。然则，以众暴寡，甚于以强凌弱，而公理之惨刻少恩，尤有过于天理。乃知庄周所谓齐物者，非有正度，正味，正色之定程，而使万物各从其所好，其度越公理之说，诚非巧历所能计矣。若夫庄周之言曰：无物不然，无物不可，与黑格尔所谓事事皆合理，物物皆美善者，词义相同；然一以为人心所不同，难为齐概；而一以为终局目的，借此为经历之途，则根底又绝远矣。（同上，六五——六六页）

章氏以言公理与言天理并论，而以公理较天理尤为残贼，显然是承借了戴东原反程朱理学“以理杀人”的绪言，加以扩充而成。

从这里，我们可以看出：章氏由于否定因果律及法则性一般客观的外在，更进而否定社会法则，而断定社会的公理等轨范，都是纯由人制，并没有它的客观的实在的基础。这些怀疑精神，把封建的天理束缚与市民的商品公理法则，同一置于否定的议题之下，犹之乎当时农民把反抗专制与破坏铁路置于同一议题之下，实际与思维，相为照应。他在“万法唯识”的唯识论者的立场上亦是必然的结论。

在章氏的意见里，我们要提出下列两点异议，作为我们考察章氏关于因果问题及法则性问题的理解的结束。

第一，章氏以为因果律不存在于客观事物连系的本身中，而只存在于人类的原型观念中，这种见解，殊不合于真实。事实诚如狄慈根所说：

客观的科学的认识，其发现原因不由于信仰或思辨，而由于经验或归纳，不依靠先天的方法，而依靠后天的方法。自然科学，不在现象的背后或外部，而在现象之中或通过现象而探求其原因。(《人类头脑劳动的本质》，九四——九五页）

原因是思维能力的产物，而却不是纯粹的思维能力的产物，乃是由思维能力与感性材料相结合的产物。这种感性材料，对于所产出的原因给与了客观的存在。正如我们要求真理是客观现象的真理一样，我们对于原因，也要求它是现实的，客观的某种结果的原因。（同上，九八——九九页）

事物的原因，就是事物的关联。（同上，一〇〇页）

上述狄慈根的意见，我们甚为同意；而与此相反的章氏的见解，则无疑的属于荒唐。因为：果如章氏所说，因果律或必然性本不属于事物本身所固有，则何以老是夏跟着春，秋跟着夏，冬跟着秋呢？如果自然中本没有客观的因果律，为什么在肺与空气之间，在光与眼睛之间，在声音与耳之间，在气候的变化与植物的荣枯之间，老是保持着呼应承接的关系，而永不将其发展的顺序颠倒过来呢？如果自然中本来就没有必然性的客观法则，为什么地球不时而一年一度，时而十五分钟一度绕太阳一周呢？为什么地球的轨道不时而是椭圆形，时而是四方形的呢？为什么不时而是太阳绕地球，时而是地球绕太阳呢？这些铁般的事实，都确证着章氏的主观主义的因果论与法则论的谬误。

第二，章氏由于否认一切的因果律及法则性的客观存在，更进而站在极端个人主义的立场上，断言一切的规范或法则，都是对于个人自主的束缚。在这里实已接触到必然与自由问题，而章氏的主张，则是以为，只有不承认一切心外的事物及其法则的实在性，然后才能求个人的意志自由。但是，真正的自由，果然是由于抹杀了必然性的法则而可能取得的吗？关于此点，著者引一段正确的解答如下：

黑格尔第一个正确地规定自由与必然间的相互关系。在他看来，自由是必然的理解，必然只在未被人理解之前是盲目的。自由不是在于想像中的对于自然法则的独立，而是在于认识这些法则，而能有计划的利用它们来达到一定的目的。这不但通用于自然外部的法则，而且还适用于那些支配人本身肉体存在与精神存在的法则——这两种法则，我们只能在思维上分别开来，在实际上是分不开的。所以意志的自由，只是人们根据事实知识以决事物的能力，因此，人对于某一问题的判断，愈是自由，这个判断内容的决定，将带着更大的必然性，相反的，犹疑不决是以无知为基础，表面上似乎在许多不同的相互矛盾的可能决定中，自由的任择其一，可是其实它正是证明自己的不自由以及自己对于自己所应该支配的对象之屈服。这样，自由是在于统治自己及外部自然；所以它一定是历史发展的产物。

然而，章氏的见解，都在他的哲学思想中早经注定了必然要出现的。试想想看，既否定了客观世界的独立存在，当然要以自然的因果性与法则性为非实有，既否定因果性及法则性的实有，当然要否定社会法则（公理）的客观外在的意义，因而当然要排除一切的必然而要求单纯的主观的意志自由。这一切的命题，是循着力学的法则，一联串成的。

章氏正是根据着这种的因果论，法则论，在社会的政治的实践上，导出了极端的个人的主义，而确立了所谓个人对世界，社会，国家，与其对于他人，本无责任的排除一切“束缚”的不动的世界观；并且这种世界观，和前述章氏在一般哲学上的唯心论，也是不可分离的。这样，我们便证明了下面这一名言的正确性：“因果性一问题，从决定五花八门的最新‘主义’的根本哲学方向说，特为重要。”

太炎由理性主义的人文思想，跳到否定法则性的理论，而要求无束缚的极端自由，是托尔斯泰式的忏悔罢了。

第九节　关于质量、同异及有无诸问题

某事物之所以成为某事物，其与别的诸事物之所以异与所以同，其本身之所以存在（有）与不存在（无）等，都决定于质量的交互关系。从这一点上来看，则所谓质量问题，同异问题，以及有无问题等，是分不开的。章氏对此纵横相关的三个问题，均有论证，且在章氏的哲学思想上，亦特别重要，所以我们要逐次予以详述。

首先，我们应该知道，章氏的哲学思想，完全建筑在庄子的《齐物论》上面，如果离开了庄子的《齐物论》，则我们便无从理解章氏的哲学，尤其无从理解他关于质量，同异，及有无诸问题的意见。所以，我们应先从章氏的《齐物论释》里摘录几段，借以究明所谓“齐物”的认识论的本质：

齐物者一往平等之说。详其实义，非独等视有情，无所优劣。盖离言说相，离名字相，离心缘相，毕竟平

等，乃合齐物之义。……若其情存彼此，智有是非，虽复泛爱兼利，人我毕足，封畛已分，乃奚齐之有哉？（一页）

两行之道，圣哲皆然，自非深明玄旨，何由寻其义趣？……此生彼灭，成毁同时，是则毕竟无生，亦复无灭。……证无生灭，示有生灭，此亦两行也。若海羯尔“有无成”之说，执着空言，不可附合庄氏。……此学人所当知。（二五——二六页）

天均者，天倪也。是则所谓无尽缘起，色根器界，相名分别，悉号为种，即天倪义。若就相名分别习气计之，此即成心，此即原型观念。一切情想思慧，腾掉无方，而绳御所限，不可窜轶，平议百家，莫不持此。所以者何？诸有知见，若浅若深，悉依此种子。而现世识，处识，相识，数识，作用识，因果识，乃至我识，此七事者，情想之虎落，知识之坦苑。是故有果无因，有相无体，现色不住于空间，未来乃先于现在，为人所不能念，自不故为矫乱，及寐语病狂者。（五四——五五页）

同异之辩，不能相正，独有和以天倪。第一章说，和以是非，休乎天均，此谓两行，已示其端萌矣。康德之批判哲学，华严之事理无碍，事事无碍，乃庄生所笼罩，自非天下至精，其孰能与于此？尔则，天倪所证，宁独生空？固有法空；即彼我执法执，亦不离是。真妄一原，假实相荡，又非徒以自悟，乃更为悟他之齐斧也。（五五页）

章氏“一往平等”的思想，确是含有积极的要素，然这亦与他在法则性方面的怀疑主义相似，一往平等的极端推论，又把他带到“真妄一原”的路上，故他所谓之齐物论，不外是以两行——天倪——天均——成心——原型观念为最高概念的认识论。这种认识论的特点，就在于“泯绝彼此，排遣是非”，“破名相之封执，等酸咸于一味”。在这里，一切的事物，便如“暗夜里的牡牛”，尽归齐同，而无所差异。

这样，在齐物论下，便只有同而没有异。章氏在《明见》中关于以惠施为代表的合同异派所持十事的评论，对此点有更加具体的阐明，他这样说：

观惠施十事，盖异于辩者矣。本事有十，约之则四，四又为三。一事，至大无外谓之大一，至小无内谓之小一；又曰无厚不可积也，其大千里。大未有不可㢑，小未有不可分，虽无利器致之，校以算术可知也。诸在形者，至小为点，……引点以为线，……比线以为面……絫面以为体。……点者非自然生，犹面之积已。故因而小之，点复为体，谓之小一可也，点复可折，絫下而点为无尽，以为无内非也，因而巨之。体复为点，谓之大一可也，体复可倍，絫上而体为无尽，以为无外非也。……以算术计之，无至小之倪，故尺度无所起，于无度立有度，是度为幻度；幻，即至大与至小无择，而千里与无厚亦无择。……天与地卑（卑借为比），山与泽平，是分齐废也。我知天下之中央，燕之北，越之南是也，是方位废也。南方无穷而有穷，是有际无际一也。连环可解，是有分无分均也。二事，日方中方貌，物方生方死。诸言时者，有过去，现在，未来，过去已灭，未来未生，其易知而见在亦不可驻。……方念是时，则已为彼时也，析之不可尽而言有时，则是于无期立有期也；执无留止而言是时，则彼是无别也。……诸有割制一期，命之以今者，以一朅沙那言今可，以一岁言今犹可，方夏言今岁不遗春秋，方禺言今日不遗旦莫，去者，来者，皆今也。禺中适越，铺时而至，从人定言之，命以一期，则为今日适越矣；分以数期，则为昔日至越矣。是以时者唯人所命，非实有也。三事，大同而与小同异，此之谓小同异；万物毕同毕异，此之谓大同异。物固无毕同者，亦未有毕异者，浮屠之言曰：从一青计之，以是青为自相，以凡青为共相，青同也；以凡青为自相，以赤白黄紫为共相，显色同也；以显色为自相，以声香味触为共相，色聚同也；以色聚为自相，以受想行识为共相，法同也。无毕同故有自相，无毕异故有共相。大同异而与小同异，此物之所有，万物毕同毕异，此物之所无。皆大同也，故天地一体；一体，故泛爱万物也。惠施之言，无时无方，无形无碍，万物几几皆如矣。椎捣异论，使齑粉破碎，己亦不立。（《国故论衡》卷下，一四四——一四六页）

我们前面说过，质是某事物之所以成为某事物并与其他事物相区别的核心，则章氏之根本否定事物彼此间的区别的存在，当然是以先已否定了质的实有为前提的。此在前述的章氏的宇宙根源论中，他以为宇宙本无实质，而所谓实质云云，皆生于法执或原型观念，即为最著的明证。

并且，在质量问题上，章氏不但否定了质的存在，而且更由于将质还原为量，进而将高级形态分解成低级形态，最后，又将低级形态看成了高级形态，使二者成为完全同类。在《齐物论释》里曾说：

此有情马，本是地水火风种种微尘集合，何可说为有情数？若云地水火风，亦是有情者，诸分情数，合为一有情数，虽说为马，唯是假名，此则马亦非马也。（二一页）

此黄金分子，虽名无生，其实有生。所以者何？有重能引他物故。……金有重性能引，此即业识；能触他物，此即转识；或和或距，此即现识。是故金亦有识，诸无生者皆尔，但以知识别业不现，随俗说为无生。……旧分情界，器界，……但依智慧高下，假为分别，如珊瑚明珠等物，是情是器，本难质定，故虽说金为器界，不碍有生。……黄金既是生物，即有进化。（三七——三九页）

人体……又食牛羊鸡鹜肉者，此异性肉，亦化为人肌肉；菜果谷麦亦尔。虎豹鼉蟲食人，噆人，其化亦尔。非直血肉筋腱各种果色为然，且如精子，亦由各种饮食，展转同化。如是，精子亦缘无量异性生命集成，其更相为种益明。下逮金石，既亦含于人体，或啖云母，或餐钟乳，悉可摄受，为人身分。乃至誉石水银，食之陨命；既有相害之能，即有相和之道。（四〇页）

在《国家论》里又说：

若以原子为实有，则一切原子所集成者，并属假有，何以故？分之则各还为原子。故自此而上，凡诸个体，亦皆众物集成，非是实有。然对于个体所集成者，则个体上得说为实有，其集成者，说为假有。国家而为人民所组合，故各各人民，暂得说为实有，而国家则无实有之可言。（《太炎文录初编别录》卷三，七六页）

凡言爱国者，悉是迷妄。（同上，八二页）

在《菿汉微言》中也说：

一切矿物，皆有臧识。随其大小，以为身体。识与识者体相名数等无差别，由彼臧识与己臧识对构，方能映发。识识相遇，如无线电，对至即通，不烦传送。如是，己识方起，自心相分变见，似彼境界为所缘缘。彼识不与己识对者，除睡梦位乱意识外，则自心相分不能变起。由是远近来去，能成隐显差别，无同时同处普见之过。……外境是无，他心实有。唯识云者，许各各物皆是唯识，非许唯有自心一识，说有他心，岂成违碍？又今所见，且非他心，但由他心对至自心，而有相分变见，无所难过；他心亦能自见相分，而此所见，唯是自心相分，非是他心相分。（七——八页）

从这里，我们可以看出下列四点：

第一，章氏由于不理解事物的运动发展过程是一种由量变到质变，由低级形态至高级形态的升涨运动，不理解低级与高级之间，不仅有量的不同，而且有质的差别，由于只见量而不见质，所以他以为，马可以分解成地水火风等无机物的集合，而黄金等则是生物；这样，便在某些方面，与狄尔泰主义相合流。而全部的秘密，即于抹杀了质的存在。

第二，章氏由于不理解质量关系，遂认为矿物，生物，及人体的相互转化，是高级形态可以分解为低级形态的证据，是万物唯识，本无实体的证据，可算是王阳明以后的第二个怪论。阳明曾云：

风雨露雷，日月星辰，禽兽草木，与人原一体。故

五谷禽兽，皆可以养人，药石之类，可以疗疾；只为同此一气，故能相通耳。(《传习录》)

阳明此言虽与章氏不甚相同，而本质上则都是一元唯心论。关于此事，达尔文所见最正确精当。他说："人类可自较低级诸动物传染一定疾病，且能向彼传染，如恐水病、脓胞疹、鼻疽、梅毒、霍乱、癣等；此等事实，乃证明其基本与血液，就细微构造与成分言，皆密切相似，其明显较良于置诸最佳显微镜下比较，或助以最佳化学分析。"(《人类原始及类择》)

在这里，确证了一元唯物论的真理，而与章氏的意见，实不相同。

第三，章氏依据着唯识论，"许多之物皆是唯识"，因而断定了"一切矿物皆有臧识"，这简直是露骨的万有有灵论。至于以所谓认识，乃"由彼臧识与己臧识对构，方能映发"，则更是唯心论的反映论，这种反映论与唯物论的反映论的根本不同，就在于它不以认识为客观存在于人类主观中的反映或摹写，而以为但心"所变见的自心相分"，也就是所谓"外境是无"的理论。在这里，我们便可以知道，章氏不称世界为存在，为物质，而特别名之为“相”的秘密的所在。

第四，章氏的还元论的基本命题，即所谓低级形态为实有，高级形态为假有。将此之法应用到实际问题，即国家问题的认识上，其结论就是：人民对于国家而言，虽得暂视为实有，而国家本身则为假有。于是所谓“凡言爱国者，悉是迷妄”云云，亦为不得不有的实践上的主张。在这里，一方面是显示着见量不见质的还元论的方法和极端个人主义人生观中间的连系，而另一方面也表明了还元论的方法在实践领域上的危险的偏向。并且证明了一个种族革命论者与哲学思想的矛盾，而所谓“逮政”之言与哲学分野的二元思想是如何难以成立。

在章氏的还元论中，当他说着“若以原子为实有，则一切原子所集成者，并属假有”的话的时候，实际上即是以质为假有，而只肯定了当作质的构成分子的量的实存性。很显然的，在这里，量的把握，遂成了问题的核心。

关于量或数的问题，章氏亦曾论及，而最明白的代表了他的哲学性格的，则是《建立宗教论》里面的下一段话：

量与无量，本由自心分别而起。分别所依，依于吾形吾寿以为权度，于其本无量者，而强施以有量之名，若离我见，安取量与无量之说？若犹不了，则更取离于外界者而言之：夫一二三四之数，本非外界所有，而此一数，递加递乘，自十百千万亿兆，以至不可纪极之数，则虽以超过永劫之寿，无一刹那而不搂指以计，犹不能尽其边际也。夫以心所自造之数，其无量亦如外界，然则，无量固在自心，不在外界明矣。(《太炎文录初编别录》卷二，二〇——二一页)

在这里，章氏的意思很明白，数量“本非外界所有，而性是内识之范畴”。这还不是露骨的康德型的唯心论的数量观吗？

据上所述，章氏关于质量问题，其见可分为下列三点或三个步骤：

（A）首先抹杀了质的存在，而将一切事物的基点归属于单纯的量；

（B）其次又将量的客观存在性予以根本的否定，而视之为纯粹的“内识之范畴”；

（C）最后，质与量既均非实有，则自然到达于唯识论的结论："三界唯识所造"。

章氏的这三个步骤，是互为首尾的，在他的哲学思想中也是必然应有的。兹依照着唯识论的逻辑本性，略加分析如下：

第一，如果允许了内识以外还有质量等客观的范畴存在，则唯识论便不能成立，故欲建立唯识论，即不得不否定质与量的存在。失去了质与量的外界事物，乃成了"心识之荫影"，乃成了由内识外化（变见）的"自心相分"。

第二，在现实世界里，只有多少"什么"，或"什么"多少，而绝对没有抽象的，空头的，脱靴的"多或少"，即纯粹的量，所以章氏在唯识论的要求之下，既排除了"质"，其彻底化的结果，自亦不得不排除"量"。在这里，便确证着"质量不可分说"的真理。

我们已经说过了，事物的有与无，完全决定于质量的交互关系的变化。今章氏既已断言质与量皆非外界所实有，则所谓"有无问题"，由此亦得到了解答：

不觉心动，忽然念起，遂生有无之见。计色为有，离计孰证其有？计空为无，离计孰证其无？……然今之论者，现是有言，言既有是，所诠之有，宁得遮拨为无？而此能诠，诚合于所诠不？又无明证。……名义既不相称，虽有能之诠名，何与所诠之事？（《齐物论释》三三页）

故（庄子）曰：无有一无有也。老子亦云：天下万物生于有，有生于无。初语随法我执，故云万物生于本质；次语破法我执，故云本质生于无。无者云何？即遍计所执自性。此性本无，无则不生。而言生于无者，欲以无之能生，证明有之为幻。所谓正言若反者矣。（同上，六三页）

如柏拉图可谓喜说"伊跌耶"矣。然其谓一切个体之存，非即伊跌耶，亦非离伊跌耶；伊跌耶是有，而非此则为非有；彼个体者，则兼有与非有。夫有与非有之不可得兼，犹水火相灭，青与非青之不相容也；伊跌耶既是实有，以何因缘不遍一切世界，而令世界尚留非有？复以何等因缘，令此有者能见景于非有，而调和之以为有及非有？若云此实有者，本在非有以外；则此非有，亦在实有以外。既有非有可与实有相立，则虽暂名为非有，而终不得不忍其为有；其名与实适相反矣。若云此实有者，本无往而非实有，特人不能以明了知识观察，横于实有之中妄见非有，复于此妄见非有之中微窥实有，更相盘错，然后成此个体之有与非有；是则成此个体者，见相二分之依识而起也，非说依他起自性，则不是以极成个体。(《太炎文录初编别录》卷三,《建立宗教论》，一五页，按伊跌耶即理念)

上述章氏关于无有问题之意见，虽在有与非有的对立中，透露了一点变化观点的痕迹，但是，他却断定了“有无之见”，系生于“不觉心动，忽然念起”，即所谓“无有一无有也”。这里，依然是露骨的唯心论。

总之，章氏是依据着唯识论的一贯的立场，由于借用了还元论而否定了质与量的客观存在，更由于与齐物论相结合而抹杀了现实世界中诸事物彼此间的具体的差别性，因而又导出了“无有一无有”的与日本东西田几多郎的“无的逻辑”异曲同工的“无元哲学”的结论。

把章氏的“无的逻辑”推至极端，就成了《五无论》(《太炎文录初编别录》卷三）里所说的“无政府，无聚落，无人类，无众生，无世界”。然而，在唯识论的命令之下，究竟还有一件东西为章氏所肯定，这就是：

芸芸万物，本一心耳。（同上，五六页）

第十节　无神论与宗教论

综合以前各节所述，章氏哲学思想的唯心论的体系，已显然可见，无复怀疑的余地。然而，章氏在另一方面，却又是一个无神论者，对于一切形态的有神论，他都攻击驳难，不遗余力。按照一般的原则讲来，唯心论与有神论是不可分的，而章氏则以唯心论者而反对着有神论，并主张无神论，这是非常令人感到奇异的一点。

无神论与宗教信仰，本不两立，这也是一般的原则。而章氏则以无神论者而高倡建立宗教，这又是非常令人感到奇异的一点。

究竟章氏是通过了怎样的逻辑纽带，而将唯心论，无神论，宗教建立论相互联结起来，使三者沟通为一呢？这是我们现在所要论述的课题。

首先，我们知道，一切的有神论，都与外因论有方法上的内在关联。肯定一个（有时为数个），超然于世界万物（连个人在内）之外并其上的某物，为一切事物运动发展的最后的原因或动力，这便是神的存在的逻辑上的摇篮。然而，这样的武断的肯定，其本身就包含着自己炸裂的宿命的矛盾。这就是说：

（A）如果不肯定外因论，则事物发展运动的原因或动力，便在于事物的本身内部，而不在于其外或其上；于是，则最高至上的造物的主宰（神），即无从生产。

（B）如果将外因论彻底化，则当作最高至上的主宰的神，其本身亦另有外因方能产生；如此，即丧失其最高至上性，因而亦即不能成其为最后原因，最高动力的主宰。

像这样，由于肯定外因论而成立，又由于肯定外因论而破灭，正是有神论自身所不能克服的宿命的矛盾。章氏也恰巧是抓住了有神论的这一矛盾而加以攻击的。所以，在《无神论》里他说：

基督教之耶和瓦也，以为无始无终，全知全能，绝对无二，无所不备，故为众生之父。即彼所说，其矛盾自陷者多，略举其义如下，……若万物必有作者，则作者亦更有作者；推而极之，至于无穷。然则，神造万物，亦必被造于他；他又被造于他。……以此断之，则无神

可知已。(《太炎文录初编》卷三，二——五页）

却尔图门之说，以为神即精神，包有心物，能生心物。此则介于一神泛神二论之间。夫所谓包有者，比于囊橐耶？且比于种子耶？若云比于囊橐，囊橐之中，本是先有，非是囊橐所生，不应道理。若云种子……然种子本是干茎华实所成，……此则神亦心物所成，……是心物当在神先矣。若谓自种子能生干茎华实，……如藕根之相续者。……（然）藕自藕中，……藕复生藕。……达摩波罗氏云：若法能生，必非常故；诸非常者，必不遍故；诸不遍者，非真实故。若是，则神亦曷足贵邪？（同上，第八章）

夫有神之说，其无根据如此；而精如康德，犹曰“神之有无，超越认识范围以外，故不得执神为有，亦不得拨神为无”，可谓千虑一失矣。……而神者，非由见量，亦非自证，直由比量而知。……则为分别执。既以分别而成，则亦可以分别而破。……若神则非儿童所知，其知之者多由父母妄教，不则思虑既通，妄生分别耳。然则，人之念神，与念木魅山精何异？若谓超越认识范围之外，宁不可直拨为无邪？凡见量之自证之所无，而比量又不合于论理者，虚抚其名，是谓无质独影。……唯神亦然。不可执之为有，而不妨拨之为无。非如本体实在等名，虽然，感觉所知，而无想灭定之时可以亲证，其名则又非比量所能摧破也。更以认识分位言之，则人之感者，以为得其相矣，而此相者，非自安立为相，要待有名，然后安立为相，吾心所想之相，唯是其名，于相犹不相涉；故一是名种分别，类属非真。况于神之为言，唯有其名，本无其相，而不可竟拨为无乎？（同上，九页）

在章氏的这些对于有神论的驳斥中，表现着清醒的理性主义，以及形式逻辑毋相中律的精神。而其主要的着眼点，则在于揭发外因论的方法本身所包含的宿命的矛盾。关于此点，章氏在《答铁铮》一书里，有明确的自述。他说：

往者作无神论，大为基督教人所反对。广州有《真光报》，以仆为狂悖至极。吾以理内之言相稽，而彼以理外之言相应，此固无庸置辩。……要之，仆所奉持，以依自不依他为臬极。（《太炎文录初编别录》卷二，六五页）

此所谓“依自不依他”，即是与外因论针锋相对的自己原因说的观点或方法。

但是，章氏的自己原因说，本质上乃是心识的自己内部循环，因而与外因论相反，并不是物本论与机械论的对立，乃是主观唯心论与机械论的对立。正因为此，所以章氏认为：凡于内识以外，承认任何另一实体的存在，皆是有神论所于以繁殖的土壤。在《建立宗教论》里曾说：

说神我者，……是第一倒见也。……说物质者，……是第二倒见也。说神教者，……不能退而自观其心，以知三界唯心所见，从而求之于外，于其外者，又与之以神之名，以为亦有人格。此心是真，此神是幻，执此幻者以为本体，是第三倒见也。（同上，卷三，一四——一五页）

执一实以为神，其失固不胜指转。而谓此神者，冒世界万有为言，然则，此所谓有，特人心之概念耳。以假立依他言之，概念不得不说为有；以遮拨遍计言之，概念不得不说为无。从其假立，而谓概念唯在自心；……从其遍计，而谓吾以概念必有一外在者与之相应，从而葆祠之，祈祷之，则其愚亦甚矣。……由此故知冒万有者，唯是概念。知为概念，即属依他；执为实神，即属遍执。于概念中，立真如名，不立神名，非斤斤于符号之殊，由其有执无执异耳。（同上，一七——一九页）

从这里，我们已经可以看出，所谓“三界唯心所见”，所谓“万有唯是概念”，即是“依自不依他”，即是“理内之言”的真谛。而章氏的无神论，便是这样说明的。

根据上述，我们有两点需要提出：

第一，章氏所谓“三界唯心所见”的主观唯心论，如果贯彻到底，的确是不可以导出有神论的破灭的。关于此点，普氏在批评巴克莱哲学的时候，曾有光辉的阐明，他说：

巴克莱……在他的学生时代，即已形成了他的有名的理论：Esse-Peripi（存在即是感觉）。在别的杂记中曾说，“将存在与感觉中者分别为二，这种见解将有危险的结果，而此见解乃是霍布士的学说（即唯物论——普注）”的基础。这位青年在别的笔记中又说：“一旦承认了物质的存在，则谁也不能证明神非物质。”为避免此种危险结果，唯有不承认物质存在之一法。而此目的则可由“存在即是感觉”一学说而达到。……当他后来成为大僧正时，曾说：“如果我的学说得到良好的理解，则所有自命为宗教敌人的伊壁鸠鲁，霍布士及斯宾诺沙等人的哲学‘皆得以破坏’。”……然而，事情并非如此完全顺利。在巴克莱看来，似乎他的学说得到良好的理解，即所以表示肯定他的学说是不可动摇之正确，事实上此正表示他的不彻底性之暴露。如果Esse-Peripi这是巴克莱所始终坚持的理论，则神将与物质有同一的运命，它也要如物质一样，只有在我们观念中始能存在。如此说来，则不仅唯物论，而且宗教也皆得此破坏，巴克莱学说用新的方法所得到的，正是这位思想家所决心铲除的危险结果。巴克莱为他所死不敢放松拥护自己传说信念的愿望所蒙蔽，不曾指出，或是不愿指出这一矛盾。

这是很明白的，巴克莱与章太炎同样，都从主观唯心论出发，而巴克莱由于自己的不彻底性，支持着有神论；章氏则彻底了一步，遂道出了无神论的见解，但是，章氏在这里也并非真正彻底，如果他能更彻底一步，则不但有神论，即唯心论也一样要被推翻的。这就是说，当章氏排斥外因论的时候，却忘记了他的唯心论，他的由内心以产物质，以造成神的见解，也正是由外因论而成立的，也正是由先肯定了事物以外的最高原因的存在而成立的。在这里，我们就可以体会到唯心论与无神论的本质矛盾。然而，章氏由于不敢放松他的唯识论的“传统信念”，由于被这一信念所“蒙蔽”，所以他也和巴克莱一样“不曾指出或是不愿指出这一矛盾”。

第二，章氏以为允许了“概念必有一外在者与之相应”，即要导出有神论，只有肯定“万有唯是概念”的命题，才能彻底排除了神的观念，这显然是唯心论的偏见。并且这种偏见，和波格达诺夫对于唯物论的攻击，是有点相近似的。波格达诺夫在其《社会意识学大纲》里曾经这样断定：唯物论所谓“离开人类意识而独立着的存在”，乃是“交换社会意识的形态”中的“抽象的灵物崇拜”，他和康德的物自体，莱布尼兹的“单子”，宗教的“神”，本质上是同一物，都是“权威观念”的遗物，而为“集团主义时代”的“新的意识”所“断乎不能承认的”。（参照陈望道施存统合译本第三〇七、三二〇、三三六——三四四、三九七——四四一等页）是知经验一元论者波格达诺夫与唯识论者章太炎同样，以为从唯物论里必然要导出有神论，或者说，前者本质上就是后者的遗物。从此可知，唯心论在名目上花样虽多，而归根结底，要在中心问题上会合。

然而，在章氏的《无神论》中，却也并非全是唯心论的呓语，而尚有着堪称为积极契机的唯物论的萌芽，这就是和他的重视感觉或经验的思想相联结的关于神的思想起源的另一面考察。章氏以为，神的思想另一起源，就在于抛弃现实的感性的经验事实，而从事于毫无质据的纯比量的臆度妄断。所以，在《原道上》里曾说：

先物行，先理动之为前识。前识者，无缘而妄意度也。……夫不事前识，则卜筮废，图谶断，建除堪舆相人之术黜矣。巫守既绝，智术穿凿亦因以废。其事尽于征表，此为道艺之根，政令之原。是故，私智不效则问人，问人不效则求图书，图书不效则以身按验。（《国故论衡》卷下，一二一页）

此所谓前识，即是先验观念。章氏以此为神的思想的认识论方面的起源，并力求废前识以贯彻经验主义而支持其无神论，实属卓见。

在章氏哲学思想中，既以原型观念为认识论的最高范畴，处处当作先验之物而加以强调，及至其驳难有神论，而又力主废前识，强烈的要求“以身按验”、“其事尽于征表”；此实为不可掩饰的矛盾。然此矛盾，在章氏本人，则初未自觉，相反的他由于“两行之道”，以原型观念为“转俗成真”或“排遣名相”的灵魂，而“主期验”“废前识”则是他“以分析名相始”的“从入之途”；通过了这样的内心安排，矛盾便在章氏的主观中得到了消解。

诚然，在主观中消解了矛盾，并非即是矛盾的不存在。不过，纵令是矛盾的，而此种主期验，废前识的积极性的见解，在章氏的本格的哲学性格中（如像关于感性认识的部分正确的肯定，经古文学派无征不信的传统），尤其章氏的实践规定中（对公羊学派的全面性斗争，此点另有详论），却也是应有的契机。

第三，由于在章氏的《无神论》中有了这一积极性的契机，所以才连带的出现了特性限度内的清醒的理性主义精神。并且，又由于此二者相结合，才使得章氏完全武装起来，使他不但能够依据着形式逻辑的原理，发掘了有神论的宿命的矛盾，而且也能够运用人文主义的精神，来暴露神的思想在实践领域上的无力。关于此点，在《齐物论释》里曾说：

夫托上神以为称，顺帝则以游心，爱且蹙兼，兵亦苟偃；然其绳墨所出，覩然有量，工宰之用，依乎巫师，苟人各有心，拂其教条，虽践尸喋血，犹曰：天之计也。（一页）

若其渴望无已，攻取万端。王章禁盗，非不励也；而蹇裳赴镬者，甘之若荠，噬肤灭鼻者，就死如饴。是故，铤而走险，虽大威在前，犹不时避；又况身形变化，情之所隔，虽复当遭炮烙，其何悼哉？（六七页）

统观章氏的《无神论》，其主要的哲学根据，固然在于他的佛庄混血的唯心论；而在其对于有神论驳斥中，却也相对的表现了若干理性主义，人文主义，乃至对于感性经验的正当的信赖。所以，他的这一见解，客观的分析起来，虽究不免于自相抵触，然而抵触正是他的时代，他的积极的要素，正表现了他在当时农民民主主义阵营里的奋斗，他方面在民国二年革命高潮低落的时候，他的唯心思想与怀疑主义便导使他走入“名士”的傲慢生活中。

复次，章氏虽已驳斥了有神论而主张着无神论，而别一方面，如前所述，则又高倡其“建立宗教”之说。尝考章氏提倡建立宗教，其理由不出两端：其一，基于挽救世道人心的实际必要；其二，基于顺应历史发展的逻辑必然。兹分别叙述于下：

第一，关于由建立宗教以挽救世道人心，我们在前引章氏自述提倡佛学时，已有明证。此外，在《建立宗教论》里也说：

今之世，非周秦汉魏之世也。彼时纯朴未分，则虽以孔老常言，亦足化民成俗。今则不然，六道轮回地狱变相之说，尤不足以取济。非说无生，则不能去畏死之心；非破我所，则不能去拜金心；非说平等，则不能去奴隶心；非示众生皆佛，则不能去退屈心；非举三轮清净，则不能去德色心。而此数者，非随俗雅化之居士所能实践，则聒聒者亦无所益，此沙门居士所以不得不分职业也。借观科学诸家，凡理思最高者多不应用，而应用主在其次之人，何独于宗教而不然耶？（《太炎文录

初编别录》卷三，二九页）

在这里，章氏不但主张有宗教建立的必要，而且也强调保存沙门主义制度的意义。

第二，由历史发展的逻辑必然方面，以主张建立宗教，是章氏哲学思想中的怪论之一。在同文里他说：

中国之孔老，希腊之琐格拉底柏拉图辈，皆以哲学为宗教之代起者。琐氏柏氏之学，缘生基督；孔子老子之学，迁为汉儒，则哲学复成宗教。（中国儒术，经董仲舒而成教，至今阳尊阴卑等说，犹为中国通行之俗。）一自培庚笛加尔辈，一自程朱陆王诸儒，又复变易旧章，自成哲学。程朱陆王，固以禅宗为其根本，而晚延独逸诸师，亦于内典有所摭拾。则继起之宗教，必释教无疑也。（同上）

章氏此言，在关于哲学史方面如汉儒宗教化诸问题，诚有若干的精良发现，而其由哲学与宗教迭相消长的历史事实中，竟抽出一循环起伏的公式，据此而预言宗教必兴，引为自已建立宗教主张的根据，则完全是神秘主义的妄断。

但，章氏虽是这样强烈的主张着建立宗教，而由于与公羊学派相斗争，由于意识地树立理论上的反对命题，对于康有为谭嗣同等所鼓吹的建立孔教之议，对于由董仲舒到康有为所歪曲孔学神学化的偏向，则提出了辛辣的光辉的批评。他在《驳建立孔教议》里曾说：

孔子亦不语神怪，未能事鬼。次有庄周，孟轲，孙卿，公孙龙，申不害，韩非之伦，浡尔俱作，皆辨析名理，察于人文。若黄巾道士者，符箓诡诞，左道惑人，明达之士，固不欲少游其藩。由斯以谈，……黄巾则犹日者卜相之流，为人轻蔑。……伏羲炎黄，事多隐怪，而遍为后世称颂者，无过田猎衣裳诸业。国民常性，所察在政事日用，所务在工商耕稼，志尽于有生，语绝于无验。……耶苏路德之法，渐入中域，乃若建立孔教以相抗衡，是犹素无创痍，无故灼以成瘢。（同上，卷下，一五五——一五六页）

孔子之在周末，与夷惠等耳。孟荀之徒，曷常不竭情称颂，然皆以为百世之英，人伦之杰，与尧舜文武伯仲，未尝侪之圜丘清庙之伦也。及燕齐怪迂之士兴于东海，说经者，多以巫道相揉。……伏生开其源，仲舒衍其流。是时，适用少君，文成，五利之徒；而仲舒亦推验水灾，救旱，止雨，与之相胜。以经典为巫师豫记之流，而更曲附春秋，云为汉氏制法，以媚主而棼政纪。氏主不达，以为孔子果玄帝之子，真人尸解之伦。谶纬蜂起，怪说布彰，曾不须臾而巫蛊之祸作，则仲舒为前导也。自尔，或以天变灾异，宰相赐死，亲藩废黜，巫道乱法，鬼事干政，尽汉一代，其政事皆兼循神道。夫仲舒之托于孔子，犹宫崇张道陵之托于老聃。今之倡孔教者，又规摹仲舒而为之矣。……孔子所以为中国斗杓者，在制历史，布文籍，振学术，平阶级而已。（同上，五七——五八页）

在这里，由于与公羊学派相对立，章氏的见解中，至少有下列光辉独到的四点，使我们不得不特别的提出：

第一，强调了孔子学说所本有的古代国民人类的本质；

第二，呵斥了董仲舒一流的孔子学说神学化偏向的歪曲；

第三，揭穿了清末公羊学派建立孔教的学说是董仲舒型的巫师豫记思想的再版；

第四，批评了汉代神鬼政治的黑暗。

不过，章氏从“国民常性”上来说明建立孔教的企图的无据，这一见解，却是怪论，如果我们更近一步追问：为什么中国的“国民常性”，不需要建立孔教呢？将可以听到章氏令人发笑的回答。这就是在《齐物论释》里所说：

有相分别，即有意言，若伺若寻，意中流响，声必相续。此则单音语人，所历时短，以经尔所分别，即经尔所声故；复音语人，所历时长，以经尔所分别，必经尔所流注声故。如念“法”字，此土念“法”，唯是一声；印度念“达尔摩”，乃有三声。转相积聚，则经时长短相县矣。是故，复音语人，声余于念，意中章句，其成则迟；单音语人，声与念称，意中章中，其成则速。念成迟，故觉时促；惜分阴而近死地，望在陨身以后，故宗教之用兴。念成迟，故觉时舒；多暇日而远尽期，味箸有身之时，故宗教之用绌。（一六页）

复音语人需要宗教，单音语人不需宗教。像这样的宗教起源论的确是毫无理由的，如果章氏此论可以成立，除中国音缀还要研究外，则下列的几个问题无法解答。

（A）由“单音语”所形成的中国“国民常性”，既已不需要宗教，则孔老以前何以能有宗教？董仲舒辈何以能使中国儒术成宗教？程朱陆王何以能“以禅宗为其根本”？释教何以能继程朱陆王之哲学而起？

（B）由“单音语”所形成的中国“国民常性”，既已不需要宗教，则“孔教”固不可能建立，而何以建立“佛教”独有何能？

所有上述两组问题中所举出的事实，皆为章氏所肯定，而又如此不相容，则章氏的矛盾自陷，实属灼然可指。而章氏毫不管这些，悍然提出了他所要建立的无神的宗教。这就是在《建立宗教论》里所说：

一切事端之起，必先有其本师。以本师代表其事而施以殊礼者，宗教而外，所在多有。士之拜孔子，胥吏之拜萧何，匠人之拜鲁般，衣工之拜轩辕，彼非以求福而事之，又非神教所崇拜者本无其物而事之，以为吾之学术，出于是人，故不得不加尊礼。此于诸崇拜中，最为清净。释教亦尔：崇拜释迦者，固以两千六百岁以前，尝有其人，应身见世，遗风绪教，流传至今，沐浴膏泽，解脱尘劳，实唯斯人之则。于是，尊仰而崇拜之，尊其为师，非尊其为鬼神。虽非鬼神，而有可以崇拜之道，故于事理皆无所碍。此亦随顺依他则然，若谈实相，则虽色身见量具在目前犹且不可执为实有，而况灭度之后耶？（《太炎文录初编别录》卷三，二六——二七页）

由此我们可以明白，章氏所要建立的宗教，是无神的宗教大乘佛教。然无神论者而主张建立宗教，这使我们不禁想起了费尔巴哈。

费尔巴哈的基督教的本质，曾经当作无神论的武库，在反对加特力教上，发挥了智力领导者的威力，而风靡一世。但是，由于他不理解性爱，友谊，怜悯，公正，以及基于相互爱好的一切人与人间的关系的社会根源，总之，由于他的唯心论的道德观，所以，他一方面是无神论者，而另一方面，却又肯定了建立新宗教的必要。他说：

一个新时代，也需要关于人类生存的原素，和一种基本的新见解与新信仰，亦即是需要一个新宗教。（引自约特尔著《费尔巴哈的哲学》第三章第四节）

这样看来，章太炎氏和费尔巴哈不正是同样的吗？

不是一方面主张无神论而另一方面又肯定着建立宗教吗？然而，我们必须特别注意：在这里，二者之间，存在着原则性的不同。具体言之，即为下列三点。

（A）章太炎氏是，由于他的唯心论不纯粹，而导出了无神论，宗教和章氏哲学原来是一家人；

（B）费尔巴哈是，由于他的唯物论不彻底，而肯定了新宗教，无神论和费尔巴哈哲学，原来是一家人。

（C）总之，章太炎氏和费尔巴哈，是由于相反的前提而导出了相同的结论，或者说是，同一的结论建立在相反的论据上。

据上可知，有神论，唯心论，外因论，本质上是三位一体的范畴，章氏虽然由于和公羊学派的对立，反对着有神论而主张着无神论，但因其未能放松唯识论的基本立场，故未能彻底排除外因论，从而也未能断念于建立宗教的企图。在这里，也和在其他的一切问题上相同，章氏所谓“志尽于有生，语绝于无验”等现实精神中所包含的唯物论要素，依然是随出随现，旋踵而逝。所以在他的宗教论与无神论二者之间，也显示了不可调和的矛盾。他的思想，正亦是拆散时代的意识形态，当他反对封建腐朽的时候，是采取无神论，而当他企图安排世界的时候，又采取大乘宗教，这不但反映市民阶级之无力而不能摆脱旧的，而且反映农民斗争之天真而不能了解新的。农民在独立斗争时，都依靠着宗教“本师”（手工业式的），同样地太炎在“人心”上或世界观上最后亦不能抬出了大乘“本师”来的。

第十一节　关于哲学史诸问题上几点天才的发现

我们以前曾经屡次提到章氏哲学思想里散在着种种天才的洞察，并且也曾不止一次的提到章氏与公羊学派的斗争。但是，我们始终没有把这两件事关联起来。其实，章氏哲学思想里的天才见解，与其对公羊学派的斗争是分不开的。这是因为矛盾，在哲学历史上也和在一般的场合一样，不但是前进的动力，而且也是构成的原理的缘故。所以，我们要想彻底理解章氏在哲学上天才见解的来源，便不得不从他与公羊学派的对立与斗争中来把握。

清末的公羊学派，以康有为梁启超谭嗣同为代表。

此派的政治主张在保皇，而其保皇的武器则为变法维新，故有保皇党之称。并且此派基于政治上的动力，对于一般哲学问题，尤其是中国哲学史诸问题，亦多所议论。同时，以中山先生为代表的革命论，则以推翻满清的君主专制为实现革命主义的前提，因而在“排满”与“保皇”之间，便引起了激烈的斗争。这一斗争，本质上是革命与反革命的斗争，并且是抓住了政治要害的尖锐化了的斗争。当时，章太炎氏是属于孙中山先生所领导的革命方面，所以他不但在政治上有《驳康有为论革命书》及《讨满洲檄》等等（见《太炎文录初编》卷二），即在哲学上，也对于公羊学派的学说，进行了辉煌的批判。

在一部《章氏丛书》里，抨击公羊学派之处甚多。如像前引《驳建立孔教议》的全篇，及自述提倡佛学时斥谭嗣同的《仁学》一书为“拉杂失论，有同梦寐”等，皆是例证。而最为辛辣的，则有下列几段：

第一，在《说林上》里说：

戴望治公羊春秋，视先戴则不相逮。中更丧乱，寄食于大盗曾氏之门，然未尝任。观其缀述《颜氏学记》，又喜集晚明故事，言中伦，行中虑，柳下少连之侪也。望不求任，而其学传于湖南岭广间，致浮竞之士，延缘绪言，以成《新学伪经》之说。彼以处士以谴刘歆可也，为胡之国师者，可以讥莽之国师乎？”(《太炎文录初编》卷一，一一七页)

这是从民族主义的观点攻击公羊学派的。

第二，在《与王鹤鸣书》里说：

学者将以实事求是，有用与否，固不暇计求。……近世翁同龢潘祖荫之徒，学不覃思，徒据摭公羊以为奇觚，金石刻画，厚自光庞，然尚不敢言致用。康有为善附会，媚以拨乱之说，又外窃颜李为名高，海内彬彬向风，其实自欺。……学者在辨名实，知情伪，虽致用不足尚，虽无用不足卑。(同上，卷二，七页)

这是由求真求是观点反对公羊学派与现实妥协的思想。

第三，在《与友人论朴学报书》里说：

说经者，所以存古，非以适今也。……当代不行之礼，于今无用之仪，而欲肆之国郡，渐及乡遂，何异宁人欲变今时之语，反诸三代古音乎？……春秋三统三世之说，无虑陈其概略，天倪定分，固不周知！岂有百世之前，发凡见例，以待后人尊其格令者？……故知通经致用，特汉儒所以干禄，过崇前圣，推为万能，则实为桎梏矣。……稽古之道，略如写真，修短黑白，期于肖形而止。使妍者媸则失矣，使媸者妍亦未得也。（同上，九——十页）

在这里，又由于反对公羊学派三统三世之说，反对神化孔子，反对复古，而导出了客观实证主义的方法。

第四，在《菿汉微言》里说：

《明堂大道录》，流为张翰风之《风后握奇经》；《公羊齐诗》，流为康长素之《孔子改制考》。翰风为义和团之先师，长素虽与相反，而妖妄则同。若探其原，则董仲舒翼奉亦义和团之远祖矣。（五〇页）

这又是从无神论观点反对公羊学派的神学本质的。而且这种见解，和前引《驳建立孔教议》，实有精神上的一贯。

所有这些倘能与公羊学派关于同一问题的竟见，参证对比，将更可以看出章氏思想进步性（皆见上章）。然而，由于和公羊学派相对立，章氏的贡献尚不止此，其天才的发现，多在于中国哲学史方面。至所以如此的原因，乃是因为公羊学派的学者如康有为，梁启超，谭嗣同等，曾对于中国历代哲学者多所抑扬，借以达成其变法维新保皇的目的，而章氏亦遂针对此点，几乎随处提出其相反的意见。

首先，关于老子问题，公羊学派因为要主张进化，提倡物质文明，故谭嗣同在其《仁学》一书中，对于老子的自然无为思想，攻击不遗余力。而章氏则由另一方面高调老子。兹分述其意见如下：

第一，章氏以为，自来理解老子思想者，当推韩非。所以，在《原道上》里曾说：

凡周秦解故之书，今多亡佚，诸子尤寡，韩非独有《解老》《喻老》二篇。后有说老子者，宜据韩非为大传，而疏通证明之，其贤于王辅嗣远矣。韩非他篇，亦多言术，由其行习不纯，然《解老》《喻老》，未尝杂以异说，盖所得深矣。(《国故论衡》卷下，一二一页)

在《菿汉微言》里也说：

说老子者，以韩非《解老》《喻老》为至，虽未完具，其已解者，不可易也。(三〇页)

我们知道，韩非虽与老子不无关系，而其最主要，最直接的源泉，则为荀子与法家思想的结合物，这就是说，在韩非思想中，已经看不出自然无为，颓废主义的痕迹。然章氏既依韩非以理解老子哲学，则其所理解者，自当为韩非化了的老子哲学。

第二，章氏对于老子哲学中几个著名的自然无为主义的命题，均依韩非的精神，一一加以新的解释。兹列如下：

（A）“绝圣弃智”——“事有未来，物有未睹，不以小慧隐度”。

（B）“不尚贤使民不争”——“以事睹功，将帅必出于介胄，宰相必起于州部，不贵豪杰，不以流誉用人”。

（C）“法令滋章盗贼多有”——“官府征会，不可亟易，非废法也”。

综是数者，其要在废私智，绝果娱，不身质疑事，而因众以参伍，非出吏官，周于国闻者，谁能领此？……老聃之言，则可以保傅人天矣。（《国故论衡》卷下，《原道上》，一二一——一二二页）

章氏如此解释老子，其为依据于韩非，至为显然。当然，韩非的绝对王权拥护论，章氏并不为同意，所以有“所习不纯”的谴词。而最明显的，则为《原道下》里所说：

韩非有见于国，无见于人，有见于群，无见于孑。（同上，一二九页）

然而章氏在韩非的思想中，确乎是抓住了他的积极部分而加强调的。如像在《原道中》里所说：

视锻锡而察青黄，区冶不能以必剑；水击鹄雁，陆断驹马，则藏获不疑钝利。发齿吻形容，伯乐不能以必马；授车就驾，而观在末途，则藏获不以驽良。观容服，听言辞，仲尼不能以必士，试之官职，课其功伐，则庸人不疑于愚智（《显学》篇）。此所谓不尚贤者也。其（按即兼指墨子与老子而言）所谓贤不同，故其名异。不征其所谓，而征其名，犹以鼠为璞矣。（同上，一二六页）

按韩非的参伍方法，本与其经验主义的认识起源论密切相关，经章氏这样把他和老子的“不尚贤”的政治主张，连成一气，则老子哲学，遂亦赋有了唯物论的意义。而章氏这一见解，和对于感性认识的积极肯定，实有呼应关系，而与谭嗣同关于老子哲学的评价，则根本相反。

并且，关于老子问题的意见，我们简直可以看成对于公羊学派的目的意识性的反对命题。关于此点，他在《征信论下》里所说，可作为最完全的代表。他说：

昔者老聃有言曰：天下有始，以为天下母：既得其母，以知其子，既知其子，复守其母，没身不殆。母子者，犹今所谓因果。因以求果，果以求因，办异而不过，推类而不悖：是故邪说不能乱，百家不能窜，则终身免于疑殆。……虽然，三统生起，不能如循环；三世渐近，不能如推谷……世人欲以成型定之，此则古今之事，得以布算而知，虽燔炊史志犹可。且夫因果者，两端之论耳，无缘则因不能独生，因虽一其缘则多，故有同因而异果者，有异因而同果者。愚者执其两端，忘其旁起，以断成事，因以起其类例，成事与类例异，则颠倒而组割也，是乃以殆终身，嫳之至也。凡物不欲絓，丝絓于金坭则不解，马絓于曼荆则不驰。夫言则亦有絓，絓于成型，以物曲视人事，其去经世之风亦远矣。(今社会学者多此病。)(《太炎文录初编》卷一，五〇页)

章氏据此观点，对于公羊学派功利主义思想及与变法维新保皇均有深切关系的严几道氏，曾多所攻击。就中关于老子问题，在《原学》里曾说：

《老子》五千言，……不知者多以清谈忽之，或以权术摈之。有严复者，立说差异，而多附以功利之说，此徒以斯宾塞辈议论相投耳，亦非由涉历人事而得之也。(《国故论衡》卷下，一一五页)

综合章氏关于老子哲学问题的见解，计有下列四点，值得我们特别提出：

第一，公羊学派是揭持公羊三统三世之说以为主张保皇，反对共和理论的根据，而章氏则根本否认此说的正确性，斥之为先验的抽象公式（类例）而不合于实际（成事）。

第二，章氏以为，在社会学上最忌讳以抽象公式代替具体研究，并指明此一偏向的尖端代表者，即为附和公羊学派的严几道氏，所以在《菿汉微言》里曾云“知总相而不知别相者严复也”。《社会通诠商兑》一文(《太炎文录初编别录》卷二)，对此点的指摘尤为系统。

第三，公羊学派据其三统三世之说而反对老子哲学中的自然无为主义，而章氏则对于老子则另提新解，并据此新解而反对三统三世之说；故章氏与公羊派的对立，在老子问题上可谓特别尖锐，特别明显。

第四，在章氏的意见里，我们分明可以看出他对于先验论，以及公式主义的呵斥，并且在这种呵斥当中，强调韩非的（同时也是古文经学家所固有的）“参伍方法”的积极方面光芒。

其次，关于孔子问题。公羊学派由于企图将西欧的商业精神与孔子学说相结合，由于企图将君主立宪制与公羊春秋相结合，遂将孔子学说神学化，而于孔子哲学的真精神，则反而横加歪曲或竟毫不提及，或虽妄说而不中要领，章氏除了在许多方面（见上章）批评外，又从哲学方面着眼，提出了独到的创见多点。兹分别提要如下。

关于孔子学说的哲学化的歪曲，章氏在《驳建立孔教议》里，已有抗辩，此不再述。在《答铁铮》一书里，则更进一步强调了孔子哲学的无神论属性。他说：

昔无神之说，发于孔孟。(《墨子·公孟》篇，公孟子曰：无鬼神，是此说所起，非始晋代阮瞻。阮瞻但言无鬼，而公孟兼言无神，则识高于阮矣。）排天之论，起于籀柳。（王仲任已有是说，然所排者为苍苍之天而已，至柳乃直拨天神为无）……而推表元功，不得不归之孔子。……仆尝以……破坏鬼神之说，则景仰孔子，当如岱宗北斗。……或者谓孔子亦有天祝，天丧，天厌，获罪于天等语，是非拨无天神者。按孔子词气，每多优缓，而少急切之言，故于天神未尝明破，然其言曰：鬼神之为德，体物而不可遗，此明谓万物本体即是鬼神，无有一物而非鬼神者，庄生继之，则云道在蝼蚁，稊稗，瓦甓，屎溺，而终之于汝唯莫必无乎逃物，则正所谓体物而不可遗者，无物非道，亦无物非鬼神，其义一致。此儒老皆主泛神之说是也。（《太炎文录初编别录》卷二，六二页）

我们知道，孔子虽不是泛神论者，而其反映传统宗教神话观念的动摇，据其人文主义的精神，表示清醒的怀疑，则是不可讳言的事实。并且，章氏这里的着眼点，不但与公羊学派根本相反，而且也恰巧抓住了孔子哲学的积极契机。

第二，关于孔子哲学中所谓“仁”或“忠恕”问题，一向的研究者，多以为仅有伦理的意义，而没有逻辑之意义；公羊学派的谭嗣同，在其所著《仁学》一书里，由于大同思想和天人合一论的启示，企图当作哲学上本体论的根本范畴而把握仁，可谓别有见地，而所说则拉杂失论，语多穿凿。至章氏始能一反前人成说，专从逻辑方面加以阐发。在《订孔下》里，他说：

（仲尼）道在一贯，持其枢者，忠恕也。——心能度物曰恕，周以察物曰忠。夫闻一以知十，举一隅而以三隅反者，恕之事也。守恕者尚比类。诚令比类可以遍知者，是絜矩可所审方圆；物情之纷，非方圆可以度量也，故用絜矩者困，而务比类者疑。周以察物，举其征符，而辨其骨理者，忠之事也。故疏通知远者恕，文理密察者忠。身观焉，忠也；方不瘴，恕也。——忠恕于学，犹鸟有翮，而车之左右轮。……荀卿盖云：万物莫形而不见，莫见而不论，莫论而失位，此谓用忠者矣；坐于室而见于四海，处于今而论久远，既观万物而知其情，参稽治乱而通其度，经纬天地而才官万物，制割大理而宇宙里，此为用恕者矣。（《检论》卷三，四页）

在《菿汉微言》里则更进一步说：

举一隅以三隅反，此之谓恕。荀子《非相》云：圣人何以不欺？曰：圣人以己度者也。故以人度人，以情度情，以类度类，以说度功，以道观尽，今古一度也。类不悖，虽久同理。顾凡事不可以理推，专用恕术，不知亲证，于事理多失矣。检验观察，必微以密，观其殊相，以得环中，斯谓忠矣。今世学者，亦有演绎归纳二途，前者据理以量事，后者验事以成理。其术至今用之，而不悟孔子所言，何哉？（三一——三二页）

孔子所谓“仁”或“忠恕”，究竟是否归纳与演绎，这里且暂不论，然而，从逻辑方面，对此加以研究，实以章氏为第一人！且其主张归纳演绎交互并用，不可偏废，而尤重视归纳，亦殊为正确。所以章氏这一见解，值得我特别加以推崇。

第三，关于《大学》“格物”之说，自来人各一辞，毫无定论；在最近尚有人发表《大学格物新释》一文，以求问题之解决。章氏于此，则反对着康有为的“扞格外物”的唯心论的说法。提出了自己的彪炳千古的独立的独见。在《说物》里他说：

问曰：记言格物者，何所取？应之曰：射身履物，不可越者也。哀公问曰：仁人不过乎物，孝子不过乎物。故曰：君子言不过辞，动不过则。谓有轨度，不可逾也。其在易曰：言有物而行有恒。格物者，格距于其轨度，若射者然，思虑辨难，不越堤封；毋繁绕以自遁也，毋汗漫以自怃也，是以能致知。不然，非解垢为觤辨，则逐于无端崖之辞。(《太炎文录初编》卷一，三〇页)

这里我们所不得不特别注意的是，自来的论者虽有人以“物”为“射者履物”之“物”，然亦皆局于原始的字义，至多亦只能当作仪礼上的轨范，以导出心性修养藩篱以内的格物说，其结果仍不出唯心论的窠臼。而章氏则独能百尺竿头，更进一步，由仪礼的轨范，导出认识的方法，使字义的演变与概念的生成相会，在其中实富有历史与逻辑相互统一的天才启示。凡关心中国认识史，或逻辑史者，对章氏此一发见，决不可轻轻放过。

复次公羊学派树反荀之帜，章氏则荀墨并重，且皆视为名学大家，他说：

墨有经上下，儒有孙卿正名，皆不为造次，辩务求其底。鲁胜有言：取辩乎一物而原极天下之污隆，名之至也。墨翟孙卿近之矣。(《原名》)

他的《原名》《明见》二篇是清初学者傅青主的发展论，同时更是近人治中国思想史的奠基篇。在《原名》篇，把荀、墨名学兴相宗因明论以及西洋逻辑，贯串融通，实为创作，胡适的《中国哲学史大纲》即祖师于此。

最后，章氏与公羊学派的对立，本质上即是反对满清的帝王专制，因而便不得不在被统治的立场上来认识世界，批评世界，在这里，章氏遂得很敏锐的发见了由于生产手段的独占而产生的勤劳者劳动的被奴役性，及其特殊苦痛。所以在《四惑论》里曾说：

不见之耕据之骊牛乎？藜蒿布野，足以疗饥；横为人伦牵引，喘息流汗，以服劳于陇上，所得稻粱，不为牛啖。纵令牛自耕田，牛自啖之，牛之所需，本不在此。苦身以求稻粱之美，曷若自放而食藜蒿矣？人求进化，必事气机，欲事气机，必先穿求石炭；而人之所需，本不在此。与其自苦于地窟之中，以求后乐，曷……鼓腹而游矣？……若人皆自私其产，斯亦可也；既合和利众产以为一丸，而欲其忍性就劳，……事非强制，即无以使人必行。(《太炎文录初编别录》卷三，六七——六九页）

这里虽是存在着老庄型的自然主义的痕迹，虽是存在着农民风的对于物质文明的轻蔑，然而，这些思想，在当时的现实中，都无疑的代表了封建制度下的反抗意识。正因如此，所以章氏的学术文化政策，也坚持着由下而上的革命路线。在《与王鹤鸣书》里曾说：

中国哲学，自下倡之则益甚，自上建之则日衰，……故科举行千年，中间典章盛于唐。理学起于宋，天元四元兴宋元间，小学经训昉于清世，皆轶出科举，能自名家。……今学校为朝廷所设，利禄之途，……关节盈箧，膏粱之家，终在上第，窭人或不得望其门。曩者，凌曙买香，汪绂陶瓦，戴震裨贩，汪中庸书，张惠言饿不能举饼饵；及其学术有造，往往凌厉前哲，修名烂然。自今以往，上品将无寒门，斯风则堕地矣。方更增悲，无为幸也。(《太炎文录初编》卷二，八页)

章氏此论显然是与农民民主主义的排满要求，浑为一体。并且，章氏亦本此观点，将自宋至清的哲学者，判为五科，一一加以评价（见《菿汉微言》四六——四七页）。就中尤其关于戴东原哲学的分析，其与同情下层社会并反对满清专制的连系，最为鲜明。在《说林上》里曾说：

叔世有大儒二人：一曰颜元，再曰戴震，颜氏……与荀卿相似。戴君道性善，为孟轲之徒；持术虽异，悉推本于晚周大师，近校宋儒为得真。戴君虽生雍正乱世，亲见贼渠之遇士民，不循法律，而以闽洛之言相稽，哀矜庶戮之不辜，方告无辜于上，其言绝痛。桑荫未移，而为纪昀所假；以其惩艾宋儒者，旋转以泯华戎之界。寿不中身，愤时以陨，其无故邪？（同上，卷一，一一六——一一七页）

在《释戴》里又说：

戴震生雍正末，见其诏令谪人不以法律，顾摭取洛闽儒言以相稽：觇伺隐微，罪及燕语。九服非不宽也，而迾之以丛棘，令士民摇手触禁，其蠹伤深。震以幼为贾贩，转运千里，复知生民隐曲，而上无一言之惠，故发愤著《原善》，《孟子字义疏证》。……言欲不可绝，欲当即为理。……虽然，以欲当为理者，莫察乎孙卿。孙卿为《正名》一文，……极震所议，与孙卿若合符，以孙卿言性恶，与震意拂，故解而赴《原善》。（同上，一二一——一二四页）

在《菿汉微言》里也说：

至清而戴氏有作，少学江慎修，其补正毛郑诗，颇采朱氏集传（长沙叶德辉言：曾见戴原稿，采用朱义尤多），其文中或尊称为朱子，明其推崇朱氏也。生当雍正乾隆之交，见其诏令谪人，轧介程朱绪言诸以骫法，民将无所措手足，故为《原善》，《孟子字义疏证》，病理欲异实之谬，近本罗氏，而远匡乡先生之失，其间虽有诋诃，亦犹庄周书之讥孔子，禅宗之诃佛骂祖，其所诃故在此不在彼也。是故东原之术，似不与朱氏相入，而观其会通，则为朱学之干蛊者，厥为东原。（四七页）

固然，以戴东原为朱氏学派的后起之秀（干蛊），颇有混同唯物论与唯心论的嫌疑，原则上自属不无问题，但朱子的“格物致知”与戴氏的“理在事中”，却也未始没有相似相异的发展。所以，章氏此论，在学术源流上诚未必真，而其所强调者，则尚有理论上的积极契机。因而，此点与前述对于老子孔子论题的意见，以及关于董仲舒神学观念的诃诋，阳明学派的佛学本质的揭露等等，同样都可以视为章氏在中国哲学史诸问题上的天才的发见，都同样有其不可忽视的价值。而所有这些天才的洞察，如果看落了章氏对于公羊学派的斗争，则将成为不可解释的奇迹。

至此，深思的读者或许要问：

（A）为什么与公羊学派的对立，与反革命派的斗争，竟会使太炎有了天才的发见呢？

（B）章氏的发见，固然是天才的，正确的，则此等要素，究竟是属于唯物呢，还是属于唯心？

对于这两问题，我们的解答大略如次：

第一，所谓章氏与公羊学派的斗争，在哲学上也表现了同异交错的关系，而太炎所以特立者，则在于附保留了人文方面的合理分析，未敢延长其唯心论于现实的一切。兹以公羊学派的哲学巨子谭嗣同的《仁学》为代表，与章氏的哲学思想相校，特制对照简表如下：

公羊学派的哲学思想	章太炎的哲学思想
唯心唯识	唯心唯识
强调华严法相	强调华严法相
驳斥老子哲学	强调老子哲学
以庄子为孔学而强调	以庄子为老学而强调
孔子为宗教主	孔子为哲学家

孔学即宗教	孔学为泛神论
仁为宇宙本体	仁统演绎与归纳
反对荀学	强调荀学
继承董仲舒	反对董仲舒
有神论	无神论
建立孔教	建立释教
功利主义	实事求是
提倡物质文明	反对物质文明
鼓吹爱国思想	言爱国类是迷妄

据上列表可知，双方面对立虽有若干具体主张不同，至若基本的哲学，则表面上同为唯心论。然而有一点需要我们特别注意，谭嗣同，由于他的唯心论思想挟带小市民的浪漫主义气氛，使他成了英雄，在保皇战线上表现为“突出”，而章太炎，则由于他的农民气派在当时遂行了思想反抗之后，才建立在唯心论上，使他成了狂士，在革命营垒中始流于“退休”，彼此的历史精神则大不相同。因此他们中间的特异，仍然有其决定的意义与价值。兹具体言之，则为：

（A）只有把握了理论的斗争，然后才能理解章氏思想的实践意义。即如章氏以爱国为迷妄，本质上乃是由于公羊学派的爱国论与其保皇论为同义语，因而章氏的反对爱国，在当时政治实践上，就是意味着反对保皇。在这里，如果看落了敌对营垒的理论武器，便会对于章氏的迷妄论，导出实质的误解或歪曲。

（B）只要把握了这样意义则乍看似乎纯粹理论范畴的发见，也都可以，而只能在尖锐的政治斗争中，寻得其动力。如像章氏曾云：

中夏春秋以前，记述之文，皆非直叙。如书称祖考来格，凤凰来仪，百兽来舞，凤之来，兽之舞，事所或有；祖考来格，谁其见之？古人文拙，记事多有比况，左氏以下，始免此失尔。（《菿汉微言》，一二页）

这在内容上，只是通过了神话的文字形象而肯定古代类比方法应用的广泛性，然而如果舍弃了章氏以无神论与公羊学派神学观念相斗争的契机，则将无从剔扶这理论发见的合理根据。即此一端，亦可类推其余。

（C）正是由于这一意义，才使章氏通过了政治的自觉，而意识的在哲学分野里对角线地建立其反对命题，以保证政治斗争的全面胜利。而这一斗争的固有逻辑，又使章氏能够在自己论敌所蔽或所故意遮掩之处（这是一切反革命派在认识论上的本质），发见了同一研究对像的另一侧面，另一特征，另一高级化的存在形态。这就是章氏的天才发见所于以构成的秘密。

第二，章氏哲学思想中，虽然有了若干天才的发见，而却并未使他的体系变质；这就是说，他依然是一个唯心论者。并且，唯心论中包含唯物论要素，也是必然的。其理由如下：

（A）在原则上讲来，一切的哲学体系，都必须包含或多或少或明或暗的唯物论要素，然后才能成立，才能发展。凡是根本上不包含唯物论的要素的理论则它只能是单纯的宗教神话，而不能成为哲学；如果它根本不能继续吸取唯物论要素，则便不能遂行其发展。所以，本格意义上的所谓哲学，只是唯物论。但是，我们都不能因此而认为，凡是有了唯物论要素的见解哲学家，都是唯物论者，如像亚里斯多德，即为著名的吸收了唯物论的要素而自己丰富起来的唯心论者。一种哲学体系，所包含的唯物论要素，低到一定限度就成唯心论，高到一定限度又反成了唯物论，所以，在由唯心论到唯物论的转化过程中，也同样是由量变到质变的法则。

（B）思想哲学中若干见解，和我们前面所说，既已构成所谓天才的洞察或发见，则当然是属于唯物论的。但是，章氏哲学思想的基本性格，却未因此而发生动摇。例如章氏对于戴东原，可谓相当推崇，并且在某些方面，亦曾接受戴氏影响（如像关于公理束缚个人自由之说，显然脱胎于戴氏以理杀人甚于申韩之论），然而，章氏却又说：

震书多姗议老庄，不得要领，而以浮辞相难，弥以自陷其失也。(《太炎文录初编》卷一,《释戴》，一二四页）

老庄书本非易理，戴君虽明六艺儒术，宁能解《齐物论》邪？又，释氏经论，盖戴君所未睹，徒人常语而加驳难，尤多纰谬。（同上）

章氏于此，是由唯心论立场，来非难戴君对于老庄佛学思想所作的合理批判，实属显然。此外，在《菿汉微言》里，称陆子静，阳慈湖，王阳明等“见道稍高”，“立义直捷”，“当是大乘十信将发心者”；而斥朱熹为“杂有二乘人道外道，是为不定种性，信分微劣者”（四三，四六等页）。其是非抑扬之间，更不难看出他是一依佛教大乘主观唯心论，为其一切裁量科判的唯一最高尺度。

总而言之，在中国哲学史上，也和在一般哲学上一样，章氏的天才性的洞察，依然是更广大，更普遍的暗夜笼罩下的火把，始终在无边黑暗的吞吐里，被狂风暴雨吹打着明灭不定。这是晚清中国农民独立地走上历史舞台，拆散有余而解决无力的证件。

第十二节　结论

我们在前述各节里，通过非常迂回而多角的过程，对于章氏的哲学思想，作了一番比较有系统的考察；并且也随处提出了些批判。兹更综合前述，由下列几点补充，以结束本章的论究。

第一，在本文开首，我们即已肯定章氏哲学思想是附保留的主观唯心论；并随着论述的方便，由种种资料以为证明。兹为使章氏的唯心论面孔更加具体起见，特再举出下列两段章氏的自述：

先师无著大师，善破我执，最为深通；然其文义奥衍，或不适于时俗；余虽寡昧，窃开胜义；闵末俗之沉沦，悲民德之堕废，皆以我缠缚，致斯劣果，曲明师说，杂以己见，为《人无我论》一首。(《太炎文录初编》卷三,《人无我论》，三〇页)

庄生之玄，……终身以为师资。(《葑汉微言》，四九页)

章氏在自命为无箸及庄周弟子以后，又在《葑汉微言》里具体说明庄子哲学的至高无上：

释迦……出世之法多而详于内圣……孔老……则世间之法多而详于外王：兼是二者，厥为庄生。《齐物论》一篇，内以疏观万物，持阅众甫，破名相之封执，等酸咸于一味；外以治国保民，不立中德，论有正负，无异门之衅，人无智愚，尽一曲之用。(二六页)

由此可知，章氏的唯心论，乃是佛教大乘与庄子齐物的混血产儿。其格义方法的本质意义于此可得其根源。

第二，章氏完成其“齐物哲学”的方法，也和谢林格建立他的“同一哲学”一样，都是沿着抽象化的道路，作一往不复的无限前进。所以在《葑汉微言》里曾说：

一类众生，同兹依正，则时方之相，因果之律，及一切名言习气，自为藏识中所同具。故其思仑之轨，寻伺之途，即须据是为推，终以莫能自外。其间文理详略，名相异状，具体之言，虽不一概，而抽象则同。证以推理之术，印度有因明，远西有三段论理，此土墨子有经上下，其为三支比量，若合符契。此何以故？以业实同则种子同，种子同则见行同。故且依真有妄，转妄即真，如水与波，非是二物；如麻与绳，非有二性；执著即是磨外，离执便为圣智。是故世俗凡圣智愚诸名，皆是程度差违，而非异端之谓也。（九四页）

诚然，绝对的抽象化，是泯去一切差别的上好方法；“推而共之，共则有共，至于无共然后止”（荀子语），这里便是“齐物”或“同一”的沃壤。

第三，前面所谓与公羊学派的斗争是使章氏唯心论所以能带有多分的唯物论要素的动力；这只是就其根源的剔抉而言。若由章氏学术的根源上来看，其哲学体系所以成为唯心论呓语与天才性洞察的奇妙结合品，也是其方法论上的不得不然的逻辑的归宿。这就是说，章氏的方法，即所谓“以分析名相始，以排遣名相终”。在他肯定现实，从事分析的时候，便有可能把握到对象的本质，使自己的所见所说，契中真理；但是，当他抹杀现实，排遣名相的时候，尽管他自己主观以为是向上“升涨”，而客观上则恰巧从这滑了下去，跌进了错误的泥坑。另方面，这也就是说，章氏的学术，“始则转俗成真；终乃回真向俗”。因此，当他以“众生皆在迷妄中”而“发心”要“转”他们的时候，正是替唯心呓语开放了方便之门；但是，当他“随顺众生”的“法我二执”“回真向俗”的时候，则“唯物有时亦为佛家所采”，或云“唯物乃即唯心论之一部”，在这一夹缝里，便又可能放射出若干天才的光芒。同时，这又即是说，由于章氏的“操齐物以解纷，明天倪以为量”，他便要将“华梵圣哲之义谛，东西学人之所说”，统归属在“泯绝彼此，排遣是非”的“真妄一原”的“齐物哲学”的唯心论笼罩之下，所以唯物论的要素终于在章氏的体系内部，是被歪曲被颠倒，被压迫的契机。

这就是章太炎哲学思想的全貌。

在这临结尾的场合，我们知道：

“从粗杂的，单纯的形而上学的唯物论见地看来，哲学的唯心论不过是单纯的愚妄。反之，然从另一方面看来，则哲学的唯心论乃从物质或自然脱节的认识的一个小特征，一个侧面，一个界限之向神化的绝对者发展的结果，乃是一面的，夸张的，盲目的（狄慈根）发展（膨胀）的结果。”这是评价章氏哲学的思想的唯一尺度。

从新事物里剔除腐烂渣滓，消灭它，从旧事物里提取新生契机，发扬它。这是当前哲学上的首要任务，也是我们批判章太炎氏的动机所在。（此章与纪玄冰兄合作，而底稿出于玄冰。）

第十七章　古史学家王国维

第一节　观堂的治学精神

王国维，字静庵，号观堂，海宁人，生于清同治十三年，卒于民国十六年（一八七七——一九二七）。他于文学、哲学、史学皆有贡献，而尤以史学创见独多。他对于哲学，文学颇自负，他说：

余之哲学上及文学撰述，其见识文采，亦诚有过人者，此则汪中氏所谓“斯由天致，非由人力，虽符曩哲，未足多矜者”，固不暇为世告焉。(《自序》)

但他的学问趣味，先哲学而后文学，复由文学而后史学，他于文哲之学，自言心理的矛盾说：

余疲于哲学有日矣。哲学上之说，大都可爱者不可信，可信者不可爱。余知真理，而余又爱谬误。伟大之形而上学，尊严之伦理学，与纯粹之美学，此吾人所酷爱也；然求其可信者，则在知识上之实证论，伦理学上之快乐论，与美学上之经验论。知其可信而不能爱，觉其可爱而不能信，此近二三年来最大之烦闷。而近日之嗜好，所以渐由哲学而移于文学，而欲于其中求直接之慰藉者也。要之，余之性质，欲为哲学家则感情苦多，而知力苦寡，欲为诗人，则又苦感情寡，而理性苦多。诗歌乎？哲学乎？他日以何者终吾身，所不敢知，抑在二者之间乎？（《自序二》）

这段话，不但说明他个人的思想矛盾，即可信的方法论与可爱的世界观之间的矛盾，而且说明在文哲之外另有探求的终身学术事业，那便是以后所懂理的史学。他离开了所谓“谬误伟大的形而上学”，不在尊严与纯粹方面发展其“可爱”，而在实证与经验方面，研究其“可信”，他卒服从了真理，而放弃了谬误。他最后于一九二四年投水自杀，那是他的“最大之烦闷”的暴裂，他主观上尊严纯粹而可爱的世界没落，而所来的历史虽可信而不可爱，所谓“知其可信而不能爱，觉其可爱而不能信”。

在史学上，他依据了真理，走了“可信”的研究方向，所以他的成就足以多矜了。他说：

今之学者，于古人之制度文物学术无不疑，独不肯自疑其立说之根据。

所谓“根据”即可信的治学方法，他所云“吾侪当以事实决事实，而不当以后世之理论决事实”，亦即乾嘉学者“实事求是”的治学精神。罗振玉氏说：

君之学实由文字声韵以考古代之制度文物，并其立制之所以然，其术皆由博以反约，由疑而得信，务在不悖不惑，当于理而止。(《观堂集林序》)

王氏亦常云：“由文字音韵而定其是非，非仅关于音韵学，实关于史学也。”他的由博反约之方法，从地下彝器以至书上文献，善用所谓“实证”“经验”的真理，如取材以《诗》《书》为主，以七十子后学之礼经为副，以诸子为佐，而鲜据《易经》。他的由疑得信之方法，不敢轻信，如云“于《诗》通晓十之八，于《书》通晓十之五”，勇于假定，如高祖夒为帝喾之证实，又能勇于修改假定，如“土”字在卜辞中之解释，始疑为国社之社字，后定为相土之土字。这都是他的“以事决事”的治学态度，故他自己敢自豪他的史学是“决千古之疑难”者。在王氏遗书中“由疑得信”者，可称前无古人，其号曰“观堂”，足以当之而无愧。

然而，明“立制之所以然”，则并不是他的研究中心。因为他有他的可爱的理想与信仰，即如他说虽不可信，而以可爱，主观上必不使他的理想完全化零，例如《殷周制度论》一名文，在一连串的宝贵历史的发现中，便浸淫其对于周公制度的景慕。在这些地方，他并没有曲解历史，他的答案在求是，而求是的结果则又足以讽刺批判了他的主观理想，客观上便是科学的。这和太炎先生的《官制索隐》一篇名文，相得益彰。历史的所以然，不是王氏的学术内容，有待于后之学者。

关于王氏的古史学，著者另有《王国维古史考释集解》一书详为评述，本书所介绍而附加所以然之说明者，仅及于原则上的诸问题。

第二节　观堂古史学的科学成果

（一）东方文明与西方文明起源之差别性

文明是与国家的成立相抱相育，相资相助。世界史皆然，中国古代亦不能例外。研究观堂的古史学，我们应知道古史学的基本知识。

在西洋古希腊罗马社会，国家是有严密的痕迹与氏族制度相为区别。“国家和氏族制度区别的所在，第一是在于它由领土以区别国民。因为我们已经见到，团结氏族团体的血族关系之旧纽带，为了它们依靠如今不复成为事实的条件即全体氏族须住在一定领土之上，故已变成没有效力。领土虽还是一样，但人类已有变动。……这个按照地域的住民组织，是一切国家共通的特色。”

按照地域单位而生活的文明社会，有它的特征：“一方面是由固定了当作社会分业基础之城市与农村间永远的树立，他方面是由发生了使用财产所有者在死后尚得处分的财产遗言制。这种制度是直接给古氏族制以打击，且在希腊梭伦时代以前所未曾知道的。”

所以，文明，除了当时直接生产者由氏族成员分化出来以外，便以财产所有关系为其新特征。因而，文明社会的主动精神，“第一是财富，第二是财富，第三个还是财富。……野蛮人间，如我们所见，几乎是没权利与义务之差别的，但文明却使这两者的差别变成非常显明”。这主要是分业，农村与城市的分裂，权利与义务的差别，生产者与所有者的分离。

我们认为上面的著述，是指着一般的路径。国家创造公的强制权力，使文明国家的法律神圣，代替了氏族祖先崇拜的神圣，故云：“文明时代最有势力的王侯及最大的政治家或将军，也许要艳羡那最微弱的氏族长所特独得之自发的无可争执的尊敬，其他却被迫得占据一个在社会之外又在其上的地位。”

但古代文明路径在一般的合法则性中复包含了特殊的合法则性，以西洋社会而论即有三种实例：

第一，雅典代表的最单纯形态。在这里，国家是直接地又主要地由氏族社会内部发展的分裂发生的。

第二，罗马的路径。在这里：氏族制度在许多站在外部只有义务而无权利的平民之中，成为排他的贵族主义。平民胜利虽然冲破了旧氏族秩序，且在它的废墟上建立国家，但不久，氏族的贵族与平民都在国家之中同归于尽。

第三，日耳曼的路径。在征服罗马帝国的日耳曼人中，国家是当作非氏族制度所能支配的直接由大的外国领土之征服结果所发生。但这一征服，并不一定要和旧住民发生严厉的战争，或者更引起进步的分业，因征服者与被征服者之间经济的发达阶段差不多相同，从而社会之经济基础可以依旧不变。氏族制度也由此得以在数百年间，用“玛克”共同体的形态，保存一种不改变的领土特性，甚至在后世的贵族家族或在农民家系中还在保存着。

以上三种路径，为古代西洋的实例。由欧洲与亚细亚的路径特殊点而言，在著者看来，又可分为两种，即：

在历史开始时，土地所有者，是氏族的或农村的共同体，她们经营着共同体的农业。从印度到爱尔兰，绝大面积的土地的耕种，最初都是由这种氏族和农村共同体来进行的。在工作上，或是以共同体力量共同耕种（第一种），或是把农地分作各个小块，由共同体分配给各家（第二种）。（《反林亦论》）

所谓从印度到爱尔兰，正指从东方到西方，东方以第一种为主，而西方则以第二种为主。因同书下文便说：“在共同体或国家是土地所有者的那种东方国家里，土人的言语中甚至没有‘地主’这样的字。……只有土耳其人在其征服的国家里，首次才推行类似地主封建制度的东西。在希腊英雄时代，已经划分成许多等级，这种等级是以前长久的我们所不知道的历史的显然结果。在那里，土地完全是由独立农民耕种的，显贵的氏族的王公所有较大邑地，是种例外，且很快就消灭了。意大利（指罗马古代）之所以成为肥沃，主要是由农民的劳动，当罗马共和国末期，巨大的地产所谓 Latj Fundia，排斥小农而代以奴隶的时候，它们同时亦以畜牧代替了农业。”

可见西方古代是主要走着第二种路径，而东方古代的路径则是氏族保有着大部分的土地，而为土地国有制明甚。东方文明社会的发生，据同文献所示，顺着两个方法而进行的。一即因公共职务的传统，一即因部落间的冲突。我们把一段宝贵文献抄在下面：

在每个这样的社会，最初就存在着共同的利益，他们不得不保护此种利益的责任，在共同监督之下，委诸个别的人身上。这些责任，有如解决争端，制止个人方面的违犯规律，看守水源；特别是在热带地方，河川沼泽的管理，最后宗教的职能，等等。这些职务，都存在于任何时代的原始共同体。譬如德意志的玛克共同体。在印度，直到现在，还有这样情形。这样的职务，显然被赋与了一定的权力，以便利于其工作，这种权力便是国家的萌芽。生产力逐渐发展起来。人口密度的增加，在各个共同体内，生出了同一，或相异的利益关系。这些共同体群，组织更大的全体（指氏族联盟），以引起新的分业，新的机关的建立，以保护共同的利益，反抗敌对的利益。这样机关既然成为这些全体群的共同利益代表者，则它们对于各个共同体便保有特殊，而且有时对立的地位。它们因以下的理由更加独立化起来。第一，在万事自发自生而形成的社会，这种公共机关的职务之遗传承继，亦是差不多当然要自发自生地形成的；第二，和其他群体部落间的冲突增加了，因而此种机关的必要亦更增大起来。至于此种机关，如何对于社会的职能而独立化，因而如何对于社会变成高高在上的支配，如何最初为社会的公仆乘机逐渐转化而为它的主人，如何这种主人适应于各样情形，或转化而为东方的王与诸侯，或转化而为希腊的氏族的王公或克莱特氏族的酋长等等，他们在转变的时候，在如何范围内利用武力，最后如何个别的支配者结成了支配者类层，这些问题，另当别论。我们现在要确定的是，政治的支配，到处都是以社会的职务执行为基础，而且此种支配，唯有在其自己的社会职务执行之时，才能延续下来。在波斯，印度等国，昌盛一时而后皆趋于衰落的东方王朝，很明白地知道自己首先是流域上灌溉制度的经营者，在东方如没有灌溉，那么农业是不能进行的。

这文献是指着东方文明社会的发生是毫无问题的。现在我们大胆地可以假定，亚细亚的文明路径是由共同体的维新而从事农耕的分业，而西方的文明路径则由成员间的土地分散的分业，在不同的方式之下生成。或者有人要问，文献所指是否指着古代社会，答案是明白的，所指确然为古代构成。同书下文犹一再引申，西方的方式，谓“在旧的共同体的土地所有权，已经崩坏，或至少以前的共同体耕种制，已经让位给各家族单位分种小块土地的制度”。并且明言，这是上文东方方式以外的方式，这个生产方法，形成了古典希腊罗马的大规模的分工，因而产生了昌盛的古典文化——艺术，科学，哲学。

上文所谓“另当别论”的一些问题，就是在所确定的一般合法则性以外，应该专论的特殊合法则性。这正是研究中国古代史的特别注意之问题，如何在具体的历史情况下面而有那些转化的路径，明白了这点，亚细亚生产方法迎刃而解。我们的研究是，这一生产方法毫无疑问为古代社会的特殊路径，问题是怎样依据史料科学地究明那些“另当别论”的问题，而封建的外衣不必迷信了。

（二）国维古史学的考证及其意义研究

欲知中国古代分业的路径，首先应研究城市与农村的分裂，以及作为农业分工的土地所有形态。此所有形态不是由氏族共同分配为小块土地于私人（西方路径），而是由氏族公侯的共同体，在国家机关强化之际，走着土地国有的路径。文献有明白说明，这不是指后世封建，而是指文明社会的发生渊源。

考“土”字，殷末卜辞已有之，作，唯文甚少见。田字之例甚多，田乃供刍秣狩猎之用，专家已论证无疑，此与牧畜记载甚多的特征，共为殷代的可靠史实。农业

耕种为文明社会的先决条件，土字出现，是殷末在共同体的主要耕作方面，已经具有进到文明的要件。殷末距古代希腊罗马的历史，远过近一千年，正如“批判”所言，希腊代表正常的小孩，其他氏族当古代营养不良与早熟的小孩。殷末周初的文明史，我以为是早熟的历史。土字见于卜辞，王国维先生最初释社土之义，说：

卜辞有外祭二事，其一曰：“贞燎于土，三小牢，卯一牛，沈十牛。”其二曰：“贞 × 年于邦土。”案土即今隶土字。卜辞假为社字。《诗·大雅》“乃立冢土”，传云，冢土大社也。《商颂》，“宅殷土茫茫”，《史记·世表》引作“殷社茫茫”。公羊僖十一年传，“诸侯祭土”，何注，土谓社也。是古固以土为社矣。邦土即邦社。《说文解字》，邦之古文作𡵓，其字从㞢，不合六书之指，乃𡵓之伪。土从田，丰声，与邦之从邑，籀文杜之从丰耒声者同。邦社即祭法之国社，汉人讳邦，改为国社，古当称邦社也。(《遗书·殷礼征文》。按王氏邦封一字之说，凡见三处，《古籀疏证》与《散氏盘考释》中，皆可参考。)

关于殷代进入文明社会的步骤，材料还不充足，唯邦土连称，似未能释社土之义。卜辞中封邑对言，以及殷末的二王称帝，说明了殷末可能在“土地耕种，最初是由氏族共同体来进行”，因为做族长的王“相田”，“观黍”，正是公共利益的领导职能。虽然卜辞记载的祭祀先公先王的宝贵材料，证明着共同体的祖先崇拜之义，但做当时所谓邦邑的王确是具有了文明将至的权力要素，从印度到爱尔兰，都有如此萌芽形态。这里必须要知道的是，这一萌芽形态无论如何文明不过希腊的王政时代（即共同体的耕种制度）。

如果土字释社，则殷代已经有土地的所有问题，因此王氏之文颇引人怀疑，后查王著《殷卜辞所见先公先王考》，始知王氏已将旧说改正，谓土字假为社，前释非是，应订为相土先王之名，其言曰：

殷墟卜辞有土字，其文曰“贞燎于土三小牢，卯一牛”。又曰：“贞，求年于土，九牛。”又曰：“贞，×燎于土。”又曰：“贞，于土求。”土即土字，盂鼎“受民受疆土”之土作土。卜辞用刀契，不能作肥笔，故空其中作土，犹天字之作天，□作口矣。土疑即相土。《史记·殷本纪》，契卒子昭明立，昭明卒子相土立。相土之字，《诗·商颂》，《春秋左氏传》，《世本帝系》篇，皆作土。……卜辞之土，当即相土。曩以卜辞有邦土字，即邦社，假土为社，疑诸土字皆社之假借字；今观卜辞中殷之先公有季，有王亥，王恒，又自上甲至于主癸，无一不见于卜辞，则此土亦当为相土，而非社也。

上说至确，读后甚觉一学人之真理探求，立说不易，订说更不易，而先公先王考，殊足称为名文。由此我们可以进一步研究殷周之际的制度转化问题，更引人深入。王氏有一名句云："中国政治与文化之变革，莫剧于殷周之际，都邑者，政治与文化之标征也。"好一个合于科学的断言！然而现在还有人引此作为周代封建成立之证例，似对于文明起源，缺少了解。王氏文中常论到周代"封建"，此为一木之障，未损学人，若知森林之盛，见木便知其是一个后人所加的名字，最初之木在广大森林里，并未矫揉。封建之说亦然。

所以，我们勿须孤章地断判材料。例如卜辞中有奚仆臣奴等字，若因这些字就说奴隶社会在此，则甚短视。原奴隶之发生，远在野蛮中期已经非特征地使用了，殷末卜辞的族奴出现，很不奇异，我们应该看他的特征，例如卜辞中言战争斩伐者可以数千计，而俘获的记载至多不过十五、十六人，由这里，就可以知道殷末还不能特征地使用新的劳动力。“分工的最简单的自然的形式正是古典制。在古代特别是在古时希腊的历史条件之下，……社会的转变，是只能在古典制形之丘下来完成的。就是在奴隶本身看来，那也是一种进步。战时俘虏，为多数奴隶的来源，此种俘虏，以硬硬杀死或被烧死，现在至少可以保留性命了。”“从前不懂得俘虏，故把他杀死，或做祭品，现在明白了他可生产他必要消费以上的东西，故渐渐知道使用新劳动力了。”

殷周社会之不同，王国维先生已概乎言之，他说：

殷周间之大变革，自其表言之，不过一姓一家之兴亡，与都邑之移转（按此指东土与西土之别），自其里言之，则旧制度废，而新制度兴，旧文化废而新文化兴。又自其表言之，则古圣人之所以取天下及所以守之者，若无以异于后世之帝王，而自其里言之，则其制度文物与其立制之本意，乃出于万世治安之大计，其心术与规摹，迥非后世帝王所能梦见也。(《殷周制度论》)

我们的研究便是不自其表而自其里，要看出制度文化所兴废的具体路径。就拿战争的俘获而论，周制便显然和以上所言的殷制不同，已经知道了文化是在劳动力的新改变上始可能，见于金文者如下：

成王时代的周器令殷：“姜赏令贝十朋，臣十家，鬲百人。”

康王时代的周器周公毁：“锡臣三品，州人，策人，军 × 人。”（指所锡者为三族人。）

同时代的周器大盂鼎：“锡汝邦□四百，人鬲（即民献）自至于庶人六百又五十九夫。……锡夷□王臣十又三百，人鬲千又五十夫。”（臣字王国维亦云，古代臣字非如现代语，即灭国者，男为人臣，女为人妾之意。）

此项大量的人鬲，当指族人，小盂鼎即说明其由战争俘获的来源：“王□盂臣□□伐 × 方，□□□□□执兽三人（指酋长），获馘三千八百□二馘，俘人万三千八十一人，孚马□□匹，孚车十辆，孚牛三百五十五牛，羊二十八羊。……我征，执酋一，获馘百三十七馘，俘人□□□人。……

这洋洋大观的与牛马羊并数的俘虏，比卜辞所记十几个人的数目，适成了一个制度上不同的对比，他的新用途，在克鼎中已言之，锡了三族人，而云“耕”，且在锡田之后。其他金文明言锡田与锡人，而“用从乃事”。见于《左传》者，封鲁卫晋时，谓锡鲁殷民六族，卫七族，晋则怀性九宗（狄人）。王国维先生云：“《酒诰》云，唯天降命肇我民。天降命正与下文天降威相对为文。多方云天大降显休命于成汤是也。传以为天下教令者失之。天降命于君谓付以天下，君降命于民，则谓全其生命。《多士》云，朕来自奄，予大降尔四国民命。又云，乃有不用我降尔命，我乃其大罚殛之！盖四国之民与武庚为乱，成王不杀而迁之是重予性命也。传以民命为四国君，以降为杀，大失经旨矣。”（《与友人论诗书中成语书》）

按王氏此辨，甚确。全性命，重性命而不杀，正是周之所以异于殷的主要地方，学者尤应知之。东方文明的途径有二，一为族长的传统，二为战争的权力提高。关于第一项后文详言，关于第二项，王国维先生云：

殷时天子行幸田猎之地，见于卜辞者多至二百。虽周亦然（严格讲来，应谓周则不然），以彝器征之。……其言征伐者九。禽彝云：王伐无（许）侯。大保敦云：王伐录子。贞敦云：贞从王伐梁。乂伯彝云：又从王伐叛荆。无异敦云：王征南夷。唯叔鼎云：唯叔从王南征。噩侯鼎云：王南征角口，唯还征在杜，噩侯驭方纳 × 于王。宗周钟云：南服子敢陷虐我疆土，王 × 伐其至业伐乃都，服子乃遣间来逆邵王，南夷东夷具见廿有六邦。兮田盘云：王初格伐猃允于 ××。……其余未见纪录者亦可知矣。(《周时天子行幸征伐考》)

殷代之行幸田猎是与周代的征服对应。这样地由战争，促进了文明之路，扩大了社会的分业，故殷墟卜辞没有“民”“德”二字，而周代则不然，民为最要的文献，见于周代彝器者甚多，如大盂鼎云“匍有四方，× 正厥民”，“我其遹相先王受民受疆土”。克鼎云“惠于万民，扰远能 ×”。王国维先生慎重言之，他说：

由是制度（指周制），乃生典礼。……上自天子诸侯，下至大夫士，止无民与焉。所谓礼不下庶人是也。若然则周之政治但为天子诸侯卿大夫士设，而不为民设乎？曰非也，凡有天子诸侯卿大夫士者，以为民也。有制度典礼以治天子诸侯卿大夫士，使有恩以相洽，有义以相分，而“国家”之基定，争夺之焉。民之所求者，莫先于此矣。且古之所谓“国家”者，非徒政治之枢机，亦道德之枢机也。(枢机者，始意。系辞上传言:“见乎远，言行，君子之枢机也。枢机之发，荣辱之主也。”——作者注)使天子诸诸大夫士各奉其制度典礼，以亲亲尊尊贤贤，明男女之别于上，而民风化于下，此之谓治。……是故天子诸侯卿大夫士者，民之表也，制度典礼者，道德之器也。周人为政之精髓，实存于此。此非无征之说也，以经证之。《礼经》言治之迹者但言天子诸侯卿大夫士，而《尚书》言治之意者则唯言民,《康诰》以下九篇，周之经论，天下之道，胥在焉，其书皆以民为言,《召诰》一篇言之尤为反复详尽。曰命曰天曰民曰德，四者一以贯之。其言曰:“天亦哀于四方民，其眷命用懋，王其疾敬德。”又曰:“欲王以小民受天永命。”且其所谓德者又非徒仁民之谓，必天子自纳于德而使民则之。故曰:“其唯王勿以小民淫用非彝。”又曰:“其唯王在德元，小民乃唯刑用于天下，越王显。”……故其所以祈永天命者，乃在德与民二字。……文武周公所以治天下之精义大法胥在于此。故知周之制度典礼，实皆为道德而设，而制度典礼之专及大夫士以上者，亦未始不为民设也。(《殷周制度论》)

这是一段有价值的名文，堪与先秦诸子中荀子法后王的王制论相当，除开其理想部分，朴素性亦与荀子的周制图案相映忠实。民与德二字实在是文武周公的大法，事实上民德二字亦为殷人文献所无，唯周初文明史的特色，亦唯周代文献中才发现此二字。郭鼎堂先生关于“德”字，在《先秦天道观之进展》一书中有很多发挥，似从王氏的启发而来。这里，应注意者（一）德字出现，郭先生只了解到一面，即与天对立的敬德人事的一面。而还有其他一面则为文明社会权利与义务二者分离所发生的社会力量。在从前为自然力的祖先神帝，现在则出现了社会的属性。“每个宗教，仅是在日常生活中支配人们的外界力量在人头脑中之幻想的反映，在这反映中，人间的力量，采取了人间力量的形式。在历史初期，自然力首先造成这样的反映。……可是很快地在自然力之外，出现了社会的力，这种力量，……最初在人看来，也是和自然力一样的不可思议，它也和自然力一样，以表面上的自然的必然，支配于人类之上。起初时表示自然神秘力的幻想形式，现在获得了社会的属性，而成为历史力量的代表者。在更进一层的发展阶段，多数神的自然属性与社会属性之整个综合，转移到一个万能之神上，这个唯一神，反过来只是抽象人的反映。”周代先王与上帝的分离，复由先王表示出的社会属性，即“德”字的发现源泉。周代的“典礼”是特殊的路径，与希腊的法律不同，故希腊的道德观念是以“平等”的形式出现，而“典礼”则以“专及”的形式出现，因此“德”字成为非国民的，而为公族君子的。（二）德字的出现是与“孝”字同时，如金文中的“享孝先王”，周书中的“享孝前文人”，《诗经》中的“以享以孝”，“孝思维则”。德以对天，孝以对祖，思维史与历史甚为适应。这点将在后面详论。

今根据王氏所举周书《康诰》以下九篇之“民”例，再择要列举如下：

民情大可见，小人难保，往乃尽心，无康好逸豫，乃其乂（此字王氏以金文之“薛”字释）民。（《康诰》）

天唯与我民彝大泯乱，曰，乃其由文王作罚，刑兹无赦。（同上）

今民罔迪不适，……今唯民不静，……唯厥罪，无在大，亦无在多。（同上）

听朕告汝，乃以殷民世享。（同上）

天非虐，唯民自速辜。……人无于水监，当于民监。……群饮，汝勿佚，尽执拘以归于周，予其杀！（《酒诰》）

厥乱为民。……皇天既付中国民，越厥疆土于先王，肆王唯德用，和怿先后迷民，用怿先王受命。……唯王子子孙孙永保民。（《梓材》）

诞保文武受民，乱为四辅。……承保乃文祖受命民。（《洛诰》）

昔朕来自奄，予大降尔四国民命，我乃明致天罚，移尔遐逖，比事我宗多逊。（《多士》）

以上所举民事皆在王氏所云周书九篇范围之内，其云民乱而不听教致罚致杀，以及受民享民，大罚殷民移居洛逖而臣事周宗，此义王氏已在他处言之，但亦确是所谓“文武周公治天下之精义大法”。这和王氏的原则并不相违。

以上就劳动力而言。再生产手段讲来，殷周制度的变革，亦可看出其间的转化“里面”来。

殷墟卜辞之土字，为相土，乃殷先王之名，故土字尚非邦土的意思。卜辞中有田字甚多，而田乃释田猎刍牧之用者，亦非土地生产手段。

周代的材料，在土地所有形态上便有了信征文献，作为独立化的国家机关之转变而为“东方的王与诸侯”，亦可以清楚地看出来的。

邦土二字连用。如周书《吕刑》云：

王曰，吁，来，有邦有土。

《酒诰》云：

乃穆考文王，肇国在西土。

《召诰》云：

王来绍上帝，自服于土中，且曰，其作大邑，其自时配皇天。

邦、国、邑，古文同义，作新大邑，亦称东国洛。这说明土地所有的经营是作邦肇国的要件。

就字源上研究，邦邑在卜辞中亦仅少例地出现过，但是封邦同字，如“王封邑，帝若”，仅为树木分界的原始义。周器中有国字为常见的字，作或，从戈从口，口与土同。“或”亦转为“域”，加从土字。邦字与封字卜辞同字，邦字从田丰声，丰系封之原字，象以树木分疆界，邑字从口从巴，从口与从土同，巴则象虫，表示奴隶劳动力。邦邑二字皆说明文明社会的分业，古无分别之分字，邦封即分别之原字，如庄子《齐物论》犹云“古之人，未始有封”，“夫道未始有封，言未始有常，为是而有畛也。请言其畛，有左有右，有伦有义，有分有辩，有竞有争，此之谓八德”。金文散氏盘封字作丰，王国维先生云：“从丯从艹，意亦同封也。封者封土为界，周礼地官有封人。”（《盘释》）邑字在文献史上多转为会意字，作阝，凡在部落的土地上进至国家的成立，都在部落的原名上加以邑字。甚至在金文中尚有国字的其他变形，作阝或者，如师寰氏。例如，郯国在金文中为“炎”，春秋称郯，郐国原作会（员卣），郑国原作酉（郑义伯匜），邢国原作井（周公敦），邪，鄂原作噩（噩侯鼎），邛国即江黄之江（伯盏簠），蛞国即都国（都公放人钟），莒国即膚（膚太史申鼎），邓国即异（邓盂壶），许国即邧（许子钟），鄫国即曾（曾太保盆），邾国原作鼄（宋公䡾钟），邿国作寺（寺伯鼎），其他如鄴国之为莱为厘，燕国之转为郾，皆是。这些国家都是在“邑”的分业形态上成立起来，且作邑皆就其共同体的废墟原名转化而来，如奠，蜡，噩，莱，其一望而知为氏族共同体以前的图腾部落名字。周初镐京，亦国邑之名，荀子书中作滈，或作鄗，亦从邑。

邦、国、邑之以“土”为内容，不论字源与文献都甚一致。邦土二字甚至有时同义。例如周书《酒诰》云：

王若曰，明大命于妹邦。……唯曰（文王）我民迪小子，唯土物爱。……聪听祖考之彝训。……妹土，嗣尔股肱，纯其艺黍稷，奔走事厥考厥长。

妹邦亦称妹土，与《康诰》言新大邑东国洛亦谓东土相同（肆汝小子封，在兹东土），《洛诰》则谓“大相东土，其基作民明辟”，《大诰》言周邦亦谓西土（即命曰，有大艰于西土）；《诗·大雅》嵩高言“南邦是式”，亦云“南土是保”，常武言“惠此南国”，亦云“省此徐土”。

文明社会之邦土不可分离，乃为历史的必然，没有这个分业的发生，即没有文明。《酒诰》所言甚为明白，靠你们的手足，好好地种耕黍稷，拥戴你们的氏族长。《商颂》（颂宋襄公）所传，“宅殷土茫茫，正域彼四方”，域即国字，与邦同。《鲁颂》所传“是生后稷……奄有下国，俾民稼穑，有稷有黍，有稻有秬，奄有下土，缵禹之绪”。下国与下土同言“奄有”。缵禹之绪者，正所谓因了公共利益的水源监督与治理，赋与着社会职能，这种职能神话由禹为起始，后来即承继此绪，转化而为超出社会公共利益而上的权力。中国古代虽不是热带地方，但在黄河流域的黄土地带，亦有此早熟的条件。春秋金文齐侯镈钟，上言“余锡汝厘都□□其□二百，命汝辞辪厘邑，造国徒四千为汝敌寮。……余锡汝……厘仆三百又五十家”。下即言“咸有九洲，处禹之堵”。国家成立的路径，都是与公共的水流治理的职务，有着传统。共同体的耕作转化而为进步的分业，城市与农村的分野，显然可见。“最初的大规模的分业，是城市与农村的分离”。

上面所言邦土者还是一般的特征，我们主要应研究东方路径那些转化的特别问题。第一，土地所有的形态如何发展，第二，土地与城市的关系如何建立，第三，氏族传统如何延续于文明社会。

第一，西周土地所有形态是国有的，所谓：“普天之下，莫非王土，率土之滨，莫非王臣。”见于金文，大盂鼎云："雩我其遹相先王受民受疆土。"宗周钟云："王遹相文武堇疆土。服子敢陷虐我土，王滆伐其至，戮伐厥都。"是受土之文为周初特征，为卜辞所无。受土亦即土地所有。其形态则云先王所受于天者。西周金文指先王为文武，因为周书所云"文王肇国在西土"。盂鼎亦云："丕显玟王，受天有大命，在武王嗣玟作邦，阙闢慝，匍有四方，畯正厥民。"这都被王氏所证明的。

周器，沈子敦，记载沈子克，休以肇田，下言"用飨已公，用已多公，……沈子唯福"。宗周钟记载"疆土"，下言"用邵各（恪）丕显祖考先王。其严在上，熊熊丰丰，降余多福"。这已说明土地的氏族宗长专有制。

周书《唐诰》云：

我西土唯时怙冒，闻于上帝，帝休，天乃大命文王，殪戎殷，诞受厥命，越厥邦厥民唯时叙。

《梓材》云：

皇天既付中国民，越厥疆土于先王。

《大诰》云：

予曷其极卜，敢弗于从，率宁（文）人有指疆土。

这都是文明的周制“有邦有土”的明证。如果失土则如殷民迁洛邑，离土即谓失国。《多方》云：

凡民唯曰不享，尔如唯逸唯颇，大远王命。则唯尔多方探天之威，我则致天之罚，离逖尔土。

所谓“国君之富以地对”，颇具古制之义。故《诗·小雅》所谓“公田”，乃与甫田大田相同，公谓公族公孙之公，显非公私相对之公。《墨经》云，“贵者公”，公即云贵族之谓。

因了土地所有是国有形态，所以云：“营国，左祖右社。”“用命赏于祖，不用命戮于社。”“建国之神位，右社稷而左祖庙。”

所谓祖天社地之说，似为晚周之文字，西周可靠文献没有地字，唯祖社的二元宗教思想，实在是土地没有私有的反映，如果在希腊的土地私有发展的社会，宗教思想便是多神的。古人言国言邦，亦有云社稷者，所谓社稷主即土地国有的经济上的说明，《说文》，社，地主也；《孝经》，讳社，土地之主也。

如上面所引文，在西方古代，“土地完全是由独立农民耕种的。显贵的氏族王公所有较大的土地采邑，是例外的，且很快就消灭了”。在古代东方则不然，进入了文明社会以后，氏族王公是在旧邦维新的路线上，进行着分业，这分业是以胜利的氏族与被俘获的氏族二者间的钳形为主要关系，而独立农民的土地支配反是例外的。这一经济上的原因，便促成了周代的宗法政治。《礼运》云：“天子有田以处其子孙，诸侯有国以处其子孙，大夫有采以处其子孙，是谓制度。”这颇接近事实。

第二，其次我们研究殷末周初城市与农村的第一次分离关系，看它是城市支配农村的古代制呢，还是农村支配城市的封建制呢？

没有土地的耕作，没有前行阶段共同体经营的土地耕作，那是不会发生文明的城市——国家。

正如王氏所言，“都邑者，政治与文化之标征也”。唯王氏之了解都邑或城市者有限，其言殷周制度之不同，谓都邑有东方西方之别，实未能说明其所谓“政治文物所自出之都邑”的意义。商代“不常厥邑”，史称汤以前凡八迁，而阳甲前后五迁，这说明阳甲以前的游牧生活固不能发生都市。自阳甲以后十二帝，定居于殷，亦没有显明材料断为国家之成立。要知道今人之今日与明日，实可当古人之千年过往，常识上看来，飞跃不得。就历史学而论，古人定居时代，“从印度到爱尔兰”都无例外地顺走一个阶段，那便是所谓“绝大面积的耕种，是由氏族或农村共同体来进行的”，在希腊这个阶段是所谓文明的前行阶段，谓之“英雄时代”，在罗马谓之“王政时代”。它们都经过了长期的转变，才跃进文明的大门。迁殷以后的商代，以“兄终弟及”而言，“祖妣特祭”而言，以农村共同体的家族父长制为其骨干，在历史的进程中，无论如何，越不出英雄时代与王政时代的历史。除非说中国的历史进程是跳跃的，无农村共同体经营农业的阶段。过去学人对此多不经意，故有裁植历史的错误。商代万方（国）林立，灭国之盛，于周始见，这是指明在经济上没有分业文明的基础，是不需要灭国俘获的劳动力源水，这点又被王国维先生说出一线痕迹来：

周之克殷，灭国五十，又其遗民或迁之洛邑，或分之鲁卫诸国；而殷人所伐，不过韦顾，昆吾，且豕韦之后，仍为商伯，昆吾虽亡，而己姓之国，仍存于商周之世。书《多士》云，夏迪在简王廷，有服在百僚。当属

事实。故夏殷间政治与文物之变革，不似殷周间之激烈矣。(《殷周制度论》)

上面殷代难以灭国而周代大量灭国之材料如果和“起源论”的原则加以比对，更可判断殷周制度之分水界：在氏族制时代，“战争的结果，虽可把种族破坏，但决不能把它征服。氏族制内没有容纳支配与隶属关系的任何余地，这是它可贵的所在，亦是它受限制的所在”。

考卜辞有字，王氏释墉字。周器中始出城字，虢仲敦作，虢遣生敦作，散氏盘作，邵钟有堵字从墉（《小雅》云，百堵皆作），是周初城字从庸，从成。王氏云：

亭，古文墉字，小篆以为城郭，失之矣。以是言之，召伯虎敦之仆庸土田，即《诗·鲁颂》之“土田附庸”，左氏传之“土田陪敦”（古仆附陪三字同音，附作仆作陪者，声之通，庸作敦者字之误也）。(《毛公鼎铭考释》)

按《鲁颂》原文为：“乃命鲁侯，俾侯于东，锡之山川，土田附庸。”

按左氏传原文为：“分鲁公……殷氏六族，条氏，徐氏，萧氏，索氏，长勺氏，尾勺氏，使帅其宗氏，辑其分族，将其类丑，以法则周公，用即命于鲁，是使之职事于鲁，以昭周公之德。分之土田陪敦，祝宗卜史，备物典册。……分康叔……殷民七族……封畛土略，自武父以南及圃田之北境，取于有阎之土，以共王职，取于相土之东都，以会王之东搜，聃季受土，陶叔受民。……启以商政，疆以周索（法）。”

受土受民，政则以商，法则以商。政为氏族共同体，周代为政在“故旧”，故沿商之旧习。而疆土之制，则周为创始，故用周索。前者“人唯求旧”，后者为“器唯求新”。

上文所指正是筑域，城市与农村的分离。所谓“土田附庸”，“土田陪敦”，“封畛土略”，证之诗言更确。

《大雅·崧高》，上言“王命申伯，式是南邦，因是谢人，以作尔庸”，下言“有俶其域，宗庙既成”。《韩奕》上言“溥彼韩城，燕师所完”，下言“实庸实壑，实亩实籍”。《江汉》，上言“彻我疆土，……于疆于理”，下言“锡山土田”。《蒸民》，上言“出征”，下言“城彼东方”。故庸字之与成合字，即建城而封略城市与农村的原始意义，郭沫若先生释“仆庸土田”之说至确，可补王氏之阙。

“建邦启土”虽为后人之说，颇合事实。古邦封字，故邦在建立过程中即为封，封建者即国家之起源也。古城国二字一义，国作或，从戈从土，与城之从戈从土相似。所谓“大宗维翰”，“宗子维城”，即言有国。周公营洛，即筑洛城，亦名之曰“东国洛”。城市与农村之分离，谓之“体国经野”，或云“都鄙有章”。自文王“作邦”，“肇国”以来，文明才在历史上有了始基。野鄙农村之为城市支配，证以“君子居国”，“小人狎野”之说，明甚。《国风·唐风》云：“葛生蒙楚，蔹蔓于野，……蔹蔓于域。”域即国字，国野对言。

然而，城市之在古代东方，开始并不像近代的样子，《书翰集》言：

像德尔希或阿格拉那样的城市全体，几乎是靠民兵而生活的。当国王于某一期间出征战场时，城市即有随之迁移的必要。因此，这种城市，决不是而且也不能是巴黎的都市，不过是较原来的荒野设备得稍舒适一点之野营而已。

中国古代城市，亦云“纠纠武夫，公侯干城”。在当时“王事靡盬”之征战中，“迁国”成为常事。例如周室东迁以后，行至宗周的诗人咏句有“彼黍离离，彼稷之苗”，宗庙尽为禾黍。《诗·鄘风》言“诸侯城楚丘而封卫”，其作楚宫楚室，只有封树，尚无土墉，《左传》说当时狎于野之民亦至有限，“卫之遗民男女七百有三十人，益之以共剩之民为六千人”。

希腊古代的城市是基于经济的分业，故建立于土地私有的城市，必然发生城市的繁荣，而且在这样条件之下，城市因了经济的基础，决难有所谓迁移。在东方中国不然，“第二个形态，即古代的共同体财产或国家财产。这是多数种族因特殊契约或征服关系而集中于城市所产生的。在这场合，奴隶制度，依然存在”。所以，城市是“宗子维城”制，即宗法的，不是经济的。它虽然“之屏之翰，百辟（君）为宪”，统治着农村，而在“经济上则形成农村与城市特殊不可分裂的统一”，“经济制度的赘瘤”。原因，是氏族纽带，在城市为“振据公子，振振公姓，振振公族”，在鄙野为穑夫族人，《左传》所谓“帅其宗氏，辑其分族，将其类丑而职事”，周书所谓迁殷民于洛邑，降为穑夫，“比事我宗多逊”。故在制度上只有“氏所以别贵贱”，二元化的分工，而没有彻底由氏族单位转化而为地域单位。周代在后来“诸公子皆富”，大夫称为“富子”，正是因了城市在经济上的基础不坚固的缘故。周代进入文明，依了土田附庸，而又未地域化，路径颇为特殊，因此，在文献上所载，我们看到经济意义上的城市性质者绝少，而宗庙社稷意义上的城市性质者，所在多有。孔子说：

明乎郊社之礼，禘尝之义，治国（城）其如斯乎，示诸掌。

我们可以从宗庙之礼的殷周变革，便明白城市之“为国以礼”。城市与宗庙不可分，这是周代沿商代氏族共同体的遗制。商祀特盛，已有太室，周代作邦，在新制度上承继着旧制，所谓明堂。王国维先生云：

明堂之制既为古代宫室之通制，故宗庙之宫室亦如之。古宗庙之有太室，即足证其制与明堂无异。商卜文中两见“太室”，此殷宗庙之太室也。周则各庙皆有之。书《洛诰》，王入太室裸。王肃曰，太室清庙中央之室，此东都文王庙之太室也。……吴彝盖云，王在周成太室。

君夫敦盖云，王在周康宫太室。鬲从攸从鼎云，王在周康宫辟太室。曶鼎云，王在周穆王太室。伊敦云，王格穆太室。则成王康王穆王诸庙，皆有太室，不独文武庙矣。至太室四面各有一庙，亦得于古金文中证之。克钟云，王在周康剌宫（剌假为烈）。颂鼎云，王在周康邵宫。寰盘云，王在周康穆宫。望敦云，王在周康宫新宫。同在宗周之中，又同为康王之庙，而有昭穆烈新四宫，虽欲不视为一庙中之四堂，不可得也。（《明堂庙寝通考》）

由此可见古代城市中的内容，金文如此一再慎重言之，是宗庙之礼同时代替国法，而于经济则殊无关联。礼之发生亦然。孔子说，“治国以礼”，“道之以德，齐之以礼，有耻且格”。礼，据《论语》言，入太庙，每事问，可以知礼。殷墟卜辞有丰字，即祭器。“丰，从珏，在凵中，从豆乃会意字，而非象形字也。盛玉以奉神人之器，谓之曲若丰，推之而奉神人之酒醴，亦谓之醴，又推之而奉神人之事，通谓之礼。其初皆用曲若丰二字，其分化为醴礼二字，盖稍后矣。”（《观堂集林·释礼》）

所谓推之，盖在周初。《周颂·丰年》云：“为酒为醴，蒸畀祖妣，以享百礼，降福孔多。”周书《洛诰》云：“王肇称殷礼，祀于新邑，咸秩无文。”“惇宗将礼，称秩元祀，咸秩无文。”“未定于宗礼，亦未克敉公功。”上四例，一为周初盛大收获之后，丰年之颂，二为营洛邑成功之盛，三为周公诰伯禽受民受土之礼，皆古代——城市国家的大典，但此“神人之事”，却无经济的意味。

第三，欲知周人如何继承了殷人民族传统的遗制，必须研究因了共同利益委诸个别人身上的权力，如何在宗教的职能上，农业与水利的工作上，由社会公仆转化而为东方的王公诸侯。

关于灌溉制度的经营，实在是东方进入文明的一个自然路径。经营者的社会职能随了功德的地位而益加扩大，《诗》所谓“弈弈梁山，维禹甸之”，即此传说的性质。《大雅》泂酌章把灌溉经营者之职能崇敬而为“民之父母”，正是“宗之君之”的条件：

泂酌彼行潦，挹彼注兹，可以馎饎，岂弟君子，民之父母！

泂酌彼行潦，挹彼注兹，可以濯罍，岂弟君子，民之攸归！

洞酌彼行潦，挹彼注兹，可以濯溉，岂弟君子，民之攸塈！

《诗·鲁颂》以此职能推本后稷，云：

是生后稷，降之百福，黍稷重穋，稙稚菽麦，奄有下国，俾民稼穑，有稷有黍，有稻有秬，奄有下土，缵禹之绪。

《周颂》中言农业与文明的关系，其例如下：

天作高山，大王荒之，彼作矣，文王康之，彼岨矣岐，有夷（平）之行，子孙保之。(《天作》)

思文后稷，克配彼天，立我蒸民，莫匪尔极，贻我来牟（来字象形，小麦，牟大麦），帝命率育。……(《思文》)

嗟嗟保介，维莫之春，亦又何求，如何新畬。于皇来牟，将受厥明，明昭上帝，迄用康年，命我众人，庤乃钱镈，奄观铚艾（钱镈铚皆农具）。(《臣工》)

噫嘻成王，既昭假尔。率时农夫，播厥百谷，骏发尔私，终三十里，亦服尔耕，十千维耦。(《噫嘻》，私非私有之谓）

丰年多黍多稌（稻），亦有高廪，万亿及秭。……

(《丰年》)

载芟载柞，其耕泽泽，千耦其耘（大生产制），徂隰阻畛。侯主侯伯，侯亚侯旅，侯疆侯以（以谓可左右，土地皆公侯国有），有嗿其馌，思媚其妇，有依其士，有略其耜，俶（始）载（事）南亩。播厥百谷，实函斯活，驿驿其达，有厌其杰，厌厌其苗，绵县其麃，载获济济，有实其积。万亿及秭，为酒为醴，蒸畀祖妣，以洽百礼。有飶其香，邦家之光，有椒其馨、胡考之宁。……振古如兹。(《载芟》。此章为《周颂》之最大文章，与下面《良耜》合之，在《周颂》中为一件最支配的文献。)

畟畟良耜，俶载南亩，播厥百谷，实函斯活。或来瞻女，载筐及筥，其饷伊黍，其笠伊纠，其镈斯赵（刺），以薅荼蓼。荼蓼朽止，黍稷茂止。获之挃挃，积之栗栗，其崇如墉，其比如栉（所获），以开百室。百室盈止，妇子宁止。杀时犉牡，有捄其角，以似以续，续古之人。(《良耜》)

《周颂·清庙之什》十章，凡九十五句；《臣工之什》十章，凡一百零六句；《闵予小子之什》十章，凡一百三十六句，共三百三十七句。因此，我们作个统计与说明如下：

（A）每章最少者七句，最多者三十一句，次多者二十三句，其最多次多之章，即上文所举言农功的《载芟》,《良耜》二章。

（B）除上面所引诗，仍有《桓》章亦言及农事，而双关文句不计外，言农事者近一百一十句，占《周颂》全体的三分之一。

（C）各章文句多抽象，唯言农事之诗，十分具体，以《载芟》与《良耜》二章合观，关于土地所有的公有制，耕作的大生产制（为古代社会之一特征），以所获物而计财富之制（亦为特征之一），集体劳动力之使用制（千耦，百室），劳动工具之低级性，农业文明与氏族制度的接合性，都显明地讲出来，由此我们寻求农业共同体之转化而为东方王公诸侯之支配形态，颇具线索。这些材料，洵为古代中国的宝贵记载。

如果我们说在《大雅·文王》与《生民》二篇中显示了“作邦”的国家起源的宝贵文献，则《周颂》便是显示了农业文明的文献，其于中国古史具有重要性者，无待多言。

文王躬耕，周公明农，其前行过程如何，史料虽不完全，但《周颂》不失为一种可靠文献，《大雅·绵》章，《皇矣》章，《公刘》章，亦颇示出点发展。据金文之以先王文武开始，周书之称克明文武德，以及文王之作邦肇国，史实可证，文王实为文明社会的中国第一伟大人物。西文文化与农业二字，语源一致。中国讲农业的最早文献，首推《周颂》与《大雅》之《文王》与《生民》二篇，所谓“明明在下，赫赫在上”者，亦文王时代的文明，足以当之。所以王国维说：“古人言周制尚‘文’者，盖兼综数义而不专主一义之谓。”

东方的王公诸侯，没有封建的影子。封建一词，日文袭中国文而译西文的费地阿里斯模，复由日文之译语，贩入中国，于是两合，封建便出于西周。但亦要知道，日文袭“周虽旧邦，其命维新”之文，而规定了明治维新一语，此“维新”一字，则被人们在中国古代文献中遗忘了，其实，我们的祖宗在几千年前早已“维新”过一个时代。古代共同体的人不变，而其制度则变，这谓之文王维新。周代亲亲者属于不变，而其尊尊者则变了。“人惟求旧，器非求旧，唯新”之传说实指周人的制度精义。制度既成，乃如《大雅·卷阿》章所描写的：

伴奂尔游矣，优游尔休矣，岂弟君子，俾尔弥尔性，似先公酋矣。

尔土宇昄章，亦孔之厚矣。岂弟君子，俾尔弥尔性，百神尔主矣。

尔受命长矣，茀禄尔康矣。岂弟君子，俾尔弥尔性，纯嘏尔常矣。

有冯有翼，有孝有德，以引以翼，岂弟君子，四方为则。

“弥尔性”即金文“弥厥生”，犹言永命。公族君子之“诞作民主”（周书），其意甚明。王国维先生论这里，有三个特点，即：“周之所以定天下必自制度始矣。周人制度之大异于商者，一曰立子立嫡之制，由是而生宗法之制及丧服之制，并由是而生封建子弟之制，君天子臣诸侯之制。二曰庙数之制。三曰，同姓不婚之制，此数者皆周之所以纲纪天下。”(《殷周制度论》)

周人起始和殷人一样亦为氏族联盟，以姬姓氏族为中心，联合着曹姓，子姓，姜姓，己姓，姒姓，任姓诸族，与希腊罗马之家父长制时代相似。唯在一般的通例，盟主皆选出者，王国维说："商人无嫡庶之制故不能有宗法，借曰有之，不过合一族之人奉其族之贵且贤者而宗之，其所宗之人，固非一定而不可易，如周之大宗小宗也。"（《殷周制度论》）故商之继统，虽不似选举，而亦近于择长，"以弟及为主，而以子继辅之，无弟然后传子。自成汤至于帝辛三十帝中以弟继兄者凡十四帝（郭沫若订正为仅十一二帝传子），其以子继父者亦非兄之子而为弟之子"（同上）。由此而言，兄终弟及之制，实为家父长制，社会中虽有等级，但等级亦不过如希腊英雄时代之等级，基本上仍为共同体性。第一，因为凡在牧畜为主的社会，"其畜群财产必为共同体所共有"，殷墟卜辞既以卜田畜占据多数，则所有性质难超过共同体制。第二，史称殷人尚鬼，万事在卜，其祭祖之制正类于希腊罗马文明以前的"氏族祖先之共同祭典"，与"共同墓地"。王国维说："商人祀其先王，兄弟同礼，即先王兄弟之未立者，其礼亦同，是未尝有嫡庶之别也。"此外，殷先公先王皆特祭，王氏据先公二十二统计卜辞所见者，已详言之，"殷墟甲骨多文丁帝乙二代之物，上距王亥已二十世，卜辞中诸先公先王，以周制例之，在毁庙之列，而各有特祭，然则商世盖无庙祧坛墠之制，而于先公先王不以亲疏为厚薄也”(《殷礼征文》)。王氏断商代没有庙祧坛墠之制，可为治古史者一个文明程度的分水岭，那便是合族的“共同墓地”了，所谓“遍祀其先公先王者殷制也”。

据此，殷人的宗教祖先神，实为一元，帝与祖不分，这当是共同体的社会所自然而生的意识。按卜辞没有祀天之说，只有祀祖祀帝之记载。天字卜辞作，象人形，所以坟其首者，特著其所象之处，以后金文始作，别以一画，记其所象之处（见王氏《释天》)。故天字当为自然的。帝字卜辞作，象花萼，示生殖繁盛之义，与祖字象生殖者同。见于卜辞所祀之远祖，据王国维先生说，乃高祖夒，字有二形，象人首手足之形。王氏断为帝喾，帝舜，他说:“祭法，殷人禘喾，鲁语作殷人禘舜，舜亦当作夋，喾为启父，为商人所自出之帝，故商人禘之。卜辞称高祖夒，乃与王亥大乙同称，疑非喾不足以当之。”（详见《殷先公先王考》）据此，祖帝之义实一，指祖先神。又王氏云:“帝与祖者，亦诸帝之通称，卜辞曰，己卯卜贞，帝甲□□其众祖丁。案祖丁之前一帝

为沃甲，则帝甲即沃甲。又曰，祖辛一牛，祖甲一牛，祖丁一牛。案祖辛祖丁之间，唯有沃甲，则祖甲亦即沃甲。……（举例从略）然则商人自大父以上皆称曰祖。”（同上）

这种宗教生活，与周人之先祖与上帝（天）分立而配者不同。这里只反映了共同体的一致性，而上帝与天命的产生则为周人的建国思想了。王氏说商人无“封建”之事，实在说来，商人无“建邦”之事，盖邦封一字也。“商人兄弟相及，……自开国以来，无封建之事，矧在后世唯商末之微子箕子，先儒以微箕为二国名，然比干亦王子而无封，则微箕之为国名，亦未可遽定也。是以殷之亡，仅有一微子以存商祀，而中原除宋以外更无子姓之国，以商人兄弟相及之制推之，其效固应如是也。”（《殷周制度论》）

到了周初，显然地和上面所讲的殷制起了极大的变革，不但“作新民”（《康诰》）而为殷代所没有，其所谓“子子孙孙世享殷民”的记载，证之周器更为确实，而且政治上首创君臣之分。卜辞中称先王除通称祖帝而外，有通称“示”“后”之例。王国维先生多后之说可以参考，他解后字即毓字，象产子之形，如“王宾后祖乙”之例，即商人称先王为后之证。周人亦袭殷称，如《诗》《书》所谓“三后在天”，“三后成功”者是。唯周人不但在族祖先王之继承而已，而且氏族共同体之外更称天之子，天子，王氏云：

自殷以前天子诸侯君臣之分未定也，故当夏后之世，而殷之王亥王恒累叶称王，汤未放桀之前亦已称王，当商之末而周之文武亦称王，盖诸侯之于天子，犹后世诸侯之于盟主，未有君臣之分也。周初亦然，于牧誓大诰，皆称诸侯曰“友邦君”，是君臣之分亦未定也。逮克殷践奄，灭国数十，而新建之国皆其功臣昆弟甥舅，而鲁卫晋齐四国，又以王室至亲为东方大藩。夏殷以来古国，方之蔑矣，由是天子之尊，非复诸侯之长，而为诸侯之君。……此周初大一统之规模，实与其大居正之制度相待而成者也。

因此，王在古代为氏族联盟的盟主，甚合历史。然周代“天子之尊”，除了盟长而外，则更有其社会的职能，即“王”为共同体的领导者，而天子则为由“个别的支配者达到支配者阶级”，形式上盟主仍存，而实质上则“维新”了，即“亲亲而贵贵”。古人君臣的概念，非如后代封建的名分，仅具有“贵贱尊卑长幼”之性质，这文字形式首先要清楚的。其次，封国为周公以后的重要政治，这是指古代殖民，其“封建”之字亦后人所名，在周则谓作邑筑城，若晋之唐叔，鲁之伯禽，卫之康叔，亦在小盟主的资格之上邦有，土遂，有称君国。

周代宗法制度便是一个阶级社会维新制度，盟主而兼贵族。王氏云：

周人嫡庶之制本为天子诸侯继统法而设。……周初宗法，虽不可考，其见于七十子后学所述者则《丧服小记》曰：“别子为祖，继别为宗，继祢者为小宗，有五世而迁之宗，其继高祖者也。故祖迁于上，宗易于下，敬宗所以尊祖祢也。”……大传曰，君有合族之道。其在……《大雅》之《行苇》，序曰周家能内睦九族也。其诗曰，戚戚兄弟，莫远具迩，或肆之筵，或授之几。凡即《周礼》大宗伯所谓以饮食之礼亲宗族兄弟者，是天子之收族也。……天子虽无大宗之名，而有大宗之实。笃《公刘》之诗曰，食之饮之，君之宗之。传曰，为之君为之大宗也。《板》之诗曰，大宗维翰。传曰王者天下之大宗。又曰，宗子维城。笺曰，王者之嫡子，谓之宗子。……故唯在天子诸侯，则宗统与君统合，不必以宗名。

嫡庶者，尊尊之统也，由是而有宗法，其效及于政治者，则为天位之前定，同姓诸侯之封建，天子之尊严。……商人继统之法，不合尊尊之义，其祭法又无远迩尊卑之分，则于亲亲尊尊二义皆未当也。周人以尊尊之义经亲亲之义而立嫡庶之制，又以亲亲之义经尊尊之义而立庙制，此其所以为“文”也。(《殷周制度论》)

周代宗法制度，皆后人所述，尚无直接文献以为说明，但君统与宗统相合，尊尊与亲亲相合，由此而产生“氏所以别贵贱”，“刑不上大夫，礼不下庶人”之周礼精神，颇合史实（尊尊即阶级制）。

最后“宗教的职能”亦为东方文明进步的路径。商人的宗教为帝祖一致，已在上面讲过。周人则不然，褅相先王而外，产生敬天，尊上帝，配天命之宗教，是上帝与先王分离为二，复因先王克配上帝的道理，又结成一体。关于这点，金文与《诗》《书》中之材料甚多：

我唯司配皇天。（宗周钟）

丕显文武，皇天弘猒厥德，配我有周，膺受大命。……

肆皇天□□，临保我有周，丕巩先王配命。（毛公鼎）

丕显文王，受天有大命，在武王嗣文作邦。（盂鼎）

周书亦云：

唯我丕显考文王，克明德慎罚。……闻于上帝，帝休，天乃大命文王，殪戎殷，诞受厥命。（《康诰》）

乃穆考文王，肇国在西土，……朝夕曰，唯天降命肇我民，唯元祀。（《酒诰》）

周书亦云：

维天之命，于穆不已，于乎丕显，文王之德之纯。

昊天有成命，二后受之。

执竞武王，无竞维烈，丕显成康，上帝是皇。

将受厥明，昭明上帝。

这说明了因了宗教职能之扩大，于进入文明之际，作邦，作邑，受民，受土，使宗教职能的东西，变为宗教统治者，故《大雅》开首云：

文王在上，于昭于天。周虽旧邦，其命维新。有周丕显，帝命不时。文王陟降，在帝左右。

仅上帝与先王之配合，客观上的“大艰”（周书）难以克服，故又产生“天不可信”，“天难忱信”之说，在这里文明社会的道德律是必然的出现。德字之首见于周初文献者以此。王国维先生亦云：

夫一姓之福祚与万姓之福祚，是一非二，又知一姓万姓之福祚与其道德是一非二，故其所以祈天永命者，乃在德与民二字。……故知周之制度典礼，皆为道德而设，而制度典礼之专及大夫士以上者，亦未始不为民而设也。周之制度典礼，乃道德之器械，……此之谓民彝。其有不由此者，谓之非彝。《康诰》曰，勿用非谋非彝，《召诰》曰，其唯王勿以小民淫用非彝。非彝者，礼之所去，刑之所加也。……故曰“唯吊兹不于我政人得罪”，又曰“乃其由文王作罚，刑兹无赦”，其重民彝也。（同上）

王氏言殷周之兴亡，在于“有德与无德之兴亡，故克殷之后犹竞竞以德治为务”，实在讲来，在殷代并没有德字，而周代始成有德有彝者，盖历史的演化。要知道“道德是文明社会的产物”，王氏已经暗示出来了。

第三节　观堂古史疑决之诸范例

上节所发抒的古史知识，仅关于王氏在原则上的成就，不足以看出他的业迹全部。若欲详知其内容，请参看拙编《王国维古史考释集解》一书，今举重要的范例如下，略附说明，可以知道古史从他以后，董理颇有可能了。

（一）关于古代氏族制者

王氏有《殷礼征文》五篇，第一篇考殷人以日为名之由来，由卜辞研究断定："商人甲乙之号，盖为祭而设，而甲乙上所冠诸字，曰大、曰小、曰祖、曰帝，尤为后世追称之证。"按此说，颇当于希腊英雄时代之制度，共同体内部所奉的神，即氏族祖先，这时还没有如周人之天，帝观念。第二篇说明商先公先王皆特祭，断定："商世盖无庙祧坛墠之制，而于先王先公不以亲疏为厚薄也。"若然，城市与宗庙社稷无关，商世尚在氏族共同体之公共墓地时代，而城市与农村，并未分裂。第三篇说明商代祖妣特祭之制，与先公先王同，按此说可证二点，一为氏族内通婚犹存，以保留氏族财产；（《殷周制度论》云“商人六世以后或可通婚，而同姓不婚之制实自周始，女子称姓亦自周始”。）一为父权制之血统，而女子一定条件之下仍有继承权，与古希腊罗马进入文明时代的氏族制度相似。第四篇说明“殷祭”，多后之说，似为殷人氏族联盟的遗迹，不过开始集中于军事长罢了。第五篇说明殷人之外祭。按内祭指共同体之祖先崇拜制，而外祭则指社稷祭或国祭，他的论断主要以卜辞中祭“土”为据，而疑土为社字，因断为国祭。唯土字仅有二例，他说殷祭“大都内祭也”，外祭则颇为例外。然而这并不合于殷制，因为殷人既无庙祧坛埠之制，何得云有国祭社祭？所以他后来在《殷卜辞中所见先公先王考》中订正此说，值得我们佩服他决疑的精神，他说：

曩以卜辞有𡈼字，即邦社，假土为社，疑诸土字皆社字之假借字，今观卜辞中殷之先公有季，有王恒，有王亥，……则此土字当为相土，而非社矣。

他在《先公先王考》一名文中，论证“商人兄弟，无论长与幼已立未立，其名号典礼，盖无区别”，这说明了军事长之集中权尚未成熟，氏族联盟制度严密存在，所谓未立者，当即小氏族单位族长罢了。

他发现了一个卜辞中的人名，叫做夒者，这个人名象人首手足之形。他引《说文》夒（贪兽，母猴也）字，金文羞字，柔字作证，以声类求之，得此字即帝喾之名，果然，他后来在续考中发现了这个人名之上，有"高祖"字样，于是他的假定成立。这位高祖，是殷人所祭的最早祖先，著者以为正如"雅典氏族有从其想像上之祖先所由来之名称"，高祖帝喾足以当之。（郭沫若先生考为帝舜。）

王氏考殷人祖先的相土、王亥，称"相土作乘马，王亥作服牛，……祀典之隆，亦以其为制之圣人"，然考牛马之制的创作传说，应早于禹抑洪水，稷降嘉种，这是牧畜社会无疑，这时尚为共有财产，先民以祖先与其主要生产相联属，乃氏族制宗教的必然，甚合殷史。

又王氏说："卜辞言王亥者九，其二有祭日，皆以辛亥，与祭大乙用乙日，祭大甲用甲日同例。王亥确为殷人以辰为名之始，犹上甲微之为以日为名之始。然观殷人之名，即不用日辰者，亦取于时为多，自契以下，若昭明，若昌，若冥，皆含朝莫明晦之意，而王恒之名，亦取象于月弦，是以时为名或号者乃殷俗也。”

按此说颇重要，牧畜生产首先要测量气候明晦风雨之变化，世界史皆然。时间观念，在先民最早以气候的明晦为生活的要件，比昨日明日后来的观念更切要，殷人牧畜生产和朝莫明晦相连接，并与所崇拜的祖先相系称，不是偶然。甲乙日名的取名所以在后，盖已接近于庭园农业耕植之时代了（参看王氏《释朝莫》,《释昱》诸文）。其阶段则如王氏所云“商人以日为名号，乃成汤以后之事”。

王氏考上甲报乙报丙报丁诸殷先祖，说：

> 上甲之甲在□中，报乙、报丙、报丁之乙丙丁三字在匚或コ中，……意坛墠或郊宗石室之制，殷人已有行之者与？

按王氏此一疑问与他所云“商世无庙祧坛墠之制”不合。王氏由上甲之甲在□中，报乙报丙报丁之乙丙丁三字在匚コ中，因推想□与匚コ似有一定范围，此项推想甚锐敏，唯未可远涉，王氏在《明堂庙寝通考》中亦云“穴居野处，其情状余不敢知其为宫室也”。若据历史推想，则公共墓地乃未入于文明时代的特征，卜辞虽有室字，但不能断言宫室，故此处之口与匚コ，就其形状细审，仅为一定圈地之范篱，其当为公共墓地之最初区域的象形，更近情理。

他又说："商之先公，其世数虽传，而君数已不可考。又商人于先王先公之未立者，祀之与已立者同，故多至十有三示也。"

按传世数而不传君数，为后世史家以周例殷之说。王氏疑及上甲至示癸其间当有兄终弟及者，颇为善疑。因为父权族长之重个人能力而不重世代传承，史学已明其究竟。

王氏论及商人兄终弟及之制说："商之继统法，以弟及为主，而以子继辅之，无弟然后传子。……其传子者亦多传弟之子，而罕传兄之子，盖周时以嫡庶长幼为贵贱之制，商无有也。"

按商人之继统无长幼贵贱之制，而如何继统，或由推举一弟，或由一弟强据，史无明文，难以证明。然既以弟及为主，则族长个人之地位，因全族利害与个人能力为有理由，而因国家宗法者反无理由。故先公之祀典，即不在王位亦与先王同，是证盟族并存。王仅诸族最大之首长罢了。王氏亦云：

祖者大父以上诸先王之通称也，其称父某者亦然，父者诸父之通称。

商人称先王为后，……如后祖乙必为武乙。商诸帝名乙者六，除帝乙外，皆有祖乙之称，而加字以别之，是故高祖乙者谓大乙也，中宗祖乙者谓祖乙也，小祖乙者谓小乙也，武祖乙后祖乙者谓祖武乙也。卜辞君后之后，与先后之后，毓字，古为一字。

商先王亦称示，……诸臣亦称示，卜辞云，“癸酉卜右伊五示”，伊谓伊尹。

按父，祖，帝同称，是商共同体未破坏之宗教反映，非氏族共有制之下不易保存此种典章，与周人受土受民以后，帝祖分离，先王克配上帝之观念，适成对比。至于先王称示，且有大示，二示，三示，四示以及小示之别，甚合氏族联盟的制度，在这里区别联盟诸族的大小关系，故伊尹乃商人之一族长，后世以“臣”说者大误。最重要的是“多后”的考释。毓后原为母系族长之意，而为父权族长所沿用。由后的沿用始完全以王帝等字代替。王氏有《释天》一文，言帝字加一，即示在人之首，帝天王三字，在殷人固混一以言宗教。王字在卜辞中象大人形，非如前儒所谓“一贯三为王”之说，乃族员中之最高代表人。王字在西洋史亦然，王 Kuning，由 Kuni，Kunue 演化而来，义即氏族长。古希腊英雄时代之王（Basileus），其义亦为“由氏族所引出者”，与罗马王政时代之王（Rex）相当。至日耳曼语之王（Furst）则含第一人义，颇与后毓相似。在金文与《尚书》中尚多有“予一人”之王自称词，即日耳曼语第一人义。王氏另有《古诸侯称王说》，云：

世疑文王受命称王，不知古诸侯于境内称王，与称君称公无异（下引金文作证）。

所谓诸侯亦后人之称呼，不但殷人周人皆氏族盟主，而且其他徐楚之族亦然。此制虽到了春秋，犹在国家的形式之下保留遗迹，如救患恤灾的霸主盟约便是，而“兴灭国，继绝祀”的霸业，所以值得称赞者，即古代盟主的氏族制的遗绪。

（二）关于殷周制度之异同者

王氏殷周制度的研究，概见于上节所引之《殷周制度论》一名文，这里不再重复。他有《释礼》一文，以甲文丰字，即原始的礼字。他说：

盛玉奉神人之器谓之豊，若丰，推之而奉神人之酒醴亦谓之醴，又推之而奉人之事通谓之礼，其初当用豊若丰二字，其分化为醴礼二字，盖稍后矣。

按殷人尚鬼，故仅于文字上表现“丰”之祭祀盛玉器物，其崇祖先神之宗教意识，甚当其共同体制。而分化为醴或礼者乃为文明社会之尊爵，所谓“礼所以别贵贱”，所谓“礼贵者公（族）而贱者名”，此分化是周人的特点，又所谓“重礼尚文”者是也。《诗》言为酒为醴，《书》言惇宗将礼，故尊爵彝器，起于典礼之器。然在殷人书契中则无此尊卑礼制。以酒醴之酒而言，殷人为“群饮”，盖氏族成员之全体习惯，此在周书中痛斥殷族酗饮者可以知之。酒在周人不然，除敬受命之帝与配帝之先王外（见《酒诰》），在文献中仅表现于尊爵者之专有权利。醴礼二字的出现，所谓“礼不下庶人”者，即谓醴无庶人分享之的权利。墨子《明鬼》，特著鬼无上下之别，结论则云若无鬼，亦可共饮，“使鬼神诚亡，此犹可以合欢聚众，取亲于乡里”，可见“酒醴粢盛之财”，乃贵族的费用。

周金文中虽无礼字，但尊爵表示醴器至显，贵贱之由彝器所转化，亦无待说明。王国维云：

尊彝皆礼器之总名也。古人作器皆示作宝尊彝，或云作宝尊，或云作宝彝。然尊有大小之尊，有小共名之尊，又有专名之尊，彝则为共名而非专名。(《说彝》)

所以，尊者贵者表示为所谓“民彝”,“礼不下庶人”。王氏说：

民彝者……民之表也，制度典礼者，道德之器也。周人为政之精髓，实存于此。(《殷周制度论》)

商人不然，以礼表示尊贵之制完全没有影子，王氏据商句兵铭云：

三世兄弟之名先后骈列，无上下贵贱之别。……传子之制实自周始。……商人无嫡庶之制，……不过合一族之人贵且贤者而宗之，其所宗之人固非一定不可易。(同上)

据此，财产形态在周初，是以宗族制度为内容，私有实氏族贵者所有，学者名之曰“国有土地”。商人不然，继承之道，由其无为人后者为之子之制而言，知财产继承酷似希腊英雄时代之“氏族员相互继承，财产仍保留于氏族中”。商人虽有卿史之制，则亦是父权社会之通例，未可以周制拟之。据古史学，财产最初限于男系亲族（Agnati）所继承，犹殷无长幼贵贱之制，其后始限于亲生子孙及男系子孙，犹周初之嫡庶制。在社会仪式，商人群饮而无道德（群饮即贵贱尊卑之无名），被周人所骂，亦历史使然。

王氏又有《释史》一文，可作古代官制起源论看，他说：

史字从又持中，义为持书之人，与尹之从又持——（象笔形）者同义。……殷商以前，其官之尊卑不可知，……殷人卜辞，皆以史为事，是尚无事字。周始之器，如毛公鼎，番生敦，卿事作事，大史则作史，始别为二字。……古之官多由史出，殷周间，……毛公鼎……作卿事，殷墟卜辞作卿史；又天子诸侯之执政通称御事，而殷墟卜辞则称御史。……史之本义为持书之人，引申而为大官及庶官之称，又引申而为职事之称。……史吏事三者各需专字……此盖出于秦汉之际。（太炎《官制索隐》一文，可参看，大要见本书第十五章。）

按古代等级制度演出自父权族长制时代，学者不肯多读世界史，看了等级制度便以为有了什么理论根据，原亦可笑！所谓殷人卿史御史之名，不能超出这样等级制度，但亦为后来社会官名之所原本。古者个人特殊权力之源，在于战争与宗教，以中国古史成语而言，即“国之大事在戎与祀”，史者盖宗教之职，由持书之职与卜辞记载之文看来，“史之尊卑实不可考”。且史事不分，分工未成，而“持书之人引申而为大官庶官”，实在是周人的成就，与殷人仅服务于“戎与祀”的史职并不相涉。唯有一点要注意，即周人沿袭殷人的传统，史在殷人为氏族宗教“官”职，而在周人之尹氏则为宗法官职，具有殷人之遗典而加改良者，所谓殷人尚鬼，周人重礼尚文之别。殷人所以承继殷代的“典”者，即他在文明社会保存了氏族制度。

复次，王氏以都市为文明起源之说，命题至合科学。所以他常考释古代都市的起源，如《说商》云：

商之国号本于地名。……史称盘庚以后商改称殷，而遍搜卜辞，既不见殷字，又屡言入商。田游所至，曰往曰出，商独言入，可知文丁帝乙之世，虽居河北，国尚号商。（引罗说）且周书《多士》云，“肆予敢求尔于天邑商”，是帝辛武庚之居犹称商也。（下证宋，商为同义字）……

据“入商”之说至要，商人在殷末犹言商邱的地名，与田游往出相对而言，则城市的形式并不具备。国都与城市为同义语，古封邦一字，国城一字，城市的条件既未形成，则商人“不常厥居”虽在殷末亦有关系，其所在之处犹是商邱或商虚，周人谓之“天邑商”则更是后来的事了。

此外王氏有《说亳》，《说耿》，《说殷》诸文，亦考殷人的都市，但在这些文中，看不出都市的痕迹。关于周京，有“周莽京考”，其说尚待证明，唯他对于周人都市文明则有详说，他说：

中国政治文化之变革，莫剧于殷周之际，都市者政治与文化之标征也。……武王克纣之后，……作洛邑为东都，以临诸侯。……周之克殷，灭国五十，又其遗民，或迁之洛，或分之鲁卫周国。而殷人所伐不过韦顾昆吾，且豕韦之后仍为商伯，昆吾虽亡，而己姓之国仍存于商周之世。……殷周之大变革，自其表而言之，

不过一姓一家之兴亡与都市之转移，自其里言之，则旧制度废而新制度兴，旧文化废而新文化兴。(《殷周制度论》)

他这里实在是以都市之兴起，证明周人政治文化之新的大变革；其条件在于周人灭国甚多，能容纳他族之人或营洛或分赐，“子子孙孙，殷民世享”，与殷人不能灭国者显然不同，因此城市与农村的分裂才成功，产生了新制度，以“城市统治农村”。这新制度是什么呢？按“文王作邦”，“文王肇国”的文献而言，这新的城市标征，即古代城市文明国家的建立，而殷人是不够资格的。(上节已有说明)

他关于秦都亦有重要考证，他同样亦以为“观其都邑，而其国势从可知矣”，言秦人自文公始才开始建国，这样秦人始国仅在西周之末与春秋之初，他结论说：

大骆之起，远在陇西，非子邑秦，已稍近中国，庄公复得大骆故地，则又西徙，逮襄公伐戎，至岐，文公始逾陇而居汧渭之会，其未逾陇以前，殆与诸戎无异。……以秦之初起已在周畿之内者，殊失实也。(《秦都邑考》)

此说不易，拙作《由文字上所见之秦制考》一文有详尽说明，所谓秦人至汧渭之会，亦并非迁移都邑，实在是由不常厥居的游牧氏族，开宗明义“始国”，建立古代的文明，为期颇晚，故有异于古老氏族的礼制。

三联经典文库第二辑简目

《游击战教程》　明凡 / 著

《游击战术纲要》　陶剑青 / 编著

《汪精卫卖国的理论与实践》　钱俊瑞 / 著

《抗战以来》　韬奋 / 著

《陕行纪实》　楚云 / 著

《随军散记》　沙汀 / 著

《被日寇囚系半载记》　王研石 / 著

《倭营历险记》　房沧浪 / 著

《活跃的新西北》　田影 / 编著

《保卫华北的游击战》　刘清扬　陈北鸥等 / 著

《徐州突围》　《徐州突围》编委会 / 编

《沦亡的平津》　长江　小方等 / 著

《淞沪火线上》　胡兰畦等 / 著

《瞻回东战场》　长江　罗平等 / 著

《东线的撤退》　胡兰畦等 / 著

《抗战中的西北》　徐盈 / 著

《鲁闽风云》　徐盈等 / 著

《西线生活》　西北战地服务团集体创作

《中国解放区见闻》　［美］福尔曼著 / 朱进译

《全面抗战论》　潘汉年 / 著

《日本的间谍》　范士白自述 / 尊闻译

《日本大陆政策的真面目》　国难资料编辑社 / 编

《民众动员论》　李公朴 / 著

《中国外交史》　钱亦石 / 编著

《太平洋军事地理》　蒋震华 / 著

《世界经济地理讲话》　思慕 / 著

《列强军力论》　［德］马克斯·威纳尔著 / 宾符　仲持　梅益等译

《近代国际关系史》　张铁生 / 著

《太平洋现势手册》　沈志远　石啸冲 / 编著

《近代世界政治史》　钱亦石 / 著

《从战争到和平——一九四五年的世界政治》　乔木 / 著

《战后日本问题》　思慕 / 著

《最近一年间的国际动态（1946.7–1947.6）》　《东北日报》社 / 编

《论政党》　翟放 / 著

《法与宪法》　韩幽桐 / 编著

《中华民国宪法刍议》　罗家衡 / 著

《民主·宪法·人权——作之民》　费孝通 / 著

《宪法论初步》　潘念之 / 著

《对反民主的抗争》　韬奋 / 著

《农村改进的理论与实际》　江恒源 / 著

《上海产业与上海职工》（上下）　　朱邦兴　胡林阁　徐声 / 合编

《陶行知教育论文选辑》　　陶行知著 / 方与严编

《中国通货膨胀论》　　杨培新 / 著

《中国及其未完成的革命》　　H·普拉特著 / 蒋天佐译

《中国的建设问题与人的训练》　　卢作孚 / 著

《论中国特殊性及其他》　　艾思奇 / 著

《中国经济问题讲话》　　钱俊瑞　徐雪寒　王渔邨　姜君辰　骆耕漠 / 合著

《中国经济的道路》　　许涤新 / 著

《中国财政之病态及其批判》　　孙怀仁 / 著

《官僚资本论》　　许涤新 / 著

《五四运动之史的评价》　　陈端志 / 著

《中国通史简编》（上下）　　中国历史研究会　范文澜 / 主编

《论文学的工农兵方向——读〈在延安文艺座谈会上的讲话〉》　雪苇 / 著

《中国近代史（上编　第一分册）》　　武波 / 编著

《文学百题》　　傅东华 / 编

《中国史学之进化》　　周谷城 / 著

《论民族形式问题》　　胡风 / 著

《论批评》　　荃麟等 / 著

《中国史纲》（第一卷上下、第二卷上下）　　翦伯赞 / 著

《近代中国思想学说史》（1–4）　　侯外庐 / 著

《中国政治思想史》（上下）　吕振羽 / 著

《中国哲学史纲要》　向林冰 / 著

《中国政治史讲话》　钱亦石 / 著

《中国社会经济史纲》　王渔邨 / 著

《新财政学大纲》　千家驹 / 著

《太平天国革命运动论文集——金田起义百周年纪念》

华北大学历史研究室 / 编

《理性与自由——文化思想批评论文集》　胡绳 / 著

《战斗者的诗人》　黄药眠 / 著

《国语文法》　曹朴 / 著

《教育哲学》　张栗原 / 著

《妇女问题讲话》　杜君慧 / 著

《婚姻 · 子女 · 继承》　沙千里 / 著

《性教育新论》　布士克　雅各生合著 / 董秋斯译

《狱中杂感》　杜重远 / 著

《七人之狱》　沙千里 / 著

《爱迪生传》　伍况甫 / 译

《歌德自传》（上下）　歌德著 / 思慕译

《尼赫鲁自传》　[印度] 尼赫鲁著 / 毕来译

《列宁传》　[苏] 凯尔任采夫著 / 企程　朔望译

《罗斯福总统传》　C. Mackenzie 著 / 张尚之译

《托尔斯泰传》（1–3）　[英] 阿尔麦 · 莫德著 / 徐迟译

《革命文豪高尔基》　［美］亚历山大·康恩著 / 韬奋编译

《鲁迅纪念特辑》　新中国文艺社 / 编

《回忆鲁迅先生》　萧红 / 著

《人民文豪鲁迅》　平心 / 著

《亡友鲁迅印象记》　许寿裳 / 著

《鲁迅思想研究》　何干之 / 著

《鲁迅研究》　夏征农 / 编

《过来的时代：鲁迅论及其他》　雪峰 / 著

《电影戏剧表演术》　洪深 / 著

《日常心理漫谈》　［美］约瑟夫·查斯特罗著 / 曾宝菡译

《心理常识漫话》　朱智贤　杨云美 / 著

《读书的方法与经验》　王任叔 / 著

《美国黑人生活纪实》　［美］加德维尔　斯坦倍克著 / 董秋斯译

《初访美国》　费孝通 / 著

《事业与成功》　［美］马尔腾著 / 汪原放译

《萍踪寄语（初集）》　韬奋 / 著

《一生的幸福前途——〈生活周刊〉信箱选集》　生活书店 / 编选

《深刻的印象》　生活周刊社 / 编

《海外的感受》　生活书店编译所 / 编

ISBN 978-7-108-04673-4
定价：168.00元